DATE DUE
D0571655

Œuvres Esthétiques

Gravure de Saint-Aubin (1766),
d’après un pastel de Greuze.

Diderot

Œuvres Esthétiques

Éditions Garnier Frères
6, Rue des Saints-Pères, Paris

Textes établis, avec introductions,
bibliographies, notes et
relevés de variantes,
par

Paul Vernière

Professeur à la Faculté des Lettres
de Bordeaux

Édition illustrée
de 23 reproductions

CE VOLUME CONTIENT :

INTRODUCTION

QUI *dira les vocations de Diderot, toutes les vocations? Depuis la tonsure de 1726 et la maîtrise ès arts de 1732, il s'est vu carme, chartreux, et sulpicien avec frère Ange, mathématicien avec Prémontval, romancier libertin avec Caylus et Fougeret de Montbron, « feuilliste » avec l'abbé Desfontaines, musicologue avec Rousseau, moraliste avec Toussaint et Duclos, traducteur avec Eidous, poète même avec Baculard d'Arnaud. S'il devint philosophe, c'est que le manteau de la philosophie était large au siècle des lumières.*

Nous avons eu ailleurs l'ambition de présenter Diderot philosophe; il y avait mauvaise grâce à lui refuser un titre dans lequel il mit tout son orgueil. Mais Diderot eut-il jamais la vocation de l'art? Il semble que le domaine propre de l'esthétique, qu'elle soit jugement, jouissance ou création, soit le domaine du silence, de l'émotion sourde, de la contemplation; maîtrise consciente ou sensibilité contrôlée, ce ne sont pas les qualités naturelles de Diderot. Si le goût est le produit d'une civilisation très évoluée et, comme dit R. *Naves,* « une politesse qui se prend dans les très vieilles capitales », *Diderot n'est pas homme de goût; il n'aura jamais le loisir ni l'envie de le devenir. Avant d'être gentilhomme de la Chambre, Voltaire avait connu Saint-Ange, Sully et Sceaux : Diderot demeurera longtemps, loin des salons, limité au décor sordide d'un quartier populaire. Rien ne prédisposait donc notre philosophe à devenir homme de théâtre ou critique d'art : d'où ses préjugés, ses limites, ses échecs, mais aussi l'incomparable fraîcheur de ses découvertes.*

***

Ut pictura theatrum : *pour le théâtre comme pour la peinture, il est en effet deux approches. L'une est ingénue, naturelle, procède par contact et par imprégnation; elle mène aux tréteaux, aux coulisses, aux ateliers, chez les acteurs et les actrices, chez les marchands de tableaux et les amateurs d'estampes : c'est l'approche du véritable artiste, du connaisseur. L'autre est intellectuelle et volontiers dogmatique; elle passe par le Livre et les autorités, invoque Bouhours, Rollin, l'abbé Batteux et le père André : c'est l'approche du philosophe et quelquefois du pédant. Ce fut longtemps celle de Diderot. Comparons un instant Diderot avec Claude Gillot, qui lui aussi vint de Langres une génération plus tôt. Le maître de Watteau était un artiste inculte; le clerc Diderot, malgré ses ébats sauvages, conservait le robuste humanisme de ses éducateurs jésuites. Gillot n'accédait pas aux grandes idées, mais peignait en poète les premières fêtes galantes; Diderot ne goûtera jamais Watteau. Gillot, féru de théâtre, se mêlait à la troupe de Riccoboni rappelée par le Régent, et dessinait en frises fantaisistes les visages et les costumes de la Comédie Italienne; Diderot ignore les Italiens et va d'emblée aux Français retrouver ses souvenirs d'école. Quel est l'artiste? Gillot certes. Diderot devra tout découvrir, lentement, péniblement. Il lui faudra se défaire d'une rhétorique pesante, se détacher d'admirations convenues, renoncer au ton « décisionnaire » qui cache en vain la modestie de l'expérience, établir enfin des contacts avec ceux qui, vivant de l'art, en sont les vrais mainteneurs : les comédiens et les peintres.*

***

Point n'est besoin d'être ancien élève du père Porée pour goûter le théâtre. Il suffit d'être jeune et pauvre et de trouver sur la scène cette féerie que la vie vous refuse : l'accord de la beauté, de l'intelligence et du luxe. Diderot nous a peint cette exaltation d'adolescence : « Je balançais entre la Sorbonne et la Comédie. J'allais, en hiver, par la saison la plus rigoureuse, réciter à haute voix les rôles de Molière et de Corneille dans les allées solitaires du Luxembourg. Quel était mon projet? D'être applaudi? Peut-être. De vivre familièrement avec les femmes de théâtre, que je trouvais infiniment aimables et que je savais très faciles? Assurément » (*A.T., t. VIII, p.* 398). *Heure favorable que cette bohème de dix ans à laquelle mettra bon ordre en* 1742 *la lingère Antoinette Champion :*

Nos théâtres étaient des lieux de tumulte. Les têtes les plus froides s'échauffaient en y entrant et les hommes sensés y partageaient plus ou moins le transport des fous. On s'agitait, on se remuait, on se poussait ; l'âme était mise hors d'elle-même. La pièce commençait avec peine, était souvent interrompue ; mais survenait-il un bel endroit, c'était un fracas incroyable, les *bis* se redemandaient sans fin ; on s'enthousiasmait de l'acteur et de l'actrice. L'engouement passait du parterre à l'amphithéâtre et aux loges. On était arrivé avec chaleur, on s'en retournait dans l'ivresse ; c'était comme un orage qui allait se dissiper au loin...

Aux Français, deux acteurs sublimes : Quinault Dufresne, « l'impérieux », *qui triomphe en* 1732 *dans* Le Glorieux *de Destouches et se retire en* 1741 *; Montmesnil* « l'inimitable », *le fils de Lesage, qui campe un extraordinaire Tartuffe, incarne le Turcaret de son père et meurt en* 1743. *Prestige plus trouble des actrices. La Dangeville, jeune alors, est une piquante soubrette. La Gaussin excelle dans les rôles de tendresse ; elle est Zaïre en* 1732, *Constance en* 1735 *dans* Le Préjugé à la mode, *Mélanide et Sylvie en* 1741. *Trente ans plus tard, Diderot évoquera la Balicourt dans* Rodogune *quand tous l'auront oubliée. Jamais il ne reniera ces élans de sensualité qui le portaient au théâtre :* « Je ne sais ce que je n'aurais pas fait pour plaire à la Gaussin qui débutait alors et qui était la beauté personnifiée, à la Dangeville qui avait tant d'attraits sur la scène » (*A.T., t. VIII, p.* 398). *Il ne cessera, tout au long de sa vie, d'évoquer ces fantômes liés à une libre jeunesse ; sa ferveur d'alors ne s'embarrassait pas de mots : nulle doctrine encore, nul préjugé moral, mais le sentiment profond que l'art du théâtre est expansion vitale, sublimation enthousiaste de la nature.*

Quinze ans ont passé. « Où est le temps, *écrira-t-il en* 1758, que j'avais de grands cheveux blonds qui flottaient au vent ? » *Diderot marié ne va plus guère au théâtre ;* « dix fois » *peut-être, depuis ce malheureux mariage qui le condamne aux traductions et à l'*Encyclopédie. *Il ignore les débuts de Lekain et de la Clairon. Il est pris par un rôle non moins sévère qu'ingrat, celui de philo-*

sophe et de professeur de vertu. Depuis les Bijoux indiscrets *et la rupture avec la Puisieux, il réprime en lui le faune, non sans peine ; il rêve même de moraliser la littérature et le théâtre. La lecture de Richardson et de l'abbé Prévost l'exalte. Dans* Cléveland, Paméla, Grandison, *ce sont les scènes émouvantes qu'il découpe : l'arrivée au château du goodman Andrews, le convoi funèbre de Clarisse, la folie de Clémentine. Lillo, dans un décor de boutiques et de prisons, lui offre le pathétique brutal de son* English Merchant; *vers* 1753, *il ébauche la traduction du* Gamester *d'Edward Moore. Sur les coteaux modérés de Térence, il goûte l'émotion douce et l'attendrissement familial. En France même, s'il demeure réticent aux leçons de Voltaire, il se souvient sans l'avouer de Nivelle de la Chaussée, suit les essais de Bret et de Landois, bavarde avec Mme Riccoboni qui, d'actrice médiocre, s'est muée en romancière. Non seulement le théâtre, mais toute littérature, lui apparaît en cet instant vouée à mettre en scène, dans un décor bourgeois, des personnages romanesques, sensibles et moraux. L'enthousiasme d'autrefois n'est pas aboli, mais la sensualité s'est sublimée en vocation prêcheuse. Étrange conciliation qui prêtera une vie factice aux accents passionnés de Dorval et de Saint-Albin.*

« Il croyait ouvrir une voie, être un nouveau Térence », *dira Yvon Bélaval. Il n'était ni Térence, ni même Voltaire, mais il ouvrait une voie. Grimm, avec la perspicacité d'un étranger que le prestige de nos classiques n'éblouissait pas, ne s'y trompait guère :* « Son idée de traiter les conditions préférablement aux caractères est une idée riche et féconde dont il sortirait trois genres ignorés sur nos théâtres... Le premier serait la comédie térentienne, mais convenable à nos mœurs, sans Dave et sans courtisanes. Tel est *le Père de famille*... Le second genre serait plus sérieux et plus pathétique que la comédie de Térence. Tel est *Le Fils naturel* » (Corresp. litt., *t. IV, p.* 47-49). *Lillo donnait enfin l'exemple du troisième genre, la tragédie bourgeoise et populaire. Saurait-on en effet se prévaloir de l'échec théâtral de Diderot pour infirmer sa doctrine ? Notre philosophe racontera un jour l'apologue d'Hercule et d'Apollon. Apollon est* « l'homme de nature », *l'archétype propre à tout, classique dans sa beauté abstraite. Hercule est* « l'homme laborieux », *modelé par sa profession, inséré dans le temps, réel. Le réalisme de Diderot se dégage de la nature idéale et cherche dans le monde une beauté à notre mesure ; il la trouve partout, dans la forêt ou dans le volcan, dans l'infirme et dans le monstre, dans les types populaires et les originaux. Esthétique nouvelle, ouverte à tous vents, qui fut en fait celle de Shakespeare et qui se fonde sur l'*unité caractéristique. *Mais le goût étroit d'un public prisonnier d'un répertoire et l'absence de chefs-d'œuvre condamnèrent une doctrine féconde. Ni Lessing dans sa* Hamburgische Dramaturgie, *ni Schiller à sa suite, ne s'y trompèrent. L'échec de Diderot dramaturge pèse encore abusivement sur Diderot critique.*

Y eut-il erreur de sa part ? Certes. Diderot crut à la vertu édifiante du drame, jusqu'à lui subordonner le choix des sujets et la structure des pièces. Philosophe des lumières, il vit dans le théâtre le soutien possible d'une idéologie, sans se douter que le réalisme porte en lui sa propre morale. Trompé tantôt par l'éloquence, tantôt par son lyrisme explicite, il n'eut pas cette discrétion patiente qui insuffle la vie ou en crée l'illusion. L'article Génie, *paru dans l'*Encyclopédie *en* 1757, *explique admirablement comment un tempérament peut ruiner une doctrine. Si le génie est enthousiasme, énergie, violence sublime, et cela seulement, il s'oppose au goût de* Racine, *mais aussi à la maîtrise consciente de Shakespeare. Ce génie, que glacent les vents et que brûle le soleil, n'exprime que sa passion propre et sa sensibilité douloureuse ; incapable de voir autrui et d'assumer la vie étrangère, il se condamne à la solitude poétique et au soliloque. Ce fut le cas de Diderot, lors de sa campagne théâtrale de* 1757-1760. *Le philosophe n'avait pu prendre encore l'exacte mesure de lui-même. L'art du théâtre lui échappait, parce que son génie manquait de frein, sa morale de pudeur, sa vision d'autrui d'acuité et de recul. Ce n'est que beaucoup plus tard, à l'heure du* Paradoxe, *qu'il fera le bilan dérisoire de cette adolescence prolongée.*

***

Faudrait-il voir une exacte conjonction entre l'échec au théâtre et les premiers Salons *de Diderot ? En* 1759, *l'année même où, sous les huées de Fréron et de Palissot, il achève les derniers arti-*

*cles philosophiques de l'*Encyclopédie, *Grimm lui propose dans la* Correspondance littéraire *un domaine neuf, la critique d'art. Ce divertissement s'offrait comme une revanche.*

Ne croyons pas à une vocation. Le monde des artistes, qu'il soit réglé par l'Académie ou par la corporation groupée sous le signe de saint Luc, *demeure aussi secret que celui des artisans. Parmi ses amis de jeunesse, Diderot ne compte aucun peintre, aucun sculpteur. Évitons de faire un sort à la rencontre, en* 1740, *rue de l'Observance, du graveur Wille venu chercher fortune à Paris. Wille n'entraîna pas Diderot chez son maître* Rigaud, *chez l'amateur Mariette ou à l'enseigne de Gersaint. Mais depuis longtemps, notre philosophe avait abordé l'art par les cimes de l'esthétique. En* 1745, *lorsqu'il traduisait Shaftesbury, le sentiment du beau lui apparaissait comme une passion vive, un choc enthousiaste; Hutcheson en voyait la source dans un sixième sens, une espèce de conscience esthétique parente de la conscience morale. Et Diderot s'était exalté* à *cette* « philocalie » *platonicienne qui ne séparait pas la beauté de la vertu. Mais en* 1749, *l'aveugle Saunderson, privé du spectacle du monde, assimile le beau et l'utile. Dès lors Diderot lie le concept du beau à la sensation, et le goût à la perception de rapports. L'art n'est plus pour lui la copie d'une* « belle nature », *mais la transcription* « hiéroglyphique » *de la réalité. C'est un charme certes, dira-t-il* à *Mlle de la Chaux en* 1751, *mais un charme intellectuel, réfléchi, analogue au plaisir savant du musicologue, capable de déceler dans une mélodie les rapports mathématiques entre les sons. C'est cette redoutable abstraction qu'il déverse dans sa* Lettre sur les sourds et muets *de* 1751 *et dans l'article* Beau *de l'*Encyclopédie. *Après avoir fait table rase de tous ses devanciers depuis saint Augustin jusqu'au père André, il se rallie à une esthétique condillacienne d'origine expérimentale. La beauté n'existe que par rapport à l'esprit humain qui la décompose puis la recompose. C'est une découverte de rapports, c'est-à-dire une matière virtuelle qui ne s'anime que par un acte mental. Il faut lire ces spéculations adroites, mais froides, pour mesurer le fossé qui sépare Diderot de la vie même de l'art. Jusque vers* 1750, *il n'est pas physiquement attiré par la peinture; aucune trace de cette chaleur qui naguère le poussait au théâtre.*

Or, depuis 1747, *la critique d'art, par la voie des gazettes ou de brochures, faisait de timides essais. C'est La Font de Saint-Yenne, dans ses* Réflexions sur l'état présent de la peinture, *puis l'abbé Leblanc; en* 1748 *Saint-Yves et ses* Observations sur les arts. *Les artistes s'indignent de cette intrusion de littérateurs qui portent atteinte à leur gagne-pain. Chaque Salon est l'occasion dans la presse d'articles dont la liberté grandit : au* Mercure de France, *le comte de Caylus* (1750-1751-1753), *puis Cochin et Marmontel* (1759); *Fréron depuis* 1757 *dans l'*Année littéraire, *Grimm enfin depuis* 1750 *dans la* Correspondance littéraire. *En* 1759, *Diderot appelé par Grimm trouvera le genre tout créé; selon le mot d'André Fontaine :* « Il n'aura plus qu'à lui prêter sa verve, sa doctrine propre, sa science d'écrivain, et qu'à mettre en œuvre la matière d'ordinaire médiocrement traitée avant lui. Il sera créateur si l'on veut, mais à la façon de ceux qui donnent la vie véritable à quelque chose qui végétait » (Les doctrines d'art, p. 287). *Mais Diderot avait-il une doctrine? Que savait-il de la peinture? Il n'a pas fait le voyage d'Italie ou de Hollande. Paris offre ses tableaux d'église, les Le Sueur du cloître des Chartreux, les Rubens du Luxembourg. Les collections royales sont invisibles à Versailles, peu accessibles aux Tuileries; le seul musée largement ouvert à Diderot par le maître d'hôtel du duc d'Orléans, d'Arclais de Montamy, c'est le Palais-Royal, riche en toiles italiennes; parmi les amateurs, Diderot a peu d'amis : sans doute La Live de Jully, beau-frère de Mme d'Epinay; d'Holbach évidemment dont la galerie éclectique va de Sébastien Bourdon à Mengs. Il connaît Greuze, qui a épousé la petite Babuty qu'il taquinait autrefois dans sa boutique de la rue Saint-Jacques. En* 1751, *il vante les* Nocturnes *de Vernet à Mlle de la Chaux; en* 1755, *il propose des sujets de tapisserie sur le thème du combat de Diomède et d'Énée. Grimm en* 1757 *l'entraîne au Salon et le fait discourir sur le* Sacrifice d'Iphigénie *de Carle Van Loo. C'est en* 1758, *dans son* Discours sur la poésie dramatique, *qu'il applique à la peinture, pour la première fois, son esthétique théâtrale; il recherche dans Poussin, celui des* Bergers d'Arcadie *ou du* Testament d'Eudamidas, *le motif philosophique et la scène pathétique; dans Vernet une décoration de théâtre, dans les ruines de Servandoni la noble rêverie; il risque le* *mot* « strapasser » *qu'il tire du langage d'atelier. Mais quelle modestie encore quand il rend compte le* 1er *juillet* 1758 *du* Voyage en Italie *de Cochin :* « Les littérateurs ne s'entendent ni au dessin, ni aux lumières, ni au coloris, ni à l'harmonie du tout, ni à la touche... Ils sont exposés à élever aux nues une production médiocre et à passer dédaigneusement devant un chef-d'œuvre de l'art... Leurs critiques et leurs éloges feraient rire celui qui broie les couleurs dans l'atelier » (*A.T., t. XIII*, p. 13-14). *S'il se sent bon juge du sujet, de la composition, de l'expression des passions, son incompétence technique l'accable. Il visitait naguère pour l'*Encyclopédie *les artisans du quartier Saint-Antoine; il s'approche maintenant avec timidité des artistes. Son opuscule de* 1755, Le Traité de la peinture en cire, *révèle les secrets de Caylus et de Bachelier. Diderot abordera la peinture à la fois par la littérature et la technologie et laissera ces deux vocations réagir excellemment l'une sur l'autre.*

***

Nous ne saurions suivre pas à pas les neuf Salons *de Diderot. Plus que les menues évolutions de sa doctrine, c'est l'enrichissement de son expérience qui nous ravit et le progrès délicat de ses approches. Une période de formation se dessine, caractérisée par les hésitations devant la matière; les trois* Salons *de* 1759, 1761, 1763, *spontanés et maladroits, risquent des formules péremptoires, mais nulle doctrine encore; puis vient l'apogée avec les trois beaux* Salons *de* 1765, 1767, 1769 *: d'immenses digressions lui permettent d'échapper à la monotonie du livret et au cadre étroit des cloisons du Louvre; les* Essais sur la peinture *de* 1766 *marquent le premier effort synthétique. C'est enfin une crise sceptique, non pas une décadence comme le voudraient certains; si la lassitude est sensible dans les* Salons *de* 1771, 1775, 1781, *l'expérience personnelle de la peinture, le contact avec les œuvres du passé, nourrissent son inquiétude sur la valeur de l'art vivant. Voici pourquoi, dans les* Pensées détachées (1776-1780), *il essaie d'échapper au doute en tentant de surprendre les secrets d'autrefois.*

Cette longue expérience, étagée sur plus de vingt ans, les Salons *la retracent, faisant revivre, dans le décor de l'estampe de Saint-*

Aubin, l'extraordinaire conversation de Diderot; on évoque la lente parade des visiteurs, le froissement de soie des robes, les rencontres d'artistes inquiets ou faussement détachés; le malicieux « tapissier » *du Salon, Chardin; La Tour, rapide et méprisant; jusqu'à l'humble Phlipot, concierge du Louvre. Diderot est là, l'œil sur la plinthe, le livret et le carnet en mains, devant trois cents tableaux rangés en bataille sur quatre rangs jusqu'au plafond. Ce qui l'attire, c'est ce qu'il aime ailleurs.* Ut theatrum pictura. *Dans les tableaux d'église ou d'histoire, il recherche l'emphase dramatique; dans les paysages et les marines, quelque chose d'exaltant et de coloré. Il projette sans réticences le pathétique de Dorval et la sensibilité de Richardson en un domaine qui n'en a que faire. Les* Bergeries *de Boucher l'écœurent; la magie de Chardin l'inquiète sans l'édifier; plus que les ciels de Vernet, il guette les scènes sur le rivage; la pompe de Doyen, l'outrance de Casanove lui en imposent. Mais son homme, c'est Greuze, avec son dosage habile de poésie bourgeoise et d'académisme moralisant.*

L'inquiétude le presse en 1763. *C'est Chardin qui le guide dans sa visite et l'ensemble s'en ressent. Le vieux magicien lui enseigne l'air et la lumière qui flotte autour des choses. Il médite sur les procédés du vernis, du glaçage, sur le danger de la céruse et les mauvais gris de Greuze. Vernet bénéficie de cet enthousiasme soudain pour la couleur et pour ce qu'il appelle* « le technique » : « Qu'est-ce que ce technique? L'art de sauver un certain nombre de dissonances, d'esquiver les difficultés supérieures à l'art. » *La peinture n'est donc plus imitation, mais traduction :* « La grande magie consiste à approcher tout près de la nature. » *En* 1765, *Diderot appelle à l'aide; un jeune peintre, Philibert de la Rue, lui gribouille des notes. Chardin ne lui suffit plus; il entraîne à sa suite Grimm, Carmontelle et Falconet. Tout un monde de devisants s'agite et pérore. Il découvre Le Prince, revenu de Russie, et Fragonard, rentré d'Italie; mais le* Baptême russe *est un Greuze exotique et Fragonard s'est grimé dans* Corésus et Callirhoe. *Greuze est toujours son héros,* « le premier parmi nous qui se soit avisé de donner des mœurs à l'art »; *mais est-il dupe des devinettes de l'*Oiseau mort? *Ne préfère-t-il pas le vigoureux portrait de Wille? Les* Essais sur la peinture *de* 1766 *confirment ce désarroi. Comment concilier ce goût ruineux pour le* *moralisme dans l'art et les admirables conseils à Loutherbourg? Pourquoi ne pas s'abandonner à cette esthétique nouvelle, toute de fraîcheur et de plein vent, qui, par delà Moreau et Hue, mènera à l'école de Barbizon? L'avenir était beau entre l'univers clos de Chardin et l'horizon des paysagistes. Toujours fidèle à son idéal de théâtre, à sa recherche de l'effet pathétique, Diderot n'a pas encore choisi entre Chardin, Vernet et Greuze, entre la magie poétique et l'art de propagande.*

Le Salon de 1767 *affirme sa modestie :* « Supposez-moi de retour d'un voyage d'Italie et l'imagination pleine des chefs-d'œuvre que la peinture ancienne a produits dans cette contrée. Faites que les ouvrages des écoles flamande et française me soient familiers. Obtenez des personnes opulentes auxquelles vous destinez mes cahiers l'ordre ou la permission de faire prendre des esquisses de tous les morceaux dont j'aurai à les entretenir, et je vous réponds d'un *Salon* tout nouveau. » *Ce Salon, il le visite douze fois : les lettres* à *Sophie Volland nous le prouvent. Dès sept heures et demie jusqu'à trois heures du soir, il couvre de notes son carnet; le soir, à la chandelle, il met au net ses esquisses. Abandonné par La Rue et par Falconet, il interroge Chardin, Cochin, et même son vieil ennemi Boucher; il appelle Galitzine et recrute Naigeon qui a travaillé chez Van Loo. Puis le souvenir des toiles s'estompe et la rhétorique reprend ses droits. Cette année-là, les paysagistes sont rois : Casanove, Loutherbourg, mais surtout un nouveau venu, Hubert Robert, dont les ruines composites élèvent l'âme et font penser; Vernet enfin qui, en six tableaux, lui suggère un véritable essai sur la vie champêtre, le* « terrible Vernet » *qui lui compose un monde à sa mesure et selon son cœur. Grâce aux paysagistes, Diderot comprend enfin que le peintre est le démiurge en liberté, que sa magie est* « mensonge heureux » *et, pour reprendre sa formule, que* « le soleil de l'art n'est pas celui de l'univers ».

***

C'est alors que pour Diderot comme pour Kant se produit la révolution copernicienne. L'échec théâtral ne l'avait pas immédiate-

ment guéri de son goût pour le pathétique bourgeois et moralisateur. Mais le contact de peintres comme Vernet l'avait amené à une poésie où la couleur l'emportait sur le geste, le fondu sur l'attitude et la raideur. Or la rupture avec Greuze, absent du Salon de 1767, *renié en* 1769, *annonce de la part de Diderot une crise dont il faudrait saisir les sources doctrinales.*

Faisons la part de la mode qui, dans l'émotion préromantique, préfère déjà au pathétique une certaine langueur. Mais l'origine en est bien plutôt dans l'évolution personnelle de Diderot ; il ne s'agit plus seulement de l'art, mais de la conception même de l'homme de génie. En 1769, *dans* Le Rêve de d'Alembert, *Bordeu et Mlle de Lespinasse opposent le génie lucide et l'être sensible ; le grand homme n'est plus l'adolescent exalté :* « Il aura quarante-cinq ans ; il sera grand roi, grand ministre, grand politique, grand artiste, surtout grand comédien, grand philosophe, grand poète, grand musicien, grand médecin ; il régnera sur lui-même et sur tout ce qui l'environne. » *L'être sensible est l'esclave de son « diaphragme », mais le génie domine le réel par sa puissance intellectuelle. Diderot se rallie à cette théorie physiologique qui distingue dans leur indépendance le système cérébral et le système sympathique :* « Les êtres sensibles ou les fous sont en scène ; (*le grand homme*) est au parterre ; c'est lui qui est le sage. » *Or, dès* 1766, *dans les* Essais sur la peinture, *le même thème est apparu :*

Il peut y avoir du goût sans sensibilité, de même que de la sensibilité sans goût. La sensibilité, quand elle est extrême, ne discerne plus. Tout l'émeut indistinctement. L'un vous dira froidement : cela est beau. L'autre sera ému, transporté, ivre. Il balbutiera, il ne trouvera pas d'expression qui rende l'état de son âme. Le plus heureux est sans contredit ce dernier ; le meilleur juge, c'est autre chose. Les hommes froids, sévères et tranquilles observateurs de la nature connaissent mieux les cordes délicates qu'il faut pincer. C'est l'homme et l'animal (A. T., t. X, p. 520).

Le héros dès lors, ce n'est plus Dorval, ou ces fanatiques comme Rousseau et Winckelmann, dont il reconnaît d'ailleurs le charme dans la conclusion du Salon de 1765 ; *l'adolescence est passée, l'âge mûr est venu. Diderot maintenant admire Sedaine, l'ancien tailleur de pierre, qui sait le faire pleurer et l'accueillir sans s'émouvoir; Bordeu, le médecin sarcastique du* Rêve, *qui raille Julie de Lespinasse, cette sensitive; La Tour, qui* « n'excelle qu'à force de travail et de réflexion »; *le démoniaque Garrick, qui est à volonté Hamlet, l'homme ivre ou le petit pâtissier. Et, se souvenant de l'article* GÉNIE *de* 1757, *Diderot rédige un nouvel essai, longtemps demeuré dans ses papiers, où son héros prend un nouveau visage. Le génie n'est plus l'être sensible :* « J'en ai vu dont l'âme s'affectait promptement et profondément, qui ne pouvaient entendre un récit élevé sans sortir d'eux-mêmes, transportés, enivrés, fous; un trait pathétique sans verser des larmes; et qui balbutiaient comme des enfants soit qu'ils parlassent soit qu'ils écrivissent. » *N'est-ce pas le Diderot de naguère? Mais le génie n'est pas non plus le bon sens et le bon goût. C'est une intelligence dominatrice, une espèce de conjonction spontanée entre la nature et le don prophétique de l'homme qui la pénètre, un accord préétabli entre l'Univers et l'Esprit :* « Il ne regarde point, il voit... Il n'a aucun phénomène présent, mais tous l'ont affecté. » *Jamais Diderot dans cette vision olympienne n'a été plus proche de Gœthe et des ambitions hégéliennes de la* Geistphilosophie.

Nous comprenons maintenant le sens et la portée du Paradoxe sur le Comédien. *Si l'ouvrage poursuit par ailleurs quelques desseins anciens et la réhabilitation sociale d'une noble profession, Diderot n'a plus à cœur de promouvoir une réforme du théâtre, de créer de nouveaux genres. Saint-Albin, le bouillant Saint-Albin de* 1758, *est devenu dans le siècle le Monsieur Hardouin d'*Est-il bon? est-il méchant? *Le héros juvénile, encombré de sa passion et encombrant par ses gestes, s'est mué en* 1771 *en un vieil homme indulgent aux vices et aux travers, meneur du jeu ironique qui assure le bonheur des autres en les trompant. Aussi bien le* Paradoxe *n'a-t-il pour but profond que de découvrir dans le grand comédien l'image même du génie. En dehors des conditions sociales, mais assumant tous les rôles, sans âge ni visage, le grand comédien se libère du temps et de l'espace; sur ses tréteaux, il joue toute l'humanité; comme Balzac plus tard, il suscite un monde neuf qui parle par sa voix, vit par ses gestes. Rien ne serait plus dangereux que de ne pas sentir dans cet exemple privilégié le dessein de Dide-*

rot, qui n'est plus que d'atteindre à une sagesse géniale en dressant sous ses yeux la statue de l'homme supérieur.

***

Cet idéal de maîtrise et de lucidité et, pour parler comme Nietzsche, ce passage du dionysiaque à l'apollinien, expliquera l'évolution de Diderot dans sa critique d'art, accusant ses inquiétudes et ses doutes. Paradoxalement, l'humilité est la conséquence de ses nouvelles exigences critiques. Ses connaissances se sont élargies. Depuis 1768 *il est devenu, à l'appel de Catherine II, un véritable courtier en tableaux; à la vente Gaignat, il achète pour la galerie de l'Ermitage des Murillo et des Gérard Dow; en octobre* 1771, *il pille la collection Crozat de Thiers, en* 1772, *la collection Choiseul. Grâce aux conseils des experts Rémy et Ménageot, Diderot se sent à l'aise pour rire des prétentions littéraires de l'abbé Laugier :*

J'ai vu autant et plus de tableaux que vous. Je les ai vus avec la plus grande attention. Ils sont tous aussi correctement dans mon imagination qu'entre leurs bordures... Ma tête en a emmagasiné plus que tous les potentats du monde n'en peuvent acquérir... Mais le jugement de la peinture est le plus difficile de tous... Vous parlez sans cesse d'instinct et de tact et vous ne vous êtes pas seulement demandé ce que c'étaient que ces expressions magiques... Tant que nous n'aurons pas manié le pinceau, nous ne serons que des conjecturateurs plus ou moins éclairés, plus ou moins heureux. Et croyez-moi, parlons bas dans les ateliers... Quant au dessin, dissertez tant qu'il vous plaira... Il est bien autrement difficile encore de prononcer sur la magie de la couleur, sur l'harmonie, sur le clair-obscur. Les plus grands coloristes craignent d'en parler. Cela tient à un technique si délicat qu'ils ne peuvent trouver dans la langue des expressions pour en dévoiler le mystère (*Correspond. litt.*, déc. 1771).

Mais cette humilité ne nuit pas à la verve endiablée du Salon de 1771; *la production est certes médiocre, malgré la présence de ses chers paysagistes. Hubert Robert se borne à esquisser :* « Sa tête et sa main deviennent libertines »; *Casanove n'a pas la pureté de Van der Meulen; Loutherbourg copie Berghem; Vernet copie Vernet. Délaissant toute rhétorique, Diderot se borne à des notations sèches, d'une extraordinaire brutalité, d'un modernisme stylistique qui fait pâlir les recherches affectées des Goncourt.* « Vénus grenouille », *dira-t-il d'un La Grenée;* « figures germaniques, carrées et blafardes », *à propos d'une* Annonciation *de Vénevault. Le Prince est ainsi accueilli :* « Je n'aime ni la suie ni la bile délayée »*; et voici pour Bougneu :* « Amphitrite enfumée, à bras plats, à chairs molles comme si elles avaient été macérées dans l'eau de mer ». *Mais s'agit-il d'une marine de Vernet, c'est le rythme d'un poème en prose :* « Frais, vrai. Silence de la nuit; reflets, ondulation de la lumière argentée. Feu artificiel contrastant avec la lumière de la lune et surtout avec les masses noires du ciel. »

La lassitude alourdit les Salons *de* 1775 *et* 1781, *mais parfois fuse un jugement d'une extraordinaire perspicacité. Lorsque David apparaît avec son* Bélisaire, *pas un mot qui ne confirme le prix et les limites de la future école impériale :* « Ce jeune homme a de l'âme; ses attitudes sont nobles et naturelles; il dessine, il sait jeter une draperie et faire de beaux plis. Sa couleur est belle sans être brillante. Je désirerais qu'il y eût moins de raideur dans les chairs... Rendez par la pensée son architecture plus sourde et peut-être que cela fera mieux. » *Pour peu, il essaierait maintenant de couronner ses essais critiques par une véritable axiomatique des arts. A son retour de Russie, il reçoit les* Betrachtungen über die Malerei *de Hagedorn et les pille pour ses* Pensées détachées sur la peinture. *La minutieuse science picturale de Gérard de Lairesse l'émerveille. Loin de toute littérature, il devine maintenant dans la manière de chaque peintre des secrets d'artisans, une science oculaire des teintes, un choix personnel des couleurs. L'art du poudrage, du flou, du glacis remplace le mot vague de* « magie ». *Il soupçonne dans les ateliers la mise en scène, le dressage des maquettes, la combinaison des poses, le jeu des éclairages artificiels. Il a vu les Rembrandt de La Haye, les Corrège de Dresde, à Dusseldorf et à Dresde encore, bon nombre de Hollandais. Dans ses papiers, il ébauche même un dictionnaire sous le titre de* Caractère des différents peintres. *Va-t-il dans les dernières années de sa vie sombrer dans l'éclectisme? Ce n'est pas connaître Diderot.*

***

S'il a découvert les secrets de l'artiste, au terme d'une longue expérience critique; s'il s'est défait d'un enthousiasme juvénile et de ses préventions moralisantes, au terme d'une longue expérience humaine, Diderot ne fera jamais de l'art une technique. Aucune pratique n'explique le génie de Lekain, de La Tour et de Chardin. Mais en face de l'artiste et de l'œuvre, Diderot conçoit l'ambition d'une critique géniale, aussi éloignée de l'étroitesse du goût que de l'impressionnisme, mais qui sait dépasser l'expérience, l'étude, la sensibilité, par un don prophétique. Entendons-nous : Diderot ne s'est pas dit prophète. Il sait seulement que le littérateur et le moraliste sont impuissants devant Rembrandt, *que le technicien est désarmé devant* Raphaël, *que Mme Diderot,* vox populi, *est une sotte lorsqu'elle réprouve une* Sainte Famille *parce que les âges du Christ et de saint Jean ne concordent pas. Ne ressent-il pas en lui-même des exigences contradictoires? Passion et vertu, nature et société, enthousiasme et sérénité rationnelle, élan vital et maîtrise consciente, dilettantisme et technicité? Mais alors que les contradictions choquent en philosophie, l'esthétique s'en accommode. Elles ne sont pas propres au tempérament de Diderot; elles caractérisent leur objet même. Nous savons depuis Kant et la* Critique du jugement *qu'il y a divorce entre l'art et la pensée et que la beauté n'est pas matière de science, mais un fantôme sur lequel l'intelligence n'a pas de prise.*

Diderot a eu le sentiment de ce mystère. Il s'est approché de l'art en suivant toutes les voies d'accès. Et s'il a quelquefois trébuché, il a su dessiner, avant Chateaubriand, Baudelaire, Barrès et Proust, quelques-uns des visages de la critique moderne. N'est-ce pas lui qui parle de « l'église invisible », *cette église mystique où l'on est à la fois connaisseur, poète et philosophe?* « Il est un certain nombre d'hommes sensés et justes. Ils n'envient point; ils n'élèvent point leur voix. Ils sentent; ils se donnent le temps d'écouter. Ils ont beaucoup vu, beaucoup plus médité; ils se respectent; cependant ils ont leur voix, leur prétention, leur passion, leur esprit de religion; mais ils se tempèrent les uns par les autres. Et ce sont eux qui forment à la longue le sentiment de la nation, de cette nation dont l'historien écrit le jugement. » *Reconnaissons dans les clercs de cette église l'idéal gœthéen du* Paradoxe; *mais nous savons maintenant que Diderot était l'un d'eux.*

Paul VERNIÈRE.

PRINCIPES D'ÉDITION

NOUS *avons essayé, dans notre édition des* Œuvres philosophiques (*Garnier*, 1956, p. XXIV-XXVI), *de formuler les exigences nouvelles qui s'imposent à l'éditeur de Diderot, depuis l'ouverture du fonds Vandeul à la Bibliothèque Nationale, et la communication de quinze microfilms reflétant la moitié environ du fonds de Léningrad. Nous n'avions pas alors l'ambition de donner une véritable édition critique, mais simplement de dégager le « meilleur texte »; cette discrétion nous fut reprochée et nous consignerons cette fois l'ensemble des variantes, sauf pour les extraits des* Salons.

Mais le problème du meilleur texte demeurait ambigu. La littérature philosophique de Diderot, clandestine par nécessité, n'était connue en grande partie que par des publications posthumes. Nous étions donc encouragé à rechercher dans les manuscrits l'expression la plus spontanée et la plus audacieuse et à faire litière des corrections dictées par la prudence ou la décence. Les Œuvres esthétiques, *par leur matière même, offraient moins de risques. Bon nombre d'entre elles ont été publiées et avouées par Diderot, sans qu'il ait jugé nécessaire d'en conserver la copie manuscrite. Nous devons donc nous rallier à un autre critère et tout d'abord faire un sort tout différent aux textes posthumes et aux textes édités du vivant de Diderot.*

On connaît l'indifférence absolue du philosophe à l'égard des rééditions de ses œuvres. Ce n'est qu'au retour de Russie, en 1774, qu'il pensa confier à Marc-Michel Rey le soin d'éditer ses œuvres complètes. On connaît moins l'extraordinaire irrespect des imprimeurs des deux derniers siècles. Assézat lui-même, non content de suivre une déplorable tradition, ajoute ses propres corrections ou ses propres fautes. Voilà pourquoi nous rejetterons le critère classique de la dernière édition donnée du vivant de l'auteur. Si Ronsard a retouché ses poésies jusqu'à l'in-folio de 1584, *si Montesquieu jusqu'à sa mort revoit avec minutie l'*Esprit des lois, *Diderot n'a pas collaboré aux éditions de ses œuvres parues à Londres ou à Amsterdam et ne peut être tenu pour responsable des variantes qui s'y trouvent. Pour les articles de l'*Encyclopédie, *du* Journal étranger *ou des* Variétés littéraires, *nous reviendrons donc scrupuleusement à l'édition princeps, dont Diderot a quelque chance d'avoir corrigé les bonnes feuilles. Pour les* Entretiens avec Dorval *et la* Poésie dramatique, *la seule édition faite sous ses yeux est la première, donnée à Paris sous le timbre d'Amsterdam par Michel Lambert. L'étude des variantes prouve sans conteste qu'elle est la meilleure. Enfin, lorsque le fonds Vandeul nous fournit des manuscrits d'articles de journaux ou de l'*Encyclopédie, *nous reconnaissons chaque fois des copies faites sur l'imprimé, sans retouches mais non sans erreurs.*

Le problème est tout autre pour le Paradoxe, *les* Salons *et les* Essais *de peinture. Lorsqu'il s'agit d'ouvrages posthumes, étayés sur de nombreux manuscrits, chacun pose ses difficultés particulières, éclairées par sa genèse propre et par l'étude des variantes.* Le Paradoxe *connaît quatre états successifs ; les* Salons *proviennent d'au moins quatre collections ; les* Essais sur la peinture, *issus de manuscrits disparus, dépendent de la foi qu'on accorde à Naigeon ou à l'éditeur Buisson ; les* Pensées détachées, *ouvrage inachevé, n'ont été regroupées que tardivement et ont subi la censure de M. de Vandeul. En l'absence de doctrine générale, nous nous rallierons au principe posé dans les* Œuvres philosophiques *: le « meilleur texte » est donné par la version la plus longue et la plus complexe, ce qui est conforme au procédé alluvial de composition de Diderot. Mais nous ne saurions accepter les corrections dictées par la décence ou la prudence, qu'elles viennent de Diderot ou de son gendre : nous ne sommes nullement gênés par exemple d'apprendre que la femme du sculpteur Le Moyne a servi de modèle à son mari. La sincérité en matière d'art n'a pas moins de prix qu'en matière philosophique.*

Il est difficile cependant, à propos de nos textes, de ne pas signaler la valeur privilégiée de la collection de Léningrad. Pour le Paradoxe, *les* Salons *et les* Pensées détachées, *elle nous offre une copie rigoureusement calligraphiée et d'une correction exception-*

nelle : les manuscrits Vandeul correspondants sont en revanche assez médiocres. Risquons *une hypothèse ; c'est le* 5 *novembre* 1785 *que Catherine II annonçait à Grimm l'arrivée en* Russie *de la bibliothèque de Diderot* (*cf.* Louis Réau, Correspondance Grimm-Catherine II, *Archives de l'art français*, 1932, *t. XVII, p.* 170). *Le philosophe étant mort le* 30 *juillet* 1784, *le délai pour la copie de la collection manuscrite paraît bref : il semble donc que ces manuscrits aient été établis du vivant même de Diderot en vue du legs à l'impératrice, ce qui expliquerait leur excellence.*

Nous ne saurions enfin conserver l'orthographe des éditeurs anciens ou des copistes. Mais nous respecterons parfois leur ponctuation, lorsqu'elle dégage un sens plus satisfaisant.

P. V.

BIBLIOGRAPHIE GÉNÉRALE

Nous aimerions disposer sur Diderot de l'équivalent de la thèse de Raymond Naves sur Le goût de Voltaire (*Garnier*, 1938). *Cependant, deux essais partiels ont été donnés :*

W. Folkierski, *Entre le classicisme et le romantisme, étude sur l'esthétique et les esthéticiens du* XVIIIe *siècle* (Paris, Champion, 1925, IIe partie, p. 355-516).

Systématique, fidèle à une méthode et à un langage philosophiques. Le souci de la cohérence intellectuelle l'emporte sur l'ordre des faits et la vérité psychologique.

P. Trahard, *Les maîtres de la sensibilité française au* XVIIIe *siècle* (Paris, Boivin, 1932, t. II, p. 49-286).

Onze chapitres dont trois (IX, X, XI), malgré leur perspicacité psychologique, ont quelque peine à faire dominer l'esthétique de Diderot par le concept nuageux de « sensibilité ». *Voir dans Diderot seulement* « l'âme sensible », *c'est se condamner à un visage, peut-être même à un masque.*

***

Deux mises au point précises sur le milieu littéraire et artistique :

Hubert Gillot. *Denis Diderot — l'homme, ses idées philosophiques, esthétiques et littéraires* (Paris, Courville, 1937).

Daniel Mornet. *Diderot, l'homme et l'œuvre* (Paris, Boivin, 1941).

***

Mais le problème essentiel est celui de l'unité de l'esthétique de Diderot. La thèse la plus répandue est celle de l'incohérence. Deux auteurs out essayé vigoureusement de réduire les contradictions :

Félix Vexler, *Studies in Diderot's esthetic naturalism* (New-York, Columbia University, 1922).

Yvon Bélaval, *L'esthétique sans paradoxe de Diderot* (Paris, Gallimard, 1950).

Cette attitude est contrebattue par :

G. LESTER CROCKER. *Two Diderot studies : Ethics and esthetics* (Baltimore, The Johns Hopkins Press, 1952).

***

Quant aux deux domaines auxquels notre édition se limite, deux guides anciens, mais qui n'ont nullement vieilli :

Félix GAIFFE. *Étude sur le drame en France au* XVIIIe *siècle* (Paris, Armand Colin, 1910).

André FONTAINE. *Les doctrines d'art en France de Poussin à Diderot* (Paris, Renouard, 1909).

I

THÉATRE ET LITTÉRATURE

GÉNIE

INTRODUCTION

L'ARTICLE GÉNIE, *constamment attribué à Diderot par ses éditeurs et commentateurs, depuis Naigeon* (1798) *et Assézat* (*t. XV, p.* 35-41) *jusqu'à Jean Thomas* (L'humanisme de Diderot, *Belles-Lettres*, 1938, *p.* 133), *Mornet* (Diderot, *Boivin*, 1941, *p.* 114) *Charly Guyot* (Diderot par lui-même, *édit. du Seuil*, 1953, *p.* 81) *et Michard* (Les grands auteurs du XVIIIe siècle, *Bordas*, 1953, *p.* 250), *parut dans le tome VII de l'*Encyclopédie (*p.* 582-584) *en novembre* 1757. *Il ne portait aucun des sigles de Diderot, ni celui d'auteur, ni l'astérisque d'éditeur. Or l'introduction générale du tome VII signalait que, parmi cinq auteurs d'articles désireux de l'anonymat,* « *le cinquième* (*nous a donné*) *les mots* FANTAISIE, FRAGILITÉ, FRIVOLITÉ et GÉNIE » (*p. XIV*). *Le* 15 *décembre* 1757, *dans la* Correspondance littéraire (*édit. Tourneux, t. III, p.* 458), *Grimm relevait les meilleurs articles de la livraison et attribuait formellement* GÉNIE *à M. de Saint-Lambert. Dans la* Biographie universelle *de Michaud, Durozoir soutient la même opinion. Mais les arguments définitifs ont été apportés naguère par Franco Venturi* (Jeunesse de Diderot, op. cit, *p.* 344-345). *En effet, dans l'édition tardive de ses* Œuvres (*Paris, Agasse*, 1797, *t. VI*), *Saint-Lambert publie l'ensemble de ses contributions à l'*Encyclopédie : *les quatre articles, dont l'article* GÉNIE, *signalés par Diderot en* 1757 *en font partie. Mieux encore : dans une lettre à son éditeur Agasse, probablement de* 1798, *Saint-Lambert revendique* GÉNIE, *qu'il vient de trouver réimprimé par Naigeon dans les* Œuvres *de Diderot. Malheureusement pour nous, cette lettre passée à la vente Panckoucke le* 22 *mars* 1926 (*cf.* R.H.L., 1926, *p.* 310) *et tout récemment mentionnée dans un catalogue Charavay* (*cf.* R.H.L., 1956, *p.* 128), *est encore inédite.* Les *conclusions de Franco Venturi ont été acceptées par Herbert*

Dieckmann (Diderot's conception of genius, *in* Journal of the history of ideas, *avril* 1941, *p.* 163, *note* 19) *et nous paraissent indiscutables.*

Faut-il donc exclure l'article GÉNIE *de l'œuvre de Diderot? Ce serait probablement la stricte justice. Mais cette justice-là n'a rien à voir avec une forme plus fluide de la vérité, la vérité littéraire. Le cas vaut la peine d'être plaidé. Tous ceux qui ont lu cet article y ont senti le souffle de Diderot et décelé ses idées les plus chères sur l'enthousiasme, depuis ses premiers contacts avec Shaftesbury. Voir dans le génie un instinct, une inspiration puissante qui se refuse aux limites du bon sens, de la raison et du goût, c'est en* 1757 *une position aventurée. A priori, l'influence de Diderot sur Saint-Lambert ne saurait être exclue. M. Dieckmann disait à juste titre :* « I am still convinced that great parts of the article GÉNIE must have been either inspired or revised by Diderot himself » (loc. cit., *p.* 163). *Or Saint-Lambert est parti pour l'expédition de Minorque en mars* 1756 *et n'a fait qu'une brève apparition à Paris* (*début juillet* 1757-*cf.* Correspondance *de Rousseau, édit. Dufour-Plan, t. III, p.* 99), *avant la campagne de Hanovre. L'article pourrait être de* 1755 *et refléter ces conversations de table que Mme d'Épinay remaniera plus tard dans ses* Pseudo-Mémoires : *le marquis Dulaurier y prend le visage de Saint-Lambert, mais soutient bien souvent les thèses les plus audacieuses de Diderot* (*cf. édition Roth, t. II,p.* 407 *et* Œuvres philosophiques, *Garnier,* 1956, *p.* 532 *sq*). *Et, sans aller comme Brédif* (Du caractère... de Rousseau, *Hachette,* 1906, *p.* 36 *et* 51), *jusqu'à attribuer l'article à Rousseau, peut-être celui-ci n'est-il pas étranger non plus à sa conception.*

Il y a plus. Une comparaison des deux textes de GÉNIE, *celui de l'*Encyclopédie (*p.* 582-584) *et celui des* Œuvres *de Saint-Lambert* (*t. IV, p.* 8-20), *comparaison ébauchée par Franco Venturi, prouve qu'un remaniement a eu lieu, sans que nous en connaissions la date ni l'auteur. Venturi pense à un repentir tardif de Saint-Lambert* (op. cit, *p.* 345). *En fait l'éloge de Locke est incompatible avec celui de l'enthousiaste Shaftesbury; Shakespeare remplace Corneille; la thèse du génie philosophique va à l'encontre des prudentes réserves à l'égard des systèmes. Or, si nous en croyons Grimm, Saint-Lambert était* « de commerce triste, d'une aridité et d'une sécheresse singulière ». *Mme Suard se plaignait de sa* « politesse froide ». *Diderot en* 1769, *à propos de son poème des* Saisons, *énumère sans charité ce qui lui manque :* « Une âme qui se tourmente, un esprit violent, une imagination forte et bouillante... un grain d'enthousiasme » (*A.T., t. V, p.* 250). *Nous ne croyons donc pas à des corrections tardives de Saint-Lambert. Nous ne savons si Diderot a inspiré l'article, mais nous pensons qu'il a fait sa toilette. Nous prendrions ainsi sur le vif Diderot éditeur, butinant partout, corrigeant l'œuvre d'autrui avec d'autant moins de scrupule que l'auteur tenait à rester anonyme. Et c'est ainsi qu'un article voltairien de fond, par la sécheresse de son goût, mais aussi par sa méfiance à l'égard des grands systèmes philosophiques, est devenu un essai vibrant et quelque peu exalté.*

Or ce thème du génie conçu comme une puissance organique irrationnelle est déjà ancien chez Diderot. Sans remonter à l'éloge des passions dans les Pensées philosophiques, *l'article* ÉCLECTISME, *paru dans le tome V de l'*Encyclopédie (*nov.* 1755), *marque assez exactement dans un de ses paragraphes le plan même de l'article* GÉNIE : « On sera d'autant moins surpris de ces ressemblances qu'on connaîtra mieux la marche désordonnée et les écarts du génie poétique, de l'enthousiasme, de la métaphysique et de l'esprit systématique. Qu'est-ce que le talent de la fiction dans un poète, sinon l'art de trouver des causes imaginaires à des effets réels et donnés ou des effets imaginaires à des causes réelles et données ? Quel est l'effet de l'enthousiasme dans l'homme qui en est transporté, si ce n'est de lui faire apercevoir entre des êtres éloignés des rapports que personne n'y a jamais vus ni supposés ? Où ne peut point arriver un métaphysicien qui, s'abandonnant entièrement à la méditation, s'occupe profondément de Dieu, de la nature de l'espace et du temps ? A quel résultat ne sera point conduit un philosophe qui poursuit l'explication d'un phénomène de la nature à travers un long enchaînement de conjectures ? » *Le poète génial, c'est Dorval méditant dans les* Entretiens *de* 1757 (*t. VII, p.* 102)*; le philosophe génial s'opposait au* « manouvrier d'expérience » *dans l'*Interprétation de la nature (1754). *Diderot lui-même se heurtera* *aux thèses d'Helvétius en 1773 : il se refusera à croire à l'identité d'organisation chez l'homme et vantera la fibre originelle contre les forces mécaniques de l'éducation et de l'habitude.*

Mais ce thème, central dans l'idéologie esthétique de Diderot, saura suivre les contours de son évolution philosophique. La preuve en est dans un petit article issu du fonds de Léningrad, publié pour la première fois par Assézat-Tourneux (*t. IV, p.* 26-27), *et qui s'est retrouvé, identique, dans le fonds Vandeul* (B.N., *n.a.fr.* 13764, *n*° 7). *Intitulé* Sur le génie, *il ne saurait être antérieur aux thèses du* Paradoxe sur le comédien *et à l'article* Sur les femmes *qui vers 1772 réfutait si vertement Thomas. Contre le goût classique et le sens de la mesure que défendait encore Voltaire dans le* Dictionnaire philosophique (*Article* GÉNIE), *Diderot s'insurge toujours ; mais le génie n'est plus pour lui la flamme et la sensibilité ; c'est un prophétisme exact et une maîtrise contemplative. A l'exaltation de Dorval succède une notion neuve : le géni c'est la puissance olympienne, celle de Gœthe.*

Le texte de 1757 doit être conservé, car il permet de corriger trois erreurs d'Assézat-Tourneux. Les variantes de Saint-Lambert qui, à notre sens, permettent de déceler l'exacte portée des remaniements de Diderot, seront toutes consignées. Nous publions enfin à la suite la note Sur le génie.

P. V.

BIBLIOGRAPHIE

Encyclopédie, tome VII, p. 582-584.

SAINT-LAMBERT. *Œuvres* (Agasse, 1797, t. VI, p. 8-20). B.N. Z-3296, Réserve).

Franco VENTURI. *Jeunesse de Diderot, op. cit*, p. 344-345.

H. DIECKMANN. *Diderot's conception of genius* (*Journal of the history of the ideas*, avril 1941, p. 151-182).

I. Article GÉNIE

L'ÉTENDUE de l'esprit, la force de l'imagination et l'activité de l'âme, voilà le *génie*. De la manière dont on reçoit ses idées dépend celle dont on se les rappelle. L'homme jeté dans l'univers reçoit, avec des sensations plus ou moins vives, les idées de tous les êtres. La plupart des hommes [n'éprouvent de sensations vives que par l'impression des objets qui ont un rapport immédiat à leurs besoins, à leur goût, etc. Tout ce qui][1] est étranger à leurs passions, tout ce qui est sans analogie à leur manière d'exister, ou n'est point aperçu par eux, ou n'en est vu qu'un instant sans être senti, et pour être à jamais oublié.

L'homme de *génie* est celui dont l'âme plus étendue, frappée par les sensations de tous les êtres, intéressée à tout ce qui est dans la nature, ne reçoit pas une idée qu'elle n'éveille un sentiment; tout l'anime et tout s'y conserve.

Lorsque l'âme a été affectée par l'objet même, elle l'est encore par le souvenir; mais dans l'homme de *génie*, l'imagination va plus loin : il se rappelle des idées avec un sentiment plus vif qu'il ne les a reçues, parce qu'à [ces][2] idées mille autres se lient, plus propres à faire [naître][3] le sentiment.

Le *génie* entouré des objets dont il s'occupe ne se souvient pas, il voit; il ne se borne pas à voir, il est ému : dans le silence et l'obscurité du cabinet, il jouit de cette campagne riante et féconde; il est glacé par le sifflement des vents; il

1. Saint-Lambert (*op. cit.*, t. VI, p. 8) : « La plupart des hommes *n'éprouvant* de sensations..., tout ce qui est étranger à leurs passions... »
2. S.L., *ibid.* : ses.
3. S.L. *ibid.* : paraître.

est brûlé par le soleil, il est effrayé [des][1] tempêtes. L'âme se plaît souvent dans ces affections momentanées; elles lui donnent un plaisir qui lui est précieux; elle se livre à tout ce qui peut l'augmenter; elle voudrait, par des couleurs vraies, par des traits ineffaçables, donner un corps aux fantômes qui sont son ouvrage, qui la transportent ou qui l'amusent.

Veut-elle peindre quelques-uns de ces objets qui viennent l'agiter, tantôt les êtres se dépouillent de leurs imperfections; il ne se place dans ses tableaux que le sublime, l'agréable; alors le *génie* peint en beau : tantôt elle ne voit dans les événements les plus tragiques que les circonstances les plus terribles, et le *génie* répand dans ce moment les couleurs les plus sombres, les expressions énergiques de la plainte et de la douleur, il anime la matière, il colore la pensée : dans la chaleur de l'enthousiasme, il ne dispose ni de la nature ni de la suite de ses idées; il est transporté dans la situation des personnages qu'il fait agir; il a pris leur caractère; s'il éprouve dans le plus haut degré des passions héroïques, telles que la confiance d'une grande âme que le sentiment de ses forces élève au-dessus de tout danger, telles que l'amour de la patrie porté jusqu'à l'oubli de soi-même, il produit le sublime, le *moi* de Médée[2], le *qu'il mourût*, du vieil Horace, le *je suis consul de Rome*, de Brutus[3] : transporté par d'autres passions, il fait dire à Hermione, *qui te l'a dit?* à Orosmane, *j'étais aimé*[4], à Thyeste, *je reconnais mon frère*[5].

Cette force de l'enthousiasme inspire le mot propre quand il a de l'énergie; souvent elle le fait sacrifier à des figures hardies; elle inspire l'harmonie imitative, les images de

1. S.L. *ibid.* : par les.
2. Corneille, *Médée* (1635), acte I, scène 5 :
   « Dans un si grand revers que vous reste-t-il? — Moi.
   Moi, dis-je, et c'est assez »
3. Voltaire, *Brutus* (1730), acte V, scène 6, lorsque Brutus condamne à mort son fils, coupable de trahison.
4. Voltaire, *Zaïre* (1732), acte V, scène 10, regrets d'Orosmane, après avoir tué Zaïre par jalousie.
5. *Atrée et Thyeste* de Crébillon (1707), acte V, scène 8, lorsqu'Atrée a fait boire à Thyeste le sang de son fils.

toute espèce, les signes les plus sensibles, et les sons imitateurs comme les mots qui caractérisent.

L'imagination prend des formes différentes; elle les emprunte des différentes qualités qui forment le caractère de l'âme. Quelques passions, la diversité des circonstances, certaines qualités de l'esprit, donnent un tour particulier à l'imagination; elle ne se rappelle pas avec sentiment toutes ses idées, parce qu'il n'y a pas toujours des rapports entre elle et les êtres.

Le *génie* n'est pas toujours *génie;* quelquefois il est plus aimable que sublime; il sent et peint moins dans les objets le beau que le gracieux; il éprouve et fait moins éprouver [des] [1] transports qu'une douce émotion.

Quelquefois dans l'homme de *génie* l'imagination est gaie; elle s'occupe des légères imperfections des hommes, des fautes et des folies ordinaires; le contraire de l'ordre n'est pour elle que ridicule, mais d'une manière si nouvelle, qu'il semble que ce soit le coup d'œil de l'homme de *génie* qui ait mis dans l'objet le ridicule qu'il ne fait [qu'y] [2] découvrir. L'imagination gaie d'un *génie* étendu agrandit le champ du ridicule; et tandis que le vulgaire le voit et le sent dans ce qui choque les usages établis, le *génie* le découvre et le sent dans ce qui blesse l'ordre universel.

Le goût est souvent séparé du *génie*. Le *génie* est un pur don de la nature; ce qu'il produit est l'ouvrage d'un moment; le goût est l'ouvrage de l'étude et du temps; il tient à la connaissance d'une multitude de règles ou établies ou supposées; il fait produire des beautés qui ne sont que de convention. Pour qu'une chose soit belle selon les règles du goût, il faut qu'elle soit élégante, finie, travaillée sans le paraître : pour être de *génie*, il faut quelquefois qu'elle soit négligée; qu'elle ait l'air irrégulier, escarpé, sauvage. Le sublime et le *génie* brillent dans [Shakespeare] [3] comme des

---

1. Saint-Lambert, *op. cit. :* de.
2. S. L. *ibid. :* que.
3. Saint-Lambert parle de *Corneille*.

éclairs dans une longue nuit, et Racine est toujours beau; Homère est plein de *génie*, et Virgile d'élégance.

Les règles et les lois du goût donneraient des entraves au *génie;* il les brise pour voler au sublime, au pathétique, au grand. L'amour de ce beau éternel qui caractérise la nature; la passion de conformer ses tableaux à je ne sais quel modèle qu'il a créé, et d'après lequel il a les idées et les sentiments du beau, sont le goût de l'homme de *génie*. Le besoin d'exprimer les passions qui l'agitent est continuellement gêné par la grammaire et par l'usage : souvent l'idiome dans lequel il écrit se refuse à l'expression d'une image qui serait sublime dans un autre idiome. Homère ne pouvait trouver dans un seul dialecte les expressions nécessaires à son *génie;* Milton viole à chaque instant les règles de sa langue, et va chercher des expressions énergiques dans trois ou quatre idiomes différents[1]. Enfin la force et l'abondance, je ne sais quelle rudesse, l'irrégularité, le sublime, le pathétique, voilà dans les arts le caractère du *génie;* il ne touche pas faiblement, il ne plaît pas sans étonner, il étonne encore par ses fautes.

Dans la philosophie, où il faut peut-être toujours une attention scrupuleuse, une timidité, une habitude de réflexion, qui ne [s'accordent][2] guère avec la chaleur de l'imagination, et moins encore avec la confiance que donne le *génie*, sa marche est distinguée comme dans les arts; il y répand fréquemment de brillantes erreurs; il y a quelquefois de grands succès. Il faut, dans la philosophie, chercher

---

1. Dupré de Saint-Maur donna sa traduction du *Paradise lost* en 1729 et le père jésuite irlandais Bernard Routh ses *Lettres critiques sur le Paradis perdu* en 1732 (Paris, Cailleau). Mais l'idée vient de Voltaire dans son *Essai sur la poésie épique* (Paris, Chaubert, 1728), réédité et corrigé en 1732. Voltaire décèle les sources de Milton : Claudien, Le Tasse, Grotius et Masenius : « Imiter ainsi ce n'est point être plagiaire, c'est lutter contre son original; c'est enrichir sa langue des beautés des langues étrangères » (édit. Moland, t. VIII, p. 356).

2. S. L., *op. cit.* : s'accorde.

le vrai avec ardeur, et l'espérer avec patience. Il faut des hommes qui puissent disposer de l'ordre et de la suite de leurs idées, en suivre la chaîne pour conclure, ou l'interrompre pour douter; il faut de la recherche, de la discussion, de la lenteur; et on n'a ces qualités ni dans le tumulte des passions, ni avec les fougues de l'imagination. Elles sont le partage de l'esprit étendu, maître de lui-même, qui ne reçoit point une perception sans la comparer avec une perception; qui cherche ce que divers objets ont de commun, et ce qui les distingue entre eux; qui, pour rapprocher des idées éloignées, fait parcourir pas à pas un long intervalle; qui, pour saisir les liaisons singulières, délicates, fugitives de quelques idées voisines, ou leur opposition et leur contraste, sait tirer un objet particulier de la foule des objets de même espèce ou d'espèce différente; poser le microscope sur un point imperceptible, et ne croit avoir bien vu qu'après avoir regardé longtemps. Ce sont ces hommes qui vont, d'observations en observations, à de justes conséquences, et ne trouvent que des analogies naturelles : la curiosité est leur mobile, l'amour du vrai est leur passion; le désir de le découvrir est en eux une volonté permanente qui les anime sans les échauffer, et qui conduit leur marche que l'expérience doit assurer.

Le *génie* est frappé de tout, et dès qu'il n'est point livré à ses pensées et subjugué par l'enthousiasme, il étudie, pour ainsi dire, sans s'en apercevoir; il est forcé, par les impressions que les objets font sur lui, à s'enrichir sans cesse de connaissances qui ne lui ont rien coûté; il jette sur la nature des coups d'œil généraux et perce ses abîmes. Il recueille dans son sein des germes qui y entrent imperceptiblement, et qui produisent dans le temps des effets si surprenants, qu'il est lui-même tenté de se croire inspiré; il a pourtant le goût de l'observation; mais il observe rapidement un grand espace, une multitude d'êtres.

Le mouvement, qui est son état naturel, est quelquefois si doux, qu'à peine il l'aperçoit; mais le plus souvent ce mouvement excite des tempêtes, et le *génie* est plutôt emporté par un torrent d'idées, qu'il ne suit librement de tranquilles réflexions. Dans l'homme que l'imagination domine, les idées se lient par les circonstances et par le sentiment; il ne voit souvent des idées abstraites que dans leur rapport avec les idées sensibles. Il donne aux abstractions une existence indépendante de l'esprit qui les a faites; il réalise ses fantômes, son enthousiasme augmente au spectacle de ses créations, c'est-à-dire de ses nouvelles combinaisons, seules créations de l'homme; emporté par la foule de ses pensées, livré à la facilité de les combiner, forcé de produire, il trouve mille preuves spécieuses, et ne peut s'assurer d'une seule; il construit des édifices hardis que la raison n'oserait habiter, et qui lui plaisent par leurs proportions et non par leur solidité; il admire ses systèmes comme il admirerait le plan d'un poème, et il les adopte comme beaux, en croyant les aimer comme vrais.

[Le vrai ou le faux, dans les productions philosophiques, ne sont point les caractères distinctifs du *génie*.

Il y a bien peu d'erreurs dans Locke, et trop peu de vérités dans mylord Shaftesbury : le premier cependant n'est qu'un esprit étendu, pénétrant et juste; et le second est un *génie* du premier ordre. Locke a vu; Shaftesbury a créé, construit, édifié : nous devons à Locke de grandes vérités froidement aperçues, méthodiquement suivies, sèchement annoncées; et à Shaftesbury des systèmes brillants souvent peu fondés, pleins pourtant de vérités sublimes; et dans ses moments d'erreur, il plaît et persuade encore par les charmes de son éloquence.

Le *génie* hâte cependant les progrès de la philosophie par les découvertes les plus heureuses et les moins attendues : il s'élève d'un vol d'aigle vers une vérité lumineuse, source de mille vérités auxquelles parviendra dans la suite en rampant la foule timide des sages observateurs. Mais à côté de cette vérité lumineuse, il placera les ouvrages de son imagination : incapable de marcher dans la carrière, et de parcourir successivement les intervalles, il part d'un point et s'élance vers le but; il tire un principe fécond des ténèbres; il est rare qu'il suive la chaîne des conséquences; il est *prime-sautier*, pour me servir de l'expression de Montaigne [1]. Il imagine plus qu'il n'a vu; il produit plus qu'il ne découvre; il entraîne plus qu'il ne conduit : il anima les Platon, les Descartes, les Malebranche, les Bacon, les Leibnitz; et selon le plus ou le moins que l'imagination domina dans ces grands hommes, il fit éclore des systèmes brillants, ou découvrir de grandes vérités] [2].

Dans les sciences immenses et non encore approfondies du gouvernement, le *génie* a son caractère et ses effets aussi faciles à reconnaître que dans les arts et dans la philosophie : mais je doute que le *génie*, qui a si souvent pénétré de quelle manière les hommes dans certains temps devaient être

---

1. Montaigne, *Essais*, II, 100 : « J'ai un esprit primesautier : ce que je ne vois de la première charge, je le vois moins en m'y obstinant. »

2. S. L., *op. cit.*, p. 16-17 : « Le vrai ou le faux ne sont pas toujours les caractères distinctifs du génie. C'est la création, l'esprit de découverte. Locke avait l'esprit étendu, pénétrant et juste. C'est de tous les philosophes, excepté Aristote, le plus fécond en observations heureuses, en observations sages. Et de tous les hommes qui ont fait de grandes découvertes, c'est celui que l'imagination a le moins dominé. Cependant il en avait beaucoup.

Il y a des hommes que l'imagination a égarés et auxquels on ne refuse pas le nom de génies philosophiques. Ils se sont élevés d'un vol d'aigle vers une vérité lumineuse, source de plusieurs vérités. Mais à côté des objets qu'ils ont découverts, ils ont placé des fantômes, incapables dans leur vaste carrière de parcourir successivement les intervalles. Ils sont partis d'un point et se sont élevés vers le but. Leur esprit était primesautier, pour me servir de l'expression de Montaigne. Ils ont entraîné plus qu'ils n'ont conduit. Tels ont été Platon, Descartes, Shaftesbury, Leibnitz, etc. Selon le plus ou le moins que l'imagination a maîtrisé ces grands hommes, à côté de vérités importantes, ils ont mis des systèmes brillants et spécieux ». La comparaison des deux textes révèle :

1) La platitude du style de Saint-Lambert. Repentir sénile de ce dernier, dirait M. Venturi. Je préfère y voir la refonte géniale de Diderot.

2) La comparaison de Locke et de Shaftesbury ne saurait être que de Diderot : il a connu très tôt les *Characteristicks* que Robinet traduira seulement en 1769 (édition de Genève).

3) Le contraste entre l'éloge du génie philosophique et la méfiance à l'égard des systèmes d'un disciple étroit de Voltaire.

conduits, soit [lui-même][1] propre à les conduire. Certaines qualités de l'esprit, comme certaines qualités du cœur, tiennent à d'autres, en excluent d'autres. Tout dans les plus grands hommes annonce des inconvénients ou des bornes.

Le sang-froid, cette qualité si nécessaire à ceux qui gouvernent, sans lequel on ferait rarement une application juste des moyens aux circonstances, sans lequel on serait sujet aux inconséquences, sans lequel on manquerait de la présence d'esprit; le sang-froid qui soumet l'activité de l'âme à la raison, et qui préserve, dans tous les événements, de la crainte, de l'ivresse, de la précipitation, n'est-il pas une qualité qui ne peut exister dans les hommes que l'imagination maîtrise? cette qualité n'est-elle pas absolument opposée au *génie?* Il a sa source dans une extrême sensibilité, qui le rend susceptible d'une foule d'impressions nouvelles par lesquelles il peut être détourné du dessein principal, contraint de manquer au secret, de sortir des lois de la raison, et de perdre, par l'inégalité de la conduite, l'ascendant qu'il aurait pris par la supériorité des lumières. Les hommes de *génie* forcés de sentir, décidés par leurs goûts, par leurs répugnances, distraits par mille objets, devinant trop, prévoyant peu, portant à l'excès leurs désirs, leurs espérances, ajoutant ou retranchant sans cesse à la réalité des êtres, me paraissent plus faits pour renverser ou pour fonder les États, que pour les maintenir, et pour rétablir l'ordre, que pour le suivre.

Le *génie* dans les affaires n'est pas plus captivé par les circonstances, par les lois et par les usages, qu'il ne l'est dans les beaux-arts par les règles du goût, et dans la philosophie par la méthode. Il y a des moments où il sauve sa patrie qu'il perdrait dans la suite, s'il y conservait du pouvoir. Les systèmes sont plus dangereux en politique qu'en philosophie; l'imagination qui égare le philosophe ne lui fait faire que des erreurs; l'imagination qui égare l'homme d'État lui fait faire des fautes et le malheur des hommes.

Qu'à la guerre donc et dans le conseil le *génie*, semblable

1. S.L., *op. cit.* : toujours.

à la Divinité, parcoure d'un coup d'œil la multitude des possibles, voie le mieux et l'exécute; mais qu'il ne manie pas longtemps les affaires où il faut attention, combinaisons, persévérance : qu'Alexandre et Condé soient maîtres des événements, et paraissent inspirés le jour d'une bataille, dans ces instants où manque le temps de délibérer, et où il faut que la première des pensées soit la meilleure; qu'ils décident dans ces moments où il faut voir d'un coup d'œil les rapports d'une position et d'un mouvement avec ses forces, celles de son ennemi, et le but qu'on se propose; mais que Turenne et Marlborough leur soient préférés quand il faudra diriger les opérations d'une campagne entière.

Dans les arts, dans les sciences, dans les affaires, le *génie* semble changer la nature des choses; son caractère se répand sur tout ce qu'il touche, et ses lumières s'élançant au delà du passé et du présent, éclairent l'avenir; il devance son siècle qui ne peut le suivre; il laisse loin de lui l'esprit qui le critique avec raison, mais qui, dans sa marche égale, [ne sort jamais] [1] de l'uniformité de la nature. Il est mieux senti que connu par l'homme qui veut le définir : ce serait à lui-même à parler de lui; et cet article, que je n'aurais pas dû faire, devrait être l'ouvrage d'un de ces hommes extraordinaires qui [honore] [2] ce siècle et qui, pour connaître le *génie*, n'aurait eu qu'à regarder en lui-même [3].

---

1. S.L., *op. cit.*, p. 20 : sort moins souvent.
2. S.L., *ibid.* : honorent.
3. « M. de Voltaire, par exemple », ajoute en note Diderot. Saint-Lambert préfère ne pas préciser.

II. SUR LE GÉNIE

Il y a dans les hommes de génie, poètes, philosophes, peintres, musiciens, je ne sais quelle qualité d'âme particulière, secrète, indéfinissable, sans laquelle on n'exécute rien de très grand et de très [1] beau. Est-ce l'imagination ? Non. J'ai vu de belles et fortes imaginations qui promettaient beaucoup et qui ne tenaient rien ou peu de chose. Est-ce le jugement ? Non. Rien de plus ordinaire que des hommes d'un grand jugement dont les productions sont lâches, molles et froides. Est-ce l'esprit ? Non. L'esprit dit de jolies choses et n'en fait que de petites. Est-ce la chaleur, la vivacité, la fougue même ? Non. Les gens chauds se démènent beaucoup pour ne rien faire qui vaille. Est-ce la sensibilité ? Non. J'en ai vu dont l'âme s'affectait promptement et profondément, qui ne pouvaient entendre un récit élevé sans sortir hors d'eux-mêmes, transportés, enivrés, fous ; un trait pathétique, sans verser des larmes et qui balbutiaient comme des enfants, soit qu'ils parlassent, soit qu'ils écrivissent. Est-ce le goût ? Non. Le goût efface les défauts plutôt qu'il ne produit les beautés ; c'est un don qu'on acquiert plus ou moins, ce n'est pas un ressort de nature. Est-ce une certaine conformation de la tête et des viscères, une certaine constitution des humeurs ? J'y consens, mais à la condition qu'on avouera que ni moi ni personne n'en a de notion précise et qu'on y joindra l'esprit observateur. Quand je parle de l'esprit observateur, je n'entends pas ce petit espionnage journalier des mots, des actions et des mines, ce tact si familier aux femmes qui le possèdent dans un degré supérieur aux plus fortes têtes, aux plus grandes âmes, aux

1. *Omisit* V.

génies les plus vigoureux. Cette subtilité que je comparerais volontiers à l'art de faire passer des grains de millet par le trou d'une aiguille, c'est une misérable petite étude journalière dont toute l'utilité est domestique et minutieuse, à l'aide de laquelle un valet trompe son maître et son maître trompe ceux dont il est le valet, en leur échappant. L'esprit observateur dont je parle s'exerce sans effort, sans contention; il ne regarde point, il voit, il s'instruit, il s'étend sans étudier; il n'a aucun phénomène présent, mais ils l'ont tous affecté[1]; et ce qui lui en reste, c'est une espèce de sens que les autres n'ont pas; c'est une machine rare qui dit : cela réussira... et cela réussit; cela ne réussira pas... et cela ne réussit pas; cela est vrai et cela est faux... et cela se trouve comme il l'a dit. Il se remarque et dans les grandes choses et dans les petites. Cette sorte d'esprit prophétique n'est pas le même dans toutes les conditions de la vie; chaque état a le sien. Il ne garantit pas toujours des chutes; mais la chute qu'il occasionne n'entraîne jamais le mépris, et elle est toujours précédée d'une incertitude. L'homme de génie sait qu'il met au hasard, et il le sait sans avoir calculé les chances pour ou contre; ce calcul est tout fait dans sa tête.

1. V : mais tous l'ont affecté.

ÉLOGE DE RICHARDSON

INTRODUCTION

A *l'automne de* 1760, *Diderot séjourne trois semaines au Grandval, chez le baron d'Holbach ; depuis son arrivée le* 9 *octobre, ce ne sont que visites, repas diserts, conversations sans fin. Autour des hôtes et de l'ineffable Mme d'Aine, voici l'abbé Galiani, le père Hoop, Grimm, Le Roy, d'Alainville ; puis toujours pressée et ne découchant jamais, Mme Geoffrin. Un soir, peu avant le* 20 *octobre, l'assemblée parlait de Richardson :*

« On discuta beaucoup de *Clarisse*, annonce Diderot à Sophie Volland. Ceux qui méprisaient cet ouvrage le méprisaient souverainement; ceux qui l'estimaient, aussi outrés dans leur estime que les premiers dans leur mépris, le regardaient comme un des tours de force de l'esprit humain. *Je l'ai*, je suis bien fâché que vous ne l'ayez pas enfermé dans votre malle. Je ne serai content ni de vous ni de moi que je ne vous aie amenée à goûter la vérité de *Paméla*, de *Tom Jones*, de *Clarisse* et de *Grandisson* » (op. cit., *t. I, p.* 155).

A vrai dire, le sujet n'était pas neuf ni l'auteur inconnu. L'abbé Prévost, dans une langue pâle et molle, avait traduit Paméla *en* 1742, Clarisse Harlowe *en* 1751, *et l'*Histoire de Sir Charles Grandison *en* 1755. *Grimm avait éprouvé à la lecture de* Clarisse « le plaisir le plus vif et l'ennui le plus assommant » (Corr. Littéraire, *t. II, p.* 24-25, *janvier* 1751). *Mais en* 1756 *et* 1758 (ibid., *III, p.* 161, *et IV, p.* 24), *il critiquait violemment* « l'ignorance » *et* « l'insensibilité » *du traducteur :* « M. l'abbé Prévost, qui avait déjà fort tronqué les derniers volumes de *Clarisse* dont il n'y avait pas un mot à perdre, a absolument estropié le roman de *Grandison* ; il a osé abréger et gâter jusqu'au morceau de Clémentine qui est un chef-d'œuvre de génie d'un bout à l'autre ». *Marmontel en revanche, dans le* Mercure *d'août* 1758, *approuvait les retranchements de Prévost.*

Mme du Deffand, jouant les pédagogues, déclarait doctement : « Ce sont des traités de morale en action » (Lettre à Voltaire *du 28 octobre* 1759, in Œuvres *de Voltaire, édition Moland, t.* XL, *p.* 205); *mais l'auteur de* Candide *se sentait débordé par ce* « fatras d'inutilités » : « Je ne voudrais pas être condamné à relire (*Clarisse*). Il n'y a de bon, ce me semble, que ce qu'on peut relire sans dégoût » (ibid., *p.* 350). *C'est donc tardivement, en* 1760, *que Diderot intervient dans la querelle de Richardson.*

Reconnaissons son mérite. Pour juger de Clarisse, *il a attendu de pouvoir lire le texte anglais ; comme Grimm, il a reconnu dans l'enterrement et la lecture du testament les meilleures pages du roman, indûment négligées par Prévost. Dès lors. Richardson est son homme. Lorsqu'en septembre* 1761, *Sophie Volland part pour le château d'Isle,* Clarisse *est dans ses malles ; au bord de la Marne, la scène du Grandval se renouvelle : Mme Volland n'aime pas* Clarisse, *Sophie pleure en lisant la scène de l'enterrement, mais trouve des charmes à Lovelace* (A Sophie Volland, *t. I, p.* 212 *et* 219). *Puis un miracle se produit : la sœur cadette de Sophie, Mme Le Gendre, femme coquette et mystérieuse, est subitement convertie par Richardson ; depuis longtemps courtisée par Vialet, inspecteur des ponts et chaussées de Champagne, elle s'aperçoit comme Clarisse du danger des correspondances clandestines* (ibid., *p.* 214). *Diderot aussitôt averti s'émerveille :* « Eh bien, voilà un bon effet de cette lecture. Imaginez que cet ouvrage est répandu sur toute la surface de la terre et que voilà Richardson l'auteur de cent bonnes actions par jour » (ibid.). *Cinq ans plus tard, il racontera durement l'aventure à Vialet* (Correspondance inédite, *t. II, p.* 194). *Mais pour l'heure, il est au comble de l'enthousiasme. Imaginons la scène quai des Miramionnes, dans le bureau de Damilaville, vers le* 15 *septembre ; Diderot lit la lettre de Sophie et s'exalte :* « Ce que vous me dites de l'enterrement et du testament de Clarisse, je l'avais éprouvé. C'est seulement une preuve de plus de la ressemblance de nos âmes. Seulement encore mes yeux se remplirent de larmes. Je ne pouvais plus lire, je me levai et me mis à me désoler, à apostropher le frère, la sœur, le père et les oncles, et à parler tout haut, au grand étonnement de

Damilaville qui n'entendait rien ni à mon transport ni à mes discours et qui me demandait à qui j'en avais » (A Sophie Volland, *t. I, p.* 213). *Scène un peu ridicule peut-être, mais de cette tension devait naître l'*Éloge de Richardson.

L'ébauche fut faite en vingt-quatre heures, dira Grimm (Corresp. litt., *t. V, p.* 23, 15 *janvier* 1762). *Richardson étant mort le* 4 *juillet précédent, l'abbé Arnaud, directeur du* Journal étranger, *fort soucieux d'actualité, s'empara de l'essai de Diderot et le fit paraître dans sa livraison de janvier* 1762 (*B.N., Z* 21770, *p.* 38) *avec le préambule suivant :* « Il nous est tombé entre les mains un exemplaire anglais de *Clarisse*, accompagné de réflexions manuscrites dont l'auteur, quel qu'il soit, ne peut être qu'un homme de beaucoup d'esprit, mais dont un homme qui n'aurait que beaucoup d'esprit ne serait jamais l'auteur. Ces réflexions portent surtout le caractère d'une imagination forte et d'un cœur très sensible. Elles n'ont pu naître que dans ces moments d'enthousiasme où une âme tendre et profondément affectée cède au besoin pressant d'épancher au dehors les sentiments dont elle est pour ainsi dire oppressée. Une telle situation sans doute n'admet point les procédés froids et austères de la méthode. Aussi l'auteur laisse-t-il errer sa plume au gré de son imagination. Mais à travers le désordre et la négligence aimable d'un pinceau qui s'abandonne, on reconnaît aisément la main sûre et savante d'un grand peintre. » *En fait, nul ne s'y trompa : l'*Éloge de Richardson *fut édité en plaquette en août* 1762 (*Lyon, Périsse* — cf. A Sophie Volland, *t.* I, *p.* 276) *et Diderot en garda un exemplaire pour Sophie.*

*L'abbé Prévost tint compte des remarques de Diderot, et mit l'*Éloge *en tête de son* Supplément à Clarisse (1762), *puis de toutes ses rééditions* (1766-1777) *du roman. Mais l'enthousiasme est contagieux : Haller, dans les* Anzeigen *de Gottingue vante* « ce feu inhabituel » (26 *janvier* 1765); *l'*Éloge *est traduit dans la revue* Unterhaltungen *de Hambourg* (*février* 1766); *Herder s'exalte dans la* Gazette de Kœnigsberg (17 *août* 1767) : « Tout est plein de feu, plein d'âme, plein de sentiment, plein de vie »; *lorsqu'il débarque à Nantes en août* 1769, *il retrouve l'*Éloge *dans les* Variétés littéraires *de* 1768 *et en vante* *à son maître Hamann la profondeur et la nouveauté*, « surtout ici en terre française » (Lebensbild, *II, p.* 63). *Dès lors, Diderot et Richardson sont enrôlés de concert dans le* Sturm und Drang.

Nous n'avons plus aucune raison de partager cet enthousiasme. Mais nous savons maintenant, au contraire de Laharpe et de Nisard, qu'il n'était pas de commande. Si la grandiloquence nous fatigue, si la sensibilité moderne exige plus de réserve, nous ne saurions refuser à l'apologiste de Richardson ce qui fait son vrai mérite, celui d'avoir cru à « la critique du cœur » *et d'avoir rafraîchi le goût français, à l'heure où Voltaire demeure fidèle au purisme classique. Quelques mois plus tôt,* la Nouvelle Héloïse *paraissait et consacrait cette évolution de la sensibilité. Julie d'Étanges et Claire d'Orbe allaient effacer les pâles figures de Clarisse et de miss Howe. Mais grâce à Diderot, les âmes sensibles, de Mme de Tessé à Mme de Staël, iront pleurer à Londres, comme d'autres à Ermenonville, sur la tombe de Samuel Richardson.*

*L'édition originale de l'*Éloge de Richardson *est celle du* Journal Étranger *de janvier* 1762 (*B.N. Z,* 21770 — *p.* 5-38). *Très tôt célèbre, le texte fut réédité isolément* (*Lyon, Périsse,* 1762, 42 *pages in-*12°), *repris par l'abbé Prévost en* 1762 *en tête de son* Supplément aux lettres anglaises de Miss Clarisse Harlowe *et en* 1766 *en tête de son édition complétée de* Clarisse, *inclus enfin dans les* Variétés littéraires *de* 1768 *par l'abbé Arnaud. Nous avons collationné trois textes sur cinq, dont l'original : les variantes sont purement orthographiques. Nous disposons d'un manuscrit du fonds Vandeul* (*B.N., n.a.fr.* 24937, fol. 212-228), *probablement copié sur l'imprimé, d'une orthographe fantaisiste* (proscript *pour* postscript, Betford *pour* Belford, *etc.*), *non dénué d'erreurs* (de ses pensées, de son esprit *au lieu de :* des pensées de son esprit) : *aucune de ses leçons ne présente d'intérêt. Il nous faut donc revenir au texte de* 1762 *et exclure quatre corrections d'Assézat* (vertu *pour* vertus, secrets *pour* secret, arrangées *pour* rangées, au temps à venir *pour* aux temps à venir). *La constance de la tradition imprimée, tradition établie du vivant de Diderot, nous l'impose.*

P. V.

BIBLIOGRAPHIE

Samuel RICHARDSON. *Works* (édition de Mrs Mac Kenna, Londres, Chapman and Hall, 1902, 20 vol.).

Paul DOTTIN. *Samuel Richardson* (Paris, Perrin, 1931).

F.S. BOAS. *Richardson's novels and their influence* (Oxford, 1911).

F.H. WILCOX. *Prevost's translations of Richardson's novels* (Berkeley, 1927).

Roland MORTIER. *Diderot en Allemagne* (Paris, P.U.F., 1954, p. 325-328).

ÉLOGE DE RICHARDSON

Par un roman, on a entendu jusqu'à ce jour un tissu d'événements chimériques et frivoles, dont la lecture était dangereuse pour le goût et pour les mœurs. Je voudrais bien qu'on trouvât un autre nom pour les ouvrages de Richardson, qui élèvent l'esprit, qui touchent l'âme, qui respirent partout l'amour du bien, et qu'on appelle aussi des romans.

Tout ce que Montaigne, Charron, La Rochefoucauld et Nicole ont mis en maximes, Richardson l'a mis en action [1]. Mais un homme d'esprit, qui lit avec réflexion les ouvrages de Richardson, refait la plupart des sentences des moralistes; et avec toutes ces sentences il ne referait pas une page de Richardson.

Une maxime est une règle abstraite et générale de conduite dont on nous laisse l'application à faire. Elle n'imprime par elle-même aucune image sensible dans notre esprit : mais celui qui agit, on le voit, on se met à sa place ou à ses côtés,

---

1. Mme du Deffand exprimait le même avis dans une lettre à Voltaire du 28 octobre 1759 (*Œuvres* de Voltaire, édit. Moland, t. XL, p. 205) : « Ce sont des traités de morale en action qui sont très intéressants et peuvent être fort utiles ». Ce climat de prédication était d'ailleurs celui de l'entourage de Richardson : Mrs Berkeley, belle-fille du philosophe, déclarait que *Grandison* ferait « beaucoup de bien en France, où l'on a besoin d'un tel apôtre de pureté »; en 1754 paraissaient les *Remarques critiques sur Grandison, Clarisse et Paméla, étudiant la question de savoir si ces livres ont une tendance à corrompre ou à améliorer goût et morale publique.* En 1755, Richardson tirait lui-même de ses œuvres une *Collection des sentiments, maximes, avertissements et réflexions moraux et instructifs;* en 1759, Adam Smith, dans sa *Théorie des sentiments moraux*, voit dans Richardson un des plus grands moralistes de tous les temps.

on se passionne pour ou contre lui; on s'unit à son rôle, s'il est vertueux; on s'en écarte avec indignation, s'il est injuste et vicieux. Qui est-ce que le caractère d'un Lovelace, d'un Tomlinson [1], n'a pas fait frémir? Qui est-ce qui n'a pas été frappé d'horreur du ton pathétique et vrai, de l'air de candeur et de dignité, de l'art profond avec lequel celui-ci joue toutes les vertus? Qui est-ce qui ne s'est pas dit au fond de son cœur qu'il faudrait fuir de la société ou se réfugier au fond des forêts, s'il y avait un certain nombre d'hommes d'une pareille dissimulation?

O Richardson! on prend, malgré qu'on en ait, un rôle dans tes ouvrages, on se mêle à la conversation, on approuve, on blâme, on admire, on s'irrite, on s'indigne. Combien de fois ne me suis-je pas surpris, comme il est arrivé à des enfants qu'on avait menés au spectacle pour la première fois, criant : *Ne le croyez pas, il vous trompe... Si vous allez là, vous êtes perdu.* Mon âme était tenue dans une agitation perpétuelle. Combien j'étais bon! combien j'étais juste! que j'étais satisfait de moi! J'étais, au sortir de ta lecture, ce qu'est un homme à la fin d'une journée qu'il a employée à faire le bien.

J'avais parcouru dans l'intervalle de quelques heures un grand nombre de situations, que la vie la plus longue offre à peine dans toute sa durée. J'avais entendu les vrais discours des passions; j'avais vu les ressorts de l'intérêt et de l'amour-propre jouer en cent façons diverses; j'étais devenu spectateur d'une multitude d'incidents, je sentais que j'avais acquis de l'expérience.

Cet auteur ne fait point couler le sang le long des lambris; il ne vous transporte point dans des contrées éloignées; il ne vous expose point à être dévoré par des sauvages; il ne se renferme point dans des lieux clandestins de débauche; il ne se perd jamais dans les régions de la féerie. Le monde où nous vivons est le lieu de la scène; le fond de

---

1. Le capitaine Tomlinson, complice de Lovelace, est de toutes les machinations contre la vertu de Clarisse Harlowe.

son drame est vrai; ses personnages ont toute la réalité possible; ses caractères sont pris du milieu de la société; ses incidents sont dans les mœurs de toutes les nations policées; les passions qu'il peint sont telles que je les éprouve en moi; ce sont les mêmes objets qui les émeuvent, elles ont l'énergie que je leur connais; les traverses et les afflictions de ses personnages sont de la nature de celles qui me menacent sans cesse; il me montre le cours général des choses qui m'environnent. Sans cet art, mon âme se pliant avec peine à des biais chimériques, l'illusion ne serait que momentanée et l'impression faible et passagère.

Qu'est-ce que la vertu? C'est, sous quelque face qu'on la considère, un sacrifice de soi-même. Le sacrifice que l'on fait de soi-même en idée est une disposition préconçue à s'immoler en réalité.

Richardson sème dans les cœurs des germes de [vertus][1] qui y restent d'abord oisifs et tranquilles : ils y sont secrètement, jusqu'à ce qu'il se présente une occasion qui les remue et les fasse éclore. Alors ils se développent; on se sent porter au bien avec une impétuosité qu'on ne se connaissait pas. On éprouve, à l'aspect de l'injustice, une révolte qu'on ne saurait s'expliquer à soi-même. C'est qu'on a fréquenté Richardson; c'est qu'on a conversé avec l'homme de bien, dans des moments où l'âme désintéressée était ouverte à la vérité.

Je me souviens encore de la première fois que les ouvrages de Richardson tombèrent entre mes mains : j'étais à la campagne [2]. Combien cette lecture m'affecta délicieusement! A chaque instant, je voyais mon bonheur s'abréger d'une page. Bientôt j'éprouvai la même sensation qu'éprouveraient des hommes d'un commerce excellent qui auraient vécu ensemble pendant longtemps et qui seraient sur le point de se séparer. A la fin, il me sembla tout à coup que j'étais resté seul.

---

1. Assézat : vertu.
2. Fait-il allusion à son séjour au Grandval, chez le baron d'Holbach, à l'automne de 1760 (cf. *Introduction*) ?

Cet auteur vous ramène sans cesse aux objets importants de la vie. Plus on le lit, plus on se plaît à le lire.

C'est lui qui porte le flambeau au fond de la caverne; c'est lui qui apprend à discerner les motifs subtils et déshonnêtes qui se cachent et se dérobent sous d'autres motifs qui sont honnêtes et qui se hâtent de se montrer les premiers. Il souffle sur le fantôme sublime qui se présente à l'entrée de la caverne; et le More hideux qu'il masquait s'aperçoit.

C'est lui qui sait faire parler les passions, tantôt avec cette violence qu'elles ont lorsqu'elles ne peuvent plus se contraindre; tantôt avec ce ton artificieux et modéré qu'elles affectent en d'autres occasions.

C'est lui qui fait tenir aux hommes de tous les états, de toutes les conditions, dans toute la variété des circonstances de la vie, des discours qu'on reconnaît. S'il est au fond de l'âme du personnage qu'il introduit un sentiment secret, écoutez bien, et vous entendrez un ton dissonant qui le décèlera. C'est que Richardson a reconnu que le mensonge ne pouvait jamais ressembler parfaitement à la vérité, parce qu'elle est la vérité, et qu'il est le mensonge.

S'il importe aux hommes d'être persuadés qu'indépendamment de toute considération ultérieure à cette vie, nous n'avons rien de mieux à faire pour être heureux que d'être vertueux, quel service Richardson n'a-t-il pas rendu à l'espèce humaine? Il n'a point démontré cette vérité; mais il l'a fait sentir : à chaque ligne il fait préférer le sort de la vertu opprimée au sort du vice triomphant. Qui est-ce qui voudrait être Lovelace avec tous ses avantages? Qui est-ce qui ne voudrait pas être Clarisse, malgré toutes ses infortunes?

Souvent j'ai dit en le lisant : Je donnerais volontiers ma vie pour ressembler à celle-ci; j'aimerais mieux être mort que d'être celui-là.

Si je sais, malgré les intérêts qui peuvent troubler mon jugement, distribuer mon mépris ou mon estime selon la juste mesure de l'impartialité, c'est à Richardson que je le dois. Mes amis, relisez-le, et vous n'exagérerez plus de petites qualités qui vous sont utiles; vous ne déprimerez plus de grands talents qui vous croisent ou qui vous humilient.

Hommes, venez apprendre de lui à vous réconcilier avec les maux de la vie; venez, nous pleurerons ensemble sur les personnages malheureux de ses fictions, et nous dirons : « Si le sort nous accable, du moins les honnêtes gens pleureront aussi sur nous. » Si Richardson s'est proposé d'intéresser, c'est pour les malheureux. Dans son ouvrage, comme dans ce monde, les hommes sont partagés en deux classes : ceux qui jouissent et ceux qui souffrent. C'est toujours à ceux-ci qu'il m'associe; et, sans que je m'en aperçoive, le sentiment de la commisération s'exerce et se fortifie.

Il m'a laissé une mélancolie qui me plaît et qui dure; quelquefois on s'en aperçoit, et l'on me demande : « Qu'avez-vous? vous n'êtes pas dans votre état naturel; que vous est-il arrivé? » On m'interroge sur ma santé, sur ma fortune, sur mes parents, sur mes amis. O mes amis! *Paméla*, *Clarisse* et *Grandisson* sont trois grands drames! Arraché à cette lecture par des occupations sérieuses, j'éprouvais un dégoût invincible; je laissais là le devoir, et je reprenais le livre de Richardson. Gardez-vous bien d'ouvrir ces ouvrages enchanteurs, lorsque vous aurez quelques devoirs à remplir.

Qui est-ce qui a lu les ouvrages de Richardson sans désirer de connaître cet homme, de l'avoir pour frère ou pour ami? Qui est-ce qui ne lui a pas souhaité toutes sortes de bénédictions?

O Richardson, Richardson, homme unique à mes yeux, tu seras ma lecture dans tous les temps ! Forcé par des besoins pressants, si mon ami tombe dans l'indigence, si la médiocrité de ma fortune ne suffit pas pour donner à mes enfants les soins nécessaires à leur éducation, je vendrai mes livres ; mais tu me resteras, tu me resteras sur le même rayon avec Moïse, Homère, Euripide et Sophocle ; et je vous lirai tour à tour.

Plus on a l'âme belle, plus on a le goût exquis et pur, plus on connaît la nature, plus on aime la vérité, plus on estime les ouvrages de Richardson.

J'ai entendu reprocher à mon auteur ses détails qu'on appelait des longueurs[1] : combien ces reproches m'ont impatienté !

Malheur à l'homme de génie qui franchit les barrières que l'usage et le temps ont prescrites aux productions des arts, et qui foule aux pieds le protocole et ses formules ! il s'écoulera de longues années après sa mort, avant que la justice qu'il mérite lui soit rendue.

Cependant, soyons équitables. Chez un peuple entraîné par mille distractions, où le jour n'a pas assez de ses vingt-quatre heures pour les amusements dont il s'est accoutumé de les remplir, les livres de Richardson doivent paraître longs. C'est par la même raison que ce peuple n'a déjà plus d'opéra, et qu'incessamment on ne jouera sur ses autres théâtres que des scènes détachées de comédie et de tragédie.

Mes chers concitoyens, si les romans de Richardson vous paraissent longs, que ne les abrégez-vous ? Soyez conséquents. Vous n'allez guère à une tragédie que pour en voir le dernier acte. Sautez tout de suite aux vingt dernières pages de *Clarisse*.

Les détails de Richardson déplaisent et doivent déplaire à un homme frivole et dissipé ; mais ce n'est pas pour cet homme-là qu'il écrivait ; c'est pour l'homme tranquille et solitaire, qui a connu la vanité du bruit et des amusements du monde, et qui aime à habiter l'ombre d'une retraite, et à s'attendrir utilement dans le silence.

Vous accusez Richardson de longueurs ! Vous avez donc oublié combien il en coûte de peines, de soins, de mouvements, pour faire réussir la moindre entreprise, terminer un procès, conclure un mariage, amener une réconciliation.

---

1. L'édition Mac Kenna des trois romans de Richardson (Londres, 1902) comporte vingt volumes. Voltaire vit là le principal défaut de l'auteur : « Je ne voudrais pas être condamné à relire *Clarisse* » (*Œuvres*, édit. Moland, t. XL, p. 350, 12 avril 1760) ; « Ces romans ont réussi parce qu'ils ont excité la curiosité des lecteurs à travers un fatras d'inutilités » (*ibid.*, t. XLV, p. 263, 16 mai 1767).

Pensez de ces détails ce qu'il vous plaira ; mais ils seront intéressants pour moi, s'ils sont vrais, s'ils font sortir les passions, s'ils montrent les caractères.

Ils sont communs, dites-vous ; c'est ce qu'on voit tous les jours ! Vous vous trompez ; c'est ce qui se passe tous les jours sous vos yeux, et que vous ne voyez jamais. Prenez-y garde; vous faites le procès aux plus grands poètes, sous le nom de Richardson. Vous avez vu cent fois le coucher du soleil et le lever des étoiles; vous avez entendu la campagne retentir du chant éclatant des oiseaux; mais qui de vous a senti que c'était le bruit du jour qui rendait le silence de la nuit plus touchant? Eh bien! il en est pour vous des phénomènes moraux ainsi que des phénomènes physiques : les éclats des passions ont souvent frappé vos oreilles; mais vous êtes bien loin de connaître tout ce qu'il y a de [secret] [1] dans leurs accents et dans leurs expressions. Il n'y en a aucune qui n'ait sa physionomie; toutes ces physionomies se succèdent sur un visage, sans qu'il cesse d'être le même; et l'art du grand poète et du grand peintre est de vous montrer une circonstance fugitive qui vous avait échappé.

Peintres, poètes, gens de goût, gens de bien, lisez Richardson; lisez-le sans cesse.

Sachez que c'est à cette multitude de petites choses que tient l'illusion : il y a bien de la difficulté à les imaginer ; il y en a bien encore à les rendre. Le geste est quelquefois aussi sublime que le mot; et puis ce sont toutes ces vérités de détail qui préparent l'âme aux impressions fortes des grands événements. Lorsque votre impatience aura été suspendue par ces délais momentanés qui lui servaient de digues, avec quelle impétuosité ne se répandra-t-elle pas au moment où il plaira au poète de les rompre! C'est alors qu'affaissé de douleur ou transporté de joie, vous n'aurez plus la force de retenir vos larmes prêtes à couler, et de vous dire à vous-même : *Mais peut-être que cela n'est pas vrai*. Cette pensée a été

1. Assézat : secrets.

éloignée de vous peu à peu; et elle est si loin qu'elle ne se présentera pas.

Une idée qui m'est venue quelquefois en rêvant aux ouvrages de Richardson, c'est que j'avais acheté un vieux château; qu'en visitant un jour ses appartements, j'avais aperçu dans un angle une armoire qu'on n'avait pas ouverte depuis longtemps, et que, l'ayant enfoncée, j'y avais trouvé pêle-mêle les lettres de Clarisse et de Paméla. Après en avoir lu quelques-unes, avec quel empressement ne les aurais-je pas [rangées][1] par ordre de dates! Quel chagrin n'aurais-je pas ressenti, s'il y avait eu quelque lacune entre elles! Croit-on que j'eusse souffert qu'une main téméraire (j'ai presque dit sacrilège) en eût supprimé une ligne?

Vous qui n'avez lu les ouvrages de Richardson que dans votre élégante traduction française[2], et qui croyez les connaître, vous vous trompez.

Vous ne connaissez pas Lovelace; vous ne connaissez pas Clémentine[3]; vous ne connaissez pas l'infortunée Clarisse; vous ne connaissez pas miss Howe, sa chère et tendre miss Howe, puisque vous ne l'avez point vue échevelée et étendue sur le cercueil de son amie, se tordant les bras, levant ses yeux noyés de larmes vers le ciel, remplissant la demeure des Harlove de ses cris aigus, et chargeant d'im-

1. Assézat : arrangées.

2. L'abbé Prévost traduisit *Pamela* en 1742, *Clarisse Harlowe* en 1751, *Charles Grandison* en 1755. Ces traductions, très émondées et adaptées au goût français, firent très tôt l'objet de critiques. Si Marmontel était favorable (*Mercure*, août 1758), Grimm en revanche tançait vertement Prévost (*Corr. Litt.*, t. II, p. 161, 15 janvier 1756) : « Il faut une bonne opinion de soi pour se faire ainsi le sculpteur du marbre de M. Richardson. Traducteurs, gardez-vous de porter une main profane jusque sur la statue même, de peur de trahir votre ignorance et votre insensibilité. »

3. Cf. *Corr. Litt.* (t. IV, p. 24, 1er août 1758) : « M. l'abbé Prévost, qui avait déjà fort tronqué les derniers volumes de *Clarisse* dont il n'y avait pas un mot à perdre, a absolument estropié le roman de *Grandison :* il a osé abréger et gâter jusqu'au morceau de Clémentine qui est un chef-d'œuvre de génie d'un bout à l'autre. »

précations toute cette famille cruelle; vous ignorez l'effet de ces circonstances que votre petit goût supprimerait, puisque vous n'avez pas entendu le son lugubre des cloches de la paroisse, porté par le vent sur la demeure des Harlove, et réveillant dans ces âmes de pierre le remords assoupi; puisque vous n'avez pas vu le tressaillement qu'ils éprouvèrent au bruit des roues du char qui portait le cadavre de leur victime. Ce fut alors que le silence morne, qui régnait au milieu d'eux, fut rompu par les sanglots du père et de la mère; ce fut alors que le vrai supplice de ces méchantes âmes commença, et que les serpents se remuèrent au fond de leur cœur, et le déchirèrent. Heureux ceux qui purent pleurer [1] !

J'ai remarqué que, dans une société où la lecture de Richardson se faisait en commun ou séparément, la conversation en devenait plus intéressante et plus vive.

J'ai entendu, à l'occasion de cette lecture, les points les plus importants de la morale et du goût discutés et approfondis.

J'ai entendu disputer sur la conduite de ses personnages, comme sur des événements réels; louer, blâmer Paméla, Clarisse, Grandisson, comme des personnages vivants qu'on aurait connus, et auxquels on aurait pris le plus grand intérêt.

Quelqu'un d'étranger à la lecture qui avait précédé et qui avait amené la conversation, se serait imaginé, à la vérité et à la chaleur de l'entretien, qu'il s'agissait d'un voisin, d'un parent, d'un ami, d'un frère, d'une sœur.

---

1. Tous ces épisodes appartiennent à la fin du roman : l'arrivée de miss Howe à Harlowe Place et son désespoir devant le cadavre de son amie (édit. Mac Kenna, t. IX, lettre 28, p. 94-95), le char funèbre pénétrant dans la bourgade au son des cloches (*ibid.*, lettres 26, p. 84 : « The hearse and the solemn tolling of the bell... »), le désespoir tardif des parents qui n'osent soulever le couvercle du cercueil (*ibid.*, lettre 29, p. 100). Diderot outre encore le pathétique de ces scènes. L'abbé Prévost tiendra compte de ces reproches en publiant en 1762 le *Supplément aux lettres anglaises de miss Clarisse Harlowe.*

Le dirai-je?... J'ai vu, de la diversité des jugements, naître des haines secrètes, des mépris cachés, en un mot, les mêmes divisions entre des personnes unies, que s'il eût été question de l'affaire la plus sérieuse [1]. Alors, je comparais l'ouvrage de Richardson à un livre plus sacré encore, à un évangile apporté sur la terre pour séparer l'époux de l'épouse, le père du fils, la fille de la mère, le frère de la sœur; et son travail rentrait ainsi dans la condition des êtres les plus parfaits de la nature. Tous sortis d'une main toute-puissante et d'une intelligence infiniment sage, il n'y en a aucun qui ne pèche par quelque endroit. Un bien présent peut être dans l'avenir la source d'un grand mal; un mal, la source d'un grand bien.

Mais qu'importe, si, grâce à cet auteur, j'ai plus aimé mes semblables, plus aimé mes devoirs; si je n'ai eu pour les méchants que de la pitié; si j'ai conçu plus de commisération pour les malheureux, plus de vénération pour les bons, plus de circonspection dans l'usage des choses présentes, plus d'indifférence sur les choses futures, plus de mépris pour la vie, et plus d'amour pour la vertu; le seul bien que nous puissions demander au ciel, et le seul qu'il puisse nous accorder, sans nous châtier de nos demandes indiscrètes!

Je connais la maison des Harlove comme la mienne; la demeure de mon père ne m'est pas plus familière que celle de Grandisson. Je me suis fait une image des personnages que l'auteur a mis en scène; leurs physionomies sont là : je les reconnais dans les rues, dans les places publiques, dans les maisons; elles m'inspirent du penchant ou de l'aversion. Un des avantages de son travail, c'est qu'ayant embrassé un champ immense, il subsiste sans cesse sous mes yeux quelque portion de son tableau. Il est rare que j'aie trouvé six personnes rassemblées, sans leur attacher quelques-uns de ses noms. Il m'adresse aux honnêtes gens, il m'écarte des méchants; il m'a appris à les reconnaître à des signes prompts

---

1. Allusion aux conversations du château d'Isle en septembre 1761 entre Mme Volland et ses deux filles (cf. *Introduction*).

et délicats. Il me guide quelquefois, sans que je m'en aperçoive.

Les ouvrages de Richardson plairont plus ou moins à tout homme, dans tous les temps et dans tous les lieux; mais le nombre des lecteurs qui en sentiront tout le prix ne sera jamais grand : il faut un goût trop sévère; et puis, la variété des événements y est telle, les rapports y sont si multipliés, la conduite en est si compliquée, il y a tant de choses préparées, tant d'autres sauvées, tant de personnages, tant de caractères! A peine ai-je parcouru quelques pages de *Clarisse*, que je compte déjà quinze ou seize personnages; bientôt le nombre se double. Il y en a jusqu'à quarante dans *Grandisson;* mais ce qui confond d'étonnement, c'est que chacun a ses idées, ses expressions, son ton; et que ces idées, ces expressions, ce ton varient selon les circonstances, les intérêts, les passions, comme on voit sur un même visage les physionomies diverses des passions se succéder. Un homme qui a du goût ne prendra point une lettre de Mme Norton pour la lettre d'une des tantes de Clarisse, la lettre d'une tante pour celle d'une autre tante ou de Mme Howe, ni un billet de Mme Howe pour un billet de Mme Harlove, quoiqu'il arrive que ces personnages soient dans la même position, dans les mêmes sentiments, relativement au même objet [1]. Dans ce livre immortel, comme dans la nature au printemps, on ne trouve point deux feuilles qui soient d'un même vert [2]. Quelle immense variété de nuances! S'il est difficile à celui qui lit de les saisir, combien n'a-t-il pas été difficile à l'auteur de les trouver et de les peindre!

O Richardson! j'oserai dire que l'histoire la plus vraie est pleine de mensonges, et que ton roman est plein de vérités. L'histoire peint quelques individus ; tu peins l'espèce

---

1. Personnages de *Clarisse Harlowe*. Mme Norton est la vieille institutrice de Clarisse. Mme Howe est la mère d'Anna Howe, son amie d'enfance.

2. Remarque identique dans les *Pensées sur l'interprétation de la nature* (1754). Sur son origine leibnizienne, voir notre édition des *Œuvres philosophiques* (Garnier, 1956, p. 238).

humaine : l'histoire attribue à quelques individus ce qu'ils n'ont ni dit, ni fait; tout ce que tu attribues à l'homme, il l'a dit et fait : l'histoire n'embrasse qu'une portion de la durée, qu'un point de la surface du globe; tu as embrassé tous les lieux et tous les temps. Le cœur humain, qui a été, est et sera toujours le même, est le modèle d'après lequel tu copies. Si l'on appliquait au meilleur historien une critique sévère, y en a-t-il aucun qui la soutînt comme toi? Sous ce point de vue, j'oserai dire que souvent l'histoire est un mauvais roman; et que le roman, comme tu l'as fait, est une bonne histoire. O peintre de la nature! c'est toi qui ne mens jamais.

Je ne me lasserai point d'admirer la prodigieuse étendue de tête qu'il t'a fallu, pour conduire des drames de trente à quarante personnages, qui tous conservent si rigoureusement les caractères que tu leur as donnés; l'étonnante connaissance des lois, des coutumes, des usages, des mœurs, du cœur humain, de la vie; l'inépuisable fonds de morale, d'expériences, d'observations qu'ils te supposent.

L'intérêt et le charme de l'ouvrage dérobent l'art de Richardson à ceux qui sont le plus faits pour l'apercevoir. Plusieurs fois j'ai commencé la lecture de *Clarisse* pour me former; autant de fois j'ai oublié mon projet à la vingtième page; j'ai seulement été frappé, comme tous les lecteurs ordinaires, du génie qu'il y a à avoir imaginé une jeune fille remplie de sagesse et de prudence, qui ne fait pas une seule démarche qui ne soit fausse, sans qu'on puisse l'accuser, parce qu'elle a des parents inhumains et un homme abominable pour amant; à avoir donné à cette jeune prude l'amie la plus vive et la plus folle, qui ne dit et ne fait rien que de raisonnable, sans que la vraisemblance en soit blessée; à celle-ci un honnête homme pour amant, mais un honnête homme empesé et ridicule que sa maîtresse désole, malgré l'agrément et la protection d'une mère qui l'appuie; à avoir combiné dans ce Lovelace les qualités les plus rares, et les vices les plus odieux, la bassesse avec la générosité, la profondeur et la frivolité, la violence et le sang-froid, le bon sens et la folie; à en avoir fait un scélérat qu'on hait, qu'on aime, qu'on admire, qu'on méprise, qui vous étonne sous quelque forme qu'il se présente, et qui ne garde pas un instant la même. Et cette foule de personnages subalternes, comme ils sont caractérisés ! combien il y en a ! Et ce Belford avec ses compagnons, et Mme Howe et son Hickman, et Mme Norton, et les Harlove père, mère, frère, sœurs, oncles et tantes, et toutes les créatures qui peuplent le lieu de débauche ! Quels contrastes d'intérêts et d'humeurs ! comme tous agissent et parlent ! Comment une jeune fille, seule contre tant d'ennemis réunis, n'aurait-elle pas succombé ! Et encore quelle est sa chute !

Ne reconnaît-on pas sur un fond tout divers la même variété de caractères, la même force d'événements et de conduite dans *Grandisson* ?

Paméla est un ouvrage plus simple, moins étendu, moins intrigué ; mais y a-t-il moins de génie ? Or, ces trois ouvrages, dont un seul suffirait pour immortaliser, un seul homme les a faits.

Depuis qu'ils me sont connus, ils ont été ma pierre de touche ; ceux à qui ils déplaisent sont jugés pour moi. Je n'en ai jamais parlé à un homme que j'estimasse, sans trembler que son jugement ne se rapportât pas au mien. Je n'ai jamais rencontré personne qui partageât mon enthousiasme, que je n'aie été tenté de le serrer entre mes bras et de l'embrasser.

Richardson n'est plus [1]. Quelle perte pour les lettres et pour l'humanité ! Cette perte m'a touché comme s'il eût été mon frère. Je le portais en mon cœur sans l'avoir vu, sans le connaître que par ses ouvrages.

Je n'ai jamais rencontré un de ses compatriotes, un des miens qui eût voyagé en Angleterre, sans lui demander : « Avez-vous vu le poète Richardson ? » Ensuite : « Avez-vous vu le philosophe Hume ? »

Un jour, une femme d'un goût et d'une sensibilité peu commune, fortement préoccupée de l'histoire de Grandis-

---

1. Samuel Richardson mourut à Londres le 4 juillet 1761.

son qu'elle venait de lire, dit à un de ses amis qui partait pour Londres : « Je vous prie de voir de ma part miss Émilie, M. Belford, et surtout miss Howe, si elle vit encore. »

Une autre fois, une femme de ma connaissance qui s'était engagée dans un commerce de lettres qu'elle croyait innocent, effrayée du sort de Clarisse, rompit ce commerce tout au commencement de la lecture de cet ouvrage [1].

Est-ce que deux amies ne se sont pas brouillées, sans qu'aucun des moyens que j'ai employés pour les rapprocher m'ait réussi, parce que l'une méprisait l'histoire de Clarisse, devant laquelle l'autre était prosternée!

J'écrivis à celle-ci, et voici quelques endroits de sa réponse [2] :

« *La piété de Clarisse l'impatiente !* Eh quoi! veut-elle donc qu'une jeune fille de dix-huit ans, élevée par des parents vertueux et chrétiens, timide, malheureuse sur la terre, n'ayant guère d'espérance de voir améliorer son sort que dans une autre vie, soit sans religion et sans foi? Ce sentiment est si grand, si doux, si touchant en elle; ses idées de religion sont si saines et si pures; ce sentiment donne à son

---

1. Il s'agit de Mme Le Gendre, sœur cadette de Sophie Volland, surnommée « Uranie » par Diderot, qui résidait à Châlons, où son mari était ingénieur des ponts et chaussées. Uranie était courtisée par un collègue de Le Gendre, l'ingénieur Vialet, et entretenait avec lui une correspondance inquiétante. La lecture de *Clarisse* l'aurait ramenée, sinon à la vertu, du moins à la prudence (cf. *A Sophie Volland*, t. I, p. 215). Diderot, qui connaissait l'intrigue depuis son voyage à Langres de 1759, se brouillera plus tard avec Vialet et lui racontera l'épisode de la lecture de *Clarisse* (*Corr. inédite*, t. II, p. 294-296).

2. Cette lettre ne semble pas inauthentique. C'est dans l'entourage des Volland, au château d'Isle, en septembre 1761, qu'eut lieu cette polémique sur Richardson et la conclusion de *Clarisse* (*op. cit.*, t. I, p. 212). Ne s'agirait-il pas d'une lettre de Sophie, à laquelle Diderot répondrait le 17 septembre? Nous croyons plutôt à une lettre de Mme d'Epinay, qui ferait allusion à sa fille Angélique, la future Mme de Belsunce.

caractère une nuance si pathétique! Non, non, vous ne me persuaderez jamais que cette façon de penser soit d'une âme bien née.

« *Elle rit, quand elle voit cette enfant désespérée de la malédiction de son père !* Elle rit, et c'est une mère. Je vous dis que cette femme ne peut jamais être mon amie : je rougis qu'elle l'ait été. Vous verrez que la malédiction d'un père respecté, une malédiction qui semble s'être déjà accomplie en plusieurs points importants, ne doit pas être une chose terrible pour un enfant de ce caractère! Et qui sait si Dieu ne ratifiera pas dans l'éternité la sentence prononcée par son père?

« *Elle trouve extraordinaire que cette lecture m'arrache des larmes !* Et ce qui m'étonne toujours, moi, quand je suis aux derniers instants de cette innocente, c'est que les pierres, les murs, les carreaux insensibles et froids sur lesquels je marche ne s'émeuvent pas et ne joignent pas leur plainte à la mienne. Alors tout s'obscurcit autour de moi; mon âme se remplit de ténèbres; et il me semble que la nature se voile d'un crêpe épais.

« *A son avis, l'esprit de Clarisse consiste à faire des phrases, et lorsqu'elle en a pu faire quelques-unes, la voilà consolée.* C'est, je vous l'avoue, une grande malédiction que de sentir et penser ainsi; mais si grande, que j'aimerais mieux tout à l'heure que ma fille mourût entre mes bras que de l'en savoir frappée. Ma fille!... Oui, j'y ai pensé, et je ne m'en dédis pas.

« Travaillez à présent, homme merveilleux, travaillez, consumez-vous : voyez la fin de votre carrière à l'âge où les autres commencent la leur, afin qu'on porte de vos chefs-d'œuvre des jugements pareils! Nature, prépare pendant des siècles un homme tel que Richardson; pour le douer, épuise-toi; sois ingrate envers tes autres enfants, ce ne sera que pour un petit nombre d'âmes comme la mienne que tu l'auras fait naître; et la larme qui tombera de mes yeux sera l'unique récompense de ses veilles. »

Et par postscript, elle ajoute : « Vous me demandez l'enterrement et le testament de Clarisse, et je vous les envoie;

mais je ne vous pardonnerais de ma vie d'en avoir fait part à cette femme. Je me rétracte : lisez-lui vous-même ces deux morceaux, et ne manquez pas de m'apprendre que ses ris ont accompagné Clarisse jusque dans sa dernière demeure, afin que mon aversion pour elle soit parfaite. »

Il y a, comme on voit, dans les choses de goût, ainsi que dans les choses religieuses, une espèce d'intolérance que je blâme, mais dont je ne me garantirais que par un effort de raison.

J'étais avec un ami, lorsqu'on me remit l'enterrement et le testament de Clarisse, deux morceaux que le traducteur français a supprimés, sans qu'on sache trop pourquoi [1]. Cet ami est un des hommes les plus sensibles que je connaisse, et un des plus ardents fanatiques de Richardson : peu s'en faut qu'il ne le soit autant que moi. Le voilà qui s'empare des cahiers, qui se retire dans un coin et qui lit. Je l'examinais : d'abord je vois couler des pleurs, il s'interrompt, il sanglote; tout à coup il se lève, il marche sans savoir où il va, il pousse des cris comme un homme désolé, et il adresse les reproches les plus amers à toute la famille des Harlove [2].

Je m'étais proposé de noter les beaux endroits des trois poèmes de Richardson; mais le moyen? Il y en a tant!

Je me rappelle seulement que la cent vingt-huitième lettre qui est de Mme Harvey à sa nièce, est un chef-d'œuvre [3]; sans apprêt, sans art apparent, avec une vérité qui ne se conçoit pas, elle ôte à Clarisse toute espérance de réconci-

---

1. Cf. édition Mac Kenna, t. IX, lettres 30 (p. 101-106) et 33 (p. 112-131).

2. Transposition d'une lettre à Sophie du 17 septembre 1761. La scène se passe chez Damilaville, quai des Miramionnes, où Diderot allait chercher les lettres de son amie. Par une espèce de pudeur, il change les rôles; car l'homme éberlué, c'était Damilaville, et l'enthousiaste, Diderot lui-même : « Je ne pouvais plus lire, et je me mis à me désoler, à apostropher le frère, la sœur, le père, la mère et les oncles et à parler tout haut, au grand étonnement de Damilaville » (*op. cit.*, t. I, p. 212).

3. Cf. édition Mac Kenna, t. III (lettres 52, p. 292-297). Il s'agit de *Mrs Hervey* et non *Harvey*.

liation avec ses parents, seconde les vues de son ravisseur, la livre à sa méchanceté, la détermine au voyage de Londres, à entendre des propositions de mariage, etc. Je ne sais ce qu'elle ne produit pas : elle accuse la famille en l'excusant; elle démontre la nécessité de la fuite de Clarisse, en la blâmant. C'est un des endroits entre beaucoup d'autres, où je me suis écrié : *Divin Richardson !* Mais pour éprouver ce transport il faut commencer l'ouvrage et lire jusqu'à cet endroit.

J'ai crayonné dans mon exemplaire la cent vingt-quatrième lettre, qui est de Lovelace à son complice Léman comme un morceau charmant : c'est là qu'on voit toute la folie, toute la gaieté, toute la ruse, tout l'esprit de ce personnage. On ne sait si l'on doit aimer ou détester ce démon. Comme il séduit ce pauvre domestique! C'est *le bon*, c'est *l'honnête Léman*. Comme il lui peint la récompense qui l'attend! *Tu seras monsieur l'hôte de l'Ours blanc; on appellera ta femme madame l'hôtesse*, et puis en finissant : *Je suis votre ami Lovelace*. Lovelace ne s'arrête point à de petites formalités, quand il s'agit de réussir : tous ceux qui concourent à ses vues sont ses amis [1].

Il n'y avait qu'un grand maître qui pût songer à associer à Lovelace cette troupe d'hommes perdus d'honneur et de débauche, ces viles créatures qui l'irritent par des railleries, et l'enhardissent au crime. Si Belford s'élève seul contre son scélérat ami, combien il lui est inférieur! Qu'il fallait de génie pour introduire et pour garder quelque équilibre entre tant d'intérêts opposés!

Et croit-on que ce soit sans dessein que l'auteur a supposé à son héros cette chaleur d'imagination, cette frayeur

1. *Ibid.*, t. III (lettre 48, p. 271-280). Lovelace flatte son complice le domestique Joseph Leman, et promet de lui acheter une auberge (cf. p. 279 : « The *Blue Bear* will also be yours... Servants to snub at thy pleasure... Landlord and Landlady at every word », p. 280 : « Your loving friend Lovelace »). A remarquer que l'*Ours bleu* est devenu l'*Ours blanc*.

du mariage, ce goût effréné de l'intrigue et de la liberté, cette vanité démesurée, tant de qualités et de vices!

Poètes, apprenez de Richardson à donner des confidents aux méchants, afin de diminuer l'horreur de leurs forfaits, en la divisant; et, par la raison opposée, à n'en point donner aux honnêtes gens, afin de leur laisser tout le mérite de leur bonté.

Avec quel art ce Lovelace se dégrade et se relève! Voyez la lettre cent soixante-quinzième. Ce sont les sentiments d'un cannibale; c'est le cri d'une bête féroce. Quatre lignes de postscript le transforment tout à coup en un homme de bien ou peu s'en faut [1].

Grandisson et *Paméla* sont aussi deux beaux ouvrages, mais je leur préfère *Clarisse*. Ici l'auteur ne fait pas un pas qui ne soit de génie.

Cependant on ne voit point arriver à la porte du lord le vieux père de Paméla, qui a marché toute la nuit; on ne l'entend point s'adresser aux valets de la maison, sans éprouver les plus violentes secousses [2].

Tout l'épisode de Clémentine dans *Grandisson* est de la plus grande beauté.

Et quel est le moment où Clémentine et Clarisse deviennent deux créatures sublimes? Le moment où l'une a perdu l'honneur et l'autre la raison.

Je ne me rappelle point, sans frissonner, l'entrée de Clémentine dans la chambre de sa mère, pâle, les yeux égarés, le bras ceint d'une bande, le sang coulant le long de son bras

---

1. Cette 175e lettre ne peut être que la lettre 33 du tome IV de l'édition Mac Kenna : Clarisse inclut dans une longue épître à miss Howe des fragments de quatre lettres où Lovelace fait l'apologie du libertinage sur un ton satanique (p. 178-180). Dans le postscript (p. 180), Lovelace s'alarme devant la fuite possible de celle qu'il ne peut s'empêcher d'aimer et de torturer.

2. Cf. édition Mac Kenna (Londres, Chapman and Hall, 1902, t. I, p. 113-117) : le père de Paméla, « goodman Andrews », inquiet sur le sort de sa fille menacée dans sa vertu par son maître, arrive au château et tombe sur des palefreniers insolents.

et dégouttant du bout de ses doigts, et son discours : *Maman, voyez; c'est le vôtre*. Cela déchire l'âme [1].

Mais pourquoi cette Clémentine est-elle si intéressante dans sa folie? C'est que n'étant plus maîtresse des pensées de son esprit, ni des mouvements de son cœur, s'il se passait en elle quelque chose honteuse, elle lui échapperait. Mais elle ne dit pas un mot qui ne montre de la candeur et de l'innocence; et son état ne permet pas de douter de ce qu'elle dit.

On m'a rapporté que Richardson avait passé plusieurs années dans la société, presque sans parler.

Il n'a pas eu toute la réputation qu'il méritait. Quelle passion que l'envie! C'est la plus cruelle des Euménides : elle suit l'homme de mérite jusqu'au bord de sa tombe; là, elle disparaît; et la justice des siècles s'assied à sa place.

O Richardson! si tu n'as pas joui de ton vivant de toute la réputation que tu méritais, combien tu seras grand chez nos neveux, lorsqu'ils te verront à la distance d'où nous voyons Homère! Alors qui est-ce qui osera arracher une ligne de ton sublime ouvrage? Tu as eu plus d'admirateurs encore parmi nous que dans ta patrie; et je m'en réjouis. Siècles, hâtez-vous de couler et d'amener avec vous les honneurs qui sont dus à Richardson! J'en atteste tous ceux qui m'écoutent : je n'ai point attendu l'exemple des autres pour te rendre hommage; dès aujourd'hui j'étais incliné au pied de ta statue; je t'adorais, cherchant au fond de mon âme des expressions qui répondissent à l'étendue de l'admiration que je te portais, et je n'en trouvais point. Vous qui parcourez ces lignes que j'ai tracées sans liaison, sans dessein et sans ordre, à mesure qu'elles m'étaient inspirées dans le tumulte de mon cœur, si vous avez reçu du ciel une âme

---

1. Cf. édition Mac Kenna, t. III (lettre 26, p. 290-296). La scène de la folie de Clémentine est beaucoup moins pathétique chez Richardson; la jeune Italienne refuse aux médecins de se laisser saigner, croyant qu'on veut la faire mourir : « O my mamma, you don't use to be cruel and to leave me with these doctors. See, see, and she held out her lovely arm a little bloody... ». Mais le mot est de Diderot, mot de théâtre s'il en fut.

plus sensible que la mienne, effacez-les. Le génie de Richardson a étouffé ce que j'en avais. Ses fantômes errent sans cesse dans mon imagination; si je veux écrire, j'entends la plainte de Clémentine; l'ombre de Clarisse m'apparaît; je vois marcher devant moi Grandisson; Lovelace me trouble, et la plume s'échappe de mes doigts. Et vous, spectres plus doux, Émilie, Charlotte, Paméla, chère miss Howe, tandis que je converse avec vous, les années du travail et de la moisson des lauriers se passent; et je m'avance vers le dernier terme, sans rien tenter qui puisse me recommander aussi [aux temps] [1] à venir.

1. Assézat : au temps.

ÉLOGE DE TÉRENCE

INTRODUCTION

VILLEMAIN, *dans son* Tableau de la littérature au XVIIIe siècle, *racontait à propos de l'*Éloge de Térence *une charmante anecdote :* « Diderot, dans ses causeries de salon, avait un jour parlé de Térence comme il parlait de tout, avec feu, avec ravissement. Puis il s'était enthousiasmé pour autre chose. M. Suard, homme d'esprit et qui faisait un journal, aurait bien voulu saisir au passage la première partie de l'entretien. Il pria Diderot de la mettre par écrit. Diderot promit pour le lendemain, et les mois s'écoulèrent sans qu'il remplît cet engagement sans cesse rappelé. Enfin un jour, de grand matin, arrive chez M. Diderot le domestique de M. Suard qui vient chercher l'article attendu, dit-il, pour finir le journal sous presse. Diderot, pour la vingtième fois, renvoyait au lendemain.Mais le messager déclare qu'il a ordre de rester et qu'il ne peut revenir sans copie, sous peine d'être chassé par son maître. Diderot, pressé, s'illumine de Térence; et en quelques heures il le réfléchit dans le délicieux fragment : Térence était esclave... ». *Cette tradition a son prix, car Villemain connut le vieux Suard, qui vécut jusqu'en* 1817. *Encore faut-il l'interpréter prudemment. Or Assézat, dans son édition des* Œuvres (*t. V, p.* 211 *et* 228), *en déduit non seulement que l'*Éloge de Térence *fut donné par Diderot à ses amis Suard et Arnaud, mais qu'il fut publié par le* Journal Étranger, *qui, comme on sait, cessa de paraître en* 1762. *Assézat fixe donc à* 1762 *la composition et l'édition de l'*Éloge.

Nous avons repris, après Viktor Johansson, la lecture du Journal Étranger : *nulle trace de l'article de Diderot. Ce n'est qu'en* 1769, *dans le tome IV des* Variétés littéraires (*p.* 95-114), *e le public put goûter l'*Éloge de Térence. *Nous comprenons* *dès lors l'erreur d'Assézat; l'anecdote de Villemain a toute chance d'être exacte; mais il ne fallait pas confondre le* Journal Étranger *interrompu en* 1762 *et les* Variétés littéraires, *mises en chantier par l'abbé Arnaud, qui reprenaient quelques articles du* Journal Étranger, *mais en ajoutaient bon nombre de nouveaux. Johansson a fait justement remarquer que Diderot, à la fin de son article, mentionne George Colman qui* « a donné, il y a quelques années, une très bonne traduction de Térence » (op. cit., *p.* 118-119) ; *or c'est en* 1765 *que parurent* The comedies of Terence, translated into familiar blank verse. *Tout laisse donc croire que l'article de* 1769 *constitue l'édition originale.*

Mais les rapports de Diderot et de Térence sont bien plus anciens. Comme nous l'avons décelé à propos des Entretiens avec Dorval (1757), *la doctrine théâtrale de Diderot doit beaucoup moins aux précédents de Lillo et de Goldoni qu'à une longue méditation sur les comédies de Térence.* L'Hécyre *surtout lui paraît un excellent exemple de drame sérieux : l'absence de personnage plaisant, l'émotion douce, le climat familial des épisodes, la médiocrité des conditions sont autant de suggestions précieuses. L'accuse-t-on de piller Goldoni? Il détourne l'attention sur Térence :* « J'ai lu et relu ce poète avec attention; jamais de scènes superflues, ni rien de superflu dans les scènes... Il est unique, surtout dans ses récits. C'est une onde pure et transparente qui coule toujours également et qui ne prend de vitesse et de murmure que ce qu'elle en reçoit de la pente et du terrain. Point d'esprit, nul étalage de sentiment, aucune sentence... » (*A.T.*, *VII*, p. 367). *Ce goût pour Térence fut encore avivé par l'amitié d'un charmant homme rencontré chez les Volland, l'abbé Le Monnier.* « Le gros abbé », *chanoine de la Sainte-Chapelle, préparait, bien avant* 1765, *une traduction nouvelle de Térence* (A Sophie Volland, op. cit., *t. II*, *p.* 104). *Diderot ne lui ménageait pas ses conseils* (*A.T.*, *t. XIX*, *p.* 359); *le* 6 *août* 1770, *en voyage à Langres, il corrigeait son manuscrit des* Adelphes (ibid., *p.* 366). *En mars* 1770, *il annonçait l'ouvrage* (Correspondance littéraire, *t. VIII*, *p.* 487) : « Je ne sais si l'abbé Le Monnier atteindra la pureté et l'élégance de l'original : mais il a un cachet, ce sacristain! Il a de la naïveté et une certaine simplicité agreste qui ne me déplaît point. » *En février 1771, le Térence paraît enfin, admirablement illustré par Cochin (3 vol. in-8°).*

*Diderot a donc vécu, grâce à l'abbé Le Monnier, dans la constante familiarité de Térence. Nous ne saurons jamais exactement ce que lui doit l'édition de 1771. Mais il est certain que l'*Éloge *de 1769 a largement profité de l'érudition de l'abbé. Aurait-il cité sans lui tel mot de Cicéron ou de Varron? Aurait-il repris les anecdotes de Diogène Laërce ou de la* Vita Terentii *de Suétone? Ne pense-t-il pas à l'abbé, lorsqu'il développe en dix lignes une théorie toute moderne de la traduction? Nous ne saurions aller plus loin.* L'Éloge de Térence *est du meilleur Diderot; n'y voyons pas seulement un manifeste éloquent en faveur des humanités; Térence esclave rassure le philosophe enchaîné : il lui rappelle qu'en tout temps le génie est libre.*

***

*Nous sommes fort bien renseignés sur le texte de l'*Éloge de Térence *grâce aux travaux de Johansson* (op. cit.*, p.* 118-120)*. Le texte de base doit être celui des* Variétés littéraires *de* 1769 *(t. IV, p.* 95-114) *qui fut certainement soumis à Diderot. Naigeon, dans son édition de l'An* IX*, a, selon sa coutume, corrigé les citations et inclus les références dans le texte; quant à ses corrections stylistiques, Belin, Brière et Assézat les ont ordinairement suivies; Assézat enfin a ajouté ses propres erreurs ou innovations* (plus précieux *au lieu de* précieux; pénétrée *au lieu de* bien pénétrée, *etc.*)*. Deux manuscrits demeurent. L'un, celui de Leningrad (t. XVII, feuillets* 233-243)*, collationné par Johansson, semble excellent : sur* 15 *variantes étudiées, il s'accorde* 14 *fois avec les* Variétés littéraires. *Le second, inclus dans le fonds Vandeul (B.N., n.a.fr.,* 24.937*, feuillets* 230-240)*, collationné par nous, est bien inférieur : le copiste, peu cultivé, écrit* Adrienne *pour* Andrienne *et* anatopée *pour* onomatopée; *un passage du même au même fait non-sens* (...son synonyme (le plus voisin, ou même au synonyme) le mot propre, on fera quelquefois...); d'abord *est substitué à* d'accord (*fol.* 232-239-238-235). A un syllogisme *au lieu de* en un syllogisme (237 v°) *n'a pas d'intérêt. Mais partout ailleurs le manuscrit Vandeul confirme* *l'accord Leningrad*-Variétés littéraires. *M. Georges Roth vient enfin de découvrir à Vienne un nouveau manuscrit* (Figaro littéraire, 22 *octobre* 1955). *Nous suivrons donc constamment le texte de* 1769, *sauf lors d'une incorrection manifeste* (Je lui répondrai... que le talent de s'immortaliser par les lettres n'est (qu') une qualité mésavenante à quelque rang que ce soit). *Nous le préférerons même à l'accord des deux manuscrits* (un impertinent *au lieu de* impertinent). *Mais nous croyons devoir reprendre le titre du manuscrit Vandeul*, Éloge de Térence, *plutôt que celui des* Variétés *et de Leningrad* (De Térence) *ou celui d'Assézat* (Réflexions sur Térence). *Diderot semble en effet avoir voulu, dans ses dernières années, grouper sous la forme d'*éloges *un certain nombre de ses essais critiques.*

P. V.

BIBLIOGRAPHIE

SUÉTONE. *Vita Terentii* (*in Œuvres*, Panckoucke, Paris, 1833, t. III, p. 304 sq).

George COLMAN. *The comedies of Terence translated into familiar blank verse* (Londres, 1765).

Guillaume LE MONNIER. *Œuvres de Térence* (Paris, 1771).

VILLEMAIN. *Tableau de la littérature au* XVIIIe *siècle* (Paris, Perrin, 1891, t. II, p. 130).

Viktor JOHANSSON. *Études sur Diderot* (Göteborg, 1927, p. 118-120).

ÉLOGE DE TÉRENCE[1]

Térence était esclave du sénateur Terentius Lucanus [2]. Térence esclave! un des plus beaux génies de Rome! l'ami de Lælius et de Scipion [3]! cet auteur qui a écrit sa langue avec tant d'élégance, de délicatesse et de pureté, qu'il n'a peut-être pas eu son égal ni chez les anciens, ni parmi les modernes! Oui, Térence était esclave; et si le contraste de sa condition et de ses talents nous étonne, c'est que le mot esclave ne se présente à notre esprit qu'avec des idées abjectes; c'est que nous ne nous rappelons pas que le poète comique Cæcilius fut esclave [4]; que Phèdre le fabuliste fut esclave [5]; que le stoïcien Épictète fut esclave [6]; c'est que nous ignorons ce que c'était quelquefois qu'un esclave chez les Grecs et chez les Romains. Tout brave

1. L (*Leningrad*) : *De Térence*. Assézat : *Réflexions sur Térence*.

2. C'est le début même de la *Vita Terentii* de Suétone (*in Œuvres*, édit. Panckoucke, 1833, t. III, p. 304) : « Publius Terentius Afer, Carthagine natus, servivit Romae Terentio Lucano senatori. »

3. Cf. *Ibid.* : « Hic cum multis nobilibus familiariter vixit, sed maxime cum Scipione Africano et C. Laelio ».

4. Caecilius Statius, Gaulois insubre de Cisalpine, vint à Rome comme esclave vers 194 A.C. et fut affranchi sous le nom de son maître : entre Plaute et Térence, il témoigne des progrès de l'hellénisme dans ses pièces imitées de Ménandre.

5. Le fabuliste Phèdre était un esclave thrace de formation grecque, affranchi d'Auguste sous le nom de C. Julius Phaedrus. Certaines allusions attirèrent sur lui la vengeance de Séjan, favori de Tibère, d'où l'allusion de Diderot, quelques lignes plus bas.

6. Le philosophe stoïcien Épictète, né vers 50 P.C. à Hiérapolis en Phrygie, esclave de naissance, fut emmené à Rome où on le trouve au service d'Épaphrodite, affranchi de Néron; Épictète serait devenu boiteux par suite des mauvais traitements que lui avait infligés son maître.

citoyen qui était pris les armes à la main, combattant pour sa patrie, tombait dans l'esclavage, était conduit à Rome la tête rase, les mains liées, et exposé à l'encan sur une place publique, avec un écriteau sur la poitrine qui indiquait son savoir-faire. Dans une de ces ventes barbares, le crieur, ne voyant point d'écriteau à un esclave qui lui restait, lui dit : *Et toi, que sais-tu?* L'esclave lui répondit : *Commander aux hommes.* Le crieur se mit à crier : *Qui veut un maître?* Et il crie peut-être encore [1].

Ce qui précède suffit pour expliquer comment il se faisait qu'un Épictète, ou tel autre personnage de la même trempe, se rencontrât parmi la foule des captifs; et qu'on entendît autour du temple de Janus ou de la statue de Marsias : *Messieurs, celui-ci est un philosophe. Qui veut un philosophe? A deux talents le philosophe. Une fois, deux fois. Adjugé.* Un philosophe trouvait sous Séjan moins d'adjudicataires qu'un cuisinier : on ne s'en souciait pas. Dans un temps où le peuple était opprimé et corrompu, où les hommes étaient sans honneur et les femmes sans honnêteté; où le ministre de Jupiter était ambitieux et celui de Thémis vénal, où l'homme d'étude était vain, jaloux, flatteur, ignorant et dissipé; un censeur philosophe n'était pas un personnage qu'on pût priser et chercher.

Une autre sorte d'esclaves, c'étaient ceux qui naissaient dans la maison d'un homme puissant, de pères et de mères esclaves. Si parmi ces derniers il y en avait qui montrassent dans leur jeunesse d'heureuses dispositions, on les cultivait; on leur donnait les maîtres les plus habiles; on consacrait un temps et des sommes considérables à leur instruction; on en faisait des musiciens, des poètes, des médecins,

---

1. D'après Diogène Laërce, *Vie des philosophes* (édition Garnier, t. II, p. 12 et 30), l'aventure serait arrivée à Diogène le Cynique : pris par des pirates, il aurait été conduit en Crète et vendu comme esclave : « Ménippe, dans son livre intitulé la *Vertu de Diogène*, raconte qu'il fut fait prisonnier et vendu et qu'on lui demanda ce qu'il savait faire. Il répondit : « Commander » et cria au héraut : « Demande donc qui veut acheter un maître. »

des littérateurs, des philosophes; et il y aurait aussi peu de jugement à confondre ces esclaves avec ceux qu'on appelait *cursores*, *emissarii*, *lecticarii*, *peniculi*, *vestipici*, *unctores*, *ostiarii*, *etc.* [1], la valetaille d'une grande maison, qu'à comparer nos insipides courtisanes avec ces créatures charmantes qui enchaînèrent Périclès, et qui arrachèrent Démosthène de son cabinet; à qui Épicure ne ferma point la porte de son école; qui amusèrent Ovide, inspirèrent Horace, désolèrent Tibulle et le ruinèrent. Celles-ci réunissaient aux rares avantages de la figure et aux grâces de l'esprit les talents de la poésie, de la danse et de la musique, tous les charmes enfin qui peuvent attacher un homme de goût aux genoux d'une jolie femme. Qu'est-ce qu'il y a de commun entre Finette et Thaïs, Marton et Phryné, si l'on en excepte l'art de dépouiller leurs adorateurs, art encore mieux entendu d'une courtisane d'Athènes que des nôtres?

Ces esclaves, instruits dans les sciences et les lettres, faisaient la gloire et les délices de leurs maîtres. Le don d'un pareil esclave était un beau présent; et sa perte causait de vifs regrets. Mécène crut faire un grand sacrifice à Virgile en lui cédant un de ses esclaves. Dans une lettre, où Cicéron annonce à un de ses amis la mort de son père, ses larmes coulent aussi sur la perte d'un esclave, le compagnon de ses études et de ses travaux [2]. Il faut cependant avouer que la

1. Toute cette science sur les esclaves romains vient de l'article *Esclave* de l'*Encyclopédie*, article composé par le juriste Boucher d'Argis (t. VI, 1756). Sur une trentaine de noms d'esclaves spécialisés, Diderot n'en cite que sept : les *cursores* « ceux qui portaient des nouvelles », les *lecticarii* « ceux qui portaient la litière de leurs maîtres », les *peniculi* qui avaient le soin de nettoyer la table avec une éponge, les *vestipici*, « valets de garde-robe », les *unctores* « qui oignaient avec des huiles de senteur », les *ostiarii* « les portiers ».

2. Cicéron disait à Atticus (*Ad Atticum*, I, 12) : « J'ai l'âme toute troublée : j'ai perdu un jeune homme nommé Sosithée qui me servait de lecteur et j'en suis plus affligé qu'on ne devrait l'être, ce semble, de la mort d'un esclave ». Mais Diderot confond *Ad Atticum*, I, 12 (1er janvier 61) et *Ad Atticum*, I, 6 (novembre 68), où Cicéron annonce la mort de son cousin, *frater*, Lucius Cicéron. Nous pouvons l'excuser, car la chronologie de la cor-

morgue de la naissance patricienne et du rang sénatorial laissait toujours un grand intervalle entre le maître et son esclave. Je n'en veux pour exemple que ce qui arriva à Térence, lorsqu'il alla présenter son *Andrienne* à l'édile Acilius. Le poète modeste arrive, mesquinement vêtu, son rouleau sous le bras. On l'annonce à l'inspecteur des théâtres; celui-ci était à table. On introduit le poète; on lui donne un petit tabouret. Le voilà assis au pied du lit de l'édile. On lui fait signe de lire; il lit. Mais à peine Acilius a-t-il entendu quelques vers, qu'il dit à Térence : *Prenez place ici, dînons, et nous verrons le reste après* [1]. Si l'inspecteur des théâtres était un [2] impertinent, comme cela peut arriver, c'était du moins un homme de goût, ce qui est plus rare.

Toutes les comédies de Térence furent applaudies. L'*Hécyre* seule, composée dans un genre particulier, eut moins

---

respondance de Cicéron n'était guère établie avant la magistrale édition de Constans (Belles-Lettres, 1940, t. I, p. 127). Les manuscrits italiens, dont le *Mediceus* 49, qui ont fondé les éditions lues par Diderot, portaient *pater*, erreur corrigée par Constans (*op. cit.*, t. I, p. 58) : Cicéron n'a perdu son père, selon Asconius, qu'en 64, l'année de son consulat.

1. Cf. *Vie de Térence* (*op. cit.*, t. III, p. 306) : « Quand il présenta aux édiles l'*Andrienne*, on lui répondit de la réciter d'abord à Cécilius : il le trouva à souper. On rapporte que le voyant mal vêtu Cécilius le fit asseoir sur un tabouret, à côté du lit qu'il occupait et que Térence commença sa lecture dans cette attitude; mais après les premiers vers, Cécilius lui donna place à côté de lui, l'engagea à souper et se fit lire ensuite toute la pièce; il en fut frappé d'admiration ». L'*Andrienne* de Térence fut jouée en 166 av. J.C. sous les édiles curules Marcus Fulvius et Acilius Glabrio, selon la didascalie de la pièce. Or la *Chronique* de saint Jérôme (cf. Térence, *Œuvres*, édition Marouzeau, Belles-Lettres, 1942, t. I, p. 12) faisait mourir Cécilius en 168, ce qui rendait l'anecdote impossible. Les anciens éditeurs avaient donc cru à une confusion des copistes entre le poète Cecilius et l'édile Acilius. Daunou dit encore dans la *Biographie Universelle* (article *Térence*) : « Nous croyons devoir substituer le nom d'Acilius à celui de Cecilius qui était mort environ trois ans avant la représentation de l'*Andrienne* ». Diderot n'est donc pas coupable, mais son anecdote, fondée sur une restitution imprudente, perd de son poids.

2. V (Vandeul), L suppriment : un.

de succès que les autres [1]; le poète en avait banni le personnage plaisant. En se proposant d'introduire le goût d'une comédie tout à fait grave et sérieuse, il ne comprit pas que cette composition dramatique ne souffre pas une scène faible, et que la force de l'action et du dialogue doit remplacer partout la gaieté des personnages subalternes : et c'est ce que l'on n'a pas mieux compris de nos jours lorsqu'on a prononcé que ce genre était facile.

La fable des comédies de Térence est grecque, et le lieu de la scène toujours à Scyros, à Andros, ou dans Athènes. Nous ne savons point ce qu'il devait à Ménandre : mais si nous imaginons qu'il dût à Lælius et à Scipion quelque chose de plus que ces conseils qu'un auteur peut recevoir d'un homme du monde sur un tour de phrase inélégant, une expression peu noble, un vers peu nombreux, une scène trop longue, c'est l'effet de cette pauvreté basse et jalouse qui cherche à se dérober à elle-même sa petitesse et son indigence, en distribuant à plusieurs la richesse d'un seul. L'idée d'une multitude d'hommes de notre petite stature nous importune moins que l'idée d'un colosse.

J'aimerais mieux regarder Lælius, tout grand personnage qu'on le dit, comme un fat qui enviait à Térence une partie de son mérite, que de le croire auteur d'une scène de l'*Andrienne*, ou de l'*Eunuque*. Qu'un soir, la femme de Lælius, lassée d'attendre son mari, et curieuse de savoir ce qui le retenait dans sa bibliothèque, se soit levée sur la pointe du pied, et l'ait surpris écrivant une scène de comédie; que pour s'excuser d'un travail prolongé si avant dans la nuit, Lælius ait dit à sa femme qu'il ne s'était jamais senti tant de verve [2]; et que les vers qu'il venait de faire étaient les plus

---

1. Térence eut des déboires avec l'*Hécyre :* la première représentation en 165 échoua, le public ayant été attiré par des athlètes et la deuxième en 160 fut concurrencée par des gladiateurs. L'*Hécyre* est un véritable drame bourgeois selon le cœur de Diderot.

2. Du vivant de Térence, si l'on en croit le prologue des *Adelphes*, le bruit courait que le poète était aidé par ses nobles amis. La *Vita Terentii* (*op. cit.*, p. 309) donnait à Diderot l'anecdote de

beaux qu'il eût faits de sa vie, n'en déplaise à Montaigne, c'est un conte ridicule dont quelques exemples récents pourraient nous désabuser, sans la pente naturelle qui nous porte à croire tout ce qui tend à rabattre du mérite d'un homme, en le partageant.

L'auteur des *Essais* a beau dire que « si la perfection du bien parler pouvoit apporter quelque gloire sortable à un grand personnage, certainement Scipion et Lælius n'eussent pas résigné l'honneur de leurs comédies, et toutes les mignardises et delices du langage latin, à un serf africain [1], » je lui répondrai sur son ton, que le talent de s'immortaliser par les lettres n'est une [2] qualité mésavenante à quelque rang que ce soit; que la guirlande d'Apollon s'entrelace sans honte sur le même front avec celle de Mars; qu'il est beau de savoir amuser et instruire pendant la paix ceux dont on a vaincu l'ennemi, et fait le salut pendant la guerre; que je rabattrais un peu de la vénération que je porte à ces premiers hommes de la république, si je leur supposais une stupide indifférence pour la gloire littéraire; qu'ils n'ont point eu cette indifférence; et que, si je me trompe, on me ferait déplaisir de me *déloger* de mon erreur.

La statue de Térence ou de Virgile se soutient très bien entre celles de César et de Scipion; et peut-être que le premier de ceux-ci ne se prisait pas moins de ses *Commentaires* que de ses victoires. Il partage l'honneur de ses victoires avec la multitude de ses lieutenants et de ses soldats; et ses *Commentaires* sont tout à lui. S'il n'est point d'homme de

---

Laelius : « Cornelius Nepos prétend tenir d'une source certaine que Laelius, étant à Pouzzoles le jour des calendes de mars, fut averti par sa femme qu'il était temps de venir souper. Il la pria de ne pas l'interrompre; et plus tard, quand il vint dans la salle à manger, il déclara que jamais le travail ne lui avait si bien réussi; et comme on lui demandait de montrer ce qu'il avait composé, il prononça ces vers qui sont dans l'*Heautontimorumenos :*

« Satis pol proterve me Syri promissa huc induxerunt. »

1. Montaigne, *Essais*, I, 40, *Considérations sur Cicero* (édition Armaingaud, Conard, 1924, t. II, p. 341).

2. *Variétés*, V, L : n'est qu'une. Assézat : n'est pas une.

lettres qui ne fût très vain d'avoir gagné une bataille, y a-t-il un bon général d'armée qui ne fût aussi vain d'avoir écrit un beau poème? L'histoire nous offre un grand nombre de généraux et de conquérants; et l'on a bientôt fait le compte du petit nombre d'hommes de génie capables de chanter leurs hauts faits. Il est glorieux de s'exposer pour la patrie; mais il est glorieux aussi, et il est plus rare de savoir célébrer dignement ceux qui sont morts pour elle.

Laissons donc à Térence tout l'honneur de ses comédies, et à ses illustres amis tout celui de leurs actions héroïques. Quel est l'homme de lettres qui n'ait pas lu plus d'une fois son Térence, et qui ne le sache presque par cœur? Qui est-ce qui n'a pas été frappé de la vérité de ses caractères et de l'élégance de sa diction? En quelque lieu du monde qu'on porte ses ouvrages, s'il y a des enfants libertins et des pères courroucés, les enfants reconnaîtront dans le poète leurs sottises, et les pères leurs réprimandes. Dans la comparaison que les Anciens ont faite du caractère et du mérite de leurs poètes comiques, Térence est le premier pour les mœurs. *In ethesin Terentius...* [1] *Et hos* (*mores*) *nulli alii servare convenit* (*melius*) *quam Terentio...* Horace couvrant, avec sa finesse ordinaire, la satire d'un jeune débauché par l'éloge de notre poète, s'écrie :

> Numquid Pomponius istis
> Audiret leviora, pater si revivisceret [2]?

Ressuscitez le père de Pomponius; qu'il soit témoin des dissipations de son fils, et bientôt vous entendrez Chrémès parler par sa bouche. La mesure est si bien gardée qu'il n'y aura pas un mot de plus ou de moins : et croit-on qu'il n'y ait pas autant de génie à se modeler si rigoureusement sur

---

1. Le mot est de Varron, contemporain de Cicéron : « In argumentis Caecilius poscit palmam, in ethesin Terentius, in sermonibus Plautus » (*Saturarum Menippearum Reliquiae*, édition Riese, Teubner, 1865, p. 191).

2. Le texte des *Satires* d'Horace (I,4, vers 52-53) porte : « pater si viveret ». Nous n'avons pas à corriger, comme le faisait Naigeon, les citations de Diderot.

la nature, qu'à en disposer d'une manière plus frappante peut-être, mais certainement moins vraie?

Térence a peu de verve, d'accord [1]. Il met rarement ses personnages dans ces situations bizarres et violentes qui vont chercher le ridicule dans les replis les plus secrets du cœur, et qui le font sortir sans que l'homme s'en aperçoive : j'en conviens. Comme c'est le visage réel de l'homme et jamais la charge de ce visage qu'il montre, il ne fait point éclater le rire. On n'entendra point un de ses pères s'écrier d'un ton plaisamment douloureux : *Que diable allait-il faire dans cette galère* [2] *?* Il n'en introduira point un autre dans la chambre de son fils harassé de fatigue, endormi et ronflant sur un grabat : il n'interrompra point la plainte de ce père par le discours de l'enfant qui, les yeux toujours fermés et les mains placées comme s'il tenait les rênes de deux coursiers, les excite du fouet et de la voix, et rêve qu'il les conduit encore [3]. C'est la verve propre à Molière et à Aristophane qui leur inspire ces situations. Térence n'est pas possédé de ce démon-là. Il porte dans son sein une muse plus tranquille et plus douce. C'est sans doute un don précieux [4] que celui qui lui manque; c'est le vrai caractère que nature a gravé sur le front de ceux qu'elle a *signés* poètes, sculpteurs, peintres et musiciens. Mais ce caractère est de tous les temps, de tous les pays, de tous les âges et de tous les états. Un Cannibale amoureux qui s'adresse à la couleuvre et qui lui dit : « Couleuvre, arrête-toi, couleuvre! afin que ma sœur tire sur le patron de ton corps et de ta peau la façon et l'ouvrage d'un riche cordon que je puisse donner à ma mie; ainsi soient, en tout temps, ta forme et ta beauté préférées à tous les autres serpents; » ce Cannibale a de la verve, il a

---

1. V : D'abord il met.

2. Dans *Les Fourberies de Scapin* (acte II, scène 11).

3. Dans *les Nuées* d'Aristophane (vers 25 sq), où le vieux Strepsiade se désole devant les rêves hippiques de son fils Phidippide (édition Van Daele, Belles-Lettres, 1934, t. I, p. 165) et non dans *les Guêpes* comme le veut Brière.

4. La correction — *plus précieux* — d'Assézat n'est pas justifiée.

même du goût; car la verve se laisse rarement maîtriser par le goût, mais ne l'exclut pas. La verve a une marche qui lui est propre : elle dédaigne les sentiers connus. Le goût timide et circonspect tourne sans cesse les yeux autour de lui; il ne hasarde rien; il veut plaire à tous; il est le fruit des siècles et des travaux successifs des hommes. On pourrait dire du goût ce que Cicéron disait de l'action héroïque d'un vieux Romain : *Laus est temporum, non hominis* [1]. Mais rien n'est plus rare qu'un homme doué d'un tact si exquis, d'une imagination si réglée, d'une organisation si sensible et si délicate, d'un jugement si fin et si juste, appréciateur si sévère des caractères, des pensées et des expressions; qu'il ait reçu la leçon du goût et des siècles dans toute sa pureté, et qu'il ne s'en écarte jamais : tel me semble Térence. Je le compare à quelques-unes de ces précieuses statues qui nous restent des Grecs, une *Vénus de Médicis*, un *Antinoüs*. Elles ont peu de passion, peu de caractère, presque point de mouvement; mais on y remarque tant de pureté, tant d'élégance et de vérité, qu'on n'est jamais las de les considérer. Ce sont des beautés si déliées, si cachées, si secrètes, qu'on ne les saisit toutes qu'avec le temps; c'est moins la chose que l'impression et le sentiment, qu'on en remporte; il faut y revenir, et l'on y revient sans cesse. L'œuvre de la verve au contraire se connaît tout entier, tout d'un coup, ou point du tout. Heureux le mortel qui sait réunir dans ses productions ces deux grandes qualités, la verve et le goût! Où est-il? Qu'il vienne déposer son ouvrage au pied du Gladiateur et du Laocoon, *Artis imitatoriæ opera stupenda !*

Jeunes poètes, feuilletez alternativement Molière et Térence. Apprenez de l'un à dessiner, et de l'autre à peindre. Gardez-vous surtout de mêler les masques hideux d'un bal avec les physionomies vraies de la société. Rien ne blesse autant un amateur des convenances et de la vérité, que ces

---

1. Cicéron, à propos du retour de Régulus à Carthage : « Itaque ista laus non est hominis, sed temporum »; « c'est le mérite de son siècle plutôt que le sien » (*De officiis*, III, 31). Diderot, encore une fois, cite de mémoire.

personnages outrés, faux et burlesques; ces originaux sans modèles et sans copies, amenés on ne sait comment parmi des personnages simples, naturels et vrais. Quand on les rencontre sur le théâtre des honnêtes gens, on croit être transporté par force sur les tréteaux du faubourg Saint-Laurent. Surtout, si vous avez des amants à peindre, descendez en vous-même, ou lisez l'*Esclave Africain*. Écoutez Phédria dans l'*Eunuque*, et vous serez à jamais dégoûtés de toutes ces galanteries misérables et froides qui défigurent la plupart de nos pièces... « Elle est donc bien belle!... — Ah! si elle est belle! Quand on l'a vue, on ne saurait plus regarder les autres... Elle m'a chassé; elle me rappelle; retournerai-je... Non, vînt-elle m'en supplier à genoux [1]. » C'est ainsi que sent et parle un amant. On dit que Térence avait composé cent trente comédies que nous avons perdues; c'est un fait qui ne peut être cru que par celui qui n'en a pas lu une seule de celles qui nous restent.

C'est une tâche bien hardie que la traduction de Térence : tout ce que la langue latine a de délicatesse est dans ce poète. C'est Cicéron, c'est Quintilien, qui le disent. Dans les jugements divers qu'on entend porter tous les jours, rien de si commun que la distinction du style et des choses. Cette distinction est trop généralement acceptée, pour n'être pas juste. Je conviens qu'où il n'y a point de choses, il ne peut y avoir de style; mais je ne conçois pas comment on peut ôter au style sans ôter à la chose. Si un pédant s'empare d'un raisonnement de Cicéron ou de Démosthène, et qu'il le réduise en [2] un syllogisme qui ait sa majeure, sa mineure et sa conclusion, sera-t-il en droit de prétendre qu'il n'a fait que supprimer des mots, sans avoir altéré le fond? L'homme de goût lui répondra : Eh! qu'est devenue cette harmonie qui me séduisait? Où sont ces figures hardies, par lesquelles l'orateur s'adressait à moi, m'interpellait, me pressait, me mettait à la gêne? Comment se sont évanouies ces images

1 *L'Eunuque* (acte I, scène I, vers 4) « Exclusit, revocat. Redeam? Non, si me obsecret ».

2. V : à...

qui m'assaillaient en foule, et qui me troublaient? Et ces expressions, tantôt délicates, tantôt énergiques, qui réveillaient dans mon esprit je ne sais combien d'idées accessoires, qui me montraient des spectres de toutes couleurs, qui tenaient mon âme agitée d'une suite presque ininterrompue de sensations diverses, et qui formaient cet impétueux ouragan qui la soulevait à son gré; je ne les retrouve plus. Je ne suis plus en suspens; je ne souffre plus; je ne tremble plus; je n'espère plus; je ne m'indigne plus; je ne frémis plus; je ne suis plus troublé, attendri, touché; je ne pleure plus, et vous prétendez toutefois que c'est la chose même que vous m'avez montrée! Non, ce ne l'est pas; les traits épars d'une belle femme ne font pas une belle femme; c'est l'ensemble de ces traits qui la constituent, et leur désunion l'a détruit; il en est de même du style. C'est qu'à parler rigoureusement, quand le style est bon, il n'y a point de mot oisif; et qu'un mot qui n'est pas oisif représente une chose, et une chose si essentielle, qu'en substituant à un mot son synonyme [le plus voisin, ou même au synonyme] [1] le mot propre, on fera quelquefois entendre le contraire de ce que l'orateur ou le poète s'est proposé.

Le poète a voulu me faire entendre que plusieurs événements se sont succédé en un clin d'œil. Rompez le rythme et l'harmonie de ses vers; changez les expressions; et mon esprit changera la mesure du temps; et la durée s'allongera pour moi avec votre récit. Virgile a dit :

> Hic gelidi fontes : hic mollia prata, Lycori ;
> Hic nemus : hic ipso tecum consumerer ævo [2].

---

1. *Omisit* V.

2. Virgile, *Bucoliques*, X, vers 42-43. Comparons la traduction académique de Desfontaines avec celle, si simple et si proche, d'E. de Saint-Denis (Belles-Lettres, 1942, p. 70).

« Ici des sources fraîches, ici de moelleuses prairies, Lycoris; ici un bocage; ici, près de toi, c'est l'âge qui me consumerait ».

L'abbé Desfontaines, l'ennemi de Voltaire, passait au XVIIIe siècle pour le meilleur traducteur de Virgile (*Œuvres*, Paris, Quillau, 1743, rééd. 1770, 4 vol. in-12).

Traduisez avec l'abbé Desfontaines : *Que ces clairs ruisseaux, que ces prairies et ces bois forment un lieu charmant ! Ah, Lycoris ! c'est ici que je voudrais couler avec toi le reste de mes jours !* et vantez-vous d'avoir tué un poète.

Il n'y a donc qu'un moyen de rendre fidèlement un auteur, d'une langue étrangère dans la nôtre : c'est d'avoir l'âme bien pénétrée des impressions qu'on en a reçues, et de n'être satisfait de sa traduction que quand elle réveillera les mêmes impressions dans l'âme du lecteur. Alors l'effet de l'original et celui de la copie sont les mêmes; mais cela se peut-il toujours? Ce qui paraît sûr, c'est qu'on est sans goût, sans aucune sorte de sensibilité, et même sans une véritable justesse d'esprit, si l'on pense sérieusement que tout ce qu'il [1] n'est pas possible de rendre d'un idiome dans un autre ne vaut pas la peine d'être rendu. S'il y a des hommes qui comptent pour rien ce charme de l'harmonie qui tient à une succession de sons graves ou aigus, forts ou faibles, lents ou rapides, succession qu'il n'est pas toujours possible de remplacer; s'il y en a qui comptent pour rien ces images qui dépendent si souvent d'une expression, d'une onomatopée qui n'a pas son équivalent dans leur langue; s'ils méprisent ce choix de mots énergiques dont l'âme reçoit autant de secousses qu'il plaît au poète ou à l'orateur de lui en donner; c'est que la nature leur a donné des sens obtus, une imagination sèche et une [2] âme de glace. Pour nous, nous continuerons de penser que les morceaux d'Homère, de Virgile, d'Horace, de Térence, de Cicéron, de Démosthène, de Racine, de La Fontaine, de Voltaire, qu'il serait peut-être impossible de faire passer de leur langue dans une autre, n'en sont pas les moins précieux, et loin de nous laisser dégoûter, par une opinion barbare, de l'étude des langues tant anciennes que modernes, nous les regarderons comme des sources de sensations délicieuses que notre paresse et notre ignorance nous fermeraient à jamais.

M. Colman, le meilleur auteur comique que l'Angleterre

---

1. *Variétés*, L, V : tout ce qui.
2. Assézat : ou une.

ait aujourd'hui, a donné, il y a quelques années, une très bonne traduction de Térence [1]. En traduisant un poète plein de correction, de finesse et d'élégance, il a bien senti le modèle et la leçon dont ses compatriotes avaient besoin. Les comiques anglais ont plus de verve que de goût; et c'est en formant le goût du public qu'on réforme celui des auteurs. Vanbrugh, Wicherley, Congrève [2] et quelques autres ont peint avec vigueur les vices et les ridicules : ce n'est ni l'invention, ni la chaleur, ni la gaieté, ni la force, qui manquent à leur pinceau; mais cette unité dans le dessin, cette précision dans le trait, cette vérité dans la couleur, qui distinguent le portrait d'avec la caricature. Il leur manque surtout l'art d'apercevoir et de saisir, dans le développement des caractères et des passions, ces mouvements de l'âme naïfs, simples et pourtant singuliers, qui plaisent et étonnent toujours, et qui rendent l'imitation tout à la fois vraie et piquante; c'est cet art qui met Térence, et Molière surtout, au-dessus de tous les comiques anciens et modernes.

---

1. George Colman (1732-1794), « manager » de Covent garden (1767-1774), puis de Hay Market (1777-1789), fut un des auteurs dramatiques les plus féconds de son temps, depuis *The jealous wife* (1761) jusqu'à *The Oxonian in town* (1769). C'est en 1765 qu'il donna sa traduction de Térence : *The comedies of Terence translated into familiar blank verse*. Garrick, son ami et collaborateur, attira sur lui l'attention de ses correspondants français, le groupe de Diderot, Suard, et d'Holbach.

2. Wycherley (1640-1715), auteur de comédies robustes et âpres dont *The country wife*, William Congreve (1670-1729), célèbre tout jeune par *The old bachelor* (1693), John Vanbrugh (1664-1726), dont le réalisme flamand s'étale dans *The relapse* (1696) et *The provoked wife* (1697), sont les meilleurs représentants du théâtre de la Restauration. Ce sont les trois auteurs que Voltaire retenait dans la dix-neuvième de ses *Lettres philosophiques* (édition Lanson, t. II, p. 102-110).

ENTRETIENS SUR LE FILS NATUREL

INTRODUCTION

DEPUIS *sa rencontre avec Toinette Champion, vers* 1741, *et son mariage deux ans plus tard, Diderot n'allait plus au théâtre. La dernière pièce dont il ait un souvenir précis est la* Sylvie *de Landois* (1741) *où jouait la Gaussin; les derniers acteurs dont il détaille le jeu sont Quinault-Dufresne et sa sœur, qui prirent leur retraite cette même année. Si la favorite de Mangogul, dans* les Bijoux indiscrets (*chap. XXXVIII*), *déclare que* « l'emphase, l'esprit et le papillotage » *règnent dans le théâtre classique, nous ne saurions y voir l'ébauche d'une poétique originale, malgré le témoignage de Lessing. Dans l'*Encyclopédie, *c'est Marmontel qui rédigera pour le tome IV les articles* DÉCORATION *et* DÉCLAMATION (1754). *Si donc Diderot songe vers* 1755 *à écrire pour le théâtre, nous pouvons parler, sinon d'une vocation subite, du moins d'une ambition nouvelle. Est-il las des jeux masqués de l'*Encyclopédie, *de la polygraphie poussiéreuse, des conjectures aventurées de l'*Interprétation de la nature? *Veut-il, comme l'insinuera Fréron* (Lettre à Malesherbes, 21 *mars* 1757, *citée par G. Roth,* op. cit., *t. I, p.* 239), *d'une gloire purement littéraire se faire quelque mérite auprès de l'Académie? Croit-il, comme le suggère Félix Gaiffe* (Le drame en France au XVIIIe siècle, *A. Colin,* 1910, *p.* 78 *sq.*), *qu'en rénovant le théâtre et en créant la tragédie bourgeoise il prolongera la propagande encyclopédique? Toutes ces raisons sont excellentes; encore faut-il y ajouter les conseils insinuants de l'impresario Grimm; en* 1755-57, *avant les grands déboires, Diderot fait figure de chef de clan et la flatterie parfois le grise. Jamais il ne crut plus ingénument à son propre génie.*

L'introduction du Fils Naturel *nous renseigne assez exactement sur les conditions dans lesquelles furent écrits la pièce et les* Entretiens avec Dorval : « Le sixième volume de l'*Encyclopédie* venait de paraître et j'étais allé chercher à la campagne du repos et de la santé » (*A.T.*, *t. VII*, *p.* 19). *Or le tome VI parut le* 1er *mai* 1756 *et Diderot séjourna trois semaines* (*fin août - début septembre*) *à Massy*, *dans la maison de campagne de son éditeur*, *Le Breton* (*cf.* Correspondance générale de Rousseau, *édit. Dufour-Plan*, *t. II*, *p.* 336. *Lettre de Deleyre à Rousseau*, 16 *septembre* 1756). *C'était un charmant séjour*, *avec*, *tout proches*, *les bois de chênes de Verrières : nous retrouverons ce décor dans les promenades échevelées de Dorval. Deux mois plus tard*, *en novembre*, *Grimm et Desmahis*, *assistés de Mme d'Épinay*, *lisaient et corrigeaient* Le Fils naturel *au château de la Chevrette. En février* 1757 *la pièce paraissait*, *suivie des* Entretiens avec Dorval.

Le « *lancement* » *en fut tapageur. Rousseau dès février reçut l'ouvrage à l'Ermitage* (Confessions, *livre IX*); *Voltaire l'a lu le* 28 *février et le trouve*, *dans une lettre assez froide*, « plein de vertu, de sensibilité et de philosophie » (*édit. Moland*, *t. XXXIX*, *p.* 181); *Mme d'Épinay se démène assez pour en vendre cent exemplaires en deux jours ; Grimm*, *dans sa livraison du* 1er *mars de la* Correspondance littéraire (*t. III*, p. 354-357) *en fait l'éloge sur un ton prophétique :* « Jamais ouvrage de génie n'a paru sans causer quelque révolution. Et malheur au peuple qui produit un homme de génie sans qu'il en résulte des avantages pour plus d'une génération ». *A l'entendre*, *c'est le succès du siècle :* « Quelque étranger que soit le genre de la comédie du *Fils Naturel*, quelque neuve que soit la poétique répandue dans les trois entretiens..., l'enthousiasme des premiers jours a été général. Tous les gens d'esprit ont admiré cet ouvrage, tous les cœurs délicats et sensibles l'ont honoré de leurs pleurs. L'envie et la sottise n'ont osé élever la voix. » *Le réveil fut cruel. Diderot comptait sur la protection du duc d'Orléans*, *fanatique de théâtre*, *qui venait de se faire construire une salle de spectacle à Bagnolet : le duc confia la pièce à l'acteur Grandval qui la déclara impossible à jouer. Collé*, *dans son* Journal (*mars* 1757, *Didot*, 1868, *t. II*, *p.* 74 *sq.*), *attaquait le style*, *la maladresse*, *l'indigence psychologique de la pièce :* « C'est pourtant d'après ce chef-d'œuvre qu'il a l'intrépidité de donner une espèce de poétique et de faire le législateur aveugle sur des choses qu'il n'a point vues et que vraisemblablement la nature lui a voilées pour toujours. » *Fréron, dans un premier article de l'*Année littéraire (30 juin 1757, *t. IV, p.* 145 *sq.*), *se bornait à une critique raisonnable du drame et délaissait la doctrine. Son second article, habile et venimeux* (12 *juillet* 1757, *t. IV, p.* 290-300), *engageait le grand procès de plagiat :* Le Fils naturel *n'était-il qu'un démarquage d'*Il vero amico *de Goldoni? Palissot au contraire, dans la seconde des* Petites lettres sur de grands philosophes, *probablement parues en octobre* 1757, *rattachait l'essai dramatique au mouvement encyclopédique et, dans un réquisitoire passionné, ridiculisait le nouveau système selon l'aphorisme connu :* « Ce qui est bon n'est pas nouveau; ce qui est nouveau n'est pas bon. »

Collé, Fréron et Palissot avaient tort; nous comprenons parfois leur impatience devant l'esprit de coterie et la suffisance des Encyclopédistes; mais ils n'ont pas su déceler l'importance historique du manifeste de Diderot. Fonder la tragédie bourgeoise et perfectionner la comédie sérieuse, substituer les conditions aux caractères, rénover le jeu des acteurs, le décor et la mise en scène, il y avait là de quoi réfléchir. Diderot non seulement rejoignait les inquiétudes de Voltaire devant l'avenir du théâtre, mais proposait quelques issues.

*Si donc nous sommes sévères aujourd'hui pour le manifeste de Diderot, c'est à cause de sa réussite même. Nous avons oublié Sedaine et Mercier, l'*Eugénie *de Beaumarchais et* La Brouette du vinaigrier; *nous ne faisons plus cas de Scribe, d'Augier ni de Dumas fils; Bernstein a vieilli. Sachons du moins reconnaître que ce programme de* 1757 *a eu plus d'avenir que la* Préface de Cromwell.

Mais la valeur durable des Entretiens *est ailleurs; c'est un ton, une chaleur que Grimm, perspicace sur ce point, fut le premier à vanter* (Corr. litt., *t.* III, *p.* 356) *et qui probablement choqua Voltaire. Une figure en effet domine l'ouvrage : c'est Dorval, le héros mélancolique et sombre, non plus le philosophe déjà traditionnel, sage éprouvé, sceptique et bonhomme. Dorval est* l'homme de génie. *Il serait commode de voir dans le dialogue de Moi et de Dorval la rencontre des deux Diderot, l'enthousiaste et le rationnel, le mélange de ces deux voix qui jusqu'à sa mort, dans les répliques de* Jacques *et du* Neveu, *troubleront sa sérénité. Mais Dorval, à notre sens, n'est pas qu'une voix intérieure; c'est le fantôme de*

Rousseau. *Diderot a rédigé ses* Entretiens *durant l'été de* 1756, *dans la solitude de Massy ; mais le* 12 *avril précédent, il a visité l'Ermitage où* Rousseau *s'est installé depuis trois jours :* « En me promenant ce matin dans un lieu délicieux, j'y ai mis mon ancien ami Diderot à côté de moi et (*lui ai fait*) remarquer les agréments de la promenade » (*Corresp. générale*, t. II, p. 279). *La voix altérée de Dorval ne serait-elle pas celle de Rousseau ?* « Le délire champêtre » *de Rousseau* (*cf.* Confessions, *livre IX*) *ne répond-il pas à cette* « horreur secrète des forêts » *qui plaît à Dorval ?* « O nature, tu es la source féconde de toutes vérités », *est-ce un mot de Dorval ou de Rousseau ? Et lorsque Dorval déclare :* « Notre poète habite les bords d'un lac », *n'est-ce pas Rousseau qui voulut se fixer à Genève et qui, durant l'été de* 1754 *fit le tour du lac en bateau avec les Deluc et Thérèse ? Ne songe-t-il pas déjà à y fixer le décor de* la Nouvelle Héloïse ? *Tout le début du second entretien révèle la présence de l'ami romanesque et ombrageux, d'un Rousseau exalté par la sécession d'avec la corruption parisienne, comme une sauvagine retrouvant son terrier.*

Voilà pourquoi les Entretiens avec Dorval *peuvent encore nous toucher ; au-delà d'une poétique nouvelle et d'un discours de la méthode en matière de théâtre, nous y sentons vibrer une sensibilité neuve. Avec Dorval naît un type romanesque, celui de Saint-Preux et d'Obermann. Mais surtout nous y saisissons au vif un étrange cas d'osmose psychologique :* « Il était triste dans sa conversation et dans son maintien, à moins qu'il ne parlât de la vertu... Alors vous eussiez dit qu'il se transfigurait. La sérénité se déployait sur son visage. Ses yeux prenaient de l'éclat et de la douceur. Sa voix avait un charme inexprimable. Son discours devenait pathétique... Mais comme on voit le soir en automne, dans un temps nébuleux et couvert, la lumière s'échapper d'un nuage, briller un moment et se perdre dans un ciel obscur, bientôt sa gaieté s'éclipsait, et il retombait tout à coup dans le silence et la mélancolie. » (Introduction, *p.* 19). *Tel était Dorval ; tel était Rousseau, dans le printemps de l'Ermitage, dans les dernières ferveurs d'une amitié menacée.*

Les Entretiens avec Dorval *parurent en février* 1757, *à la suite du* Fils Naturel (*Amsterdam, in-8°, IX-299 pages*) *et furent réédités la même année in-12°, tantôt avec l'indication de lieu* Venise, *tantôt avec l'indication :* A Amsterdam, chez Pierre Erialed. *Nous verrions volontiers dans cet* Erialed *l'anagramme d'un ami commun de* Rousseau *et de Diderot, Alexandre* Deleyre, *qui fut mêlé l'année suivante à l'affaire des dédicaces. Mais parmi les très nombreuses rééditions du théâtre de Diderot, rares sont celles qui méritent attention : les erreurs y fourmillent et les variantes ne sont pas le fait de Diderot. C'est le cas par exemple de l'édition d'Amsterdam des* Œuvres de théâtre (M.M. Rey, 1772, *t. II, p.* 131-267) *et des* Œuvres philosophiques et dramatiques (*Amsterdam, s.n.,* 1772, *p.* 151-296), *que nous avons collationnées. Outre l'originale de* 1757, *une seule appelle l'intérêt, celle que l'abbé de la Porte donna en* 1771 (*Paris, Duchesne et Delalain*). *L'abbé de la Porte était ami de Diderot; il avait fondé en* 1758 *l'*Observateur littéraire *pour faire pièce à Fréron et y défendit vigoureusement* Le Fils Naturel (*cf. A.T., t. VIII, p.* 11-18); *mais nous n'avons aucune preuve que Diderot ait revu cette édition. Malgré Assézat qui fonde son texte sur elle, nous publierons donc la version originale de* 1757, *en signalant quelques variantes ultérieures. Nous conserverons cependant les noms des interlocuteurs qui en éclairent notablement la lecture.*

P. V.

BIBLIOGRAPHIE

GRIMM. *Correspondance littéraire* (édit. Tourneux, t. III, p. 354-357).

COLLÉ. *Journal* (Didot, 1868, t. II, p. 74-75).

FRÉRON. *Année littéraire* (1757, t. IV, p. 145 sq.,t. IV, p. 290 sq.).

PALISSOT. *Petites lettres sur de grands philosophes* (Paris, 1757, 2e lettre, p. 17-73).

DE LA PORTE. *Observateur littéraire* (5 novembre 1758, lettre X, p. 217-236).

Anonyme. *Supplément d'un ouvrage important* (Venise, Fr. Goldino, 1758, Lettre à Dorval, p. 41-78).

Journal encyclopédique (15 décembre 1758, t. VIII, p. 122-141).

VOLTAIRE. Préface des *Scythes* (1769, édit. Moland, t. VI, p. 269 sq.).

Daniel DELAFARGE. *La vie et l'œuvre de Palissot* (Paris, Hachette, 1912).

Manlio BUSNELLI. *Diderot et l'Italie* (Paris, Champion, 1925, chap. IV, p. 75-146).

Félix GAIFFE. *Étude sur le drame en France au* XVIIIe *siècle* (A. Colin, 1910, p. 78-104 et 152-162).

E.C. VAN BELLEN. *Les origines du mélodrame* (Nizet, 1933).

Roland MORTIER. *Diderot en Allemagne* (P.U.F., 1954, chap. II, Diderot théoricien du drame, p. 48-138).

ENTRETIENS SUR LE FILS NATUREL

INTRODUCTION

J'AI promis de dire pourquoi je n'entendis pas la dernière scène; et le voici. Lysimond n'était plus. On avait engagé un de ses amis, qui était à peu près de son âge, et qui avait sa taille, sa voix et ses cheveux blancs, à le remplacer dans la pièce [1].

Ce vieillard entra dans le salon, comme Lysimond y était entré la première fois, tenu sous les bras par Clairville et par André, [et] [2] couvert des habits que son ami avait apportés des prisons. Mais à peine y parut-il, que, ce moment de l'action remettant sous les yeux de toute la famille un homme qu'elle venait de perdre, et qui lui avait été si respectable et si cher, personne ne put retenir ses larmes. Dorval pleurait; Constance et Clairville pleuraient; Rosalie étouffait ses sanglots, et détournait ses regards. Le vieillard qui représentait Lysimond, se troubla, et se mit à pleurer aussi. La

---

1. Dans la dernière scène du *Fils naturel*, le vieux Lysimond rentre d'exil à temps pour empêcher quelques désastres sentimentaux : Dorval et Rosalie apprennent que l'attirance réciproque qu'ils éprouvaient venait de l'instinct fraternel; sans remords désormais, ils peuvent épouser Constance et Clairville.

2. *Omisit* 1772 (I, II).

douleur, passant des maîtres aux domestiques, devint générale; et la pièce ne finit pas.

Lorsque tout le monde fut retiré, je sortis de mon coin, et je m'en retournai comme j'étais venu. Chemin faisant, j'essuyais mes yeux, et je me disais pour me consoler, car j'avais l'âme triste : « Il faut que je sois bien bon de m'affliger ainsi. Tout ceci n'est qu'une comédie. Dorval en a pris le sujet dans sa tête. Il l'a dialoguée à sa fantaisie, et l'on s'amusait aujourd'hui à la représenter. »

Cependant, quelques circonstances m'embarrassaient. L'histoire de Dorval était connue dans le pays. La représentation en avait été si vraie, qu'oubliant en plusieurs endroits que j'étais spectateur, et spectateur ignoré, j'avais été sur le point de sortir de ma place, et d'ajouter un personnage réel à la scène. Et puis, comment arranger avec mes idées ce qui venait de se passer? Si cette pièce était une comédie comme une autre, pourquoi n'avaient-ils pu jouer la dernière scène? Quelle était la cause de la douleur profonde dont ils avaient été pénétrés à la vue du vieillard qui faisait Lysimond?

Quelques jours après, j'allai remercier Dorval de la soirée délicieuse et cruelle que je devais à sa complaisance...

« Vous avez donc été content de cela?... »

J'aime à dire la vérité. Cet homme aimait à l'entendre; et je lui répondis que le jeu des acteurs m'en avait tellement imposé, qu'il m'était impossible de prononcer sur le reste; d'ailleurs, que, n'ayant point entendu la dernière scène, j'ignorais le dénouement; mais que s'il voulait me communiquer l'ouvrage, je lui en dirais mon sentiment...

« Votre sentiment! et n'en sais-je pas à présent ce que j'en veux savoir? Une pièce est moins faite pour être lue, que pour être représentée; la représentation de celle-ci vous a plu, il ne m'en faut pas davantage. Cependant la voilà; lisez-la, et nous en parlerons. »

Je pris l'ouvrage de Dorval; je le lus à tête reposée, et nous en parlâmes le lendemain et les deux jours suivants.

Voici nos entretiens. Mais quelle différence entre ce que Dorval me disait, et ce que j'écris!... Ce sont peut-être les mêmes idées; mais le génie de l'homme n'y est plus... C'est en vain que je cherche en moi l'impression que le spectacle de la nature et la présence de Dorval y faisaient. Je ne la retrouve point; je ne vois plus Dorval; je ne l'entends plus. Je suis seul, parmi la poussière des livres et dans l'ombre d'un cabinet... et j'écris des lignes faibles, tristes et froides.

DORVAL ET MOI

PREMIER ENTRETIEN

Ce jour, Dorval avait tenté sans succès de terminer une affaire qui divisait depuis longtemps deux familles du voisinage, et qui pouvait ruiner l'une et l'autre. Il en était chagrin, et je vis que la disposition de son âme allait répandre une teinte obscure sur notre entretien. Cependant je lui dis :

« Je vous ai lu; mais je suis bien trompé, ou vous ne vous êtes pas attaché à répondre scrupuleusement aux intentions de monsieur votre père. Il vous avait recommandé, ce me semble, de rendre les choses comme elles s'étaient passées; et j'en ai remarqué plusieurs qui ont un caractère de fiction qui n'en impose qu'au théâtre, où l'on dirait qu'il y a une illusion et des applaudissements de convention.

« D'abord, vous vous êtes asservi à la loi des unités. Cependant il est incroyable que tant d'événements se soient passés dans un même lieu; qu'ils n'aient occupé qu'un intervalle de vingt-quatre heures, et qu'ils se soient succédé dans votre histoire, comme ils sont enchaînés dans votre ouvrage.

DORVAL

Vous avez raison. Mais si le fait a duré quinze jours, croyez-vous qu'il fallût accorder la même durée à la représentation? Si les événements en ont été séparés par d'autres, qu'il était à propos de rendre cette confusion? Et s'ils se sont passés en différents endroits de la maison, que je devais aussi les répandre sur le même espace?

Les lois des trois unités sont difficiles à observer; mais elles sont sensées.

Dans la société, les affaires ne durent que par de petits incidents, qui donneraient de la vérité à un roman, mais qui ôteraient tout l'intérêt à un ouvrage dramatique : notre attention s'y partage sur une infinité d'objets différents; mais au théâtre, où l'on ne représente que des instants particuliers de la vie réelle, il faut que nous soyons tout entiers à la même chose.

J'aime mieux qu'une pièce soit simple que chargée d'incidents [1]. Cependant je regarde plus à leur liaison qu'à leur multiplicité. Je suis moins disposé à croire deux événements que le hasard a rendus successifs ou simultanés, qu'un grand nombre qui, rapprochés de l'expérience journalière, la règle invariable des vraisemblances dramatiques, me paraîtraient s'attirer les uns les autres par des liaisons nécessaires.

L'art d'intriguer consiste à lier les événements, de manière que le spectateur sensé y aperçoive toujours une raison qui le satisfasse. La raison doit être d'autant plus forte, que les événements sont plus singuliers. Mais il n'en faut pas juger par rapport à soi. Celui qui agit et celui qui regarde, sont deux êtres très différents.

Je serais fâché d'avoir pris quelque licence contraire à ces principes généraux de l'unité de temps et de l'unité d'action; et je pense qu'on ne peut être trop sévère sur l'unité de lieu. Sans cette unité, la conduite d'une pièce est presque toujours embarrassée, louche. Ah! si nous avions des théâtres où la décoration changeât toutes les fois que le lieu de la scène doit changer!...

MOI

Et quel si grand avantage y trouveriez-vous?

DORVAL

Le spectateur suivrait sans peine tout le mouvement d'une pièce; la représentation en deviendrait plus variée, plus

1. Souvenir de la préface de *Bérénice*.

intéressante et plus claire. La décoration ne peut changer, que la scène ne reste vide; la scène ne peut rester vide qu'à la fin d'un acte. Ainsi, toutes les fois que deux incidents feraient changer la décoration, ils se passeraient dans deux actes différents. On ne verrait [1] point une assemblée de sénateurs succéder à une assemblée de conjurés, à moins que la scène ne fût assez étendue pour qu'on y distinguât des espaces fort différents. Mais, sur de petits théâtres, tels que les nôtres, que doit penser un homme raisonnable, lorsqu'il entend des courtisans, qui savent si bien que les murs ont des oreilles, conspirer contre leur souverain dans l'endroit même où il vient de les consulter sur l'affaire la plus importante, sur l'abdication de l'Empire [2]? Puisque les personnages demeurent, il suppose apparemment que c'est le lieu qui s'en va.

Au reste, sur ces conventions théâtrales, voici ce que je pense. C'est que celui qui ignorera la raison poétique, ignorant aussi le fondement de la règle, ne saura ni l'abandonner, ni la suivre à propos. Il aura pour elle trop de respect ou trop de mépris, deux écueils opposés, mais également dangereux. L'un réduit à rien les observations et l'expérience des siècles passés, et ramène l'art à son enfance; l'autre l'arrête tout court où il est, et l'empêche d'aller en avant.

Ce fut dans l'appartement de Rosalie, que je m'entretins avec elle [3], lorsque je détruisis dans son cœur le penchant injuste que je lui avais inspiré, et que je fis renaître sa tendresse pour Clairville. Je me promenais avec Constance dans cette grande allée, sous les vieux marronniers que vous voyez [4], lorsque je demeurai convaincu qu'elle était la seule femme qu'il y eût au monde pour moi; pour moi! qui m'étais proposé dans ce moment de lui faire entendre que je n'étais point l'époux qui lui convenait. Au premier bruit de l'arrivée de mon père, nous descendîmes, nous accou-

---

1. 1772 (II) : verra.
2. Allusion à *Cinna*, acte II, scène 2.
3. *Le Fils naturel*, acte V, scène 3.
4. *Ibid.*, acte IV, scène 3.

rûmes tous; et la dernière scène se passa en autant d'endroits différents que cet honnête vieillard fit de pauses, depuis la porte d'entrée jusque dans ce salon. Je les vois encore, ces endroits... Si j'ai renfermé toute l'action dans un lieu, c'est que je le pouvais sans gêner la conduite de la pièce, et sans ôter de la vraisemblance aux événements.

MOI

Voilà qui est à merveille. Mais en disposant des lieux, du temps et de l'ordre des événements, vous n'auriez pas dû en imaginer qui ne sont ni dans nos mœurs, ni dans votre caractère.

DORVAL

Je ne crois pas l'avoir fait.

MOI

Vous me persuaderez donc que vous avez eu avec votre valet la seconde scène du premier acte? Quoi! lorsque vous lui dîtes : *Ma chaise, des chevaux*, il ne partit pas? Il ne vous obéit pas? Il vous fit des remontrances que vous écoutâtes tranquillement? Le sévère Dorval, cet homme renfermé même avec son ami Clairville, s'est entretenu familièrement avec son valet Charles? Cela n'est ni vraisemblable, ni vrai.

DORVAL

Il faut en convenir. Je me dis à moi-même à peu près ce que j'ai mis dans la bouche de Charles; mais ce Charles est un bon domestique, qui m'est attaché. Dans l'occasion, il ferait pour moi tout ce qu'André a fait pour mon père. Il a été témoin de la chose. J'ai vu si peu d'inconvénient à l'introduire un moment dans la pièce; et cela lui a fait tant de plaisir!... Parce qu'ils sont nos valets, ont-ils cessé d'être des hommes?... S'ils nous servent, il en est un autre que nous servons.

MOI

Mais si vous composiez pour le théâtre?

DORVAL

Je laisserais là ma morale, et je me garderais bien de rendre importants sur la scène des êtres qui sont nuls dans la société. Les Daves ont été les pivots de la comédie ancienne, parce qu'ils étaient en effet les moteurs de tous les troubles domestiques. Sont-ce les mœurs qu'on avait il y a deux mille ans, ou les nôtres, qu'il faut imiter? Nos valets de comédie sont toujours plaisants, preuve certaine qu'ils sont froids. Si le poète les laisse dans l'antichambre, où ils doivent être, l'action se passant entre les principaux personnages en sera plus intéressante et plus forte. Molière, qui savait si bien en tirer parti, les a exclus du *Tartuffe* et du *Misanthrope*. Ces intrigues de valets et de soubrettes, dont on coupe l'action principale, sont un moyen sûr d'anéantir l'intérêt. L'action théâtrale ne se repose point; et mêler deux intrigues, c'est les arrêter alternativement l'une et l'autre [1].

MOI

Si j'osais, je vous demanderais grâce pour les soubrettes. Il me semble que les jeunes personnes, toujours contraintes dans leur conduite et dans leurs discours, n'ont que ces femmes à qui elles puissent ouvrir leur âme, confier des sentiments qui la pressent, et que l'usage, la bienséance, la crainte et les préjugés y tiennent renfermés.

DORVAL

Qu'elles restent donc sur la scène jusqu'à ce que notre éducation devienne meilleure, et que les pères et mères soient les confidents de leurs enfants... Qu'avez-vous encore observé?

MOI

La déclaration de Constance...

DORVAL

Eh bien?

---

1. Serait-ce une attaque contre Marivaux qui a quelquefois abusé des intrigues parallèles?

MOI

Les femmes n'en font guère...

DORVAL

D'accord. Mais supposez qu'une femme ait l'âme, l'élévation et le caractère de Constance; qu'elle ait su choisir un honnête homme : et vous verrez qu'elle avouera ses sentiments sans conséquence. Constance m'embarrassa... beaucoup... Je la plaignis, et l'en respectai davantage [1].

MOI

Cela est bien étonnant! Vous étiez occupé d'un autre côté...

DORVAL

Et ajoutez que je n'étais pas un fat.

MOI

On trouvera dans cette déclaration quelques endroits peu ménagés... Les femmes s'attacheront à donner du ridicule à ce caractère...

DORVAL

Quelles femmes, s'il vous plaît? Des femmes perdues, qui avouaient [2] un sentiment honteux toutes les fois qu'elles ont dit : *Je vous aime*. Ce n'est pas là Constance; et l'on serait bien à plaindre dans la société, s'il n'y avait aucune femme qui lui ressemblât.

MOI

Mais ce ton est bien extraordinaire au théâtre...

DORVAL

Et laissez là les tréteaux; rentrez dans le salon; et convenez que le discours de Constance ne vous offensa pas, quand vous l'entendîtes là.

---

1. Constance, émue par le départ précipité de Dorval, lui avoue son amour (acte I, scène 4). Collé, dans son *Journal*, se scandalise de cette scène et lui dénie toute valeur psychologique.
2. 1772 (II) : avouent.

MOI

Non.

DORVAL

C'est assez. Cependant il faut tout vous dire. Lorsque l'ouvrage fut achevé, je le communiquai à tous les personnages afin que chacun ajoutât à son rôle, en retranchât, et se peignît encore plus au vrai. Mais il arriva une chose à laquelle je ne m'attendais guère, et qui est cependant bien naturelle. C'est que, plus à leur état présent qu'à leur situation passée, ici ils adoucirent l'expression, là ils pallièrent un sentiment; ailleurs ils préparèrent un incident. Rosalie voulut paraître moins coupable aux yeux de Clairville; Clairville, se montrer encore plus passionné pour Rosalie; Constance, marquer un peu plus de tendresse à un homme qui est maintenant son époux; et la vérité des caractères en a souffert en quelques endroits. La déclaration de Constance est un de ces endroits. Je vois que les autres n'échapperont pas à la finesse de votre goût. »

Ce discours de Dorval m'obligea d'autant plus, qu'il est peu dans son caractère de louer. Pour y répondre, je relevai une minutie que j'aurais négligée sans cela.

MOI

« Et le thé de la même scène? lui dis-je.

DORVAL

Je vous entends; cela n'est pas de ce pays. J'en conviens; mais j'ai voyagé longtemps en Hollande; j'ai beaucoup vécu avec des étrangers; j'ai pris d'eux cet usage; et c'est moi que j'ai peint.

MOI

Mais au théâtre!

DORVAL

Ce n'est pas là. C'est dans le salon qu'il faut juger mon ouvrage... Cependant ne passez aucun des endroits où vous croirez qu'il pèche contre l'usage du théâtre... Je serai bien aise d'examiner si c'est moi qui ai tort, ou l'usage. »

Tandis que Dorval parlait, je cherchais les coups de crayon que j'avais donnés à la marge de son manuscrit, partout où j'avais trouvé quelque chose à reprendre. J'aperçus une de ces marques vers le commencement de la seconde scène du second acte, et je lui dis :

« Lorsque vous vîtes Rosalie, selon la parole que vous en aviez donnée à votre ami, ou elle était instruite de votre départ, ou elle l'ignorait. Si c'est le premier, pourquoi n'en dit-elle rien à Justine? Est-il naturel qu'il ne lui échappe pas un mot sur un événement qui doit l'occuper tout entière? Elle pleure, mais ses larmes coulent sur elle. Sa douleur est celle d'une âme délicate qui s'avoue des sentiments qu'elle ne pouvait empêcher de naître, et qu'elle ne peut approuver. *Elle l'ignorait*, me direz-vous. *Elle en parut étonnée ; je l'ai écrit, et vous l'avez vu.* Cela est vrai. Mais comment a-t-elle pu ignorer ce qu'on savait dans toute la maison?...

DORVAL

Il était matin; j'étais pressé de quitter un séjour que je remplissais de trouble, et de me délivrer de la commission la plus inattendue et la plus cruelle; et je vis Rosalie aussitôt qu'il fut jour chez elle. La scène a changé de lieu, [mais sans rien perdre de sa vérité] [1]. Rosalie vivait retirée; elle n'espérait dérober ses pensées secrètes à la pénétration de Constance et à la passion de Clairville, qu'en les évitant l'un et l'autre; elle ne faisait que de descendre de son appartement; et elle n'avait encore vu personne quand elle entra dans le salon.

MOI

Mais pourquoi annonce-t-on Clairville, tandis que vous vous entretenez avec Rosalie? Jamais on ne s'est fait annoncer chez soi; et ceci a tout l'air d'un coup de théâtre ménagé à plaisir.

---

1. *Omisit* 1772 (II).

DORVAL

Non; c'est le fait comme il a été et comme il devait être. Si vous y voyez un coup de théâtre, à la bonne heure; il s'est placé là de lui-même.

Clairville sait que je suis avec sa maîtresse; il n'est pas naturel qu'il entre tout au travers d'un entretien qu'il a désiré. Cependant il ne peut résister à l'impatience d'en apprendre le résultat. Il me fait appeler. Eussiez-vous fait autrement? »

Dorval s'arrêta ici un moment; ensuite il dit : « J'aimerais [bien][1] mieux des tableaux sur la scène où il y en a si peu, et où ils produiraient un effet si agréable et si sûr, que ces coups de théâtre qu'on amène d'une manière si forcée, et qui sont fondés sur tant de suppositions singulières, que, pour une de ces combinaisons d'événements qui soit heureuse et naturelle, il y en a mille qui doivent déplaire à un homme de goût.

MOI

Mais quelle différence mettez-vous entre un coup de théâtre et un tableau?

DORVAL

J'aurais bien plus tôt fait de vous en donner des exemples que des définitions. Le second acte de la pièce s'ouvre par un tableau, et finit par un coup de théâtre.

MOI

J'entends. Un incident imprévu qui se passe en action, et qui change subitement l'état des personnages, est un coup de théâtre. Une disposition de ces personnages sur la scène, si naturelle et si vraie, que, rendue fidèlement par un peintre, elle me plairait sur la toile, est un tableau.

DORVAL

A peu près.

---

1. *Omisit* 1772 (II).

MOI

Je gagerais presque que, dans la quatrième scène du second acte, il n'y a pas un mot qui ne soit vrai. Elle m'a désolé dans le salon, et j'ai pris un plaisir infini à la lire. Le beau tableau, car c'en est un, ce me semble, que le malheureux Clairville, renversé sur le sein de son ami, comme dans le seul asile qui lui reste...

DORVAL

Vous pensez bien à sa peine, mais vous oubliez la mienne. Que ce moment fut cruel pour moi!

MOI

Je le sais, je le sais. Je me souviens que, tandis qu'il exhalait sa plainte et sa douleur, vous versiez des larmes sur lui. Ce ne sont pas là de ces circonstances qui s'oublient.

DORVAL

Convenez que ce tableau n'aurait point eu lieu sur la scène; que les deux amis n'auraient osé se regarder en face, tourner le dos au spectateur, se grouper, se séparer, se rejoindre; et que toute leur action aurait été bien compassée, bien empesée, bien maniérée, et bien froide.

MOI

Je le crois.

DORVAL

Est-il possible qu'on ne sentira point que l'effet du malheur est de rapprocher les hommes; et qu'il est ridicule, surtout dans les moments de tumulte, lorsque les passions sont portées à l'excès, et que l'action est la plus agitée, de se tenir en rond, séparés, à une certaine distance les uns des autres, et dans un ordre symétrique.

Il faut que l'action théâtrale soit bien imparfaite encore, puisqu'on ne voit sur la scène presque aucune situation dont on pût faire une composition supportable en peinture. Quoi donc! la vérité y est-elle moins essentielle que sur la toile? Serait-ce une règle, qu'il faut s'éloigner de la chose à mesure que l'art en est plus voisin, et mettre moins de vraisemblance dans une scène vivante, où les hommes mêmes agissent, que dans une scène colorée, où l'on ne voit, pour ainsi dire, que leurs ombres ?

Je pense, pour moi, que si un ouvrage dramatique était bien fait et bien représenté, la scène offrirait au spectateur autant de tableaux réels qu'il y aurait dans l'action de moments favorables au peintre.

MOI

Mais la décence ! la décence !

DORVAL

Je n'entends répéter que ce mot. La maîtresse de [Barnwell][1] entre échevelée dans la prison de son amant. Les deux amis s'embrassent et tombent à terre [2]. Philoctète se roulait autrefois à l'entrée de sa caverne. Il y faisait entendre les cris inarticulés de la douleur. Ces cris formaient un vers peu nombreux [3]; mais les entrailles du spectateur en étaient déchirées. Avons-nous plus de délicatesse et plus de génie que les Athéniens ?... Quoi donc, pourrait-il y avoir rien de trop véhément dans l'action d'une mère dont on immole la fille ? Qu'elle coure sur la scène comme une femme furieuse

---

1. Orthographe 1757-1772 (I-II) : Barnevelt.

2. *The London Merchant or the history of George Barnwell*, tragédie en prose de George Lillo (1693-1739) fut joué pour la première fois sur le théâtre de Drury Lane le 22 juin 1731. Traduite en 1748 par Clément de Genève, la pièce devint en France le prototype de la tragédie bourgeoise (cf. *Correspondance littéraire*, t. I, p. 229). C'est en fait un drame brutal : une fille de joie, Millwood, pousse son amant Barnwell au vol et au crime, puis le dénonce lorsqu'elle se voit compromise. Diderot fait allusion à la scène 5 de l'acte V, où Barnwell, emprisonné et repentant, est consolé par la visite de son ami Trueman. Quant à la dernière rencontre de Barnwell et de Millwood, elle ne se situe pas en prison, mais sur le lieu du supplice (acte V, scène 11).

3. Sophocle, *Philoctète* (vers 745-746, Belles-lettres, édit. Masqueray, 1934, t. II, p. 107). Philoctète achève ses plaintes par une succession de cris convulsifs :

'Απαππαπαῖ, παπᾶ, παπᾶ παπᾶ, παπαῖ.

ou troublée; qu'elle remplisse de cris son palais; que le désordre ait passé jusque dans ses vêtements, ces choses conviennent à son désespoir. Si la mère d'Iphigénie se montrait un moment reine d'Argos et femme du général des Grecs, elle ne me paraîtrait que la dernière des créatures. La véritable dignité, celle qui me frappe, qui me renverse, c'est le tableau de l'amour maternel dans toute sa vérité. »

En feuilletant le manuscrit, j'aperçus un petit coup de crayon que j'avais passé. Il était à l'endroit de la scène seconde du second acte, où Rosalie dit de l'objet qui l'a séduite, qu'*elle croyait y reconnaître la vérité de toutes les chimères de perfection qu'elle s'était faites*. Cette réflexion m'avait semblé un peu forte pour un enfant : et *les chimères de perfection*, s'écarter de son ton ingénu. J'en fis l'observation à Dorval. Il me renvoya, pour toute réponse, au manuscrit. Je le considérai avec attention; je vis que ces mots avaient été ajoutés après coup, de la main même de Rosalie; et je passai à d'autres choses.

MOI

Vous n'aimez pas les coups de théâtre? lui dis-je.

DORVAL

Non.

MOI

En voici pourtant un, et des mieux arrangés.

DORVAL

Je le sais; et je vous l'ai cité.

MOI

C'est la base de toute votre intrigue.

DORVAL

J'en conviens.

MOI

Et c'est une mauvaise chose?

DORVAL

Sans doute.

MOI

Pourquoi donc l'avoir employée?

DORVAL

C'est que ce n'est pas une fiction, mais un fait. Il serait à souhaiter, pour le bien de l'ouvrage, que la chose fût arrivée tout autrement.

MOI

Rosalie vous déclare sa passion. Elle apprend qu'elle est aimée. Elle n'espère plus, elle n'ose plus vous revoir. Elle vous écrit.

DORVAL

Cela est naturel.

MOI

Vous lui répondez.

DORVAL

Il le fallait.

MOI

Clairville a promis à sa sœur que vous ne partiriez pas sans l'avoir vue. Elle vous aime. Elle vous l'a dit. Vous connaissez ses sentiments.

DORVAL

Elle doit chercher à connaître les miens.

MOI

Son frère va la trouver chez une amie, où des bruits fâcheux qui se sont répandus sur la fortune de Rosalie et sur le retour de son père, l'ont appelée. On y savait votre départ. On en est surpris. On vous accuse d'avoir inspiré de la tendresse à sa sœur, et d'en avoir pris pour sa maîtresse.

DORVAL

La chose est vraie.

MOI

Mais Clairville n'en croit rien. Il vous défend avec vivacité. Il se fait une affaire. On vous appelle à son secours, tandis que vous répondez à la lettre de Rosalie. Vous laissez votre réponse sur la table.

DORVAL

Vous en eussiez fait autant, je pense.

MOI

Vous volez au secours de votre ami. Constance arrive. Elle se croit attendue. Elle se voit laissée. Elle ne comprend rien à ce procédé.. Elle aperçoit la lettre que vous écriviez à Rosalie. Elle la lit et la prend pour elle.

DORVAL

Toute autre s'y serait trompée.

MOI

Sans doute; elle n'a aucun soupçon de votre passion pour Rosalie, ni de la passion de Rosalie pour vous; la lettre répond à une déclaration, et elle en a fait une.

DORVAL

Ajoutez que Constance a appris de son frère le secret de ma naissance, et que la lettre est d'un homme qui croirait manquer à Clairville, s'il prétendait à la personne dont il est épris. Ainsi Constance croit et doit se croire aimée; et de là, tous les embarras où vous m'avez vu.

MOI

Que trouvez-vous donc à redire à cela? Il n'y a rien qui soit faux.

DORVAL

Ni rien qui soit assez vraisemblable. Ne voyez-vous pas qu'il faut des siècles, pour combiner un si grand nombre de circonstances? Que les artistes se félicitent tant qu'ils voudront du talent d'arranger de pareilles rencontres; j'y trouverai de l'invention, mais sans goût véritable. Plus la marche d'une pièce est simple, plus elle est belle. Un poète qui aurait imaginé ce coup de théâtre et la situation du cinquième acte, où, m'approchant de Rosalie, je lui montre Clairville au fond du salon, sur un canapé, dans l'attitude d'un homme au désespoir, aurait bien peu de sens, s'il préférait le coup de théâtre au tableau. L'un est presque un enfantillage; l'autre est un trait de génie. J'en parle sans partialité. Je n'ai inventé ni l'un ni l'autre. Le coup de théâtre est un fait; le tableau, une circonstance heureuse que le hasard fit naître, et dont je sus profiter.

MOI

Mais, lorsque vous sûtes la méprise de Constance, que n'en avertissiez-vous Rosalie? L'expédient était simple, et il remédiait à tout.

DORVAL

Oh! pour le coup, vous voilà bien loin du théâtre; et vous examinez mon ouvrage avec une sévérité à laquelle je ne connais pas de pièce qui résistât. Vous m'obligeriez de m'en citer une qui allât jusqu'au troisième acte, si chacun y faisait à la rigueur ce qu'il doit faire. Mais cette réponse, qui serait bonne pour un artiste, ne l'est pas pour moi. Il s'agit ici d'un fait, et non d'une fiction. Ce n'est point à un auteur, que vous demandez raison d'un incident; c'est à Dorval que vous demandez compte de sa conduite.

Je n'instruisis point Rosalie de l'erreur de Constance et de la sienne, parce qu'elle répondait à mes vues. Résolu de tout sacrifier à l'honnêteté, je regardai ce contretemps qui me séparait de Rosalie, comme un événement qui m'éloignait du danger. Je ne voulais point que Rosalie prît une fausse opinion de mon caractère; mais il m'importait bien davantage de ne manquer ni à moi-même, ni à mon ami. Je souffrais à le tromper, à tromper Constance, mais il le fallait.

MOI

Je le sens. A qui écriviez-vous, si ce n'était pas à Constance?

DORVAL

D'ailleurs, il se passa si peu de temps entre ce moment et l'arrivée de mon père; et Rosalie vivait si renfermée! Il n'était pas question de lui écrire. Il est fort incertain qu'elle eût voulu recevoir ma lettre; et il est sûr qu'une lettre qui l'aurait convaincue de mon innocence, sans lui ouvrir les yeux sur l'injustice de nos sentiments, n'aurait fait qu'augmenter le mal.

MOI

Cependant vous entendez de la bouche de Clairville mille mots qui vous déchirent. Constance lui remet votre lettre. Ce n'est pas assez de cacher le penchant réel que vous avez; il faut en simuler un que vous n'avez pas. On arrange votre mariage avec Constance, sans que vous puissiez vous y opposer. On annonce cette agréable nouvelle à Rosalie, sans que vous puissiez la nier. Elle se meurt à vos yeux; et son amant, traité avec une dureté incroyable, tombe dans un état tout voisin du désespoir.

DORVAL

C'est la vérité; mais que pouvais-je à tout cela?

MOI

A propos de cette scène de désespoir, elle est singulière. J'en avais été vivement affecté dans le salon. Jugez combien je fus surpris, à la lecture, d'y trouver des gestes et point de discours.

DORVAL

Voici une anecdote que je me garderais bien de vous dire, si j'attachais quelque mérite à cet ouvrage, et si je m'estimais beaucoup de l'avoir fait. C'est qu'arrivé à cet endroit de notre histoire et de la pièce, et ne trouvant en moi qu'une impression [1] profonde sans la moindre idée de discours, je me rappelai quelques scènes de comédie, d'après lesquelles je fis de Clairville un désespéré très disert. Mais lui, parcourant son rôle légèrement, me dit : *Mon frère, voilà qui ne vaut rien. Il n'y a pas un seul mot de vérité dans toute cette rhétorique.* — Je le sais. Mais voyez et tâchez de faire mieux. — *Je*

1. 1772 (II) : aucune impression. Erreur évidente.

n'aurai pas de peine. Il ne s'agit que de se remettre dans la situation, et que de s'écouter. Ce fut apparemment ce qu'il fit. Le lendemain il m'apporta la scène que vous connaissez, telle qu'elle est, mot pour mot. Je la lus et relus plusieurs fois. J'y reconnus le ton de la nature; et demain, si vous voulez, je vous dirai quelques réflexions qu'elle m'a suggérées sur les passions, leur accent, la déclamation et la pantomime. Je vous reconduirai, ce soir, jusqu'au pied de la colline qui coupe en deux la distance de nos demeures; et nous y marquerons le lieu de notre rendez-vous. »

Chemin faisant, Dorval observait les phénomènes de la nature qui suivent le coucher du soleil [1]; et il disait : « Voyez comme les ombres particulières s'affaiblissent à mesure que l'ombre universelle se fortifie... Ces larges bandes de pourpre nous promettent une belle journée... Voilà toute la région du ciel opposée au soleil couchant, qui commence à se teindre de violet... On n'entend plus dans la forêt que quelques oiseaux, dont le ramage tardif égaye encore le crépuscule... Le bruit des eaux courantes, qui commence à se séparer du bruit général, nous annonce que les travaux ont cessé en [2] plusieurs endroits, et qu'il se fait tard. »

Cependant nous arrivâmes au pied de la colline. Nous y marquâmes le lieu de notre rendez-vous; et nous nous séparâmes.

---

1. Diderot aime beaucoup, dans ses essais dialogués, insérer des prologues ou des conclusions à portée météorologique (cf. *Promenade du sceptique*, *Mme de la Carlière*, *Supplément au voyage de Bougainville*). Serait-ce un souvenir de certains dialogues platoniciens ?
2. A.T. : dans.

SECOND ENTRETIEN

Le lendemain, je me rendis au pied de la colline. L'endroit était solitaire et sauvage. On avait en perspective quelques hameaux répandus dans la plaine; au delà, une chaîne de montagnes inégales et déchirées qui terminaient en partie l'horizon. On était à l'ombre des chênes, et l'on entendait le bruit sourd d'une eau souterraine qui coulait aux environs. C'était la saison où la terre est couverte des biens qu'elle accorde au travail et à la sueur des hommes. Dorval était arrivé le premier. J'approchai de lui sans qu'il m'aperçût. Il s'était abandonné au spectacle de la nature. Il avait la poitrine élevée. Il respirait avec force. Ses yeux attentifs se portaient sur tous les objets. Je suivais sur son visage les impressions diverses qu'il en éprouvait; et je commençais à partager son transport, lorsque je m'écriai, presque sans le vouloir : « Il est sous le charme. »

Il m'entendit, et me répondit d'une voix altérée : « Il est vrai. C'est ici qu'on voit la nature. Voici le séjour sacré de l'enthousiasme. Un homme a-t-il reçu du génie? il quitte la ville et ses habitants. Il aime, selon l'attrait de son cœur, à mêler ses pleurs au cristal d'une fontaine; à porter des fleurs sur un tombeau; à fouler d'un pied léger l'herbe tendre de la prairie; à traverser, à pas lents, des campagnes fertiles; à contempler les travaux des hommes; à fuir au fond des forêts. Il aime leur horreur secrète. Il erre. Il cherche un antre qui l'inspire. Qui est-ce qui mêle sa voix au torrent qui tombe de la montagne? Qui est-ce qui sent le sublime d'un lieu désert? Qui est-ce qui s'écoute dans le silence de la solitude? C'est lui. Notre poète habite sur les bords d'un lac. Il promène sa vue sur les eaux, et son génie s'étend. C'est là qu'il est saisi de cet esprit, tantôt tranquille et tantôt violent, qui soulève son âme ou qui l'apaise à son gré... O Nature, tout ce qui est bien est renfermé dans ton sein! Tu es la source féconde de toutes vérités!... Il n'y a dans ce monde que la vertu et la vérité qui soient dignes de m'occuper... L'enthousiasme naît d'un objet de la nature. Si l'esprit l'a vu sous des aspects frappants et divers, il en est occupé, agité, tourmenté. L'imagination s'échauffe; la passion s'émeut. On est successivement étonné, attendri, indigné, courroucé. Sans l'enthousiasme, ou l'idée véritable ne se présente point, ou si, par hasard, on la rencontre, on ne peut la poursuivre... Le poète sent le moment de l'enthousiasme; c'est après qu'il a médité. Il s'annonce en lui par un frémissement qui part de sa poitrine, et qui passe, d'une manière délicieuse et rapide, jusqu'aux extrémités de son corps. Bientôt ce n'est plus un frémissement; c'est une chaleur forte et permanente qui l'embrase, qui le fait haleter, qui le consume, qui le tue; mais qui donne l'âme, la vie à tout ce qu'il touche. Si cette chaleur s'accroissait encore, les spectres se multiplieraient devant lui. Sa passion s'élèverait presque au degré de la fureur. Il ne connaîtrait de soulagement qu'à verser au dehors un torrent d'idées qui se pressent, se heurtent et se chassent [1]. »

Dorval éprouvait à l'instant l'état qu'il peignait. Je ne lui répondis point. Il se fit entre nous un silence pendant lequel je vis qu'il se tranquillisait. Bientôt il me demanda, comme un homme qui sortirait d'un sommeil profond : « Qu'ai-je dit? Qu'avais-je à vous dire? Je ne m'en souviens plus.

---

1. Ce portrait du poète Dorval, en transes devant le spectacle de la nature, est en 1757 un véritable manifeste littéraire. Le poète est un enthousiaste, une âme sensible, une force irrationnelle qui ne s'exprime que dans un état de possession mystique. Diderot corrigera cette vision romantique, treize ans plus tard, dans le *Paradoxe sur le comédien*.

MOI

Quelques idées, que la scène de Clairville désespéré vous avait suggérées sur les passions, leur accent, la déclamation, la pantomime.

DORVAL

La première, c'est qu'il ne faut point donner d'esprit à ses personnages; mais savoir les placer dans des circonstances qui leur en donnent... [1] »

Dorval sentit, à la rapidité avec laquelle il venait de prononcer ces mots, qu'il restait encore de l'agitation dans son âme; il s'arrêta : et pour laisser le temps au calme de renaître ou plutôt pour opposer à son trouble une émotion plus violente, mais passagère, il me raconta ce qui suit :

« Une paysanne du village que vous voyez entre ces deux montagnes, et dont les maisons élèvent leur faîte audessus des arbres, envoya son mari chez ses parents, qui demeurent dans un hameau voisin. Ce malheureux y fut tué par un de ses beaux-frères. Le lendemain, j'allai dans la maison où l'accident était arrivé. J'y vis un tableau, et j'y entendis un discours que je n'ai point oubliés. Le mort était étendu sur un lit. Ses jambes nues pendaient hors du lit. Sa femme échevelée était à terre. Elle tenait les pieds de son mari; et elle disait en fondant en larmes, et avec une action qui en arrachait à tout le monde : « Hélas! quand je t'envoyai ici, je ne pensais pas que ces pieds te menaient à la mort. » Croyez-vous qu'une femme d'un autre rang aurait été plus pathétique? Non. La même situation lui eût inspiré le même discours. Son âme eût été celle du moment; et ce qu'il faut que l'artiste trouve, c'est ce que tout le monde dirait en pareil cas; ce que personne n'entendra, sans le reconnaître aussitôt en soi.

« Les grands intérêts, les grandes passions. Voilà la source des grands discours, des discours vrais. Presque tous les hommes parlent bien en mourant.

« Ce que j'aime dans la scène de Clairville, c'est qu'il n'y

---

1. Nouvelle allusion à Marivaux.

a précisément que ce que la passion inspire, quand elle est extrême. La passion s'attache à une idée principale. Elle se tait, et elle revient à cette idée, presque toujours par exclamation.

« La pantomime si négligée parmi nous, est employée dans cette scène; et vous avez éprouvé vous-même avec quel succès!

« Nous parlons trop dans nos drames; et, conséquemment, nos acteurs n'y jouent pas assez. Nous avons perdu un art, dont les anciens connaissaient bien les ressources. Le pantomime jouait autrefois toutes les conditions, les rois, les héros, les tyrans, les riches, les pauvres, les habitants des villes, ceux de la campagne, choisissant dans chaque état ce qui lui est propre; dans chaque action, ce qu'elle a de frappant. Le philosophe Timocrate qui assistait un jour à ce spectacle, d'où la sévérité de son caractère l'avait toujours éloigné, disait : *Quali spectaculo me philosophiæ verecundia privavit !* Timocrate avait une mauvaise honte; et elle a privé le philosophe d'un grand plaisir[1]. Le cynique Démétrius en attribuait tout l'effet aux instruments, aux voix et à la décoration, en présence d'un pantomime qui lui répondit : « Regarde-moi jouer seul; et dis, après cela, de « mon art tout ce que tu voudras. » Les flûtes se taisent. Le pantomime joue, et le philosophe, transporté, s'écrie : *Je ne te vois pas seulement; je t'entends. Tu me parles des mains*[2].

---

1. Diderot tire cette anecdote du traité *De la danse* de Lucien § 69, (*in Œuvres*, Garnier, traduction Chambry, t. II, p. 170) : « Timocrates, maître de Lesbonax de Mytilène, ayant vu une fois par hasard un danseur jouer son rôle, s'écria : De quel spectacle le respect de la philosophie m'avait privé. » Ce Timocrate, qu'il ne faut pas confondre avec l'ami d'Épicure, vivait au Ier siècle avant Jésus-Christ. Diderot cite Lucien d'après la traduction latine d'Hemsterhuys (Amsterdam, 1743).

2. Diderot aurait pu prendre cette nouvelle anecdote de Lucien aux *Réflexions critiques* de l'abbé du Bos (édition 1770, t. III, p. 310-313, section XVI, *Des Pantomimes*). En fait il est allé droit au traité *De la danse* (§. 63, *op. cit.*, t. II, p. 167-168) : « Le danseur, ayant commandé le silence à ceux qui battent la mesure, aux joueurs de flûte et au chœur lui-même, dansa tout seul, sans

« Quel effet cet art, joint au discours, ne produirait-il pas? Pourquoi avons-nous séparé ce que la nature a joint? A tout moment, le geste ne répond-il pas au discours? Je ne l'ai jamais si bien senti, qu'en écrivant cet ouvrage. Je cherchais ce que j'avais dit, ce qu'on m'avait répondu; et ne trouvant que des mouvements, j'écrivais le nom du personnage, et au-dessous son action. Je dis à Rosalie, acte II, scène II : *S'il était arrivé... que votre cœur surpris... fût entraîne par un penchant... dont votre raison vous fît un crime... J'ai connu cet état cruel!... Que je vous plaindrais!*

« Elle me répond : *Plaignez-moi donc*... Je la plains, mais c'est par le geste de commisération; et je ne pense pas qu'un homme qui sent eût fait autre chose. Mais combien d'autres circonstances, où le silence est forcé? Votre conseil exposerait-il celui qui le demande à perdre la vie, s'il le suit; l'honneur, s'il ne le suit pas? vous ne serez ni cruel ni vil. Vous marquerez votre perplexité par le geste; et vous laisserez l'homme se déterminer.

« Ce que je vis encore dans cette scène, c'est qu'il y a des endroits qu'il faudrait presque abandonner à l'acteur. C'est à lui à disposer de la scène écrite, à répéter certains mots, à revenir sur certaines idées, à en retrancher quelques-unes, et à en ajouter d'autres. Dans les *cantabile*, le musicien laisse à un grand chanteur un libre exercice de son goût et de son talent : il se contente de lui marquer les intervalles principaux d'un beau chant. Le poète en devrait faire autant, quand il connaît bien son acteur. Qu'est-ce qui nous affecte dans le spectacle de l'homme animé de quelque grande passion ? Sont-ce ses discours? Quelquefois. Mais ce qui émeut toujours, ce sont des cris, des mots inarticulés, des voix rompues, quelques monosyllabes qui s'échappent par intervalles, je ne sais quel murmure dans la gorge, entre les

---

accompagnement, l'adultère d'Aphrodite et d'Arès... A ce spectacle, Démétrios, au comble du plaisir, fit au danseur ce suprême éloge : « Je comprends, l'ami, ce que tu fais. Je ne vois pas seulement, mais je crois t'entendre parler avec tes mains mêmes. » Démétrios le cynique, contemporain de Néron, est maintes fois loué par Sénèque.

dents. La violence du sentiment coupant la respiration et portant le trouble dans l'esprit, les syllabes des mots se séparent, l'homme passe d'une idée à une autre; il commence une multitude de discours; il n'en finit aucun ; et, à l'exception de quelques sentiments qu'il rend dans le premier accès et auxquels il revient sans cesse, le reste n'est qu'une suite de bruits faibles et confus, de sons expirants, d'accents étouffés que l'acteur connaît mieux que le poète. La voix, le ton, le geste, l'action, voilà ce qui appartient à l'acteur; et c'est ce qui nous frappe, surtout dans le spectacle des grandes passions. C'est l'acteur qui donne au discours tout ce qu'il a d'énergie. C'est lui qui porte aux oreilles la force et la vérité de l'accent [1].

MOI

J'ai pensé quelquefois que les discours des amants bien épris, n'étaient pas des choses à lire, mais des choses à entendre. Car, me disais-je, ce n'est pas l'expression, *je vous aime*, qui a triomphé des rigueurs d'une prude, des projets d'une coquette, de la vertu d'une femme sensible : c'est le tremblement de voix avec lequel il fut prononcé; les larmes, les regards qui l'accompagnèrent. Cette idée revient à la vôtre.

DORVAL

C'est la même. Un ramage opposé à ces vraies voix de la passion, c'est ce que nous appelons des *tirades*. Rien n'est plus applaudi, et de plus mauvais goût. Dans une représentation dramatique, il ne s'agit non plus du spectateur que s'il n'existait pas. Y a-t-il quelque chose qui s'adresse à lui? L'auteur est sorti de son sujet, l'acteur entraîné hors de son rôle. Ils descendent tous les deux du théâtre. Je les vois dans le parterre; et tant que dure la tirade, l'action est suspendue pour moi, et la scène reste vide.

---

1. Souvenir assez net, à propos de l'action théâtrale, de Cicéron (*De Oratore*, III, 5) et de Quintilien (*De institutione oratoria*, XI, 3, 4).

Il y a, dans la composition d'une pièce dramatique, une unité de discours qui correspond à une unité d'accent dans la déclamation. Ce sont deux systèmes qui varient, je ne dis pas de la comédie à la tragédie, mais d'une comédie ou d'une tragédie à une autre. S'il en était autrement, il y aurait un vice, ou dans le poème, ou dans la représentation. Les personnages n'auraient pas entre eux la liaison, la convenance à laquelle ils doivent être assujettis, même dans les contrastes. On sentirait, dans la déclamation, des dissonances qui blesseraient. On reconnaîtrait, dans le poème, un être qui ne serait pas fait pour la société dans laquelle on l'aurait introduit.

C'est à l'acteur à sentir cette unité d'accent. Voilà le travail de toute sa vie. Si ce tact lui manque, son jeu sera tantôt faible, tantôt outré, rarement juste, bon par endroits, mauvais dans l'ensemble.

Si la fureur d'être applaudi s'empare d'un acteur, il exagère. Le vice de son action se répand sur l'action d'un autre. Il n'y a plus d'unité dans la déclamation de son rôle. Il n'y en a plus dans la déclamation de la pièce. Je ne vois bientôt sur la scène qu'une assemblée tumultueuse où chacun prend le ton qui lui plaît; l'ennui s'empare de moi; mes mains se portent à mes oreilles, et je m'enfuis.

Je voudrais bien vous parler de l'accent propre à chaque passion. Mais cet accent se modifie en tant de manières; c'est un sujet si fugitif et si délicat, que je n'en connais aucun qui fasse mieux sentir l'indigence de toutes les langues qui existent et qui ont existé. On a une idée juste de la chose; elle est présente à la mémoire. Cherche-t-on l'expression? on ne la trouve point. On combine les mots de grave et d'aigu, de prompt et de lent, de doux et de fort; mais le réseau, toujours trop lâche, ne retient rien. Qui est-ce qui pourrait décrire la déclamation de ces deux vers :

Les a-t-on vus souvent se parler, se chercher?
Dans le fond des forêts allaient-ils se cacher[1]?

---

1. *Phèdre*, IV, 6.

C'est un mélange de curiosité, d'inquiétude, de douleur, d'amour et de honte, que le plus mauvais tableau me peindrait mieux que le meilleur discours.

MOI

C'est une raison de plus pour écrire la pantomime.

DORVAL

Sans doute, l'intonation et le geste se déterminent réciproquement.

MOI

Mais l'intonation ne peut se noter, et il est facile d'écrire le geste. »

Dorval fit une pause en cet endroit. Ensuite il dit :

« Heureusement une actrice, d'un jugement borné, d'une pénétration commune, mais d'une grande sensibilité, saisit sans peine une situation d'âme, et trouve, sans y penser, l'accent qui convient à plusieurs sentiments différents qui se fondent ensemble, et qui constituent cette situation que toute la sagacité du philosophe n'analyserait pas.

« Les poètes, les acteurs, les musiciens, les peintres, les chanteurs de premier ordre, les grands danseurs, les amants tendres, les vrais dévots, toute cette troupe enthousiaste et passionnée sent vivement, et réfléchit peu [1].

« Ce n'est pas le précepte; c'est autre chose de plus immédiat, de plus intime, de plus obscur et de plus certain qui les guide et qui les éclaire. Je ne peux vous dire quel cas je fais d'un grand acteur, d'une grande actrice. Combien je serais vain de ce talent, si je l'avais! Isolé sur la surface de la terre, maître de mon sort, libre de préjugés, j'ai voulu une fois être comédien; et qu'on me réponde du succès de Quinault-Dufresne, et je le suis demain. Il n'y a que la médiocrité qui donne du dégoût au théâtre; et, dans quelque état que ce soit, que les mauvaises mœurs qui déshonorent. Au-dessous de Racine et de Corneille, c'est Baron, la Desmares,

1. Le *Paradoxe sur le comédien* reviendra sur cette affirmation, du moins pour les acteurs.

la de Seine, que je vois; au-dessous de Molière et de Regnard, Quinault l'aîné et sa sœur [1].

« J'étais chagrin, quand j'allais au spectacle, et que je comparais l'utilité des théâtres avec le peu de soin qu'on prend à former les troupes. Alors je m'écriais : « Ah! « mes amis, si nous allons jamais à la Lampedouse [2] fonder, « loin de la terre, au milieu des flots de la mer, un petit « peuple d'heureux! ce seront là nos prédicateurs; et nous « les choisirons, sans doute, selon l'importance de leur « ministère. Tous les peuples ont leurs sabbats, et nous « aurons aussi les nôtres. Dans ces jours solennels, on « représentera une belle tragédie, qui apprenne aux hommes « à redouter les passions; une bonne comédie, qui les ins- « truise de leurs devoirs, et qui leur en inspire le goût. »

---

1. Abraham Quinault-Dufresne (1695-1767) débuta en 1712 dans le rôle d'Oreste (dans l'*Électre* de Crébillon); il fut le Glorieux de Destouches et l'Œdipe de Voltaire. De belle prestance, doué d'une voix admirable, il écartait l'amitié par son orgueil démesuré. Baron (1652-1729) fut l'élève et se crut le successeur de Molière; il quitta le théâtre en 1691, puis y remonta en 1720. Christine Desmares (1682-1753), nièce de la Champmeslé, continuait une autre tradition; elle débuta en 1699 et prit sa retraite en 1721. Catherine Dupré, dite Mlle de Seine (1706-1759), débuta en 1724 et épousa en 1727 son camarade Quinault-Dufresne. Elle excellait dans le rôle d'Hermione. De complexion délicate, elle se retira en 1732. Jeanne Françoise Quinault-Dufresne, l'une des sœurs du comédien (1701-1783), débuta en 1718 dans le rôle de Phèdre, puis se réserva les rôles de soubrettes. Diderot, de tous ces artistes, ne put voir jouer que les Quinault frère et sœur, qui se retirèrent ensemble de la Comédie-Française en 1741.

2. La Lampedouse est une petite île déserte de la mer d'Afrique, située à une distance presque égale de la côte de Tunis et de l'île de Malte. La pêche y est excellente. Elle est couverte d'oliviers sauvages. Le terrain en serait fertile. Le froment et la vigne y réussiraient. Cependant elle n'a jamais été habitée que par un marabout et par un mauvais prêtre. Le marabout, qui avait enlevé la fille du bey d'Alger, s'y était réfugié avec sa maîtresse, et ils y accomplissaient l'œuvre de leur salut. Le prêtre, appelé frère Clément, a passé dix ans à la Lampedouse, et y vivait encore il n'y a pas longtemps. Il avait des bestiaux. Il cultivait la terre. Il renfermait sa provision dans un souterrain; et il allait vendre le reste sur les côtes voisines, où il se livrait au plaisir tant que son argent

MOI

Dorval, j'espère qu'on n'y verra pas la laideur jouer le rôle de la beauté.

DORVAL

Je le pense. Quoi donc! n'y a-t-il pas dans un ouvrage dramatique assez de suppositions singulières auxquelles il faut que je me prête, sans éloigner encore l'illusion par celles qui contredisent et choquent mes sens?

MOI

A vous dire vrai, j'ai quelquefois regretté les masques des anciens; et j'aurais, je crois, supporté plus patiemment les éloges donnés à un beau masque qu'à un visage déplaisant.

DORVAL

Et le contraste des mœurs de la pièce avec celles de la personne, vous a-t-il moins choqué?

MOI

Quelquefois le spectateur n'a pu s'empêcher d'en rire, et l'actrice d'en rougir.

DORVAL

Non, je ne connais point d'état qui demandât des formes plus exquises, ni des mœurs plus honnêtes que le théâtre.

---

durait. Il y a dans l'île une petite église, divisée en deux chapelles, que les mahométans révèrent comme les lieux de la sépulture du saint marabout et de sa maîtresse. Frère Clément avait consacré l'une à Mahomet, et l'autre à la sainte Vierge. Voyait-il arriver un vaisseau chrétien, il allumait la lampe de la Vierge. Si le vaisseau était mahométan, vite il soufflait la lampe de la Vierge, et il allumait pour Mahomet. (*Note de Diderot.*)

D'où vient cette curieuse information sur Lampédouse? De l'*Orlando furioso* de l'Arioste, où Roger de Sicile descend dans l'île Lampadosa et se convertit auprès de l'ermite (*Orlando furioso*, édition Garnier, t. II, p. 380, chant XLI)? Du *Dictionnaire historique* de Moreri? Le fait le plus curieux est qu'on signale effectivement vers 1760 l'établissement de quelques colons français dans l'île alors déserte (cf. T. Ashby, *Lampedusa and Linosa*, in *Annals of Archeology and Anthropology*. Liverpool, 1911, IV, 11 sq.). Diderot aurait-il en 1757 connu ces projets?

MOI

Mais nos sots préjugés ne nous permettent pas d'être bien difficiles.

DORVAL

Mais nous [1] voilà bien loin de ma pièce. Où en étions-nous ?

MOI

A la scène d'André.

DORVAL

Je vous demande grâce pour cette scène. J'aime cette scène, parce qu'elle est d'une impartialité tout à fait honnête et cruelle.

MOI

Mais elle coupe la marche de la pièce et ralentit l'intérêt.

DORVAL

Je ne la lirai jamais sans plaisir. Puissent nos ennemis la connaître, en faire cas, et ne la relire jamais sans peine! Que je serais heureux, si l'occasion de peindre un malheur domestique avait encore été pour moi celle de repousser l'injure d'un peuple jaloux, d'une manière à laquelle ma nation pût se reconnaître, et qui ne laissât pas même à la nation ennemie la liberté de s'en offenser.

MOI

La scène est pathétique, mais longue.

DORVAL

Elle eût été et plus pathétique et plus longue, si j'en avais voulu croire André. « Monsieur, me dit-il après en avoir pris lecture, voilà qui est fort bien, mais il y a un petit défaut : c'est que cela n'est pas tout à fait dans la vérité. Vous dites, par exemple, qu'arrivé dans le port ennemi, lorsqu'on me sépara de mon maître, je l'appelai plusieurs fois, *mon maître, mon cher maître :* qu'il me regarda fixement, laissa tomber

---

1. 1772 (II) : me.

ses bras, se retourna, et suivit, sans parler, ceux qui l'environnaient.

« Ce n'est pas cela. Il fallait dire que, quand je l'eus appelé *mon maître*, *mon cher maître*, il m'entendit, se retourna, me regarda fixement; que ses mains se portèrent d'elles-mêmes à ses poches; et que, n'y trouvant rien, car l'Anglais avide n'y avait rien laissé, il laissa tomber ses bras tristement; que sa tête s'inclina vers moi d'un mouvement de compassion froide; qu'il se retourna, et suivit, sans parler, ceux qui l'environnaient. Voilà le fait.

« Ailleurs, vous passez de votre autorité une des choses qui marquent le plus la bonté de feu monsieur votre père; cela est fort mal. Dans la prison, lorsqu'il sentit ses bras nus mouillés de mes larmes, il me dit : « Tu pleures, André! « Pardonne, mon ami; c'est moi qui t'ai entraîné ici : je le « sais. Tu es tombé dans le malheur à ma suite... » Voilà-t-il pas que vous pleurez vous-même! Cela était donc bon à mettre?

« Dans un autre endroit, vous faites encore pis. Lorsqu'il m'eut dit : « Mon enfant, prends courage, tu sortiras d'ici : « pour moi, je sens à ma faiblesse, qu'il faut que j'y meure », je m'abandonnai à toute ma douleur, et je fis retentir le cachot de mes cris. Alors votre père me dit : « André, cesse « ta plainte, respecte la volonté du ciel et le malheur de « ceux qui sont à tes côtés, et qui souffrent en silence. » Et où est-ce que cela est?

« Et l'endroit du correspondant? Vous l'avez si bien brouillé, que je n'y entends plus rien. Votre père me dit, comme vous l'avez rapporté, que cet homme avait agi, et que ma présence auprès de lui était sans doute le premier de ses bons offices. Mais il ajouta : « Oh! mon enfant, quand « Dieu ne m'aurait accordé que la consolation de t'avoir « dans ces moments cruels, combien n'aurais-je pas de « grâces à lui rendre? » Je ne trouve rien de cela dans votre papier. Monsieur, est-ce qu'il est défendu de prononcer sur la scène le nom de Dieu, ce nom saint que votre père avait si souvent à la bouche? — Je ne crois pas, André. — Est-ce que vous avez appréhendé qu'on sût que votre père était chrétien? — Nullement, André. La morale du chrétien est si belle! Mais pourquoi cette question? — Entre nous on dit... — Quoi? — Que vous êtes... un peu... esprit fort; et sur les endroits que vous avez retranchés, j'en croirais quelque chose. — André, je serais obligé d'en être d'autant meilleur citoyen et plus honnête homme. — Monsieur, vous êtes bon; mais n'allez pas vous imaginer que vous valiez monsieur votre père [1]. Cela viendra peut-être un jour. — André, est-ce là tout? — J'aurais bien encore un mot à vous dire; mais je n'ose. — Vous pouvez parler. — Puisque vous me le permettez, vous êtes un peu bref sur les bons procédés de l'Anglais qui vint à notre secours. Monsieur, il y a d'honnêtes gens partout... Mais vous êtes [2] bien changé de ce que vous étiez, si ce qu'on dit encore de vous est vrai. — Et qu'est-ce qu'on dit encore? — Que vous avez été fou de ces gens-là. — André! — Que vous regardiez leur pays comme l'asile de la liberté, la patrie de la vertu, de l'invention, de l'originalité. — André! — A présent cela vous ennuie. Eh bien! n'en parlons plus. Vous avez dit que le correspondant, voyant monsieur votre père tout nu, se dépouilla et le couvrit de ses vêtements. Cela est fort bien. Mais il ne fallait pas oublier qu'un de ses gens en fit autant pour moi. Ce silence, monsieur, retomberait sur mon compte, et me donnerait un air d'ingratitude que je ne veux point avoir absolument. »

Vous voyez qu'André n'était pas tout à fait de votre avis. Il voulait la scène comme elle s'est passée : vous la voulez comme il convient à l'ouvrage; et c'est moi seul qui ai tort de vous avoir mécontentés tous les deux.

---

1. Le mot d'André à Dorval sera repris par Diderot dans le *Voyage de Bourbonne* (A.T., t. XVII, p. 335); il l'attribuera à un Langrois, quelques années après la mort de son père : « Je traversais une des rues de ma ville; il m'arrêta par le bras et me dit : Monsieur Diderot, vous êtes bon; mais si vous croyez que vous vaudrez jamais votre père, vous vous trompez. » Or, en 1757, Diderot père n'était pas mort. Poésie ou vérité?

2. A.T. : avez.

MOI

Qui le faisait mourir dans le fond d'un cachot, sur les haillons de son valet, est un mot dur.

DORVAL

C'est un mot d'humeur; il échappe à un mélancolique qui a pratiqué la vertu toute sa vie, qui n'a pas encore eu un moment de bonheur, et à qui l'on raconte les infortunes d'un homme de bien.

MOI

Ajoutez que cet homme de bien est peut-être son père; et que ces infortunes détruisent les espérances de son ami, jettent sa maîtresse dans la misère, et ajoutent une amertume nouvelle à sa situation. Tout cela sera vrai. Mais vos ennemis?

DORVAL

S'ils ont jamais connaissance de mon ouvrage, le public sera leur juge et le mien. On leur citera cent endroits de Corneille, de Racine, de Voltaire et de Crébillon, où le caractère et la situation amènent des choses plus fortes, qui n'ont jamais scandalisé personne. Ils resteront sans réponse; et l'on verra ce qu'ils n'ont garde de déceler, que ce n'est point l'amour du bien qui les anime, mais la haine de l'homme qui les dévore.

MOI

Mais, qu'est-ce que cet André? Je trouve qu'il parle trop bien pour un domestique; et je vous avoue qu'il y a dans son récit des endroits qui ne seraient point [1] indignes de vous.

DORVAL

Je vous l'ai déjà dit; rien ne rend éloquent comme le malheur. André est un garçon qui a eu de l'éducation, mais qui a été, je crois, un peu libertin dans sa jeunesse. On le fit passer aux îles, où mon père, qui se connaissait en hommes,

---

1. 1772 (II), A.T. : pas.

se l' ttacha, le mit à la tête de ses affaires, et s'en trouva bien. Mais suivons vos observations. Je crois apercevoir un petit trait à côté du monologue qui termine l'acte.

MOI

Cela est vrai.

DORVAL

Qu'est-ce qu'il signifie?

MOI

Qu'il est beau, mais d'une longueur insupportable.

DORVAL

Eh bien, raccourcissons-le. Voyons : que voulez-vous en retrancher?

MOI

Je n'en sais rien.

DORVAL

Cependant il est long.

MOI

Vous m'embarrasserez tant qu'il vous plaira, mais vous ne détruirez pas la sensation.

DORVAL

Peut-être.

MOI

Vous me ferez grand plaisir.

DORVAL

Je vous demanderai seulement, comment vous l'avez trouvé dans le salon.

MOI

Bien; mais je vous demanderai à mon tour, comment il arrive que ce qui m'a paru court à la représentation, me paraisse long à la lecture.

DORVAL

C'est que je n'ai point écrit la pantomime; et que vous ne vous l'êtes point rappelée. Nous ne savons point encore jusqu'où la pantomime peut influer sur la composition d'un ouvrage dramatique, et sur la représentation.

MOI

Cela peut être.

DORVAL

Et puis, je gage que vous me voyez encore sur la scène française, au théâtre.

MOI

Vous croyez donc que votre ouvrage ne réussirait point au théâtre ?

DORVAL

Difficilement. Il faudrait ou élaguer en quelques endroits le dialogue, ou changer l'action théâtrale et la scène.

MOI

Qu'appelez-vous changer la scène ?

DORVAL

En ôter tout ce qui resserre un lieu déjà trop étroit [1] ; avoir des décorations; pouvoir exécuter d'autres tableaux que ceux qu'on voit depuis cent ans; en un mot, transporter au théâtre le salon de Clairville, comme il est.

MOI

Il est donc bien important d'avoir une scène ?

DORVAL

Sans doute. Songez que le spectacle français comporte autant de décorations que le théâtre lyrique, et qu'il en offrirait de plus agréables, parce que le monde enchanté peut

---

1. Toute cette page reprend l'argumentation de Voltaire dans la dissertation qui précède *Sémiramis* (1749, édition Moland, t. IV, p. 499) : « Un des plus grands obstacles qui s'opposent, sur notre théâtre, à une action grande et pathétique, est la foule des spectateurs confondue sur la scène avec les acteurs ». La suppression de cet abus est due au comte de Lauraguais (23 avril 1759) qui paya une indemnité considérable aux sociétaires.

amuser des enfants, et qu'il n'y a que le monde réel qui plaise à la raison... Faute de scène, on n'imaginera rien. Les hommes qui auront du génie se dégoûteront; les auteurs médiocres réussiront par une imitation servile; on s'attachera de plus en plus à de petites bienséances; et le goût national s'appauvrira... Avez-vous vu la salle de Lyon? Je ne demanderais qu'un pareil monument dans la capitale, pour faire éclore une multitude de poèmes, et produire peut-être quelques genres nouveaux [1].

MOI

Je n'entends pas : vous m'obligerez de vous expliquer davantage.

DORVAL

Je le veux. »

Que ne puis-je rendre tout ce que Dorval me dit, et de la manière dont il le dit! Il débuta gravement; il s'échauffa peu à peu; ses idées se pressèrent; et il marchait sur la fin avec tant de rapidité, que j'avais peine à le suivre. Voici ce que j'ai retenu.

« Je voudrais bien, dit-il d'abord, persuader à ces esprits timides, qui ne connaissent rien au delà de ce qui est, que si les choses étaient autrement, ils les trouveraient également bien; et que l'autorité de la raison n'étant rien devant eux, en comparaison de l'autorité du temps, ils approuveraient ce qu'ils reprennent, comme il leur est souvent arrivé de reprendre ce qu'ils avaient approuvé... Pour bien juger

---

1. Soufflot conçut les plans du nouveau théâtre de Lyon, en 1754, à la demande de la ville. La première pierre fut posée le 17 octobre 1754 sur la partie des jardins de l'hôtel de ville côtoyant le Rhône. Munet acheva les travaux en 1756. La salle fut inaugurée le 30 août 1756 par une représentation de *Britannicus*, où Mlle Clairon tînt le rôle d'Agrippine. D'Alembert, qui en juillet passait par Lyon et admirait la salle, est certainement l'informateur de Diderot (cf. Léon Vallas, *Un siècle de musique et de théâtre à Lyon*, Lyon, Masson, 1932, p. 292-293, et Hautecœur, *Histoire de l'architecture classique en France*, Picard, 1943, t. IV, fig. 283).

dans les beaux-arts, il faut réunir plusieurs qualités rares... Un grand goût suppose un grand sens, une longue expérience, une âme honnête et sensible, un esprit élevé, un tempérament un peu mélancolique, et des organes délicats... »

Après un moment de silence, il ajouta :

« Je ne demanderais, pour changer la face du genre dramatique, qu'un théâtre très étendu, où l'on montrât, quand le sujet d'une pièce l'exigerait, une grande place avec les édifices adjacents, tels que le péristyle d'un palais, l'entrée d'un temple, différents endroits distribués de manière que le spectateur vît toute l'action, et qu'il y en eût une partie de cachée pour les acteurs.

« Telle fut, ou put être autrefois, la scène des *Euménides* d'Eschyle. D'un côté, c'était un espace sur lequel les Furies déchaînées cherchaient Oreste qui s'était dérobé à leur poursuite, tandis qu'elles étaient assoupies; de l'autre, on voyait le coupable, le front ceint d'un bandeau, embrassant les pieds de la statue de Minerve, et implorant son assistance. Ici, Oreste adresse sa plainte à la déesse; là, les Furies s'agitent; elles vont, elles viennent, elles courent. Enfin une d'entre elles s'écrie : « Voici la trace du sang que le parri- « cide a laissé sur ses pas... Je le sens, je le sens... » Elle marche. Ses sœurs impitoyables la suivent : elles passent, de l'endroit où elles étaient, dans l'asile d'Oreste. Elles l'environnent, en poussant des cris, en frémissant de rage, en secouant leurs flambeaux [1]. Quel moment de terreur et de pitié que celui où l'on entend la prière et les gémissements du malheureux percer à travers les cris et les mouvements effroyables des êtres cruels qui le cherchent! Exécuterons-nous rien de pareil sur nos théâtres? On n'y peut jamais montrer qu'une action, tandis que dans la nature il y en a presque toujours de simultanées, dont les représen-

1. Eschyle, *Euménides*, vers 244 sq. (Belles Lettres, édition Mazon, t. II, p. 141). La traduction de Diderot est une mauvaise paraphrase (cf. vers 247 : « comme un chien un faon blessé, nous suivons l'homme à la piste du sang qu'il perd goutte à goutte... »)

tations concomitantes, se fortifiant réciproquement, produiraient sur nous des effets terribles. C'est alors qu'on tremblerait d'aller au spectacle, et qu'on ne pourrait s'en empêcher; c'est alors qu'au lieu de ces petites émotions passagères, de ces froids applaudissements, de ces larmes rares dont le poète se contente, il renverserait les esprits, il porterait dans les âmes le trouble et l'épouvante; et que l'on verrait ces phénomènes de la tragédie ancienne, si possibles et si peu crus, se renouveler parmi nous. Ils attendent, pour se montrer, un homme de génie qui sache combiner la pantomime avec le discours, entremêler une scène parlée avec une scène muette, et tirer parti de la réunion des deux scènes, et surtout de l'approche ou terrible ou comique de cette réunion qui se ferait toujours. Après que les Euménides se sont agitées sur la scène, elles arrivent dans le sanctuaire où le coupable s'est réfugié; et les deux scènes n'en font qu'une.

MOI

Deux scènes alternativement muettes et parlées. Je vous entends. Mais la confusion?

DORVAL

Une scène muette est un tableau; c'est une décoration animée. Au théâtre lyrique, le plaisir de voir nuit-il au plaisir d'entendre?

MOI

Non... Mais serait-ce ainsi qu'il faudrait entendre ce qu'on nous raconte de ces spectacles anciens, où la musique, la déclamation et la pantomime étaient tantôt réunies et tantôt séparées?

DORVAL

Quelquefois; mais cette discussion nous éloignerait : attachons-nous à notre sujet. Voyons ce qui serait possible aujourd'hui; et prenons un exemple domestique et commun.

Un père a perdu son fils dans un combat singulier : c'est la nuit. Un domestique, témoin du combat, vient annoncer cette nouvelle. Il entre dans l'appartement du père malheureux, qui dormait. Il se promène. Le bruit d'un homme qui marche l'éveille. Il demande qui c'est. — C'est moi, monsieur, lui répond le domestique d'une voix altérée. — Eh bien! qu'est-ce qu'il y a? — Rien. — Comment, rien? — Non, monsieur. — Cela n'est pas. Tu trembles; tu détournes la tête; tu évites ma vue. Encore un coup, qu'est-ce qu'il y a? je veux le savoir. Parle! je te l'ordonne. — Je vous dis, monsieur, qu'il n'y a rien, lui répond encore le domestique en versant des larmes. — Ah! malheureux, s'écrie le père, en s'élançant du lit sur lequel il reposait; tu me trompes. Il est arrivé quelque grand malheur... Ma femme est-elle morte? — Non, monsieur. — Ma fille? — Non, monsieur. — C'est donc mon fils?... Le domestique se tait; le père entend son silence; il se jette à terre; il remplit son appartement de sa douleur et de ses cris. Il fait, il dit tout ce que le désespoir suggère à un père qui perd son fils, l'espérance unique de sa famille.

Le même homme court chez la mère : elle dormait aussi. Elle se réveille au bruit de ses rideaux tirés avec violence. Qu'y a-t-il? demande-t-elle. — Madame, le malheur le plus grand. Voici le moment d'être chrétienne. Vous n'avez plus de fils. — Ah Dieu! s'écrie cette mère affligée. Et prenant un Christ qui était à son chevet, elle le serre entre ses bras; elle y colle sa bouche; ses yeux fondent en larmes; et ces larmes arrosent son Dieu cloué sur une croix.

Voilà le tableau de la femme pieuse : bientôt nous verrons celui de l'épouse tendre et de la mère désolée. Il faut, à une âme où la religion domine les mouvements de la nature, une secousse plus forte pour en arracher de véritables voix.

Cependant on avait porté dans l'appartement du père le cadavre de son fils; et il s'y passait une scène de désespoir, tandis qu'il se faisait une pantomime de piété chez la mère.

Vous voyez combien la pantomime et la déclamation changent alternativement de lieu. Voilà ce qu'il faut substituer à nos *aparté*. Mais le moment de la réunion des scènes approche. La mère, conduite par le domestique, s'avance vers l'appartement de son époux... Je demande ce que devient le spectateur pendant ce mouvement?... C'est un époux, c'est un père étendu sur le cadavre d'un fils, qui va frapper les regards d'une mère! Mais elle a traversé l'espace qui sépare les deux scènes. Des cris lamentables ont atteint son oreille. Elle a vu. Elle se rejette en arrière. La force l'abandonne, et elle tombe sans sentiment entre les bras de celui qui l'accompagne. Bientôt sa bouche se remplira de sanglots. *Tum veræ voces* [1].

Il y a peu de discours dans cette action; mais un homme de génie, qui aura à remplir les intervalles vides, n'y répandra que quelques monosyllabes; il jettera ici une exclamation; là, un commencement de phrase : il se permettra rarement un discours suivi, quelque court qu'il soit.

Voilà de la tragédie; mais il faut, pour ce genre, des auteurs, des acteurs, un théâtre, et peut-être un peuple.

MOI

Quoi! vous voudriez, dans une tragédie, un lit de repos, une mère, un père endormis, un crucifix, un cadavre, deux scènes alternativement muettes et parlées! Et les bienséances?

DORVAL

Ah! bienséances cruelles, que vous rendez les ouvrages décents et petits!... Mais, ajouta Dorval d'un sang-froid qui me surprit, ce que je propose ne se peut donc plus?

MOI

Je ne crois pas que nous en venions jamais là.

DORVAL

Eh bien, tout est perdu! Corneille, Racine, Voltaire, Crébillon, ont reçu les plus grands applaudissements auxquels des hommes de génie pouvaient prétendre; et la tragédie est arrivée parmi nous au plus haut degré de perfection. »

---

1. Souvenir d'Horace, *Art poétique*, vers 317 :
« Respicere exemplar vitae morumque jubebo
Doctum imitatorem et veras hinc ducere voces. »

Pendant que Dorval parlait ainsi, je faisais une réflexion singulière. C'est comment, à l'occasion d'une aventure domestique qu'il avait mise en comédie, il établissait des préceptes communs à tous les genres dramatiques, et était toujours entraîné par sa mélancolie à ne les appliquer qu'à la tragédie.

Après un moment de silence, il dit :

« Il y a cependant une ressource : il faut espérer que quelque jour un homme de génie sentira l'impossibilité d'atteindre ceux qui l'ont précédé dans une route battue, et se jettera de dépit dans une autre; c'est le seul événement qui puisse nous affranchir de plusieurs préjugés que la philosophie a vainement attaqués. Ce ne sont plus des raisons, c'est une production qu'il nous faut.

MOI

Nous en avons une.

DORVAL

Quelle?

MOI

Sylvie, tragédie en un acte et en prose [1].

DORVAL

Je la connais : c'est *le Jaloux*, tragédie. L'ouvrage est d'un homme qui pense et qui sent.

---

1. *Sylvie*, tragédie bourgeoise, fut jouée à la Comédie-Française le 17 août 1741 et n'eut que deux représentations. L'auteur était Paul Landois, personnage peu connu qui fut lié à Diderot vers 1756 et donna quelques articles à l'*Encyclopédie* sur les beaux-arts. L'intrigue de *Sylvie* était tirée de deux nouvelles d'une collection de Robert Challes, *Les Illustres Françaises* (1713) : une femme infidèle malgré elle, victime d'un séducteur, est séquestrée par son mari; mais dans la pièce de Landois au lieu d'être ensorcelée, Sylvie est droguée, donc irresponsable. Son innocence est reconnue à temps pour que le pardon du mari permette une fin heureuse. H. Carrington Lancaster qui a réédité la pièce (*The first french tragedie bourgeoise*, Baltimore, Johns Hopkins Press, 1954) voit dans ce petit acte une comédie larmoyante plus qu'un drame.

MOI

La scène s'ouvre par un tableau charmant : c'est l'intérieur d'une chambre dont on ne voit que les murs. Au fond de la chambre, il y a, sur une table, une lumière, un pot à l'eau et un pain : voilà le séjour et la nourriture qu'un mari jaloux destine, pour le reste de ses jours, à une femme innocente, dont il a soupçonné la vertu.

Imaginez, à présent, cette femme en pleurs, devant cette table : Mlle Gaussin[1].

DORVAL

Et vous, jugez de l'effet des tableaux par celui que vous me citez. Il y a dans la pièce d'autres détails qui m'ont plu. Elle suffit pour éveiller un homme de génie; mais il faut un autre ouvrage pour convertir un peuple. »

En cet endroit, Dorval s'écria : « O toi qui possèdes toute la chaleur du génie à un âge où il reste à peine aux autres une froide raison, que ne puis-je être à tes côtés, ton Euménide? je t'agiterais sans relâche. Tu le ferais, cet ouvrage; je te rappellerais les larmes que nous a fait répandre la scène de l'Enfant prodigue et de son valet[2]; et, en disparaissant d'entre nous, tu ne nous laisserais pas le regret d'un genre dont tu pouvais être le fondateur.

MOI

Et ce genre, comment l'appellerez-vous?

DORVAL

La tragédie domestique et bourgeoise. Les Anglais ont *le*

---

1. Jeanne-Catherine Gaussin débuta à la Comédie-Française en 1731 et créa le rôle de Sylvie en 1741. Elle excellait dans les rôles de sensibilité et de tendresse, d'Agnès à Bérénice.

2. La première représentation de *L'Enfant prodigue* de Voltaire est du 10 octobre 1736. Dorval fait allusion à la 1re scène de l'acte III où le valet Jasmin donnait une leçon d'humilité et de courage au jeune Euphémon (cf. édit. Moland, t. III, p. 475).

Marchand de Londres et *le Joueur*[1] tragédies en prose. Les tragédies de Shakespeare sont moitié vers et moitié prose. Le premier poète qui nous fit rire avec de la prose, introduisit la prose dans la comédie. Le premier poète qui nous fera pleurer avec de la prose, introduira la prose dans la tragédie.

Mais dans l'art, ainsi que dans la nature, tout est enchaîné; si l'on se rapproche d'un côté de ce qui est vrai, on s'en rapprochera de beaucoup d'autres. C'est alors que nous verrons sur la scène des situations naturelles qu'une décence ennemie du génie et des grands effets a proscrites. Je ne me lasserai point de crier à nos Français : La Vérité! la Nature! les Anciens! Sophocle! Philoctète! Le poète l'a montré sur la scène, couché à l'entrée de sa caverne, et couvert de lambeaux déchirés. Il s'y roule; il y éprouve une attaque de douleur; il y crie; il y fait entendre des voix inarticulées. La décoration était sauvage; la pièce marchait sans appareil. Des habits vrais, des discours vrais, une intrigue simple et naturelle. Notre goût serait bien dégradé, si ce spectacle ne nous affectait pas davantage que celui d'un homme richement vêtu, apprêté dans sa parure...

MOI

Comme s'il sortait de sa toilette.

DORVAL

Se promenant à pas comptés sur la scène, et battant nos oreilles de ce qu'Horace appelle

.....Ampullas, et sesquipedalia verba[2],

---

1. *Le Joueur* (*The Gamester*) d'Edward Moore fut représenté sur la scène de Drury Lane en 1753 et imprimé la même année. En septembre 1760, Diderot essaya d'en donner une adaptation que les comédiens-français refusèrent (cf. A.T., t. VII, p. 417). Nouvelle traduction plus stricte en 1762 par l'abbé Bruté de Loirelle. Saurin aurait enfin utilisé vers 1768 le manuscrit de Diderot (cf. *Correspondance littéraire*, 15 mai 1768) pour sa tragédie bourgeoise de *Beverley*.

2. Horace, *Art poétique*, vers 97.

« des sentences, des bouteilles soufflées, des mots longs d'un pied et demi. »

Nous n'avons rien épargné pour corrompre le genre dramatique. Nous avons conservé des Anciens l'emphase de la versification qui convenait tant à des langues à quantité forte et à accent marqué, à des théâtres spacieux, à une déclamation notée et accompagnée d'instruments; et nous avons abandonné la simplicité de l'intrigue et du dialogue, et la vérité des tableaux.

Je ne voudrais pas remettre sur la scène les grands socs et les hauts cothurnes, les habits colossals, les masques, les porte-voix, quoique toutes ces choses ne fussent que les parties nécessaires d'un système théâtral. Mais, n'y avait-il pas dans ce système des côtés précieux? et croyez-vous qu'il fût à propos d'ajouter encore des entraves au génie, au moment où il se trouvait privé d'une grande ressource?

MOI

Quelle ressource?

DORVAL

Le concours d'un grand nombre de spectateurs.

Il n'y a plus, à proprement parler, de spectacles publics. Quel rapport entre nos assemblées au théâtre dans les jours les plus nombreux, et celles du peuple d'Athènes ou de Rome? Les théâtres anciens recevaient jusqu'à quatre-vingt mille citoyens. La scène de Scaurus était décorée de trois cent soixante colonnes et de trois mille statues. On employait, à la construction de ces édifices, tous les moyens de faire valoir les instruments et les voix. On en avait l'idée d'un grand instrument. *Uti enim organa in æneis laminis, aut corneis [echeis]* [1] *ad chordarum sonituum claritatem perficiuntur : sic theatrorum, per harmonicen, ad augendam vocem, ratiocinationes ab antiquis sunt constitutæ* [2]. »

---

1. 1757, 1772 (I, II) : etc.

2. Le texte de Vitruve (livre V, chapitre 3. *De l'Architecture*, édition Didot, 1852, p. 77) est loin d'être sûr. Brière a eu raison de corriger l'*etc.* des éditions de Diderot, d'après celles de Vitruve, en *echeis*. Les *echea* sont des résonateurs, des « amplificateurs de

En cet endroit, j'interrompis Dorval, et je lui dis : « J'aurais une petite aventure à vous raconter sur nos salles de spectacles.

— Je vous la demanderai, » me répondit-il; et il continua :

« Jugez de la force d'un grand concours de spectateurs, par ce que vous savez vous-même de l'action des hommes les uns sur les autres, et de la communication des passions dans les émeutes populaires. Quarante à cinquante mille hommes ne se contiennent pas par décence. Et s'il arrivait à un grand personnage de la république de verser une larme, quel effet croyez-vous que sa douleur dût produire sur le reste des spectateurs? Y a-t-il rien de plus pathétique que la douleur d'un homme vénérable?

« Celui qui ne sent pas augmenter sa sensation par le grand nombre de ceux qui la partagent, a quelque vice secret; il y a dans son caractère je ne sais quoi de solitaire qui me déplaît.

« Mais, si le concours d'un grand nombre d'hommes devait ajouter à l'émotion du spectateur, quelle influence ne devait-il point avoir sur les auteurs, sur les acteurs? Quelle différence, entre amuser tel jour, depuis telle jusqu'à telle heure, dans un petit endroit obscur, quelques centaines de personnes; ou fixer l'attention d'une nation entière dans ses jours solennels, occuper ses édifices les plus somptueux, et

---

son », lamelles de cuivre ou de corne pour les instruments à vent, mais aussi vaisseaux de bronze placés à proximité des acteurs au théâtre et servant à leur voix de caisses de résonance (cf. Vitruve, *ibid.*, livre I, chap. 9). Si nous modifions, avec l'édition Didot, *Chordarum sonituum* en *chordarum sonitus*, nous risquerons la traduction suivante : « De même que les instruments à vent, grâce à des lamelles de bronze ou des résonateurs de corne obtiennent la netteté de son des cordes, de même les anciens ont trouvé le moyen d'amplifier la voix dans les théâtres avec le secours de la science de l'harmonie ». Les notes de Brière, reprises par Assézat, ont le tort d'être fondées sur la traduction fantaisiste de Perrault (Paris, Coignard, 1684). Diderot d'emblée avait vu juste : le théâtre antique était conçu comme la caisse de résonance d'un immense instrument de musique.

voir ces édifices environnés et remplis d'une multitude innombrable, dont l'amusement ou l'ennui va dépendre de notre talent? »

MOI

Vous attachez bien de l'effet à des circonstances purement locales.

DORVAL

Celui qu'elles auraient sur moi; et je crois sentir juste.

MOI

Mais on dirait, à vous entendre, que ce sont ces circonstances qui ont soutenu et peut-être introduit la poésie et l'emphase au théâtre.

DORVAL

Je n'exige pas qu'on admette cette conjecture. Je demande qu'on l'examine. N'est-il pas assez vraisemblable que le grand nombre des spectateurs auxquels il fallait se faire entendre, malgré le murmure confus qu'ils excitent, même dans les moments attentifs, a fait élever la voix, détacher les syllabes, soutenir la prononciation, et sentir l'utilité de la versification? Horace dit du vers dramatique :

Vincentem strepitus, et natum rebus agendis [1]

« Il est commode pour l'intrigue, et il se fait entendre à travers le bruit. » Mais ne fallait-il pas que l'exagération se répandît en même temps et par la même cause, sur la démarche, le geste et toutes les autres parties de l'action? De là vint un art qu'on appela la déclamation.

Quoi qu'il en soit; que la poésie ait fait naître la déclamation théâtrale; que la nécessité de cette déclamation ait introduit, ait soutenu sur la scène la poésie et son emphase; ou, que ce système, formé peu à peu, ait duré par la convenance de ses parties, il est certain que tout ce que l'action dramatique a d'énorme, se produit et disparaît en même temps. L'acteur laisse et reprend l'exagération sur la scène.

---

1. Horace, *Art poétique*, vers 82.

Il y a une sorte d'unité qu'on cherche sans s'en apercevoir, et à laquelle on se fixe, quand on l'a trouvée. Cette unité ordonne des vêtements, du ton, du geste, de la contenance, depuis la chaire placée dans les temples, jusqu'aux tréteaux élevés dans les carrefours. Voyez un charlatan au coin de la place Dauphine; il est bigarré de toutes sortes de couleurs; ses doigts sont chargés de bagues; de longues plumes rouges flottent autour de son chapeau. Il mène avec lui un singe ou un ours; il s'élève sur ses étriers; il crie à pleine tête; il gesticule de la manière la plus outrée : et toutes ces choses conviennent au lieu, à l'orateur et à son auditoire. J'ai un peu étudié le système dramatique des Anciens. J'espère vous en entretenir un jour, vous exposer, sans partialité, sa nature, ses défauts et ses avantages, et vous montrer que ceux qui l'ont attaqué ne l'avaient pas considéré d'assez près... Et l'aventure que vous aviez à me raconter sur nos salles de spectacles?

MOI

La voici. J'avais un ami un peu libertin. Il se fit une affaire sérieuse en province. Il fallut se dérober aux suites qu'elle pouvait avoir, en se réfugiant dans la capitale; et il vint s'établir chez moi. Un jour de spectacle, comme je cherchais à désennuyer mon prisonnier, je lui proposai d'aller au spectacle. [Je ne sais auquel des trois.] [1] Cela est indifférent à mon histoire. Mon ami accepte. Je le conduis. Nous arrivons; mais à l'aspect de ces gardes répandus, de ces petits guichets obscurs qui servent d'entrée, et de ce trou fermé d'une grille de fer, par lequel on distribue les billets, le jeune homme s'imagine qu'il est à la porte d'une maison de force, et que l'on a obtenu un ordre pour l'y renfermer. Comme il est brave, il s'arrête de pied ferme; il met la main sur la garde de son épée; et, tournant sur moi des yeux indignés, il s'écrie, d'un ton mêlé de fureur et de mépris : *Ah ! mon ami !*

---

1. *Omisit* 1772 (II). Les trois grands spectacles de Paris, Opéra, Comédie-Française et Comédie-Italienne.

Je le compris. Je le rassurai; et vous conviendrez que son erreur n'était pas déplacée...

DORVAL

Mais où en sommes-nous de notre examen? Puisque c'est vous qui m'égarez, vous vous chargez sans doute de me remettre dans la voie.

MOI

Nous en sommes au quatrième acte, à votre scène avec Constance... Je n'y vois qu'un coup de crayon; mais il s'étend depuis la première ligne jusqu'à la dernière.

DORVAL

Qu'est-ce qui vous en a déplu?

MOI

Le ton d'abord; il me paraît au-dessus d'une femme.

DORVAL

D'une femme ordinaire, je le crois. Mais vous connaîtrez Constance; et peut-être alors la scène vous paraîtra-t-elle au-dessous d'elle.

MOI

Il y a des expressions, des pensées qui sont moins d'elle que de vous.

DORVAL

Cela doit être. Nous empruntons nos expressions, nos idées des personnes avec lesquelles nous conversons, nous vivons. Selon l'estime que nous en faisons (et Constance m'estime beaucoup), notre âme prend des nuances plus ou moins fortes de la leur. Mon caractère a dû refléter sur le sien; et le sien sur celui de Rosalie.

MOI

Et la longueur?

DORVAL

Ah! vous voilà remonté sur la scène. Il y a longtemps que cela ne vous était arrivé. Vous nous voyez, Constance et moi, sur le bord d'une planche, bien droits, nous regardant de profil, et récitant alternativement la demande et la réponse. Mais est-ce ainsi que cela se passait dans le salon? Nous étions tantôt assis, tantôt droits; nous marchions quelquefois. Souvent nous étions arrêtés, et nullement pressés de voir la fin d'un entretien qui nous intéressait tous deux également. Que ne me dit-elle point? que ne lui répondis-je pas? Si vous saviez comment elle s'y prenait, lorsque cette âme féroce se fermait à la raison, pour y faire descendre les douces illusions et le calme! *Dorval, vos filles seront honnêtes et décentes, vos fils seront nobles et fiers. Tous vos enfants seront charmants*... Je ne peux vous exprimer quel fut le prestige de ces mots accompagnés d'un souris plein de tendresse et de dignité.

MOI

Je vous comprends. J'entends ces mots de la bouche de Mlle Clairon, et je la vois [1].

DORVAL

Non, il n'y a que les femmes qui possèdent cet art secret. Nous sommes des raisonneurs durs et secs.

« Ne vaut-il pas mieux encore, me disait-elle, faire des ingrats, que de manquer à faire le bien?

« Les parents ont pour leurs enfants un amour inquiet et pusillanime qui les gâte. Il en est un autre attentif et tranquille, qui les rend honnêtes; et c'est celui-ci, qui est le véritable amour de père.

« L'ennui de tout ce qui amuse la multitude, est la suite du goût réel pour la vertu.

« Il y a un tact moral qui s'étend à tout, et que le méchant n'a point.

« L'homme le plus heureux est celui qui fait le bonheur d'un plus grand nombre d'autres.

---

1. Mlle Clairon (Claire Legris de Latude) avait trente-quatre ans en 1757 : elle triomphait à la Comédie-Française depuis son succès dans *Phèdre* en 1743. Collé lui reconnaissait dès 1750 « une fierté pleine d'intelligence », mais plus de dignité que de chaleur (*Journal*, édition Didot, t. I, p. 142).

« Je voudrais être mort, est un souhait fréquent qui prouve, du moins quelquefois, qu'il y a des choses plus précieuses que la vie.

« Un honnête homme est respecté de ceux même qui ne le sont pas, fût-il dans une autre planète.

« Les passions détruisent plus de préjugés que la philosophie. Et comment le mensonge leur résisterait-il? Elles ébranlent quelquefois la vérité. »

Elle me dit un autre mot, simple à la vérité, mais si voisin de ma situation, que j'en fus effrayé.

C'est qu'« il n'y avait point d'homme, quelque honnête qu'il fût, qui, dans un violent accès de passion, ne désirât, au fond de son cœur, les honneurs de la vertu et les avantages du vice. »

Je me rappelai bien ces idées; mais l'enchaînement ne me revint pas; et elles n'entrèrent point dans la scène. Ce qu'il y en a, et ce que je viens de vous en dire suffit, je crois, pour vous montrer que Constance a l'habitude de penser. Aussi m'enchaîna-t-elle, sa raison dissipant, comme de la poussière, tout ce que je lui opposais dans mon humeur.

MOI

Je vois, dans cette scène, un endroit que j'ai souligné; mais je ne sais plus à quel propos.

DORVAL

Lisez l'endroit. »

Je lus : « Rien ne captive plus fortement que l'exemple de la vertu, pas même l'exemple du vice. » [1]

DORVAL

J'entends. La maxime vous a paru fausse.

MOI

C'est cela.

« Je pratique trop peu la vertu, me dit Dorval; mais personne n'en a une plus haute idée que moi. Je vois la vérité et la vertu comme deux grandes statues élevées sur la sur-

1. *Le Fils naturel*, acte IV, scène 3.

face de la terre, et immobiles au milieu du ravage et des ruines de tout ce qui les environne. Ces grandes figures sont quelquefois couvertes de nuages. Alors les hommes se meuvent dans les ténèbres. Ce sont les temps de l'ignorance et du crime, du fanatisme et des conquêtes. Mais il vient un moment où le nuage s'entr'ouvre; alors les hommes prosternés reconnaissent la vérité et rendent hommage à la vertu. Tout passe; mais la vertu et la vérité restent.

« Je définis la vertu, le goût de l'ordre dans les choses morales. Le goût de l'ordre en général nous domine dès la plus tendre enfance; il est plus ancien dans notre âme, me disait Constance, qu'aucun sentiment réfléchi; et c'est ainsi qu'elle m'opposait à moi-même; il agit en nous, sans que nous nous en apercevions; c'est le germe [1] de l'honnêteté et du bon goût; il nous porte au bien, tant qu'il n'est point gêné par la passion; il nous suit jusque dans nos écarts; alors il dispose les moyens de la manière la plus avantageuse pour le mal. S'il pouvait jamais être étouffé, il y aurait des hommes qui sentiraient le remords de la vertu, comme d'autres sentent le remords du vice. Lorsque je vois un scélérat capable d'une action héroïque, je demeure convaincu que les hommes de bien sont plus réellement hommes de bien, que les méchants ne sont vraiment méchants; que la bonté nous est plus indivisiblement attachée que la méchanceté et, qu'en général, il reste plus de bonté dans l'âme d'un méchant, que de méchanceté dans l'âme des bons.

MOI

Je sens d'ailleurs qu'il ne faut pas examiner la morale d'une femme comme les maximes d'un philosophe.

DORVAL

Ah! si Constance vous entendait!...

MOI

Mais cette morale n'est-elle pas un peu forte pour le genre dramatique?

---

1. 1772 (II) : genre.

DORVAL

Horace voulait qu'un poète allât puiser sa science dans les ouvrages de Socrate :

Rem tibi Socraticæ poterunt ostendere chartæ [1].

Or, je crois qu'en un ouvrage, quel qu'il soit, l'esprit du siècle doit se remarquer. Si la morale s'épure, si le préjugé s'affaiblit, si les esprits ont une pente à la bienfaisance générale, si le goût des choses utiles s'est répandu, si le peuple s'intéresse aux opérations du ministre, il faut qu'on s'en aperçoive, même dans une comédie.

MOI

Malgré tout ce que vous me dites, je persiste. Je trouve la scène fort belle et fort longue; je n'en respecte pas moins Constance; je suis enchanté qu'il y ait au monde une femme comme elle, et que ce soit la vôtre...

Les coups de crayon commencent à s'éclaircir. En voici pourtant encore un.

Clairville a remis son sort entre vos mains; il vient apprendre ce que vous avez décidé. Le sacrifice de votre passion est fait, celui de votre fortune est résolu. Clairville et Rosalie redeviennent opulents par votre générosité. Celez à votre ami cette circonstance, je le veux; mais pourquoi vous amuser à le tourmenter, en lui montrant des obstacles qui ne subsistent plus? Cela amène l'éloge du commerce, je le sais. Cet éloge est sensé, il étend l'instruction et l'utilité de l'ouvrage; mais il allonge, et je le supprimerais.

.........Ambitiosa recidet
Ornamenta.................. [2]

« Je vois, me répondit Dorval, que vous êtes heureusement né. Après un violent effort, il est une sorte de délassement auquel il est impossible de se refuser, et que vous connaîtriez si l'exercice de la vertu vous avait été pénible.

1. Horace, *Art poétique*, vers 310.
2. *Ibid.*, vers 447.

Vous n'avez jamais eu besoin de respirer... Je jouissais de ma victoire. Je faisais sortir du cœur de mon ami les sentiments les plus honnêtes; je le voyais toujours plus digne de ce que je venais de faire pour lui. Et cette action ne vous paraît pas naturelle! Reconnaissez au contraire, à ces caractères, la différence d'un événement imaginaire et d'un événement réel.

MOI

Vous pouvez avoir raison. Mais, dites-moi, Rosalie n'aurait-elle point ajouté après coup cet endroit de la première scène du [quatrième] [1] acte? « Amant qui m'étais autrefois si cher! Clairville que j'estime toujours, etc. »

DORVAL

Vous l'avez deviné.

MOI

Il ne me reste presque plus que des éloges à vous faire. Je ne peux vous dire combien je suis content de la scène troisième du cinquième acte. Je me disais, avant que de la lire : Il se propose de détacher Rosalie. C'est un projet fou qui lui a mal réussi avec Constance, et qui ne lui réussira pas mieux avec l'autre. Que lui dira-t-il, qui ne doive encore augmenter son estime et sa tendresse? Voyons cependant. Je lus; et je demeurai convaincu qu'à la place de Rosalie, il n'y avait point de femme en qui il restât quelques vestiges d'honnêteté, qui n'eût été détachée et rendue à son amant; et je conçus qu'il n'y avait rien qu'on ne pût sur le cœur humain, avec de la vérité, de l'honnêteté et de l'éloquence.

Mais comment est-il arrivé que votre pièce ne soit pas d'invention, et que les moindres événements y soient préparés?

DORVAL

L'art dramatique ne prépare les événements que pour les enchaîner; et il ne les enchaîne dans ses productions, que

1. 1757, 1772 (I, II) : cinquième. Erreur corrigée par A. T.

parce qu'ils le sont dans la nature. L'art imite jusqu'à la manière subtile avec laquelle la nature nous dérobe la liaison de ses effets.

MOI

La pantomime préparerait, ce me semble, quelquefois d'une manière bien naturelle et bien déliée.

DORVAL

Sans doute : et il y en a un exemple dans la pièce. Tandis qu'André nous annonçait les malheurs arrivés à son maître, il me vint cent fois dans la pensée qu'il parlait de mon père; et je témoignai cette inquiétude par des mouvements sur lesquels il eût été facile à un spectateur attentif de prendre le même soupçon.

MOI

Dorval, je vous dis tout. J'ai remarqué de temps en temps des expressions qui ne sont pas d'usage au théâtre.

DORVAL

Mais que personne n'oserait relever, si un auteur de nom les eût employées.

MOI

D'autres qui sont dans la bouche de tout le monde, dans les ouvrages des meilleurs écrivains, et qu'il serait impossible de changer sans gâter la pensée; mais vous savez que la langue du spectacle s'épure, à mesure que les mœurs d'un peuple se corrompent, et que le vice se fait un idiome qui s'étend peu à peu, et qu'il faut connaître, parce qu'il est dangereux d'employer les expressions dont il s'est une fois emparé.

DORVAL

Ce que vous dites est bien vu. Il ne reste plus qu'à savoir où s'arrêtera cette sorte de condescendance qu'il faut avoir pour le vice. Si la langue de la vertu s'appauvrit à mesure que celle du vice s'étend, bientôt on en sera réduit à ne pouvoir parler sans dire une sottise. Pour moi, je pense qu'il y a mille occasions où un homme ferait honneur à son goût et à ses mœurs, en méprisant cette espèce d'invasion du libertinage.

Je vois déjà, dans la société, que si quelqu'un s'avise de montrer une oreille trop délicate, on en rougit pour lui. Le théâtre français attendra-t-il, pour suivre cet exemple, que son dictionnaire soit aussi borné que le dictionnaire du théâtre lyrique, et que le nombre des expressions honnêtes soit égal à celui des expressions musicales?

MOI

Voilà tout ce que j'avais à vous observer sur le détail de votre ouvrage. Quant à la conduite, j'y trouve un défaut; peut-être est-il inhérent au sujet; vous en jugerez. L'intérêt change de nature. Il est, du premier acte jusqu'à la fin du troisième, de la vertu malheureuse; et dans le reste de la pièce, de la vertu victorieuse. Il fallait, et il eût été facile d'entretenir le tumulte, et de prolonger les épreuves et le malaise de la vertu.

Par exemple, que tout reste comme il est depuis le commencement de la pièce jusqu'à la quatrième scène du troisième acte : c'est le moment où Rosalie apprend que vous épousez Constance, s'évanouit de douleur, et dit à Clairville, dans son dépit : « Laissez-moi... Je vous hais...; » qu'alors Clairville conçoive des soupçons; que vous preniez de l'humeur contre un ami importun qui vous perce le cœur, sans s'en douter; et que le troisième acte finisse.

Voici maintenant comment j'arrangerais le quatrième. Je laisse la première scène à peu près comme elle est; seulement Justine apprend à Rosalie qu'il est venu un émissaire de son père; qu'il a vu Constance en secret; et qu'elle a tout lieu de croire qu'il apporte de mauvaises nouvelles. Après cette scène, je transporte la scène seconde du troisième acte, celle où Clairville se précipite aux genoux de Rosalie, et cherche à la fléchir. Constance vient ensuite, elle amène André; on l'interroge. Rosalie apprend les malheurs arrivés à son père : vous voyez à peu près la marche du reste. En irritant la passion de Clairville et celle de Rosalie, on vous eût préparé des embarras plus grands peut-être encore que les précédents. De temps en temps vous eussiez été tenté de tout avouer. A la fin, peut-être l'eussiez-vous fait.

DORVAL

Je vous entends; mais ce n'est plus là notre histoire. Et mon père, qu'aurait-il dit? D'ailleurs, êtes-vous bien convaincu que la pièce y aurait gagné? En me réduisant à des extrémités terribles, vous eussiez fait, d'une aventure assez simple, une pièce fort compliquée. Je serais devenu plus théâtral...

MOI

Et plus ordinaire, il est vrai; mais l'ouvrage eût été d'un succès assuré.

DORVAL

Je le crois, et d'un goût fort petit. Il y avait certainement moins de difficulté; mais je pense qu'il y avait encore moins de vérité et de beauté réelles à entretenir l'agitation, qu'à se soutenir dans le calme. Songez que c'est alors que les sacrifices de la vertu commencent et s'enchaînent. Voyez comme l'élévation du discours et la force des scènes succèdent au pathétique de situation. Cependant, au milieu de ce calme, le sort de Constance, de Clairville, de Rosalie et le mien, demeurent incertains. On sait ce que je me propose; mais il n'y a nulle apparence que je réussisse. En effet, je ne réussis point avec Constance; et il est bien moins vraisemblable que je sois plus heureux avec Rosalie. Quel événement assez important aurait remplacé ces deux scènes, dans le plan que vous venez de m'exposer? Aucun.

MOI

Il ne me reste plus qu'une question à vous faire : c'est sur le genre de votre ouvrage. Ce n'est pas une tragédie; ce n'est pas une comédie. Qu'est-ce donc, et quel nom lui donner?

DORVAL

Celui qu'il vous plaira. Mais demain, si vous voulez, nous chercherons ensemble celui qui lui convient.

MOI

Et pourquoi pas aujourd'hui?

DORVAL

Il faut que je vous quitte. J'ai fait avertir deux fermiers du voisinage; et il y a peut-être une heure qu'ils m'attendent à la maison.

MOI

Autre procès à accommoder?

DORVAL

Non : c'est une affaire un peu différente. L'un de ces fermiers a une fille; l'autre a un garçon : ces enfants s'aiment; mais la fille est riche; le garçon n'a rien...

MOI

Et vous voulez accommoder les parents, et rendre les enfants contents. Adieu, Dorval. A demain, au même endroit.

TROISIÈME ENTRETIEN

Le lendemain, le ciel se troubla; une nue qui amenait l'orage, et qui portait le tonnerre, s'arrêta sur la colline, et la couvrit de ténèbres. A la distance où j'étais, les éclairs semblaient s'allumer et s'éteindre dans ces ténèbres. La cime des chênes était agitée; le bruit des vents se mêlait au murmure des eaux; le tonnerre, en grondant, se promenait entre les arbres; mon imagination, dominée par des rapports secrets, me montrait, au milieu de cette scène obscure, Dorval tel que je l'avais vu la veille dans les transports de son enthousiasme; et je croyais entendre sa voix harmonieuse s'élever au-dessus des vents et du tonnerre.

Cependant l'orage se dissipa; l'air en devint plus pur; le ciel plus serein : et je serais allé chercher Dorval sous les chênes, mais je pensai que la terre y serait trop fraîche, et l'herbe trop molle[1]. Si la pluie n'avait pas duré, elle avait été forte. Je me rendis chez lui. Il m'attendait; car il avait pensé, de son côté, que je n'irais point au rendez-vous de la veille; et ce fut dans son jardin, sur les bords sablés d'un large canal, où il avait coutume de se promener, qu'il acheva de me développer ses idées. Après quelques discours généraux sur les actions de la vie, et sur l'imitation qu'on en fait au théâtre, il me dit :

« On distingue dans tout objet moral, un milieu et deux extrêmes. Il semble donc que, toute action dramatique étant un objet moral, il devrait y avoir un genre moyen et

---

1. 1772 (I) et A.T. : trop molle et l'herbe trop fraîche.

deux genres extrêmes. Nous avons ceux-ci; c'est la comédie et la tragédie : mais l'homme n'est pas toujours dans la douleur ou dans la joie. Il y a donc un point qui sépare la distance du genre comique au genre tragique.

« Térence a composé une pièce [1] dont voici le sujet. Un jeune homme se marie. A peine est-il marié, que des affaires l'appellent au loin. Il est absent. Il revient. Il croit apercevoir dans sa femme des preuves certaines d'infidélité. Il en est au désespoir. Il veut la renvoyer à ses parents. Qu'on juge de l'état du père, de la mère et de la fille. Il y a cependant un Dave, personnage plaisant par lui-même. Qu'en fait le poète ? Il l'éloigne de la scène pendant les quatre premiers actes, et il ne le rappelle que pour égayer un peu son dénoûment.

« Je demande dans quel genre est cette pièce ? Dans le genre comique ? Il n'y a pas le mot pour rire. Dans le genre tragique ? La terreur, la commisération et les autres grandes passions n'y sont point excitées. Cependant il y a de l'intérêt; et il y en aura, sans ridicule qui fasse rire, sans danger qui fasse frémir, dans toute composition dramatique où le sujet sera important, où le poète prendra le ton que nous avons dans les affaires sérieuses, et où l'action s'avancera par la perplexité et par les embarras. Or, il me semble que ces actions étant les plus communes de la vie, le genre qui les aura pour objet doit être le plus utile et le plus étendu. J'appellerai ce genre *le genre sérieux*.

« Ce genre établi, il n'y aura point de condition dans la société, point d'actions importantes dans la vie, qu'on ne puisse rapporter à quelque partie du système dramatique.

« Voulez-vous donner à ce système toute l'étendue possible; y comprendre la vérité et les chimères; le monde imaginaire et le monde réel ? ajoutez le burlesque au-dessous du genre comique, et le merveilleux au-dessus du genre tragique.

---

1. Il s'agit de l'*Hécyre*, où l'esclave Parménon disparaît de la scène pendant deux actes (III, 4 à V, 3).

MOI

Je vous entends : Le burlesque... Le genre comique... Le genre sérieux... Le genre tragique... Le merveilleux.

DORVAL

Une pièce ne se renferme jamais à la rigueur dans un genre. Il n'y a point d'ouvrage dans les genres tragique ou comique, où l'on ne trouvât des morceaux qui ne seraient point déplacés dans le genre sérieux; et il y en aura réciproquement dans celui-ci, qui porteront l'empreinte de l'un et l'autre genre.

C'est l'avantage du genre sérieux, que, placé entre les deux autres, il a des ressources, soit qu'il s'élève, soit qu'il descende. Il n'en est pas ainsi du genre comique et du genre tragique. Toutes les nuances du comique sont comprises entre ce genre même et le genre sérieux; et toutes celles du tragique entre le genre sérieux et la tragédie. Le burlesque et le merveilleux sont également hors de la nature; on n'en peut rien emprunter qui ne gâte. Les peintres et les poètes ont le droit de tout oser; mais ce droit ne s'étend pas jusqu'à la licence de fondre des espèces différentes dans un même individu. Pour un homme de goût, il y a la même absurdité dans Castor élevé au rang des dieux, et dans le bourgeois gentilhomme fait mamamouchi.

Le genre comique et le genre tragique sont les bornes réelles de la composition dramatique. Mais, s'il est impossible au genre comique d'appeler à son aide le burlesque, sans se dégrader; au genre tragique, d'empiéter sur le genre merveilleux, sans perdre de sa vérité, il s'ensuit que, placés dans les extrémités, ces genres sont les plus frappants et les plus difficiles.

C'est dans le genre sérieux que doit s'exercer d'abord tout homme de lettres qui se sent du talent pour la scène. On apprend à un jeune élève qu'on destine à la peinture, à dessiner le nu. Quand cette partie fondamentale de l'art lui est familière, il peut choisir un sujet. Qu'il le prenne ou dans les conditions communes, ou dans un rang élevé, qu'il drape ses figures à son gré, mais qu'on ressente toujours le nu sous la draperie; que celui qui aura fait une longue étude de l'homme dans l'exercice du genre sérieux, chausse, selon son génie, le cothurne ou le soc; qu'il jette sur les épaules de son personnage, un manteau royal ou une robe de palais, mais que l'homme ne disparaisse jamais sous le vêtement.

Si le genre sérieux est le plus facile de tous, c'est, en revanche, le moins sujet aux vicissitudes des temps et des lieux. Portez le nu en quelque lieu de la terre qu'il vous plaira; il fixera l'attention, s'il est bien dessiné. Si vous excellez dans le genre sérieux, vous plairez dans tous les temps et chez tous les peuples. Les petites nuances qu'il empruntera d'un genre collatéral seront trop faibles pour le déguiser; ce sont des bouts de draperies qui ne couvrent que quelques endroits, et qui laissent les grandes parties nues.

Vous voyez que la tragi-comédie ne peut être qu'un mauvais genre, parce qu'on y confond deux genres éloignés et séparés par une barrière naturelle. On n'y passe point par des nuances imperceptibles; on tombe à chaque pas dans les contrastes, et l'unité disparaît.

Vous voyez que cette espèce de drame, où les traits les plus plaisants du genre comique sont placés à côté des traits les plus touchants du genre sérieux, et où l'on saute alternativement d'un genre à un autre, ne sera pas sans défaut aux yeux d'un critique sévère.

Mais voulez-vous être convaincu du danger qu'il y a à franchir la barrière que la nature a mise entre les genres? Portez les choses à l'excès; rapprochez deux genres fort éloignés, tels que la tragédie et le burlesque; et vous verrez alternativement un grave sénateur jouer aux pieds d'une courtisane le rôle du débauché le plus vil, et des factieux méditer la ruine d'une république [1].

---

1. Voyez la *Venise préservée* d'Otway; le *Hamlet* de Shakspeare, et la plupart des pièces du théâtre anglais. *(Note de Diderot.)*

La *Venice preserved or a Plot discovered* de Thomas Otway fut jouée et publiée en 1682. Diderot fait ici allusion à l'opposition violente entre la scène 1 de l'acte III (Aquilina et le sénateur Antonio) et la scène 2 où interviennent les conspirateurs.

La farce, la parade et la parodie ne sont pas des genres, mais des espèces de comique ou de burlesque, qui ont un objet particulier.

On a donné cent fois la poétique du genre comique et du genre tragique. Le genre sérieux a la sienne; et cette poétique serait aussi fort étendue; mais je ne vous en dirai que ce qui s'est offert à mon esprit, tandis que je travaillais à ma pièce.

Puisque ce genre est privé de la vigueur de coloris des genres extrêmes entre lesquels il est placé, il ne faut rien négliger de ce qui peut lui donner de la force.

Que le sujet en soit important; et l'intrigue, simple, domestique, et voisine de la vie réelle.

Je n'y veux point de valets : les honnêtes gens ne les admettent point à la connaissance de leurs affaires; et si les scènes se passent toutes entre les maîtres, elles n'en seront que plus intéressantes. Si un valet parle sur la scène comme dans la société, il est maussade : s'il parle autrement, il est faux.

Les nuances empruntées du genre comique sont-elles trop fortes? L'ouvrage fera rire et pleurer; et il n'y aura plus ni unité d'intérêt, ni unité de coloris.

Le genre sérieux comporte les monologues; d'où je conclus qu'il penche plutôt vers la tragédie que vers la comédie; genre dans lequel ils sont rares et courts.

Il serait dangereux d'emprunter, dans une même composition, des nuances du genre comique et du genre tragique. Connaissez bien la pente de votre sujet et de vos caractères, et suivez-la.

Que votre morale soit générale et forte.

Point de personnages épisodiques; ou, si l'intrigue en exige un, qu'il ait un caractère singulier qui le relève.

Il faut s'occuper fortement de la pantomime; laisser là ces coups de théâtre dont l'effet est momentané, et trouver des tableaux. Plus on voit un beau tableau, plus il plaît.

Le mouvement nuit presque toujours à la dignité; ainsi, que votre principal personnage soit rarement le machiniste de votre pièce.

Et surtout ressouvenez-vous qu'il n'y a point de principe général : je n'en connais aucun de ceux que je viens d'indiquer, qu'un homme de génie ne puisse enfreindre avec succès.

MOI

Vous avez prévenu mon objection.

DORVAL

Le genre comique est des espèces, et le genre tragique est des individus. Je m'explique. Le héros d'une tragédie est tel ou tel homme : c'est ou Régulus, ou Brutus, ou Caton; et ce n'est point un autre. Le principal personnage d'une comédie doit au contraire représenter un grand nombre d'hommes. Si, par hasard, on lui donnait une physionomie si particulière, qu'il n'y eût dans la société qu'un seul individu qui lui ressemblât, la comédie retournerait à son enfance, et dégénérerait en satire.

Térence me paraît être tombé une fois dans ce défaut. Son *Heautontimorumenos* est un père affligé du parti violent auquel il a porté son fils par un excès de sévérité dont il se punit lui-même, en se couvrant de lambeaux, se nourrissant durement, fuyant la société, chassant ses domestiques, et se condamnant à cultiver la terre de ses propres mains. On peut dire que ce père-là n'est pas dans la nature. Une grande ville fournirait à peine, dans un siècle, l'exemple d'une affliction aussi bizarre.

MOI

Horace, qui avait le goût d'une délicatesse singulière, me paraît avoir aperçu ce défaut, et l'avoir critiqué d'une façon bien légère.

DORVAL

Je ne me rappelle pas l'endroit.

MOI

C'est dans la satire première ou seconde du premier livre, où il se propose de montrer que, pour éviter un excès, les fous se précipitent dans l'excès opposé. Fufidius [1], dit-il, craint de passer pour dissipateur. Savez-vous ce qu'il fait? Il prête à cinq pour cent par mois, et se paye d'avance. Plus un homme est obéré, plus il exige : il sait par cœur le nom de tous les enfants de famille qui commencent à aller dans le monde, et qui ont des pères durs. Mais vous croiriez peut-être que cet homme dépense à proportion de son revenu; erreur. Il est son plus cruel ennemi; et ce père de la comédie, qui se punit de l'évasion de son fils, ne se tourmente pas plus méchamment :

...Non se pejus cruciaverit... [1]

DORVAL

Oui, rien n'est plus dans le caractère de cet auteur, que d'avoir attaché deux sens à ce *méchamment*, dont l'un tombe sur Térence, et l'autre sur Fufidius.

Dans le genre sérieux, les caractères seront souvent aussi généraux que dans le genre comique; mais ils seront toujours moins individuels que dans le genre tragique.

On dit quelquefois, il est arrivé une aventure fort plaisante à la cour, un événement fort tragique à la ville : d'où il s'ensuit que la comédie et la tragédie sont de tous les états; avec cette différence que la douleur et les larmes sont encore plus souvent sous les toits des sujets, que l'enjouement et la gaieté dans les palais des rois. C'est moins le sujet qui rend une pièce comique, sérieuse ou tragique, que le ton, les passions, les caractères et l'intérêt. Les effets de l'amour, de la jalousie, du jeu, du dérèglement, de l'ambition, de la haine, de l'envie, peuvent faire rire, réfléchir, ou

---

1. C'est dans la deuxième du livre I des *Satires* qu'Horace prend à partie le célèbre usurier Fufidius :

« Fufidius vappae famam timet ac nebulonis,
Dives agris, dives positis in faenore nummis... »

et le compare, dans son art de se torturer soi-même, à l'*Héautontimorumenos* de Térence :

«...Ita ut pater ille, Terenti
Fabula quem miserum gnato vixisse fugato
Inducit, non se pejus cruciaverit atque hic. »

trembler. Un jaloux qui prend des mesures pour s'assurer de son déshonneur, est ridicule; un homme d'honneur qui le soupçonne et qui aime, en est affligé; un furieux qui le sait, peut commettre un crime. Un joueur portera chez un usurier le portrait d'une maîtresse; un autre joueur embarrassera sa fortune, la renversera, plongera une femme et des enfants dans la misère et tombera dans le désespoir. Que vous dirai-je de plus ? La pièce dont nous nous sommes entretenus a presque été faite dans les trois genres.

MOI

Comment?

DORVAL

Oui.

MOI

La chose est singulière.

DORVAL

Clairville est d'un caractère honnête, mais impétueux et léger. Au comble de ses vœux, possesseur tranquille de Rosalie, il oublia ses peines passées; il ne vit plus dans notre histoire qu'une aventure commune. Il en fit des plaisanteries. Il alla même jusqu'à parodier le troisième acte de la pièce. Son ouvrage était excellent. Il avait exposé mes embarras sous un jour tout à fait comique. J'en ris; mais je fus secrètement offensé du ridicule que Clairville jetait sur une des actions les plus importantes de notre vie; car, enfin, il y eut un moment qui pouvait lui coûter, à lui, sa fortune et sa maîtresse; à Rosalie, l'innocence et la droiture de son cœur; à Constance, le repos; à moi, la probité et peut-être la vie. Je me vengeai de Clairville, en mettant en tragédie les trois derniers actes de la pièce; et je puis vous assurer que je le fis pleurer plus longtemps qu'il ne m'avait fait rire.

MOI

Et pourrait-on voir ces morceaux?

DORVAL

Non. Ce n'est point un refus. Mais Clairville a brûlé son acte, et il ne me reste que le canevas des miens.

MOI

Et ce canevas?

DORVAL

Vous l'allez avoir, si vous me le demandez. Mais faites-y réflexion. Vous avez l'âme sensible. Vous m'aimez; et cette lecture pourra vous laisser des impressions, dont vous aurez de la peine à vous distraire.

MOI

Donnez le canevas tragique, Dorval, donnez. »

Dorval tira de sa poche quelques feuilles volantes, qu'il me tendit en détournant la tête, comme s'il eût craint d'y jeter les yeux; et voici ce qu'elles contenaient :

Rosalie, instruite, au troisième acte, du mariage de Dorval et de Constance, et persuadée que ce Dorval est un ami perfide, un homme sans foi, prend un parti violent. C'est de tout révéler. Elle voit Dorval; elle le traite avec le dernier mépris.

DORVAL

Je ne suis point un ami perfide, un homme sans foi; je suis Dorval; je suis un malheureux.

ROSALIE

Dis un misérable... Ne m'a-t-il pas laissé croire qu'il m'aimait?

DORVAL

Je vous aimais, et je vous aime encore.

ROSALIE

Il m'aimait! il m'aime! Il épouse Constance. Il en a donné sa parole à son frère, et cette union se consomme aujourd'hui!... Allez, esprit pervers, éloignez-vous! permettez à l'innocence d'habiter un séjour d'où vous l'avez bannie. La paix et la vertu rentreront ici quand vous en sortirez. Fuyez. La honte et les remords, qui ne manquent jamais d'atteindre le méchant, vous attendent à cette porte.

DORVAL

On m'accable! on me chasse! je suis un scélérat! O vertu! voilà donc ta dernière récompense!

ROSALIE

Il s'était promis sans doute que je me tairais... Non, non... tout se saura... Constance aura pitié de mon inexpérience, de ma jeunesse... elle trouvera mon excuse et mon pardon dans son cœur... O Clairville! combien il faudra que je t'aime, pour expier mon injustice et réparer les maux que je t'ai faits!... Mais le moment approche où le méchant sera connu.

DORVAL

Jeune imprudente, arrêtez, ou vous allez devenir coupable du seul crime que j'aurai jamais commis, si c'en est un que de jeter loin de soi un fardeau qu'on ne peut plus porter. Encore un mot, et je croirai que la vertu n'est qu'un fantôme vain; que la vie n'est qu'un présent fatal du sort; que le bonheur n'est nulle part; que le repos est sous la tombe; et j'aurai vécu.

Rosalie s'est éloignée : elle ne l'entend plus. Dorval se voit méprisé de la seule femme qu'il aime et qu'il ait jamais aimée; exposé à la haine de Constance, à l'indignation de Clairville; sur le point de perdre les seuls êtres qui l'attachaient au monde, et de retomber dans la solitude de l'univers... où ira-t-il?... à qui s'adressera-t-il?... qui aimera-t-il?... de qui sera-t-il aimé?... Le désespoir s'empare de son âme : il sent le dégoût de la vie; il incline vers la mort. C'est le sujet d'un monologue qui finit le troisième acte. Dès la fin de cet acte, il ne parle plus à ses domestiques; il leur commande de la main; et ils obéissent.

Rosalie exécute son projet au commencement du quatrième. Quelle est la surprise de Constance et de son frère! Ils n'osent voir Dorval; ni Dorval aucun d'eux. Ils s'évitent tous. Ils se fuient; et Dorval se trouve tout à coup, et naturellement, dans cet abandon général qu'il redoutait. Son destin s'accomplit. Il s'en aperçoit; et le voilà résolu d'aller à la mort qui l'entraîne. Charles, son valet, est le seul être dans l'univers qui lui demeure. Charles démêle la funeste pensée de son maître. Il répand sa terreur dans toute la maison. Il court à Clairville, à Constance, à Rosalie. Il parle. Ils sont consternés. A l'instant, les intérêts particuliers disparaissent. On cherche à se rapprocher de Dorval. Mais il est trop tard. Dorval n'aime plus, ne hait plus personne, ne parle plus, ne voit plus, n'entend plus. Son âme, comme abrutie, n'est capable d'aucun sentiment. Il lutte un peu contre cet état ténébreux; mais c'est faiblement, par élans courts, sans force et sans effet. Le voilà tel qu'il est au commencement du cinquième acte.

Cet acte s'ouvre par Dorval seul, qui se promène sur la scène, sans rien dire. On voit dans son vêtement, son geste, son silence, le projet de quitter la vie. Clairville entre; il le conjure de vivre; il se jette à ses genoux; il les embrasse, il le presse par les raisons les plus honnêtes et les plus tendres d'accepter Rosalie. Il n'en est que plus cruel. Cette scène avance le sort de Dorval. Clairville n'en arrache que quelques monosyllabes. Le reste de l'action de Dorval est muette.

Constance arrive. Elle joint ses efforts à ceux de son frère. Elle dit à Dorval ce qu'elle pense de plus pathétique sur la résignation aux événements; sur la puissance de l'Être suprême, puissance à laquelle c'est un crime de se soustraire; sur les offres de Clairville, etc... Pendant que Constance parle, elle a un des bras de Dorval entre les siens; et son ami le tient embrassé par le milieu du corps, comme s'il craignait qu'il ne lui échappât. Mais Dorval, tout en lui-même, ne sent point son ami qui le tient embrassé, n'entend point Constance qui lui parle. Seulement il se renverse quelquefois sur eux pour pleurer. Mais les larmes se refusent. Alors il se retire; il pousse des soupirs profonds; il fait quelques gestes lents et terribles; on voit sur ses lèvres des mouvements d'un ris passager, plus effrayants que ses soupirs et ses gestes.

Rosalie vient. Constance et Clairville se retirent. Cette scène est celle de la timidité, de la naïveté, des larmes, de la douleur et du repentir. Rosalie voit tout le mal qu'elle a fait. Elle en est désolée. Pressée entre l'amour qu'elle ressent, l'intérêt qu'elle prend à Dorval, le respect qu'elle doit à Constance, et les sentiments qu'elle ne peut refuser à Clairville; combien elle dit de choses touchantes! Dorval paraît d'abord ni ne la voir, ni ne l'écouter. Rosalie pousse des cris, lui prend les mains, l'arrête : et il vient un moment où Dorval fixe sur elle des yeux égarés. Ses regards sont ceux d'un homme qui sortirait d'un sommeil léthargique. Cet effort le brise. Il tombe dans un fauteuil, comme un homme frappé. Rosalie se retire en poussant des sanglots, se désolant, s'arrachant les cheveux.

Dorval reste un moment dans cet état de mort; Charles est debout devant lui, sans rien dire... Ses yeux sont à demi fermés; ses longs cheveux pendent sur le derrière du fauteuil; il a la bouche entr'ouverte, la respiration haute et la poitrine haletante. Cette agonie passe peu à peu. Il en revient par un soupir long et douloureux, par une voix plaintive; il s'appuie la tête sur ses mains, et les coudes sur ses genoux; il se lève avec peine; il erre à pas lents; il rencontre Charles; il le prend par le bras, le regarde un moment, tire sa bourse et sa montre, les lui donne avec un papier cacheté sans adresse, et lui fait signe de sortir. Charles se jette à ses pieds, et se colle le visage contre terre. Dorval l'y laisse, et continue d'errer. En errant, ses pieds rencontrent Charles étendu par terre. Il se détourne... Alors Charles se lève subitement, laisse la bourse et la montre à terre, et court appeler du secours.

Dorval le suit lentement... Il s'appuie sans dessein contre la porte... il y voit un verrou... il le regarde... le ferme... tire son épée... en appuie le pommeau contre la terre... en dirige la pointe vers sa poitrine... se penche le corps sur le côté... lève les yeux au ciel... les ramène sur lui... demeure ainsi quelque temps... pousse un profond soupir, et se laisse tomber.

Charles arrive; il trouve la porte fermée. Il appelle; on vient; on force la porte; on trouve Dorval baigné dans son sang, et mort. Charles rentre en poussant des cris. Les autres domestiques restent autour du cadavre. Constance arrive. Frappée de ce spectacle, elle crie, elle court égarée sur la scène, sans trop savoir ce qu'elle dit, ce qu'elle fait, où elle va. On enlève le cadavre de Dorval. Cependant Constance, tournée vers le lieu de la scène sanglante, est immobile dans un fauteuil, le visage couvert de ses mains.

Arrivent Clairville et Rosalie. Ils trouvent Constance dans cette situation. Ils l'interrogent. Elle se tait. Ils l'interrogent encore. Pour toute réponse, elle découvre son visage, détourne la tête, et leur montre de la main l'endroit teint du sang de Dorval.

Alors ce ne sont plus que des cris, des pleurs, du silence et des cris.

Charles donne à Constance le paquet cacheté : c'est la vie et les dernières volontés de Dorval. Mais à peine en a-t-elle lu les premières lignes, que Clairville sort comme un furieux; Constance le suit. Justine et les domestiques emportent Rosalie, qui se trouve mal; et la pièce finit [1].

« Ah! m'écriai-je, ou je n'y entends rien, ou voilà de la tragédie. A la vérité, ce n'est plus l'épreuve de la vertu, c'est son désespoir. Peut-être y aurait-il du danger à montrer l'homme de bien réduit à cette extrémité funeste; mais on n'en sent pas moins la force de la pantomime seule, et de la pantomime réunie au discours. Voilà les beautés que nous perdons, faute de scène et faute de hardiesse, en imitant servilement nos prédécesseurs, et laissant la nature et la vérité... Mais Dorval ne parle point... Mais peut-il y avoir de dis-

---

1. Diderot n'a pas compris, ou ne veut pas comprendre, le caractère sacré et mythique de la tragédie. Le héros tragique, par la grandeur de son destin, est un symbole de notre condition, par la grandeur de sa chute, une leçon. Diderot confond la condition humaine et l'événement quotidien. Sa nouvelle version du *Fils naturel* est du mauvais mélodrame.

cours qui frappent autant que son action et son silence?... Qu'on lui fasse dire quelques mots par intervalles, cela se peut; mais il ne faut pas oublier qu'il est rare que celui qui parle beaucoup se tue. »

Je me levai; j'allai trouver Dorval; il errait parmi les arbres, et il me paraissait absorbé dans ses pensées. Je crus qu'il était à propos de garder son papier, et il ne me le redemanda pas.

« Si vous êtes convaincu, me dit-il, que ce soit là de la tragédie, et qu'il y ait, entre la tragédie et la comédie, un genre intermédiaire, voilà donc deux branches du genre dramatique qui sont encore incultes, et qui n'attendent que des hommes. Faites des comédies dans le genre sérieux, faites des tragédies domestiques, et soyez sûr qu'il y a des applaudissements et une immortalité qui vous sont réservés. Surtout, négligez les coups de théâtre; cherchez des tableaux; rapprochez-vous de la vie réelle, et ayez d'abord un espace qui permette l'exercice de la pantomime dans toute son étendue... On dit qu'il n'y a plus de grandes passions tragiques à émouvoir; qu'il est impossible de présenter les sentiments élevés d'une manière neuve et frappante. Cela peut être dans la tragédie, telle que les Grecs, les Romains, les Français, les Italiens, les Anglais et tous les peuples de la terre l'ont composée. Mais la tragédie domestique aura une autre action, un autre ton, et un sublime qui lui sera propre. Je le sens, ce sublime; il est dans ces mots d'un père, qui disait à son fils qui le nourrissait dans sa vieillesse : « Mon fils, nous sommes quittes. Je t'ai donné la vie; et tu me l'as rendue. » Et dans ceux-ci d'un autre père qui disait au sien : « Dites toujours la vérité. Ne promettez rien à personne que vous ne vouliez tenir. Je vous en conjure par ces pieds que je réchauffais dans mes mains, quand vous étiez au berceau. »

MOI

Mais cette tragédie nous intéressera-t-elle?

DORVAL

Je vous le demande. Elle est plus voisine de nous. C'est

le tableau des malheurs qui nous environnent. Quoi! vous ne concevez pas l'effet que produiraient sur vous une scène réelle, des habits vrais, des discours proportionnés aux actions, des actions simples, des dangers dont il est impossible que vous n'ayez tremblé pour vos parents, vos amis, pour vous-même? Un renversement de fortune, la crainte de l'ignominie, les suites de la misère, une passion qui conduit l'homme à sa ruine, de sa ruine au désespoir, du désespoir à une mort violente, ne sont pas des événements rares; et vous croyez qu'ils ne vous affecteraient pas autant que la mort fabuleuse d'un tyran, ou le sacrifice d'un enfant aux autels des dieux d'Athènes ou de Rome?... [1] Mais vous êtes distrait... vous rêvez... vous ne m'écoutez pas.

MOI

Votre ébauche tragique m'obsède... Je vous vois errer sur la scène... détourner vos pieds de votre valet prosterné... fermer le verrou... tirer votre épée... L'idée de cette pantomime me fait frémir. Je ne crois pas qu'on en soutînt le spectacle; et toute cette action est peut-être de celles qu'il faut mettre en récit. Voyez.

DORVAL

Je crois qu'il ne faut ni réciter ni montrer au spectateur un fait sans vraisemblance; et qu'entre les actions vraisemblables, il est facile de distinguer celles qu'il faut exposer aux yeux, et renvoyer derrière la scène. Il faut que j'applique mes idées à la tragédie connue; je ne peux tirer mes exemples d'un genre qui n'existe pas encore parmi nous.

Lorsqu'une action est simple, je crois qu'il faut plutôt la représenter que la réciter. La vue de Mahomet tenant un

---

1. Beaumarchais reprendra ce thème dans son *Essai sur le genre dramatique sérieux* (1767) : « Que me font à moi, sujet paisible d'un état monarchique du XVIIIe siècle, les révolutions d'Athènes ou de Rome? Quel véritable intérêt puis-je prendre à la mort d'un tyran du Péloponèse, au sacrifice d'une jeune princesse en Aulide? »

poignard levé sur le sein d'Irène [1], incertain entre l'ambition qui le presse d'enfoncer, et la passion qui retient son bras, est un tableau frappant. La commisération qui nous substitue toujours à la place du malheureux, et jamais du méchant, agitera mon âme. Ce ne sera pas sur le sein d'Irène, c'est sur le mien que je verrai le poignard suspendu et vacillant... Cette action est trop simple, pour être mal imitée.. Mais si l'action se complique, si les incidents se multiplient, il s'en rencontrera facilement quelques-uns qui me rappelleront que je suis dans un parterre; que tous ces personnages sont des comédiens, et que ce n'est point un fait qui se passe. Le récit, au contraire, me transportera au delà de la scène; j'en suivrai toutes les circonstances. Mon imagination les réalisera comme je les ai vues dans la nature. Rien ne se démentira. Le poète aura dit :

> Entre les deux partis, Calchas s'est avancé,
> L'œil farouche, l'air sombre, et le poil hérissé,
> Terrible, et plein du dieu qui l'agitait sans doute [2];

ou

> ....les ronces dégouttantes
> Portent de ses cheveux les dépouilles sanglantes [3].

Où est l'acteur qui me montrera Calchas tel qu'il est dans ces vers? Grandval s'avancera d'un pas noble et fier [4], entre les deux partis; il aura l'air sombre, peut-être même l'œil farouche. Je reconnaîtrai à son action, à son geste, la pré-

1. Dans le *Mahomet II* de La Noue (acte V, scène 4) représenté à la Comédie-Française le 23 février 1739.

2. Racine, *Iphigénie* (V, 6).

3. *Phèdre* (V, 6).

4. Charles Racot de Grandval (1711-1784) débuta en 1729 à la Comédie-Française et fut notre premier acteur tragique entre la retraite de Quinault-Dufresne et l'arrivée de Lekain. Intelligent, mais affecté d'un grasseyement comique, il fut continûment contesté jusqu'à son départ en 1761. Malgré cet éloge de Diderot, Grandval, consulté par le duc d'Orléans, n'hésita pas à déclarer *Le Fils naturel* injouable (cf. *Journal* de Collé, mars 1757, t. II, p. 74).

sence intérieure d'un démon qui le tourmente. Mais, quelque terrible qu'il soit, ses cheveux ne se hérisseront point sur sa tête. L'imitation dramatique ne va pas jusque-là.

Il en sera de même de la plupart des autres images qui animent ce récit : l'air obscurci de traits, une armée en tumulte, la terre arrosée de sang, une jeune princesse le poignard enfoncé dans le sein, les vents déchaînés, le tonnerre retentissant au haut des airs, le ciel allumé d'éclairs, la mer qui écume et mugit. Le poète a peint toutes ces choses; l'imagination les voit; l'art ne les imite point.

Mais il y a plus : un goût dominant de l'ordre, dont je vous ai déjà entretenu, nous contraint à mettre de la proportion entre les êtres. Si quelque circonstance nous est donnée au-dessus de la nature commune, elle agrandit le reste dans notre pensée. Le poète n'a rien dit de la stature de Calchas. Mais je la vois; je la proportionne à son action. L'exagération intellectuelle s'échappe de là [1] et se répand sur tout ce qui approche de cet objet. La scène réelle eût été petite, faible, mesquine, fausse ou manquée; elle devient grande, forte, vraie, et même énorme dans le récit. Au théâtre, elle eût été fort au-dessous de nature; je l'imagine un peu au delà. C'est ainsi que, dans l'épopée, les hommes poétiques deviennent un peu plus grands que les hommes vrais.

Voilà les principes; appliquez-les vous-même à l'action de mon esquisse tragique. L'action n'est-elle pas simple?

MOI

Elle l'est.

DORVAL

Y a-t-il quelque circonstance qu'on n'en puisse imiter sur la scène?

MOI

Aucune.

DORVAL

L'effet en sera-t-il terrible?

---

1. A.T. : au-delà.

MOI

Que trop, peut-être. Qui sait si nous irions chercher au théâtre des impressions aussi fortes? On veut être attendri, touché, effrayé; mais jusqu'à un certain point.

DORVAL

Pour juger sainement, expliquons-nous. Quel est l'objet d'une composition dramatique?

MOI

C'est, je crois, d'inspirer aux hommes l'amour de la vertu, l'horreur du vice...

DORVAL

Ainsi, dire qu'il ne faut les émouvoir que jusqu'à un certain point, c'est prétendre qu'il ne faut pas qu'ils sortent d'un spectacle, trop épris de la vertu, trop éloignés du vice. Il n'y aurait point de poétique pour un peuple qui serait aussi pusillanime. Que serait-ce que le goût; et que l'art deviendrait-il, si l'on se refusait à son énergie, et si l'on posait des barrières arbitraires à ses effets?

MOI

Il me resterait encore quelques questions à vous faire sur la nature du tragique domestique et bourgeois, comme vous l'appelez; mais j'entrevois vos réponses. Si je vous demandais pourquoi, dans l'exemple que vous m'en avez donné, il n'y a point de scènes alternativement muettes et parlées, vous me répondriez, sans doute, que tous les sujets ne comportent pas ce genre de beauté.

DORVAL

Cela est vrai.

MOI

Mais, quels seront les sujets de ce comique sérieux, que vous regardez comme une branche nouvelle du genre dramatique? Il n'y a, dans la nature humaine, qu'une douzaine, tout au plus, de caractères vraiment comiques et marqués de grands traits.

DORVAL

Je le pense.

MOI

Les petites différences qui se remarquent dans les caractères des hommes, ne peuvent être maniées aussi heureusement que les caractères tranchés.

DORVAL

Je le pense. Mais savez-vous ce qui s'ensuit de là?... Que ce ne sont plus, à proprement parler, les caractères qu'il faut mettre sur la scène, mais les conditions. Jusqu'à présent, dans la comédie, le caractère a été l'objet principal, et la condition n'a été que l'accessoire; il faut que la condition devienne aujourd'hui l'objet principal, et que le caractère ne soit que l'accessoire. C'est du caractère qu'on tirait toute l'intrigue. On cherchait en général les circonstances qui le faisaient sortir, et l'on enchaînait ces circonstances. C'est la condition, ses devoirs, ses avantages, ses embarras, qui doivent servir de base à l'ouvrage. Il me semble que cette source est plus féconde, plus étendue et plus utile que celle des caractères. Pour peu que le caractère fût chargé, un spectateur pouvait se dire à lui-même, ce n'est pas moi. Mais il ne peut se cacher que l'état qu'on joue devant lui, ne soit le sien; il ne peut méconnaître ses devoirs. Il faut absolument qu'il s'applique ce qu'il entend.

MOI

Il me semble qu'on a déjà traité plusieurs de ces sujets.

DORVAL

Cela n'est pas. Ne vous y trompez point.

MOI

N'avons-nous pas des financiers dans nos pièces?

DORVAL

Sans doute, il y en a. Mais le financier n'est pas fait.

MOI

On aurait de la peine à en citer une sans un père de famille.

DORVAL

J'en conviens; mais le père de famille n'est pas fait. En un mot, je vous demanderai si les devoirs des conditions, leurs avantages, leurs inconvénients, leurs dangers ont été mis sur la scène. Si c'est la base de l'intrigue et de la morale de nos pièces. Ensuite, si ces devoirs, ces avantages, ces inconvénients, ces dangers ne nous montrent pas, tous les jours, les hommes dans des situations très embarrassantes.

MOI

Ainsi, vous voudriez qu'on jouât l'homme de lettres, le philosophe, le commerçant, le juge, l'avocat, le politique, le citoyen, le magistrat, le financier, le grand seigneur, l'intendant.

DORVAL

Ajoutez à cela, toutes les relations : le père de famille, l'époux, la sœur, les frères. Le père de famille! Quel sujet, dans un siècle tel que le nôtre, où il ne paraît pas qu'on ait la moindre idée de ce que c'est qu'un père de famille!

Songez qu'il se forme tous les jours des conditions nouvelles. Songez que rien, peut-être, ne nous est moins connu que les conditions, et ne doit nous intéresser davantage. Nous avons chacun notre état dans la société; mais nous avons affaire à des hommes de tous les états.

Les conditions! Combien de détails importants, d'actions publiques et domestiques, de vérités inconnues, de situations nouvelles à tirer de ce fonds! Et les conditions n'ont-elles pas entre elles les mêmes contrastes que les caractères? et le poète ne pourra-t-il pas les opposer?

Mais ces sujets n'appartiennent pas seulement au genre sérieux. Ils deviendront comiques ou tragiques, selon le génie de l'homme qui s'en saisira.

Telle est encore la vicissitude des ridicules et des vices, que je crois qu'on pourrait faire un *Misanthrope* nouveau tous les cinquante ans. Et n'en est-il pas ainsi de beaucoup d'autres caractères ?

MOI

Ces idées ne me déplaisent pas. Me voilà tout disposé à entendre la première comédie dans le genre sérieux, ou la première tragédie bourgeoise qu'on représentera. J'aime qu'on étende la sphère de nos plaisirs. J'accepte les ressources que vous nous offrez; mais laissez-nous encore celles que nous avons. Je vous avoue que le genre merveilleux me tient à cœur. Je souffre à le voir confondu avec le genre burlesque, et chassé du système de la nature et du genre dramatique. Quinault [1] mis à côté de Scarron et de Dassouci [2] : ah, Dorval, Quinault!

DORVAL

Personne ne lit Quinault avec plus de plaisir que moi. C'est un poète plein de grâces, qui est toujours tendre et facile, et souvent élevé. J'espère vous montrer un jour jusqu'où je porte la connaissance et l'estime des talents de cet homme unique, et quel parti on aurait pu tirer de ses tragédies, telles qu'elles sont. Mais il s'agit de son genre, que je trouve mauvais. Vous m'abandonnez, je crois, le monde burlesque. Et le monde enchanté vous est-il mieux connu ? A quoi en comparez-vous les peintures, si elles n'ont aucun modèle subsistant dans la nature ?

Le genre burlesque et le genre merveilleux n'ont point de poétique, et n'en peuvent avoir. Si l'on hasarde, sur la scène lyrique, un trait nouveau, c'est une absurdité qui ne se soutient que par des liaisons plus ou moins éloignées avec une absurdité ancienne. Le nom et les talents de l'auteur y font

---

1. Philippe Quinault (1635-1688), après des débuts difficiles, connut le succès avec la tragédie précieuse d'*Astrate* (1665). Mais il demeurera surtout le librettiste facile et gracieux de Lulli depuis l'*Alceste* de 1664 jusqu'à l'*Armide* de 1686.

2. Charles Coipeau, dit d'Assoucy (1605-1677), poète errant, fut le représentant principal du genre burlesque avec son *Ovide en belle humeur* (1650).

aussi quelque chose. Molière allume des chandelles tout autour de la tête du bourgeois gentilhomme; c'est une extravagance qui n'a pas de bon sens; on en convient, et l'on [1] en rit. Un autre imagine des hommes qui deviennent petits à mesure qu'ils font des sottises; il y a, dans cette fiction, une allégorie sensée; et il est sifflé. Angélique se rend invisible à son amant, par le pouvoir d'un anneau qui ne la cache à aucun des spectateurs [2]; et cette machine ridicule ne choque personne. Qu'on mette un poignard dans la main d'un méchant qui en frappe ses ennemis, et qui ne blesse que lui-même, c'est assez le sort de la méchanceté, et rien n'est plus incertain que le succès de ce poignard merveilleux.

Je ne vois, dans toutes ces inventions dramatiques, que des contes semblables à ceux dont on berce les enfants. Croit-on qu'à force de les embellir, ils prendront assez de vraisemblance pour intéresser des hommes sensés? L'héroïne de la Barbe-bleue est au haut d'une tour; elle entend, au pied de cette tour, la voix terrible de son tyran; elle va périr si son libérateur ne paraît. Sa sœur est à ses côtés; ses regards cherchent au loin ce libérateur. Croit-on que cette situation ne soit pas aussi belle qu'aucune du théâtre lyrique et que la question, *Ma sœur, ne voyez-vous rien venir ?* soit sans pathétique? Pourquoi donc n'attendrit-elle pas un homme sensé, comme elle fait pleurer les petits enfants? C'est qu'il y a une Barbe-bleue qui détruit son effet.

MOI

Et vous pensez qu'il n'y a aucun ouvrage dans le genre, soit burlesque, soit merveilleux, où l'on ne rencontre quelques poils de cette barbe?

---

1. A.T. : et on.
2. Dans le *Roland* de Quinault (1685), tragédie lyrique inspirée de l'Arioste, Angélique se rend invisible à l'arrivée de Roland, grâce à un anneau magique qu'elle se met dans la bouche (acte II, scène 2) :
« Belle Angélique, enfin je vous trouve en ces lieux.
Ciel! Quel enchantement vous dérobe à mes yeux? »

DORVAL

Je le crois; mais je n'aime pas votre expression; elle est burlesque; et le burlesque me déplaît partout.

MOI

Je vais tâcher de réparer cette faute par quelque observation plus grave. Les dieux du théâtre lyrique ne sont-ils pas les mêmes que ceux de l'épopée? Et pourquoi, je vous prie, Vénus n'aurait-elle pas aussi bonne grâce à se désoler, sur la scène, de la mort d'Adonis, qu'à pousser des cris, dans l'*Iliade*, de l'égratignure légère qu'elle a reçue de la lance de Diomède, ou qu'à soupirer en voyant l'endroit de sa belle main blanche où la peau meurtrie commençait à noircir? N'est-ce pas, dans le poème d'Homère, un tableau charmant, que celui de cette déesse en pleurs, renversée sur le sein de sa mère Dioné[1]? Pourquoi ce tableau plairait-il moins dans une composition lyrique?

DORVAL

Un plus habile que moi vous répondra que les embellissements de l'épopée, convenables aux Grecs, aux Romains, aux Italiens du XVe et du XVIe siècle, sont proscrits parmi les Français; et que les dieux de la fable, les oracles, les héros invulnérables, les aventures romanesques, ne sont plus de saison.

Et j'ajouterai, qu'il y a bien de la différence entre peindre à mon imagination, et mettre en action sous mes yeux. On fait adopter à mon imagination tout ce qu'on veut; il ne s'agit que de s'en emparer. Il n'en est pas ainsi de mes sens. Rappelez-vous les principes que j'établissais tout à l'heure sur les choses, même vraisemblables, qu'il convenait tantôt de montrer, tantôt de dérober aux spectateurs. Les mêmes distinctions que je faisais s'appliquent plus sévèrement encore au genre merveilleux. En un mot, si ce système ne peut avoir la vérité qui convient à l'épopée, comment pourrait-il nous intéresser sur la scène?

---

1. *Iliade*, chant V, vers 335 sq. et 370 sq.

Pour rendre pathétiques les conditions élevées, il faut donner de la force aux situations. Il n'y a que ce moyen d'arracher, de ces âmes froides et contraintes, l'accent de la nature, sans lequel les grands effets ne se produisent point. Cet accent s'affaiblit à mesure que les conditions s'élèvent. Écoutez Agamemnon :

> Encor si je pouvais, libre dans mon malheur,
> Par des larmes, au moins, soulager ma douleur;
> Tristes destins des rois! esclaves que nous sommes,
> Et des rigueurs du sort, et des discours des hommes!
> Nous nous voyons sans cesse assiégés de témoins;
> Et les plus malheureux osent pleurer le moins [1].

Les dieux doivent-ils se respecter moins que les rois? Si Agamemnon, dont on va immoler la fille, craint de manquer à la dignité de son rang, quelle sera la situation qui fera descendre Jupiter du sien?

MOI

Mais la tragédie ancienne est pleine de dieux; et c'est Hercule qui dénoue cette fameuse tragédie de *Philoctète*, à laquelle vous prétendez qu'il n'y a pas un mot à ajouter ni à retrancher.

DORVAL

Ceux qui se livrèrent les premiers à une étude suivie de la nature humaine, s'attachèrent d'abord à distinguer les passions, à les connaître et à les caractériser. Un homme en conçut les idées abstraites; et ce fut un philosophe. Un autre donna du corps et du mouvement à l'idée; et ce fut un poète. Un troisième tailla le marbre à cette ressemblance, et ce fut un statuaire. Un quatrième fit prosterner le statuaire au pied de son ouvrage; et ce fut un prêtre. Les dieux du paganisme ont été faits à la ressemblance de l'homme. Qu'est-ce que les dieux d'Homère, d'Eschyle, d'Euripide et de Sophocle? Les vices des hommes, leurs vertus, et les grands phénomènes de la nature personnifiés, voilà la véri-

1. Racine, *Iphigénie* (I, 5).

table théogonie; voilà le coup d'œil sous lequel il faut voir Saturne, Jupiter, Mars, Apollon, Vénus, les Parques, l'Amour et les Furies.

Lorsqu'un païen était agité de remords, il pensait réellement qu'une furie travaillait au dedans de lui-même : et quel trouble ne devait-il donc pas éprouver à l'aspect de ce fantôme, parcourant la scène une torche à la main, la tête hérissée de serpents, et présentant, aux yeux du coupable, des mains teintes de sang! Mais nous qui connaissons la vanité de toutes ces superstitions! Nous!

MOI

Eh bien! il n'y a qu'à substituer nos diables aux Euménides.

DORVAL

Il y a trop peu de foi sur la terre... Et puis, nos diables sont d'une figure si gothique... de si mauvais goût... Est-il étonnant que ce soit Hercule qui dénoue le *Philoctète* de Sophocle? Toute l'intrigue de la pièce est fondée sur ses flèches; et cet Hercule avait, dans les temples, une statue au pied de laquelle le peuple se prosternait tous les jours.

Mais savez-vous quelle fut la suite de l'union de la superstition nationale et de la poésie? C'est que le poète ne put donner à ses héros des caractères tranchés. Il eût doublé les êtres; il aurait montré la même passion sous la forme d'un dieu et sous celle d'un homme.

Voilà la raison pour laquelle les héros d'Homère sont presque des personnages historiques.

Mais lorsque la religion chrétienne eut chassé des esprits la croyance des dieux du paganisme, et contraint l'artiste à chercher d'autres sources d'illusion, le système poétique changea; les hommes prirent la place des dieux, et on leur donna un caractère plus un.

MOI

Mais l'unité de caractère un peu rigoureusement prise n'est-elle pas une chimère?

DORVAL

Sans doute.

MOI

On abandonna donc la vérité?

DORVAL

Point du tout. Rappelez-vous qu'il ne s'agit, sur la scène, que d'une seule action, que d'une circonstance de la vie, que d'un intervalle très court, pendant lequel il est vraisemblable qu'un homme a conservé son caractère.

MOI

Et dans l'épopée, qui embrasse une grande partie de la vie, une multitude prodigieuse d'événements différents, des situations de toute espèce, comment faudra-t-il peindre les hommes?

DORVAL

Il me semble qu'il y a bien de l'avantage à rendre les hommes tels qu'ils sont. Ce qu'ils devraient être est une chose trop systématique et trop vague pour servir de base à un art d'imitation. Il n'y a rien de si rare qu'un homme tout à fait méchant, si ce n'est peut-être un homme tout à fait bon. Lorsque Thétis trempa son fils dans le Styx, il en sortit semblable à Thersite par le talon. Thétis est l'image de la nature. »

Ici Dorval s'arrêta; puis il reprit : « Il n'y a de beautés durables, que celles qui sont fondées sur des rapports avec les êtres de la nature. Si l'on imaginait les êtres dans une vicissitude rapide, toute peinture ne représentant qu'un instant qui fuit, toute imitation serait superflue. Les beautés ont, dans les arts, le même fondement que les vérités dans la philosophie. Qu'est-ce que la vérité? La conformité de nos jugements avec les êtres. Qu'est-ce que la beauté d'imitation? La conformité de l'image avec la chose.

« Je crains bien que ni les poètes, ni les musiciens, ni les décorateurs, ni les danseurs, n'aient pas encore une idée véritable de leur théâtre. Si le genre lyrique est mauvais, c'est le plus mauvais de tous les genres. S'il est bon, c'est le meilleur. Mais peut-il être bon, si l'on ne s'y propose point [1] l'imitation de la nature, et de la nature la plus forte? A quoi bon mettre en poésie ce qui ne valait pas la peine d'être conçu? en chant, ce qui ne valait pas la peine d'être récité? Plus on dépense sur un fonds, plus il importe qu'il soit bon. N'est-ce pas prostituer la philosophie, la poésie, la musique, la peinture, la danse, que de les occuper d'une absurdité? Chacun de ces arts en particulier a pour but l'imitation de la nature; et pour employer leur magie réunie, on fait choix d'une fable! Et l'illusion n'est-elle pas déjà assez éloignée? Et qu'a de commun avec la métamorphose ou le sortilège, l'ordre universel des choses, qui doit toujours servir de base à la raison poétique? Des hommes de génie ont ramené, de nos jours, la philosophie du monde intelligible dans le monde réel. Ne s'en trouvera-t-il point un qui rende le même service à la poésie lyrique, et qui la fasse descendre des régions enchantées sur la terre que nous habitons?

« Alors on ne dira plus d'un poème lyrique, que c'est un ouvrage choquant; dans le sujet, qui est hors de la nature; dans les principaux personnages, qui sont imaginaires; dans la conduite, qui n'observe souvent ni unité de temps, ni unité de lieu, ni unité d'action, et où tous les arts d'imitation semblent n'avoir été réunis que pour affaiblir l'expression des uns par les autres.

« Un sage était autrefois un philosophe, un poète, un musicien. Ces talents ont dégénéré en se séparant : la sphère de la philosophie s'est resserrée; les idées ont manqué à la poésie; la force et l'énergie, aux chants; et la sagesse, privée de ces organes, ne s'est plus fait entendre aux peuples avec le même charme. Un grand musicien et un grand poète lyrique répareraient tout le mal.

« Voilà donc encore une carrière à remplir. Qu'il se montre, cet homme de génie qui doit placer la véritable tragédie, la véritable comédie sur le théâtre lyrique. Qu'il

1. 1772 (II) : pour.

s'écrie, comme le prophète du peuple hébreu dans son enthousiasme : *Adducite mihi psaltem*, « qu'on m'amène un musicien », et il le fera naître [1].

« Le genre lyrique d'un peuple voisin a des défauts sans doute, mais beaucoup moins qu'on ne pense. Si le chanteur s'assujettissait à n'imiter, à la cadence, que l'accent inarticulé de la passion dans les airs de sentiment, ou que les principaux phénomènes de la nature, dans les airs qui font tableau, et que le poète sût que son ariette doit être la péroraison de sa scène, la réforme serait bien avancée.

MOI

Et que deviendraient nos ballets ?

DORVAL

La danse ? La danse attend encore un homme de génie; elle est mauvaise partout, parce qu'on soupçonne à peine que c'est un genre d'imitation. La danse est à la pantomime, comme la poésie est à la prose, ou plutôt comme la déclamation naturelle est au chant. C'est une pantomime mesurée.

Je voudrais bien qu'on me dît ce que signifient toutes ces danses, telles que le menuet, le passe-pied, le rigaudon, l'allemande, la sarabande, où l'on suit un chemin tracé. Cet homme se déploie avec une grâce infinie; il ne fait aucun mouvement où je n'aperçoive de la facilité, de la douceur et de la noblesse : mais qu'est-ce qu'il imite ? Ce n'est pas là savoir chanter, c'est savoir solfier.

Une danse est un poème. Ce poème devrait donc avoir sa représentation séparée. C'est une imitation par les mouvements, qui suppose le concours du poète, du peintre, du musicien et du pantomime. Elle a son sujet; ce sujet peut être distribué par actes et par scènes. La scène a son récitatif libre ou obligé, et son ariette.

---

1. Mot d'Élisée pour déclencher le miracle de la pluie lors de la guerre contre les Moabites (*in* II, *Rois*, 3, verset 15).

MOI

Je vous avoue que je ne vous entends qu'à moitié, et que je ne vous entendrais point du tout, sans une feuille volante qui parut il y a quelques années. L'auteur, mécontent du ballet qui termine le *Devin du village* [1], en proposait un autre, et je me trompe fort, ou ses idées ne sont pas éloignées des vôtres.

DORVAL

Cela peut être.

MOI

Un exemple achèverait de m'éclairer [2].

DORVAL

Un exemple? Oui, on peut en imaginer un; et je vais y rêver. »

Nous fîmes quelques tours d'allées sans mot dire; Dorval rêvait à son exemple de la danse, et moi je repassais dans mon esprit quelques-unes de ses idées. Voici à peu près l'exemple qu'il me donna. « Il est commun, me dit-il; mais j'y appliquerai mes idées aussi facilement que s'il était plus voisin de la nature et plus piquant :

Sujet. — Un petit paysan et une jeune paysanne reviennent des champs sur le soir. Ils se rencontrent dans un bosquet voisin de leur hameau; et ils se proposent de répéter une danse qu'ils doivent exécuter ensemble le dimanche prochain, sous le grand orme.

---

1. *Le Devin de village*, intermède de J.-J. Rousseau, fut joué à Fontainebleau devant la cour les 18 et 24 octobre 1752 et à Paris, par l'Académie royale de musique, le jeudi 1er mars 1753. Diderot fait allusion au ballet de la scène VIII où interviennent villageois et villageoises.
2. 1772 (II) : m'éclaircir.

ACTE PREMIER

Scène première. — Leur premier mouvement est d'une surprise agréable. Ils se témoignent cette surprise par une *pantomime.*

Ils s'approchent, ils se saluent; le petit paysan propose à la jeune paysanne de répéter leur leçon : elle lui répond qu'il est tard, qu'elle craint d'être grondée. Il la presse, elle accepte; ils posent à terre les instruments de leurs travaux : voilà un *récitatif.* Les pas marchés et la pantomime non mesurée sont le récitatif de la danse. Ils répètent leur danse; ils se recordent le geste et les pas; ils se reprennent, ils recommencent; ils font mieux, ils s'approuvent; ils se trompent, ils se dépitent : c'est un récitatif qui peut être coupé d'une *ariette* de dépit. C'est à l'orchestre à parler; c'est à lui à rendre les discours, à imiter les actions. Le poète a dicté à l'orchestre ce qu'il doit dire; le musicien l'a écrit; le peintre a imaginé les tableaux : c'est au pantomime à former les pas et les gestes. D'où vous concevez facilement, que si la danse n'est pas écrite comme un poème, si le poète a mal fait le discours, s'il n'a pas su trouver des tableaux agréables, si le danseur ne sait pas jouer, si l'orchestre ne sait pas parler, tout est perdu.

Scène II. — Tandis qu'ils sont occupés à s'instruire, on entend des sons effrayants; nos enfants en sont troublés; ils s'arrêtent[1], ils écoutent; le bruit cesse, ils se rassurent; ils continuent, ils sont interrompus et troublés derechef par les mêmes sons : c'est un *récitatif* mêlé d'un peu de *chant.* Il est suivi d'une pantomime de la jeune paysanne qui veut se sauver, et du jeune paysan qui la retient. Il dit ses raisons, elle ne veut pas les entendre[2]; et il se fait entre eux un *duo* fort vif.

Ce *duo* a été précédé d'un bout de récitatif composé des[3]

1. A.T. : s'ils s'arrêtent. Non-sens évident.
2. 1772 (II) : l'entendre.
3. 1772 (II) : de.

petits gestes du visage, du corps et des mains de ces enfants, qui se montraient l'endroit d'où le bruit est venu.

La jeune paysanne s'est laissé persuader, et ils étaient en fort bon train de répéter leur danse, lorsque deux paysans plus âgés, déguisés d'une manière effrayante et comique, s'avancent à pas lents.

Scène III. — Ces paysans déguisés exécutent, au bruit d'une symphonie sourde, toute l'action qui peut épouvanter des enfants. Leur approche est un *récitatif*; leur discours un *duo*. Les enfants s'effrayent, ils tremblent de tous leurs membres. Leur effroi augmente à mesure que les spectres approchent; alors ils font tous leurs efforts pour s'échapper. Ils sont retenus, poursuivis; et les paysans déguisés, et les enfants effrayés, forment un *quatuor* fort vif, qui finit par l'évasion des enfants.

Scène IV. — Alors les spectres ôtent leurs masques; ils se mettent à rire; ils font toute la pantomime qui convient à des scélérats enchantés du tour qu'ils ont joué; ils s'en félicitent par un *duo*, et ils se retirent.

ACTE SECOND

Scène première. — Le petit paysan et la jeune paysanne avaient laissé sur la scène leur panetière et leur houlette; ils viennent les reprendre, le paysan le premier. Il montre d'abord le bout du nez; il fait un pas en avant, il recule, il écoute, il examine; il avance un peu plus, il recule encore; il s'enhardit peu à peu; il va à droite et à gauche; il ne craint plus : ce monologue est un *récitatif obligé*.

Scène II. — La jeune paysanne arrive, mais elle se tient éloignée. Le petit paysan a beau l'inviter, elle ne veut point approcher. Il se jette à ses genoux; il veut lui baiser la main. — « Et les esprits ? » lui dit-elle. — « Ils n'y sont plus, ils n'y sont plus. » C'est encore du *récitatif*; mais il est suivi d'un *duo*, dans lequel le petit paysan lui marque son désir, de la manière la plus passionnée; et la jeune paysanne se laisse engager peu à peu à rentrer sur la scène, et à reprendre. Ce *duo* est interrompu par des mouvements de frayeur. Il ne se fait point de bruit, mais ils croient en entendre; ils s'arrêtent; ils écoutent, ils se rassurent, et continuent le *duo*.

Mais pour cette fois-ci, ce n'est point une erreur; les sons effrayants ont recommencé; la jeune paysanne a couru à sa panetière et à sa houlette; le petit paysan en a fait autant.

Ils veulent s'enfuir.

Scène III. — Mais ils sont investis par une foule de fantômes, qui leur coupent le chemin de tous côtés. Ils se meuvent entre ces fantômes; ils cherchent une échappée, ils n'en trouvent point. Et vous concevez bien que c'est un *chœur* que cela.

Au moment où leur consternation est la plus grande, les fantômes ôtent leurs masques, et laissent voir au petit paysan et à la jeune paysanne, des visages amis. La naïveté de leur étonnement forme un tableau très agréable. Ils prennent chacun un masque; ils le considèrent; ils le comparent au visage. La jeune paysanne a un masque hideux d'homme; le petit paysan, un masque hideux de femme. Ils mettent ces masques; ils se regardent; ils se font des mines : et ce récitatif est suivi du *chœur* général. Le petit paysan et la petite paysanne se font, à travers ce *chœur*, mille niches enfantines; et la pièce finit avec le *chœur*.

MOI

J'ai entendu parler d'un spectacle dans ce genre, comme de la chose la plus parfaite qu'on pût imaginer.

DORVAL

Vous voulez dire la troupe de Nicolini [1]?

---

1. Nicolini est inconnu du *Lexique des comédiens au* XVIIIe *siècle* de Max Fuchs, absent des dictionnaires biographiques français et italiens. Nous ne connaissons que cette allusion dans l'*Émile* de J.-J. Rousseau (1762, t. I, p. 197) : « Qui est-ce qui n'a pas ouï parler en Allemagne et en Italie de la troupe pantomime du célèbre Nicolini? Quelqu'un a-t-il jamais remarqué dans ces enfants des mouvements moins développés, des attitudes moins gracieuses que dans les danseurs tout formés? »

MOI

Précisément.

DORVAL

Je ne l'ai jamais vue. Eh bien! croyez-vous encore que le siècle passé n'a plus rien laissé à faire à celui-ci?

La tragédie domestique et bourgeoise à créer.

Le genre sérieux à perfectionner.

Les conditions de l'homme à substituer aux caractères, peut-être dans tous les genres.

La pantomime à lier étroitement avec l'action dramatique.

La scène à changer, et les tableaux à substituer aux coups de théâtre, source nouvelle d'invention pour le poète, et d'étude pour le comédien. Car, que sert au poète d'imaginer des tableaux, si le comédien demeure attaché à sa disposition symétrique et à son action compassée?

La tragédie réelle à introduire sur le théâtre lyrique.

Enfin la danse à réduire sous la forme d'un véritable poème, à écrire et à séparer de tout autre art d'imitation.

MOI

Quelle tragédie voudriez-vous établir sur la scène lyrique?

DORVAL

L'ancienne.

MOI

Pourquoi pas la tragédie domestique?

DORVAL

C'est que la tragédie, et en général toute composition destinée pour la scène lyrique, doit être mesurée, et que la tragédie domestique me semble exclure la versification.

MOI

Mais croyez-vous que ce genre fournît au musicien toute la ressource convenable à son art? Chaque art a ses avantages; il semble qu'il en soit d'eux comme des sens. Les sens ne sont tous qu'un toucher; tous les arts, qu'une imitation.

Mais chaque sens touche, et chaque art imite d'une manière qui lui est propre.

DORVAL

Il y a, en musique, deux styles, l'un simple, et l'autre figuré. Qu'aurez-vous à dire, si je vous montre, sans sortir de mes poètes dramatiques, des morceaux sur lesquels le musicien peut déployer à son choix toute l'énergie de l'un ou toute la richesse de l'autre? Quand je dis le *musicien*, j'entends l'homme qui a le génie de son art; c'est un autre que celui qui ne sait qu'enfiler des modulations et [combiner][1] des notes.

MOI

Dorval, un de ces morçeaux, s'il vous plaît?

DORVAL

Très volontiers. On dit que Lulli même avait remarqué celui que je vais vous citer; ce qui prouverait peut-être qu'il n'a manqué à cet artiste que des poèmes d'un autre genre, et qu'il se sentait un génie capable des plus grandes choses.

Clytemnestre, à qui l'on vient d'arracher sa fille pour l'immoler, voit le couteau du sacrificateur levé sur son sein, son sang qui coule, un prêtre qui consulte les dieux dans son cœur palpitant. Troublée de ces images, elle s'écrie :

> ....O mère infortunée!
> De festons odieux ma fille couronnée,
> Tend la gorge aux couteaux par son père apprêtés.
> Calchas va dans son sang... Barbares! arrêtez;
> C'est le pur sang du dieu qui lance le tonnerre...
> J'entends gronder la foudre et sens trembler la terre.
> Un dieu vengeur, un dieu fait retentir ces coups [2].

Je ne connais, ni dans Quinault, ni dans aucun poète, des vers plus lyriques, ni de situation plus propre à l'imitation musicale. L'état de Clytemnestre doit arracher de ses entrailles le cri de la nature; et le musicien le portera à mes oreilles dans toutes ses nuances.

---

1. *Omisit* 1772 (II).
2. Racine, *Iphigénie* (V, 4).

S'il compose ce morceau dans le style simple, il se remplira de la douleur, du désespoir de Clytemnestre; il ne commencera à travailler que quand il se sentira pressé par les images terribles qui obsédaient Clytemnestre. Le beau sujet, pour un récitatif obligé, que les premiers vers! Comme on en peut couper les différentes phrases par une ritournelle plaintive!... *O ciel!... ô mère infortunée*!... premier jour pour la ritournelle... *De festons odieux ma fille couronnée...* second jour... *Tend la gorge aux couteaux par son père apprêtés...* troisième jour... *Par son père!...* quatrième jour... *Calchas va dans son sang...* cinquième jour... Quels caractères ne peut-on pas donner à cette symphonie?... Il me semble que je l'entends... elle me peint la plainte... la douleur... l'effroi... l'horreur... la fureur...

L'air commence à *Barbares, arrêtez*. Que le musicien me déclame ce *barbares*, cet *arrêtez* en tant de manières qu'il voudra; il sera d'une stérilité bien surprenante, si ces mots ne sont pas pour lui une source inépuisable de mélodies...

Vivement, *Barbares*; *barbares, arrêtez, arrêtez... c'est le pur sang du dieu qui lance le tonnerre... c'est le sang... c'est le pur sang du dieu qui lance le tonnerre... Ce dieu vous voit... vous entend... vous menace, barbares... arrêtez! J'entends gronder la foudre... je sens trembler la terre... arrêtez... Un dieu, un dieu vengeur fait retentir ces coups... arrêtez, barbares... Mais rien ne les arrête... Ah! ma fille!... ah, mère infortunée!... Je la vois... je vois couler son sang... elle meurt... ah, barbares! ô ciel!...* Quelle variété de sentiments et d'images!

Qu'on abandonne ces vers à Mlle Dumesnil [1]; voilà, ou je me trompe fort, le désordre qu'elle y répandra; voilà les sentiments qui se succéderont dans son âme; voilà ce que son génie lui suggérera; et c'est sa déclamation que le musicien doit imaginer et écrire. Qu'on en fasse l'expérience; et

---

1. Mlle Dumesnil (1713-1803) débuta en 1737 précisément dans le rôle de Clytemnestre. « Elle ne joue bien que les endroits de fureur », dit Collé (*Journal*, *op. cit.*, t. I, p. 140); mais elle était desservie par sa laideur et la vulgarité de sa voix. Longtemps rivale de la Clairon, elle ne se retira qu'en 1775.

l'on verra la nature ramener l'actrice et le musicien sur les mêmes idées.

Mais le musicien prend-il le style figuré? autre déclamation, autres idées, autre mélodie. Il fera exécuter, par la voix, ce que l'autre a réservé pour l'instrument; il fera gronder la foudre, il la lancera, il la fera tomber en éclats; il me montrera Clytemnestre effrayant les meurtriers de sa fille, par l'image du dieu dont ils vont répandre le sang; il portera cette image à mon imagination déjà ébranlée par le pathétique de la poésie et de la situation, avec le plus de vérité et de force qu'il lui sera possible. Le premier s'était entièrement occupé des accents de Clytemnestre; celui-ci s'occupe un peu de son expression. Ce n'est plus la mère d'Iphigénie que j'entends; c'est la foudre qui gronde, c'est la terre qui tremble, c'est l'air qui retentit de bruits effrayants.

Un troisième tentera la réunion des avantages des deux styles; il saisira le cri de la nature, lorsqu'il se produit violent [1] et inarticulé; et il en fera la base de sa mélodie. C'est sur les cordes de cette mélodie qu'il fera gronder la foudre et qu'il lancera le tonnerre. Il entreprendra peut-être de montrer le dieu vengeur; mais il fera sortir, à travers les différents traits de cette peinture, les cris d'une mère éplorée.

Mais, quelque prodigieux génie que puisse avoir cet artiste, il n'atteindra point un de ces buts sans s'écarter de l'autre. Tout ce qu'il accordera à des tableaux sera perdu pour le pathétique. Le tout produira plus d'effet sur les oreilles, moins sur l'âme. Ce compositeur sera plus admiré des artistes, moins des gens de goût.

Et ne croyez pas que ce soient ces mots parasites du style lyrique, *lancer... gronder... trembler...* qui fassent le pathétique de ce morceau! c'est la passion dont il est animé. Et si le musicien, négligeant le cri de la passion, s'amusait à combiner des sons à la faveur de ces mots, le poète lui aurait tendu un cruel piège. Est-ce sur les idées, *lance*, *gronde*, *tremble*, ou

1. 1772 (II) : violemment.

sur celles-ci, *barbares... arrêtez... c'est le sang... c'est le pur sang d'un dieu... d'un dieu vengeur...* que la véritable déclamation appuiera ?

Mais voici un autre morceau, dans lequel ce musicien ne montrera pas moins de génie, s'il en a, et où il n'y a ni *lance*, ni *victoire*, ni *tonnerre*, ni *vol*, ni *gloire*, ni aucune de ces expressions qui feront le tourment d'un poète tant qu'elles seront l'unique et pauvre ressource du musicien.

RÉCITATIF OBLIGÉ

Un prêtre environné d'une foule cruelle...
Portera sur ma fille... (*sur ma fille !*) une main criminelle...
Déchirera son sein... et d'un œil curieux...
Dans son cœur palpitant... consultera les dieux!...
Et moi qui l'amenai triomphante... adorée...
Je m'en retournerai... seule... et désespérée!
Je verrai les chemins encor tout parfumés
Des fleurs dont sous ses pas on les avait semés.

AIR

Non, je ne l'aurai point amenée au supplice...
Ou vous ferez aux Grecs un double sacrifice.
Ni crainte, ni respect ne m'en peut détacher.
De mes bras tout sanglants il faudra l'arracher.
Aussi barbare époux qu'impitoyable père,
Venez, si vous l'osez, la ravir à sa mère [1].

Non, je ne l'aurai point amenée au supplice... Non... ni crainte, ni respect ne peut m'en détacher... Non... barbare époux... impitoyable père... venez la ravir à sa mère... venez, si vous l'osez... Voilà les idées principales qui occupaient l'âme de Clytemnestre, et qui occuperont le génie du musicien.

Voilà mes idées; je vous les communique d'autant plus volontiers, que, si elles ne sont jamais d'une utilité bien réelle, il est impossible qu'elles nuisent; s'il est vrai, comme le prétend un des premiers hommes de la nation, que

---

1. *Iphigénie* (IV, 4).

presque tous les genres de littérature soient épuisés, et qu'il ne reste plus rien de grand à exécuter, même pour un homme de génie.

C'est aux autres à décider si cette espèce de poétique, que vous m'avez arrachée, contient quelques vues solides, ou n'est qu'un tissu de chimères. J'en croirais volontiers M. de Voltaire, mais ce serait à la condition qu'il appuierait ses jugements de quelques raisons qui nous éclairassent. S'il y avait sur la terre une autorité infaillible que je reconnusse, ce serait la sienne.

MOI

On peut, si vous voulez, lui communiquer vos idées.

DORVAL

J'y consens. L'éloge d'un homme habile et sincère peut me plaire; sa critique, quelque amère qu'elle soit, ne peut m'affliger. J'ai commencé, il y a longtemps, à chercher mon bonheur dans un objet qui fût plus solide, et qui dépendît plus de moi que la gloire littéraire. Dorval mourra content, s'il peut mériter qu'on dise de lui, quand il ne sera plus : « *Son père, qui était si honnête homme, ne fut pourtant pas plus honnête homme que lui.* »

MOI

Mais si vous regardiez le bon ou le mauvais succès d'un ouvrage presque d'un œil indifférent, quelle répugnance pourriez-vous avoir à publier le vôtre?

DORVAL

Aucune. Il y en a déjà tant de copies. Constance n'en a refusé à personne. Cependant, je ne voudrais pas qu'on présentât ma pièce aux comédiens.

MOI

Pourquoi?

DORVAL

Il est incertain qu'elle fût acceptée. Il l'est beaucoup plus encore qu'elle réussît. Une pièce qui tombe ne se lit guère.

En voulant étendre l'utilité de celle-ci, on risquerait de l'en priver tout à fait.

MOI

Voyez cependant... Il est un grand prince qui connaît toute l'importance du genre dramatique, et qui s'intéresse au progrès du goût national. On pourrait le solliciter... obtenir... [1]

DORVAL

Je le crois; mais réservons sa protection pour *le Père de famille* [2]. Il ne nous la refusera pas sans doute, lui qui a montré avec tant de courage combien il l'était... [3] Ce sujet me tourmente; et je sens qu'il faudra que tôt ou tard je me délivre de cette fantaisie; car c'en est une, comme il en vient à tout homme qui vit dans la solitude... Le beau sujet, que le Père de famille!... C'est la vocation générale de tous les hommes... Nos enfants sont la source de nos plus grands plaisirs et de nos plus grandes peines... Ce sujet tiendra mes yeux sans cesse attachés sur mon père... Mon père!... J'achèverai de peindre le bon Lysimond... Je m'instruirai moi-même... Si j'ai des enfants, je ne serai pas fâché d'avoir pris avec eux des engagements...

---

1. Mgr le duc d'Orléans. (*Note de Diderot.*) Il s'agit de Louis-Philippe, né en 1725, duc de Chartres, devenu duc d'Orléans à la mort de son père en 1752. Après une courte carrière militaire, il se passionna pour le théâtre et fit construire une salle de spectacle dans sa maison de campagne de Bagnolet. Saurin, Collé et Carmontelle lui furent attachés en qualité de lecteurs et d'auteurs. Il semble que Diderot ait pensé quelque temps à sa protection, ce qui expliquerait la jalousie de Collé et l'animosité de ses critiques contre *Le Fils naturel* et *Le Père de famille* (*Journal*, *op. cit.*, t. II, p. 74).

2. Nous avons ici la preuve que *Le Père de famille* était déjà en chantier en février 1757, lorsque parurent les *Entretiens*.

3. C'est en avril 1756 que le duc d'Orléans fit inoculer ses enfants, le duc de Chartres et Mlle de Montpensier. Il fallait quelque courage à cette date. L'opération, faite par Tronchin de Genève, réussit. Collé déclare : « On m'a assuré que celui qui a donné le premier à M. le duc d'Orléans l'idée de faire inoculer ses enfants est le chevalier de Jaucourt, connu par le *Dictionnaire de l'Encyclopédie* » (*op. cit.*, t. II, p. 47-48).

MOI

Et dans quel genre *le Père de famille?*

DORVAL

J'y ai pensé; et il me semble que la pente de ce sujet n'est pas la même que celle du *Fils naturel. Le Fils naturel* a des nuances de la tragédie; *le Père de famille* prendra une teinte comique.

MOI

Seriez-vous assez avancé pour savoir cela?

DORVAL

Oui... retournez à Paris... Publiez le septième volume de l'*Encyclopédie*... [1] Venez vous reposer ici... et comptez que *le Père de famille* ne se fera point, ou qu'il sera fait avant la fin de vos vacances... Mais, à propos, on dit que vous partez bientôt.

MOI

Après-demain.

DORVAL

Comment, après-demain?

MOI

Oui.

DORVAL

Cela est un peu brusque... Cependant arrangez-vous comme il vous plaira... il faut absolument que vous fassiez connaissance avec Constance, Clairville et Rosalie... Seriez-vous homme à venir ce soir demander à souper à Clairville? »

Dorval vit que je consentais; et nous reprîmes aussitôt le chemin de la maison. Quel accueil ne fit-on pas à un homme présenté par Dorval? En un moment [2] je fus de la famille.

---

1. Le VIIe volume de l'*Encyclopédie* devait paraître à la fin de 1757, vers la mi-novembre.

2. 1772 (II) : mot.

On parla, devant et après le souper, gouvernement, religion, politique, belles-lettres, philosophie; mais, quelle que fût la diversité des sujets, je reconnus toujours le caractère que Dorval avait donné à chacun de ses personnages. Il avait le ton de la mélancolie; Constance, le ton de la raison; Rosalie, celui de l'ingénuité; Clairville, celui de la passion; moi, celui de la bonhomie.

DE
LA POÉSIE DRAMATIQUE

INTRODUCTION

A *la fin du troisième entretien avec Dorval, Diderot évoquait d'enthousiasme une nouvelle pièce,* Le Père de famille : Ce sujet me tourmente et je sens qu'il faudra que tôt ou ·rd je me délivre de cette fantaisie »; *mais la tonalité en ·meurait encore indécise :* « *Le Fils naturel* a des nuances de la agédie; *Le Père de famille* prendra une teinte comique » 4.T., *t. VII, p.* 167). *En fait la pièce achevée ne donnera guère atière à rire. Lors de la parution du* Fils naturel (*février* 1757), e Père de famille *n'est donc encore qu'une idée en l'air; pour ·sumer quelque réalité, il faudra que Diderot y greffe l'histoire de n propre mariage, quinze ans plus tôt* (1741-1743), *lorsqu'il isinait, rue Boutebrie, avec les dames Champion : Sophie prendra s lors les traits de Nanette la lingère, Mme Hébert ceux de la eille Mme Champion; Saint-Albin aura le feu de Diderot; seul coutelier de Langres sera défiguré dans la défroque aristocra- que de M. d'Orbesson. Quoi qu'il en soit, le* 13 *juillet* 1757, *à aris, Rousseau n'est encore consulté que sur le plan de la pièce* Confessions, *IX, et* Correspondance générale, *t. III, p.* 99). *ous les huées de Fréron et de Palissot, Diderot ne travaille guère;* 29 *novembre, il confie à son ami Bret :* « Le plan de ma pièce ;t resté tel que vous savez... Je l'ai reprise. J'y ai un peu availlé, mais si peu que ce n'est pas la peine de dire. Je ne révois pas qu'on puisse l'imprimer de deux mois; l'impres- on en prendra bien un encore » (Corresp., *édit. Roth,* *II, p.* 18-19). *Voltaire averti réclame déjà l'ouvrage le* 29 *dé- mbre (édit. Moland, t. XXXIX, p.* 341). *En janvier et février* 758, *Deleyre surprend Diderot plongé dans ses rêves :* Le Père de ·mille *l'absorbe* (Correspondance de Rousseau, op. cit., *III, p.* 274 *et* 294). *En mai, la pièce est terminée et Diderot rédige la dédicace à la princesse de Nassau-Saarbruck (A.T., t. VII, p.* 179-185).

Entre temps, par un chevauchement comparable à celui du Fils naturel *et des* Entretiens avec Dorval, *Diderot avait pensé préciser sa doctrine en lui donnant non plus la légèreté du dialogue, mais la rigidité formelle d'un traité : ce fut le* Discours sur la poésie dramatique. *Sur sa genèse propre, nous ne savons rien. Le* Discours *donne cependant une citation de l'*Esprit *d'Helvétius, qui parut le* 15 *juillet* 1758, *et dont quelques exemplaires non censurés avaient été confiés aux amis de l'auteur dès le mois de juin : à cette date, Diderot était encore à la tâche. En septembre, tout est prêt et livré à l'imprimeur Michel Lambert. Trois censeurs, commis coup sur coup par Malesherbes, retardent l'édition : c'est au début de novembre, sous le timbre d'Amsterdam, que la pièce et le* Discours *paraissent. Dès le* 15 *novembre, la princesse de Saarbruck* (*Roth, t. II, p.* 73), *puis Voltaire le* 16 (*Moland, t. XXXIX, p.* 532), *remerciaient Diderot.*

La critique, dans ses éloges comme dans ses refus, fit preuve d plus de réserve qu'en 1757. *Marmontel dans le* Mercure de Franc (*février* 1759, *p.* 89-91) *et l'abbé de la Porte dans l'*Observateu littéraire (Œuvres *de Diderot, Amsterdam,* 1772, *t. IV p.* 365-385) *furent objectifs et froids. Grimm avait mis une sour dine à son enthousiasme* (Correspondance litt., *t. IV, p.* 47-49 15 *novembre* 1758); *après quelques mots sur les digressions d philosophe et du poète, il insistait heureusement sur les trois voie nouvelles qui s'offraient entre la tragédie et la comédie tradition nelles : la comédie térentienne, la comédie pathétique et la tragédi domestique. Fréron n'intervint que beaucoup plus tard* (Anné littéraire, 1761, *t. III, lettre* 13, *p.* 289-319). *Même en All magne, les* Göttingische gelehrte Anzeigen (26 juillet 175 *cf.* R. *Mortier,* op. cit., *p.* 52) *reprochaient au* Discours s « sentences brèves, tranchantes, apodictiques et plus sou vent en antithèses ». *Il fallut attendre Lessing pour que valeur révolutionnaire de ce manifeste fût reconnue et apprécié Avant les longs commentaires de la* Dramaturgie de Ham bourg (1767-1768), *Lessing voyait en Diderot l'homme de s cœur : la préface de sa célèbre traduction* (Das Theater des Herr

Diderot, *Berlin, Vosz,* 1760) *fait un éloge exaltant et quelque peu exalté du* Discours.

En 1758, *le nouveau manifeste de Diderot ne pouvait être qu'inefficace : il heurtait de front, non seulement les habitudes d'un public restreint et délicat, mais les conditions matérielles du théâtre. Nul témoignage plus clair sur ce point que celui d'une artiste, Mme Riccoboni* (*cf.* Lettre à Diderot, 18 *novembre* 1758, *édition Roth, t. II, p.* 86-89). *Diderot a beau répondre avec violence :* « Moi, je sortirais de la nature pour me fourrer où ? Dans vos réduits où tout est peigné, ajusté, arrangé, calamistré ? » (ibid., *p.* 97), *l'actrice sait par expérience que le théâtre n'est pas la nature et vit d'illusions. Diderot se souciait-il d'ailleurs de l'avenir prochain de notre théâtre ? En* 1757 *il rêvait avec Dorval des rivages de Lampédouse ; dans le XVIII*e *chapitre du* Discours, *c'est le goût classique qu'il rejette et la civilisation même qui l'a fait naître :* « La poésie veut quelque chose d'énorme, de barbare, de sauvage ». *Il ne s'agit plus dès lors de réforme théâtrale et des médiocres émois du* Père de famille; *un monde neuf surgit à l'appel de Diderot-prophète, dans la révolte des éléments et des hommes, le monde où Schiller et Byron feront vivre Carl Moor, Wallenstein et Childe Harold.*

***

Le Discours sur la poésie dramatique *parut en novembre* 1758 *à la suite du* Père de famille (*Amsterdam,* 1758, in-8° *en deux parties, XXIV-*220 *pages et XII-*195 *pages, B.N. Y f* 7522) *et fut réédité dans les* Œuvres de théâtre *de* 1759, *de* 1771 (*Paris, Duchesne et Delalain,* 2 *vol. in-*12) *et de* 1772 (*Amsterdam, Marc Michel Rey,* 2 *vol. in-*12, *t. I, p.* 223-379). *Les très nombreuses rééditions du* Père de famille *l'excluent ordinairement* (*Bruxelles,* 1761; *Amsterdam,* 1762; *Besançon,* 1765; *Paris, Duchesne* 1772; *Naples,* 1777, *etc.*). *De même que pour les* Entretiens avec Dorval, *nous reviendrons au texte de l'originale de* 1758, *en consignant les rares variantes de l'édition de* 1772 *et les innovations ou omissions malheureuses de nos prédécesseurs jusqu'à Assézat. Il est bon de tenir compte des conditions toutes particulières de minutie dans lesquelles l'impression se fit chez Michel*

Lambert. Mais nous conserverons l'organisation en chapitres, absente encore du texte de 1772.

P. V.

BIBLIOGRAPHIE

Ajouter aux références données à propos des *Entretiens sur le Fils naturel :*

GRIMM. *Correspondance littéraire* (t. IV, p. 47-49, 15 novembre 1758).

DIDEROT. *Lettre à Mme Riccoboni* (édit. Roth, t. II, p. 89-102 27 novembre 1758), (réponse à la lettre du 18 novembre, *ibid* p. 86-89).

MARMONTEL. *Mercure de France* (février 1759, p. 89-91).

ABBÉ DE LA PORTE. *Observateur littéraire* (*in Œuvres* de Diderot, Amsterdam, 1772, t. IV, p. 365-385), *Observations sur le Discours de la poésie dramatique.*

FRÉRON. *Année littéraire* (2 juin 1761, t. III, lettre 13, p. 289-319).

LESSING. *Das Theater des Herrn Diderot* (Berlin, Vosz, 1760). *Hamburgische Dramaturgie* (1767-1768, traduction Crouslé, Didier, 1869).

SOMMAIRES

I. Des genres dramatiques. — De l'habitude des peuples. Des limites de l'art. De l'injustice des hommes. Se complaire dans son travail. Chercher les suffrages de ses amis. Attendre les autres du temps. Intervalle des genres. Système dramatique.

II. De la comédie sérieuse. — Des qualités du poète en ce genre. Objection. Réponse. Juger les productions de l'esprit en elles-mêmes. Avantages du comique honnête et sérieux, surtout chez un peuple corrompu. De quelques scènes du *Faux Généreux*. De l'honnête. Seconde objection. Réponse. *Le Juge*, comédie, sujet proposé. Manière de juger un ouvrage dramatique. De la nature humaine. Du spectacle. Des fictions. Du poète, du romancier et du comédien. Du but commun à tous les arts d'imitation. Exemple d'un tableau honnête et pathétique.

III. D'une sorte de drame moral. — Ses règles, ses avantages. Des impressions. Des applaudissements.

IV. D'une sorte de drame philosophique. — La mort de Socrate, exemple de ce drame. Du drame ancien et de sa simplicité.

V. Des drames simples et des drames composés. — Le drame simple préféré, et pourquoi. Difficulté de conduire deux intrigues à la fois. Exemples tirés de l'*Andrienne* et de l'*Heautontimorumenos*. Observation sur la conduite du *Père de famille*. Inconvénient des incidents multipliés.

VI. Du drame burlesque. — De son action et de son mouvement. Il exige une gaieté originale. Il n'est pas donné à tous d'y réussir. D'Aristophane. L'usage que le gouvernement pourrait faire d'un bon farceur. De l'action et du mouvement en général. De son accroissement.

VII. Du plan et du dialogue. — Quel est le plus difficile. Des qualités du poète pour former un plan. De ses qualités pour bien dialoguer. Le plan et le dialogue ne peuvent être de deux mains différentes. Un même sujet fournira plusieurs plans; mais les caractères étant donnés, les discours sont uns. Il y a plus de pièces bien dialoguées, que de pièces bien ordonnées. Un poète forme son plan, et projette ses scènes d'après son talent et son caractère. Du soliloque et de son avantage. Défaut des jeunes poètes.

VIII. De l'esquisse. — Idée d'Aristote. Poétiques d'Aristote, d'Horace et de Boileau. Exemple d'esquisse d'un poème tragique. Exemple d'esquisse d'un poème comique. Avantages de l'esquisse. Moyen de la féconder et d'en faire sortir les incidents.

IX. Des incidents.—Du choix des incidents. Molière et Racine cités. Des incidents frivoles. De la fatalité. Objection. Réponse. Térence et Molière, cités. Des fils. Des fils tendus à faux. Molière, cité.

X. Du plan de la tragédie, et du plan de la comédie. — Quel est le plus difficile? Trois ordres de choses. Le poète comique, créateur de son genre. Son modèle. La poésie comparée à l'histoire plus utilement qu'à la peinture. Du merveilleux. Imitation de la nature dans la combinaison des incidents extraordinaires. Des incidents simultanés. Du vernis romanesque. De l'illusion. L'illusion, quantité constante. Du drame et du roman. *Télémaque*, cité. Tragédies toutes d'invention. De la tragédie domestique. S'il faut l'écrire en vers. Résumé. Du poète et du versificateur. De l'imagination. De la réalité et de la fiction. Du philosophe et du poète. Ils sont conséquents et inconséquents dans le même sens. Eloge de l'imagination. Imagination réglée. Racheter le merveilleux par des choses communes. De la composition du drame. Faire la première scène la première, et la dernière scène la dernière. De l'influence des scènes les unes sur les autres. Objection. Réponse. Du *Père de famille*. De l'*Ami sincère* de Goldoni. Du *Fils naturel*. Réponse aux critiques du *Fils naturel*. De la simplicité. De la lecture des anciens. De la lecture d'Homère. Son utilité au poète dramatique, prouvée par quelques morceaux traduits.

XI. De l'intérêt. — Perdre de vue le spectateur. Faut-il l'instruire, ou le tenir dans l'ignorance des incidents? Ineptie des règles générales. Exemples tirés de *Zaïre*, d'*Iphigénie en Tauride* et de *Britannicus*. Le sujet où les réticences sont nécessaires est ingrat. Preuves tirées du *Père de famille*, et de l'*Hécyre* de Térence. De l'effet des monologues. De la nature de l'intérêt, et de son accroissement. De l'art poétique, et de ceux qui en ont écrit. Si un homme de génie compose jamais un art poétique, savoir si le mot *spectateur* s'y trouvera. D'autres modèles, d'autres lois. Comparaison du peintre et du poète dramatique. L'attention du poète au spectateur gêne le poète et suspend l'action. Molière, cité.

XII. DE L'EXPOSITION. — Qu'est-ce que c'est? Dans la comédie. Dans la tragédie. Y a-t-il toujours une exposition? De l'avant-scène, ou du moment où commence l'action. Il importe de l'avoir bien choisi. Il faut avoir un censeur, et qui soit homme de génie. Expliquer ce qu'il faut expliquer. Négliger les minuties. Débuter fortement. Cependant une première situation forte n'est pas sans inconvénient.

XIII. DES CARACTÈRES. — Il faut les mettre en contraste avec les situations et les intérêts, et non entre eux. Du contraste des caractères entre eux. Examen de ce contraste. Le contraste en général vicieux. Celui des caractères, multiplié dans un drame, le rendrait maussade. Fausse supposition qui le prouve. Il montre l'art. Il ajoute au vernis romanesque. Il gêne la conduite. Il rend le dialogue monotone. Bien fait, il rendrait le sujet du drame équivoque. Preuves tirées du *Misanthrope* de Molière, et des *Adelphes* de Térence. Drames sans contraste, plus vrais, plus simples, plus difficiles, et plus beaux. Il n'y a point de contraste dans la tragédie. Corneille, Plaute, Molière, Térence, cités. Le contraste des sentiments et des images est le seul qui me plaise. Ce que c'est. Exemples tirés d'Homère, de Lucrèce, d'Horace, d'Anacréon, de Catulle, de l'*Histoire naturelle*, de l'*Esprit*. D'un tableau du Poussin. Du contraste par la vertu. Du contraste par le vice. Contraste réel. Contraste feint. Les Anciens n'ont pas connu le contraste.

XIV. DE LA DIVISION DE L'ACTION ET DES ACTES. — De quelques règles arbitraires, comme paraître ou être annoncé; rentrer sur la scène; couper ses actes à peu près de la même longueur. Exemples du contraire.

XV. DES ENTR'ACTES. — Ce que c'est. Quelle en est la loi. L'action ne s'arrête pas même dans l'entr'acte. Chaque acte d'une pièce bien faite pourrait avoir un titre. Des scènes supposées. Précepte important là-dessus. Exemple de ce précepte.

XVI. DES SCÈNES. — Voir son personnage quand il entre. Le faire parler d'après la situation de ceux qu'il aborde. Oublier, le talent de l'acteur. Défaut des modernes, dans lequel sont aussi tombés les Anciens. Des scènes pantomimes. Des scènes parlées. Des scènes pantomimes et parlées. Des scènes simultanées. Des scènes épisodiques. Avantages et exemples rares de ces scènes.

XVII. Du ton. — Chaque caractère a le sien. De la plaisanterie. De la vérité du discours en philosophie et en poésie. Peindre d'après la passion et l'intérêt. Combien il est injuste de confondre le poète et le personnage. De l'homme, et de l'homme de génie. Différence d'un dialogue et d'une scène. Dialogue de Corneille et de Racine, comparé. Exemples. De la liaison du dialogue par les sentiments. Exemples. Dialogue de Molière. Les *Femmes savantes* et le *Tartuffe*, cités. Du dialogue de Térence. L'*Eunuque*, cité. Des scènes isolées. Difficultés des scènes lorsque le sujet est simple. Faux jugement du spectateur. Des scènes du *Fils naturel* et du *Père de famille*. Du monologue. Règle générale, et peut-être la seule de l'art dramatique. Des caricatures. Du faible et de l'outré. Térence, cité. Des Daves. Des amants de la scène ancienne, et des nôtres.

XVIII. Des mœurs. — De l'utilité des spectacles. Des mœurs des comédiens. De l'abus prétendu des spectacles. Des mœurs d'un peuple. Tout peuple n'est pas également propre à réussir dans toutes sortes de drames. Du drame, sous différents gouvernements. De la comédie dans un état monarchique. Inconvénient. De la poésie et des poètes chez un peuple esclave et avili. Des mœurs poétiques. Des mœurs anciennes. De la nature propre à la poésie. Des temps qui annoncent la naissance des poètes. Du génie. De l'art d'embellir les mœurs. Bizarreries des peuples policés. Térence, cité. Cause de l'incertitude du goût.

XIX. De la décoration. — Montrer le lieu de la scène tel qu'il est. De la peinture théâtrale. Deux poètes ne peuvent à la fois se montrer avec un égal avantage. Du drame lyrique.

XX. Des vêtements. — Du mauvais goût. Du luxe. De la représentation de l'*Orphelin de la Chine*. Des personnages du *Père de famille* et de leurs vêtements. Discours adressé à une célèbre actrice de nos jours.

XXI. De la pantomime. — Du jeu des comédiens italiens. Objection. Réponse. Du jeu des principaux personnages. Du jeu des personnages subalternes. Pédanterie de théâtre. La pantomime, portion importante du drame. Vérité de quelques scènes pantomimes. Exemples. Nécessité d'écrire le jeu. Quand, et quel est son effet. Térence et Molière, cités. On connaît si le poète a négligé ou considéré la pantomime. S'il l'a négligée, on ne l'introduira point dans son drame. Molière l'avait écrite. Très humbles représentations à nos critiques. Endroits des anciens poètes obscurs, et pourquoi? La pantomime partie importante du roman. Richardson, cité. Scène d'Oreste et de Pylade avec sa pantomime. Mort de Socrate, avec sa pantomime. Lois de la composition, communes à la peinture et à l'action dramatique. Difficulté de l'action théâtrale, sous ce point de vue. Objection. Réponse. Utilité de la pantomime écrite pour nous. Qu'est-ce que la pantomime? Qu'est-ce que le poète qui l'écrit dit au peuple? Qu'est-ce qu'il dit au comédien? Il est difficile de l'écrire, et facile de la critiquer.

XXII. DES AUTEURS ET DES CRITIQUES. — Critiques comparés à certains hommes sauvages, à une espèce de solitaire imbécile. Vanité de l'auteur. Vanité du critique. Plaintes des uns et des autres. Équité du public. Critique des vivants. Critique des morts. Le succès équivoque du *Misanthrope*, consolation des auteurs malheureux. L'auteur est le meilleur critique de son ouvrage. Auteurs et critiques, ni assez honnêtes gens, ni assez instruits. Liaison du goût avec la morale. Conseils à un auteur. Exemple proposé aux auteurs et aux critiques, dans la personne d'Ariste. Soliloque d'Ariste, sur le vrai, le bon et le beau. Fin du discours sur la poésie dramatique.

DE
LA POÉSIE DRAMATIQUE

A MONSIEUR GRIMM

......................Vice cotis acutum
Reddere quæ ferrum valet, exsors ipsa secandi.

HORAT., *de Arte poet.*[1]

I. DES GENRES DRAMATIQUES

Si un peuple n'avait jamais eu qu'un genre de spectacle, plaisant et gai, et qu'on lui en proposât un autre, sérieux et touchant, sauriez-vous, mon ami, ce qu'il en penserait? Je me trompe fort, ou les hommes de sens, après en avoir conçu la possibilité, ne manqueraient pas de dire : « A quoi bon ce genre? La vie ne nous apporte-t-elle pas assez de peines réelles, sans qu'on nous en fasse encore d'imaginaires? Pourquoi donner entrée à la tristesse jusque dans nos amusements? » Ils parleraient comme des gens étrangers au plaisir de s'attendrir et de répandre des larmes.

L'habitude nous captive. Un homme a-t-il paru avec une étincelle de génie? A-t-il produit quelque ouvrage? D'abord il étonne et partage les esprits; peu à peu il les réunit; bientôt il est suivi d'une foule d'imitateurs; les modèles se multiplient, on accumule les observations, on pose des règles,

---

1. Horace, *Art poétique*, vers 304-305 : « Je veux jouer le rôle de la pierre à aiguiser, capable de rendre le fer tranchant sans avoir elle-même la propriété de couper. »

l'art naît, on fixe ses limites; et l'on prononce que tout ce qui n'est pas compris dans l'enceinte étroite qu'on a tracée, est bizarre et mauvais : ce sont les colonnes d'Hercule; on n'ira point au delà, sans s'égarer.

Mais rien ne prévaut contre le vrai. Le mauvais passe, malgré l'éloge de l'imbécillité; et le bon reste, malgré l'indécision de l'ignorance et la clameur de l'envie. Ce qu'il y a de fâcheux, c'est que les hommes n'obtiennent justice que quand ils ne sont plus. Ce n'est qu'après qu'on a tourmenté leur vie, qu'on jette sur leurs tombeaux quelques fleurs inodores. Que faire donc? Se reposer, ou subir une loi à laquelle de meilleurs que nous ont été soumis. Malheur à celui qui s'occupe, si son travail n'est pas la source de ses instants les plus doux, et s'il ne sait pas se contenter de peu de suffrages! Le nombre des bons juges est borné. O mon ami, lorsque j'aurai publié quelque chose, que ce soit l'ébauche d'un drame, une idée philosophique, un morceau de morale ou de littérature, car mon esprit se délasse par la variété, j'irai vous voir. Si ma présence ne vous gêne pas, si vous venez à moi d'un air satisfait, j'attendrai sans impatience que le temps et l'équité, que le temps amène toujours, aient apprécié mon ouvrage.

S'il existe un genre, il est difficile d'en introduire un nouveau. Celui-ci est-il introduit? Autre préjugé : bientôt on imagine que les deux genres adoptés sont voisins et se touchent.

Zénon niait la réalité du mouvement. Pour toute réponse, son adversaire [1] se mit à marcher; et quand il n'aurait fait que boîter, il eût toujours répondu.

J'ai essayé de donner, dans *le Fils naturel*, l'idée d'un drame qui fût entre la comédie et la tragédie.

Le Père de famille, que je promis alors, et que des distractions continuelles ont retardé, est entre le genre sérieux du *Fils naturel*, et la comédie.

---

1. C'est le geste de Diogène le Cynique devant un disciple de Zénon d'Élée : « Un autre jour où quelqu'un niait le mouvement, il se leva et se mit à marcher » (Diogène Laërce, *Vie des philosophes*, édit. Garnier, t. II, p. 16).

Et si jamais j'en ai le loisir et le courage, je ne désespère pas de composer un drame qui se place entre le genre sérieux et la tragédie.

Qu'on reconnaisse à ces ouvrages quelque mérite, ou qu'on ne leur en accorde aucun; ils n'en démontreront pas moins que l'intervalle que j'apercevais entre les deux genres établis n'était pas chimérique.

II. De la comédie sérieuse

Voici donc le système dramatique dans toute son étendue. La comédie gaie, qui a pour objet le ridicule et le vice, la comédie sérieuse, qui a pour objet la vertu et les devoirs de l'homme. La tragédie, qui aurait pour objet nos malheurs domestiques; la tragédie, qui a pour objet les catastrophes publiques et les malheurs des grands.

Mais, qui est-ce qui nous peindra fortement les devoirs des hommes? Quelles seront les qualités du poète qui se proposera cette tâche?

Qu'il soit philosophe, qu'il ait descendu en lui-même, qu'il y ait vu la nature humaine, qu'il soit profondément instruit des états de la société, qu'il en connaisse bien les fonctions et le poids, les inconvénients et les avantages.

« Mais, comment renfermer, dans les bornes étroites d'un drame, tout ce qui appartient à la condition d'un homme? Où est l'intrigue qui puisse embrasser cet objet? On fera, dans ce genre, de ces pièces que nous appelons à tiroir; des scènes épisodiques succéderont à des scènes épisodiques et décousues, ou tout au plus liées par une petite intrigue qui serpentera entre elles : mais plus d'unité, peu d'action, point d'intérêt. Chaque scène réunira les deux points si recommandés par Horace; mais il n'y aura point d'ensemble, et le tout sera sans consistance et sans énergie. »

Si les conditions des hommes nous fournissent des pièces, telles, par exemple, que *les Fâcheux* de Molière, c'est déjà quelque chose : mais je crois qu'on en peut tirer un meilleur parti. Les obligations et les inconvénients d'un état ne sont pas tous de la même importance. Il me semble qu'on peut s'attacher aux principaux, en faire la base de son ouvrage, et jeter le reste dans les détails. C'est ce que je me suis proposé dans *le Père de famille*, où l'établissement du fils et de la fille [1] sont mes deux grands pivots. La fortune, la naissance, l'éducation, les devoirs des pères envers leurs enfants, et des enfants envers leurs parents, le mariage, le célibat, tout ce qui tient à l'état d'un père de famille, vient amené par le dialogue. Qu'un autre entre dans la carrière, qu'il ait le talent qui me manque, et vous verrez ce que son drame deviendra.

Ce qu'on objecte contre ce genre, ne prouve qu'une chose : c'est qu'il est difficile à manier; que ce ne peut être l'ouvrage d'un enfant; et qu'il suppose plus d'art, de connaissances, de gravité et de force d'esprit, qu'on n'en a communément quand on se livre au théâtre.

Pour bien juger d'une production, il ne faut pas la rapporter à une autre production. Ce fut ainsi qu'un de nos premiers critiques se trompa. Il dit : « Les Anciens n'ont point eu d'opéra, donc l'opéra est un mauvais genre. » Plus circonspect ou plus instruit, il eût dit peut-être : « Les Anciens n'avaient qu'un opéra, donc notre tragédie n'est pas [2] bonne. » Meilleur logicien, il n'eût fait ni l'un ni l'autre raisonnement. Qu'il y ait ou non des modèles subsistants, il n'importe. Il est une règle antérieure à tout, et la raison poétique était, qu'il n'y avait point encore de poètes; sans cela, comment aurait-on jugé le premier poème? Fut-il bon, parce qu'il plut? ou plut-il, parce qu'il était bon?

Les devoirs des hommes sont un fonds aussi riche pour le poète dramatique, que leurs ridicules et leurs vices; et les pièces honnêtes et sérieuses réussiront partout, mais plus sûrement encore chez un peuple corrompu qu'ailleurs. C'est en allant au théâtre qu'ils se sauveront de la compagnie des méchants dont ils sont entourés; c'est là qu'ils trouveront ceux avec lesquels ils aimeraient à vivre; c'est là

1. A.T. : et celui de la fille.
2. A.T. : point.

qu'ils verront l'espèce humaine comme elle est, et qu'ils se réconcilieront avec elle. Les gens de bien sont rares; mais il y en a. Celui qui pense autrement s'accuse lui-même, et montre combien il est malheureux dans sa femme, dans ses parents, dans ses amis, dans ses connaissances. Quelqu'un me disait un jour, après la lecture d'un ouvrage honnête qui l'avait délicieusement occupé : « Il me semble que je suis resté seul. » L'ouvrage méritait cet éloge; mais ses amis ne méritaient pas cette satire.

C'est toujours la vertu et les gens vertueux qu'il faut avoir en vue quand on écrit. C'est vous, mon ami, que j'évoque, quand je prends la plume; c'est vous que j'ai devant les yeux, quand j'agis. C'est à Sophie [1] que je veux plaire. Si vous m'avez souri, si elle a versé une larme, si vous m'en aimez tous les deux davantage, je suis récompensé.

Lorsque j'entendis les scènes du Paysan dans *le Faux généreux*, je dis : Voilà qui plaira à toute la terre, et dans tous les temps; voilà qui fera fondre en larmes. L'effet a confirmé mon jugement. Cet épisode est tout à fait dans le genre honnête et sérieux [2].

« L'exemple d'un épisode heureux ne prouve rien, dira-t-on. Et si vous ne rompez le discours monotone de la vertu, par le fracas de quelques caractères ridicules et même un peu forcés, comme tous les autres ont fait, quoi que vous disiez du genre honnête et sérieux, je craindrai toujours que vous n'en tiriez que des scènes froides et sans couleur, de

---

1. D'après les *Mémoires* de Mme de Vandeul (A.T., t. I, p. XLVII), c'est au cours de l'absence de sa femme et de sa fille qui séjournèrent trois mois à Langres (juillet-octobre 1757) que Diderot se lia avec Sophie Volland. Diderot peut s'adresser à Grimm qui fut le premier et l'un des rares confidents de son amour.

2. Antoine Bret, né en 1717 à Dijon, avait été incarcéré à la Bastille le 12 mai 1749. En 1756, il donna une comédie, *La Double Extravagance*, et semble avoir partagé avec Diderot le désir de rénover le théâtre. Le 18 janvier 1758 (cf. H. Carrington Lancaster, *op. cit.*, t. II, p. 789), Bret obtint un réel succès avec *Le*

la morale ennuyeuse et triste, et des espèces de sermons dialogués. »

Parcourons les parties d'un drame, et voyons. Est-ce par le sujet qu'il en faut juger ? Dans le genre honnête et sérieux, le sujet n'est pas moins important que dans la comédie gaie, et il y est traité d'une manière plus vraie. Est-ce par les caractères ? Ils y peuvent être aussi divers et aussi originaux, et le poète est contraint de les dessiner encore plus fortement. Est-ce par les passions ? Elles s'y montreront d'autant plus énergiques, que l'intérêt sera plus grand. Est-ce par le style ? Il y sera plus nerveux, plus grave, plus élevé, plus violent, plus susceptible de ce que nous appelons le sentiment, qualité sans laquelle aucun style ne parle au cœur. Est-ce par l'absence du ridicule ? Comme si la folie des actions et des discours, lorsqu'ils sont suggérés par un intérêt mal entendu, ou par le transport de la passion, n'était pas le vrai ridicule des hommes et de la vie.

J'en appelle aux beaux endroits de Térence; et je demande dans quel genre sont écrites ses scènes de pères et d'amants.

Si, dans *le Père de famille*, je n'ai pas su répondre à l'importance de mon sujet; si la marche en est froide, les passions discoureuses et moralistes; si les caractères du Père, de son Fils, de Sophie, du Commandeur, de Germeuil et de Cécile manquent de vigueur comique, sera-ce la faute du genre ou la mienne ?

Que quelqu'un se propose de mettre sur la scène la condition du juge; qu'il intrigue son sujet d'une manière aussi intéressante qu'il le comporte et que je le conçois; que

---

Faux Généreux. La pièce était mauvaise, mais quelques tirades humanitaires (acte I, scènes 8 et 9) sur les paysans écrasés par les seigneurs furent très applaudies. Grimm en fit une critique venimeuse (*Corresp. Litt.*, 1er février 1758, t. III, p. 468 sq.). La pièce fut arrêtée après la cinquième représentation, probablement pour des raisons politiques. Cette divergence de goût entre Diderot et Grimm n'est pas sans intérêt. Diderot appréciait Bret : dans une lettre du 29 novembre 1757 (cf. *Correspondance*, édit. Roth, t. II, p. 18 sq.), il lui soumettait le plan du *Père de famille* et s'inquiétait d'une ressemblance de détail avec *Le Faux généreux*.

l'homme y soit forcé par les fonctions de son état, ou de manquer à la dignité et à la sainteté de son ministère, et de se déshonorer aux yeux des autres et aux siens, ou de s'immoler lui-même dans ses passions, ses goûts, sa fortune, sa naissance, sa femme et ses enfants, et l'on prononcera après, si l'on veut, que le drame honnête et sérieux est sans chaleur, sans couleur et sans force.

Une manière de me décider, qui m'a souvent réussi, et à laquelle je reviens toutes les fois que l'habitude ou la nouveauté rend mon jugement incertain, car l'une et l'autre produisent cet effet, c'est de saisir par la pensée les objets, de les transporter de la nature sur la toile, et de les examiner à cette distance, où ils ne sont ni trop près, ni trop loin de moi.

Appliquons ici ce moyen. Prenons deux comédies, l'une dans le genre sérieux, et l'autre dans le genre gai; formons-en, scène à scène, deux galeries de tableaux; et voyons celle où nous nous promènerons le plus longtemps et le plus volontiers; où nous éprouverons les sensations les plus fortes et les plus agréables; et où nous serons le plus pressés de retourner.

Je le répète donc : l'honnête, l'honnête. Il nous touche d'une manière plus intime et plus douce que ce qui excite notre mépris et nos ris. Poète, êtes-vous sensible et délicat? Pincez cette corde; et vous l'entendrez résonner, ou frémir dans toutes les âmes.

« La nature humaine est donc bonne? »

Oui, mon ami, et très bonne. L'eau, l'air, la terre, le feu, tout est bon dans la nature; et l'ouragan, qui s'élève sur la fin de l'automne, secoue les forêts, et frappant les arbres les uns contre les autres, en brise et sépare les branches mortes; et la tempête, qui bat les eaux de la mer et les purifie; et le volcan, qui verse de son flanc entr'ouvert des flots de matières embrasées, et porte dans l'air la vapeur qui le nettoie.

Ce sont les misérables conventions qui pervertissent l'homme, et non la nature humaine qu'il faut accuser. En effet, qu'est-ce qui nous affecte comme le récit d'une action généreuse? Où est le malheureux qui puisse écouter froidement la plainte d'un homme de bien?

Le parterre de la comédie est le seul endroit où les larmes de l'homme vertueux et du méchant soient confondues. Là, le méchant s'irrite contre des injustices qu'il aurait commises; compatit à des maux qu'il aurait occasionnés, et s'indigne contre un homme de son propre caractère. Mais l'impression est reçue; elle demeure en nous, malgré nous; et le méchant sort de sa loge, moins disposé à faire le mal, que s'il eût été gourmandé par un orateur sévère et dur.

Le poète, le romancier, le comédien vont au cœur d'une manière détournée, et en frappant d'autant plus sûrement et plus fortement l'âme, qu'elle s'étend et s'offre d'elle-même au coup. Les peines sur lesquelles ils m'attendrissent sont imaginaires, d'accord : mais ils m'attendrissent. Chaque ligne de *l'Homme de qualité retiré du monde*, du *Doyen de Killerine* et de *Cléveland* [1], excite en moi un mouvement d'intérêt sur les malheurs de la vertu, et me coûte des larmes. Quel art serait plus funeste que celui qui me rendrait complice du vicieux? Mais aussi quel art plus précieux, que celui qui m'attache imperceptiblement au sort de l'homme de bien; qui me tire de la situation tranquille et douce dont je jouis, pour me promener avec lui, m'enfoncer dans les cavernes où il se réfugie, et m'associer à toutes les traverses par lesquelles il plaît au poète d'éprouver sa constance?

O quel bien il en reviendrait aux hommes, si tous les arts d'imitation se proposaient un objet commun, et concouraient un jour avec les lois pour nous faire aimer la vertu et haïr le vice! C'est au philosophe à les y inviter; c'est à lui à s'adresser au poète, au peintre, au musicien, et à leur crier avec force : Hommes de génie, pourquoi le ciel vous a-t-il doués? S'il en est entendu, bientôt les images de la débauche ne couvriront plus les murs de nos palais; nos voix ne seront

1. Diderot ne s'est jamais démenti dans son estime pour les romans de l'abbé Prévost. Les *Mémoires d'un homme de qualité* parurent en 1728 et 1731, *Cléveland* en 1732, *Le Doyen de Killerine* en 1735.

plus des organes du crime; et le goût et les mœurs y gagneront. Croit-on en effet que l'action de deux époux aveugles, qui se chercheraient encore dans un âge avancé, et qui, les paupières humides des larmes de la tendresse, se serreraient les mains et se caresseraient, pour ainsi dire, au bord du tombeau, ne demanderait pas le même talent, et ne m'intéresserait pas davantage que le spectacle des plaisirs violents dont leurs sens tout nouveaux s'enivraient dans l'adolescence?

III. D'une sorte de drame moral

Quelquefois j'ai pensé qu'on discuterait au théâtre les points de morale les plus importants, et cela sans nuire à la marche violente et rapide de l'action dramatique.

De quoi s'agirait-il en effet? De disposer le poème de manière que les choses y fussent amenées, comme l'abdication de l'empire l'est dans *Cinna*. C'est ainsi qu'un poète agiterait la question du suicide, de l'honneur, du duel, de la fortune, des dignités, et cent autres. Nos poèmes en prendraient une gravité qu'ils n'ont pas. Si une telle scène est nécessaire, si elle tient au fonds, si elle est annoncée et que le spectateur la désire, il y donnera toute son attention, et il en sera bien autrement affecté que de ces petites sentences alambiquées, dont nos ouvrages modernes sont cousus.

Ce ne sont pas des mots que je veux remporter du théâtre, mais des impressions. Celui qui prononcera d'un drame, dont on citera beaucoup de pensées détachées, que c'est un ouvrage médiocre, se trompera rarement. Le poète excellent est celui dont l'effet demeure longtemps en moi.

O poètes dramatiques! l'applaudissement vrai que vous devez vous proposer d'obtenir, ce n'est pas ce battement de mains qui se fait entendre subitement après un vers éclatant, mais ce soupir profond qui part de l'âme après la contrainte d'un long silence, et qui la soulage. Il est une impression plus violente encore, et que vous concevrez, si vous êtes nés pour votre art, et si vous en pressentez toute la magie : c'est de mettre un peuple comme à la gêne. Alors les esprits seront troublés, incertains, flottants, éperdus; et vos spectateurs, tels que ceux qui, dans les tremblements d'une partie du globe, voient les murs de leurs maisons vaciller, et sentent la terre se dérober sous leurs pieds.

IV. D'une sorte de drame philosophique

Il est une sorte de drame, où l'on présenterait la morale directement et avec succès. En voici un exemple. Écoutez bien ce que nos juges en diront; et s'ils le trouvent froid, croyez qu'ils n'ont ni énergie dans l'âme, ni idée de la véritable éloquence, ni sensibilité, ni entrailles. Pour moi, je pense que l'homme de génie qui s'en emparera, ne laissera pas aux yeux le temps de se sécher; et que nous lui devrons le spectacle le plus touchant, et une des lectures les plus instructives et les plus délicieuses que nous puissions faire. C'est la mort de Socrate.

La scène est dans une prison. On y voit le philosophe enchaîné et couché sur la paille. Il est endormi. Ses amis ont corrompu ses gardes; et ils viennent, dès la pointe du jour, lui annoncer sa délivrance.

Tout Athènes est dans la rumeur; mais l'homme juste dort.

De l'innocence de la vie. Qu'il est doux d'avoir bien vécu, lorsqu'on est sur le point de mourir! *Scène première.*

Socrate s'éveille; il aperçoit ses amis; il est surpris de les voir si matin.

Le songe de Socrate.

Ils lui apprennent ce qu'ils ont exécuté; il examine avec eux ce qu'il lui convient de faire.

Du respect qu'on se doit à soi-même, et de la sainteté des lois. *Scène seconde.*

Les gardes arrivent; on lui ôte ses chaînes.

La fable sur la peine et sur le plaisir.

Les juges entrent; et avec eux, les accusateurs de Socrate et la foule du peuple. Il est accusé; et il se défend.

L'apologie. *Scène troisième.*

Il faut ici s'assujettir au costume : il faut qu'on lise les accusations; que Socrate interpelle ses juges, ses accusateurs et le peuple; qu'il les presse; qu'il les interroge; qu'il leur réponde. Il faut montrer la chose comme elle s'est passée : et le spectacle n'en sera que plus vrai, plus frappant et plus beau.

Les juges se retirent; les amis de Socrate restent; ils ont pressenti la condamnation. Socrate les entretient et les console.

De l'immortalité de l'âme. *Scène quatrième.*

Il est jugé. On lui annonce sa mort. Il voit sa femme et ses enfants. On lui apporte la cigue. Il meurt. *Scène cinquième.*

Ce n'est là qu'un acte; mais s'il est bien fait, il aura presque l'étendue d'une pièce ordinaire. Quelle éloquence ne demande-t-il pas? quelle profondeur de philosophie! quel naturel! quelle vérité! Si l'on saisit bien le caractère ferme, simple, tranquille, serein et élevé du philosophe, on éprouvera combien il est difficile à peindre. A chaque instant il doit amener le ris sur le bord des lèvres, et les larmes aux yeux. Je mourrais content, si j'avais rempli cette tâche comme je la conçois. Encore une fois, si les critiques ne voient là dedans qu'un enchaînement de discours philosophiques et froids, ô les pauvres gens! que je les plains!

V. Des drames simples et des drames composés

Pour moi, je fais plus cas d'une passion, d'un caractère qui se développe peu à peu, et qui finit par se montrer dans toute son énergie, que de ces combinaisons d'incidents dont on forme le tissu d'une pièce où les personnages et les spectateurs sont également ballottés. Il me semble que le bon goût les dédaigne, et que les grands effets ne s'en accommodent pas. Voilà cependant ce que nous appelons du mouvement. Les Anciens en avaient une autre idée. Une conduite simple, une action prise le plus près de sa fin, pour que tout fût dans l'extrême; une catastrophe sans cesse imminente et toujours éloignée par une circonstance simple et vraie; des discours énergiques; des passions fortes; des tableaux; un ou deux caractères fermement dessinés : voilà tout leur appareil. Il n'en fallait pas davantage à Sophocle, pour renverser les esprits. Celui à qui la lecture des Anciens a déplu, ne saura jamais combien notre Racine doit au vieil Homère.

N'avez-vous pas remarqué, comme moi, que, quelque compliquée que fût une pièce, il n'est presque personne qui n'en rendît compte au sortir de la première représentation? On se rappelle facilement les événements, mais non les discours, et les événements une fois connus, la pièce compliquée a perdu son effet.

Si un ouvrage dramatique ne doit être représenté qu'une fois et jamais imprimé, je dirai au poète : Compliquez tant qu'il vous plaira; vous agiterez, vous occuperez sûrement; mais soyez simple, si vous voulez être lu et rester.

Une belle scène contient plus d'idées que tout un drame ne peut offrir d'incidents; et c'est sur les idées qu'on revient, c'est ce qu'on entend sans se lasser, c'est ce qui affecte en tout temps. La scène de Roland dans l'antre, où il attend la perfide Angélique [1]; le discours de Lusignan à sa fille; celui de Clytemnestre à Agamemnon, me sont toujours nouveaux [2].

Quand je permets de compliquer tant qu'on voudra, c'est la même action. Il est presque impossible de conduire deux intrigues à la fois, sans que l'une intéresse aux dépens de l'autre. Combien j'en pourrais citer d'exemples modernes! Mais je ne veux pas offenser.

Qu'y a-t-il de plus adroit que la manière dont Térence a entrelacé les amours de Pamphile et de Charinus dans *l'Andrienne?* Cependant l'a-t-il fait sans inconvénient? Au commencement du second acte, ne croirait-on pas entrer dans

---

1. L'acte IV du *Roland* de Quinault (1685) représente une grotte où le paladin attend Angélique; des vers gravés sur la paroi lui révèlent son infortune : Angélique aime Médor et ne viendra pas (scène 2). Nous croirions volontiers que ce souvenir de Quinault a été ravivé par la lecture d'Helvétius (*L'Esprit*, Londres, 1781, t. II, p. 270, Discours IV, chapitre 2).

2. Voltaire, *Zaïre* (acte II, scène 3), et Racine, *Iphigénie* (acte IV, scène 4).

une autre pièce? et le cinquième finit-il d'une manière bien intéressante?

Celui qui s'engage à mener deux intrigues à la fois, s'impose la nécessité de les dénouer dans un même instant. Si la principale s'achève la première, celle qui reste ne se supporte plus; si c'est au contraire l'intrigue épisodique qui abandonne la principale, autre inconvénient; des personnages ou disparaissent tout à coup, ou se remontrent sans raison, et l'ouvrage se mutile ou se refroidit.

Que deviendrait la pièce que Térence a intitulée *l'Heautontimorumenos*, ou *l'Ennemi de lui-même*, si par un effort de génie le poète n'avait su reprendre l'intrigue de Clinia, qui se termine au troisième acte, et la renouer avec celle de Clitiphon!

Térence transporta l'intrigue de *la Périnthienne* de Ménandre dans *l'Andrienne* du même poète grec; et de deux pièces simples il en fit une composée. Je fis le contraire dans *le Fils naturel*. Goldoni avait fondu dans une farce en trois actes *l'Avare* de Molière avec les caractères de l'*Ami vrai*. Je séparai ces sujets, et je fis une pièce en cinq actes : bonne ou mauvaise, il est certain que j'eus raison en ce point.

Térence prétend que pour avoir doublé le sujet de *l'Heautontimorumenos*, sa pièce est nouvelle; et j'y consens; pour meilleure, c'est autre chose.

Si j'osais me flatter de quelque adresse dans *le Père de famille*, ce serait d'avoir donné à Germeuil et à Cécile une passion qu'ils ne peuvent s'avouer dans les premiers actes, et de l'avoir tellement subordonnée dans toute la pièce à celle de Saint-Albin pour Sophie, que même après une déclaration, Germeuil et Cécile ne peuvent s'entretenir de leur passion, quoiqu'ils se retrouvent ensemble à tout moment.

Il n'y a point de milieu : on perd toujours d'un côté ce que l'on gagne de l'autre. Si vous obtenez de l'intérêt et de la rapidité par des incidents multipliés, vous n'aurez plus de discours; vos personnages auront à peine le temps de parler; ils agiront au lieu de se développer. J'en parle par expérience.

VI. Du drame burlesque

On ne peut mettre trop d'action et de mouvement dans la farce : qu'y dirait-on de supportable? Il en faut moins dans la comédie gaie, moins encore dans la comédie sérieuse, et presque point dans la tragédie.

Moins un genre est vraisemblable, plus il est facile d'y être rapide et chaud. On a de la chaleur aux dépens de la vérité et des bienséances. La chose la plus maussade, ce serait un drame burlesque et froid. Dans le genre sérieux, le choix des incidents rend la chaleur difficile à conserver.

Cependant une farce excellente n'est pas l'ouvrage d'un homme ordinaire. Elle suppose une gaieté originale; les caractères en sont comme les grotesques de Callot, où les principaux traits de la figure humaine sont conservés. Il n'est pas donné à tout le monde d'estropier ainsi. Si l'on croit qu'il y ait beaucoup plus d'hommes capables de faire *Pourceaugnac* que *le Misanthrope*, on se trompe.

Qu'est-ce qu'Aristophane? Un farceur original. Un auteur de cette espèce doit être précieux pour le gouvernement, s'il sait l'employer. C'est à lui qu'il faut abandonner tous les enthousiastes qui troublent de temps en temps la société. Si on les expose à la foire, on n'en remplira pas les prisons.

Quoique le mouvement varie selon les genres qu'on traite, l'action marche toujours; elle ne s'arrête pas même dans les entr'actes. C'est une masse qui se détache du sommet d'un rocher : sa vitesse s'accroît à mesure qu'elle descend, et elle bondit d'espace en espace, par les obstacles qu'elle rencontre.

Si cette comparaison est juste, s'il est vrai qu'il y ait d'autant moins de discours qu'il y a plus d'action, on doit plus parler qu'agir dans les premiers actes, et plus agir que parler dans les derniers.

VII. Du plan et du dialogue

Est-il plus difficile d'établir le plan que de dialoguer? C'est une question que j'ai souvent entendu agiter; et il m'a toujours semblé que chacun répondait plutôt selon son talent, que selon la vérité de la chose.

Un homme à qui le commerce du monde est familier, qui parle avec aisance, qui connaît les hommes, qui les a étudiés, écoutés, et qui sait écrire, trouve le plan difficile.

Un autre qui a de l'étendue dans l'esprit, qui a médité l'art poétique, qui connaît le théâtre, à qui l'expérience et le goût ont indiqué les situations qui intéressent, qui sait combiner des événements, formera son plan avec assez de facilité; mais les scènes lui donneront de la peine. Celui-ci se contentera d'autant moins de son travail, que, versé dans les meilleurs auteurs de sa langue et des langues anciennes, il ne peut s'empêcher de comparer ce qu'il fait à des chefs-d'œuvre qui lui sont présents. S'agit-il d'un récit? celui de *l'Andrienne* lui revient. D'une scène de passion? *l'Eunuque* lui en offrira dix pour une qui le désespéreront.

Au reste, l'un et l'autre sont l'ouvrage du génie; mais le génie n'est pas le même. C'est le plan qui soutient une pièce compliquée; c'est l'art du discours et du dialogue qui fait écouter et lire une pièce simple.

J'observerai pourtant qu'en général il y a plus de pièces bien dialoguées que de pièces bien conduites. Le génie qui dispose les incidents, paraît plus rare que celui qui trouve les vrais discours. Combien de belles scènes dans Molière! On compte ses dénouements heureux.

Les plans se forment d'après l'imagination; les discours, d'après la nature.

On peut former une infinité de plans d'un même sujet, et d'après les mêmes caractères. Mais les caractères étant donnés, la manière de faire parler est une. Vos personnages auront telle ou telle chose à dire, selon les situations où vous les aurez placés : mais étant les mêmes hommes dans toutes ces situations, jamais ils ne se contrediront.

On serait tenté de croire qu'un drame devrait être l'ouvrage de deux hommes de génie : l'un qui arrangeât, et l'autre qui fît parler. Mais qui est-ce qui pourra dialoguer d'après le plan d'un autre ? Le génie du dialogue n'est pas universel; chaque homme se tâte et sent ce qu'il peut : sans qu'il s'en aperçoive, en formant son plan, il cherche les situations dont il espère sortir avec succès. Changez ces situations, et il lui semblera que son génie l'abandonne. Il faut à l'un des situations plaisantes; à l'autre, des scènes morales et graves; à un troisième, des lieux d'éloquence et de pathétique. Donnez à Corneille un plan de Racine, et à Racine un plan de Corneille et vous verrez comment ils s'en tireront.

Né avec un caractère sensible et droit, j'avoue, mon ami, que je n'ai jamais été effrayé d'un morceau d'où j'espérais sortir avec les ressources de la raison et de l'honnêteté. Ce sont des armes que mes parents m'ont appris à manier de bonne heure : je les ai si souvent employées contre les autres et contre moi !

Vous savez que je suis habitué de longue main à l'art du soliloque. Si je quitte la société et que je rentre chez moi triste et chagrin, je me retire dans mon cabinet, et là je me questionne et je me demande : Qu'avez-vous ?... de l'humeur ?... Oui... Est-ce que vous vous portez mal ?... Non... Je me presse; j'arrache de moi la vérité. Alors il me semble que j'ai une âme gaie, tranquille, honnête et sereine, qui en interroge une autre qui est honteuse de quelque sottise qu'elle craint d'avouer. Cependant l'aveu vient. Si c'est une sottise que j'ai commise, comme il m'arrive assez souvent, je m'absous. Si c'en est une qu'on m'a faite, comme il arrive quand j'ai rencontré des gens disposés à abuser de la facilité de mon caractère, je pardonne. La tristesse se dissipe; je rentre dans ma famille, bon époux, bon père, bon maître, du moins je l'imagine; et personne ne se ressent d'un chagrin qui allait se répandre sur tout ce qui m'eût approché.

Je conseillerai cet examen secret à tous ceux qui voudront écrire; ils en deviendront à coup sûr plus honnêtes gens et meilleurs auteurs.

Que j'aie un plan à former, sans que je m'en aperçoive, je chercherai des situations qui cadreront à mon talent et à mon caractère.

« Ce plan sera-t-il le meilleur? »

Il me le paraîtra sans doute.

« Mais aux autres? »

C'est une autre question.

Écouter les hommes, et s'entretenir souvent avec soi : voilà les moyens de se former au dialogue.

Avoir une belle imagination; consulter l'ordre et l'enchaînement des choses; ne pas redouter les scènes difficiles, ni le long travail; entrer par le centre de son sujet; bien discerner le moment où l'action doit commencer; savoir ce qu'il est à propos de laisser en arrière; connaître les situations qui affectent : voilà le talent d'après lequel on saura former un plan.

Surtout s'imposer la loi de ne pas jeter sur le papier une seule idée de détail que le plan ne soit arrêté.

Comme le plan coûte beaucoup, et qu'il veut être longtemps médité, qu'arrive-t-il à ceux qui se livrent au genre dramatique, et qui ont quelque facilité à peindre des caractères? Ils ont une vue générale de leur sujet; ils connaissent à peu près les situations; ils ont projeté leurs caractères; et lorsqu'ils se sont dit : Cette mère sera coquette; ce père sera dur; cet amant, libertin; cette jeune fille, sensible et tendre; la fureur de faire les scènes les prend. Ils écrivent, ils écrivent; ils rencontrent des idées fines, délicates, fortes même; ils ont des morceaux charmants et tout prêts : mais lorsqu'ils ont beaucoup travaillé, et qu'ils en viennent au plan, car c'est toujours là qu'il en faut venir, ils cherchent à placer ce morceau charmant; ils ne se résoudront jamais à perdre cette idée délicate ou forte; ils feront le contraire de ce qu'il fallait, le plan pour les scènes qu'il fallait faire pour le plan. De là, une conduite et même un dialogue contraints; beaucoup de peine et de temps perdus, et une multitude de copeaux qui demeurent sur le chantier. Quel chagrin, surtout si l'ouvrage est en vers!

J'ai connu un jeune poète qui ne manquait pas de génie,

et qui a écrit plus de trois ou quatre mille vers d'une tragédie qu'il n'a point achevée, et qu'il n'achèvera jamais.

VIII. De l'esquisse

Soit donc que vous composiez en vers, ou que vous écriviez en prose, faites d'abord le plan; après cela vous songerez aux scènes.

Mais comment former le plan? Il y a, dans la poétique d'Aristote, une belle idée là-dessus. Elle m'a servi; elle peut servir à d'autres, et la voici :

Entre une infinité d'hommes qui ont écrit de l'art poétique, trois sont particulièrement célèbres : Aristote, Horace et Boileau. Aristote est un philosophe qui marche avec ordre, qui établit des principes généraux, et qui en laisse les conséquences à tirer, et les applications à faire. Horace est un homme de génie qui semble affecter le désordre, et qui parle en poète à des poètes. Boileau est un maître qui cherche à donner le précepte et l'exemple à son disciple.

Aristote dit en quelque endroit de sa poétique : Soit que vous travailliez sur un sujet connu, soit que vous en tentiez un nouveau, commencez par esquisser la fable; et vous penserez ensuite aux épisodes ou circonstances qui doivent l'étendre. Est-ce une tragédie? dites : Une jeune princesse est conduite sur un autel, pour y être immolée; mais elle disparaît tout à coup aux yeux des spectateurs, et elle est transportée dans un pays où la coutume est de sacrifier les étrangers à la déesse qu'on y adore. On la fait prêtresse. Quelques années après, le frère de cette princesse arrive dans ce pays. Il est saisi par les habitants; et sur le point d'être sacrifié par les mains de sa sœur, il s'écrie : « Ce n'est donc pas assez que ma sœur ait été sacrifiée, il faut que je le sois aussi! » A ce mot, il est reconnu et sauvé [1].

---

1. C'est le sujet de l'*Iphigénie en Tauride* d'Euripide. Mais Diderot pense probablement aussi au succès récent d'une brillante imitation d'Euripide par Guimond de la Touche, représentée le 4 juin 1757. Diderot en donne une longue critique dans la *Correspondance littéraire* du 1er août 1757 (t. III, p. 395 sq.).

Mais pourquoi la princesse avait-elle été condamnée à mourir sur un autel?

Pourquoi immole-t-on les étrangers dans la terre barbare où son frère la rencontre?

Comment a-t-il été pris?

Il vient pour obéir à un oracle. Et pourquoi cet oracle?

Il est reconnu par sa sœur. Mais cette reconnaissance ne se pouvait-elle faire autrement?

Toutes ces choses sont hors du sujet. Il faut les suppléer dans la fable.

Le sujet appartient à tous; mais le poète disposera du reste à sa fantaisie; et celui qui aura rempli sa tâche de la manière la plus simple et la plus nécessaire, aura le mieux réussi.

L'idée d'Aristote est propre à tous les genres dramatiques; et voici comment j'en ai fait usage pour moi.

Un père a deux enfants, un fils et une fille. La fille aime secrètement un jeune homme qui demeure dans la maison. Le fils est entêté d'une inconnue qu'il a vue dans son voisinage. Il a tâché de la corrompre, mais inutilement. Il s'est déguisé et établi à côté d'elle, sous un nom et sous des habits empruntés. Il passe là pour un homme du peuple, attaché à quelque profession mécanique. Censé le jour à son travail, il ne voit celle qu'il aime que le soir. Mais le père, attentif à ce qui se passe dans sa maison, apprend que son fils s'absente toutes les nuits. Cette conduite, qui annonce le dérèglement, l'inquiète : il attend son fils.

C'est là que la pièce commence.

Qu'arrive-t-il ensuite? C'est que cette fille convient à son fils; et que, découvrant en même temps que sa fille aime le jeune homme à qui il la destinait, il la lui accorde; et qu'il conclut deux mariages contre le gré de son beau-frère, qui avait d'autres vues.

Mais pourquoi la fille aime-t-elle secrètement?

Pourquoi le jeune homme qu'elle aime est-il dans la maison? Qu'y fait-il? qui est-il?

Qui est cette inconnue, dont le fils est épris? Comment est-elle tombée dans l'état de pauvreté où elle est?

D'où est-elle ? Née dans la province, qu'est-ce qui l'a amenée à Paris ? Qu'est-ce qui l'y retient ?

Qu'est-ce que le beau-frère ?

D'où vient l'autorité qu'il a dans la maison du père ?

Pourquoi s'oppose-t-il à des mariages qui conviennent au père ?

Mais, la scène ne pouvant se passer en deux endroits, comment la jeune inconnue entrera-t-elle dans la maison du père ?

Comment le père découvre-t-il la passion de sa fille et du jeune homme qu'il a chez lui ?

Quelle raison a-t-il de dissimuler ses desseins ?

Comment arrive-t-il que la jeune inconnue lui convienne ?

Quels sont les obstacles que le beau-frère apporte à ses vues ?

Comment le double mariage se fait-il malgré ces obstacles ?

Combien de choses qui demeurent indéterminées, après que le poète a fait son esquisse ! Mais voilà l'argument et le fond. C'est de là qu'il doit tirer la division des actes, le nombre des personnages, leur caractère et le sujet des scènes.

Je vois que cette esquisse me convient, parce que le père, dont je me propose de faire sortir le caractère, sera très malheureux. Il ne voudra point un mariage qui convient à son fils ; sa fille lui paraîtra s'éloigner d'un mariage qu'il veut ; et la défiance d'une délicatesse réciproque les empêchera l'un et l'autre de s'avouer leurs sentiments.

Le nombre de mes personnages sera décidé.

Je ne suis plus incertain sur leurs caractères.

Le père aura le caractère de son état. Il sera bon, vigilant, ferme et tendre. Placé dans la circonstance la plus difficile de sa vie, elle suffira pour déployer toute son âme.

Il faut que son fils soit violent. Plus une passion est déraisonnable, moins il faut qu'elle soit libre.

Sa maîtresse ne sera jamais assez aimable. J'en ai fait un enfant innocent, honnête et sensible.

Le beau-frère, qui est mon machiniste, homme d'une

ête étroite et à préjugés, sera dur, faible, méchant, impor-
ɹn, rusé, tracassier, le trouble de la maison, le fléau du père
t des enfants, et l'aversion de tout le monde.

Qu'est-ce que Germeuil? c'est le fils d'un ami du Père de
amille, dont les affaires se sont dérangées, et qui a laissé cet
nfant sans ressource. Le Père de famille l'a pris chez lui
près la mort de son ami, et l'a fait élever comme son fils.

Cécile, persuadée que son père ne lui accordera jamais
et homme pour époux, le tiendra à une grande distance
'elle, le traitera quelquefois avec dureté; et Germeuil
rrêté par cette conduite et par la crainte de manquer au
ère de famille, son bienfaiteur, se renfermera dans les
ornes du respect; mais les apparences ne seront pas si bien
ardées de part et d'autre, que la passion ne perce, tantôt
ans les discours, tantôt dans les actions, mais toujours
'une manière incertaine et légère.

Germeuil sera donc d'un caractère ferme, tranquille, et
n peu renfermé.

Et Cécile, un composé de hauteur, de vivacité, de réserve
t de sensibilité.

L'espèce de dissimulation, qui contiendra ces amants,
rompera aussi le Père de famille. Détourné de ses desseins
ar cette fausse antipathie, il n'osera proposer à sa fille, pour
poux, un homme qui ne laisse apercevoir aucun penchant
our elle, et qu'elle paraît avoir pris en aversion.

Le père dira : N'est-ce pas assez de tourmenter mon fils,
n lui ôtant une femme qu'il aime, sans aller encore persé-
uter ma fille, en lui proposant pour époux un homme
u'elle n'aime pas?

La fille dira : N'est-ce pas assez du chagrin que mon père
t mon oncle ressentent de la passion de mon frère, sans
'accroître encore par un aveu qui révolterait tout le monde?

Par ce moyen, l'intrigue de la fille et de Germeuil sera
ourde, ne nuira point à celle du fils et de sa maîtresse, et
e servira qu'à augmenter l'humeur de l'oncle et le chagrin
u père.

J'aurai réussi au delà de mes espérances, si je parviens à
ellement intéresser ces deux personnages à la passion du

fils, qu'ils ne puissent s'occuper de la leur. Leur penchant n partagera plus l'intérêt; il rendra seulement leurs scène plus piquantes.

J'ai voulu que le père [1] fût le personnage principal. L'es quisse restait la même; mais tous les épisodes changeaien si j'avais choisi pour mon héros, ou le fils, ou l'ami, o l'oncle.

IX. Des incidents

Si le poète a de l'imagination, et qu'il se repose sur so esquisse, il la fécondera, il en verra sortir une foule d'inci dents, et il ne sera plus embarrassé que du choix.

Qu'il se rende difficile sur ce point, lorsque son sujet es sérieux. On ne souffrirait pas, aujourd'hui, qu'un père vîn avec une cloche de mulet mettre en fuite un pédant, ni qu'u mari se cachât sous une table pour s'assurer, par lui-même des discours qu'on tient à sa femme [2]. Ces moyens sont d la farce.

Si une jeune princesse est conduite vers un autel su lequel on doit l'immoler, on ne voudra pas qu'un auss grand événement ne soit fondé que sur l'erreur d'un mes sager, qui suit un chemin, tandis que la princesse et sa mèr s'avancent par un autre [3].

« La fatalité qui nous joue, n'attache-t-elle pas des révo lutions plus importantes à des causes plus légères ? »

Il est vrai. Mais le poète ne doit pas l'imiter en cela; i emploiera cet incident, s'il est donné par l'histoire, mais i ne l'inventera pas. Je jugerai ses moyens plus sévèremen que la conduite des dieux.

Qu'il soit scrupuleux dans le choix des incidents, et sobr dans leur usage; qu'il les proportionne à l'importance d son sujet, et qu'il établisse entre eux une liaison presqu nécessaire.

---

1. 1772 : la perte. Non-sens évident.
2. Scènes de Molière dans *Le Dépit amoureux* (II, 9) et dan *Tartuffe* (IV, 4).
3. Racine, *Iphigénie* (II, 4).

« Plus les moyens, par lesquels la volonté des dieux s'accomplira sur les hommes, seront obscurs et faibles, plus je serai effrayé sur leur sort. »

J'en conviens. Mais il faut que je ne puisse douter que telle a été la volonté, non du poète, mais des dieux.

La tragédie demande de l'importance dans les moyens; la comédie de la finesse.

Un amant jaloux est-il incertain des sentiments de son ami? Térence laissera sur la scène un Dave qui écoutera les discours de celui-ci, et qui en fera le récit à son maître. Nos Français voudront que leur poète en sache davantage.

Un vieillard sottement vain [1], changera son nom bourgeois d'Arnolphe, en celui de M. de La Souche; et cet expédient ingénieux fondera toute l'intrigue, et en amènera le dénoûment d'une manière simple et inattendue; alors ils s'écrieront : A merveille! et ils auront raison. Mais si, sans aucune vraisemblance, et cinq ou six fois de suite, on leur montre cet Arnolphe devenu le confident de son rival et la dupe de sa pupille; allant d'Horace à Agnès, et retournant d'Agnès à Horace, ils diront : Ce n'est pas un drame, que cela; c'est un conte : et si vous n'avez pas tout l'esprit, toute la gaieté, tout le génie de Molière, ils vous accuseront d'avoir manqué d'invention, et ils répéteront : C'est un conte à dormir.

Si vous avez peu d'incidents, vous aurez peu de personnages. N'ayez point de personnages superflus, et que des fils imperceptibles lient tous vos incidents.

Surtout, ne tendez point de fils à faux : en m'occupant d'un embarras qui ne viendra point, vous égarerez mon attention.

Tel est, si je ne me trompe, l'effet du discours de Frosine dans *l'Avare*. Elle s'engage à détourner l'Avare du dessein d'épouser Marianne, par le moyen d'une vicomtesse de Basse-Bretagne, dont elle se promet des merveilles, et le spectateur avec elle. Cependant la pièce finit sans qu'on

---

1. Dans *L'École des femmes* de Molière.

revoie ni Frosine, ni sa Basse-Bretonne qu'on attend toujours [1].

X. Du plan de la tragédie et du plan de la comédie

Quel ouvrage, qu'un plan contre lequel on n'aurait point d'objection! Y en a-t-il un? Plus il sera compliqué, moins il sera vrai. Mais on demande, du plan d'une comédie et du plan d'une tragédie, quel est le plus difficile?

Il y a trois ordres de choses. L'histoire, où le fait est donné; la tragédie, où le poète ajoute à l'histoire ce qu'il imagine en pouvoir augmenter l'intérêt; la comédie, où le poète invente tout.

D'où l'on peut conclure que le poète comique est le poète par excellence. C'est lui qui fait. Il est, dans sa sphère, ce que l'Être tout-puissant est dans la nature. C'est lui qui crée, qui tire du néant; avec cette différence, que nous n'entrevoyons dans la nature qu'un enchaînement d'effets dont les causes nous sont inconnues; au lieu que la marche du drame n'est jamais obscure; et que, si le poète nous cache assez de ses ressorts pour nous piquer, il nous en laisse toujours apercevoir assez pour nous satisfaire.

« Mais, la comédie étant une imitation de la nature dans toutes ses parties, le poète n'a-t-il pas un modèle auquel il se doive conformer, même lorsqu'il forme son plan? »

Sans doute.

« Quel est donc ce modèle? »

Avant que de répondre, je demanderai : qu'est-ce qu'un plan?

« Un plan, c'est une histoire merveilleuse, distribuée selon les règles du genre dramatique; histoire, qui est en partie de l'invention du poète tragique, et tout entière de l'invention du poète comique. »

Fort bien. Quel est donc le fondement de l'art dramatique?

---

1. Dans *L'Avare* (IV, I) : l'intrigue de Frosine ne prend pas corps et son rôle est effectivement muet jusqu'à la fin de la pièce

« L'art historique. »

Rien n'est plus certain [1]. On a comparé la poésie à la peinture; et l'on a bien fait : mais une comparaison plus utile et plus féconde en vérités, ç'aurait été celle de l'histoire à la poésie. On se serait ainsi formé des notions exactes du vrai, du vraisemblable, et du possible; et l'on eût fixé l'idée nette et précise du merveilleux, terme commun à tous les genres de poésie, et que peu de poètes sont en état de bien définir.

Tous les événements historiques ne sont pas propres à faire des tragédies; ni tous les événements domestiques à fournir des sujets de comédie. Les Anciens renfermaient le genre tragique dans les familles d'Alcméon, d'Œdipe, d'Oreste, de Méléagre, de Thyeste, de Télèphe et d'Hercule.

Horace ne veut pas qu'on mette sur la scène un personnage qui arrache un enfant tout vivant des entrailles d'une Lamie [2]. Si on lui montre quelque chose de semblable, il n'en pourra ni croire la possibilité, ni supporter la vue. Mais où est le terme où l'absurdité des événements cesse, et où la vraisemblance commence? Comment le poète sentira-t-il ce qu'il peut oser?

Il arrive quelquefois à l'ordre naturel des choses, d'enchaîner des incidents extraordinaires. C'est le même ordre qui distingue le merveilleux du miraculeux. Les cas rares sont merveilleux : les cas naturellement impossibles sont miraculeux : l'art dramatique rejette les miracles.

Si la nature ne combinait jamais des événements d'une manière extraordinaire, tout ce que le poète imaginerait au delà de la simple et froide uniformité des choses communes, serait incroyable. Mais il n'en est pas ainsi. Que fait donc le poète? Ou il s'empare de ces combinaisons extraordinaires, ou il en imagine de semblables. Mais, au lieu que la liaison des événements nous échappe souvent dans la nature, et

---

1. 1771, A.T. : raisonnable.
2. *Art poétique*, vers 339-340 :
   « Ne, quodcumque volet, poscat sibi fabula credi
   Neu pransae Lamiae vivum puerum extrahat alvo. »

que, faute de connaître l'ensemble des choses, nous ne voyons qu'une concomitance fatale dans les faits, le poète veut, lui, qu'il règne dans toute la texture de son ouvrage une liaison apparente et sensible; en sorte qu'il est moins vrai et plus vraisemblable que l'historien.

« Mais, puisqu'il suffit de la seule coexistence des événements pour fonder le merveilleux de l'histoire, pourquoi le poète ne s'en contenterait-il pas? »

Il s'en contente aussi quelquefois, surtout le poète tragique. Mais la supposition d'incidents simultanés n'est pas aussi permise au poète comique.

« Et la raison? »

C'est que la portion connue, que le poète tragique emprunte de l'histoire, fait adopter ce qui est d'imagination comme s'il était historique. Les choses qu'il invente reçoivent de la vraisemblance par celles qui lui sont données. Mais rien n'est donné au poète comique : il lui est donc moins permis de s'appuyer sur la simultanéité des événements. D'ailleurs, la fatalité ou la volonté des dieux, qui effraye si fort les hommes de qui la destinée se trouve abandonnée à des êtres supérieurs auxquels ils ne peuvent se soustraire, dont la main les suit et les atteint au moment où ils sont dans la sécurité la plus entière, est plus nécessaire à la tragédie. S'il y a quelque chose de touchant, c'est le spectacle d'un homme rendu coupable et malheureux malgré lui.

Il faut que les hommes fassent, dans la comédie, le rôle que font les dieux dans la tragédie. La fatalité et la méchanceté, voilà, dans l'un et l'autre genre, les bases de l'intérêt dramatique.

« Qu'est-ce donc que le vernis romanesque, qu'on reproche à quelques-unes de nos pièces? »

Un ouvrage sera romanesque, si le merveilleux naît de la simultanéité des événements; si l'on y voit les dieux ou les hommes trop méchants, ou trop bons; si les choses et les caractères y diffèrent trop de ce que l'expérience ou l'histoire nous les montre; et surtout si l'enchaînement des événements y est trop extraordinaire et trop compliqué.

D'où l'on peut conclure que le roman dont on ne pourra aire un bon drame, ne sera pas mauvais pour cela; mais u'il n'y a point de bon drame dont on ne puisse faire un xcellent roman. C'est par les règles que ces deux genres de oésie diffèrent.

L'illusion est leur but commun : mais, d'où dépend l'illu-ion? Des circonstances. Ce sont les circonstances qui la endent plus ou moins difficile à produire.

Me permettra-t-on de parler un moment la langue des éomètres? On sait ce qu'ils appellent une équation. L'illu-ion est seule d'un côté. C'est une quantité constante, qui st égale à une somme de termes, les uns positifs, les autres égatifs, dont le nombre et la combinaison peuvent varier ans fin, mais dont la valeur totale est toujours la même. es termes positifs représentent les circonstances commu-es, et les négatifs les circonstances extraordinaires. Il faut u'elles se rachètent les unes par les autres.

L'illusion n'est pas volontaire. Celui qui dirait : Je veux ne faire illusion, ressemblerait à celui qui dirait : J'ai une xpérience des choses de la vie, à laquelle je ne ferai aucune ttention.

Quand je dis que l'illusion est une quantité constante, 'est dans un homme qui juge de différentes productions, t non dans des hommes différents. Il n'y a peut-être pas, ur toute la surface de la terre, deux individus qui aient la nême mesure de la certitude, et cependant le poète est ondamné à faire illusion également à tous! Le poète se oue de la raison et de l'expérience de l'homme instruit, omme une gouvernante se joue de l'imbécillité d'un enfant. Jn bon poème est un conte digne d'être fait à des hommes ensés.

Le romancier a le temps et l'espace qui manquent au oète dramatique : à titre égal, j'estimerai donc moins un oman qu'une pièce de théâtre. D'ailleurs, il n'y a point de lifficulté que le premier ne puisse esquiver. Il dira : « La louce vapeur du sommeil ne coule pas plus doucement lans les yeux appesantis et dans les membres fatigués d'un omme abattu, que les paroles flatteuses de la déesse s'insinuaient pour enchanter le cœur de Mentor; mais elle sentait toujours je ne sais quoi, qui repoussait tous ses efforts et qui se jouait de ses charmes. Semblable à un rocher escarpé qui cache son front dans les nues, et qui se joue de la rage des vents, Mentor, immobile dans ses sages desseins, se laissait presser [par Calypso]. Quelquefois même il lui laissait espérer qu'elle l'embarrasserait par ses questions, [et qu'elle tirerait la vérité du fond de son cœur]. Mais au moment où elle croyait satisfaire sa curiosité, ses espérances s'évanouissaient. [Tout] ce qu'elle s'imaginait tenir lui échappait tout à coup; et une réponse courte [de Mentor] la replongeait dans ses incertitudes [1]. » Et voilà le romancier hors d'affaire. Mais, quelque difficulté qu'il y eût eu à faire cet entretien, il eût fallu, ou que le poète dramatique renversât son plan, ou qu'il la surmontât. Quelle différence de peindre un effet, ou de le produire!

Les Anciens ont eu des tragédies où tout était de l'invention du poète. L'histoire n'offrait pas même les noms des personnages. Et qu'importe, si le poète n'excède pas la vraie mesure du merveilleux?

Ce qu'il y a d'historique dans un drame est connu d'assez peu de personnes; si cependant le poème est bien fait, il intéresse tout le monde, plus peut-être le spectateur ignorant que le spectateur instruit. Tout est d'une égale vérité pour celui-là; au lieu que les épisodes ne sont que vraisemblables pour celui-ci. Ce sont des mensonges mêlés à des vérités avec tant d'art, qu'il n'éprouve aucune répugnance à les recevoir.

La tragédie domestique aurait la difficulté des deux genres; l'effet de la tragédie héroïque à produire, et tout le plan à former d'invention, ainsi que dans la comédie.

Je me suis demandé quelquefois si la tragédie domestique se pouvait écrire en vers; et, sans trop savoir pourquoi, je me suis répondu que non. Cependant, la comédie ordinaire s'écrit en vers; la tragédie héroïque s'écrit en vers.

---

1. Début du livre VII du *Télémaque* de Fénelon (Amsterdam, Wetstein, 1719, p. 125).
Citation abrégée *in* 1758, 1772 et restituée par A.T.

Que ne peut-on pas écrire en vers! Ce genre exigerait-il un style particulier dont je n'ai pas la notion? ou la vérité du sujet et la violence de l'intérêt rejetteraient-elles un langage symétrisé? La condition des personnages serait-elle trop voisine de la nôtre, pour admettre une harmonie régulière?

Résumons. Si l'on mettait en vers l'*Histoire de Charles XII*, elle n'en serait pas moins une histoire. Si l'on mettait la *Henriade* en prose, elle n'en serait pas moins un poème. Mais l'historien a écrit ce qui est arrivé, purement et simplement, ce qui ne fait pas toujours sortir les caractères autant qu'ils pourraient; ce qui n'émeut ni n'intéresse pas autant qu'il est possible d'émouvoir et d'intéresser. Le poète eût écrit tout ce qui lui aurait semblé devoir affecter le plus. Il eût imaginé des événements. Il eût feint des discours. Il eût chargé l'histoire. Le point important pour lui eût été d'être merveilleux, sans cesser d'être vraisemblable; ce qu'il eût obtenu, en se conformant à l'ordre de la nature, lorsqu'elle se plaît à combiner des incidents extraordinaires, et à sauver les incidents extraordinaires par des circonstances communes.

Voilà la fonction du poète. Quelle différence entre le versificateur et lui! Cependant ne croyez pas que je méprise le premier; son talent est rare. Mais si vous faites du versificateur un Apollon, le poète sera pour moi un Hercule. Or, supposez une lyre à la main d'Hercule, et vous n'en ferez pas un Apollon. Appuyez un Apollon sur une massue, jetez sur ses épaules la peau du lion de Némée, et vous n'en ferez pas un Hercule.

D'où l'on voit qu'une tragédie en prose est tout autant un poème, qu'une tragédie en vers; qu'il en est de même de la comédie et du roman; mais que le but de la poésie est plus général que celui de l'histoire. On lit, dans l'histoire, ce qu'un homme du caractère de Henri IV a fait et souffert. Mais combien de circonstances possibles où il eût agi et souffert d'une manière conforme à son caractère, plus merveilleuse, que l'histoire n'offre pas, mais que la poésie imagine!

L'imagination, voilà la qualité sans laquelle on n'est ni un poète, ni un philosophe, ni un homme d'esprit, ni un être raisonnable, ni un homme.

« Qu'est-ce donc que l'imagination? me direz-vous. »

O mon ami, quel piège vous tendez à celui qui s'est proposé de vous entretenir de l'art dramatique! S'il se met à philosopher, adieu son objet.

L'imagination est la faculté de se rappeler des images. Un homme entièrement privé de cette faculté serait un stupide, dont toutes les fonctions intellectuelles se réduiraient à produire les sons qu'il aurait appris à combiner dans l'enfance, et à les appliquer machinalement aux circonstances de la vie.

C'est la triste condition du peuple, et quelquefois du philosophe. Lorsque la rapidité de la conversation entraîne celui-ci, et ne lui laisse pas le temps de descendre des mots aux images, que fait-il autre chose, si ce n'est de se rappeler des sons et de les produire combinés dans un certain ordre? O combien l'homme qui pense le plus est encore automate!

Mais quel est le moment où il cesse d'exercer sa mémoire, et où il commence à appliquer son imagination? C'est celui où, de questions en questions, vous le forcez d'imaginer; c'est-à-dire de passer de sons abstraits et généraux à des sons moins abstraits et moins généraux, jusqu'à ce qu'il soit arrivé à quelque représentation sensible, le dernier terme et le repos de sa raison. Alors, que devient-il? Peintre ou poète.

Demandez-lui par exemple : qu'est-ce que la justice? Et vous serez convaincu qu'il ne s'entendra lui-même que quand, la connaissance se portant de son âme vers les objets par le même chemin qu'elle y est venue, il imaginera deux hommes conduits par la faim vers un arbre chargé de fruits; l'un monté sur l'arbre, et cueillant; et l'autre s'emparant, par la violence, du fruit que le premier a cueilli. Alors il vous fera remarquer les mouvements qui se manifesteront en eux; les signes du ressentiment d'un côté, les symptômes de la crainte de l'autre; celui-là se tenant pour offensé, et l'autre se chargeant lui-même du titre odieux d'offenseur.

Si vous faites la même question à un autre, sa dernière réponse se résoudra en un autre tableau. Autant de têtes, autant de tableaux différents peut-être : mais tous représenteront deux hommes éprouvant dans un même instant des impressions contraires; produisant des mouvements opposés; ou poussant des cris inarticulés et sauvages, qui, rendus avec le temps dans la langue de l'homme policé, signifient et signifieront éternellement, justice, injustice.

C'est par un toucher qui se diversifie dans la nature animée en une infinité de manières et de degrés, et qui s'appelle dans l'homme, voir, entendre, flairer, goûter et sentir, qu'il reçoit des impressions qui se conservent dans ses organes, qu'il distingue ensuite par des mots, et qu'il se rappelle ou par ces mots mêmes ou par des images.

Se rappeler une suite nécessaire d'images telles qu'elles se succèdent dans la nature, c'est raisonner d'après les faits. Se rappeler une suite d'images comme elles se succéderaient nécessairement dans la nature, tel ou tel phénomène étant donné, c'est raisonner d'après une hypothèse, ou feindre; c'est être philosophe ou poète, selon le but qu'on se propose.

Et le poète qui feint, et le philosophe qui raisonne, sont également, et dans le même sens, conséquents ou inconséquents : car être conséquent, ou avoir l'expérience de l'enchaînement nécessaire des phénomènes, c'est la même chose.

En voilà, ce me semble, assez pour montrer l'analogie de la vérité et de la fiction, caractériser le poète et le philosophe, et relever le mérite du poète, surtout épique ou dramatique. Il a reçu de la nature, dans un degré supérieur, la qualité qui distingue l'homme de génie de l'homme ordinaire, et celui-ci du stupide : l'imagination, sans laquelle le discours se réduit à l'habitude mécanique d'appliquer des sons combinés.

Mais le poète ne peut s'abandonner à toute la fougue de son imagination; il est des bornes qui lui sont prescrites. Il a le modèle de sa conduite dans les cas rares de l'ordre général des choses. Voilà sa règle.

Plus ces cas seront rares et singuliers, plus il lui faudra

d'art, de temps, d'espace et de circonstances communes pour en compenser le merveilleux et fonder l'illusion.

Si le fait historique n'est pas assez merveilleux, il le fortifiera par des incidents extraordinaires; s'il l'est trop, il l'affaiblira par des incidents communs.

Ce n'est pas assez, ô poète comique, d'avoir dit dans votre esquisse : je veux que ce jeune homme ne soit que faiblement attaché à cette courtisane; qu'il la quitte; qu'il se marie; qu'il ne manque pas de goût pour sa femme; que cette femme soit aimable; et que son époux se promette une vie supportable avec elle : je veux encore qu'il couche à côté d'elle pendant deux mois, sans en approcher; et cependant, qu'elle se trouve grosse. Je veux une belle-mère qui soit folle de sa bru; j'ai besoin d'une courtisane qui ait des sentiments; je ne puis me passer d'un viol, et je veux qu'il se soit fait dans la rue, par un jeune homme ivre [1]. Fort bien, courage; entassez, entassez circonstances bizarres sur circonstances bizarres; j'y consens. Votre fable sera merveilleuse, sans contredit; mais n'oubliez pas que vous aurez à racheter tout ce merveilleux par une multitude d'incidents communs qui le sauvent et qui m'en imposent.

L'art poétique serait donc bien avancé, si le traité de la certitude historique était fait. Les mêmes principes s'appliqueraient au conte, au roman, à l'opéra, à la farce, à toutes les sortes de poèmes, sans en excepter la fable.

Si un peuple était persuadé, comme d'un point fondamental de sa croyance, que les animaux parlaient autrefois, la fable aurait, chez ce peuple, un degré de vraisemblance qu'elle ne peut avoir parmi nous.

Lorsque le poète aura formé son plan, en donnant à son esquisse l'étendue convenable, et que son drame sera distribué par actes et par scènes, qu'il travaille; qu'il commence par la première scène, et qu'il finisse par la dernière. Il se trompe, s'il croit pouvoir impunément s'abandonner à son caprice, sauter d'un endroit à un autre, et se porter partout où son génie l'appellera. Il ne sait pas la peine qu'il se pré-

1. C'est l'argument de l'*Hécyre* de Térence.

are, s'il veut que son ouvrage soit un. Combien d'idées éplacées, qu'il arrachera d'un endroit pour les insérer dans n autre! L'objet de sa scène aura beau être déterminé, il le nanquera.

Les scènes ont une influence les unes sur les autres, qu'il ne sentira pas. Ici, il sera diffus; là, trop court; tantôt froid, antôt trop passionné. Le désordre de sa manière de faire e répandra sur toute sa composition; et, quelque soin qu'il e donne, il en restera toujours des traces.

Avant que de passer d'une scène à celle qui suit, on ne eut trop se remplir de celles qui précèdent.

« Voilà une manière de travailler bien sévère. »

Il est vrai.

« Que fera le poète, si au commencement de son poème 'est la fin qui l'inspire? »

Qu'il se repose.

« Mais, plein de ce morceau, il l'eût exécuté de génie. »

S'il a du génie, qu'il n'appréhende rien. Les idées qu'il raint de perdre reviendront; elles reviendront fortifiées d'un ortège d'autres qui naîtront de ce qu'il aura fait, et qui onneront à la scène plus de chaleur, plus de couleur [1], et lus de liaison avec le tout. Tout ce qu'il pourra dire, il le ira; et croyez-vous qu'il en soit ainsi, s'il marche par bonds et par sauts?

Ce n'est pas ainsi que j'ai cru devoir travailler, convaincu que ma manière était la plus sûre et la plus aisée.

Le Père de famille a cinquante-trois scènes; la première a été écrite la première, la dernière a été écrite la dernière et sans un enchaînement de circonstances singulières qui m'ont rendu la vie pénible et le travail rebutant [2], cette occupation n'eût été pour moi qu'un amusement de quelques semaines. Mais comment se métamorphoser en diffé-

---

1. *Om.* A.T. : plus de couleur.

2. Nous avons signalé dans notre préface « ces circonstances singulières » : Diderot est harcelé par ses ennemis. En novembre 1757, Palissot lance ses *Petites lettres sur de grands philosophes* en amplifiant les attaques de Fréron contre *Le Fils naturel*. En jan-

rents caractères, lorsque le chagrin nous attache à nous-mêmes ? Comment s'oublier lorsque l'ennui nous rappelle à notre existence ? Comment échauffer, éclairer les autres, lorsque la lampe de l'enthousiasme est éteinte, et que la flamme du génie ne luit plus sur le front ?

Que d'efforts n'a-t-on pas faits pour m'étouffer en naissant ? Après la persécution du *Fils naturel*, croyez-vous, ô mon ami ! que je dusse être tenté de m'occuper du *Père de famille ?* Le voilà cependant. Vous avez exigé que j'achevasse cet ouvrage ; et je n'ai pu vous refuser cette satisfaction. En revanche, permettez-moi de dire un mot de ce *Fils naturel* si méchamment persécuté.

Charles Goldoni a écrit en italien une comédie, ou plutôt une farce en trois actes, qu'il a intitulé *l'Ami sincère*. C'est un tissu des caractères de l'*Ami vrai* et de *l'Avare* de Molière. La cassette et le vol y sont ; et la moitié des scènes se passent dans la maison d'un père avare.

Je laissai là toute cette portion de l'intrigue, car je n'ai, dans *le Fils naturel*, ni avare, ni père, ni vol, ni cassette.

Je crus que l'on pouvait faire quelque chose de supportable de l'autre portion ; et je m'en emparai comme d'un bien qui m'eût appartenu. Goldoni n'avait pas été plus scrupuleux ; il s'était emparé de *l'Avare*, sans que personne se fût avisé de le trouver mauvais ; et l'on n'avait point imaginé parmi nous d'accuser Molière ou Corneille de plagiat, pour avoir emprunté tacitement l'idée de quelque pièce, ou d'un auteur italien, ou du théâtre espagnol.

Quoi qu'il en soit, de cette portion d'une farce en trois actes, j'en fis la comédie du *Fils naturel* en cinq ; et mon dessein n'étant pas de donner cet ouvrage au théâtre, j'y joignis quelques idées que j'avais sur la poétique, la musique la déclamation, et la pantomime ; et je formai du tout une

---

vier 1758, *La Religion vengée* du père Hayer tonne contre l'*Encyclopédie*. D'Alembert le même mois renonce à la grande œuvre. En février, Voltaire réclame ses articles manuscrits. Le calme revenait lorsque la publication de *L'Esprit* d'Helvétius (15 juillet) et sa condamnation (10 août 1758) remirent tout en cause.

espèce de roman que j'intitulai *le Fils naturel*, ou *les Épreuves de la vertu*, avec l'histoire véritable de la pièce.

Sans la supposition que l'aventure du *Fils naturel* était réelle, que devenaient l'illusion de ce roman et toutes les observations répandues dans les entretiens sur la différence qu'il y a entre un fait vrai et un fait imaginé, des personnages réels et des personnages fictifs, des discours tenus et des discours supposés; en un mot, toute la poétique où la vérité est mise sans cesse en parallèle avec la fiction?

Mais comparons un peu plus rigoureusement l'*Ami vrai* du poète italien avec le *Fils naturel*.

Quelles sont les parties principales d'un drame? L'intrigue, les caractères, et les détails.

La naissance illégitime de Dorval est la base du *Fils naturel*[1]. Sans cette circonstance, la fuite de son père aux îles reste sans fondement. Dorval ne peut ignorer qu'il a une sœur, et qu'il vit à côté d'elle. Il n'en deviendra pas amoureux; il ne sera plus le rival de son ami; il faut que Dorval soit riche; et son père n'aura plus aucune raison de l'enrichir. Que signifie la crainte qu'il a de s'ouvrir à Constance? La scène d'André n'a plus lieu. Plus de père qui revienne des îles, qui soit pris dans la traversée, et qui dénoue. Plus d'intrigue; plus de pièce.

Or, y a-t-il, dans l'*Ami sincère*, aucune de ces choses, sans lesquelles *le Fils naturel* ne peut subsister? Aucune. Voilà pour l'intrigue.

Venons aux caractères. Y a-t-il un amant violent, tel que Clairville? Non. Y a-t-il une fille ingénue, telle que Rosalie? Non. Y a-t-il une femme qui ait l'âme et l'élévation des sen-

---

1. Cf. Palissot, *Petites lettres sur de grands philosophes* (Paris, 1757, p. 45) : « Une des singularités de ce chef-d'œuvre, c'est son titre. Cela s'appelle *Le Fils naturel*, on ne sait pourquoi. Vous connaissez, Madame, la marche de la pièce? La bâtardise de Dorval influe-t-elle en rien dans l'ouvrage? Y fait-elle un événement? Amène-t-elle une situation? Fournit-elle seulement un remplissage? Non. Quel peut donc avoir été le but de l'auteur? De renouveler des Grecs deux ou trois réflexions sur l'injustice des préjugés de naissance? »

timents de Constance? Non. Y a-t-il un homme du caractère sombre et farouche de Dorval? Non. Il n'y a donc, dans l'*Ami vrai*, aucun de mes caractères? Aucun, sans en excepter André. Passons aux détails.

Dois-je au poète étranger une seule idée qu'on puisse citer? Pas une.

Qu'est-ce que sa pièce? Une farce. Est-ce une farce, que *le Fils naturel?* Je ne le crois pas.

Je puis donc avancer :

Que celui qui dit que le genre dans lequel j'ai écrit *le Fils naturel* est le même que le genre dans lequel Goldoni a écrit l'*Ami vrai*, dit un mensonge.

Que celui qui dit que mes caractères et ceux de Goldoni ont la moindre ressemblance, dit un mensonge.

Que celui qui dit qu'il y a dans les détails un mot important, qu'on ait transporté de l'*Ami vrai* dans *le Fils naturel*, dit un mensonge.

Que celui qui dit que la conduite du *Fils naturel* ne diffère point de celle de l'*Ami vrai*, dit un mensonge [1].

Cet auteur a écrit une soixantaine de pièces. Si quelqu'un se sent porté à ce genre de travail, je l'invite à choisir parmi celles qui restent, et à en composer un ouvrage qui puisse nous plaire.

Je voudrais bien qu'on eût une douzaine de pareils larcins à me reprocher; et je ne sais si *le Père de famille* aura gagné quelque chose à m'appartenir en entier.

Au reste, puisqu'on n'a pas dédaigné de m'adresser les mêmes reproches que certaines gens faisaient autrefois à Térence, je renverrai mes censeurs aux prologues de ce poète. Qu'ils les lisent, pendant que je m'occuperai, dans mes heures de délassement, à écrire quelque pièce nouvelle. Comme mes vues sont droites et pures, je me consolerai facilement de leur méchanceté, si je puis réussir encore à attendrir les honnêtes gens.

---

1. C'est ce qui apparaissait très clairement dans l'analyse que donnait Fréron du *Fils naturel* (*Année littéraire*, 1757, lettre VII, p. 148), et d'*Il vero amico* (*ibid.*, lettre XIII, p. 290). Palissot reprend l'accusation dans ses *Petites lettres* (*op. cit.*, p. 73).

La nature m'a donné le goût de la simplicité; et je tâche de le perfectionner par la lecture des Anciens. Voilà mon secret. Celui qui lirait Homère avec un peu de génie, y découvrirait bien plus sûrement la source où je puise.

O mon ami, que la simplicité est belle! Que nous avons mal fait de nous en éloigner!

Voulez-vous entendre ce que la douleur inspire à un père qui vient de perdre son fils? Écoutez Priam.

« Éloignez-vous, mes amis; laissez-moi seul; votre consolation m'importune... J'irai sur les vaisseaux des Grecs; oui, j'irai. Je verrai cet homme terrible; je le supplierai. Peut-être il aura pitié de mes ans; il respectera ma vieillesse... Il a un père âgé comme moi... Hélas! ce père l'a mis au monde pour la honte et le désastre de cette ville!... Quels maux ne nous a-t-il pas faits à tous? Mais à qui en a-t-il fait autant qu'à moi? Combien ne m'a-t-il pas ravi d'enfants, et dans la fleur de leur jeunesse!... Tous m'étaient chers... je les ai tous pleurés. Mais c'est la perte de ce dernier qui m'est surtout cruelle; j'en porterai la douleur jusqu'aux enfers... Eh! pourquoi n'est-il pas mort entre mes bras?... Nous nous serions rassasiés de pleurs sur lui, moi, et la mère malheureuse qui lui donna la vie[1]. »

Voulez-vous savoir quels sont les vrais discours d'un père suppliant aux genoux du meurtrier de son fils? Écoutez le même Priam aux genoux d'Achille.

« Achille, ressouvenez-vous de votre père; il est du même âge que moi, et nous gémissons tous les deux sous le poids des années... Hélas! peut-être est-il pressé par des voisins ennemis, sans avoir à côté de lui personne qui puisse éloigner le péril qui le menace... Mais s'il a entendu dire que vous vivez, son cœur s'ouvre à l'espérance et à la joie; et il passe les jours dans l'attente du moment où il reverra son fils... Quelle différence de son sort au mien!... J'avais des enfants et je suis comme si je les avais tous perdus... De cinquante que je comptais autour de moi, lorsque les Grecs

1. Homère, *Iliade*, chant XXII : traduction partielle et paraphrase des vers 416-428.

sont arrivés, il ne m'en restait qu'un qui pût nous défendre et il vient de périr par vos mains sous les murs de cette ville Rendez-moi son corps; recevez mes présents; respectez les dieux; rappelez-vous votre père, et ayez pitié de moi.. Voyez où j'en suis réduit... Fut-il un monarque plus humilié? un homme plus à plaindre? Je suis à vos pieds, et je baise vos mains teintes du sang de mon fils [1]. »

Ainsi parla Priam; et le fils de Pelée sentit, au souvenir de son père, la pitié s'émouvoir au fond de son cœur. Il releva le vieillard, et le repoussant doucement, il l'écarta de lui.

Qu'est-ce qu'il y a là dedans? Point d'esprit, mais des choses d'une vérité si grande, qu'on se persuaderait presque qu'on les aurait trouvées comme Homère. Pour nous, qui connaissons un peu la difficulté et le mérite d'être simple lisons ces morceaux; lisons-les bien; et puis prenons tous nos papiers et les jetons au feu. Le génie se sent; mais il ne s'imite point.

XI. De l'intérêt

Dans les pièces compliquées, l'intérêt est plus l'effet du plan que des discours; c'est au contraire plus l'effet des discours que du plan, dans les pièces simples. Mais à qui doit-on rapporter l'intérêt? Est-ce aux personnages? Est-ce aux spectateurs?

Les spectateurs ne sont que des témoins ignorés de la chose.

« Ce sont donc les personnages qu'il faut avoir en vue? »

Je le crois. Qu'ils forment le nœud, sans s'en apercevoir que tout soit impénétrable pour eux; qu'ils s'avancent au dénoûment, sans s'en douter. S'ils sont dans l'agitation, il faudra bien que je suive et que j'éprouve les mêmes mouvements.

Je suis si loin de penser, avec la plupart de ceux qui ont écrit de l'art dramatique, qu'il faille dérober au spectateur le dénoûment, que je ne croirais pas me proposer une tâche

1. *Ibid.*, chant XXIV : traduction partielle des vers 486-506

fort au-dessus de mes forces, si j'entreprenais un drame où le dénoûment serait annoncé dès la première scène, et où je ferais sortir l'intérêt le plus violent de cette circonstance même.

Tout doit être clair pour le spectateur. Confident de chaque personnage, instruit de ce qui s'est passé et de ce qui se passe, il y a cent moments où l'on n'a rien de mieux à faire que de lui déclarer nettement ce qui se passera.

O faiseurs de règles générales, que vous ne connaissez guère l'art, et que vous avez peu de ce génie qui a produit les modèles sur lesquels vous avez établi ces règles, qu'il est le maître d'enfreindre quand il lui plaît!

On trouvera, dans mes idées, tant de paradoxes qu'on voudra, mais je persisterai à croire que, pour une occasion où il est à propos de cacher au spectateur un incident important avant qu'il ait lieu, il y en a plusieurs où l'intérêt demande le contraire.

Le poète me ménage, par le secret, un instant de surprise; il m'eût exposé, par la confidence, à une longue inquiétude.

Je ne plaindrai qu'un instant celui qui sera frappé et accablé dans un instant. Mais que deviens-je, si le coup se fait attendre, si je vois l'orage se former sur ma tête ou sur celle d'un autre, et y demeurer longtemps suspendu?

Lusignan ignore qu'il va retrouver ses enfants; le spectateur l'ignore aussi. Zaïre et Nérestan ignorent qu'ils sont frère et sœur; le spectateur l'ignore aussi. Mais quelque pathétique que soit cette reconnaissance, je suis sûr que l'effet en eût été beaucoup plus grand encore, si le spectateur eût été prévenu. Que ne me serais-je pas dit à moi-même, à l'approche de ces quatre personnages? Avec quelle attention et quel trouble n'aurais-je pas écouté chaque mot qui serait sorti de leur bouche? A quelle gêne le poète ne m'aurait-il pas mis? Mes larmes ne coulent qu'au moment de la reconnaissance; elles auraient coulé longtemps auparavant.

Quelle différence d'intérêt entre cette situation où je ne suis pas du secret, et celle où je sais tout, et où je vois Orosmane, un poignard à la main, attendre Zaïre, et cette infortunée s'avancer vers le coup? Quels mouvements le spectateur n'eût-il pas éprouvés, s'il eût été libre au poète de tirer de cet instant tout l'effet qu'il pouvait produire; et si notre scène, qui s'oppose aux plus grands effets, lui eût permis de faire entendre dans les ténèbres la voix de Zaïre, et de me la montrer de plus loin?

Dans *Iphigénie en Tauride*, le spectateur connaît l'état des personnages; supprimez cette circonstance, et voyez si vous ajouterez ou si vous ôterez à l'intérêt.

Si j'ignore que Néron écoute l'entretien de Britannicus et de Junie, je n'éprouve plus la terreur.

Lorsque Lusignan et ses enfants se sont reconnus, en deviennent-ils moins intéressants? Nullement. Qu'est-ce qui soutient et fortifie l'intérêt? C'est ce que le sultan ne sait pas, et ce dont le spectateur est instruit.

Que tous les personnages s'ignorent, si vous le voulez; mais que le spectateur les connaisse tous.

J'oserais presque assurer qu'un sujet où les réticences sont nécessaires, est un sujet ingrat; et qu'un plan où l'on y a recours est moins bon que si l'on eût pu s'en passer. On n'en tirera rien de bien énergique; on s'assujettira à des préparations toujours trop obscures ou trop claires. Le poème deviendra un tissu de petites finesses, à l'aide desquelles on ne produira que de petites surprises. Mais tout ce qui concerne les personnages est-il connu? J'entrevois, dans cette supposition, la source des mouvements les plus violents. Le poète grec, qui différa jusqu'à la dernière scène la reconnaissance d'Oreste et d'Iphigénie, fut un homme de génie. Oreste est appuyé sur l'autel, sa sœur a le couteau sacré levé sur son sein. Oreste, prêt à périr, s'écrie : « N'était-ce pas assez que la sœur fût immolée? Fallait-il que le frère le fût aussi? » Voilà le moment, que le poète m'a fait attendre pendant cinq actes.

« Dans quelque drame que ce soit, le nœud est connu; il se forme en présence du spectateur. Souvent le titre seul[1] d'une tragédie en annonce le dénoûment; c'est un fait donné

1. A.T. : le seul titre.

par l'histoire. C'est la mort de César, c'est le sacrifice d'Iphigénie : mais il n'en est pas ainsi dans la comédie. »

Pourquoi donc? Le poète n'est-il pas le maître de me révéler de son sujet ce qu'il juge à propos? Pour moi, je me serais beaucoup applaudi, si, dans *le Père de famille* (qui n'eût plus été le Père de famille, mais une pièce d'un autre nom), j'avais pu ramasser toute la persécution du Commandeur sur Sophie. L'intérêt ne se serait-il pas accru, par la connaissance que cette jeune fille, dont il parlait si mal, qu'il poursuivait si vivement, qu'il voulait faire enfermer, était sa propre nièce? Avec quelle impatience n'aurait-on pas attendu l'instant de la reconnaissance, qui ne produit, dans ma pièce, qu'une surprise passagère? C'eût été celui du triomphe d'une infortunée à laquelle on eût pris le plus grand intérêt, et de la confusion d'un homme dur qu'on n'aimait pas.

Pourquoi l'arrivée de Pamphile n'est-elle, dans l'*Hécyre*, qu'un incident ordinaire? C'est que le spectateur ignore que sa femme est grosse; qu'elle ne l'est pas de lui; et que le moment de son retour est précisément celui des couches de sa femme.

Pourquoi certains monologues ont-ils de si grands effets? C'est qu'ils m'instruisent des desseins secrets d'un personnage; et que cette confidence me saisit à l'instant de crainte ou d'espérance.

Si l'état des personnages est inconnu, le spectateur ne pourra prendre à l'action plus d'intérêt que les personnages : mais l'intérêt doublera pour le spectateur, s'il est assez instruit, et qu'il sente que les actions et les discours seraient bien différents, si les personnages se connaissaient. C'est ainsi que vous produirez en moi une attente violente de ce qu'ils deviendront, lorsqu'ils pourront comparer ce qu'ils sont avec ce qu'ils ont fait ou voulu faire.

Que le spectateur soit instruit de tout, et que les personnages s'ignorent s'il se peut; que satisfait de ce qui est présent, je souhaite vivement ce qui va suivre; qu'un personnage m'en fasse désirer un autre; qu'un incident me hâte vers l'incident qui lui est lié; que les scènes soient rapides;

qu'elles ne contiennent que des choses essentielles à l'action, et je serai intéressé.

Au reste, plus je réfléchis sur l'art dramatique, plus j'entre en humeur contre ceux qui en ont écrit. C'est un tissu de lois particulières, dont on a fait des préceptes généraux. On a vu certains incidents produire de grands effets; et aussitôt on a imposé au poète la nécessité des mêmes moyens, pour obtenir les mêmes effets; tandis qu'en y regardant de plus près, ils auraient aperçu de plus grands effets encore à produire par des moyens tout contraires. C'est ainsi que l'art s'est surchargé de règles; et que les auteurs, en s'y assujettissant servilement, se sont quelquefois donné beaucoup de peine pour faire moins bien.

Si l'on avait conçu que, quoiqu'un ouvrage dramatique ait été fait pour être représenté, il fallait cependant que l'auteur et l'acteur oubliassent le spectateur, et que tout l'intérêt fût relatif aux personnages, on ne lirait pas si souvent dans les poétiques : Si vous faites ceci ou cela, vous affecterez ainsi ou autrement votre spectateur. On y lirait au contraire : Si vous faites ceci ou cela, voici ce qui en résultera parmi vos personnages.

Ceux qui ont écrit de l'art dramatique ressemblent à un homme qui, s'occupant des moyens de remplir de trouble toute une famille, au lieu de peser ces moyens par rapport au trouble de la famille, les pèserait relativement à ce qu'en diront les voisins Eh! laissez là les voisins; tourmentez vos personnages; et soyez sûr que ceux-ci n'éprouveront aucune peine, que les autres ne partagent.

D'autres modèles, l'on eût prescrit d'autres lois, et peut-être on eût dit : Que votre dénoûment soit connu, qu'il le soit de bonne heure, et que le spectateur soit perpétuellement suspendu dans l'attente du coup de lumière qui va éclairer tous les personnages sur leurs actions et sur leur état.

Est-il important de rassembler l'intérêt d'un drame vers sa fin, ce moyen m'y paraît aussi propre que le moyen contraire. L'ignorance et la perplexité excitent la curiosité du spectateur, et la soutiennent; mais ce sont les choses connues et toujours attendues, qui le troublent et qui l'agitent. Cette ressource est sûre pour tenir la catastrophe toujours présente.

Si, au lieu de se renfermer entre les personnages et de laisser le spectateur devenir ce qu'il voudra, le poète sort de l'action et descend dans le parterre, il gênera son plan. Il imitera les peintres, qui, au lieu de s'attacher à la représentation rigoureuse de la nature, la perdent de vue pour s'occuper des ressources de l'art, et songent, non pas à me la montrer comme elle est et comme ils la voient, mais à en disposer relativement à des moyens techniques et communs.

Tous les points d'un espace ne sont-ils pas diversement éclairés ? Ne se séparent-ils pas ? Ne fuient-ils pas dans une plaine aride et déserte, comme dans le paysage le plus varié ? Si vous suivez la routine du peintre, il en sera de votre drame ainsi que de son tableau. Il a quelques beaux endroits, vous aurez quelques beaux instants. Mais il ne s'agit pas de cela; il faut que le tableau soit beau dans toute son étendue, et votre drame dans toute sa durée.

Et l'acteur, que deviendra-t-il, si vous vous êtes occupé du spectateur ? Croyez-vous qu'il ne sentira pas que ce que vous avez placé dans cet endroit et dans celui-ci n'a pas été imaginé pour lui ? Vous avez pensé au spectateur, il s'y adressera. Vous avez voulu qu'on vous applaudît, il voudra qu'on l'applaudisse; et je ne sais plus ce que l'illusion deviendra.

J'ai remarqué que l'acteur jouait mal tout ce que le poète avait composé pour le spectateur; et que, si le parterre eût fait son rôle, il eût dit au personnage : « A qui en voulez-vous ? Je n'en suis pas. Est-ce que je me mêle de vos affaires ? Rentrez chez vous ; » et que, si l'auteur eût fait le sien, il serait sorti de la coulisse, et eût répondu au parterre : « Pardon, messieurs, c'est ma faute; une autre fois je ferai mieux, et lui aussi. »

Soit donc que vous composiez, soit que vous jouiez, ne pensez non plus au spectateur que s'il n'existait pas. Imaginez, sur le bord du théâtre, un grand mur qui vous sépare du parterre; jouez comme si la toile ne se levait pas.

« Mais l'Avare qui a perdu sa cassette, dit cependant au spectateur : Messieurs, mon voleur n'est-il pas parmi vous [1] ? »

Eh ! laissez là cet auteur. L'écart d'un homme de génie ne prouve rien contre le sens commun. Dites-moi seulement s'il est possible que vous vous adressiez un instant au spectateur sans arrêter l'action ; et si le moindre défaut des détails où vous l'aurez considéré, n'est pas de disperser autant de petits repos sur toute la durée de votre drame, et de le ralentir ?

Qu'un auteur intelligent fasse entrer dans son ouvrage des traits que le spectateur s'applique, j'y consens ; qu'il y rappelle des ridicules en vogue, des vices dominants, des événements publics ; qu'il instruise et qu'il plaise, mais que ce soit sans y penser. Si l'on remarque son but, il le manque ; il cesse de dialoguer, il prêche.

XII. De l'exposition

La première partie d'un plan, disent nos critiques, c'est l'exposition.

Une exposition dans la tragédie, où le fait est connu, s'exécute en un mot. Si ma fille met le pied dans l'Aulide, elle est morte. Dans la comédie, si j'osais, je dirais que c'est l'affiche. Dans le *Tartuffe*, où est l'exposition [2] ? J'aimerais autant qu'on demandât au poète d'arranger ses premières scènes de manière qu'elles continssent l'esquisse même de son drame.

Tout ce que je conçois, c'est qu'il y a un moment où l'action dramatique doit commencer ; et que si le poète a mal

---

1. *L'Avare* (IV, 7) : « De grâce, si l'on sait des nouvelles de mon voleur, je supplie que l'on m'en dise. N'est-il point caché parmi vous ? Ils me regardent tous et se mettent à rire. »

2. Nous préférons l'avis de Gœthe : l'exposition du *Tartuffe* est « en ce genre ce qu'il y a de plus grand ». La scène de Mme Pernelle permet en effet de rassembler tous les visages et tous les ressorts de l'action.

choisi ce moment, il sera trop éloigné ou trop voisin de la catastrophe. Trop voisin de la catastrophe, il manquera de matière, et peut-être sera-t-il forcé d'étendre son sujet par une intrigue épisodique. Trop éloigné, son mouvement sera lâche, ses actes longs et chargés d'événements ou de détails qui n'intéresseront pas.

La clarté veut qu'on dise tout. Le genre veut qu'on soit rapide. Mais comment tout dire et marcher rapidement?

L'incident qu'on aura choisi comme le premier, sera le sujet de la première scène; il amènera la seconde; la seconde amènera la troisième, et l'acte se remplira. Le point important, c'est que l'action croisse en vitesse, et soit claire; c'est ici le cas de penser au spectateur. D'où l'on voit que l'exposition se fait à mesure que le drame s'accomplit, et que le spectateur ne sait tout et n'a tout vu que quand la toile tombe.

Plus le premier incident laissera de choses en arrière, plus on aura de détails pour les actes suivants. Plus le poète sera rapide et plein, plus il faudra qu'il soit attentif. Il ne peut se supposer à la place du spectateur que jusqu'à un certain point. Son intrigue lui est si familière, qu'il lui sera facile de se croire clair, quand il sera obscur. C'est à son censeur à l'instruire; car, quelque génie qu'ait un poète, il lui faut un censeur. Heureux, mon ami, s'il en rencontre un qui soit vrai, et qui ait plus de génie que lui! C'est de lui qu'il apprendra que l'oubli le plus léger suffit pour détruire toute illusion; qu'une petite circonstance omise ou mal présentée décèle le mensonge; qu'un drame est fait pour le peuple, et qu'il ne faut supposer au peuple ni trop d'imbécillité, ni trop de finesse.

Expliquer tout ce qui le demande, mais rien au delà.

Il y a des choses minutieuses que le spectateur ne se soucie pas d'apprendre, et dont il se rendra raison à lui-même. Un incident n'a-t-il qu'une cause, et cette cause ne se présente-t-elle pas tout à coup à l'esprit? C'est une énigme qu'on laisserait à deviner. Un incident a-t-il pu naître d'une manière simple et naturelle? L'expliquer, c'est s'appesantir sur un détail qui n'excite point ma curiosité.

Rien n'est beau s'il n'est un; et c'est le premier incident qui décidera de la couleur de l'ouvrage entier.

Si l'on débute par une situation forte, tout le reste sera de la même vigueur, ou languira. Combien de pièces que le début a tuées! Le poète a craint de commencer froidement, et ses situations ont été si fortes, qu'il n'a pu soutenir les premières impressions qu'il m'a faites.

XIII. Des caractères

Si le plan de l'ouvrage est bien fait, si le poète a bien choisi son premier moment, s'il est entré par le centre de l'action, s'il a bien dessiné ses caractères, comment n'aurait-il pas du succès? Mais c'est aux situations à décider des caractères.

Le plan d'un drame peut être fait et bien fait, sans que le poète sache rien encore du caractère qu'il attachera à ses personnages. Des hommes de différents caractères sont tous les jours exposés à un même événement. Celui qui sacrifie sa fille peut être ambitieux, faible ou féroce. Celui qui a perdu son argent, riche ou pauvre. Celui qui craint pour sa maîtresse, bourgeois ou héros, tendre ou jaloux, prince ou valet.

Les caractères seront bien pris, si les situations en deviennent plus embarrassantes et plus fâcheuses. Songez que les vingt-quatre heures que vos personnages vont passer sont les plus agitées et les plus cruelles de leur vie. Tenez-les donc dans la plus grande gêne possible. Que vos situations soient fortes; opposez-les aux caractères; opposez encore les intérêts aux intérêts. Que l'un ne puisse tendre à son but sans croiser les desseins d'un autre; et que tous occupés d'un même événement, chacun le veuille à sa manière.

Le véritable contraste, c'est celui des caractères avec les situations; c'est celui des intérêts avec les intérêts. Si vous rendez Alceste amoureux, que ce soit d'une coquette; Harpagon, d'une fille pauvre.

« Mais, pourquoi ne pas ajouter à ces deux sortes de

contrastes, celui des caractères entre eux? Cette ressource est si commode au poète! »

Ajoutez, et si commune, que celle de placer sur le devant d'un tableau des objets qui servent de repoussoir, n'est pas plus familière au peintre.

Je veux que les caractères soient différents; mais je vous avoue que le contraste m'en déplaît. Écoutez mes raisons, et jugez.

Je remarque d'abord que le contraste est mauvais dans le style. Voulez-vous que des idées grandes, nobles et simples se réduisent à rien? Faites-les contraster entre elles, ou dans l'expression.

Voulez-vous qu'une pièce de musique soit sans expression et sans génie? Jetez-y du contraste, et vous n'aurez qu'une suite alternative de doux et de fort, de grave et d'aigu.

Voulez-vous qu'un tableau soit d'une composition désagréable et forcée? Méprisez la sagesse de Raphaël; strapassez [1], faites contraster vos figures.

L'architecture aime la grandeur et la simplicité; je ne dirai pas qu'elle rejette le contraste; elle ne l'admet point.

Dites-moi comment il se fait que le contraste soit une si pauvre chose dans tous les genres d'imitation, excepté dans le dramatique?

Mais, un moyen sûr de gâter un drame et de le rendre insoutenable à tout homme de goût, ce serait d'y multiplier les contrastes.

Je ne sais quel jugement on portera du *Père de famille;* mais s'il n'est que mauvais, je l'aurais rendu détestable en mettant le Commandeur en contraste avec le Père de famille; Germeuil avec Cécile; Saint-Albin avec Sophie, et la femme de chambre avec un des valets. Voyez ce qui résulterait de

1. Terme de peinture, tiré de l'italien *strapazzare*, attesté chez Poussin et dans le *Dictionnaire* de Richelet, et qui signifie *estropier*, *gâcher la besogne*. Diderot qui, dans les *Salons*, reviendra au sens classique, lui donne ici une acception toute personnelle : *outrer*, *forcer*, *faire contraster* (cf. Lettre à Mme Riccoboni, A.T., t. VII, p. 405).

ces antithèses; je dis antithèses, car le contraste des caractères est dans le plan d'un drame ce que cette figure est dans le discours. Elle est heureuse, mais il en faut user avec sobriété; et celui qui a le ton élevé, s'en passe toujours.

Une des parties les plus importantes dans l'art dramatique, et une des plus difficiles, n'est-ce pas de cacher l'art? Or, qu'est-ce qui en montre plus que le contraste? Ne paraît-il pas fait à la main? N'est-ce pas un moyen usé? Quelle est la pièce comique où il n'ait pas été mis en œuvre? Et quand on voit arriver sur la scène un personnage impatient ou bourru, où est le jeune homme échappé du collège, et caché dans un coin du parterre, qui ne se dise à lui-même : Le personnage tranquille et doux n'est pas loin?

Mais n'est-ce pas assez du vernis romanesque, malheureusement attaché au genre dramatique par la nécessité de n'imiter l'ordre général des choses que dans le cas où il s'est plu à combiner des incidents extraordinaires, sans ajouter encore à ce vernis si opposé à l'illusion, un choix de caractères qui ne se trouvent presque jamais rassemblés? Quel est l'état commun des sociétés? Est-ce celui où les caractères sont différents, ou celui où ils sont contrastés? Pour une circonstance de la vie où le contraste des caractères se montre aussi tranché qu'on le demande au poète, il y en a cent mille où ils ne sont que différents.

Le contraste des caractères avec les situations, et des intérêts entre eux, est au contraire de tous les instants.

Pourquoi a-t-on imaginé de faire contraster un caractère avec un autre? C'est sans doute afin de rendre l'un des deux plus sortant; mais on n'obtiendra cet effet qu'autant que ces caractères paraîtront ensemble : de là, quelle monotonie pour le dialogue! Quelle gêne pour la conduite! Comment réussirai-je à enchaîner naturellement les événements et à établir entre les scènes la succession convenable, si je suis occupé de la nécessité de rapprocher tel personnage de tel autre? Combien de fois n'arrivera-t-il pas que le contraste demande une scène, et que la vérité de la fable en demande une autre?

D'ailleurs, si les deux personnages contrastants étaient

dessinés avec la même force, ils rendraient le sujet du drame équivoque.

Je suppose que *le Misanthrope* n'eût point été affiché, et qu'on l'eût joué sans annonce; que serait-il arrivé si Philinte eût eu son caractère, comme Alceste a le sien? Le spectateur n'aurait-il pas été dans le cas de demander, du moins à la première scène, où rien ne distingue encore le personnage principal, lequel des deux on jouait, du Philanthrope ou du Misanthrope? Et comment évite-t-on cet inconvénient? On sacrifie l'un des deux caractères. On met dans la bouche du premier tout ce qui est pour lui, et l'on fait du second un sot ou un maladroit. Mais le spectateur ne sent-il pas ce défaut, surtout lorsque le caractère vicieux est le principal, comme dans l'exemple que je viens de citer?

« La première scène du *Misanthrope* est cependant un chef-d'œuvre. »

Oui : mais qu'un homme de génie s'en empare; qu'il donne à Philinte autant de sang-froid, de fermeté, d'éloquence, d'honnêteté, d'amour pour les hommes, d'indulgence pour leurs défauts, de compassion pour leur faiblesse qu'un ami véritable du genre humain en doit avoir; et tout à coup, sans toucher au discours d'Alceste, vous verrez le sujet de la pièce devenir incertain. Pourquoi donc ne l'est-il pas? Est-ce qu'Alceste a raison? Est-ce que Philinte a tort? Non; c'est que l'un plaide bien sa cause, et que l'autre défend mal la sienne [1].

Voulez-vous, mon ami, vous convaincre de toute la force de cette observation? Ouvrez les *Adelphes* de Térence, vous y verrez deux pères contrastés, et tous les deux avec la même force; et défiez le critique le plus délié de vous dire, de

---

1. C'est exactement l'opinion de J.-J. Rousseau dans la *Lettre à d'Alembert sur les spectacles*. Or la *Lettre* à laquelle il travaillait depuis janvier 1758 était déjà prête en mars-avril et mise en vente en octobre par Marc-Michel Rey; donc exactement contemporaine de l'essai de Diderot. La rupture entre les deux auteurs étant pratiquement consommée, il peut s'agir du souvenir d'anciennes conversations.

Micion ou de Deméa, qui est le personnage principal? S'il ose prononcer avant la dernière scène, il trouvera, à son étonnement, que celui qu'il a pris pendant cinq actes pour un homme sensé, n'est qu'un fou; et que celui qu'il a pris pour un fou, pourrait bien être l'homme sensé.

On dirait, au commencement du cinquième acte de ce drame, que l'auteur, embarrassé du contraste qu'il avait établi, a été contraint d'abandonner son but, et de renverser l'intérêt de sa pièce. Mais qu'est-il arrivé? C'est qu'on ne sait plus à qui s'intéresser; et qu'après avoir été pour Micion contre Deméa, on finit sans savoir pour qui l'on est. On désirerait presque un troisième père qui tînt le milieu entre ces deux personnages, et qui en fît connaître le vice.

Si l'on croit qu'un drame sans personnages contrastés en sera plus facile, on se trompe. Lorsque le poète ne pourra faire valoir ses rôles que par leurs différences, avec quelle vigueur ne faudra-t-il pas qu'il les dessine et les colorie? S'il ne veut pas être aussi froid qu'un peintre qui placerait des objets blancs sur un fond blanc, il aura sans cesse les yeux sur la diversité des états, des âges, des situations et des intérêts; et loin d'être jamais dans le cas d'affaiblir un caractère pour donner de la force à un autre, son travail sera de les fortifier tous.

Plus un genre sera sérieux, moins il me semblera admettre le contraste. Il est rare dans la tragédie. Si on l'y introduit, ce n'est qu'entre les subalternes. Le héros est seul. Il n'y a point de contraste dans *Britannicus*, point dans *Andromaque*, point dans *Cinna*, point dans *Iphigénie*, point dans *Zaïre*, point dans le *Tartuffe*.

Le contraste n'est pas nécessaire dans les comédies de caractère; il est au moins superflu dans les autres.

Il y a une tragédie de Corneille, c'est, je crois, *Nicomède*, où la générosité est la qualité dominante de tous les personnages. Quel mérite ne lui a-t-on pas fait de cette fécondité, et avec combien juste raison?

Térence contraste peu; Plaute contraste moins encore; Molière plus souvent. Mais, si le contraste fut quelquefois pour Molière le moyen d'un homme de génie, est-ce une raison pour le prescrire aux autres poètes? N'en serait-ce pas une, au contraire, pour le leur interdire?

Mais que devient le dialogue entre des personnages contrastants? Un tissu de petites idées, d'antithèses; car il faudra bien que les propos aient entre eux la même opposition que les caractères. Or, c'est à vous, mon ami, que j'en appelle, et à tout homme de goût. L'entretien simple et naturel de deux hommes qui auront des intérêts, des passions et des âges différents, ne vous plaira-t-il pas davantage?

Je ne puis supporter le contraste dans l'épique, à moins qu'il ne soit de sentiments ou d'images. Il me déplaît dans la tragédie. Il est superflu dans le comique sérieux. On peut s'en passer dans la comédie gaie. Je l'abandonnerai donc au farceur. Pour celui-ci, qu'il le multiplie et le force dans sa composition tant qu'il lui plaira, il n'a rien qui vaille à gâter.

Quant à ce contraste de sentiments ou d'images que j'aime dans l'épique, dans l'ode et dans quelques genres de poésie élevée, si l'on me demande ce que c'est, je répondrai : C'est un des caractères les plus marqués du génie; c'est l'art de porter dans l'âme des sensations extrêmes et opposées; de la secouer, pour ainsi dire, en sens contraire, et d'y exciter un tressaillement mêlé de peine et de plaisir, d'amertume et de douceur, de douceur et d'effroi.

Tel est l'effet de cet endroit de l'*Iliade* où le poète me montre Jupiter assis sur l'Ida; au pied du mont les Troyens et les Grecs s'entr'égorgeant dans la nuit qu'il a répandue sur eux, et cependant les regards du dieu, inattentifs et sereins, tournés sur les campagnes innocentes des Éthiopiens qui vivent de lait[1]. C'est ainsi qu'il m'offre à la fois le spectacle de la misère et du bonheur, de la paix et du trouble, de l'innocence et du crime, de la fatalité de l'homme et de la grandeur des dieux. Je ne vois au pied de l'Ida qu'un amas de fourmis.

Le même poète propose-t-il un prix à des combattants?

1. *Iliade*, chant XIII, vers 1-16.

Il met devant eux des armes, un taureau qui menace de la corne, de belles femmes et du fer [1].

Lucrèce a bien connu ce que pouvait l'opposition du terrible et du voluptueux, lorsque ayant à peindre le transport effréné de l'amour, quand il s'est emparé des sens, il me réveille l'idée d'un lion qui, les flancs traversés d'un trait mortel, s'élance avec fureur sur le chasseur qui l'a blessé, le renverse, cherche à expirer sur lui, et le laisse tout couvert de son propre sang [2].

L'image de la mort est à côté de celle du plaisir, dans les odes les plus piquantes d'Horace, et dans les chansons les plus belles d'Anacréon.

Et Catulle ignorait-il la magie de ce contraste, lorsqu'il a dit :

> Vivamus, mea Lesbia, atque amemus,
> Rumoresque senum severiorum
> Omnes unius æstimemus assis.
> Soles occidere, et redire possunt;
> Nobis, cum semel occidet brevis lux,
> Nox est perpetua una dormienda.
> Da mi basia mille [3].

Et l'auteur de l'*Histoire naturelle*, lorsque après la peinture d'un jeune animal, tranquille habitant des forêts, qu'un bruit subit et nouveau a rempli d'effroi, opposant le délicat et le sublime, il ajoute : « Cependant si le bruit est sans effet, s'il cesse, l'animal reconnaît d'abord le silence ordinaire de la nature; il se calme, s'arrête et regagne, à pas égaux, sa paisible retraite [4]. »

Et l'auteur de *l'Esprit*, lorsque, confondant des idées sensuelles avec des idées féroces, il s'écrie, par la bouche d'un

---

1. *Ibid.*, chant XXIII, vers 259-261.
2. *De natura rerum*, livre IV, vers 1048-1057 :
   « Unde feritur eo tendit gestitque coire... »
3. Catulle, *Carmina* (édition Garnier, p. 21, *Ad Lesbiam*, V vers 1-7).
4. Buffon, *Discours sur la nature des animaux* (*in Œuvres*, édition Flourens, Garnier, t. II, p. 351). Le *Discours* ouvrait le tome IV de l'*Histoire naturelle* (1753).

fanatique expirant : « Quelle joie inconnue me saisit !... Je meurs : j'entends la voix d'Odin qui m'appelle; déjà les portes de son palais s'ouvrent; je vois sortir des filles demi-nues; elles sont ceintes d'une écharpe bleue qui relève la blancheur de leur sein; elles s'avancent vers moi, et m'offrent une bière délicieuse dans le crâne sanglant de mes ennemis [1]. »

Il y a un paysage du Poussin où l'on voit de jeunes bergères qui dansent au son du chalumeau; et à l'écart, un tombeau avec cette inscription : *Je vivais aussi dans la délicieuse Arcadie* [2]. Le prestige de style dont il s'agit, tient quelquefois à un mot qui détourne ma vue du sujet principal, et qui me montre de côté, comme dans le paysage du Poussin, l'espace, le temps, la vie, la mort, ou quelque autre idée grande et mélancolique, jetée tout au travers des images de la gaieté.

Voilà les seuls contrastes qui me plaisent. Au reste, il y en a de trois sortes entre les caractères. Un contraste de vertu, et un contraste de vice. Si un personnage est avare, un autre peut contraster avec lui, ou par l'économie, ou par la prodigalité; et le contraste de vice ou de vertu peut être réel ou feint. Je ne connais aucun exemple de ce dernier : il est vrai que je connais peu le théâtre. Il me semble que, dans la comédie gaie, il ferait un effet assez agréable; mais une fois seulement. Ce caractère sera usé dès la première pièce. J'ai-

---

1. Helvétius, *De l'Esprit*, Discours III, chap. 25 (*in Œuvres*, Londres, 1781, t. II, p. 192). Ce verset de poésie barbare, chanté par le roi Lodbrog sur le champ de bataille, est tiré de l'ouvrage alors tout récent de Paul-Henri Mallet, *Monuments de la mythologie et de la poésie des Celtes et particulièrement des anciens Scandinaves* (Copenhague, C. Philibert, 1756). Mme de Staël l'utilisera encore en 1800 (*De la littérature*, I, chap. 11). *L'Esprit* fut mis en vente le 15 juillet 1758 et interdit le 10 août : Diderot travaillait donc encore à son traité.

2. Le fameux tableau de Poussin, les *Bergers d'Arcadie* (*Et in Arcadia ego*), exécuté vers 1638-1639, faisait partie dès 1710 de la collection royale de Versailles. Il est actuellement au Louvre (nº 734). C'est une des premières allusions précises de Diderot à son goût naissant pour la peinture.

merais bien à voir un homme qui ne fût pas, mais qui affectât d'être d'un caractère opposé à un autre. Ce caractère serait original; pour neuf, je n'en sais rien.

Concluons qu'il n'y a qu'une raison pour contraster les caractères, et qu'il y en a plusieurs pour les montrer différents.

Mais qu'on lise les poétiques; on n'y trouvera pas un mot de ces contrastes. Il me paraît donc qu'il en est de cette loi comme de beaucoup d'autres; qu'elle a été faite d'après quelque production de génie, où l'on aura remarqué un grand effet du contraste, et qu'on aura dit : Le contraste fait bien ici; donc on ne peut bien faire sans contraste. Voilà la logique de la plupart de ceux qui ont osé donner des bornes à un art, dans lequel ils ne se sont jamais exercés. C'est aussi celle des critiques sans expérience, qui nous jugent d'après ces autorités.

Je ne sais, mon ami, si l'étude de la philosophie ne me rappellera pas à elle, et si *le Père de famille* est ou n'est pas mon dernier drame : mais je suis sûr de n'introduire le contraste des caractères dans aucun.

XIV. De la division de l'action et des actes

Lorsque l'esquisse est faite et remplie, et que les caractères sont arrêtés, on passe à la division de l'action.

Les actes sont les parties du drame. Les scènes sont les parties de l'acte.

L'acte est une portion de l'action totale d'un drame. Il en renferme un ou plusieurs incidents.

Après avoir donné l'avantage aux pièces simples sur les pièces composées, il serait bien singulier que je préférasse un acte rempli d'incidents à un acte qui n'en aurait qu'un.

On a voulu que les principaux personnages se montrassent ou fussent nommés dans le premier acte; je ne sais trop pourquoi. Il y a telle action dramatique, où il ne faudrait faire ni l'un ni l'autre.

On a voulu qu'un même personnage ne rentrât pas sur la scène plusieurs fois dans un même acte : et pourquoi l'a-

-on voulu ? Si ce qu'il vient dire, il ne l'a pu quand il était ur la scène; si ce qui le ramène s'est passé pendant son .bsence; s'il a laissé sur la scène celui qu'il y cherche; si elui-ci y est en effet; ou si, n'y étant pas, il ne le sait pas ail-eurs; si le moment le demande; si son retour ajoute à l'in-érêt; en un mot, s'il reparaît dans l'action, comme il nous .rrive tous les jours dans la société; alors, qu'il revienne, je uis tout prêt à le revoir et à l'écouter. Le critique citera ses .uteurs tant qu'il voudra : le spectateur sera de mon avis.

On exige que les actes soient à peu près de la même lon-;ueur : il serait bien plus sensé de demander que la durée en ût proportionnée à l'étendue de l'action qu'ils embrassent.

Un acte sera toujours trop long, s'il est vide d'action et :hargé de discours; et il sera toujours assez court, si les dis-:ours et les incidents dérobent au spectateur sa durée. Ne lirait-on pas qu'on écoute un drame la montre à la main? l s'agit de sentir; et toi, tu comptes les pages et les lignes.

Le premier acte de l'*Eunuque* n'a que deux scènes et un ›etit monologue; et le dernier acte en a dix. Ils sont, l'un et 'autre, également courts, parce que le spectateur n'a langui ıi dans l'un ni dans l'autre.

Le premier acte d'un drame en est peut-être la portion la ›lus difficile. Il faut qu'il entame, qu'il marche, quelquefois ju'il expose, et toujours qu'il lie.

Si ce qu'on appelle une exposition n'est pas amené par un ncident important, ou s'il n'en est pas suivi, l'acte sera roid. Voyez la différence du premier acte de l'*Andrienne* ou le l'*Eunuque*, et du premier acte de l'*Hécyre*.

XV. Des entr'actes

On appelle entr'acte la durée qui sépare un acte du sui-rant. Cette durée est variable; mais puisque l'action ne s'ar-ête point, il faut que, lorsque le mouvement cesse sur la cène, il continue derrière. Point de repos, point de suspen-ion. Si les personnages reparaissaient, et que l'action ne fût ›as plus avancée que quand ils ont disparu, ils se seraient ous reposés, ou ils auraient été distraits par des occupa-

tions étrangères; deux suppositions contraires, sinon à l
vérité, du moins à l'intérêt.

Le poète aura rempli sa tâche, s'il m'a laissé dans l'attent
de quelque grand événement, et si l'action qui doit rempli
son entr'acte excite ma curiosité, et fortifie l'impression qu
j'ai préconçue. Car, il ne s'agit pas d'élever dans mon âm
différents mouvements, mais d'y conserver celui qui y
règne, et de l'accroître sans cesse. C'est un dard qu'il fau
enfoncer depuis la pointe jusqu'à son autre extrémité; effe
qu'on n'obtiendra point d'une pièce compliquée, à moin
que tous les incidents rapportés à un seul personnage n
fondent sur lui, ne l'atterrent et ne l'écrasent. Alors ce per
sonnage est vraiment dans la situation dramatique. Il es
gémissant et passif; c'est lui qui parle, et ce sont les autre
qui agissent.

Il se passe toujours dans l'entr'acte, et souvent il survien
dans le courant de la pièce, des incidents que le poète dérob
aux spectateurs, et qui supposent, dans l'intérieur de l
maison, des entretiens entre ses personnages. Je ne deman
derai pas qu'il s'occupe de ces scènes, et qu'il les rende ave
le même soin que si je devais les entendre. Mais s'il en faisai
une esquisse, elle achèverait de le remplir de son sujet et d
ses caractères; et communiquée à l'acteur, elle le soutien
drait dans l'esprit de son rôle, et dans la chaleur de so
action. C'est un surcroît de travail que je me suis quelque
fois donné.

Ainsi, lorsque le Commandeur pervers va trouver Ger
meuil pour le perdre, en l'embarquant dans le projet d'en
fermer Sophie, il me semble que je le vois arriver d'un
démarche composée, avec un visage hypocrite et radouci
et que je lui entends dire, d'un ton insinuant et patelin :

LE COMMANDEUR

Germeuil, je te cherchais.

GERMEUIL

Moi, monsieur le Commandeur?

LE COMMANDEUR

Toi-même.

GERMEUIL

Cela vous arrive peu.

LE COMMANDEUR

Il est vrai; mais un homme tel que Germeuil se fait rechercher tôt ou tard. J'ai réfléchi sur ton caractère; je me suis rappelé tous les services que tu as rendus à la famille; et comme je m'interroge quelquefois quand je suis seul, je me suis demandé à quoi tenait cette espèce d'aversion qui durait entre nous, et qui éloignait deux honnêtes gens l'un de l'autre. J'ai découvert que j'avais tort, et je suis venu sur-le-champ te prier d'oublier le passé : oui, te prier, et te demander si tu veux que nous soyons amis?

GERMEUIL

Si je le veux, monsieur? En pouvez-vous douter?

LE COMMANDEUR

Germeuil, quand je hais, je hais bien.

GERMEUIL

Je le sais.

LE COMMANDEUR

Quand j'aime aussi, c'est de même, et tu vas en juger.

Ici, le Commandeur laisse apercevoir à Germeuil, que les vues qu'il peut avoir sur sa nièce ne lui sont pas cachées. Il les approuve, et s'offre à le servir. — Tu recherches ma nièce; tu n'en conviendras pas, je te connais. Mais pour te rendre de bons offices auprès d'elle, auprès de son père, je n'ai que faire de ton aveu, et tu me trouveras, quand il en sera temps.

Germeuil connaît trop bien le Commandeur, pour se tromper à ses offres. Il ne doute point que ce préambule obligeant n'annonce quelque scélératesse, et il dit au Commandeur :

GERMEUIL

Ensuite, monsieur le Commandeur; de quoi s'agit-il?

LE COMMANDEUR

D'abord de me croire vrai, comme je le suis.

GERMEUIL

Cela se peut.

LE COMMANDEUR

Et de me montrer que tu n'es pas indifférent à mon retour et à ma bienveillance.

GERMEUIL

J'y suis disposé.

Alors le Commandeur, après un peu de silence, jette négligemment et comme par forme de conversation : — Tu as vu mon neveu ?

GERMEUIL

Il sort d'ici.

LE COMMANDEUR

Tu ne sais pas ce que l'on dit ?

GERMEUIL

Et que dit-on ?

LE COMMANDEUR

Que c'est toi qui l'entretiens dans sa folie; mais il n'en est rien.

GERMEUIL

Rien, monsieur.

LE COMMANDEUR

Et tu ne prends aucun intérêt à cette petite fille ?

GERMEUIL

Aucun.

LE COMMANDEUR

D'honneur ?

GERMEUIL

Je vous l'ai dit.

LE COMMANDEUR

Et si je te proposais de te joindre à moi pour terminer en un moment tout le trouble de la famille, tu le ferais?

GERMEUIL

Assurément.

LE COMMANDEUR

Et je pourrais m'ouvrir à toi.

GERMEUIL

Si vous le jugez à propos.

LE COMMANDEUR

Et tu me garderais le secret?

GERMEUIL

Si vous l'exigez.

LE COMMANDEUR

Germeuil... et qui empêcherait... tu ne devines pas?

GERMEUIL

Est-ce qu'on vous devine?

Le Commandeur lui révèle son projet. Germeuil voit tout d'un coup le danger de cette confidence; il en est troublé. Il cherche, mais inutilement, à ramener le Commandeur. Il se récrie sur l'inhumanité qu'il y a à persécuter une innocente... Où est la commisération, la justice? — La commisération? il s'agit bien de cela; et la justice est à séquestrer des créatures qui ne sont dans le monde, que pour égarer les enfants et désoler leurs parents. — Et votre neveu? — Il en aura d'abord quelque chagrin; mais une autre fantaisie effacera celle-là. Dans deux jours, il n'y paraîtra plus, et nous lui aurons rendu un service important. — Et ces ordres qui disposent des citoyens, croyez-vous qu'on les obtienne ainsi? — J'attends le mien, et dans une heure ou deux nous pourrons manœuvrer. — Monsieur le Commandeur, à quoi m'engagez-vous? — Il accède; je le tiens. A faire ta cour à mon frère, et à m'attacher à toi pour jamais. — Saint-Albin! — Eh bien! Saint-Albin, Saint-Albin! c'est ton ami, mais ce n'est pas toi. Germeuil, soi, soi d'abord, et les autres après, si l'on peut. — Monsieur. — Adieu; je vais savoir si ma lettre de cachet est venue, et te rejoindre sur-le-champ. — Un mot encore, s'il vous plaît. — Tout est entendu, tout est dit : ma fortune et ma nièce.

Le Commandeur, rempli d'une joie qu'il a peine à dissimuler, s'éloigne vite; il croit Germeuil embarqué et perdu sans ressource, il craint de lui donner le temps du remords. Germeuil le rappelle; mais il va toujours, et ne se retourne que pour lui dire du fond de la salle : — Et ma fortune, et ma nièce.

Je me trompe fort, ou l'utilité de ces scènes ébauchées dédommagerait un auteur de la peine légère qu'il aurait prise à les faire.

Si un poète a bien médité son sujet et bien divisé son action, il n'y aura aucun de ses actes auquel il ne puisse donner un titre; et de même que dans le poème épique on dit la descente aux enfers, les jeux funèbres, le dénombrement de l'armée, l'apparition de l'ombre; on dirait, dans le dramatique, l'acte des soupçons, l'acte des fureurs, celui de la reconnaissance ou du sacrifice. Je suis étonné que les Anciens ne s'en soient pas avisés : cela est tout à fait dans leur goût. S'ils eussent intitulé leurs actes, ils auraient rendu service aux modernes, qui n'auraient pas manqué de les imiter; et le caractère de l'acte fixé, le poète aurait été forcé de le remplir.

XVI. Des scènes

Lorsque le poète aura donné à ses personnages les caractères les plus convenables, c'est-à-dire les plus opposés aux situations, s'il a un peu d'imagination, je ne pense pas qu'il puisse s'empêcher de s'en former des images. C'est ce qui nous arrive tous les jours à l'égard des personnes dont nous avons beaucoup entendu parler. Je ne sais s'il y a quelque analogie entre les physionomies et les actions; mais je sais que les passions, les discours et les actions ne nous sont pas plus tôt connus, qu'au même instant nous imaginons un visage auquel nous les rapportons; et s'il arrive que nous rencontrions l'homme, et qu'il ne ressemble pas à l'image que nous nous en sommes formée, nous lui dirions volontiers que nous ne le reconnaissons pas, quoique nous ne l'ayons jamais vu. Tout peintre, tout poète dramatique sera physionomiste.

Ces images, formées d'après les caractères, influeront aussi sur les discours et sur le mouvement de la scène; surtout si le poète les évoque, les voit, les arrête devant lui, et en remarque les changements.

Pour moi, je ne conçois pas comment le poète peut commencer une scène, s'il n'imagine pas l'action et le mouvement du personnage qu'il introduit; si sa démarche et son masque ne lui sont pas présents. C'est ce simulacre qui inspire le premier mot, et le premier mot donne le reste.

Si le poète est secouru par ces physionomies idéales, lorsqu'il débute, quel parti ne tirera-t-il pas des impressions subites et momentanées qui les font varier dans le cours du drame, et même dans le cours d'une scène?... Tu pâlis...tu trembles... tu me trompes... Dans le monde, parle-t-on à quelqu'un? On le regarde, on cherche à démêler dans ses yeux, dans ses mouvements, dans ses traits, dans sa voix, ce qui se passe au fond de son cœur; rarement au théâtre. Pourquoi? C'est que nous sommes encore loin de la vérité.

Un personnage sera nécessairement chaud et pathétique, s'il part de la situation même de ceux qu'il trouve sur la scène.

Attachez une physionomie à vos personnages; mais que ce ne soit pas celle des acteurs. C'est à l'acteur à convenir au rôle, et non pas au rôle à convenir à l'acteur. Qu'on ne dise jamais de vous, qu'au lieu de chercher vos caractères dans les situations, vous avez ajusté vos situations au caractère et au talent du comédien.

N'êtes-vous pas étonné, mon ami, que les Anciens soient quelquefois tombés dans cette petitesse? Alors on couronnait le poète et le comédien. Et lorsqu'il y avait un acteur aimé du public, le poète complaisant insérait dans son drame un épisode qui communément le gâtait, mais qui amenait sur la scène l'acteur chéri.

J'appelle scènes composées, celles où plusieurs personnages sont occupés d'une chose, tandis que d'autres personnages sont à une chose différente ou à la même chose, mais à part.

Dans une scène simple, le dialogue se succède sans interruption. Les scènes composées sont ou parlées, ou pantomimes et parlées, ou toutes pantomimes.

Lorsqu'elles sont pantomimes et parlées, le discours se place dans les intervalles de la pantomime, et tout se passe sans confusion. Mais il faut de l'art pour ménager ces jours.

C'est ce que j'ai essayé dans la première scène du second acte du *Père de famille;* c'est ce que j'aurais pu tenter à la troisième scène du même acte. Mme Hébert, personnage pantomime et muet, aurait pu jeter, par intervalles, quelques mots qui n'auraient pas nuit à l'effet; mais il fallait trouver ces mots. Il en eût été de même de la scène du quatrième acte, où Saint-Albin revoit sa maîtresse en présence de Germeuil et de Cécile. Là, un plus habile eût exécuté deux scènes simultanées; l'une sur le devant, entre Saint-Albin et Sophie; l'autre, sur le fond, entre Cécile et Germeuil, peut-être en ce moment plus difficiles à peindre que les premiers; mais des acteurs intelligents sauront bien créer cette scène.

Combien je vois encore de tableaux à exposer, si j'osais, ou plutôt si je réunissais le talent de faire à celui d'imaginer!

Il est difficile au poète d'écrire en même temps ces scènes simultanées; mais comme elles ont des objets distincts, il s'occupera d'abord de la principale. J'appelle la principale, celle qui, pantomime ou parlée, doit surtout fixer l'attention du spectateur.

J'ai tâché de séparer tellement les deux scènes simultanées de Cécile et du Père de famille, qui commencent le second acte, qu'on pourrait les imprimer à deux colonnes, où l'on verrait la pantomime de l'une correspondre au discours de l'autre; et le discours de celle-ci correspondre alternativement à la pantomime de celle-là. Ce partage serait commode pour celui qui lit, et qui n'est pas fait au mélange du discours et du mouvement

Il est une sorte de scènes épisodiques, dont nos poètes nous offrent peu d'exemples, et qui me paraissent bien naturelles. Ce sont des personnages comme il y en a tant dans le monde et dans les familles, qui se fourrent partout sans être appelés, et qui, soit bonne ou mauvaise volonté, intérêt, curiosité, ou quelque autre motif pareil, se mêlent de nos affaires, et les terminent ou les brouillent malgré nous. Ces scènes, bien ménagées, ne suspendraient point l'intérêt; loin de couper l'action, elles pourraient l'accélérer. On donnera à ces intervenants le caractère qu'on voudra; rien n'empêche même qu'on ne les fasse contraster. Ils demeurent trop peu pour fatiguer. Ils relèveront alors le caractère auquel on les opposera. Telle est madame Pernelle dans *le Tartuffe*, et Antiphon dans l'*Eunuque*. Antiphon court après Chéréa, qui s'était chargé d'arranger un souper; il le rencontre avec son habit d'eunuque, au sortir de chez la courtisane, appelant un ami dans le sein de qui il puisse répandre toute la joie scélérate dont son âme est remplie. Antiphon est amené là fort naturellement et fort à propos. Passé cette scène, on ne le revoit plus.

La ressource de ces personnages nous est d'autant plus nécessaire, que, privés des chœurs qui représentaient le peuple dans les drames anciens, nos pièces, renfermées dans l'intérieur de nos habitations, manquent, pour ainsi dire, d'un fond sur lequel les figures sont projetées.

XVII. Du ton

Il y a, dans le drame, ainsi que dans le monde, un ton propre à chaque caractère. La bassesse de l'âme, la méchanceté tracassière et la bonhomie, ont pour l'ordinaire le ton bourgeois et commun.

Il y a de la différence entre la plaisanterie de théâtre et la plaisanterie de société. Celle-ci serait trop faible sur la scène, et n'y ferait aucun effet. L'autre serait trop dure dans le monde, et elle offenserait. Le cynisme, si odieux, si incommode dans la société, est excellent sur la scène.

Autre chose est la vérité en poésie; autre chose, en philosophie. Pour être vrai, le philosophe doit conformer son discours à la nature des objets; le poète à la nature de ses caractères.

Peindre d'après la passion et l'intérêt, voilà son talent.

De là, à chaque instant, la nécessité de fouler aux pieds les choses les plus saintes, et de préconiser des actions atroces.

Il n'y a rien de sacré pour le poète, pas même la vertu, qu'il couvrira de ridicule, si la personne et le moment l'exigent. Il n'est ni impie, lorsqu'il tourne ses regards indignés vers le ciel, et qu'il interpelle les dieux dans sa fureur; ni religieux, lorsqu'il se prosterne au pied de leurs autels, et qu'il leur adresse une humble prière.

Il a introduit un méchant? Mais ce méchant vous est odieux; ses grandes qualités, s'il en a, ne vous ont point ébloui sur ses vices; vous ne l'avez point vu, vous ne l'avez point entendu, sans en frémir d'horreur; et vous êtes sorti consterné sur son sort.

Pourquoi chercher l'auteur dans ses personnages? Qu'a de commun Racine avec *Athalie*, Molière avec *le Tartuffe?* Ce sont des hommes de génie qui ont su fouiller au fond de nos entrailles, et en arracher le trait qui nous frappe. Jugeons les poèmes, et laissons là les personnes.

Nous ne confondrons, ni vous, ni moi, l'homme qui vit, pense, agit et se meut au milieu des autres; et l'homme enthousiaste, qui prend la plume, l'archet, le pinceau, ou qui monte sur ses tréteaux. Hors de lui, il est tout ce qu'il plaît à l'art qui le domine. Mais l'instant de l'inspiration passé, il rentre et redevient ce qu'il était; quelquefois un homme commun. Car, telle est la différence de l'esprit et du génie, que l'un est presque toujours présent, et que souvent l'autre s'absente.

Il ne faut pas considérer une scène comme un dialogue. Un homme d'esprit se tirera d'un dialogue isolé. La scène est toujours l'ouvrage du génie. Chaque scène a son mouvement et sa durée. On ne trouve point le mouvement vrai, sans un effort d'imagination. On ne mesure pas exactement la durée, sans l'expérience et le goût.

Cet art du dialogue dramatique, si difficile, personne peut-être ne l'a possédé au même degré que Corneille. Ses personnages se pressent sans ménagements ; ils parent et portent en même temps ; c'est une lutte. La réponse ne s'accroche pas au dernier mot de l'interlocuteur ; elle touche à la chose et au fond. Arrêtez-vous où vous voudrez ; c'est toujours celui qui parle, qui vous paraît avoir raison.

Lorsque, livré tout entier à l'étude des lettres, je lisais Corneille, souvent je fermais le livre au milieu d'une scène, et je cherchais la réponse : il est assez inutile de dire que mes efforts ne servaient communément qu'à m'effrayer sur la logique et sur la force de tête de ce poète. J'en pourrais citer mille exemples ; mais en voici un entre autres, que je me rappelle ; il est de sa tragédie de *Cinna*. Émilie a déterminé Cinna à ôter la vie à Auguste. Cinna s'y est engagé ; il y va. Mais il se percera le sein du même poignard dont il l'aura vengée. Émilie reste avec sa confidente. Dans son trouble elle s'écrie :

> ....Cours après lui, Fulvie...

Que lui dirai-je ?...

> Dis-lui..........Qu'il dégage sa foi,
> Et qu'il choisisse après de la mort ou de moi [1].

C'est ainsi qu'il conserve le caractère, et qu'il satisfait en un mot à la dignité d'une âme romaine, à la vengeance, à l'ambition, à l'amour. Toute la scène de Cinna, de Maxime et d'Auguste est incompréhensible.

Cependant ceux qui se piquent d'un goût délicat, prétendent que cette manière de dialoguer est roide ; qu'elle présente partout un air d'argumentation ; qu'elle étonne plus qu'elle n'émeut. Ils aiment mieux une scène où l'on s'entretient moins rigoureusement, et où l'on met plus de senti-

---

1. *Cinna*, acte III, scène 5.

ment, et moins de dialectique. On pense bien que ces gens-là sont fous de Racine; et j'avoue que je le suis aussi.

Je ne connais rien de si difficile qu'un dialogue où les choses dites et répondues ne sont liées que par des sensations si délicates, des idées si fugitives, des mouvements d'âme si rapides, des vues si légères, qu'elles en paraissent décousues, surtout à ceux qui ne sont pas nés pour éprouver les mêmes choses dans les mêmes circonstances.

Ils ne se verront plus............
..................Ils s'aimeront toujours [1]!

Vous y serez, ma fille [2].............

Et le discours de Clémentine troublée : « Ma mère était une bonne mère; mais elle s'en est allée, ou je m'en suis allée. Je ne sais lequel [3]. »

Et les adieux de [Barnwell] [4] et de son ami.

BARNWELL

« Tu ne sais pas quelle était ma fureur pour elle!... Jusqu'où la passion avait éteint en moi le sentiment de la bonté!... Écoute... Si elle m'avait demandé de t'assassiner, toi... je ne sais si je ne l'eusse pas fait.

L'AMI

Mon ami, ne t'exagère point ta faiblesse.

BARNWELL

Oui, je n'en doute point... Je t'aurais assassiné.

---

1. *Phèdre*, acte IV, scène 6.
2. *Iphigénie*, acte II, scène 2.
3. Épisode de la folie de Clémentine, la jeune Italienne, dans le roman de Richardson, *The history of sir Charles Grandison* (Londres, Chapman and Hall, 1902, t. III, lettres 25 à 28). Le roman est de 1754 et la traduction de l'abbé Prévost de 1755-57. Diderot n'a pas encore lu l'original (cf. *supra*, *Éloge de Richardson*).
4. 1758, 1772 : Barnevel.

L'AMI

Nous ne nous sommes pas encore embrassés. Viens [1]. »

Nous ne nous sommes pas encore embrassés : quelle réponse à je t'aurais assassiné!

Si j'avais un fils qui ne sentît point ici de liaison, j'aimerais mieux qu'il ne fût pas né. Oui, j'aurais plus d'aversion pour lui que pour [Barnwell] [2] assassin de son oncle.

Et toute la scène du délire de Phèdre.

Et tout l'épisode de Clémentine.

Entre les passions, celles qu'on simulerait le plus facilement, sont aussi les plus faciles à peindre. La grandeur d'âme est de ce nombre; elle comporte partout je ne sais quoi de faux et d'outré. En guindant son âme à la hauteur de celle de Caton, on trouve un mot sublime. Mais le poète qui a fait dire à Phèdre :

> Dieux! que ne suis-je assise à l'ombre des forêts!...
> Quand pourrai-je, au travers d'une noble poussière,
> Suivre de l'œil un char fuyant dans la carrière [3]?

ce poète même n'a pu se promettre ce morceau, qu'après l'avoir trouvé; et je m'estime plus d'en sentir le mérite, que de quelque chose que je puisse écrire de ma vie.

Je conçois comment, à force de travail, on réussit à faire

---

1. Il s'agit d'un épisode émouvant du *London Merchant* de Lillo : Barnwell, assassin de son oncle à l'instigation de sa maîtresse Milwood, reçoit en prison la visite de son ami Trueman. Voici le texte traduit par Diderot :

« B. So far was I lost to goodness, so devoted to the author of my ruin that, had she insisted on my murdering thee, I think I should have done it.

T. Prithee, aggravate thy faults no more.

B. I think I should. Thus, good and generous as you are, I should have murdered you.

T. We have not yet embraced. And may be interrupted. Come to my arms! »

(*The London Merchant*, The Harvill Press, Londres, 1948, p. 88, acte V, scène 5).

2. 1758, 1772 : Barnevel.

3. *Phèdre*, acte I, scène 3.

une scène de Corneille, sans être né Corneille : je n'ai jamais conçu comment on réussissait à faire une scène de Racine, sans être né Racine.

Molière est souvent inimitable. Il a des scènes monosyllabiques entre quatre à cinq interlocuteurs, où chacun ne dit que son mot; mais ce mot est dans le caractère, et le peint. Il est des endroits, dans *les Femmes savantes*, qui font tomber la plume des mains. Si l'on a quelque talent, il s'éclipse. On reste des jours entiers sans rien faire. On se déplaît à soi-même. Le courage ne revient qu'à mesure qu'on perd la mémoire de ce qu'on a lu, et que l'impression qu'on en a ressentie se dissipe.

Lorsque cet homme étonnant ne se soucie pas d'employer tout son génie, alors même il le sent. Elmire se jetterait à la tête de Tartuffe, et Tartuffe aurait l'air d'un sot qui donne dans un piège grossier : mais voyez comment il se sauve de là. Elmire a entendu sans indignation la déclaration de Tartuffe. Elle a imposé silence à son fils. Elle remarque elle-même qu'un homme passionné est facile à séduire. Et c'est ainsi que le poète trompe le spectateur, et esquive une scène qui eût exigé, sans ces précautions, plus d'art encore, ce me semble, qu'il n'en a mis dans la sienne. Mais, si Dorine, dans la même pièce, a plus d'esprit, de sens, de finesse dans les idées, et même de noblesse dans l'expression, qu'aucun de ses maîtres; si elle dit :

> Des actions d'autrui, teintes de leurs couleurs,
> Ils pensent, dans le monde, autoriser les leurs;
> Et, sous le faux espoir de quelque ressemblance,
> Aux intrigues qu'ils ont, donner de l'innocence;
> Ou faire ailleurs tomber quelques traits partagés
> De ce blâme public dont ils sont trop chargés[1].

je ne croirai jamais que ce soit une suivante qui parle.

Térence est unique, surtout dans ses récits. C'est une onde pure et transparente qui coule toujours également, et qui ne prend de vitesse et de murmure que ce qu'elle en reçoit de la pente et du terrain. Point d'esprit, nul étalage

1. *Tartuffe*, acte I, scène I.

de sentiment, aucune sentence qui ait l'air épigrammatique, jamais de ces définitions qui ne seraient placées que dans Nicole ou La Rochefoucauld. Lorsqu'il généralise une maxime, c'est d'une manière simple et populaire; vous croiriez que c'est un proverbe reçu qu'il a cité : rien qui ne tienne au sujet. Aujourd'hui que nous sommes devenus dissertateurs, combien de scènes de Térence que nous appellerions vides?

J'ai lu et relu ce poète avec attention; jamais de scènes superflues, ni rien de superflu dans les scènes. Je ne connais que la première du second acte de l'*Eunuque*, qu'on pourrait peut-être attaquer. Le capitaine Thrason a fait présent à la courtisane Thaïs, d'une jeune fille. C'est le parasite Gnathon qui doit la présenter. Chemin faisant avec elle, il s'amuse à débiter au spectateur un éloge très agréable de sa profession. Mais était-ce là le lieu? Que Gnathon attende sur la scène la jeune fille qu'il s'est chargé de conduire, et qu'il se dise à lui-même tout ce qu'il voudra, j'y consens.

Térence ne s'embarrasse guère de lier ses scènes. Il laisse le théâtre vide jusqu'à trois fois de suite; et cela ne me déplaît pas, surtout dans les derniers actes.

Ces personnages qui se succèdent, et qui ne jettent qu'un mot en passant, me font imaginer un grand trouble.

Des scènes courtes, rapides, isolées, les unes pantomimes, les autres parlées, produiraient, ce me semble, encore plus d'effet dans la tragédie. Au commencement d'une pièce, je craindrais seulement qu'elles ne donnassent trop de vitesse à l'action, et ne causassent de l'obscurité.

Plus un sujet est compliqué, plus le dialogue en est facile. La multitude des incidents donne, pour chaque scène, un objet différent et déterminé; au lieu que si la pièce est simple, et qu'un seul incident fournisse à plusieurs scènes, il reste pour chacune je ne sais quoi de vague qui embarrasse un auteur ordinaire; mais c'est où se montre l'homme de génie.

Plus les fils qui lient la scène au sujet seront déliés, plus le poète aura de peine. Donnez une de ces scènes indéterminées à faire à cent personnes, chacun la fera à sa manière : cependant il n'y en a qu'une bonne.

Des lecteurs ordinaires estiment le talent d'un poète par les morceaux qui les affectent le plus. C'est au discours d'un factieux à ses conjurés; c'est à une reconnaissance qu'ils se récrient. Mais qu'ils interrogent le poète sur son propre ouvrage; et ils verront qu'ils ont laissé passer, sans l'avoir aperçu, l'endroit dont il se félicite.

Les scènes du *Fils naturel* sont presque toutes de la nature de celles dont l'objet vague pouvait rendre le poète perplexe. Dorval, mal avec lui-même, et cachant le fond de son âme à son ami, à Rosalie, à Constance; Rosalie et Constance, dans une situation à peu près semblable, n'offraient pas un seul morceau de détail qui ne pût être mieux ou plus mal traité.

Ces sortes de scènes sont plus rares dans *le Père de famille*, parce qu'il y a plus de mouvement.

Il y a peu de règles générales dans l'art poétique. En voici cependant une à laquelle je ne sais point d'exception. C'est que le monologue est un moment de repos pour l'action, et de trouble pour le personnage. Cela est vrai, même d'un monologue qui commence une pièce. Donc tranquille, il est contre la vérité selon laquelle l'homme ne se parle à lui-même que dans des instants de perplexité. Long, il pèche contre la nature de l'action dramatique qu'il suspend trop.

Je ne saurais supporter les caricatures, soit en beau, soit en laid; car la bonté et la méchanceté peuvent être également outrées; et quand nous sommes moins sensibles à l'un de ces défauts qu'à l'autre, c'est un effet de notre vanité.

Sur la scène, on veut que les caractères soient uns. C'est une fausseté palliée par la courte durée d'un drame : car combien de circonstances dans la vie où l'homme est distrait de son caractère!

Le faible est l'opposé de l'outré. Pamphile me paraît faible dans l'*Andrienne*. Dave l'a précipité dans des noces qu'il abhorre. Sa maîtresse vient d'accoucher. Il a cent raisons de mauvaise humeur. Cependant il prend tout assez doucement. Il n'en est pas ainsi de son ami Charinus, ni du Clinia de l'*Heautontimorumenos*. Celui-ci arrive de loin; et, tandis qu'il se débotte, il ordonne à son Dave d'aller cher-

:her sa maîtresse. Il y a peu de galanterie dans ces mœurs; nais elles ont bien d'une autre énergie que les nôtres, et l'une autre ressource pour le poète. C'est la nature abanlonnée à ses mouvements effrénés. Nos petits propos madrigalisés auraient bonne grâce dans la bouche d'un Clinia ou l'un Chéréa! Que nos rôles d'amants sont froids!

XVIII. Des mœurs

Ce que j'aime surtout de la scène ancienne, ce sont les amants et les pères. Pour les Daves, ils me déplaisent; et je uis convaincu qu'à moins qu'un sujet ne soit dans les nœurs anciennes, ou malhonnête dans les nôtres, nous n'en reverrons plus.

Tout peuple a des préjugés à détruire, des vices à poursuivre, des ridicules à décrier, et a besoin de spectacles, mais qui lui soient propres. Quel moyen, si le gouvernement en ait user, et qu'il soit question de préparer le changement l'une loi, ou l'abrogation d'un usage!

Attaquer les comédiens par leurs mœurs, c'est en vouloir à tous les états.

Attaquer le spectacle par son abus, c'est s'élever contre out genre d'instruction publique; et ce qu'on a dit jusqu'à présent là-dessus, appliqué à ce que les choses sont, ou ont été, et non à ce qu'elles pourraient être, est sans justice et sans vérité.

Un peuple n'est pas également propre à exceller dans tous es genres de drame. La tragédie me semble plus du génie épublicain; et la comédie, gaie surtout, plus du caractère nonarchique.

Entre des hommes qui ne se doivent rien, la plaisanterie era dure. Il faut qu'elle frappe en haut pour devenir légère; et c'est ce qui arrivera dans un État où les hommes sont distribués en différents ordres qu'on peut comparer à une haute pyramide; où ceux qui sont à la base, chargés d'un poids qui les écrase, sont forcés de garder du ménagement jusque dans la plainte.

Un inconvénient trop commun, c'est que, par une vénération ridicule pour certaines conditions, bientôt ce sont les seules dont on peigne les mœurs; que l'utilité des spectacles se restreint, et que peut-être même ils deviennent un canal par lequel les travers des grands se répandent et passent aux petits.

Chez un peuple esclave, tout se dégrade. Il faut s'avilir, par le ton et par le geste, pour ôter à la vérité son poids et son offense. Alors les poètes sont comme les fous à la cour des rois : c'est du mépris qu'on fait d'eux, qu'ils tiennent leur franc parler. Ou, si l'on aime mieux, ils ressemblent à certains coupables qui, traînés devant nos tribunaux, ne s'en retournent absous que parce qu'ils ont su contrefaire les insensés.

Nous avons des comédies. Les Anglais n'ont que des satires, à la vérité pleines de force et de gaieté, mais sans mœurs et sans goût. Les Italiens en sont réduits au drame burlesque.

En général, plus un peuple est civilisé, poli, moins ses mœurs sont poétiques; tout s'affaiblit en s'adoucissant. Quand est-ce que la nature prépare des modèles à l'art? C'est au temps où les enfants s'arrachent les cheveux autour du lit d'un père moribond; où une mère découvre son sein, et conjure son fils par les mamelles qui l'ont allaité; où un ami se coupe la chevelure, et la répand sur le cadavre de son ami; où c'est lui qui le soutient par la tête et qui le porte sur un bûcher, qui recueille sa cendre et qui la renferme dans une urne qu'il va, en certains jours, arroser de ses pleurs; où les veuves échevelées se déchirent le visage de leurs ongles si la mort leur a ravi un époux; où les chefs du peuple, dans les calamités publiques, posent leur front humilié dans la poussière, ouvrent leurs vêtements dans la douleur, et se frappent la poitrine; où un père prend entre ses bras son fils nouveau-né, l'élève vers le ciel, et fait sur lui sa prière aux dieux; où le premier mouvement d'un enfant, s'il a quitté ses parents, et qu'il les revoie après une longue absence, c'est d'embrasser leurs genoux, et d'en attendre, prosterné, la bénédiction; où les repas sont des sacrifices qui commencent et finissent par des coupes remplies de vin, et versées sur la terre; où le peuple parle à ses maîtres, et où ses maîtres l'entendent et lui répondent; où l'on voit un homme le front ceint de bandelettes devant un autel, et une prêtresse qui étend les mains sur lui en invoquant le ciel et en exécutant les cérémonies expiatoires et lustratives; où des pythies écumantes par la présence d'un démon qui les tourmente, sont assises sur des trépieds, ont les yeux égarés, et font mugir de leurs cris prophétiques le fond obscur des antres; où les dieux, altérés du sang humain, ne sont apaisés que par son effusion; où des bacchantes, armées de thyrses, s'égarent dans les forêts et inspirent l'effroi au profane qui se rencontre sur leur passage; où d'autres femmes se dépouillent sans pudeur, ouvrent leurs bras au premier qui se présente, et se prostituent, etc.

Je ne dis pas que ces mœurs sont bonnes, mais qu'elles sont poétiques.

Qu'est-ce qu'il faut au poète? Est-ce une nature brute ou cultivée, paisible ou troublée? Préférera-t-il la beauté d'un jour pur et serein à l'horreur d'une nuit obscure, où le sifflement interrompu des vents se mêle par intervalles au murmure sourd et continu d'un tonnerre éloigné, et où il voit l'éclair allumer le ciel sur sa tête? Préférera-t-il le spectacle d'une mer tranquille à celui des flots agités? Le muet et froid aspect d'un palais, à la promenade parmi des ruines? Un édifice construit, un espace planté de la main des hommes, au touffu d'une antique forêt, au creux ignoré d'une roche déserte? Des nappes d'eau, des bassins, des cascades, à la vue d'une cataracte qui se brise en tombant à travers des rochers, et dont le bruit se fait entendre au loin du berger qui a conduit son troupeau dans la montagne, et qui l'écoute avec effroi?

La poésie veut quelque chose d'énorme, de barbare et de sauvage.

C'est lorsque la fureur de la guerre civile ou du fanatisme arme les hommes de poignards, et que le sang coule à grands flots sur la terre, que le laurier d'Apollon s'agite et verdit. Il en veut être arrosé. Il se flétrit dans les temps de la paix et du loisir. Le siècle d'or eût produit une chanson peut-être

ou une élégie. La poésie épique et la poésie dramatiqu
demandent d'autres mœurs.

Quand verra-t-on naître des poètes? Ce sera après le
temps de désastres et de grands malheurs; lorsque les peu
ples harassés commenceront à respirer. Alors les imagina
tions, ébranlées par des spectacles terribles, peindront de
choses inconnues à ceux qui n'en ont pas été les témoins
N'avons-nous pas éprouvé, dans quelques circonstances
une sorte de terreur qui nous était étrangère? Pourquo
n'a-t-elle rien produit? N'avons-nous plus de génie?

Le génie est de tous les temps; mais les hommes qui l
portent en eux demeurent engourdis, à moins que des évé
nements extraordinaires n'échauffent la masse, et ne les fas
sent paraître. Alors les sentiments s'accumulent dans la poi
trine, la travaillent; et ceux qui ont un organe, pressés d
parler, le déploient et se soulagent.

Quelle sera donc la ressource d'un poète, chez un peupl
dont les mœurs sont faibles, petites et maniérées; où l'imi
tation rigoureuse des conversations ne formerait qu'u
tissu d'expressions fausses, insensées et basses; où il n'y
plus ni franchise, ni bonhomie; où un père appelle son fil
monsieur, et où une mère appelle sa fille mademoiselle; o
les cérémonies publiques n'ont rien d'auguste; la conduit
domestique, rien de touchant et d'honnête; les actes solen
nels, rien de vrai? Il tâchera de les embellir; il choisira le
circonstances qui prêtent le plus à son art; il négligera le
autres, et il osera en supposer quelques-unes.

Mais quelle finesse de goût ne lui faudra-t-il pas, pou
sentir jusqu'où les mœurs publiques et particulières peuven
être embellies? S'il passe la mesure, il sera faux et romanesque

Si les mœurs qu'il supposera ont été autrefois, et que c
temps ne soit pas éloigné; si un usage est passé, mais qu'i
en soit resté une expression métaphorique dans la langue
si cette expression porte un caractère d'honnêteté; si ell
marque une piété antique, une simplicité qu'on regrette; s
l'on y voit les pères plus respectés, les mères plus honorées
les rois populaires; qu'il ose. Loin de lui reprocher d'avoi
failli contre la vérité, on supposera que ces vieilles et bonne

mœurs se sont apparemment conservées dans cette famille. Qu'il s'interdise seulement ce qui ne serait que dans les usages présents d'un peuple voisin.

Mais admirez la bizarrerie des peuples policés. La délicatesse y est quelquefois poussée au point, qu'elle interdit à leurs poètes l'emploi des circonstances même qui sont dans leurs mœurs, et qui ont de la simplicité, de la beauté et de la vérité. Qui oserait, parmi nous, étendre de la paille sur la scène, et y exposer un enfant nouveau-né? Si le poète y plaçait un berceau, quelque étourdi du parterre ne manquerait pas de contrefaire les cris de l'enfant; les loges et l'amphithéâtre de rire, et la pièce de tomber. O peuple plaisant et léger! quelles bornes vous donnez à l'art! quelle contrainte vous imposez à vos artistes! et de quels plaisirs votre délicatesse vous prive! A tout moment vous siffleriez sur la scène les seules choses qui vous plairaient, qui vous toucheraient en peinture. Malheur à l'homme né avec du génie, qui tentera quelque spectacle qui est dans la nature, mais qui n'est pas dans vos préjugés!

Térence a exposé l'enfant nouveau-né sur la scène [1]. Il a fait plus. Il a fait entendre du dedans de la maison, la plainte de la femme dans les douleurs qui le mettent au monde [2]. Cela est beau, et cela ne vous plairait pas.

Il faut que le goût d'un peuple soit incertain; lorsqu'il admettra dans la nature, des choses dont il interdira l'imitation à ses artistes, ou lorsqu'il admirera dans l'art des effets qu'il dédaignerait dans la nature. Nous dirions, d'une femme qui ressemblerait à quelqu'une de ces statues qui enchantent nos regards aux Tuileries, qu'elle a la tête jolie, mais le pied gros, la jambe forte et point de taille. La femme, qui est belle pour le sculpteur sur un sofa, est laide dans son atelier [3]. Nous sommes pleins de ces contradictions.

---

1. Dans l'*Andrienne*, acte IV, scène 4.
2. Dans l'*Hécyre*, acte III, scène 1.
3. Souvenir d'une visite à l'atelier de Pigalle qui travaillait alors au monument du maréchal de Saxe (cf. *Lettre à Pigalle* du 2 oct. 1756, édit. Roth, t. I, p. 223-226 et *Paradoxe sur le comédien*, A.T., t. VIII, p. 414).

XIX. De la décoration

Mais, ce qui montre surtout combien nous sommes encore loin du bon goût et de la vérité, c'est la pauvreté et la fausseté des décorations, et le luxe des habits.

Vous exigez de votre poète qu'il s'assujettisse à l'unité de lieu ; et vous abandonnez la scène à l'ignorance d'un mauvais décorateur.

Voulez-vous rapprocher vos poètes du vrai, et dans la conduite de leurs pièces, et dans leur dialogue ; vos acteurs, du jeu naturel et de la déclamation réelle ? Élevez la voix, demandez seulement qu'on vous montre le lieu de la scène tel qu'il doit être.

Si la nature et la vérité s'introduisent une fois sur vos théâtres dans la circonstance la plus légère, bientôt vous sentirez le ridicule et le dégoût se répandre sur tout ce qui fera contraste avec elles.

Le système dramatique le plus mal entendu, serait celui qu'on pourrait accuser d'être moitié vrai et moitié faux. C'est un mensonge maladroit, où certaines circonstances me décèlent l'impossibilité du reste. Je souffrirai plutôt le mélange des disparates ; il est du moins sans fausseté. Le défaut de Shakespeare n'est pas le plus grand dans lequel un poète puisse tomber. Il marque seulement peu de goût.

Que votre poète, lorsque vous aurez jugé son ouvrage digne de vous être représenté, envoie chercher le décorateur. Qu'il lui lise son drame. Que le lieu de la scène, bien connu de celui-ci, il le rende tel qu'il est, et qu'il songe surtout que la peinture théâtrale doit être plus rigoureuse et plus vraie que tout autre genre de peinture.

La peinture théâtrale s'interdira beaucoup de choses, que la peinture ordinaire se permet. Qu'un peintre d'atelier ait une cabane à représenter, il en appuiera le bâti contre une colonne brisée ; et d'un chapiteau corinthien renversé, il en fera un siège à la porte. En effet, il n'est pas impossible qu'il y ait une chaumière, où il y avait auparavant un palais. Cette circonstance réveille en moi une idée accessoire qui me touche, en me retraçant l'instabilité des choses humaines. Mais dans la peinture théâtrale, il ne s'agit pas de cela. Point de distraction, point de supposition qui fasse dans mon âme un commencement d'impression autre que celle que le poète a intérêt d'y exciter.

Deux poètes ne peuvent se montrer à la fois avec tous leurs avantages. Le talent subordonné sera en partie sacrifié au talent dominant. S'il allait seul, il représenterait une chose générale. Commandé par un autre, il n'a que la ressource d'un cas particulier. Voyez quelle différence pour la chaleur et l'effet, entre les marines que Vernet a peintes d'idée, et celles qu'il a copiées[1]. Le peintre de théâtre est borné aux circonstances qui servent à l'illusion. Les accidents qui s'y opposeraient lui sont interdits. Il n'usera de ceux qui embelliraient sans nuire, qu'avec sobriété. Ils auront toujours l'inconvénient de distraire.

Voilà les raisons pour lesquelles la plus belle décoration de théâtre ne sera jamais qu'un tableau du second ordre.

Dans le genre lyrique, le poème est fait pour le musicien, comme la décoration l'est pour le poète : ainsi le poème ne sera point aussi parfait, que si le poète eût été libre.

Avez-vous un salon à représenter? Que ce soit celui d'un homme de goût. Point de magots; peu de dorure; des meubles simples : à moins que le sujet n'exige expressément le contraire.

XX. Des vêtements

Le faste gâte tout. Le spectacle de la richesse n'est pas beau. La richesse a trop de caprices; elle peut éblouir l'œil,

1. C'est au *Salon de* 1753 que Joseph Vernet se fit connaître par ses marines. Mais ses triomphes datent des Salons de 1755 et 1757 avec la série des *Ports de France* commandée par Louis XV (1755 : *Marseille*, *Toulon* et *Bandol*, 1757 : *Antibes*, *Toulon* et *Sète*). Diderot veut opposer ces paysages réels à des compositions plus romanesques, « peintes d'idée » : mers orageuses, naufrages, levers et couchers de soleil; les amateurs, comme le marquis de Marigny, en appréciaient la poésie (Salon de 1755, nº 102, Salon de 1757, nº 61).

mais non toucher l'âme. Sous un vêtement surchargé de dorure, je ne vois jamais qu'un homme riche, et c'est un homme que je cherche. Celui qui est frappé des diamants qui déparent une belle femme, n'est pas digne de voir une belle femme.

La comédie veut être jouée en déshabillé. Il ne faut être sur la scène ni plus apprêté ni plus négligé que chez soi.

Si c'est pour le spectateur que vous vous ruinez en habits acteurs, vous n'avez point de goût; et vous oubliez que le spectateur n'est rien pour vous.

Plus les genres sont sérieux, plus il faut de sévérité dans les vêtements.

Quelle vraisemblance, qu'au moment d'une action tumultueuse, des hommes aient eu le temps de se parer comme dans un jour de représentation ou de fête?

Dans quelles dépenses nos comédiens ne se sont-ils pas jetés pour la représentation de *l'Orphelin de la Chine?* Combien ne leur en a-t-il pas coûté, pour ôter à cet ouvrage une partie de son effet[1]? En vérité, il n'y a que des enfants comme on en voit s'arrêter ébahis dans nos rues lorsqu'elles sont bigarrées de tapisseries, à qui le luxe des vêtements de théâtre puisse plaire. O Athéniens, vous êtes des enfants

De belles draperies simples, d'une couleur sévère, voilà ce qu'il fallait, et non tout votre clinquant et toute votre broderie. Interrogez encore la peinture là-dessus. Y a-t-il parmi nous un artiste assez Goth, pour vous montrer sur la

1. La richesse et l'exotisme furent pour beaucoup dans le succès de *L'Orphelin de la Chine*, tragédie de Voltaire donnée à la Comédie-Française le 20 août 1755. Mlle Clairon dans le rôle d'Idamé et Lekain dans celui de Gengis Khan avaient réussi, de concert avec Voltaire, à abandonner le costume français traditionnel. Grimm disait (*Corresp. litt.*, t. III, p. 89, 15 septembre 1755) : « Il n'est pas indifférent de remarquer que, dans la tragédie de *L'Orphelin de la Chine*, nos actrices ont paru pour la première fois sans paniers. M. de Voltaire a abandonné sa part d'auteur au profit des acteurs pour leurs habits. Il faut espérer que la raison et le bon sens triompheront, avec le temps, de tous ces ridicules usages. » Mais Diderot condamne tout luxe, même oriental.

toile, aussi maussades et aussi brillants que nous vous avons vus sur la scène?

Acteurs, si vous voulez apprendre à vous habiller; si vous voulez perdre le faux goût du faste, et vous rapprocher de la simplicité qui conviendrait si fort aux grands effets, à votre fortune et à vos mœurs; fréquentez nos galeries.

S'il venait jamais en fantaisie d'essayer *le Père de famille* au théâtre, je crois que ce personnage ne pourrait être vêtu trop simplement. Il ne faudrait à Cécile que le déshabillé d'une fille opulente. J'accorderais, si l'on veut, au Commandeur, un galon d'or uni, avec la canne à bec de corbin. S'il changeait d'habit, entre le premier acte et le second, je n'en serais pas fort étonné de la part d'un homme aussi capricieux. Mais tout est gâté, si Sophie n'est pas en siamoise [1], et madame Hébert comme une femme du peuple aux jours de dimanche. Saint-Albin est le seul à qui son âge et son état me feront passer, au second acte, de l'élégance et du luxe. Il ne lui faut, au premier, qu'une redingote de peluche sur une veste d'étoffe grossière.

Le public ne sait pas toujours désirer le vrai. Quand il est dans le faux, il peut y rester des siècles entiers; mais il est sensible aux choses naturelles; et lorsqu'il en a reçu l'impression, il ne la perd jamais entièrement.

Une actrice courageuse vient de se défaire du panier, et personne ne l'a trouvé mauvais. Elle ira plus loin, j'en réponds. Ah! si elle osait un jour se montrer sur la scène avec toute la noblesse et la simplicité d'ajustement que ses rôles demandent! disons plus, dans le désordre où doit jeter un événement aussi terrible que la mort d'un époux, la perte d'un fils et les autres catastrophes de la scène tragique, que deviendraient, autour d'une femme échevelée, toutes ces poupées poudrées, frisées, pomponnées? Il faudrait bien que tôt ou tard elles se missent à l'unisson. La nature, la nature! on ne lui résiste pas. Il faut ou la chasser, ou lui obéir.

---

1. Robe modeste, en tissu métis de soie et de coton.

O Clairon, c'est à vous que je reviens! Ne souffrez pas que l'usage et le préjugé vous subjuguent. Livrez-vous à votre goût et à votre génie; montrez-nous la nature et la vérité : c'est le devoir de ceux que nous aimons, et dont les talents nous ont disposés à recevoir tout ce qu'il leur plaira d'oser.

XXI. De la pantomime

Un paradoxe dont peu de personnes sentiront le vrai, et qui révoltera les autres (mais que vous importe à vous et à moi? premièrement dire la vérité, voilà notre devise), c'est que, dans les pièces italiennes, nos comédiens italiens jouent avec plus de liberté que nos comédiens français; ils font moins de cas du spectateur. Il y a cent moments où il en est tout à fait oublié. On trouve, dans leur action, je ne sais quoi d'original et d'aisé, qui me plaît et qui plairait à tout le monde, sans les insipides discours et l'intrigue absurde qui le défigurent. A travers leur folie, je vois des gens en gaieté qui cherchent à s'amuser, et qui s'abandonnent à toute la fougue de leur imagination; et j'aime mieux cette ivresse, que le raide, le pesant et l'empesé.

« Mais ils improvisent : le rôle qu'ils font ne leur a point été dicté. »

Je m'en aperçois bien.

« Et si vous voulez les voir aussi mesurés, aussi compassés et plus froids que d'autres, donnez-leur une pièce écrite. »

J'avoue qu'ils ne sont plus eux : mais qui les en empêche? Les choses qu'ils ont apprises ne leur sont-elles pas aussi intimes, à la quatrième représentation, que s'ils les avaient imaginées?

« Non. L'impromptu a un caractère que la chose préparée ne prendra jamais. »

Je le veux. Néanmoins, ce qui surtout les symétrise, les empèse et les engourdit, c'est qu'ils jouent d'imitation; qu'ils ont un autre théâtre et d'autres acteurs en vue. Que font-ils donc? Ils s'arrangent en rond; ils arrivent à pas comptés et mesurés; ils quêtent des applaudissements, ils sortent de l'action; ils s'adressent au parterre; ils lui parlent, et ils deviennent maussades et faux.

Une observation que j'ai faite, c'est que nos insipides personnages subalternes demeurent plus communément dans leur humble rôle, que les principaux personnages. La raison, ce me semble, c'est qu'ils sont contenus par la présence d'un autre qui les commande : c'est à cet autre qu'ils s'adressent; c'est là que toute leur action est tournée. Et tout irait assez bien, si la chose en imposait aux premiers rôles, comme la dépendance en impose aux rôles subalternes.

Il y a bien de la pédanterie dans notre poétique; il y en a beaucoup dans nos compositions dramatiques : comment n'y en aurait-il pas dans la représentation?

Cette pédanterie, qui est partout ailleurs si contraire au caractère facile de la nation, arrêtera longtemps encore les progrès de la pantomime, partie si importante de l'art dramatique.

J'ai dit que la pantomime est une portion du drame; que l'auteur s'en doit occuper sérieusement; que si elle ne lui est pas familière et présente, il ne saura ni commencer, ni conduire, ni terminer sa scène avec quelque vérité; et que le geste doit s'écrire souvent à la place du discours.

J'ajoute qu'il y a des scènes entières où il est infiniment plus naturel aux personnages de se mouvoir que de parler; et je vais le prouver.

Il n'y a rien de ce qui se passe dans le monde, qui ne puisse avoir lieu sur la scène. Je suppose donc que deux hommes, incertains s'ils ont à être mécontents ou satisfaits l'un de l'autre, en attendent un troisième qui les instruise : que diront-ils jusqu'à ce que ce troisième soit arrivé? Rien. Ils iront, ils viendront, ils montreront de l'impatience; mais ils se tairont. Ils n'auront garde de se tenir des propos dont ils pourraient avoir à se repentir. Voilà le cas d'une scène toute ou presque toute pantomime : et combien n'y en a-t-il pas d'autres?

Pamphile se trouve sur la scène avec Chrémès et Simon [1].

---

1. Dans l'*Andrienne*, acte IV, scène 3.

Chrémès prend tout que ce son fils lui dit pour les impostures d'un jeune libertin qui a des sottises à excuser. Son fils lui demande à produire un témoin. Chrémès, pressé par son fils et par Simon, consent à écouter ce témoin. Pamphile va le chercher, Simon et Chrémès restent. Je demande ce qu'ils font pendant que Pamphile est chez Glycérion, qu'il parle à Criton, qu'il l'instruit, qu'il lui explique ce qu'il en attend, et qu'il le détermine à venir et à parler à Chrémès son père? Il faut, ou les supposer immobiles et muets, ou imaginer que Simon continue d'entretenir Chrémès; que Chrémès, la tête baissée et le menton appuyé sur sa main, l'écoute tantôt avec patience, tantôt avec colère; et qu'il se passe entre eux une scène toute pantomime.

Mais cet exemple n'est pas le seul qu'il y ait dans ce poète. Que fait ailleurs un des vieillards sur la scène, tandis que l'autre va dire à son fils que son père sait tout, le déshérite, et donne son bien à sa fille [1]?

Si Térence avait eu l'intention d'écrire la pantomime, nous n'aurions là-dessus aucune incertitude. Mais qu'importe qu'il l'ait écrite ou non, puisqu'il faut si peu de sens pour la supposer ici? Il n'en est pas toujours de même. Qui est-ce qui l'eût imaginée dans *l'Avare?* Harpagon est alternativement triste et gai, selon que Frosine lui parle de son indigence ou de la tendresse de Marianne [2]. Là, le dialogue est institué entre le discours et le geste.

Il faut écrire la pantomime toutes les fois qu'elle fait tableau; qu'elle donne de l'énergie ou de la clarté au discours; qu'elle lie le dialogue; qu'elle caractérise; qu'elle consiste dans un jeu délicat qui ne se devine pas; qu'elle tient lieu de réponse, et presque toujours au commencement des scènes.

Elle est tellement essentielle, que de deux pièces composées, l'une, eu égard à la pantomime, et l'autre sans cela, la facture sera si diverse, que celle où la pantomime aura été considérée comme partie du drame, ne se jouera pas sans

1. Dans l'*Hautontimorumenos*, acte V, scènes 1 et 2.

2. *L'Avare*, acte II, scène 5.

pantomime; et que celle où la pantomime aura été négligée, ne se pourra pantomimer. On ne l'ôtera point dans la représentation au poème qui l'aura, et on ne la donnera point au poème qui ne l'aura pas. C'est elle qui fixera la longueur des scènes, et qui colorera tout le drame.

Molière n'a pas dédaigné de l'écrire, c'est tout dire.

Mais quand Molière ne l'eût pas écrite, un autre aurait-il eu tort d'y penser? O critiques, cervelles étroites, hommes de peu de sens, jusqu'à quand ne jugerez-vous rien en soi-même, et n'approuverez ou ne désapprouverez-vous que d'après ce qui est!

Combien d'endroits où Plaute, Aristophane et Térence ont embarrassé les plus habiles interprètes, pour n'avoir pas indiqué le mouvement de la scène! Térence commence ainsi les *Adelphes :* « Storax... Eschinus n'est pas rentré cette nuit. » Qu'est-ce que cela signifie? Micion parle-t-il à Storax? Non. Il n'y a point de Storax sur la scène dans ce moment; ce personnage n'est pas même de la pièce. Qu'est-ce donc que cela signifie? Le voici. Storax est un des valets d'Eschinus. Micion l'appelle; et Storax ne répondant point, il en conclut qu'Eschinus n'est pas rentré. Un mot de pantomime aurait éclairci cet endroit.

C'est la peinture des mouvements qui charme, surtout dans les romans domestiques. Voyez avec quelle complaisance l'auteur de *Paméla*, de *Grandisson* et de *Clarisse* s'y arrête! Voyez quelle force, quel sens, et quel pathétique elle donne à son discours! Je vois le personnage; soit qu'il parle, soit qu'il se taise, je le vois; et son action m'affecte plus que ses paroles.

Si un poète a mis sur la scène Oreste et Pylade, se disputant la mort, et qu'il ait réservé pour ce moment l'approche des Euménides, dans quel effroi ne me jettera-t-il pas, si les idées d'Oreste se troublent peu à peu, à mesure qu'il raisonne avec son ami; si ses yeux s'égarent, s'il cherche autour de lui, s'il s'arrête, s'il continue de parler, s'il s'arrête encore, si le désordre de son action et de son discours s'accroît; si les Furies s'emparent de lui et le tourmentent; s'il succombe sous la violence du tourment; s'il en est renversé par terre, si Pylade le relève, l'appuie, et lui essuie de sa main le visage et la bouche; si le malheureux fils de Clytemnestre reste un moment dans un état d'agonie et de mort; si, entr'ouvrant ensuite les paupières, et semblable à un homme qui revient d'une léthargie profonde, sentant les bras de son ami qui le soutiennent et qui le pressent, il lui dit, en penchant la tête de son côté, et d'une voix éteinte : « Pylade, est-ce à toi de mourir ? » quel effet cette pantomime ne produira-t-elle pas ? Y a-t-il quelque discours au monde qui m'affecte autant que l'action de Pylade relevant Oreste abattu, et lui essuyant de sa main le visage et la bouche ? Séparez ici la pantomime du discours, et vous tuerez l'un et l'autre [1]. Le poète qui aura imaginé cette scène, aura surtout montré du génie, en réservant, pour ce moment, les fureurs d'Oreste. L'argument qu'Oreste tire de sa situation est sans réponse.

Mais il me prend envie de vous esquisser les derniers instants de la vie de Socrate [2]. C'est une suite de tableaux, qui prouveront plus en faveur de la pantomime que tout ce que je pourrais ajouter. Je me conformerai presque entièrement à l'histoire. Quel canevas pour un poète!

Ses disciples n'en avaient point la pitié qu'on éprouve auprès d'un ami qu'on assiste au lit de la mort. Cet homme leur paraissait heureux; s'ils étaient touchés, c'était d'un sentiment extraordinaire mêlé de la douceur qui naissait de ses discours, et de la peine qui naissait de la pensée qu'ils allaient le perdre.

Lorsqu'ils entrèrent, on venait de le délier. Xantippe était assise auprès de lui, tenant un de ses enfants entre ses bras.

---

1. Cette lutte de générosité est tirée de l'*Iphigénie en Tauride* d'Euripide (2e épisode, vers 674-724). Mais Diderot ne comprend pas la grandeur sereine de cette scène que toute gesticulation rendrait vulgaire. On ne saurait choisir d'exemple plus mauvais en faveur de la pantomime.

2. Diderot avait déjà esquissé un acte de la *Mort de Socrate* au début du chapitre IV. C'est ici un véritable scénario. Dans une lettre au pasteur Jacob Vernes (édit. Roth, t. II, p. 106, 9 janvier 1759), un an plus tard, Diderot pense encore à son drame que Grimm le pressait de mettre sur pied (cf. *ibid.*, p. 176).

Le philosophe dit peu de choses à sa femme; mais, combien de choses touchantes un homme sage, qui ne fait aucun cas de la vie, n'aurait-il pas à dire sur son enfant?

Les philosophes entrèrent. A peine Xantippe les aperçut-elle, qu'elle se mit à désespérer et à crier, comme c'est la coutume des femmes en ces occasions : « Socrate, vos amis vous parlent aujourd'hui pour la dernière fois; c'est pour la dernière fois que vous embrassez votre femme, et que vous voyez votre enfant. »

Socrate se tournant du côté de Criton, lui dit : « Mon ami, faites conduire cette femme chez elle. » Et cela s'exécuta.

On entraîne Xantippe; mais elle s'élance du côté de Socrate, lui tend les bras, l'appelle, se meurtrit le visage de ses mains, et remplit la prison de ses cris.

Cependant Socrate dit encore un mot sur l'enfant qu'on emporte.

Alors, le philosophe prenant un visage serein, s'assied sur son lit, et pliant la jambe d'où l'on avait ôté la chaîne, et la frottant doucement, il dit :

« Que le plaisir et la peine se touchent de près! Si Ésope y avait pensé, la belle fable qu'il en aurait faite!... Les Athéniens ont ordonné que je m'en aille, et je m'en vais... Dites à Événus qu'il me suivra, s'il est sage. »

Ce mot engage la scène sur l'immortalité de l'âme.

Tentera cette scène qui l'osera; pour moi, je me hâte vers mon objet. Si vous avez vu expirer un père au milieu de ses enfants, telle fut la fin de Socrate au milieu des philosophes qui l'environnaient.

Lorsqu'il eut achevé de parler, il se fit un moment de silence, et Criton lui dit : « Qu'avez-vous à nous ordonner?

SOCRATE

De vous rendre semblables aux dieux, autant qu'il vous sera possible, et de leur abandonner le soin du reste.

CRITON

Après votre mort, comment voulez-vous qu'on dispose de vous?

SOCRATE

Criton, tout comme il vous plaira, si vous me retrouvez. »

Puis regardant les philosophes en souriant, il ajouta : « J'aurai beau faire, je ne persuaderai jamais à notre ami de distinguer Socrate de sa dépouille. »

Le satellite des Onze entra dans ce moment, et s'approcha de lui sans parler. Socrate lui dit : « Que voulez-vous ?

LE SATELLITE

Vous avertir de la part des magistrats...

SOCRATE

Qu'il est temps de mourir. Mon ami, apportez le poison, s'il est broyé, et soyez le bienvenu.

LE SATELLITE, *en se détournant et pleurant.*

Les autres me maudissent; celui-ci me bénit.

CRITON

Le soleil luit encore sur les montagnes.

SOCRATE

Ceux qui diffèrent croient tout perdre à cesser de vivre; et moi, je crois y gagner. »

Alors, l'esclave qui portait la coupe entra. Socrate la reçut, et lui dit : « Homme de bien, que faut-il que je fasse; car vous savez cela ?

L'ESCLAVE

Boire, et vous promener jusqu'à ce que vous sentiez vos jambes s'appesantir.

SOCRATE

Ne pourrait-on pas en répandre une goutte en action de grâces aux dieux ?

L'ESCLAVE

Nous n'en avons broyé que ce qu'il faut.

SOCRATE

Il suffit... Nous pourrons du moins leur adresser une prière. »

Et tenant la coupe d'une main, et tournant ses regards vers le ciel, il dit :

« O dieux qui m'appelez, daignez m'accorder un heureux voyage! »

Après il garda le silence, et but.

Jusque-là, ses amis avaient eu la force de contenir leur douleur; mais lorsqu'il approcha la coupe de ses lèvres, ils n'en furent plus les maîtres.

Les uns s'enveloppèrent dans leur manteau. Criton s'était levé, et il errait dans la prison en poussant des cris. D'autres, immobiles et droits, regardaient Socrate dans un morne silence, et des larmes coulaient le long de leurs joues. Apollodore s'était assis sur les pieds du lit, le dos tourné à Socrate, et la bouche penchée sur ses mains, il étouffait ses sanglots.

Cependant, Socrate se promenait, comme l'esclave le lui avait enjoint; et, en se promenant, il s'adressait à chacun d'eux, et les consolait.

Il disait à celui-ci : « Où est la fermeté, la philosophie, la vertu?... » A celui-là : « C'est pour cela que j'avais éloigné les femmes... » A tous : « Eh bien! Anyte et Mélite auront donc pu me faire du mal!... Mes amis, nous nous reverrons... Si vous vous affligez ainsi, vous n'en croyez rien. »

Cependant ses jambes s'appesantirent, et il se coucha sur son lit. Alors il recommanda sa mémoire à ses amis, et leur dit, d'une voix qui s'affaiblissait : « Dans un moment, je ne serai plus... C'est par vous qu'ils me jugeront... Ne reprochez ma mort aux Athéniens que par la sainteté de votre vie. »

Ses amis voulurent lui répondre; mais ils ne le purent : ils se mirent à pleurer, et se turent.

L'esclave qui était au bas de son lit, lui prit les pieds et les lui serra; et Socrate qui le regardait, lui dit :

« Je ne les sens plus. »

Un instant après, il lui prit les jambes et les lui serra; et Socrate qui le regardait, lui dit :

« Je ne les sens plus. »

Alors ses yeux commencèrent à s'éteindre, ses lèvres et ses narines à se retirer, ses membres à s'affaisser, et l'ombre de la mort à se répandre sur toute sa personne. Sa respiration s'embarrassait, et on l'entendait à peine. Il dit à Criton qui était derrière lui :

« Criton, soulevez-moi un peu. »

Criton le souleva. Ses yeux se ranimèrent, et prenant un visage serein, et portant son action vers le ciel, il dit :

« Je suis entre la terre et l'Élysée. »

Un moment après, ses yeux se couvrirent; et il dit à ses amis :

« Je ne vous vois plus... Parlez-moi... N'est-ce pas là la main d'Apollodore? »

On lui répondit que oui; et il la serra.

Alors il eut un mouvement convulsif, dont il revint avec un profond soupir; et il appela Criton. Criton se baissa : Socrate lui dit, et ce furent ses dernières paroles :

« Criton... sacrifiez au dieu de la santé... Je guéris. »

Cébès, qui était vis-à-vis de Socrate, reçut ses derniers regards, qui demeurèrent attachés sur lui; et Criton lui ferma la bouche et les yeux.

Voilà les circonstances qu'il faut employer. Disposez-en comme il vous plaira; mais conservez-les. Tout ce que vous mettriez à la place, sera faux et de nul effet. Peu de discours et beaucoup de mouvement.

Si le spectateur est au théâtre comme devant une toile, où des tableaux divers se succéderaient par enchantement, pourquoi le philosophe qui s'assied sur les pieds du lit de Socrate, et qui craint de le voir mourir, ne serait-il pas aussi pathétique sur la scène, que la femme et la fille d'Eudamidas dans le tableau du Poussin[1]?

---

1. Il s'agit du *Testament d'Eudamidas*, tableau de Poussin popularisé par la gravure de J. Pesne. Vers 1700, il appartenait à Froment de Vesne et devait passer après 1757 dans la galerie

Appliquez les lois de la composition pittoresque à la pantomime, et vous verrez que ce sont les mêmes.

Dans une action réelle, à laquelle plusieurs personnes concourent, toutes se disposeront d'elles-mêmes de la manière la plus vraie; mais cette manière n'est pas toujours la plus avantageuse pour celui qui peint, ni la plus frappante pour celui qui regarde. De là, la nécessité pour le peintre d'altérer l'état naturel et de le réduire à un état artificiel : et n'en sera-t-il pas de même sur la scène?

Si cela est, quel art que celui de la déclamation! Lorsque chacun est maître de son rôle, il n'y a presque rien de fait. Il faut mettre les figures ensemble, les rapprocher ou les disperser, les isoler ou les grouper, et en tirer une succession de tableaux, tous composés d'une manière grande et vraie.

De quel secours le peintre ne serait-il pas à l'acteur, et l'acteur au peintre? Ce serait un moyen de perfectionner deux talents importants. Mais je jette ces vues pour ma satisfaction particulière et la vôtre. Je ne pense pas que nous aimions jamais assez les spectacles pour en venir là.

Une des principales différences du roman domestique et du drame, c'est que le roman suit le geste et la pantomime dans tous leurs détails; que l'auteur s'attache principalement à peindre et les mouvements et les impressions : au lieu que le poète dramatique n'en jette qu'un mot en passant.

« Mais ce mot coupe le dialogue, le ralentit et le trouble. »

Oui, quand il est mal placé ou mal choisi.

J'avoue cependant que, si la pantomime était portée sur la scène à un haut point de perfection, on pourrait souvent se dispenser de l'écrire : et c'est la raison peut-être pour laquelle les Anciens ne l'ont pas fait. Mais, parmi nous, comment le lecteur, je parle même de celui qui a quelque habitude du théâtre, la suppléera-t-il en lisant, puisqu'il ne la voit jamais dans le jeu? Serait-il plus acteur qu'un comédien par état?

Moltke de Copenhague (cf. Otto Grautoff, *Nicolas Poussin*, Munich, Müller, 1914, t. II, p. 178). Diderot apprécie le pathétique dénudé de cette scène tirée du *Toxaris* de Lucien.

La pantomime serait établie sur nos théâtres, qu'un poète qui ne fait pas représenter ses pièces, sera froid et quelquefois inintelligible, s'il n'écrit pas le jeu. N'est-ce pas pour un lecteur un surcroît de plaisir, que de connaître le jeu, tel que le poète l'a conçu ? Et, accoutumés comme nous le sommes à une déclamation maniérée, symétrisée et si éloignée de la vérité, y a-t-il beaucoup de personnes qui puissent s'en passer ?

La pantomime est le tableau qui existait dans l'imagination du poète, lorsqu'il écrivait; et qu'il voudrait que la scène montrât à chaque instant lorsqu'on le joue. C'est la manière la plus simple d'apprendre au public ce qu'il est en droit d'exiger de ses comédiens. Le poète vous dit : Comparez ce jeu avec celui de vos acteurs; et jugez.

Au reste, quand j'écris la pantomime, c'est comme si je m'adressais en ces mots au comédien : C'est ainsi que je déclame, voilà les choses comme elles se passaient dans mon imagination, lorsque je composais. Mais je ne suis ni assez vain pour croire qu'on ne puisse pas mieux déclamer que moi, ni assez imbécile pour réduire un homme de génie à l'état machinal.

On propose un sujet à peindre à plusieurs artistes; chacun le médite et l'exécute à sa manière, et il sort de leurs ateliers autant de tableaux différents. Mais on remarque à tous quelques beautés particulières.

Je dis plus. Parcourez nos galeries, et faites-vous montrer les morceaux où l'amateur a prétendu commander à l'artiste, et disposer de ses figures. Sur le grand nombre, à peine en trouverez-vous deux ou trois, où les idées de l'un se soient tellement accordées avec le talent de l'autre, que l'ouvrage n'en ait pas souffert.

Acteurs, jouissez donc de vos droits; faites ce que le moment et votre talent vous inspireront. Si vous êtes de chair, si vous avez des entrailles, tout ira bien, sans que je m'en mêle; et j'aurai beau m'en mêler, tout ira mal, si vous êtes de marbre ou de bois.

Qu'un poète ait ou n'ait pas écrit la pantomime, je reconnaîtrai, du premier coup, s'il a composé ou non d'après elle.

.a conduite de sa pièce ne sera pas la même; les scènes uront un tout autre tour; son dialogue s'en ressentira. Si 'est l'art d'imaginer des tableaux, doit-on le supposer à tout : monde; et tous nos poètes dramatiques l'ont-ils possédé?

Une expérience à faire, ce serait de composer un ouvrage ramatique, et de proposer ensuite d'en écrire la pantomime ceux qui traitent ce soin de superflu. Combien ils y feraient l'inepties?

Il est facile de critiquer juste; et difficile d'exécuter médiorement. Serait-il donc si déraisonnable d'exiger que, par uelque ouvrage d'importance, nos juges montrassent u'ils en savent du moins autant que nous?

XXII. Des auteurs et des critiques

Les voyageurs parlent d'une espèce d'hommes sauvages, ui soufflent au passant des aiguilles empoisonnées. C'est 'image de nos critiques.

Cette comparaison vous paraît-elle outrée? Convenez du noins qu'ils ressemblent assez à un solitaire qui vivait au ond d'une vallée que des collines environnaient de toutes oarts. Cet espace borné était l'univers pour lui. En tourant sur un pied, et parcourant d'un coup d'œil son étroit orizon, il s'écriait : Je sais tout; j'ai tout vu. Mais tenté un our de se mettre en marche, et d'approcher de quelques bjets qui se dérobaient à sa vue, il grimpe au sommet d'une le ces collines. Quel ne fut pas son étonnement, lorsqu'il rit un espace immense se développer au-dessus de sa tête et levant lui? Alors, changeant de discours, il dit : Je ne sais ien; je n'ai rien vu.

J'ai dit que nos critiques ressemblaient à cet homme; je ne suis trompé, ils restent au fond de leur cahute, et ne perlent jamais la haute opinion qu'ils ont d'eux.

Le rôle d'un auteur est un rôle assez vain; c'est celui d'un omme qui se croit en état de donner des leçons au public. Et le rôle du critique? Il est bien plus vain encore; c'est elui d'un homme qui se croit en état de donner des leçons . celui qui se croit en état d'en donner au public.

L'auteur dit : Messieurs, écoutez-moi; car je suis votr
maître. Et le critique : C'est moi, messieurs, qu'il faut écou
ter; car je suis le maître de vos maîtres.

Pour le public, il prend son parti. Si l'ouvrage de l'au
teur est mauvais, il s'en moque, ainsi que des observation
du critique, si elles sont fausses.

Le critique s'écrie après cela : O temps! O mœurs! L
goût est perdu! et le voilà consolé.

L'auteur, de son côté, accuse les spectateurs, les acteur
et la cabale. Il en appelle à ses amis; il leur a lu sa pièce, avan
que de la donner au théâtre : elle devait aller aux nues. Mai
vos amis aveuglés ou pusillanimes n'ont pas osé vous dir
qu'elle était sans conduite, sans caractères et sans style; e
croyez-moi, le public ne se trompe guère. Votre pièce es
tombée, parce qu'elle est mauvaise.

« Mais le *Misanthrope* n'a-t-il pas chancelé? »

Il est vrai. O qu'il est doux, après un malheur, d'avoi
pour soi cet exemple! Si je monte jamais sur la scène, et qu
j'en sois chassé par les sifflets, je compte bien me le rappele
aussi.

La critique en use bien diversement avec les vivants et le
morts. Un auteur est-il mort? Elle s'occupe à relever se
qualités, et à pallier ses défauts. Est-il vivant? C'est l
contraire; ce sont ses défauts qu'elle relève, et ses qualité
qu'elle oublie. Et il y a quelque raison à cela : on peut cor
riger les vivants; et les morts sont sans ressource.

Cependant, le censeur le plus sévère d'un ouvrage, c'es
l'auteur. Combien il se donne de peines pour lui seul! C'es
lui qui connaît le vice secret; et ce n'est presque jamais là
que le critique pose le doigt. Cela m'a souvent rappelé l
mot d'un philosophe : « Ils disent du mal de moi? Ah! s'il
me connaissaient, comme je me connais [1] !... »

---

1. Le mot est d'Épictète (*Manuel*, XXXIII) : « Si l'on vou
rapporte que quelqu'un dit du mal de vous, n'attaquez pas se
dires; répondez : cet homme ne connaît pas l'étendue de me
fautes, car il ne se serait pas borné à mentionner celles-là : Ἠγνόε
γὰρ τὰ ἄλλα τὰ προσόντα μοι κακά. ἐπεὶ οὐκ ἂν ταυτα μόνα ἔλεγεν.

Les auteurs et les critiques anciens commençaient par s'instruire; ils n'entraient dans la carrière des lettres, qu'au sortir des écoles de la philosophie. Combien de temps l'auteur n'avait-il pas gardé son ouvrage avant que de l'exposer au public? De là cette correction, qui ne peut être que l'effet des conseils, de la lime et du temps.

Nous nous pressons trop de paraître; et nous n'étions peut-être ni assez éclairés, ni assez gens de bien, quand nous avons pris la plume.

Si le système moral est corrompu, il faut que le goût soit faux.

La vérité et la vertu sont les amies des beaux-arts. Voulez-vous être auteur? voulez-vous être critique? commencez par être homme de bien. Qu'attendre de celui qui ne peut s'affecter profondément? et de quoi m'affecterais-je profondément, sinon de la vérité et de la vertu, les deux choses les plus puissantes de la nature?

Si l'on m'assure qu'un homme est avare, j'aurai peine à croire qu'il produise quelque chose de grand. Ce vice rapetisse l'esprit et rétrécit le cœur. Les malheurs publics ne sont rien pour l'avare. Quelquefois il s'en réjouit. Il est dur. Comment s'élèvera-t-il à quelque chose de sublime? il est sans cesse courbé sur un coffre-fort. Il ignore la vitesse du temps et la brièveté de la vie. Concentré en lui-même, il est étranger à la bienfaisance. Le bonheur de son semblable n'est rien à ses yeux, en comparaison d'un petit morceau de métal jaune. Il n'a jamais connu le plaisir de donner à celui qui manque, de soulager celui qui souffre, et de pleurer avec celui qui pleure. Il est mauvais père, mauvais fils, mauvais ami, mauvais citoyen. Dans la nécessité de s'excuser son vice à lui-même, il s'est fait un système qui immole tous les devoirs à sa passion. S'il se proposait de peindre la commisération, la libéralité, l'hospitalité, l'amour de la patrie, celui du genre humain, où en trouvera-t-il les couleurs? Il a pensé, dans le fond de son cœur, que ces qualités ne sont que des travers et des folies.

Après l'avare, dont tous les moyens sont vils et petits, et qui n'oserait pas même tenter un grand crime pour avoir de l'argent, l'homme du génie le plus étroit et le plus capable de faire des maux, le moins touché du vrai, du bon et du beau, c'est le superstitieux.

Après le superstitieux, c'est l'hypocrite. Le superstitieux a la vue trouble; et l'hypocrite a le cœur faux.

Si vous êtes bien né, si la nature vous a donné un esprit droit et un cœur sensible, fuyez pour un temps la société des hommes; allez vous étudier vous-même. Comment l'instrument rendra-t-il une juste harmonie, s'il est désaccordé? Faites-vous des notions exactes des choses; comparez votre conduite avec vos devoirs; rendez-vous homme de bien, et ne croyez pas que ce travail et ce temps si bien employés pour l'homme soient perdus pour l'auteur. Il rejaillira, de la perfection morale que vous aurez établie dans votre caractère et dans vos mœurs, une nuance de grandeur et de justice qui se répandra sur tout ce que vous écrirez. Si vous avez le vice à peindre, sachez une fois combien il est contraire à l'ordre général et au bonheur public et particulier; et vous le peindrez fortement. Si c'est la vertu, comment en parlerez-vous d'une manière à la faire aimer aux autres, si vous n'en êtes pas transporté? De retour parmi les hommes, écoutez beaucoup ceux qui parlent bien; et parlez-vous souvent à vous-même.

Mon ami, vous connaissez Ariste [1]; c'est de lui que je tiens ce que je vais vous en raconter. Il avait alors quarante ans. Il s'était particulièrement livré à l'étude de la philosophie. On l'avait surnommé le philosophe, parce qu'il était né sans ambition, qu'il avait l'âme honnête, et que l'envie n'en avait jamais altéré la douceur et la paix. Du reste, grave dans son maintien, sévère dans ses mœurs, austère et simple dans ses discours, le manteau d'un ancien philosophe était presque la seule chose qui lui manquât; car il était pauvre, et content de sa pauvreté.

1. C'est Diderot évidemment qui se dissimule sous Ariste. Il est « le philosophe »; en 1758 il a quarante-cinq ans et non plus quarante. Cette confession publique, un peu longue mais émouvante, n'est pas dénuée de pharisaïsme. Nous avouons préférer la belle lettre à Voltaire du 19 janvier 1758 (édit. Roth, t. II, p. 39).

Un jour qu'il s'était proposé de passer avec ses amis quelques heures à s'entretenir sur les lettres ou sur la morale, car il n'aimait pas à parler des affaires publiques, ils étaient absents, et il prit le parti de se promener seul.

Il fréquentait peu les endroits où les hommes s'assemblent. Les lieux écartés lui plaisaient davantage. Il allait en rêvant et voici ce qu'il se disait :

J'ai quarante ans. J'ai beaucoup étudié; on m'appelle le philosophe. Si cependant il se présentait ici quelqu'un qui me dît : Ariste, qu'est-ce que le vrai, le bon et le beau? aurais-je ma réponse prête? Non. Comment, Ariste, vous ne savez pas ce que c'est que le vrai, le bon et le beau; et vous souffrez qu'on vous appelle le philosophe!

Après quelques réflexions sur la vanité des éloges qu'on prodigue sans connaissance, et qu'on accepte sans pudeur, il se mit à rechercher l'origine de ces idées fondamentales de notre conduite et de nos jugements; et voici comment il continua de raisonner avec lui-même.

Il n'y a peut-être pas, dans l'espèce humaine entière, deux individus qui aient quelque ressemblance approchée. L'organisation générale, les sens, la figure extérieure, les viscères, ont leur variété. Les fibres, les muscles, les solides, les fluides, ont leur variété. L'esprit, l'imagination, la mémoire, les idées, les vérités, les préjugés, les aliments, les exercices, les connaissances, les états, l'éducation, les goûts, la fortune, les talents, ont leur variété. Les objets, les climats, les mœurs, les lois, les coutumes, les usages, les gouvernements, les religions, ont leur variété. Comment serait-il donc possible que deux hommes eussent précisément un même goût, ou les mêmes notions du vrai, du bon et du beau? La différence de la vie et la variété des événements suffiraient seules pour en mettre dans les jugements.

Ce n'est pas tout. Dans un même homme, tout est dans une vicissitude perpétuelle, soit qu'on le considère au physique, soit qu'on le considère au moral; la peine succède au plaisir, le plaisir à la peine; la santé à la maladie, la maladie à la santé. Ce n'est que par la mémoire que nous sommes un même individu pour les autres et pour nous-mêmes. Il ne me reste peut-être pas, à l'âge que j'ai, une seule molécul du corps que j'apportai en naissant. J'ignore le terme pres crit à ma durée; mais lorsque le moment de rendre ce corp à la terre sera venu, il ne lui restera peut-être pas une de molécules qu'il a. L'âme en différentes périodes de la vie ne se ressemble pas davantage. Je balbutiais dans l'enfance je crois raisonner à présent; mais tout en raisonnant, l temps passe et je m'en retourne à la balbutie. Telle est m condition et celle de tous. Comment serait-il donc possibl qu'il y en eût un seul d'entre nous qui conservât pendan toute la durée de son existence le même goût, et qui portâ les mêmes jugements du vrai, du bon et du beau? Les révo lutions, causées par le chagrin et par la méchanceté de hommes, suffiraient seules pour altérer ses jugements.

L'homme est-il donc condamné à n'être d'accord ni ave ses semblables, ni avec lui-même, sur les seuls objets qu'i lui importe de connaître, la vérité, la bonté, la beauté Sont-ce là des choses locales, momentanées et arbitraires, de mots vides de sens? N'y a-t-il rien qui soit tel? Une chos est-elle vraie, bonne et belle, quand elle me le paraît? E toutes nos disputes sur le goût se résoudraient-elles enfi à cette proposition : nous sommes, vous et moi, deux être différents; et moi-même, je ne suis jamais dans un instan ce que j'étais dans un autre?

Ici Ariste fit une pause, puis il reprit :

Il est certain qu'il n'y aura point de terme à nos disputes tant que chacun se prendra soi-même pour modèle et pou juge. Il y aura autant de mesures que d'hommes, et le même homme aura autant de modules différents que de périodes sensiblement différents dans son existence.

Cela me suffit, ce me semble, pour sentir la nécessité de chercher une mesure, un module hors de moi. Tant que cette recherche ne sera pas faite, la plupart de mes jugements seront faux et tous seront incertains.

Mais où prendre la mesure invariable que je cherche et qui me manque?... Dans un homme idéal que je me formerai, auquel je présenterai les objets, qui prononcera, et dont je me bornerai à n'être que l'écho fidèle?... Mais cet homme sera mon ouvrage... Qu'importe, si je le crée d'après les éléments constants... Et ces éléments constants, où sont-ils?... Dans la nature?... Soit, mais comment les rassembler?... La chose est difficile, mais est-elle impossible?... Quand je ne pourrais espérer de me former un modèle accompli, serais-je dispensé d'essayer?... Non... Essayons donc... Mais si le modèle de beauté auquel les anciens sculpteurs rapportèrent dans la suite tous leurs ouvrages, leur coûta tant d'observations, d'études et de peines, à quoi m'engagé-je?... Il le faut pourtant, ou s'entendre toujours appeler Ariste le philosophe, et rougir.

Dans cet endroit, Ariste fit une seconde pause un peu plus longue que la première, après laquelle il continua :

Je vois du premier coup d'œil, que l'homme idéal que je cherche étant un composé comme moi, les anciens sculpteurs, en déterminant les proportions qui leur ont paru les plus belles, ont fait une partie de mon modèle... Oui. Prenons cette statue, et animons-la... Donnons-lui les organes les plus parfaits que l'homme puisse avoir. Douons-la de toutes les qualités qu'il est donné à un mortel de posséder, et notre modèle idéal sera fait... Sans doute... Mais quelle étude! quel travail! Combien de connaissances physiques, naturelles et morales à acquérir! Je ne connais aucune science, aucun art dans lequel il ne me fallût être profondément versé... Aussi aurais-je le modèle idéal de toute vérité, de toute bonté et de toute beauté... Mais ce modèle général idéal est impossible à former, à moins que les dieux ne m'accordent leur intelligence, et ne me promettent leur éternité : me voilà donc retombé dans les incertitudes, d'où je me proposais de sortir.

Ariste, triste et pensif, s'arrêta encore dans cet endroit.

Mais pourquoi, reprit-il après un moment de silence, n'imiterais-je pas aussi les sculpteurs? Ils se sont fait un modèle propre à leur état; et j'ai le mien... Que l'homme de lettres se fasse un modèle idéal de l'homme de lettres le plus accompli, et que ce soit par la bouche de cet homme qu'il juge les productions des autres et les siennes. Que le philosophe suive le même plan... Tout ce qui semblera bon et beau à ce modèle, le sera. Tout ce qui lui semblera faux, mauvais et difforme, le sera... Voilà l'organe de ses décisions... Le modèle idéal sera d'autant plus grand et plus sévère, qu'on étendra davantage ses connaissances... Il n'y a personne, et il ne peut y avoir personne, qui juge également bien en tout du vrai, du bon et du beau. Non : et si l'on entend par un homme de goût celui qui porte en lui-même le modèle général idéal de toute perfection, c'est une chimère.

Mais de ce modèle idéal qui est propre à mon état de philosophe, puisqu'on veut m'appeler ainsi, quel usage ferai-je quand je l'aurai ? Le même que les peintres et les sculpteurs ont fait de celui qu'ils avaient. Je le modifierai selon les circonstances. Voilà la seconde étude à laquelle il faudra que je me livre.

L'étude courbe l'homme de lettres. L'exercice affermit la démarche, et relève la tête du soldat. L'habitude de porter des fardeaux affaisse les reins du crocheteur. La femme grosse renverse sa tête en arrière. L'homme bossu dispose ses membres autrement que l'homme droit. Voilà les observations qui, multipliées à l'infini, forment le statuaire, et lui apprennent à altérer, fortifier, affaiblir, défigurer et réduire son modèle idéal de l'état de nature à tel autre état qu'il lui plaît.

C'est l'étude des passions, des mœurs, des caractères, des usages, qui apprendra au peintre de l'homme à altérer son modèle, et à le réduire de l'état d'homme à celui d'homme bon ou méchant, tranquille ou colère.

C'est ainsi que d'un seul simulacre, il émanera une variété infinie de représentations différentes, qui couvriront la scène et la toile. Est-ce un poète ? Est-ce un poète qui compose ? Compose-t-il une satire ou un hymne ? Si c'est une satire, il aura l'œil farouche, la tête renfoncée entre les épaules, la bouche fermée, les dents serrées, la respiration contrainte et étouffée : c'est un furieux. Est-ce un hymne ? Il aura la tête élevée, la bouche entr'ouverte, les yeux tournés vers le ciel, l'air du transport et de l'extase, la respiration haleante : c'est un enthousiaste. Et la joie de ces deux hommes, près le succès, n'aura-t-elle pas des caractères différents ?

Après cet entretien avec lui-même, Ariste conçut qu'il vait encore beaucoup à apprendre. Il rentra chez lui. Il s'y enferma pendant une quinzaine d'années. Il se livra à l'his- oire, à la philosophie, à la morale, aux sciences et aux arts; t il fut à cinquante-cinq ans homme de bien, homme ins- ruit, homme de goût, grand auteur et[1] critique excellent.

---

1. 1772 *omisit* : et.

PARADOXE SUR LE COMÉDIEN

INTRODUCTION

Il *n'est pas d'œuvre de Diderot plus lue, plus glosée, plus contestée, et plus sûre de survivre, que le* Paradoxe sur le comédien. *Tant qu'il y aura des théâtres et des acteurs* — genus irritabile — *le paradoxe fera scandale. Bien différent des dévots de Molière qui condamnaient le principe même du théâtre, ou des moralistes qui s'en prenaient aux mœurs des artistes, Diderot entre par effraction dans l'âme même du comédien, dévoile les mystères d'un monde clos et lui impose un redoutable examen de conscience ; car le comédien est un monstre ; sensible, il doit souffrir tous les tourments des fantômes qu'il incarne ; insensible, il doit se dédoubler et livrer du moins son corps à des voix étrangères. Qu'il s'agisse de possession ou d'essentielle duplicité, les comédiens ont jugé sévèrement cette intrusion dans leur monde magique. Depuis Coquelin et Sarah Bernhardt jusqu'à Copeau, Dussane, Dullin et Jouvet, une immense littérature a été consacrée au* Paradoxe *par des comédiens indignés, blessés ou simplement amusés. Or, si cette exégèse garde intemporellement son prix, elle risque historiquement de demeurer vaine, tant que l'on n'aura pas décelé avec précision les desseins de Diderot et le rôle exact que joue sa thèse dans l'ensemble de sa philosophie. Disons-le d'emblée : ces desseins et ce rôle n'apparaissent pas avec évidence et la genèse même de l'œuvre ne fait que les obscurcir.*

***

L'histoire du Paradoxe *est romanesque à souhait, dépassant en rebondissements imprévus celle du* Rêve de d'Alembert (Œuvres philosophiques, *Garnier*, 1956, *p.* 249 *sq.*); *en apparence, tout est clair : l'ouvrage posthume nous fut révélé en* 1830 *par le libraire parisien Sautelet* (*in*-8°, *IV*-101 *pages*); *c'était* « le premier échantillon », *pour reprendre les termes de l'*Avertissement, *des quatre volumes d'inédits que devait donner l'année suivante l'éditeur Paulin. Comme* Le Rêve, *les* Voyages *et les* Lettres à Sophie, *le* Paradoxe sur le comédien *provenait du fonds de l'Ermitage, grâce à l'heureuse indélicatesse de Jeudy-Dugour. Tous les éditeurs, Assézat (t. VIII,* p. 361-423), *Jacques Copeau (Plon,* 1929), *André Billy* (N.R.F. 1935), *Marc Blanquet (éditions Nord-Sud,* 1949), *ont repris ce texte initial qui semble désormais classique.*

En fait la rédaction du Paradoxe *s'étale sur plus de dix ans. Le* 10 *octobre* 1769, *Grimm est de retour à Paris, après un long voyage en Allemagne ; il reprend en main la direction de la* Correspondance littéraire *et confie à Diderot la critique de quelques ouvrages nouveaux ; parmi ceux-ci une brochure intitulée* Garrick ou les acteurs anglais, traduite de l'anglais par Antonio Sticoti, acteur (*Paris, Lacombe,* 1769). *Après une semaine de séjour au Grandval* (6-13 *novembre, cf.* A Sophie Volland, *t. II, p.* 235) *Diderot écrit à Grimm le* 14 *novembre* 1769 (Correspondance inédite, *t. I, p.* 102) : « J'ai jugé tous ces gredins que vous m'avez envoyés. Celui intitulé *Garrick ou le jeu théâtral* m'a fait faire un morceau qui mériterait bien d'être mis dans un meilleur ordre. Mais je l'ai donné à M. Hénaut tel qu'il est, sauf à y revenir sur sa copie. Avec un peu de soin, je n'aurais peut-être jamais rien écrit où il y eût plus de finesse et de vue. C'est un beau paradoxe. Je prétends que c'est la sensibilité qui fait les comédiens médiocres ; l'extrême sensibilité les comédiens bornés ; le sens froid et la tête, les comédiens sublimes. » *Un an plus tard, le* « beau paradoxe » *paraissait dans les livraisons du* 15 *octobre et du* 1er *novembre* 1770 *de la* Correspondance littéraire *sous ce titre :* Observations sur une brochure intitulée Garrick ou les acteurs anglais (*cf. A.T., t. VIII, p.* 343-359). *Seize pages alertes, d'une verve souvent crue, égayées d'anecdotes : évidemment un premier jet, avec toutes les qualités et les défauts de Diderot. Trois ans plus tard, le philosophe est à La Haye, chez le prince Galitzine, attendant son départ pour la Russie ; il a lu et réfuté Helvétius, puis au détour d'une lettre à Mme d'Épinay* (Correspondance inédite, *t. I, p.* 217-*août* 1773) *annonce :* « Un certain pamphlet sur l'art de l'acteur est presque devenu un ouvrage. » *Le* Paradoxe, *dans sa seconde version, fut donc rédigé en Hollande, durant l'été de* 1773; *bon nombre d'allusions peuvent être datées de cette époque : imitation des apartés de Cailhava d'Estandoux tirés de son ouvrage* De l'art de la comédie (*Paris*, 1772, 4 *vol.*); *à la Comédie-Française, succès récents de Mlle Raucourt qui débuta le* 23 *décembre* 1772; *triomphe du* Père de famille *devant le roi de Naples, annoncé par deux lettres de Galiani des* 16 *et* 23 *janvier* 1773 (*édit. Perey-Maugras, t. II, p.* 158 *et* 163); *nombreux parallélismes de pensée avec la* Réfutation d'Helvétius. *Est-ce la version définitive? Certes non. Diderot évoque la querelle de Macklin et de Garrick d'après le* Saint James Chronicle *du* 6-9 *novembre* 1773. *Aurait-il lu le journal anglais à Pétersbourg et remanié en conséquence son manuscrit? Quatre années passent. Diderot donne une troisième version du* Paradoxe : *puisqu'il annonce la nomination de Necker à* « la place la plus importante de l'État », *nous sommes en* 1777; *Necker est devenu directeur général des finances le* 29 *juin.*

C'est alors qu'intervient Naigeon. Bien qu'il n'ait pas publié le Paradoxe *dans son édition de* 1798, *nous savons qu'il possédait en manuscrit l'ouvrage; dans le catalogue de sa bibliothèque, vendue en* 1820 *à la mort de sa sœur, Mlle Dufour de Villeneuve, figurait un in-4º de* 44 *pages, de sa main, intitulé* Paradoxes (*A.T., t. VIII, p.* 338); *ce manuscrit a été retrouvé et édité par Ernest Dupuy* (*Paris, Lecène-Oudin,* 1902); *il n'avait plus que* 36 *pages : les* 8 *manquantes correspondent aux* 12 *dernières pages d'Assézat* (*p.* 410-423); *il comportait de nombreuses additions marginales, comme les mss Naigeon du* Supplément à Bougainville *et du* Rêve de d'Alembert (*cf.* Œuvres philosophiques, *édit. Garnier,* 1956, *p.* 254 *et* 452), *donc deux états N1 et N2. Or N1 fait allusion à Necker et fut donc copié par Naigeon sur la troisième version de Diderot, celle de* 1777. *N2 fut copié sur une quatrième version ultérieure, si nous excluons, avec toute la critique contemporaine, les thèses aventurées d'Ernest Dupuy. Un dernier remaniement, le cinquième, eut lieu dans les années qui précédèrent de peu la mort de Diderot; en effet le ms Naigeon, dans les pages qui nous sont parvenues, ne comporte pas deux épisodes assez longs, l'un sur le théâtre antique suivi d'une analyse du* Shérif, *pièce posthume de Diderot* (*A.T.*, *t. VIII*, *p.* 394-396), *l'autre sur la morale au théâtre d'après* Le Père de famille (ibid., *p.* 401-402). *Résumons-nous ; le* Paradoxe *fut rédigé en cinq étapes : un article de* 16 *pages, écrit en* 1769 *et publié dans la* Correspondance littéraire *en* 1770, *devient en* 1773 *un véritable ouvrage* (*X*); *deux remaniements ont lieu vers* 1777-1778 (*Y*1 *et Y*2), *attestés par les deux états du manuscrit Naigeon* (*N*1 *et N*2)*; un troisième enfin* (*Z*) *très tardif, permet d'établir les deux manuscrits qui ont survécu, celui du fonds Vandeul* (*V-B.N., n. a. fr.*, 13.736) *et celui de Leningrad* (*t. XIV*).

Une genèse aussi complexe ne saurait étonner, si l'on se souvient de celle du Rêve de d'Alembert *ou de l'*Entretien d'un père avec ses enfants. *Elle nous permettra d'emblée d'éliminer les conjectures d'Ernest Dupuy qui firent quelque bruit en* 1902 : *Naigeon aurait été le véritable auteur du* Paradoxe, *remaniant insolemment l'article de* 1769 *à l'aide de centons de Diderot et d'articles de la* Correspondance littéraire (op. cit., *p. XXIII sq.*). *Tous ses arguments, pour la plupart d'ordre stylistique, sont douteux ; Diderot utilisait pour ses ouvrages sa propre correspondance et la revue de Grimm. Les notes d'Ernest Dupuy prouvent seulement à quel degré d'aberration un homme d'esprit peut parvenir lorsque l'a-priorisme l'égare. J. Bédier en a fait rapidement justice dans un article éblouissant de ses* Études critiques (*Paris*, 1903) : *toutes les additions marginales de Naigeon sont d'un seul jet et reflètent, non des repentirs hésitants, mais le texte d'un autre manuscrit. Dupuy enfin ignorait la lettre d'août* 1773 *à Mme d'Épinay qui clôt toute discussion. Son travail n'a plus qu'un intérêt : que nous contestons vigoureusement d'ailleurs, celui de critiquer la valeur littéraire des remaniements de Diderot.*

***

La genèse du Paradoxe *permet en tout cas d'étudier plus objectivement les sources et les emprunts de Diderot; s'il doit la scène des* apartés *à Cailhava d'Estandoux, il ne fait que signaler l'ancienne controverse de Riccoboni et de Rémond de Sainte-Albine* (1752); *partout ailleurs, comme l'indiqueront nos notes, c'est à lui-même qu'il fait appel : lettres à Mlle Jodin,* Salons *de* 1765 *t* 1767, Réfutation d'Helvétius. *Il est possible qu'il ait utilisé les notes inédites de Mlle Clairon qui se retrouveront plus tard lans les* Mémoires *de la comédienne* (*cf. Dupuy*, op. cit., . *XXIX*). *Souvent les souvenirs affleurent de* Rousseau *et de la* Lettre sur les spectacles (ibid., *p. XXX*). *Il pille la* Corresondance littéraire (*p. XXX-XXXII*) *; n'était-ce pas un bien ommun à Grimm et à lui-même ? Mais ces emprunts n'éclairent as le sens du* Paradoxe.

Délaissons tout d'abord le sens intemporel; depuis cent ans les xégèses sont innombrables. Béatrix Dussane a donné son Comédien sans paradoxe (*Paris*, *Plon*), *Jacques Copeau son édition le* 1929, *Jouvet son* Comédien désincarné (*Flammarion*, 1954) *t Marc Blanquet a recueilli l'opinion de vingt et un comédiens ontemporains* (1949). *Tout a été dit*, *mais le secret de Diderot 'a pas été découvert*, *faute d'avoir rattaché le* Paradoxe *à la phiosophie même de l'auteur.* Le Paradoxe *fut composé en novembre* 769, *deux mois après* Le Rêve de d'Alembert. *Or deux pages es deux ouvrages sont presque identiques*; *Bordeu développe l'inensibilité du génie*, « surtout du grand comédien », *et termine a tirade :* « Les êtres sensibles ou les fous sont en scène; (*le rand homme*) est au parterre; c'est lui qui est le sage » (*édit. Garnier*, 1956, *p.* 357); *la fameuse théorie du diaphragme se etrouve dans le* Paradoxe (*A.T.*, *t. VIII*, *p.* 408). *Nous n'hé-itons pas à conclure que la sensibilité du comédien n'est qu'un cas articulier de la théorie de la sensibilité développée dans* Le Rêve. *Le* Paradoxe sur le comédien *est une annexe au paradoxe sur homme. Le comédien participe de notre condition biologique et, ans la dualité de structure qui oppose le cerveau et le système symathique* (*dans le langage de Diderot*, *le diaphragme*), *il ne peut 're génial que par la pleine maîtrise de son être et par la prise de nscience de sa monstrueuse dualité. Louis Jouvet l'a admirableent senti dans son* Comédien désincarné *et fait à Diderot le ul reproche qui porte*, *celui de n'être pas comédien lui-même et avoir fait bon marché des souffrances d'une conscience écartelée. omme Yvon Bélaval*, *dont nous reprenons les conclusions essenelles* (op. cit., *p.* 236 sq.) *nous ne voyons plus là de paradoxe*, *ais un essai cohérent et neuf.*

*
* *

Nous sommes désormais en mesure d'éditer correctement l Paradoxe. *Tout d'abord, grâce à Ernest Dupuy qui donna le tex du tome XIV de la collection de l'Ermitage* (op. cit., *p.* 1), *nou pouvons contrôler l'édition Assézat, qui prétend remonter au mêm fonds par l'édition Sautelet de* 1830. *Or, nous avons constat* 12 *variantes ou erreurs de transcription* (*A.T., p.* 367 : ils on jeté *au lieu de* ils y ont jeté; *p.* 374 : de ses droits primitifs pou *et non* de ses droits pour; *p.* 382 : méritait *et non* mériterait *p.* 384 : cette occasion *au lieu de* l'occasion; *p.* 388 : sur le planches *et non* sur des planches; *p.* 390 : plus dans la natur *et non* plus la nature; *p.* 392 : et n'est rien *au lieu de* ou n'es rien; *p.* 396 : plus grand que le poète *au lieu de* plus que l grand poète; *p.* 411 : était-elle si mauvaise *au lieu de* est-elle *p.* 421 : la Macbeth *et non* le Macbeth; *p.* 422 : quelqu'un d ses serviteurs *et non* des serviteurs). *Ces variantes, dues au transcripteurs ou éditeurs, doivent être éliminées.*

Mais le fonds Vandeul nous a révélé un nouveau manuscri (*B.N., n. a. fr.,* 13.736, *folios* 8-61). *Le folio* 61 *porte la dat* 1768 *qui est manifestement fausse. Il est souvent incorrect e comporte de nombreuses omissions ou bévues* (spéculateurs *pou* spectateurs — accidents *pour* accents — mouvements *pou* moments — Corneille *pour* Cornélie — musique *pour* mus — écrans *pour* crans). *Il permet cependant de corriger* 9 *sur* 1 *des erreurs du texte Sautelet-Assézat, en accord donc avec le ms de Leningrad. Quant aux autres variantes, une cinquantaine, elle sont nulles ou inférieures. M. de Vandeul l'a relu et a barré vigou reusement une réflexion peu aimable sur la Comédie-Françai* (*folio* 42, *A.T., p.* 398). *Mais nous conserverons trois leçons don deux nous paraissent essentielles* (*p.* 413 : il ne voit plus le spec tateur *et non* le spectacle; *p.* 368 : la salle de spectacle *e non* du spectacle; *p.* 375 : celui qui parle bas abaisse).

Nous reste enfin le ms Naigeon (*B.N., f. fr., n. a. fr.* 10.165 *édité par Ernest Dupuy* (op. cit., *p.* 5-72). *Dans les pages qu subsistent, en dehors évidemment du dernier remaniement de Dide rot, il s'accorde dans ses deux états,* 31 *fois avec* L *et* 3 *fois seule ment avec* V, *ce qui confirme l'excellence de* L; *mais il porte l'excellente leçon de V citée plus haut* (celui qui parle bas).

Nous publierons donc, après Ernest Dupuy, le texte de Leningrad, en conservant trois leçons du fonds Vandeul. Le schéma suivant, avec toutes les réserves d'usage, permettra de résumer la genèse de l'œuvre et la filiation probable des manuscrits :

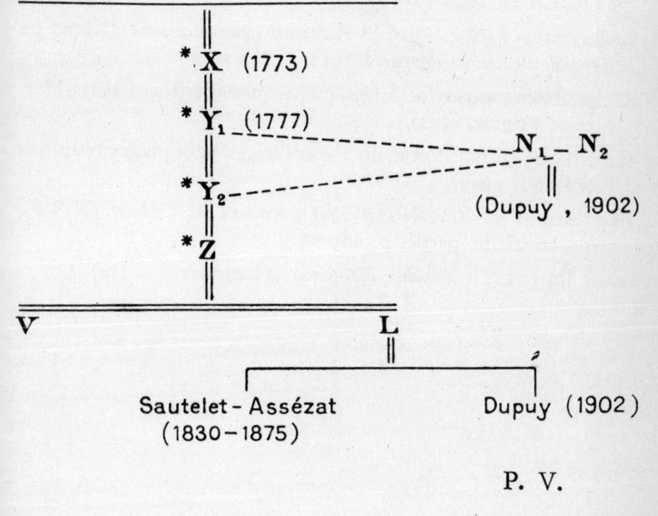

P. V.

BIBLIOGRAPHIE

I. — *TEXTE* :

Ernest DUPUY. Édition du *Paradoxe* (Paris, Lecène et Oudin, 1902).

Joseph BÉDIER. *Études critiques* (Paris, 1903).

Herbert DIECKMANN. *Inventaire du fonds Vandeul* (Droz, 1951, p. 32-33).

II. — *SENS* (entre autres) :

Béatrix Dussane. *Le comédien sans paradoxe* (Plon, 1933).

Jacques Copeau. *Réflexions d'un comédien sur le paradoxe de Diderot* (*in Revue universelle*, 15 juin 1928).
Repris *in* : *Notes sur le métier de comédien* (Michel Brient, 1955).

Emile Henriot. *Diderot et le paradoxe sur le comédien* (Le *Temps*, 12 février 1929).

P. Bastier. *Talma, Tieck et Roetscher pour et contre Diderot* (*in Revue de littérature comparée*, 1932, p. 871 sq.).

André Bonnichon. *La psychologie du comédien* (thèse Paris-Mercure de France, 1942).

Marc Blanquet. Édition du *Paradoxe* et témoignages (éditions Nord-Sud, 1949).

Yvon Bélaval. *L'esthétique sans paradoxe de Diderot* (N.R.F., 1950, troisième partie, p. 165 sq.).

Louis Jouvet. *Le comédien désincarné* (Flammarion, 1954).

PARADOXE SUR LE COMÉDIEN[1]

PREMIER INTERLOCUTEUR

N'en parlons plus.

SECOND INTERLOCUTEUR

Pourquoi ?

LE PREMIER

C'est l'ouvrage de votre ami[2].

LE SECOND

Qu'importe ?

LE PREMIER

Beaucoup. A quoi bon vous mettre dans l'alternative de mépriser ou son talent, ou mon jugement, et de rabattre de la bonne opinion que vous avez de lui ou de celle que vous avez de moi ?

---

1. Le manuscrit Naigeon porte l'épigraphe : « A Zerbina penserete », tirée d'une ariette de *La Serva padrona*, le célèbre opéra de Jean-Baptiste Pergolese (Naples, 1733 ; Comédie Italienne, 1746 ; Opéra, 1752) qui souleva la querelle des Bouffons. Le neveu de Rameau chante cet air dans sa grande scène de mime (A.T., t. V, p. 463). Quel rapport en tout cas avec le sujet du *Paradoxe ?* Veut-on suggérer, selon la thèse du *Paradoxe*, que l'artiste ne doit pas « penser » à Zerbina ?

2. *Garrick ou les acteurs anglais, ouvrage contenant des réflexions sur l'art dramatique, sur l'art de la représentation et le jeu des acteurs*, traduit de l'anglais par Antonio Sticoti, acteur (Paris, Lacombe, 1769). Diderot en avait rendu compte dans la *Correspondance littéraire* (15 octobre et 1er novembre 1770. A.T., t. VIII, p. 343-359).

paradoxe   Nouv. acq. franc. 10.165.

Epig. a Zerbina penserete.
la Serva padrona.

; n'en parlons plus — pourquoi? — c'e
vrage de votre ami — qu'importe? — beaucoup. à quoi
vous mettre dans l'alternative de mépriser ou son talent ou
jugement, et de rabattre de la bonne opinion que vous avez
ou de celle que vous avez de moi — cela n'arrive
et, quand cela arriveroit, mon amitié pour tous les deux
fondée sur des qualités plus essentielles, n'en souffri
— peut-être — j'en suis sur. savez vous à qui vo
semblez dans ce moment? à un auteur de ma connoissan
supplioit à genoux une femme à laquelle il étoit atta
de ne pas assister à la premiere représentation d'une de
pieces — votre auteur étoit modeste et prudent. — il
que le sentiment tendre qu'on avoit pour lui, ne tint
qu'on faisoit de son mérite littéraire — cela se p
— qu'une chute publique ne le dégradât un peu au
de sa maitresse — que moins estimé, il ne fut moin
cela vous paroit ridicule? — c'est ainsi qu'on en
ce fut louée, et il eut le plus grand succ
sait comme il fut embrassé, fêté, caressé —
été bien davantage, après la piece sifflée. —
doute pas; et je persiste dans mon avis — persistez,
consens; mais songez que je ne suis pas une femme, et
faut, s'il vous plait, que vous vous expliquiez — ab
ent — absolument? — il me seroit plus aisé de me
que de déguiser ma pensée — je le crois — je serai
— c'est ce que mon ami exigeroit de vous — hé bien, puisq
faut vous le dire; son ouvrage écrit d'un style tourm
obscur, entortillé, boursouflé, est plein d'idées commune
sortir de cette lecture un grand comédien n'en sera pas
et un pauvre acteur n'en sera pas moins mauvais. c'est
nature à donner les qualités de la personne, la figure, la

Paradoxe sur le comédien,
manuscrit autographe de Naigeon.

B.N. n. a. fr. 10.165.

2.

8

Paradoxe sur le Comédien.

Premier Interlocuteur.

N'en parlons plus.

Second Interlocuteur.

Pourquoi?

Le Premier

C'est l'ouvrage de votre ami.

Le Second.

Qu'importe?

Le Premier.

Beaucoup. A quoi bon vous mettre dans l'alternative de mépriser ou son talent, ou mon jugement, et de rabattre de la bonne opinion que vous avez de lui ou de celle que vous avez de moi?

Le Second.

Cela n'arrivera pas; et quand cela arriverait, mon amitié pour tous les deux, fondée sur des qualités plus essentielles, n'en souffrirait pas.

Le Premier

Peut-être.

Paradoxe sur le comédien.

B.N. fonds Vandeul, n. a. fr. 13.736.

LE SECOND

Cela n'arrivera pas; et quand cela arriverait, mon amitié pour tous les deux, fondée sur des qualités plus essentielles, n'en souffrirait pas.

LE PREMIER

Peut-être.

LE SECOND

J'en suis sûr. Savez-vous à qui vous ressemblez dans ce moment? A un auteur de ma connaissance qui suppliait à genoux une femme à laquelle il était attaché, de ne pas assister à la première représentation d'une de ses pièces.

LE PREMIER

Votre auteur était modeste et prudent.

LE SECOND

Il craignait que le sentiment tendre qu'on avait pour lui ne tînt au cas que l'on faisait de son mérite littéraire.

LE PREMIER

Cela se pourrait.

LE SECOND

Qu'une chute publique ne le dégradât un peu aux yeux de sa maîtresse.

LE PREMIER

Que moins estimé, il ne fût moins aimé. Et cela vous paraît ridicule?

LE SECOND

C'est ainsi qu'on en jugea. La loge fut louée, et il eut le plus grand succès : et Dieu sait comme il fut embrassé, fêté, caressé [1].

LE PREMIER

Il l'eût été bien davantage après la pièce sifflée.

---

1. Cette scène tendre se joua certainement entre Diderot et Mme de Maux, lors de la première représentation du *Père de famille* à la Comédie-Française, le 9 août 1769.

LE SECOND

Je n'en doute pas.

LE PREMIER

Et je persiste dans mon avis.

LE SECOND

Persistez, j'y consens; mais songez que je ne suis pas une femme, et qu'il faut, s'il vous plaît, que vous vous expliquiez.

LE PREMIER

Absolument?

LE SECOND

Absolument.

LE PREMIER

Il me serait plus aisé de me taire que de déguiser ma pensée.

LE SECOND

Je le crois.

LE PREMIER

Je serai sévère.

LE SECOND

C'est ce que mon ami exigerait de vous.

LE PREMIER

Eh bien, puisqu'il faut vous le dire, son ouvrage, écrit d'un style tourmenté, obscur, entortillé, boursouflé, est plein d'idées communes. Au sortir de cette lecture, un grand comédien n'en sera pas meilleur, et un pauvre acteur n'en sera pas moins mauvais. C'est à la nature à donner les qualités de la personne, la figure, la voix, le jugement, la finesse. C'est à l'étude des grands modèles, à la connaissance du cœur humain, à l'usage du monde, au travail assidu, à l'expérience, et à l'habitude du théâtre, à perfectionner le don de nature. Le comédien imitateur peut arriver au point de rendre tout passablement; il n'y a rien ni à louer, ni à reprendre dans son jeu.

LE SECOND

Ou tout est à reprendre.

LE PREMIER

Comme vous voudrez. Le comédien de nature est souvent détestable, quelquefois excellent. En quelque genre que ce soit, méfiez-vous d'une médiocrité soutenue. Avec quelque rigueur qu'un débutant soit traité, il est facile de pressentir ses succès à venir. Les huées n'étouffent que les ineptes. Et comment la nature sans l'art formerait-elle un grand comédien, puisque rien ne se passe exactement sur la scène comme en nature, et que les poèmes dramatiques sont tous composés d'après un certain système de principes? Et comment un rôle serait-il joué de la même manière par deux acteurs différents, puisque dans l'écrivain le plus clair, le plus précis, le plus énergique, les mots ne sont et ne peuvent être que des signes approchés d'une pensée, d'un sentiment, d'une idée; signes dont le mouvement, le geste, le ton, le visage, les yeux, la circonstance donnée, complètent la valeur? Lorsque vous avez entendu ces mots :

...Que fait là votre main?
— Je tâte votre habit, l'étoffe en est moelleuse [1].

Que savez-vous? Rien. Pesez bien ce qui suit, et concevez combien il est fréquent et facile à deux interlocuteurs, en employant les mêmes expressions, d'avoir pensé et de dire des choses tout à fait différentes. L'exemple que je vous en vais donner est une espèce de prodige; c'est l'ouvrage même de votre ami. Demandez à un comédien français ce qu'il en pense, et il conviendra que tout en est vrai. Faites la même question à un comédien anglais, et il vous jurera *by God*, qu'il n'y a pas une phrase à changer, et que c'est le pur évangile de la scène. Cependant comme il n'y a presque rien de commun entre la manière d'écrire la comédie et la tragédie en Angleterre et la manière dont on écrit ces poèmes en France; puisque, au sentiment même de Garrick, celui

1. Molière, *Tartuffe*, III, 3, vers 916-917.

qui sait rendre parfaitement une scène de Shakespeare ne connaît pas le premier accent de la déclamation d'une scène de Racine; puisque enlacé par les vers harmonieux de ce dernier, comme par autant de serpents dont les replis lui étreignent la tête, les pieds, les mains, les jambes et les bras, son action en perdrait toute sa liberté [1] : il s'ensuit évidemment que l'acteur français et l'acteur anglais qui conviennent unanimement de la vérité des principes de votre auteur ne s'entendent pas et qu'il y a dans la langue technique du théâtre une latitude, un vague assez considérable pour que des hommes sensés, d'opinions diamétralement opposées, croient y reconnaître la lumière de l'évidence. Et demeurez plus que jamais attaché à votre maxime : *Ne vous expliquez point si vous voulez vous entendre.*

LE SECOND

Vous pensez qu'en tout ouvrage, et surtout dans celui-ci, il y a deux sens distingués, tous les deux renfermés sous les mêmes signes, l'un à Londres, l'autre à Paris?

LE PREMIER

Et que ces signes présentent si nettement ces deux sens que votre ami même s'y est trompé, puisqu'en associant [2] des noms de comédiens anglais à des noms de comédiens français, leur appliquant les mêmes préceptes, et leur accordant le même blâme et les mêmes éloges, il a sans doute imaginé que ce qu'il prononçait des uns était également juste des autres.

---

1. Diderot reprend ici une confidence réelle de Garrick qu'il citait en exemple à Mlle Jodin : « Garrick me disait un jour qu'il lui serait impossible de jouer un rôle de Racine, que ses vers ressemblaient à de grands serpents qui enlaçaient un acteur et le rendaient immobile. Garrick sentait bien et disait bien » (cf. A.T., t. XIX, p. 396, date : 1767?).

2. Le texte de la *Correspondance littéraire* portait : « puisqu'en *fourrant*, tout au travers de sa traduction, des noms... ». C'est un des rares cas où la critique stylistique d'Ernest Dupuy (*op. cit.*, p. 91) soit justifiée : la toilette du texte fait ici regretter le premier jet.

LE SECOND

Mais, à ce compte, aucun autre auteur n'aurait fait autant de vrais contresens.

LE PREMIER

Les mêmes mots dont il se sert énonçant une chose au carrefour de Bussy, et une chose différente à Drury-Lane [1], il faut que je l'avoue à regret; au reste, je puis avoir tort. Mais le point important, sur lequel nous avons des opinions tout à fait opposées, votre auteur et moi, ce sont les qualités premières d'un grand comédien. Moi, je lui veux beaucoup de jugement; il me faut dans cet homme un spectateur froid et tranquille; j'en exige, par conséquent, de la pénétration et nulle sensibilité, l'art de tout imiter, ou, ce qui revient au même, une égale aptitude à toutes sortes de caractères et de rôles.

LE SECOND

Nulle sensibilité!

LE PREMIER

Nulle. Je n'ai pas encore bien enchaîné mes raisons, et vous me permettrez de vous les exposer comme elles me viendront, dans le désordre de l'ouvrage même [2] de votre ami.

Si le comédien était sensible, de bonne foi lui serait-il permis de jouer deux fois de suite un même rôle avec la même chaleur et le même succès? Très chaud à la première représentation, il serait épuisé et froid comme un marbre à la troisième. Au lieu qu'imitateur attentif et disciple réfléchi de la nature, la première fois qu'il se présentera sur la scène sous le nom d'Auguste, de Cinna, d'Orosmane, d'Agamemnon, de Mahomet [3], copiste rigoureux de lui-même ou

---

1. Le carrefour de Bussy, c'est-à-dire la Comédie-Française, installée jusqu'en 1770 rue des Fossés Saint-Germain (actuellement rue de l'Ancienne-Comédie). Garrick dirigea le théâtre londonien de Drury Lane jusqu'en 1776.

2. V : dans le désordre même de l'ouvrage.

3. V : et de Mahomet.

de ses études, et observateur continu de nos sensations, son jeu, loin de s'affaiblir, se fortifiera des [1] réflexions nouvelles qu'il aura recueillies; il s'exaltera ou se tempérera, et vous en serez de plus en plus satisfait. S'il est lui quand il joue, comment cessera-t-il d'être lui? S'il veut cesser d'être lui, comment saisira-t-il le point juste auquel il faut qu'il se place et s'arrête [2]?

Ce qui me confirme dans mon opinion, c'est l'inégalité des acteurs qui jouent d'âme. Ne vous attendez de leur part à aucune unité; leur jeu est alternativement fort et faible, chaud et froid, plat et sublime. Ils manqueront demain l'endroit où ils auront excellé aujourd'hui; en revanche, ils excelleront dans celui qu'ils auront manqué la veille. Au lieu que le comédien qui jouera de réflexion, d'étude de la nature humaine, d'imitation constante d'après quelque modèle idéal, d'imagination, de mémoire, sera un, le même à toutes les représentations, toujours également parfait : tout a été mesuré, combiné, appris, ordonné dans sa tête; il n'y a dans sa déclamation ni monotonie, ni dissonance. La chaleur a son progrès, ses élans, ses rémissions, son commencement, son milieu, son extrême. Ce sont les mêmes accents, les mêmes positions, les mêmes mouvements; s'il y a quelque différence d'une représentation à l'autre, c'est ordinairement à l'avantage de la dernière. Il ne sera pas journalier : c'est une glace toujours disposée à montrer les objets et à les montrer avec la même précision, la même force et la même vérité. Ainsi que le poète, il va sans cesse puiser dans le fonds inépuisable de la nature, au lieu qu'il aurait bientôt vu le terme de sa propre richesse.

Quel jeu plus parfait que celui de la Clairon? cependant suivez-la, étudiez-la, et vous serez convaincu qu'à la sixième représentation elle sait par cœur tous les détails de son jeu comme tous les mots de son rôle. Sans doute elle s'est fait

---

1. V : de.
2. Ernest Dupuy évoque ici le mot de Mlle Clairon : « Quelle étude ne faut-il pas faire d'abord pour cesser d'être soi? » (*Mémoires*, Buisson, an VII, p. 27).

un modèle auquel elle a d'abord cherché à se conformer; sans doute elle a conçu ce modèle le plus haut, le plus grand, le plus parfait qu'il lui a été possible; mais ce modèle qu'elle a emprunté de l'histoire, ou que son imagination a créé comme un grand fantôme, ce n'est pas elle; si ce modèle n'était que de sa hauteur, que son action serait faible et petite! Quand, à force de travail, elle a approché de cette idée le plus près qu'elle a pu, tout est fini; se tenir ferme là, c'est une pure affaire d'exercice et de mémoire. Si vous assistiez à ses études, combien de fois vous lui diriez : *Vous y êtes !...* combien de fois elle vous répondrait : *Vous vous trompez !...* C'est comme Le Quesnoy [1], à qui son ami saisissait le bras, et criait : *Arrêtez ! le mieux est l'ennemi du bien : vous allez tout gâter...* Vous voyez ce que j'ai fait, répliquait l'artiste haletant au connaisseur émerveillé; mais vous ne voyez pas ce que j'ai là, et ce que je poursuis [1].

Je ne doute point que la Clairon n'éprouve le tourment du Quesnoy dans ses premières tentatives; mais la lutte passée, lorsqu'elle s'est une fois élevée à la hauteur de son fantôme, elle se possède, elle se répète sans émotion. Comme il nous arrive quelquefois dans le rêve, sa tête touche aux nues, ses mains vont chercher les deux confins de l'horizon; elle est l'âme d'un grand mannequin qui l'enveloppe [2]; ses essais l'ont fixé sur elle. Nonchalamment étendue sur une chaise longue, les bras croisés, les yeux fermés, immobile, elle peut, en suivant son rêve de mémoire, s'entendre, se voir,

1. L'anecdote vient du *Salon de* 1767 (A.T., t. XI, p. 223) : « Le Quesnoy répondit à un amateur éclairé qui le regardait travailler et qui craignait qu'il ne gâtât son ouvrage pour le vouloir plus parfait : Vous avez raison, vous qui ne voyez que la copie; mais j'ai aussi raison, moi qui poursuis l'original qui est dans ma tête ». François Duquesnoy (1594-1643), sculpteur belge né à Bruxelles, résida longtemps à Rome où il se lia avec Poussin et l'Albane. Appelé par Louis XIII, il mourut en chemin à Livourne.

2. Thème repris du *Rêve de d'Alembert* : « Il m'a semblé plusieurs fois en rêve... que je devenais immense..., que mes bras et mes jambes s'allongeaient à l'infini, que le reste de mon corps prenait un volume proportionné... » (A. T., t. II, p. 154).

se juger et juger les impressions qu'elle excitera. Dans ce moment elle est double : la petite Clairon et la grande Agrippine [1].

LE SECOND

Rien, à vous entendre, ne ressemblerait tant à un comédien sur la scène ou dans ses études, que les enfants qui, la nuit, contrefont les revenants sur les cimetières, en élevant au-dessus de leurs têtes un grand drap blanc au bout d'une perche, et faisant sortir de dessous ce catafalque une voix lugubre qui effraie les passants.

LE PREMIER

Vous avez raison. Il n'en est pas de la Dumesnil ainsi que de la Clairon. Elle monte sur les planches sans savoir ce qu'elle dira; la moitié du temps elle ne sait ce qu'elle dit [2], mais il vient un moment sublime. Et pourquoi l'acteur différerait-il du poète, du peintre, de l'orateur, du musicien? Ce n'est pas dans la fureur du premier jet que les traits caractéristiques se présentent, c'est dans des moments tranquilles et froids, dans des moments tout à fait inattendus. On ne sait d'où ces traits viennent; ils tiennent de l'inspiration. C'est lorsque, suspendus entre la nature et leur ébauche, ces génies portent alternativement un œil attentif sur l'une et l'autre; les beautés d'inspiration, les traits fortuits qu'ils répandent dans leurs ouvrages, et dont l'apparition subite les étonne eux-mêmes, sont d'un effet et d'un succès bien autrement assurés que ce qu'ils ont jeté de boutade. C'est au sang-froid à tempérer le délire de l'enthousiasme.

Ce n'est pas l'homme violent qui est hors de lui-même qui dispose de nous; c'est un avantage réservé à l'homme qui se possède. Les grands poètes dramatiques surtout sont

1. Le thème du dédoublement est évoqué dans le *Rêve de d'Alembert*, mais l'expression vient du *Salon de* 1767 (A. T., t. XI, p. 119) : « Ah, j'entends à présent. — Quoi, l'abbé? — Je fais deux rôles, je suis double; je suis Le Couvreur et je reste moi — C'est le moi Le Couvreur qui frémit et qui souffre et c'est le moi tout court qui a du plaisir. »

2. V : elle sait ce qu'elle dit. Erreur évidente.

spectateurs [1] assidus de ce qui se passe autour d'eux dans l
monde physique et dans le monde moral.

LE SECOND

Qui n'est qu'un [2].

LE PREMIER

Ils saisissent tout ce qui les frappe; ils en font des recueils
C'est de ces recueils formés en eux, à leur insu, que tant d
phénomènes rares passent dans leurs ouvrages. Les homme
chauds, violents, sensibles, sont en scène; ils donnent l
spectacle, mais ils n'en jouissent pas. C'est d'après eux qu
l'homme de génie fait sa copie. Les grands poètes, les grand
acteurs, et peut-être en général tous les grands imitateur
de la nature, quels qu'ils soient, doués d'une belle imagina
tion, d'un grand jugement, d'un tact fin, d'un goût très sûr
sont les êtres les moins sensibles. Ils sont également pro
pres à trop de choses; ils sont trop occupés [3] à regarder,
reconnaître [4] et à imiter, pour être vivement affectés a
dedans d'eux-mêmes. Je les vois sans cesse le portefeuill
sur les genoux et le crayon à la main.

Nous sentons, nous; eux, ils observent, étudient et pei
gnent. Le dirai-je? Pourquoi non? La sensibilité n'est guèr
la qualité d'un grand génie. Il aimera la justice; mais i
exercera cette vertu sans en recueillir la douceur. Ce n'es
pas son cœur, c'est sa tête qui fait tout. A la moindre cir
constance inopinée, l'homme sensible la perd; il ne sera
ni un grand roi, ni un grand ministre, ni un grand capitaine
ni un grand avocat, ni un grand médecin. Remplissez la
salle [de] [5] spectacle de ces pleureurs-là, mais ne m'en

1. V : spéculateurs.

2. Comme le fait remarquer Ernest Dupuy (*op. cit.*, p. 96), la formule est celle de *Jacques le fataliste* (A.T., t. VI, p. 180) : « La distinction d'un monde physique et d'un monde moral lu semblait vide de sens. »

3. V *omisit* : occupés.

4. VN : connaître.

5. Leçon de V. — N, L : du, ce qui est ambigu.

6. V : n'en.

placez aucun sur la scène[1]. Voyez les femmes; elles nous surpassent certainement, et de fort loin, en sensibilité : quelle comparaison d'elles à nous dans les instants de la passion! Mais autant nous le leur cédons quand elles agissent, autant elles restent au-dessous de nous quand elles imitent. La sensibilité n'est jamais sans faiblesse d'organisation. La larme qui s'échappe de l'homme vraiment homme nous touche plus que tous les pleurs d'une femme. Dans la grande comédie, la comédie du monde, celle à laquelle j'en reviens[2] toujours, toutes les âmes chaudes occupent le théâtre; tous les hommes de génie sont au parterre. Les premiers s'appellent des fous; les seconds, qui s'occupent à copier leurs folies, s'appellent des sages. C'est l'œil du sage qui saisit le ridicule de tant de personnages divers[3], qui le peint, et qui vous fait rire et de ces fâcheux originaux dont vous avez été la victime, et de vous-même. C'est lui qui vous observait, et qui traçait la copie comique et du fâcheux et de votre supplice.

Ces vérités seraient démontrées que les grands comédiens n'en conviendraient pas; c'est leur secret. Les acteurs médiocres ou novices sont faits pour les rejeter, et l'on pourrait dire de quelques autres qu'ils croient sentir, comme on a dit du superstitieux, qu'il croit croire; et que sans la foi pour celui-ci, et sans la sensibilité pour celui-là, il n'y a point de salut.

---

1. C'est ici qu'apparaît le plus nettement le lien entre *Le Rêve de d'Alembert* et le *Paradoxe*. Diderot écrivait dès 1769 dans *Le Rêve :* « Le grand homme, s'il a malheureusement reçu cette disposition naturelle (la sensibilité), s'occupera sans relâche à l'affaiblir, à la dominer, à se rendre maître de ses mouvements et à conserver à l'origine du faisceau tout son empire. Alors il se possédera au milieu des plus grands dangers... il sera grand roi, grand ministre, grand politique, grand artiste, *surtout grand comédien*, grand philosophe, grand poète, grand musicien, grand médecin... *Les êtres sensibles ou les fous sont en scène, il est au parterre ;* c'est lui qui est le sage » (cf. *Œuvres philosophiques*, édition Garnier, 1956, p. 357).
2. V : je reviens.
3. V : personnes diverses.

Mais quoi ? dira-t-on, ces accents si plaintifs, si douloureux, que cette mère arrache du fond de ses entrailles, et dont les miennes sont si violemment secouées, ce n'est pas le sentiment actuel qui les produit, ce n'est pas le désespoir qui les inspire ? Nullement ; et la preuve, c'est qu'ils sont mesurés ; qu'ils font partie d'un système de déclamation ; que plus bas ou plus aigus de la vingtième partie d'un quart de ton, ils sont faux ; qu'ils sont soumis à une loi d'unité ; qu'ils sont, comme dans l'harmonie, préparés et sauvés ; qu'ils ne satisfont à toutes les conditions requises que par une longue étude ; qu'ils concourent à la solution d'un problème proposé ; que pour être poussés juste, ils ont été répétés cent fois, et que malgré ces fréquentes répétitions, on les manque encore ; c'est qu'avant de dire :

Zaïre, vous pleurez !

ou,

Vous y serez, ma fille [1],

l'acteur s'est longtemps écouté lui-même ; c'est qu'il s'écoute au moment où il vous trouble, et que tout son talent consiste non pas à sentir, comme vous le supposez, mais à rendre si scrupuleusement les signes extérieurs du sentiment, que vous vous y trompiez. Les cris de sa douleur sont notés dans son oreille. Les gestes de son désespoir sont de mémoire, et ont été préparés devant une glace. Il sait le moment précis où il tirera son mouchoir et où les larmes couleront ; attendez-les à ce mot, à cette syllabe, ni plus tôt ni plus tard. Ce tremblement de la voix, ces mots suspendus, ces sons étouffés ou traînés, ce frémissement des membres, ce vacillement des genoux, ces évanouissements, ces fureurs, pure imitation, leçon recordée d'avance, grimace pathétique, singerie sublime [2] dont l'acteur garde le souvenir longtemps après l'avoir étudiée, dont il avait la conscience présente au moment où il l'exécutait, qui lui laisse, heureusement pour le poète, pour le spectateur et pour lui, toute

---

1. Voltaire, *Zaïre* (acte IV, scène 2), et Racine, *Iphigénie* (acte II, scène 2).

2. V : singeries dont.

la liberté de son esprit, et qui ne lui ôte, ainsi que les autres exercices, que la force du corps. Le socque ou le cothurne déposé, sa voix est éteinte, il éprouve une extrême fatigue, il va changer de linge ou se coucher; mais il ne lui reste ni trouble, ni douleur, ni mélancolie, ni affaissement d'âme. C'est vous qui remportez toutes [1] ces impressions. L'acteur est las, et vous triste [2]; c'est qu'il s'est démené sans rien sentir, et que vous avez senti sans vous démener. S'il en était autrement, la condition du comédien serait la plus malheureuse des conditions; mais il n'est pas le personnage, il le joue et le joue si bien que vous le prenez pour tel : l'illusion n'est que pour vous; il sait bien, lui, qu'il ne l'est pas.

Des sensibilités diverses, qui se concertent entre elles pour obtenir le plus grand effet possible, qui se diapasonnent, qui s'affaiblissent, qui se fortifient, qui se nuancent pour former un tout qui soit un, cela me fait rire. J'insiste donc, et je dis : « C'est l'extrême sensibilité qui fait les acteurs médiocres; c'est la sensibilité médiocre qui fait la multitude des mauvais acteurs; et c'est le manque absolu de sensibilité qui prépare les acteurs sublimes. » Les larmes du comédien descendent de son cerveau; celles de l'homme sensible montent de son cœur : ce sont les entrailles qui troublent sans mesure la tête de l'homme sensible; c'est la tête du comédien qui porte quelquefois un trouble passager dans ses entrailles; il pleure comme un prêtre incrédule qui prêche la Passion; comme un séducteur aux genoux d'une femme qu'il n'aime pas, mais qu'il veut tromper; comme un gueux dans la rue ou à la porte d'une église, qui vous injurie lorsqu'il désespère de vous toucher; ou comme une courtisane qui ne sent rien, mais qui se pâme entre vos bras [3].

---

1. V *omisit :* toutes.
2. N, V : vous êtes triste.
3. Cf. l'article donné par Diderot à propos de l'opuscule de Thomas, *Sur les femmes* (1772) : « Elles simuleront l'ivresse de la passion, si elles ont un grand intérêt à vous tromper; elles l'éprouveront sans s'oublier. Le moment où elles seront tout à leur projet sera quelquefois celui même de leur abandon » (A.T., t. II, p. 254).

Avez-vous jamais réfléchi à la différence des larmes excitées par un événement tragique et des larmes excitées par un récit pathétique ? On entend raconter une belle chose : peu à peu la tête s'embarrasse, les entrailles s'émeuvent, et les larmes coulent. Au contraire, à l'aspect d'un accident tragique, l'objet, la sensation et l'effet se touchent ; en un instant, les entrailles s'émeuvent, on pousse un cri, la tête se perd, et les larmes coulent ; celles-ci viennent subitement, les autres sont amenées. Voilà l'avantage d'un coup [1] de théâtre naturel et vrai sur une scène éloquente, il opère brusquement ce que la scène fait attendre ; mais l'illusion en est beaucoup plus difficile à produire ; un incident faux, mal rendu, la détruit. Les accents[2] s'imitent mieux que les mouvements, mais les mouvements frappent plus violemment. Voilà le fondement d'une loi à laquelle je ne crois pas qu'il y ait d'exception, c'est de dénouer par une action et non par un récit, sous peine d'être froid.

Eh bien, n'avez-vous rien à m'objecter ? Je vous entends ; vous faites un récit en société ; vos entrailles s'émeuvent, votre voix s'entrecoupe, vous pleurez. Vous avez, dites-vous, senti et très vivement senti. J'en conviens ; mais vous y êtes-vous préparé ? Non. Parliez-vous en vers ? Non [3]. Cependant vous entraîniez, vous étonniez, vous touchiez, vous produisiez un grand effet. Il est vrai. Mais portez au théâtre votre ton familier, votre expression simple, votre maintien domestique, votre geste naturel, et vous verrez combien vous serez pauvre et faible. Vous aurez beau verser des pleurs, vous serez ridicule, on rira. Ce ne sera pas une tragédie, ce sera une parade tragique que vous jouerez. Croyez-vous que les scènes de Corneille, de Racine, de Voltaire, même de Shakespeare, puissent se débiter avec votre voix de conversation et le ton du coin de votre âtre ? Pas plus que l'histoire du coin de votre âtre avec l'emphase et l'ouverture de bouche du théâtre.

---

1. V : du coup.
2. V : accidents. Non-sens évident.
3. *Omisit* V : Parliez-vous en vers ? Non.

LE SECOND

C'est que peut-être Racine et Corneille, tout grands hommes qu'ils étaient, n'ont rien fait qui vaille.

LE PREMIER

Quel blasphème! Qui est-ce qui oserait le proférer? Qui est-ce qui oserait y applaudir? Les choses familières de Corneille ne peuvent pas même se dire d'un ton familier.

Mais une expérience que vous aurez cent fois répétée, c'est qu'à la fin de votre récit, au milieu du trouble et de l'émotion que vous avez jetés dans votre petit auditoire de salon, il survient un nouveau personnage dont il faut satisfaire la curiosité. Vous ne le pouvez plus, votre âme est épuisée, il ne vous reste ni sensibilité, ni chaleur, ni larmes. Pourquoi l'acteur n'éprouve-t-il pas le même affaissement? C'est qu'il y a bien de la différence de l'intérêt qu'il prend à un conte fait à plaisir et de l'intérêt que vous inspire le malheur de votre voisin. Êtes-vous Cinna? Avez-vous jamais été Cléopâtre, Mérope, Agrippine? Que vous importent ces gens-là? La Cléopâtre, la Mérope, l'Agrippine, le Cinna du théâtre, sont-ils même des personnages historiques? Non. Ce sont les fantômes imaginaires de la poésie; je dis trop : ce sont des spectres de la façon particulière de tel ou tel poète. Laissez ces espèces d'hippogriffes sur la scène avec leurs mouvements, leur allure et leurs cris; ils figureraient mal dans l'histoire : ils feraient éclater de rire dans un cercle ou une autre assemblée de la société [1]. On se demanderait à l'oreille : Est-ce qu'il est en délire? D'où vient ce Don Quichotte-là? Où fait-on de ces contes-là! Quelle est la planète où l'on parle ainsi?

LE SECOND

Mais pourquoi ne révoltent-ils pas au théâtre?

LE PREMIER

C'est qu'ils y sont de convention. C'est une formule donnée par le vieil Eschyle; c'est un protocole de trois mille ans.

---

1. V *omisit* : la.

LE SECOND

Et ce protocole a-t-il encore longtemps à durer?

LE PREMIER

Je l'ignore. Tout ce que je sais, c'est qu'on s'en écarte à mesure qu'on s'approche de son siècle et de son pays.

Connaissez-vous une situation plus semblable à celle d'Agamemnon dans la première scène d'*Iphigénie*, que la situation de Henri IV, lorsque, obsédé de terreurs qui n'étaient que trop fondées, il disait à ses familiers : « Ils me tueront, rien n'est plus certain; ils me tueront... » Supposez que cet excellent homme, ce grand et malheureux monarque, tourmenté la nuit de ce pressentiment funeste, se lève et s'en aille frapper à la porte de Sully, son ministre et son ami; croyez-vous qu'il y eût un poète assez absurde pour faire dire à Henri :

> Oui, c'est Henri, c'est ton roi qui t'éveille,
> Viens, reconnais la voix qui frappe ton oreille...

et faire répondre à Sully :

> C'est vous-même, seigneur! Quel important besoin
> Vous a fait devancer l'aurore de si loin?
> A peine un faible jour vous éclaire et me guide.
> Vos yeux seuls et les miens sont ouverts!...[1]

---

1. Cette curieuse comparaison entre Agamemnon et Henri IV à propos du langage tragique vient directement de la *Correspondance littéraire* de Grimm (avril 1765 — édition Tourneux, t. VI, p. 245) : « Supposons... qu'un poète veuille faire la tragédie de Henri IV, qu'il donne à son héros des pressentiments du malheur dont il est menacé, cela sera à la fois historique et théâtral; car ce grand prince disait souvent : « Ils me tueront, si je ne sors d'ici. » Supposons que Henri, obsédé de ces idées, et ne pouvant dormir, se lève avant le jour et aille frapper à la porte de l'appartement de Sully; que celui-ci accoure à la hâte, et qu'étonné de voir le roi de si grand matin, il lui dise en prenant une attitude tragique :
... Seigneur, quel important besoin
Vous a fait devancer l'aurore de si loin?
Incontinent, disais-je, tout le parterre se mettra à rire. Je ne sais pourquoi ce discours emphatique, adressé à Agamemnon,

LE SECOND

C'était peut-être là le vrai langage d'Agamemnon.

LE PREMIER

Pas plus que celui de Henri IV. C'est celui d'Homère, c'est celui de Racine, c'est celui de la poésie; et ce langage pompeux ne peut être employé que par des êtres inconnus, et parlé par des bouches poétiques avec un ton poétique [1].

Réfléchissez un moment sur ce qu'on appelle au théâtre *être vrai*. Est-ce y montrer les choses comme elles sont [2] en nature? Aucunement. Le vrai en ce sens ne serait que le commun. Qu'est-ce donc que le vrai de la scène? C'est la conformité des actions, des discours, de la figure, de la voix, du mouvement, du geste, avec un modèle idéal imaginé par le poète, et souvent exagéré par le comédien. Voilà le merveilleux. Ce modèle n'influe pas seulement sur le ton; il modifie jusqu'à la démarche, jusqu'au maintien. De là vient que le comédien dans la rue ou sur la scène sont deux personnages si différents, qu'on a peine à les reconnaître. La première fois que je vis Mlle Clairon chez elle, je m'écriai tout naturellement : « *Ah! mademoiselle, je vous croyais de toute la tête plus grande.* ».

Une femme malheureuse, et vraiment malheureuse, pleure et ne vous touche point : il y a pis, c'est qu'un trait léger qui la défigure vous fait rire; c'est qu'un accent qui lui est propre dissone à votre oreille et vous blesse; c'est qu'un mouvement qui lui est habituel vous montre sa douleur ignoble et maussade; c'est que les passions outrées sont presque toutes sujettes à des grimaces que l'artiste sans goût copie servilement, mais que le grand artiste évite. Nous voulons qu'au plus fort des tourments [3] l'homme garde le carac-

---

cesse d'être ridicule ». Ernest Dupuy, à qui cet excellent rapprochement est dû, ne saurait en tirer argument pour sa thèse : Diderot a toujours vu dans la *Correspondance littéraire* un réservoir d'anecdotes (cf. *Jacques le fataliste*).

1. V *omisit :* avec un ton poétique.
2. V *omisit :* elles sont.
3. V : au plus fort tourment.

tère d'homme, la dignité de son espèce. Quel est l'effet de cet effort héroïque? De distraire de la douleur et de la tempérer. Nous voulons que cette femme tombe avec décence, avec mollesse, et que ce héros meure comme le gladiateur ancien, au milieu de l'arène, aux applaudissements du cirque, avec grâce, avec noblesse, dans une attitude élégante et pittoresque. Qui est-ce qui remplira notre attente? Sera-ce l'athlète que la douleur subjugue et que la sensibilité décompose? Ou l'athlète académisé qui se possède et pratique les leçons de la gymnastique [1] en rendant le dernier soupir? Le gladiateur ancien, comme un grand comédien, un grand comédien, ainsi que le gladiateur ancien, ne meurent pas comme on meurt sur un lit, mais sont tenus de nous jouer une autre mort pour nous plaire, et le spectateur délicat sentirait que la vérité nue, l'action dénuée de tout apprêt serait mesquine et contrasterait avec la poésie du reste.

Ce n'est pas que la pure nature n'ait ses moments sublimes [2]; mais je pense que s'il est quelqu'un sûr de saisir et de conserver leur sublimité, c'est celui qui les aura pressentis d'imagination ou de génie, et qui les rendra de sang-froid.

Cependant je ne nierais pas qu'il n'y eût une sorte de mobilité d'entrailles acquise ou factice; mais si vous m'en demandez mon avis, je la crois presque aussi dangereuse que la sensibilité naturelle. Elle doit conduire peu à peu l'acteur à la manière et à la monotonie. C'est un élément contraire à la diversité des fonctions d'un grand comédien; il est souvent obligé de s'en dépouiller, et cette abnégation de soi n'est possible qu'à une tête de fer. Encore vaudrait-il mieux, pour la facilité et le succès des études, l'universalité du talent et la perfection du jeu, n'avoir point à faire cette incompréhensible distraction de soi d'avec soi, dont l'extrême difficulté bornant chaque comédien à un seul rôle, condamne les troupes à être très nombreuses, ou presque toutes les pièces à être mal jouées, à moins que l'on ne ren-

1. V : les leçons gymnastiques.
2. V : ses mouvements sublimes.

verse l'ordre des choses, et que les pièces ne se fassent pour les acteurs, qui, ce me semble, devraient tout au contraire être faits pour les pièces [1].

LE SECOND

Mais si une foule d'hommes attroupés dans la rue par quelque catastrophe viennent à déployer subitement, et chacun à sa manière, leur sensibilité naturelle, sans s'être concertés, ils créeront un spectacle merveilleux, mille modèles précieux pour la sculpture, la peinture, la musique et la poésie.

LE PREMIER

Il est vrai. Mais ce spectacle serait-il à comparer avec celui qui résulterait d'un accord bien entendu, de cette harmonie que l'artiste y introduira lorsqu'il le transportera du carrefour sur la scène ou sur la toile? Si vous le prétendez, quelle est donc, vous répliquerai-je, cette magie de l'art si vantée, puisqu'elle se réduit à gâter ce que la brute nature et un arrangement fortuit avaient mieux fait qu'elle? Niez-vous qu'on n'embellisse la nature? N'avez-vous jamais loué une femme en disant qu'elle était belle comme une *Vierge* de Raphaël? A la vue d'un beau paysage, ne vous êtes-vous pas écrié qu'il était romanesque? D'ailleurs vous me parlez d'une chose réelle, et moi je vous parle d'une imitation; vous me parlez d'un instant fugitif de la nature, et moi je vous parle d'un ouvrage de l'art, projeté, suivi, qui a ses progrès et sa durée. Prenez chacun de ces acteurs, faites varier la scène dans la rue comme au théâtre, et montrez-moi vos personnages successivement, isolés, deux à deux, trois à trois; abandonnez-les à leurs propres mouvements; qu'ils soient maîtres absolus de leurs actions, et vous verrez l'étrange cacophonie qui en résultera. Pour obvier à ce

1. Cf. *De la poésie dramatique* (A.T., t. VII, p. 361) : « C'est à l'acteur à convenir au rôle et non pas au rôle à convenir à l'acteur. Qu'on ne dise jamais de vous qu'au lieu de chercher vos caractères dans les situations, vous avez ajusté vos situations au caractère et au talent du comédien. »

défaut, les faites-vous répéter ensemble? Adieu leur sensibilité naturelle, et tant mieux.

Il en est du spectacle comme d'une société bien ordonnée, où chacun sacrifie de ses droits primitifs pour le bien de l'ensemble et du tout. Qui est-ce qui appréciera le mieux la mesure de ce sacrifice? Sera-ce l'enthousiaste? Le fanatique? Non, certes. Dans la société, ce sera l'homme juste; au théâtre, le comédien qui aura la tête froide. Votre scène des rues est à la scène dramatique comme une horde de sauvages à une assemblée d'hommes civilisés.

C'est ici le lieu de vous parler de l'influence perfide d'un médiocre partenaire sur un excellent comédien. Celui-ci a conçu grandement, mais il sera forcé de renoncer à son modèle idéal pour se mettre au niveau du pauvre diable avec qui il est en scène. Il se passe alors d'étude et de bon jugement : ce qui se fait d'instinct à la promenade ou au coin du feu, celui qui parle [bas] [1] abaisse le ton de son interlocuteur. Ou si vous aimez mieux une autre comparaison, c'est comme au whist, où vous perdez une portion de votre habileté, si vous ne pouvez pas compter sur votre joueur. Il y a plus : la Clairon vous dira, quand vous voudrez, que Le Kain, par méchanceté, la rendait mauvaise ou médiocre, à discrétion; et que, de représailles, elle l'exposait quelquefois aux sifflets. Qu'est-ce donc que deux comédiens qui se soutiennent mutuellement? Deux personnages dont les modèles ont, proportion gardée, ou l'égalité, ou la subordination qui convient aux circonstances où le poète les a placés, sans quoi l'un sera trop fort ou trop faible; et pou sauver cette dissonance, le fort élèvera rarement le faible à sa hauteur; mais, de réflexion, il descendra à sa petitesse Et savez-vous l'objet de ces répétitions si multipliées? C'es d'établir une balance entre les talents divers des acteurs, d manière qu'il en résulte une action générale qui soit une; e lorsque l'orgueil de l'un d'entre eux se refuse à cette balance c'est toujours aux dépens de la perfection du tout [2], a

1. Leçon de N, V. — L *omisit.*

2. N, V : et au détriment.

détriment de votre plaisir; car il est rare que l'excellence d'un seul vous dédommage de la médiocrité des autres qu'elle fait ressortir [1]. J'ai vu quelquefois la personnalité d'un grand acteur punie; c'est lorsque le public prononçait sottement qu'il était outré, au lieu de sentir que son partenaire était faible.

A présent vous êtes poète : vous avez une pièce à faire jouer, et je vous laisse le choix ou d'acteurs à profond jugement et à tête froide, ou d'acteurs sensibles. Mais avant de vous décider, permettez que je vous fasse une question. A quel âge est-on grand comédien? Est-ce à l'âge où l'on est plein de feu, où le sang bouillonne dans les veines, où le choc le plus léger porte le trouble au fond des entrailles, où l'esprit s'enflamme à la moindre étincelle? Il me semble que non. Celui que la nature a signé comédien, n'excelle dans son art que quand la longue expérience est acquise, lorsque la fougue des passions est tombée, lorsque la tête est calme, et que l'âme se possède. Le vin de la meilleure qualité est âpre et bourru lorsqu'il fermente; c'est par un long séjour dans la tonne qu'il devient généreux. Cicéron, Sénèque et Plutarque me représentent les trois âges de l'homme qui compose : Cicéron n'est souvent qu'un feu de paille qui réjouit mes yeux; Sénèque un feu de sarment qui les blesse; au lieu que si je remue les cendres du vieux Plutarque, j'y découvre les gros charbons d'un brasier qui m'échauffent doucement [2].

Baron jouait, à soixante ans passés, le comte d'Essex,

---

1. V : sortir.

2. Ce parallèle provient d'un article de Diderot pour la *Correspondance littéraire* (15 décembre 1769, t. VIII, p. 401) : « Cicéron fait un feu de paille qui ne chauffe pas assez, Sénèque un feu de tourbe qui éblouit et qui entête; mon vieillard (Plutarque) ressemble à un brasier immense tel qu'on l'allume sur les autels des dieux et dont il s'élève quelquefois un parfum délicieux. Lorsque la cendre couvre ses charbons, ne le croyez pas éteint; mettez la main sur cette cendre et vous la trouverez chaude... » Diderot le reprendra dans son *Essai sur les règnes de Claude et de Néron* (tome III, p. 181).

Xipharès, Britannicus, et les jouait bien[1]. La Gaussin enchantait, dans l'*Oracle* et *la Pupille*, à cinquante ans[2].

LE SECOND

Elle n'avait guère le visage de son rôle.

LE PREMIER

Il est vrai; et c'est là peut-être un des obstacles insurmontables à l'excellence d'un spectacle. Il faut s'être promené de longues années sur les planches, et le rôle exige quelquefois la première jeunesse. S'il s'est trouvé une actrice de dix-sept ans, capable du rôle de Monime, de Didon, de Pulchérie, d'Hermione, c'est un prodige qu'on ne reverra plus[3]. Cependant un vieux comédien n'est ridicule que quand les forces l'ont tout à fait abandonné, ou que la supériorité de son jeu ne sauve pas le contraste de sa vieillesse et de son rôle. Il en est au théâtre comme dans la société, où l'on ne reproche la galanterie à une femme que quand elle n'a ni assez de talents, ni assez d'autres vertus pour couvrir un vice.

De nos jours, la Clairon et Molé[4] ont, en débutant, joué

1. Michel Baron, qui reçut les leçons de Molière, avait abandonné le théâtre en 1691. Après une retraite de vingt-neuf ans, il reparut sur la scène le 10 avril 1720, à l'âge de soixante-huit ans. Il joua effectivement dans *Le Comte d'Essex* de Thomas Corneille qui fut repris à la Comédie-Française du 16 novembre au 14 décembre 1720.

2. *L'Oracle*, de Poullain de Sainte-Foix, fut créé le 22 mars 1740 et *La Pupille*, comédie en un acte en prose de Fagan, le 5 juillet 1734 (cf. H.C. Lancaster, *The Comédie française*, Philadelphie, 1951, t. II, p. 714 et 731). Quant à la Gaussin, elle se retira de la scène en 1763; malgré ses cinquante ans elle eut encore un grand succès dans le rôle de Lucinde, la jeune amoureuse de *L'Oracle*. Diderot doit penser aux séances de mai 1763 où les deux pièces furent reprises (cf. Lancaster, *op. cit.*, p. 807).

3. Allusion à Mlle Raucourt qui débuta à la Comédie-Française le 23 décembre 1772 et remporta un prodigieux succès.

4. François Molé (1734-1802)) débuta le 7 octobre 1754, mais ne fut pas reçu. Après de longues tournées en province, il revint à Paris en 1760 et triompha en 1761 dans le rôle charmant de Lindor (*Heureusement*, de Rochon de Chabannes).

à peu près comme des automates, ensuite ils se sont montrés de vrais comédiens. Comment cela s'est-il fait? Est-ce que l'âme, la sensibilité, les entrailles leur sont venues à mesure qu'ils avançaient en âge?

Il n'y a qu'un moment, après dix ans d'absence du théâtre, la Clairon voulut y reparaître; si elle joua médiocrement, est-ce qu'elle avait perdu son âme, sa sensibilité, ses entrailles? Aucunement; mais bien la mémoire de ses rôles. J'en appelle à l'avenir.

LE SECOND

Quoi, vous croyez qu'elle nous reviendra?

LE PREMIER

Ou qu'elle périra d'ennui; car que voulez-vous qu'on mette à la place de l'applaudissement public et d'une grande passion [1]? Si cet acteur, si cette actrice étaient profondément pénétrés, comme on le suppose, dites-moi si l'un penserait à jeter un coup d'œil sur les loges, l'autre à diriger un sourire vers la coulisse, presque tous à parler au parterre, et si l'on irait aux foyers interrompre les ris immodérés d'un troisième, et l'avertir qu'il est temps de venir se poignarder?

Mais il me prend envie de vous ébaucher une scène entre un comédien et sa femme qui se détestaient; scène d'amants tendres et passionnés; scène jouée publiquement sur les planches, telle que je vais vous la rendre et peut-être un peu mieux; scène où deux acteurs ne parurent jamais plus fortement à leurs rôles; scène où ils enlevèrent les applaudissements continus du parterre et des loges; scène que nos battements de mains et nos cris d'admiration interrompirent

---

1. Nous ne savons si cette « grande passion » fait allusion à son amour du théâtre ou à sa longue liaison avec le comte de Valbelle; depuis 1773, la Clairon séjournait à Anspach auprès du margrave (cf. *Mémoires de Mlle Clairon*, Didot, 1878, p. 43). Elle devait revenir à Paris vers 1787, misérable et, qui pis est, oubliée.

dix fois. C'est la troisième du quatrième acte du *Dépit amoureux* de Molière, leur triomphe [1].

Le comédien ERASTE, *amant de Lucile*,
LUCILE, *maîtresse d'Éraste et femme du comédien.*

LE COMÉDIEN

Non, non, ne croyez pas, madame,
Que je revienne encor vous parler de ma flamme.

La comédienne. Je vous le conseille.

C'en est fait;

— Je l'espère.

Je me veux guérir, et connais bien
Ce que de votre cœur a possédé le mien.

— Plus que vous n'en méritiez.

Un courroux si constant pour l'ombre d'une offense

— Vous, m'offenser! je ne vous fais pas cet honneur.

M'a trop bien éclairci de votre indifférence;
Et je dois vous montrer que les traits du mépris

— Le plus profond.

Sont sensibles surtout aux généreux esprits.

— Oui, aux généreux.

Je l'avouerai, mes yeux observaient dans les vôtres
Des charmes qu'ils n'ont point trouvés dans tous les autres.

---

1. Toute cette scène des *apartés*, comme l'a fort bien vu Ernest Dupuy (ce qui ne l'empêche pas de l'attribuer à Naigeon et de ne trouver « dans cet effort d'écolier », ni une « miette d'esprit ni une ombre de vraisemblance » (*op. cit.*, p. 114), est imitée par Diderot de l'*Art de la comédie* de Cailhava de l'Estandoux (Paris, 1772, 4 vol.). Ce dernier, auteur de comédies gaies et non sans mérite (*Le Nouveau Débarqué*, *Le Tuteur dupé*, 1765, *Les Étrennes de l'amour*, 1769), prétendait légiférer en matière théâtrale; dans cet illisible traité, lourd et négligé, un chapitre traite des *apartés* ou « mots à l'oreille » et donne une scène entre une actrice et son ancien amant qui la complimente à haute voix et l'insulte tout bas.

— Ce n'est pas faute d'en avoir vu.

Et le ravissement où j'étais de mes fers
Les aurait préférés à des sceptres offerts.

— Vous en avez fait meilleur marché.

Je vivais tout en vous;

— Cela est faux, et vous en avez menti.

Et, je l'avouerai même,
Peut-être qu'après tout j'aurai, quoique outragé,
Assez de peine encor à m'en voir dégagé.

— Cela serait fâcheux.

Possible que, malgré la cure qu'elle essaie,
Mon âme saignera longtemps de cette plaie,

— Ne craignez rien; la gangrène y est.

Et qu'affranchi d'un joug qui faisait tout mon bien,
Il faudra me résoudre à n'aimer jamais rien.

— Vous trouverez du retour.

Mais enfin il n'importe; et puisque votre haine
Chasse un cœur tant de fois que l'amour vous ramène,
C'est la dernière ici des importunités
Que vous aurez jamais de mes vœux rebutés.

LA COMÉDIENNE

Vous pouvez faire aux miens la grâce tout entière,
Monsieur, et m'épargner encor cette dernière.

Le comédien. Mon cœur, vous êtes une insolente, et vous vous en repentirez.

LE COMÉDIEN

Eh bien, madame, eh bien! ils seront satisfaits.
Je romps avecque vous, et j'y romps pour jamais.
Puisque vous le voulez, que je perde la vie,
Lorsque de vous parler je reprendrai l'envie.

LA COMÉDIENNE

Tant mieux, c'est m'obliger.

LE COMÉDIEN

Non, non, n'ayez pas peur

La comédienne. Je ne vous crains pas.

Que je fausse parole; eussé-je un faible cœur,
Jusques à n'en pouvoir effacer votre image,
Croyez que vous n'aurez jamais cet avantage

— C'est le malheur que vous voulez dire.

De me voir revenir.

LA COMÉDIENNE

Ce serait bien en vain.

Le comédien. Ma mie, vous êtes une fieffée gueuse, à qu
j'apprendrai à parler.

LE COMÉDIEN

Moi-même de cent coups je percerais mon sein,

La comédienne. Plût à Dieu!

Si j'avais jamais fait cette bassesse insigne,

— Pourquoi pas celle-là, après tant d'autres?

De vous revoir, après ce traitement indigne.

LA COMÉDIENNE

Soit; n'en parlons donc plus.

Et ainsi du reste. Après cette double scène, l'une d'amants
l'autre d'époux, lorsque Éraste reconduisait sa maîtress
Lucile dans la coulisse, il lui serrait le bras d'une violence
arracher la chair à sa chère femme, et répondait à ses cri
par les propos les plus insultants et les plus amers.

LE SECOND

Si j'avais entendu ces deux scènes simultanées, je croi
que de ma vie je n'aurais remis le pied au spectacle.

LE PREMIER

Si vous prétendez que cet auteur et cette actrice ont senti
je vous demanderai si c'est dans la scène des amants, o
dans la scène des époux, ou dans l'une et l'autre? Mai
écoutez la scène suivante entre la même comédienne et u
autre acteur, son amant.

Tandis que l'amant parle, la comédienne dit de son mari : « C'est un indigne, il m'a appelée...; je n'oserais vous le répéter. »

Tandis qu'elle répond, son amant lui répond : « Est-ce que vous n'y êtes pas faite?... » Et ainsi de couplet en couplet.

« Ne soupons-nous pas ce soir? — Je le voudrais bien; mais comment s'échapper? — C'est votre affaire. — S'il vient à le savoir? — Il n'en sera ni plus ni moins, et nous aurons par devers nous une soirée douce. — Qui aurons-nous? — Qui vous voudrez. — Mais d'abord le chevalier, qui est de fondation. — A propos du chevalier, savez-vous qu'il ne tiendrait qu'à moi d'en être jaloux? — Et qu'à moi que vous eussiez raison? »

C'est ainsi que ces êtres si sensibles vous paraissaient tout entiers à la scène haute que vous entendiez, tandis qu'ils n'étaient vraiment qu'à la scène basse que vous n'entendiez pas; et vous vous écriiez : « Il faut avouer que cette femme est une actrice charmante; que personne ne sait écouter comme elle, et qu'elle joue avec une intelligence, une grâce, un intérêt, une finesse, une sensibilité peu commune... » Et moi, je riais de vos exclamations.

Cependant cette actrice trompe son mari avec un autre acteur, cet acteur avec le chevalier, et le chevalier avec un troisième, que le chevalier surprend entre ses bras. Celui-ci a médité une grande vengeance. Il se placera aux balcons, sur les gradins les plus bas. (Alors le comte de Lauraguais n'en avait pas encore débarrassé notre scène [1].) Là, il s'est promis de déconcerter l'infidèle par sa présence et par ses

---

1. Cette heureuse réforme date du 23 avril 1759 et coûta 30.000 livres au comte de Lauraguais. L'artiste incriminée est fort probablement Jeanne Catherine Gaussin dont les désordres privés étaient célèbres : « Si l'on en croit la renommée, disait Grimm, sa sévérité et sa résistance n'étaient jamais poussées à l'excès. L'idée de faire des malheureux lui était pénible. Ils disent que cela leur fait tant de plaisir, disait-elle avec sa voix douce. Comme cette disposition à la miséricorde la mettait dans le cas de manquer souvent à des engagements pris, on lui

regards méprisants, de la troubler et de l'exposer aux huées du parterre. La pièce commence; sa traîtresse paraît; elle aperçoit le chevalier; et, sans s'ébranler dans son jeu, elle lui dit en souriant : « Fi! le vilain boudeur qui se fâche pour rien. » Le chevalier sourit à son tour. Elle continue : « Vous venez ce soir? » Il se tait. Elle ajoute : « Finissons cette plate querelle, et faites avancer votre carrosse... » Et savez-vous dans quelle scène on intercalait celle-ci? Dans une des plus touchantes de La Chaussée, où cette comédienne sanglotait et nous faisait pleurer à chaudes larmes. Cela vous confond; et c'est pourtant l'exacte vérité.

LE SECOND

C'est à me dégoûter du théâtre.

LE PREMIER

Et pourquoi? Si ces gens-là n'étaient pas capables de ces tours de force, c'est alors qu'il n'y faudrait pas aller. Ce que je vais vous raconter, je l'ai vu.

Garrick passe sa tête entre les deux battants d'une porte, et, dans l'intervalle de quatre à cinq secondes, son visage passe successivement de la joie folle à la joie modérée, de cette joie à la tranquillité, de la tranquillité à la surprise, de la surprise à l'étonnement, de l'étonnement à la tristesse, de la tristesse à l'abattement, de l'abattement à l'effroi, de l'effroi à l'horreur, de l'horreur au désespoir, et remonte de ce dernier degré à celui d'où il était descendu. Est-ce que son âme a pu éprouver toutes ces sensations et exécuter, de concert avec son visage, cette espèce de gamme? Je n'en crois rien, ni vous non plus. Si vous demandiez à cet homme

---

a imputé une fausseté et une duplicité qu'elle n'avait pas » (*Correspondance littéraire*, t. VIII, p. 344). Cette identification est rendue plus probable encore par l'allusion aux pièces larmoyantes de Nivelle de la Chaussée : lors de la création du *Préjugé à la mode*, le 3 février 1735 (cf. Lancaster, *op. cit.*, p. 715), la Gaussin jouait Constance; elle créa le rôle de *Mélanide* le 12 mai 1741 (*ibid*, p. 734). Il peut s'agir, à ces dates-là, de souvenirs personnels de Diderot.

célèbre, qui lui seul méritait autant qu'on fît le voyage d'Angleterre que tous les restes de Rome méritent qu'on fasse le voyage d'Italie; si vous lui demandiez, dis-je, la scène du Petit Garçon pâtissier, il vous la jouait; si vous lui demandiez tout de suite la scène d'Hamlet, il vous la jouait, également prêt à pleurer la chute de ses petits pâtés et à suivre dans l'air le chemin d'un poignard. Est-ce qu'on rit, est-ce qu'on pleure à discrétion [1]? On en fait la grimace plus ou moins fidèle, plus ou moins trompeuse, selon qu'on est ou qu'on n'est pas Garrick.

Je persifle quelquefois, et même avec assez de vérité, pour en imposer aux hommes du monde les plus déliés. Lorsque je me désole de la mort simulée de ma sœur dans la scène avec l'avocat bas-normand; lorsque, dans la scène avec le premier commis de la marine, je m'accuse d'avoir fait un enfant à la femme d'un capitaine de vaisseau, j'ai tout à fait l'air d'éprouver de la douleur et de la honte; mais suis-je affligé? suis-je honteux? Pas plus dans ma petite comédie que dans la société, où j'avais fait ces deux rôles avant de les introduire dans un ouvrage de théâtre [2]. Qu'est-ce donc qu'un grand comédien? Un grand persifleur tragique ou comique, à qui le poète a dicté son discours.

---

1. Cf. *Correspondance littéraire* (t. VI, p. 319, juillet 1765) : « Nous lui avons vu jouer la scène du poignard dans la tragédie de *Macbeth*, en chambre, dans son habit ordinaire, sans aucun secours de l'illusion théâtrale; et à mesure qu'il suivait des yeux le poignard suspendu et marchant dans l'air, il devenait si beau qu'il arrachait un cri d'admiration à toute l'assemblée. Qui croirait que ce même homme, l'instant après, contrefait avec autant de perfection un garçon pâtissier qui, portant des petits pâtés sur sa tête et bayant aux corneilles dans la rue, laisse tomber son plat dans le ruisseau, et, stupéfait d'abord de son accident, finit par fondre en larmes? » Remarquons la confusion de *Hamlet* et de *Macbeth*.

2. Allusion précise aux scènes XIV et XIX de *La pièce et le prologue*, premier état de *Est-il bon, est-il méchant?* (cf. A.T., t. VIII, p. 95 et 104). Diderot a effectivement joué le rôle de M. Hardouin auprès du premier commis de la marine, M. Dubucq (cf. *A Sophie Volland*, *op. cit.*, t. II, p. 79-20 octobre 1765); la femme s'appelait Mme Dubois (*ibid.* p. 109 — 30 décembre

Sedaine donne *le Philosophe sans le savoir*. Je m'intéressai plus vivement que lui au succès de la pièce; la jalousie d talents [1] est un vice qui m'est étranger, j'en ai assez d'au tres sans celui-là : j'atteste tous mes confrères en littérature lorsqu'ils ont daigné quelquefois me consulter sur leur ouvrages, si je n'ai pas fait tout ce qui dépendait de mo pour répondre dignement à cette marque distinguée de leu estime? *Le Philosophe sans le savoir* chancelle à la première à la seconde représentation, et j'en suis affligé; à la troisièm il va aux nues, et j'en suis transporté de joie [2]. Le lendemair matin je me jette dans un fiacre, je cours après Sedaine c'était en hiver, il faisait le froid le plus rigoureux; je vai partout où j'espère le trouver. J'apprends qu'il est au fon du faubourg Saint-Antoine, je m'y fais conduire. J l'aborde; je jette mes bras autour de son cou; la voix m manque, et les larmes me coulent le long des joues. Voil l'homme sensible et médiocre. Sedaine, immobile et froid me regarde et me dit : « *Ah! Monsieur Diderot, que vous ête beau!* » Voilà l'observateur et l'homme de génie.

Ce fait, je le racontais un jour à table, chez un homm que ses talents supérieurs destinaient à occuper la place la plus importante de l'État, chez M. Necker [3]; il y avait ur

---

1765). L'autre épisode, avec M. des Renardeaux, l'avoca bas-normand, est directement inspiré par un procès entre Mme Geoffrin et un avocat de Gisors, M. de Fourmont (cf. *A Sophie Volland*, t. II, p. 197 — 26 octobre 1768). Aucune précision chronologique ne peut être tirée de cette pièce pour éclairer la genèse du *Paradoxe* : nous en connaissons au moins trois états (1771-1777-1781).

1. V : talent.

2. *Le Philosophe sans le savoir* fut créé le 2 décembre 1766. « Le premier jour, combat à mort; les honnêtes gens, les artistes et les gens de goût d'un côté; la foule de l'autre », annonce Diderot à Sophie (*op. cit.*, t. II, p. 107). D'après les recettes, c'est un succès : 3,353 livres le 2 décembre; faiblissement le 4; à partir du 7, recette moyenne de 2.500 livres (cf. Lancaster, *op. cit.*, t. II, p. 814).

3. Necker fut nommé directeur général des finances le 29 juin 1777. Cette allusion permet de préciser vers cette date un remaniement du *Paradoxe*.

assez grand nombre de gens de lettres, entre lesquels Marmontel, que j'aime et à qui je suis cher. Celui-ci me dit ironiquement : « Vous verrez que lorsque Voltaire se désole au simple récit d'un trait pathétique et que Sedaine garde son sang-froid à la vue d'un ami qui fond en larmes, c'est Voltaire qui est l'homme ordinaire et Sedaine l'homme de génie! » Cette apostrophe me déconcerte et me réduit au silence, parce que l'homme sensible, comme moi, tout entier à ce qu'on lui objecte, perd la tête et ne se retrouve qu'au bas de l'escalier. Un autre, froid et maître de lui-même, aurait répondu à Marmontel : « Votre réflexion serait mieux dans une autre bouche que la vôtre, parce que vous ne sentez pas plus que Sedaine et que vous faites aussi de fort belles choses, et que, courant la même carrière que lui, vous pouviez laisser à votre voisin le soin d'apprécier impartialement son mérite. Mais sans vouloir préférer Sedaine à Voltaire, ni Voltaire à Sedaine, pourriez-vous me dire ce qui serait sorti de la tête de l'auteur du *Philosophe sans le savoir*, du *Déserteur* et de *Paris sauvé* [1], si, au lieu de passer trente-cinq ans de sa vie à gâcher le plâtre et à couper la pierre, il eût employé tout ce temps, comme Voltaire, vous et moi, à lire et à méditer Homère, Virgile, le Tasse, Cicéron, Démosthène et Tacite? Nous ne saurons jamais voir comme lui, et il aurait appris à dire comme nous. Je le regarde comme un des arrière-neveux de Shakespeare; ce Shakespeare, que je ne comparerai ni à l'Apollon du Belvédère, ni au Gladiateur, ni à l'Antinoüs, ni à l'Hercule de Glycon, mais bien au saint Christophe de Notre-Dame, colosse informe, grossièrement sculpté, mais entre les

---

1. *Maillard ou Paris sauvé*, tragédie en cinq actes et en prose de Sedaine, fut joué en janvier 1782 sur le théâtre de Mme de Montesson et publié en 1788 (cf. Gaiffe, *Étude sur le drame en France au* XVIIIe *siècle*, Colin, 1910, p. 110). Ernest Dupuy ne saurait en tirer argument pour une rédaction tardive de ce passage. La pièce, arrêtée par la censure, est signalée par Grimm dès novembre 1770 (*Corresp. litt.*, t. IX, p. 163). Diderot, loin de l'ignorer, avait été chargé de la revoir par Sedaine lui-même (cf. *Corresp. inédite*, t. I, p. 293-295).

jambes duquel nous passerions tous sans que notre front touchât à ses parties honteuses [1]. »

Mais un autre trait où je vous montrerai un personnage dans un moment rendu plat et sot par sa sensibilité, et dans le moment suivant sublime par le sang-froid qui succéda à la sensibilité étouffée, le voici :

Un littérateur, dont je tairai le nom, était tombé dans l'extrême indigence. Il avait un frère, théologal et riche. Je demandai à l'indigent pourquoi son frère ne le secourait pas. C'est, me répondit-il, que j'ai de grands torts avec lui. J'obtins de celui-ci la permission d'aller voir M. le théologal. J'y vais. On m'annonce; j'entre. Je dis au théologal que je vais lui parler de son frère. Il me prend brusquement par la main, me fait asseoir et m'observe qu'il est d'un homme sensé de connaître celui dont il se charge de plaider la cause; puis, m'apostrophant avec force : « Connaissez-vous mon frère? — Je le crois. — Etes-vous instruit de ses procédés à mon égard? — Je le crois. — Vous le croyez? Vous savez donc?... » Et voilà mon théologal qui me débite, avec une rapidité et une véhémence surprenante, une suite d'actions plus atroces, plus révoltantes les unes que les autres. Ma tête s'embarrasse, je me sens accablé; je perds le courage de défendre un aussi abominable monstre que celui qu'on me dépeignait. Heureusement mon théologal, un peu prolixe dans sa philippique, me laissa le temps de me remettre; peu à peu l'homme sensible se retira et fit place à l'homme éloquent, car j'oserai dire que je le fus dans cette occasion. « Monsieur, dis-je froidement au théologal, votre frère a fait pis, et je vous loue de me céler le plus criant de ses forfaits. — Je ne cèle rien. — Vous auriez pu ajouter à tout ce que vous m'avez dit, qu'une nuit, comme vous sortiez de chez vous pour aller à matines, il vous avait saisi à la

---

1. La comparaison de Shakespeare et du saint Christophe de Notre-Dame a été reprise dans la *Correspondance secrète* (26 août 1778, t. VI, p. 424); mais son rédacteur, Métra, l'intercale dans une conversation fictive entre Diderot et Voltaire. Nul témoignage n'atteste la réalité de cette rencontre.

gorge, et que tirant un couteau qu'il tenait caché sous son habit, il avait été sur le point de vous l'enfoncer dans le sein. — Il en est bien capable; mais si je ne l'en ai pas accusé, c'est que cela n'est pas vrai... » Et moi, me levant subitement, et attachant sur mon théologal un regard ferme et sévère, je m'écriai d'une voix tonnante, avec toute la véhémence et l'emphase de l'indignation : « Et quand cela serait vrai, est-ce qu'il ne faudrait pas encore [1] donner du pain à votre frère? » Le théologal, écrasé, terrassé, confondu, reste muet, se promène, revient à moi et m'accorde une pension annuelle pour son frère [2].

Est-ce au moment où vous venez de perdre votre ami ou votre maîtresse que vous composerez un poème sur sa mort? Non. Malheur à celui qui jouit alors de son talent! C'est lorsque la grande douleur est passée, quand l'extrême sensibilité est amortie, lorsqu'on est loin de la catastrophe, que l'âme est calme, qu'on se rappelle son bonheur éclipsé, qu'on est capable d'apprécier la perte qu'on a faite, que la mémoire se réunit à l'imagination, l'une pour retracer, l'autre pour exagérer la douceur d'un temps passé; qu'on se possède et qu'on parle bien. On dit qu'on pleure, mais on ne pleure pas lorsqu'on poursuit une épithète énergique qui se refuse; on dit qu'on pleure, mais on ne pleure pas lorsqu'on s'occupe à rendre son vers harmonieux : ou si les

---

1. V *omisit* : encore.

2. Admirable anecdote confirmée par Métra (*Correspondance secrète*, 10 janvier 1778), mais surtout par les *Mémoires* de Mme de Vandeul (A.T., t. I, p. XLVIII-XLIX). Mme de Vandeul et le manuscrit Naigeon donnent le nom du littérateur, un certain Rivière : c'était un avocat né à Paris, mort à Caen en 1778, auteur de deux romans galants, les *Mémoires de Rantzi* (La Haye, 1747) et le *Moyen d'être heureux ou le temple de Cythère* (Amsterdam, 1750). Son frère, théologal de Notre-Dame, était l'abbé Bonaventure Rivière, connu sous le nom de Pelvert, né à Rouen, mort le 19 janvier 1781, auteur de *Dissertations théologiques* (Avignon, 1755) et d'une *Lettre sur la distinction de la religion naturelle et de la religion révélée* (1770). Le théologal aurait vu sa carrière brisée à la suite d'un carême prêché à la cour, son frère ayant prétendu que les sermons étaient de lui.

larmes coulent, la plume tombe des mains, on se livre à son sentiment et l'on cesse de composer.

Mais il en est des plaisirs violents ainsi que des peines profondes; ils sont muets. Un ami tendre et sensible revoit un ami qu'il avait perdu par une longue absence; celui-ci reparaît dans un moment inattendu, et aussitôt le cœur du premier se trouble : il court, il embrasse, il veut parler; il ne saurait : il bégaye des mots entrecoupés, il ne sait ce qu'il dit, il n'entend rien de ce qu'on lui répond; s'il pouvait s'apercevoir que son délire n'est pas partagé, combien il souffrirait! Jugez par la vérité de cette peinture, de la fausseté de ces entrevues théâtrales où deux amis ont tant d'esprit et se possèdent si bien. Que ne vous dirais-je pas de ces insipides et éloquentes disputes à qui mourra ou plutôt à qui ne mourra pas, si ce texte, sur lequel je ne finirais point, ne nous éloignait de notre sujet? C'en est assez pour les gens d'un goût grand et vrai; ce que j'ajouterais n'apprendrait rien aux autres. Mais qui est-ce qui sauvera ces absurdités si communes au théâtre? Le comédien [1], et quel comédien?

Il est mille circonstances pour une où la sensibilité est aussi nuisible dans la société que sur la scène. Voilà deux amants, ils ont l'un et l'autre une déclaration à faire. Quel est celui qui s'en tirera le mieux? Ce n'est pas moi. Je m'en souviens, je n'approchais de l'objet aimé qu'en tremblant; le cœur me battait, mes idées se brouillaient; ma voix s'embarrassait, j'estropiais tout ce que je disais; je répondais *non* quand il fallait répondre *oui*; je commettais mille gaucheries, des maladresses sans fin; j'étais ridicule de la tête aux pieds, je m'en apercevais, je n'en devenais que plus ridicule. Tandis que, sous mes yeux, un rival gai, plaisant et léger, se possédant, jouissant de lui-même, n'échappant aucune occasion de louer, et de louer finement, amusait, plaisait, était heureux; il sollicitait une main qu'on lui abandonnait, il s'en saisissait quelquefois sans l'avoir sollicitée, il la baisait, il la baisait encore, et moi, retiré dans un coin, détour-

1. N, V : le comédien sans doute.

ant mes regards d'un spectacle qui m'irritait, étouffant mes
ɔupirs, faisant craquer mes doigts à force de serrer les
oings, accablé de mélancolie, couvert d'une sueur froide,
e ne pouvais ni montrer ni celer mon chagrin. On a dit que
amour, qui ôtait l'esprit à ceux qui en avaient, en donnait
ceux qui n'en avaient pas; c'est-à-dire, en autre français,
u'il rendait les uns sensibles et sots, et les autres froids et
ntreprenants.

L'homme sensible obéit aux impulsions de la nature et
e rend précisément que le cri de son cœur; au moment où
tempère ou force ce cri, ce n'est plus lui, c'est un comé-
ien qui joue.

Le grand comédien observe les phénomènes; l'homme
ensible lui sert de modèle, il le médite, et trouve, de
éflexion, ce qu'il faut ajouter ou retrancher pour le mieux.
t puis, des faits encore après des raisons.

A la première représentation d'*Inès de Castro*, à l'endroit
ù les enfants paraissent, le parterre se mit à rire; la Duclos,
ui faisait Inès, indignée, dit au parterre : « Ris donc, sot
arterre, au plus bel endroit de la pièce. » Le parterre l'en-
endit, se contint; l'actrice reprit son rôle, et ses larmes et
elles du spectateur coulèrent [1]. Quoi donc! est-ce qu'on
asse et repasse ainsi d'un sentiment profond à un sentinent profond, de la douleur à l'indignation, de l'indigna-
ion à la douleur? Je ne le conçois pas; mais ce que je conçois
rès bien, c'est que l'indignation de la Duclos était réelle et
a douleur simulée.

Quinault-Dufresne joue le rôle de Sévère dans *Polyeucte*.
l était envoyé par l'empereur Décius pour persécuter les
hrétiens. Il confie ses sentiments secrets à son ami sur cette
ecte calomniée. Le sens commun exigeait que cette confi-
lence, qui pouvait lui coûter la faveur du prince, sa dignité,
a fortune, la liberté et peut-être la vie, se fît à voix basse.

---

1. *Inès de Castro*, tragédie de La Motte, fut jouée pour la
remière fois le 6 avril 1723 (Lancaster, *op. cit*, t. II, p. 676).
Anne-Marie Châteauneuf, dite la Duclos, née vers 1664, avait
lonc cinquante-neuf ans lorsqu'elle créa le rôle d'Inès.

Le parterre lui crie : « Plus haut. » Il réplique au parterre
« Et vous, messieurs, plus bas [1]. » Est-ce que s'il eût ét
vraiment Sévère, il fût redevenu si prestement Quinault
Non, vous dis-je, non. Il n'y a que l'homme qui se possèd
comme sans doute il se possédait, l'acteur rare, le comédie
par excellence, qui puisse ainsi déposer et reprendre so
masque.

Le Kain-Ninias descend dans le tombeau de son père, il
égorge sa mère; il en sort les mains sanglantes. Il est remp
d'horreur, ses membres tressaillent, ses yeux sont égaré
ses cheveux semblent se hérisser sur sa tête. Vous sente
frissonner les vôtres, la terreur vous saisit, vous êtes aus
éperdu que lui [2]. Cependant Le Kain-Ninias pousse du pie
vers la coulisse une pendeloque de diamants qui s'était déta
chée de l'oreille d'une actrice. Et cet acteur-là sent ? Cela n
se peut. Direz-vous qu'il est mauvais acteur ? Je n'en croi
rien. Qu'est-ce donc que Le Kain-Ninias ? C'est un homm
froid qui ne sent rien, mais qui figure supérieurement l
sensibilité. Il a beau s'écrier : « Où suis-je ? » Je lui répond
« Où tu es ? Tu le sais bien : tu es sur les planches [3], et t
pousses du pied une pendeloque vers la coulisse. »

Un acteur est pris de passion pour une actrice; une pièc
les met par hasard en scène dans un moment de jalousie. L
scène y gagnera, si l'acteur est médiocre; elle y perdra, s'i
est comédien; alors le grand comédien devient lui et n'es
plus le modèle idéal et sublime qu'il s'est fait d'un jaloux
Une preuve qu'alors l'acteur et l'actrice se rabaissent l'u

---

1. Quinault-Dufresne joua le rôle de Sévère, pour la dernièr fois avant sa retraite (1741), le 20 mars 1737 (cf. Lancaster, *op. cit* p. 723). Diderot peut donc évoquer ici un souvenir personne des années 1733-1737. Mais Auger, dans la *Biographie Michaud* attribue le même mot à Baron, lors de sa rentrée de 1720.

2. Allusion au rôle de Lekain dans la *Sémiramis* de Voltaire la pièce fut créée le 29 août 1748, mais reprise avec Lekain en 1756-1759. Voltaire en fait l'éloge dans la préface des *Scythe* (1767) : « Qui aurait osé, comme M. Lekain, sortir les bras ensanglantés du tombeau de Ninus ? » Même éloge dans les *Mémoires* de Préville (Didot, 1878, p. 186).

3. V : encore sur des planches. N : sur des planches.

et l'autre à la vie commune, c'est que s'ils gardaient leurs échasses ils se riraient au nez; la jalousie ampoulée et tragique ne leur semblerait souvent qu'une parade de la leur.

LE SECOND

Cependant il y aura des vérités de nature.

LE PREMIER

Comme il y en a dans la statue du sculpteur qui a rendu fidèlement un mauvais modèle. On admire ces vérités, mais on trouve le tout pauvre et méprisable.

Je dis plus : un moyen sûr de jouer petitement, mesquinement, c'est d'avoir à jouer son propre caractère. Vous êtes un tartuffe, un avare, un misanthrope, vous le jouerez bien [1]; mais vous ne ferez rien de ce que le poète a fait; car il a fait, lui, le Tartuffe, l'Avare et le Misanthrope.

LE SECOND

Quelle différence mettez-vous donc entre un tartuffe et le Tartuffe?

LE PREMIER

Le commis Billard est un tartuffe, l'abbé Grizel est un tartuffe, mais il n'est pas le Tartuffe [2]. Le financier Toinard était un avare, mais il n'était pas l'Avare. L'Avare et le Tartuffe ont été faits d'après tous les Toinards et tous les Grizels du monde; ce sont leurs traits les plus généraux et les plus marqués, et ce n'est le portrait exact d'aucun; aussi personne ne s'y reconnaît-il.

Les comédies de verve et même de caractères sont exagé-

1. N. V : vous jouerez un tartuffe, un avare, un misanthrope, et vous le jouerez bien.

2. Le caissier général de la poste Billard fit en 1769 une banqueroute qui ruina beaucoup de petites gens : il fut condamné au pilori en février 1772; son directeur, l'abbé Grizel, fut impliqué dans l'affaire. Voltaire en fit gorge chaude (cf. *Correspondance littéraire*, t. VIII, p. 485). Toinard, fermier général fort avare, appartenait à la génération précédente (cf. *Journal de Barbier*, 20 mai 1743).

rées. La plaisanterie de société est une mousse légère qui s'évapore sur la scène; la plaisanterie de théâtre est une arme tranchante qui blesserait dans la société. On n'a pas pour des êtres imaginaires le ménagement qu'on doit à des êtres réels.

La satire est d'un tartuffe, et la comédie est du Tartuffe. La satire poursuit un vicieux, la comédie poursuit un vice. S'il n'y avait eu qu'une ou deux Précieuses ridicules, on en aurait pu faire une satire, mais non pas une comédie.

Allez-vous-en chez La Grenée, demandez-lui la *Peinture*, et il croira avoir satisfait à votre demande, lorsqu'il aura placé sur sa toile une femme devant un chevalet, la palette passée dans le pouce et le pinceau à la main. Demandez-lui la *Philosophie*, et il croira l'avoir faite, lorsque, devant un bureau, la nuit, à la lueur d'une lampe, il aura appuyé sur le coude une femme en négligé, échevelée et pensive, qui lit ou qui médite [1]. Demandez-lui la *Poésie*, et il peindra la même femme dont il ceindra la tête d'un laurier, et à la main de laquelle il placera un rouleau. La *Musique*, ce sera encore la même femme avec une lyre au lieu de rouleau. Demandez-lui la *Beauté*, demandez même cette figure à un plus habile que lui, ou je me trompe fort, ou ce dernier se persuadera que vous n'exigez de son art que la figure d'une belle femme. Votre acteur et ce peintre tombent tous deux dans un même défaut, et je leur dirai : « Votre tableau, votre jeu, ne sont que des portraits d'individus fort au-dessous de l'idée générale que le poète a tracée, et du modèle idéal dont je me promettais la copie. Votre voisine est belle, très belle; d'accord : mais ce n'est pas la Beauté. Il y a aussi loin de votre ouvrage à votre modèle que de votre modèle à l'idéal [2]. »

LE SECOND

Mais ce modèle idéal ne serait-il pas une chimère?

---

1. Allusion à deux petits tableaux de Lagrenée, *la Poésie* et *la Philosophie*, exposés au Salon de 1767, et dont Diderot avait fait l'acquisition (cf. t. XI, p. 66).

2. Développement sur la beauté tiré de la préface du *Salon de* 1767 (t. XI, p. 9).

LE PREMIER

Non.

LE SECOND

Mais puisqu'il est idéal, il n'existe pas : or, il n'y a rien dans l'entendement qui n'ait été dans la sensation.

LE PREMIER

Il est vrai. Mais prenons un art à son origine, la sculpture, par exemple. Elle copia le premier modèle qui se présenta. Elle vit ensuite qu'il y avait des modèles moins imparfaits qu'elle préféra. Elle corrigea les défauts grossiers de ceux-ci, puis les défauts moins grossiers, jusqu'à ce que, par une longue suite de travaux, elle atteignît une figure qui n'était plus dans la nature.

LE SECOND

Et pourquoi ?

LE PREMIER

C'est qu'il est impossible que le développement d'une machine aussi compliquée qu'un corps animal soit régulier. Allez aux Tuileries ou aux Champs-Élysées un beau jour de fête ; considérez toutes les femmes qui rempliront les allées, et vous n'en trouverez pas une seule qui ait les deux coins de la bouche parfaitement semblables [1]. La Danaé du Titien est un portrait ; l'Amour, placé au pied de sa couche, est idéal [2]. Dans un tableau de Raphaël, qui a passé de la galerie de M. de Thiers dans celle de Catherine II [3], le saint Joseph

---

1. Cf. *Salon de* 1767 (*ibid.*, p. 11) : « Sur cette multitude de têtes dont les allées de nos jardins fourmillent un beau jour, vous n'en trouverez pas une dont un des profils ressemble à l'autre profil, pas une dont un des côtés de la bouche ne diffère sensiblement de l'autre côté. »

2. La *Danaé* du Titien, commandée par Philippe II et exécutée vers 1554, se trouve à Madrid, au musée du Prado. Mais on connaît des répliques à Glasgow, à Naples, à l'Ermitage. Diderot aurait-il vu celle de l'Ermitage ?

3. La *Sainte Famille* appelée ordinairement *La Madone avec saint Joseph imberbe* (cf. *L'Œuvre de Raphaël*, Hachette, p. 30), qui appartenait au XVIIe siècle au duc d'Angoulême, passa au XVIIIe

est une nature commune; la Vierge est une belle femme réelle; l'enfant Jésus est idéal. Mais si vous en voulez savoi davantage sur ces principes spéculatifs de l'art, je vou communiquerai mes Salons.

LE SECOND

J'en ai entendu parler avec éloge par un homme d'un goût fin et d'un esprit délicat.

LE PREMIER

M. Suard.

LE SECOND

Et par une femme qui possède tout ce que la pureté d'une âme angélique ajoute à la finesse du goût.

LE PREMIER

Madame Necker.

LE SECOND

Mais rentrons dans notre sujet.

LE PREMIER

J'y consens, quoique j'aime mieux louer la vertu que de discuter des questions assez oiseuses.

LE SECOND

Quinault-Dufresne, glorieux de caractère, jouait merveilleusement le Glorieux[1].

LE PREMIER

Il est vrai; mais d'où savez-vous qu'il se jouât lui-même? ou pourquoi la nature n'en aurait-elle pas fait un glorieux

---

dans la collection Crozat. C'est Diderot qui, en 1771, l'acheta pour le compte de Catherine II au duc de Broglie, héritier de Crozat de Thiers. Elle est toujours à l'Ermitage.

1. Avant sa retraite de 1741, Quinault-Dufresne joua *Le Glorieux* de Destouches pour la dernière fois le 13 février et le 4 mars (Lancaster, *op. cit.*, p. 735). La pièce ne fut pas reprise avant 1749, comme si l'acteur avait rendu le rôle injouable par d'autres.

rès rapproché de la limite qui sépare le beau réel du beau déal, limite sur laquelle se jouent les différentes écoles?

LE SECOND

Je ne vous entends pas.

LE PREMIER

Je suis plus clair dans mes Salons, où je vous conseille de ire le morceau sur la Beauté en général [1]. En attendant, lites-moi, Quinault-Dufresne est-il Orosmane? Non. Cependant, qui est-ce qui l'a remplacé et le remplacera dans e rôle? Était-il l'homme du *Préjugé à la mode* [2]? Non. Cependant avec quelle vérité ne le jouait-il pas?

LE SECOND

A vous entendre, le grand comédien est tout et n'est ien.

LE PREMIER

Et peut-être est-ce parce qu'il n'est rien qu'il est tout par xcellence, sa forme particulière ne contrariant jamais les ormes étrangères qu'il doit prendre.

Entre tous ceux qui ont exercé l'utile et belle profession le comédiens ou de prédicateurs laïques [3], un des hommes es plus honnêtes, un des hommes qui en avaient le plus la ohysionomie, le ton et le maintien, le frère du *Diable boiteux*, le *Gilblas*, du *Bachelier de Salamanque*, Montménil...

LE SECOND

Le fils de Le Sage, père commun de toute cette plaisante amille... [4]

---

1. Préface du *Salon de* 1767 (t. XI, p. 9-15).

2. *Le Préjugé à la mode* de Nivelle de la Chaussée fut créé vec Quinault-Dufresne le 3 février 1735. Il reprit une dernière ois le rôle en septembre 1740 et le 16 janvier 1741 (Lancaster, *p. cit*, p. 732).

3. Le terme de « prédicateurs » appliqué aux comédiens se rouvait déjà dans les *Entretiens sur le fils naturel* (t. VII, p. 108).

4. Diderot louait le fils de Lesage, « l'inimitable Montmesnil » lans sa *Lettre sur les sourds et muets* (t. I, p. 360).

LE PREMIER

Faisait avec un égal succès Ariste dans *la Pupille*, Tartuffe dans la comédie de ce nom, Mascarille dans *les Fourberies de Scapin*, l'avocat ou M. Guillaume dans la farce de *Patelin*.

LE SECOND

Je l'ai vu.

LE PREMIER

Et à votre grand étonnement, il avait le masque de ces différents visages. Ce n'était pas naturellement, car Nature ne lui avait donné que le sien; il tenait donc les autres de l'art.

Est-ce qu'il y a une sensibilité artificielle? Mais soit factice, soit innée, la sensibilité n'a pas lieu dans tous les rôles. Quelle est donc la qualité acquise ou naturelle qui constitue le grand acteur dans l'Avare, le Joueur, le Flatteur, le Grondeur [1], le Médecin malgré lui, l'être le moins sensible et le plus immoral que la poésie ait encore imaginé, le Bourgeois Gentilhomme, le Malade et le Cocu imaginaires; dans Néron, Mithridate, Atrée, Phocas, Sertorius, et tant d'autres caractères tragiques ou comiques, où la sensibilité est diamétralement opposée à l'esprit du rôle? La facilité de connaître et de copier toutes les natures. Croyez-moi, ne multiplions pas les causes lorsqu'une suffit à tous les phénomènes.

Tantôt le poète a senti plus fortement que le comédien; tantôt, et plus souvent peut-être, le comédien a conçu plus fortement que le poète; et rien n'est plus dans la vérité que cette exclamation de Voltaire, entendant la Clairon dans une de ses pièces : *Est-ce bien moi qui ai fait cela?* Est-ce que la Clairon en sait plus que Voltaire? Dans ce moment du moins son modèle idéal, en déclamant, était bien au delà du modèle idéal que le poète s'était fait en écrivant, mais ce

---

1. On connaît les pièces de Molière, beaucoup moins ses imitateurs : *Le Joueur* de Regnard fut créé le 19 décembre 1696, *Le Grondeur* de Brueys et Palaprat le 3 février 1691, *Le Flatteur* de Jean-Baptiste Rousseau le 24 novembre 1696.

modèle idéal n'était pas elle. Quel était donc son talent? Celui d'imaginer un grand fantôme et de le copier de génie. Elle imitait le mouvement, les actions, les gestes, toute l'expression d'un être fort au-dessus d'elle. Elle avait trouvé ce qu'Eschine récitant une oraison de Démosthène ne put jamais rendre, le mugissement de la bête. Il disait à ses disciples : « Si cela vous affecte si fort, qu'aurait-ce donc été, *si audivissetis bestiam mugientem*[1] ? » Le poète avait engendré l'animal terrible, la Clairon le faisait mugir.

Ce serait un singulier abus des mots que d'appeler sensibilité cette facilité de rendre toutes natures, même les natures féroces. La sensibilité, selon la seule acception qu'on ait donnée jusqu'à présent à ce terme, est, ce me semble, cette disposition compagne de la faiblesse des organes, suite de la mobilité du diaphragme, de la vivacité de l'imagination, de la délicatesse des nerfs, qui incline à compatir, à frissonner, à admirer, à craindre, à se troubler, à pleurer, à s'évanouir, à secourir, à fuir, à crier, à perdre la raison, à exagérer, à mépriser, à dédaigner, à n'avoir aucune idée précise du vrai, du bon et du beau, à être injuste, à être fou. Multipliez les âmes sensibles, et vous multiplierez en même proportion les bonnes et les mauvaises actions en tout genre, les éloges et les blâmes outrés.

Poètes, travaillez-vous pour une nation délicate, vaporeuse et sensible; renfermez-vous dans les harmonieuses, tendres et touchantes élégies de Racine; elle se sauverait des boucheries de Shakespeare : ces âmes faibles sont incapables de supporter des secousses violentes. Gardez-vous bien de leur présenter des images trop fortes. Montrez-leur, si vous voulez,

> Le fils tout dégouttant du meurtre de son père,
> Et sa tête à la main demandant son salaire [2];

1. Le mot d'Eschine à propos de Démosthène est rapporté par saint Jérôme (*Épîtres*, 53, 2, *in Œuvres*, Garnier, 1877, t. I, p. 541) : « Quid si ipsam audissetis bestiam sua verba resonantem »; et l'image est confirmée par Cicéron (*Orator*, VIII, 26) : « Aeschines, cum quidem eum belluam appellet... »

2. Corneille, *Cinna* (I, 3, vers 201-202)

mais n'allez pas au delà. Si vous osiez leur dire avec Homère : « Où vas-tu, malheureux? Tu ne sais donc pas que c'est à moi que le ciel envoie les enfants des pères infortunés; tu ne recevras point les derniers embrassements de ta mère; déjà je te vois étendu sur la terre, déjà je vois les oiseaux de proie, rassemblés autour de ton cadavre, t'arracher les yeux de la tête en battant les ailes de joie; » toutes nos femmes s'écrieraient en détournant la tête : « Ah! l'horreur!... » Ce serait bien pis si ce discours, prononcé par un grand comédien, était encore fortifié de sa véritable déclamation.

LE SECOND

[Je suis tenté de vous interrompre pour vous demander ce que vous pensez de ce vase présenté à Gabrielle de Vergy, qui y voit le cœur sanglant de son amant[1].

LE PREMIER

Je vous répondrai qu'il faut être conséquent, et que, quand on se révolte contre ce spectacle, il ne faut pas souffrir qu'Œdipe se montre avec ses yeux crevés, et qu'il faut chasser de la scène Philoctète tourmenté de sa blessure, et exhalant sa douleur par des cris inarticulés. Les anciens avaient, ce me semble, une autre idée de la tragédie que nous, et ces anciens-là, c'étaient les Grecs, c'étaient les Athéniens, ce peuple si délicat, qui nous a laissé en tout genre des modèles que les autres nations n'ont point encore égalés. Eschyle, Sophocle, Euripide, ne veillaient pas des années entières pour ne produire que de ces petites impressions passagères qui se dissipent dans la gaieté d'un souper. Ils voulaient profondément attrister sur le sort des malheureux; ils voulaient, non pas amuser seulement leurs conci-

---

1. Scène de *Gabrielle de Vergy*, tragédie de Du Belloy, représentée le 12 juillet 1777, mais imprimée depuis 1770. Allusion due probablement à l'article de Meister dans la *Correspondance littéraire* (t. XI, p. 491). C'est ici que commencent deux digressions absentes du manuscrit de Naigeon, l'une sur les audaces du théâtre grec, l'autre sur *Le Shériff*, pièce inachevée de Diderot

›yens, mais les rendre meilleurs. Avaient-ils tort ? avaient-s raison ? Pour cet effet, ils faisaient courir sur la scène les Euménides suivant la trace du parricide, et conduites par la apeur du sang qui frappait leur odorat [1]. Ils avaient trop e jugement pour applaudir à ces imbroglios, à ces escamo-ıges de poignards, qui ne sont bons que pour des enfants. Jne tragédie n'est, selon moi, qu'une belle [2] page histo-ique qui se partage en un certain nombre de repos mar-ués. On attend le shérif. Il arrive. Il interroge le seigneur u village. Il lui propose d'apostasier. Celui-ci s'y refuse. l le condamne à mort. Il l'envoie dans les prisons. La fille ient demander la grâce de son père. Le shérif la lui accorde une condition révoltante. Le seigneur du village est mis à ıort. Les habitants poursuivent le shérif. Il fuit devant eux. ʼamant de la fille du seigneur l'étend mort d'un coup de oignard ; et l'atroce intolérant meurt au milieu des impré-ations. Il n'en faut pas davantage à un poète pour compo-er un grand ouvrage. Que la fille aille interroger sa mère ur son tombeau, pour en apprendre ce qu'elle doit à celui ui lui a donné la vie. Qu'elle soit incertaine sur le sacrifice e l'honneur que l'on exige d'elle. Que, dans cette incerti-ıde, elle tienne son amant loin d'elle, et se refuse aux dis-ours de sa passion. Qu'elle obtienne la permission de voir on père dans les prisons. Que son père veuille l'unir à son mant, et qu'elle n'y consente pas. Qu'elle se prostitue. Que, ındis qu'elle se prostitue, son père soit mis à mort. Que ous ignoriez sa prostitution jusqu'au moment où, son mant la trouvant désolée de la mort de son père qu'il lui pprend, il en apprend le sacrifice qu'elle a fait pour le sau-er. Qu'alors le shérif, poursuivi par le peuple, arrive, et

---

1. Nous retrouvons la phrase presque identique sur le sublime schylien des *Euménides* (cf. édition Mazon, Belles-lettres, t. II, . 141, v. 244 sq.) dans le *Plan d'une université* (t. III, p. 481), ıais aussi dans le second des *Entretiens sur le fils naturel* (t. VII, ›. 115).

2. V *omisit :* belle.

qu'il soit massacré par l'amant. Voilà une partie des détails d'un pareil sujet [1].

LE SECOND

Une partie!

LE PREMIER

Oui, une partie. Est-ce que les jeunes amants ne proposeront pas au seigneur du village de se sauver? Est-ce que les habitants ne lui proposeront pas d'exterminer le shérif et ses satellites? Est-ce qu'il n'y aura pas un prêtre défenseur de la tolérance? Est-ce qu'au milieu de cette journée de douleur, l'amant restera oisif? Est-ce qu'il n'y a pas de liaisons à supposer entre ces personnages? Est-ce qu'il n'y a aucun parti à tirer de ces liaisons? Est-ce qu'il ne peut pas, ce shérif, avoir été l'amant de la fille du seigneur du village? Est-ce qu'il ne revient pas l'âme pleine de vengeance, et contre le père qui l'aura chassé du bourg, et contre la fille qui l'aura dédaigné? Que d'incidents importants on peut tirer du sujet le plus simple quand on a la patience de le méditer! Quelle couleur ne peut-on pas leur donner quand on est éloquent! On n'est point poète dramatique sans être éloquent. Et croyez-vous que je manquerai de spectacle? Cet interrogatoire, il se fera dans tout son appareil. Laissez-moi disposer de mon local, et mettons fin à cet écart.]

Je te prends à témoin, Roscius anglais, célèbre Garrick, toi qui, du consentement unanime de toutes les nations subsistantes, passes pour le premier comédien qu'elles aient connu, rends hommage à la vérité! Ne m'as-tu pas dit que, quoique tu sentisses fortement, ton action serait faible, si, quelle que fût la passion ou le caractère que tu avais à rendre,

1. Le plan du *Shériff*, publié pour la première fois par Tourneux d'après le manuscrit de l'Ermitage (t. XIV, cf. A.T., t. VIII p. 5-15), est confirmé par l'autographe du fonds Vandeul (B.N — n. a. fr. 13. 722). L'ouvrage était en chantier le 11 septembre 1769 (*A Sophie Volland*, t. II, p. 223) : « J'ai un certain Shériff par la tête et dont il faudra bien que je me délivre ». Grimm regrettera (*Correspond. litt.*, t. VIII, p. 392) que l'idée en ait été dérobée par Dorat dans une nouvelle intitulée *Sylvie et Molhésof*

tu ne savais t'élever par la pensée à la grandeur d'un fantôme homérique auquel tu cherchais à t'identifier? Lorsque je t'objectai que ce n'était donc pas d'après toi que tu jouais, confesse ta réponse : ne m'avouas-tu pas que tu t'en gardais bien, et que tu ne paraissais si étonnant sur la scène, que parce que tu montrais sans cesse au spectacle un être d'imagination qui n'était pas toi [1]?

LE SECOND

L'âme d'un grand comédien a été formée de l'élément subtil dont notre philosophe [2] remplissait l'espace qui n'est ni froid, ni chaud, ni pesant, ni léger, qui n'affecte aucune forme déterminée, et qui, également susceptible de toutes, n'en conserve aucune.

LE PREMIER

Un grand comédien n'est ni un piano-forté, ni une harpe, ni un clavecin, ni un violon, ni un violoncelle [3]; il n'a point d'accord qui lui soit propre; mais il prend l'accord et le ton qui conviennent à sa partie, et il sait se prêter à toutes. J'ai une haute idée du talent d'un grand comédien : cet homme est rare, aussi rare et peut-être plus grand que le poète [4].

Celui qui dans la société se propose, et a le malheureux talent de plaire à tous [5], n'est rien, n'a rien qui lui appartienne, qui le distingue, qui engoue les uns et qui fatigue les

---

1. D'après Diderot lui-même, ce dialogue aurait eu lieu, en fait, entre Garrick et le chevalier de Chastellux (*Salon de* 1767, t. XI, p. 16).

2. Épicure (note d'A.T.)

3. V *omisit* les articles : un.

4. V : peut-être plus rare que le poète. N 1-2 : peut-être plus que le grand poète.

5. Le manuscrit Naigeon nous fournit les noms : « le comte d'Albaret, Touzet, l'abbé de Canaye » (cf. Dupuy, *op. cit.*, p. 59). Grimm parlait de leur talent de mime dans la *Correspondance littéraire* (t. IX, p. 263 et 460) à propos des proverbes de Carmontelle. Collé (*Journal*, *op. cit*, t. III, p. 300) cite le comte d'Albaret, persifleur insigne ridiculisé par Tronchin.

autres. Il parle toujours, et toujours bien; c'est un adula
teur de profession, c'est un grand courtisan, c'est un granc
comédien.

LE SECOND

Un grand courtisan, accoutumé, depuis qu'il respire, au
rôle d'un pantin merveilleux, prend toutes sortes de formes
au gré de la ficelle qui est entre les mains de son maître.

LE PREMIER

Un grand comédien est un autre pantin merveilleux dont
le poète tient la ficelle, et auquel il indique à chaque ligne la
véritable forme qu'il doit prendre.

LE SECOND

Ainsi un courtisan, un comédien, qui ne peuvent prendre
qu'une forme, quelque belle, quelque intéressante qu'elle
soit, ne sont que deux mauvais pantins?

LE PREMIER

Mon dessein n'est pas de calomnier une profession que
j'aime et que j'estime; je parle de celle du comédien. Je
serais désolé que mes observations, mal interprétées, attachassent l'ombre du mépris à des hommes d'un talent rare
et d'une utilité réelle, aux fléaux du ridicule et du vice, aux
prédicateurs les plus éloquents de l'honnêteté et des vertus,
à la verge dont l'homme de génie se sert pour châtier les
méchants et les fous. Mais tournez les yeux autour de vous,
et vous verrez que les personnes d'une gaieté continue n'ont
ni de grands défauts, ni de grandes qualités; que communément les plaisants de profession sont des hommes frivoles, sans aucun principe solide; et que ceux qui, semblables à certains personnages qui circulent dans nos sociétés,
n'ont aucun caractère, excellent à les jouer tous.

Un comédien n'a-t-il pas un père, une mère, une femme,
des enfants, des frères, des sœurs, des connaissances, des
amis, une maîtresse? S'il était doué de cette exquise sensibilité, qu'on regarde comme la qualité principale de son
état, poursuivi comme nous et atteint d'une infinité de

peines qui se succèdent, et qui tantôt flétrissent nos âmes, et tantôt les déchirent, combien lui resterait-il de jours à donner à notre amusement? Très peu. Le gentilhomme de la chambre interposerait vainement sa souveraineté, le comédien serait souvent dans le cas de lui répondre : « Monseigneur, je ne saurais rire aujourd'hui, ou c'est d'autre chose que des soucis d'Agamemnon que je veux pleurer. » Cependant on ne s'aperçoit pas que les chagrins de la vie, aussi fréquents pour eux que pour nous, et beaucoup plus contraires au libre exercice de leurs fonctions, les suspendent souvent.

Dans le monde, lorsqu'ils ne sont pas bouffons, je les trouve polis, caustiques et froids, fastueux, dissipés, dissipateurs, intéressés, plus frappés de nos ridicules que touchés de nos maux; d'un esprit assez rassis au spectacle d'un événement fâcheux, ou au récit d'une aventure pathétique; isolés, vagabonds, à l'ordre des grands; peu de mœurs, point d'amis, presque aucune de ces liaisons saintes et douces qui nous associent aux peines et aux plaisirs d'un autre qui partage les nôtres. [J'ai souvent vu rire un comédien hors de la scène, je n'ai pas mémoire d'en avoir jamais [1] vu pleurer un.] Cette sensibilité qu'ils s'arrogent et qu'on leur alloue, qu'en font-ils donc? La laissent-ils sur les planches, quand ils en descendent, pour la reprendre quand ils y remontent?

Qu'est-ce qui leur chausse le socque ou le cothurne? Le défaut d'éducation, la misère et le libertinage. Le théâtre est une ressource, jamais un choix. Jamais on ne se fit comédien par goût pour la vertu, par le désir d'être utile dans la société et de servir son pays ou sa famille, par aucun des motifs honnêtes qui pourraient entraîner un esprit droit, un cœur chaud, une âme sensible vers une aussi belle profession.

Moi-même, jeune, je balançai entre la Sorbonne et la Comédie [2]. J'allais, en hiver, par la saison la plus rigou-

1. V *omisit :* jamais. N 1-2 *omisit* toute la phrase.

2. Cf. *Entretiens sur le Fils naturel* (t. VII, p. 108) : « Isolé sur la surface de la terre, maître de mon sort, libre de préjugés, j'ai voulu une fois être comédien ».

reuse, réciter à haute voix des rôles de Molière et de Corneille dans les allées solitaires du Luxembourg. Quel était mon projet? d'être applaudi? Peut-être. De vivre familièrement avec les femmes de théâtre que je trouvais infiniment aimables et que je savais très faciles? Assurément. Je ne sais ce que je n'aurais pas fait pour plaire à la Gaussin, qui débutait alors [1] et qui était la beauté personnifiée; à la Dangeville, qui avait tant d'attraits sur la scène.

On a dit que les comédiens n'avaient aucun caractère [2], parce qu'en les jouant tous ils perdaient celui que la nature leur avait donné, qu'ils devenaient faux, comme le médecin, le chirurgien et le boucher deviennent durs [3]. Je crois qu'on a pris la cause pour l'effet, et qu'ils ne sont propres à les jouer tous que parce qu'ils n'en ont point.

LE SECOND

On ne devient point cruel parce qu'on est bourreau; mais on se fait bourreau, parce qu'on est cruel.

LE PREMIER

J'ai beau examiner ces hommes-là. Je n'y vois rien qui les distingue du reste des citoyens, si ce n'est une vanité qu'on pourrait appeler insolence, une jalousie qui remplit de troubles et de haines leur comité. Entre toutes les associations,

---

1. La Gaussin débuta à la Comédie-Française le 28 avril 1731 dans le rôle de Junie; la Dangeville l'avait précédée le 28 janvier 1730. Diderot était encore étudiant et ne fut reçu maître es arts que le 2 septembre 1732.

2. Comme le marque fort bien Ernest Dupuy, ici le souvenir de Rousseau affleure et l'un des thèmes de la *Lettre à d'Alembert sur les spectacles* : « Qu'est-ce que le talent d'un comédien? l'art de se contrefaire, de revêtir un autre caractère que le sien, de paraître différent de ce qu'on est, de se passionner de sang-froid, de dire autre chose que ce qu'on pense, aussi naturellement que si on le pensait réellement, et d'oublier sa propre place à force de prendre celle d'autrui. »

3. Mêmes exemples dans la *Réfutation d'Helvétius* (A.T., t. II p. 379) : « Les entrailles du médecin cessent de se tourmenter à la longue...; à force de tremper ses mains dans le sang des animaux, le boucher voit couler le sang humain sans horreur. »

n'y en a peut-être aucune où l'intérêt commun de tous et elui du public soient plus constamment et plus évidemment sacrifiés à de misérables petites prétentions. L'envie st encore pire entre eux qu'entre les auteurs; c'est beauoup dire, mais cela est vrai. Un poète pardonne plus aisément à un poète le succès d'une pièce, qu'une actrice ne paronne à une actrice les applaudissements qui la désignent quelque illustre ou riche débauché. Vous les voyez grands ur la scène, parce qu'ils ont de l'âme, dites-vous; moi, je s vois petits et bas dans la société, parce qu'ils n'en ont oint : avec les propos et le ton de Camille et du vieil Hoace, toujours les mœurs de Frosine et de Sganarelle. Or, our juger le fond du cœur, faut-il que je m'en rapporte à es discours d'emprunt, que l'on sait rendre merveilleusement, ou à la nature des actes et à la teneur de la vie?

LE SECOND

Mais jadis Molière, les Quinault, Montménil, mais ujourd'hui Brizard et Caillot[1] qui est également bienenu chez les grands et chez les petits, à qui vous coneriez sans crainte votre secret et votre bourse, et avec quel vous croiriez l'honneur de votre femme et l'innoence de votre fille beaucoup plus en sûreté qu'avec tel rand seigneur de la cour ou tel respectable ministre de nos utels...

LE PREMIER

L'éloge n'est pas exagéré : ce qui me fâche, c'est de ne pas ntendre citer un plus grand nombre de comédiens qui aient mérité ou qui le méritent. Ce qui me fâche, c'est u'entre ces propriétaires par état, d'une qualité, la source récieuse et féconde de tant d'autres, un comédien galant

1. Joseph Caillot (1732-1816) joua tout enfant aux petits partements de Louis XV, puis en province à Bourges et yon. Il débuta à la Comédie-Italienne en 1766; son jeu était ès naturel et il disposait d'une belle voix de basse taille. La *orrespondance littéraire* fait plusieurs fois son éloge (t. VIII, . 245, t. IX, p. 406, etc.).

homme, une actrice honnête femme soient des phénomènes si rares.

Concluons de là qu'il est faux qu'ils en aient le privilège spécial, et que la sensibilité qui les dominerait dans le monde comme sur la scène, s'ils en étaient doués, n'est ni la base de leur caractère ni la raison de leurs succès; qu'elle ne leur appartient ni plus ni moins qu'à telle ou telle condition de la société, et que si l'on voit si peu de grands comédiens, c'est que les parents ne destinent point leurs enfants au théâtre; c'est qu'on ne s'y prépare point par une éducation commencée dans la jeunesse; c'est qu'une troupe de comédiens n'est point, comme elle devrait l'être chez un peuple où l'on attacherait à la fonction de parler aux hommes rassemblés pour être instruits, amusés, corrigés, l'importance, les honneurs, les récompenses qu'elle mérite, une corporation formée, comme toutes les autres communautés, de sujets tirés de toutes les familles de la société et conduits sur la scène comme au service, au palais, à l'église, par choix ou par goût et du consentement de leurs tuteurs naturels.

LE SECOND

L'avilissement des comédiens modernes est, ce me semble, un malheureux héritage que leur ont laissé les comédiens anciens.

LE PREMIER

Je le crois.

LE SECOND

Si le spectacle naissait aujourd'hui qu'on a des idées plus justes des choses, peut-être que... Mais vous ne m'écoutez pas. A quoi rêvez-vous?

LE PREMIER

Je suis ma première idée, et je pense à l'influence du spectacle sur le bon goût et sur les mœurs, si les comédiens étaient gens de bien et si leur profession était honorée. Où est le poète qui osât proposer à des hommes bien nés de répéter publiquement des discours plats ou grossiers; à des femmes à peu près sages comme les nôtres, de débiter effrontément devant une multitude d'auditeurs des propos qu'elles rougiraient d'entendre dans le secret de leurs foyers ? Bientôt nos auteurs dramatiques atteindraient à une pureté, une délicatesse, une élégance dont ils sont plus loin encore qu'ils ne le soupçonnent. Or, doutez-vous que l'esprit national ne s'en ressentît ?

LE SECOND

On pourrait vous objecter peut-être que les pièces, tant anciennes que modernes, que vos comédiens honnêtes excluraient de leur répertoire, sont précisément celles que nous jouons en société.

LE PREMIER

Et qu'importe que nos citoyens se rabaissent à la condition des plus vils histrions ? en serait-il moins utile, en serait-il moins à souhaiter que nos comédiens s'élevassent à la condition des plus honnêtes citoyens ?

LE SECOND

La métamorphose n'est pas aisée.

LE PREMIER

[Lorsque je donnai *le Père de Famille*, le magistrat de la police m'exhorta à suivre ce genre [1].

LE SECOND

Pourquoi ne le fîtes-vous pas ?

LE PREMIER

C'est que n'ayant pas obtenu le succès que je m'en étais promis, et ne me flattant pas de faire beaucoup mieux, je me dégoûtai d'une carrière pour laquelle je ne me crus pas assez de talent.

---

1. Il s'agit de la reprise du *Père de famille* à la Comédie-Française en 1769 (neuf représentations du 9 août au 9 septembre). Le magistrat est Sartine, lieutenant de police, vieil ami et condisciple de Diderot.

LE SECOND

Et pourquoi cette pièce qui remplit aujourd'hui la salle de spectateurs [avant quatre heures et demie, et que les comédiens affichent toutes les fois qu'ils ont besoin d'un millier d'écus] [1], fut-elle si tièdement accueillie dans le commencement ?

LE PREMIER

Quelques-uns disaient que nos mœurs étaient trop factices pour s'accommoder d'un genre aussi simple, trop corrompues pour goûter un genre aussi sage.

LE SECOND

Cela n'était pas sans vraisemblance.

LE PREMIER

Mais l'expérience a bien démontré que cela n'était pas vrai, car nous ne sommes pas devenus meilleurs. D'ailleurs le vrai, l'honnête a tant d'ascendant sur nous, que si l'ouvrage d'un poète a ces deux caractères et que l'auteur ait du génie, son succès n'en sera que plus assuré. C'est surtout lorsque tout est faux qu'on aime le vrai, c'est surtout lorsque tout est corrompu que le spectacle est le plus épuré. Le citoyen qui se présente à l'entrée de la Comédie y laisse tous ses vices pour ne les reprendre qu'en sortant [2]. Là il est juste, impartial, bon père, bon ami, ami de la vertu ; et j'ai vu souvent à côté de moi des méchants profondément indignés contre des actions qu'ils n'auraient pas manqué de commettre s'ils s'étaient trouvés dans les mêmes circonstances où le poète avait placé le personnage qu'ils abhorraient. Si je ne réussis pas d'abord, c'est que le genre était

1. Barré dans V. M. de Vandeul a coupé ces précisions un peu vaniteuses dans le manuscrit V. La plus forte recette fut celle du 19 août 1769 : 2.949 livres, c'est-à-dire presque exactement mille écus (cf. Lancaster, *op. cit*, t. II, p. 825).

2. Cf. *Réfutation d'Helvétius* (t. II, p. 392) : « C'est un lieu bien respectable que celui où le méchant va oublier pendant trois heures de suite ce qu'il est. Je ne sais si le magistrat en connaît toute l'utilité. »

étranger aux spectateurs et aux acteurs; c'est qu'il y avait un préjugé établi et qui subsiste encore contre ce qu'on appelle la comédie larmoyante; c'est que j'avais une nuée d'ennemis à la cour, à la ville, parmi les magistrats, parmi les gens d'église, parmi les hommes de lettres.

LE SECOND

Et comment aviez-vous encouru tant de haines ?

LE PREMIER

Ma foi, je n'en sais rien, car je n'ai jamais fait de satire ni contre les grands ni contre les petits, et je n'ai croisé personne sur le chemin de la fortune et des honneurs. Il est vrai que j'étais du nombre de ceux qu'on appelle philosophes, qu'on regardait alors comme des citoyens dangereux, et contre lesquels le ministère avait lâché deux ou trois scélérats subalternes, sans vertu, sans lumières, et qui pis est sans talent [1]. Mais laissons cela.

LE SECOND

Sans compter que ces philosophes avaient rendu la tâche des poètes et des littérateurs en général plus difficile. Il ne s'agissait plus, pour s'illustrer, de savoir tourner un madrigal ou un couplet ordurier.] [2]

LE PREMIER

Cela se peut. Un jeune dissolu, au lieu de se rendre avec assiduité dans l'atelier du peintre, du sculpteur, de l'artiste qui l'a adopté, a perdu les années les plus précieuses de sa vie, et il est resté à vingt ans sans ressources et sans talent. Que voulez-vous qu'il devienne? Soldat ou comédien [3]. Le

---

1. Rapide allusion à l'affaire du *Père de famille* en 1758 : le ministre est Choiseul, les trois scélérats Fréron, Palissot et l'avocat Moreau.

2. N1-2 omet tout ce passage sur *Le Père de famille*.

3. Résumé de la préface du *Salon de* 1765 (t. V., p. 235) : « L'élève est âgé de dix-neuf à vingt ans, lorsque la palette lui tombant des mains il reste sans état, sans ressources et sans

voilà donc enrôlé dans une troupe de campagne. Il rôde jusqu'à ce qu'il puisse se promettre un début dans la capitale. Une malheureuse créature a croupi dans la fange de la débauche; lasse de l'état le plus abject, celui de basse courtisane, elle apprend par cœur quelques rôles, elle se rend un matin chez la Clairon, comme l'esclave ancien chez l'édile ou le préteur. Celle-ci la prend par la main, lui fait faire une pirouette, la touche de sa baguette, et lui dit : « Va faire rire ou pleurer les badauds. »

Ils sont excommuniés. Ce public qui ne peut s'en passer les méprise. Ce sont des esclaves sans cesse sous la verge d'un autre esclave. Croyez-vous que les marques d'un avilissement aussi continu puissent rester sans effet, et que, sous le fardeau de l'ignominie, une âme soit assez ferme pour se tenir à la hauteur de Corneille?

Ce despotisme que l'on exerce sur eux, ils l'exercent sur les auteurs, et je ne sais quel est le plus vil ou du comédien insolent ou de l'auteur qui le souffre.

LE SECOND

On veut être joué.

LE PREMIER

A quelque condition que ce soit. Ils sont tous las de leur métier. Donnez votre argent à la porte, et ils se lasseront de votre présence et de vos applaudissements. Suffisamment rentés par les petites loges, ils ont été sur le point de décider ou que l'auteur renoncerait à son honoraire, ou que sa pièce ne serait pas acceptée.

LE SECOND

Mais ce projet n'allait à rien moins qu'à éteindre le genre dramatique.

---

mœurs... Que faire alors, que devenir? Il faut ou mourir de faim ou se jeter dans quelques-unes de ces conditions subalternes dont la porte est ouverte à la misère... Ce que je vous dis là, c'est l'histoire de Bellecour, de Lekain et de Brizard, mauvais peintres que le désespoir a rendus comédiens. »

LE PREMIER

Qu'est-ce que cela leur fait?

LE SECOND

Je pense qu'il vous reste peu de chose à dire.

LE PREMIER

Vous vous trompez. Il faut que je vous prenne par la main et que je vous introduise chez la Clairon, cette incomparable magicienne.

LE SECOND

Celle-là du moins était fière de son état.

LE PREMIER

Comme le seront toutes celles qui ont excellé. Le théâtre n'est méprisé que par ceux d'entre les acteurs que les sifflets en ont chassés. Il faut que je vous montre la Clairon dans les transports réels de sa colère. Si par hasard elle y conservait son maintien, ses accents, son action théâtrale avec tout son apprêt, avec toute son emphase, ne porteriez-vous pas vos mains sur vos côtés, et pourriez-vous contenir vos éclats? Que m'apprenez-vous donc alors? Ne prononcez-vous pas nettement que la sensibilité vraie et la sensibilité jouée sont deux choses fort différentes? Vous riez de ce que vous auriez admiré au théâtre? et pourquoi cela, s'il vous plaît? C'est que la colère réelle de la Clairon ressemble à de la colère simulée, et que vous avez le discernement juste du masque de cette passion et de sa personne. Les images des passions au théâtre n'en sont donc pas les vraies images, ce n'en sont donc que des portraits outrés, que de grandes caricatures assujetties à des règles de convention. Or, interrogez-vous, demandez-vous à vous-même quel artiste se renfermera le plus strictement dans ces règles données? Quel est le comédien qui saisira le mieux cette bouffissure prescrite, ou de l'homme dominé par son propre caractère, ou de l'homme né sans caractère, ou de l'homme qui s'en dépouille pour se revêtir d'un autre plus grand, plus noble, plus violent, plus élevé? On est soi de nature; on est un autre d'imitation; le cœur qu'on se suppose n'est pas le cœur qu'on a. Qu'est-ce donc que le vrai talent? Celui de bien connaître les symptômes extérieurs[1] de l'âme d'emprunt, de s'adresser à la sensation de ceux qui nous entendent, qui nous voient, et de les tromper par l'imitation de ces symptômes, par une imitation qui agrandisse tout dans leurs têtes et qui devienne la règle de leur jugement; car il est impossible d'apprécier autrement ce qui se passe au dedans de nous. Et que nous importe en effet qu'ils sentent ou qu'ils ne sentent pas, pourvu que nous l'ignorions?

Celui donc qui connaît le mieux et qui rend le plus parfaitement ces signes extérieurs d'après le modèle idéal le mieux conçu est le plus grand comédien.

LE SECOND

Celui qui laisse le moins à imaginer au grand comédien est le plus grand des poètes.

LE PREMIER

J'allais le dire. Lorsque, par une longue habitude du théâtre, on garde dans la société l'emphase théâtrale et qu'on y promène Brutus, Cinna, Mithridate, Cornélie[2], Mérope, Pompée, savez-vous ce qu'on fait? On accouple à une âme petite ou grande, de la mesure précise que Nature l'a donnée, les signes extérieurs d'une âme exagérée et gigantesque qu'on n'a pas; et de là naît le ridicule.

LE SECOND

La cruelle satire que vous faites là, innocemment ou malignement, des acteurs et des auteurs!

LE PREMIER

Comment cela?

---

1. V *omisit :* extérieurs.
2. V : Corneille.

LE SECOND

Il est, je crois, permis à tout le monde d'avoir une âme forte et grande; il est, je crois, permis d'avoir le maintien, le propos et l'action de son âme, et je crois que l'image de la véritable grandeur ne peut jamais être ridicule.

LE PREMIER

Que s'ensuit-il de là ?

LE SECOND

Ah, traître! vous n'osez le dire, et il faudra que j'encoure l'indignation générale pour vous. C'est que la vraie tragédie est encore à trouver, et qu'avec leurs défauts les anciens en étaient peut-être plus voisins que nous.

LE PREMIER

Il est vrai que je suis enchanté d'entendre Philoctète dire si simplement et si fortement à Néoptolème, qui lui rend les flèches d'Hercule qu'il lui avait volées à l'instigation d'Ulysse : « Vois quelle action tu avais commise : sans t'en apercevoir, tu condamnais un malheureux à périr de douleur et de faim. Ton vol est le crime d'un autre, ton repentir est à toi. Non, jamais tu n'aurais pensé à commettre une pareille indignité si tu avais été seul. Conçois donc, mon enfant, combien il importe à ton âge de ne fréquenter que d'honnêtes gens. Voilà ce que tu avais à gagner dans la société d'un scélérat. Et pourquoi t'associer aussi à un homme de ce caractère ? Était-ce là celui que ton père aurait choisi pour son compagnon et pour son ami ? Ce digne père qui ne se laissa jamais approcher que des plus distingués personnages de l'armée, que te dirait-il, s'il te voyait avec un Ulysse ?... » Y a-t-il dans ce discours autre chose que ce que vous adresseriez à mon fils, que ce que je dirais au vôtre[1] ?

---

1. Il s'agit là d'une paraphase peu honnête du *Philoctète* de Sophocle (vers 1101 sq) : c'est une dérision que de transformer les cris d'un homme maudit par Zeus en une homélie sur les bonnes fréquentations.

LE SECOND

Non.

LE PREMIER

Cependant cela est beau.

LE SECOND

Assurément.

LE PREMIER

Et le ton de ce discours prononcé sur la scène différerait-il du ton dont on le prononcerait dans la société?

LE SECOND

Je ne le crois pas.

LE PREMIER

Et ce ton dans la société, y serait-il ridicule?

LE SECOND

Nullement.

LE PREMIER

Plus les actions sont fortes et les propos simples, plus j'admire. Je crains bien que nous n'ayons pris cent ans de suite la rodomontade de Madrid pour l'héroïsme de Rome, et brouillé le ton de la muse tragique avec le langage de la muse [1] épique.

LE SECOND

Notre vers alexandrin est trop nombreux et trop noble pour le dialogue.

LE PREMIER

Et notre vers de dix syllabes est trop futile et trop léger. Quoi qu'il en soit, je désirerais que vous n'allassiez à la représentation de quelqu'une des pièces romaines de Corneille qu'au sortir de la lecture des lettres de Cicéron à Atticus. Combien je trouve nos auteurs dramatiques ampoulés! Combien leurs déclamations me sont dégoûtantes, lorsque je me rappelle la simplicité et le nerf du discours de Régulus

1. V : musique.

dissuadant le Sénat et le peuple romain de l'échange des captifs ! C'est ainsi qu'il s'exprime dans une ode, poème qui comporte bien plus de chaleur, de verve et d'exagération qu'un monologue tragique; il dit :

« J'ai vu nos enseignes suspendues dans les temples de Carthage. J'ai vu le soldat romain dépouillé de ses armes qui n'avaient pas été teintes d'une goutte de sang. J'ai vu l'oubli de la liberté, et des citoyens les bras retournés en arrière et liés sur leur dos. J'ai vu les portes des villes toutes ouvertes, et les moissons couvrir les champs que nous avions ravagés. Et vous croyez que, rachetés à prix d'argent, ils reviendront plus courageux ? Vous ajoutez une perte à l'ignominie. La vertu, chassée d'une âme qui s'est avilie, n'y revient plus. N'attendez rien de celui qui a pu mourir, et qui s'est laissé garrotter. O Carthage, que tu es grande et fière de notre honte !...[1] »

Tel fut son discours et telle sa conduite. Il se refuse aux embrassements de sa femme et de ses enfants, il s'en croit indigne comme un vil esclave. Il tient ses regards farouches attachés sur la terre, et dédaigne les pleurs de ses amis, jusqu'à ce qu'il ait amené les sénateurs à un avis qu'il était seul capable de donner, et qu'il lui fût permis de retourner à son exil.

LE SECOND

Cela est simple et beau; mais le moment où le héros se montre, c'est le suivant.

LE PREMIER

Vous avez raison.

LE SECOND

Il n'ignorait pas le supplice qu'un ennemi féroce lui préparait. Cependant il reprend sa sérénité, il se dégage de ses

1. Traduction approximative d'une ode célèbre d'Horace (livre III, 5, vers 13-40, Belles Lettres, 1941, t. I, p. 107-108) qui se termine par les vers :

« O magna Carthago, probrosis
Altior Italiae ruinis. »

proches qui cherchaient à différer son retour, avec la même liberté dont il se dégageait auparavant de la foule de ses clients pour aller se délasser de la fatigue des affaires dans ses champs de Vénafre ou sa campagne de Tarente.

LE PREMIER

Fort bien. A présent mettez la main sur la conscience, et dites-moi s'il y a dans nos poètes beaucoup d'endroits du ton propre à une vertu aussi haute, aussi familière, et ce que vous paraîtraient dans cette bouche, ou nos tendres jérémiades, ou la plupart de nos fanfaronnades à la Corneille.

Combien de choses que je n'ose confier qu'à vous! Je serais lapidé dans les rues si l'on me savait coupable de ce blasphème, et il n'y a aucune sorte de martyre dont j'ambitionne le laurier.

S'il arrive un jour qu'un homme de génie ose donner à ses personnages le ton simple de l'héroïsme antique, l'art du comédien sera autrement difficile, car la déclamation cessera d'être une espèce de chant.

Au reste, lorsque j'ai prononcé que la sensibilité était la caractéristique de la bonté de l'âme et de la médiocrité du génie, j'ai fait un aveu qui n'est pas trop ordinaire, car si Nature a pétri une âme sensible, c'est la mienne.

L'homme sensible est trop abandonné à la merci de son diaphragme [1] pour être un grand roi, un grand politique, un grand magistrat, un homme juste, un profond observateur, et conséquemment un sublime imitateur de la nature, à moins qu'il ne puisse s'oublier et se distraire de lui-même, et qu'à l'aide d'une imagination forte il ne sache se créer, et d'une mémoire tenace tenir son attention fixée sur des fantômes qui lui servent de modèles; mais alors ce n'est plus lui qui agit, c'est l'esprit d'un autre qui le domine.

---

1. La théorie du diaphragme, c'est-à-dire d'un siège physiologique de la sensibilité (système sympathique?) opposé au système cérébral, vient du médecin Bordeu : Diderot l'expose pour la première fois dans *Le Rêve de d'Alembert* (cf. *Œuvres philosophiques*, édit. Garnier, 1956, p. 356, note I).

Je devrais m'arrêter ici; mais vous me pardonnerez plus
isément une réflexion déplacée qu'omise. C'est une expé-
ience qu'apparemment vous aurez faite quelquefois,
orsque appelé par un débutant ou par une débutante, chez
lle, en petit comité, pour prononcer sur son talent, vous
ui aurez accordé de l'âme, de la sensibilité, des entrailles,
ous l'aurez accablée d'éloges et l'aurez laissée, en vous
éparant d'elle, avec l'espoir du plus grand succès. Cepen-
lant qu'arrive-t-il? Elle paraît, elle est sifflée, et vous vous
vouez à vous-même que les sifflets ont raison. D'où cela
ient-il? Est-ce qu'elle a perdu son âme, sa sensibilité, ses
ntrailles, du matin au soir? Non; mais à son rez-de-
haussée vous étiez terre à terre avec elle; vous l'écoutiez
ans égard aux conventions, elle était vis-à-vis de vous, il
'y avait entre l'un et l'autre aucun modèle de comparaison;
vous étiez satisfait de sa voix, de son geste, de son expres-
ion, de son maintien; tout était en proportion avec l'audi-
oire et l'espace; rien ne demandait de l'exagération. Sur les
planches tout a changé : ici il fallait un autre personnage,
puisque tout s'était agrandi.

Sur un théâtre particulier, dans un salon où le spectateur
est presque de niveau avec l'acteur, le vrai personnage dramatique vous aurait paru énorme, gigantesque, et au sortir [1]
de la représentation vous auriez dit à votre ami confidem-
ment : « Elle ne réussira pas, elle est outrée; » et son succès
au théâtre vous aurait étonné. Encore une fois, que ce soit
un bien ou un mal [2], le comédien ne dit rien, ne fait rien
dans la société précisément comme sur la scène; c'est un
autre monde.

Mais un fait décisif qui m'a été raconté par un homme
vrai, d'un tour d'esprit original et piquant, l'abbé Galiani,
et qui m'a été ensuite confirmé par un autre homme vrai,
d'un tour d'esprit aussi original et piquant, M. le marquis
de Caraccioli, ambassadeur de Naples à Paris, c'est qu'à

1. V : à la sortie.
2. V : ou bien ou mal. N : que ce soit bien ou mal fait.

Naples, la patrie de l'un et de l'autre, il y a un poète dramatique dont le soin principal n'est pas de composer sa pièce.

LE SECOND

La vôtre, *le Père de Famille*, y a singulièrement réussi.

LE PREMIER

On en a donné quatre représentations de suite devant le roi, contre l'étiquette de la cour qui prescrit autant de pièces différentes que de jours de spectacle, et le peuple en fut transporté [1]. Mais le souci du poète napolitain est de trouver dans la société des personnages d'âge, de figure, de voix, de caractère propres à remplir ses rôles. On n'ose le refuser, parce qu'il s'agit de l'amusement du souverain. Il exerce ses acteurs pendant six mois, ensemble et séparément. Et quand imaginez-vous que la troupe commence à jouer, à s'entendre, à s'acheminer vers le point de perfection qu'il exige? C'est lorsque les acteurs sont épuisés de la fatigue de ces répétitions multipliées, ce que nous appelons blasés. De cet instant les progrès sont surprenants, chacun s'identifie avec son personnage; et c'est à la suite de ce pénible exercice que des représentations commencent et se continuent pendant six autres mois de suite, et que le souverain et ses sujets jouissent du plus grand plaisir qu'on puisse recevoir de l'illusion théâtrale [2]. Et cette illusion, aussi forte, aussi parfaite à la dernière représentation qu'à la première, à votre avis, peut-elle être l'effet de la sensibilité [3]?

---

1. C'est l'abbé Galiani qui, dans deux lettres à Mme d'Epinay, annonça le succès du *Père de famille* joué à Naples par la troupe française d'Aufresne (*Correspondance*, édition Pérey-Maugras, t. II, p. 158 et 163, 16 et 23 janvier 1773) : « Le roi a applaudi infiniment cette pièce; il en a goûté toutes les beautés et il avait mis l'ambassadeur de France à son côté pour lui en marquer son avis. Le succès de cette pièce a été cause qu'il a souhaité d'avoir (les comédiens français) encore trois ou quatre fois à sa cour... Dites ceci à Diderot, dites-lui que mes Napolitains sont convaincus que sa pièce est la meilleure de tout le théâtre français. »

2. V : du théâtre.

3. Le manuscrit Naigeon s'interrompt ici, du moins dans l'état où il est parvenu à Ernest Dupuy (*op. cit.*, p. 72).

Au reste, la question que j'approfondis a été autrefois
ıtamée entre un médiocre littérateur, Rémond de Saint-
lbine, et un grand comédien, Riccoboni. Le littérateur
aidait la cause de la sensibilité, le comédien plaidait la
ienne. C'est une anecdote que j'ignorais et que je viens
'apprendre [1].

J'ai dit, vous m'avez entendu, et je vous demande à pré-
nt ce que vous en pensez.

LE SECOND

Je pense que ce petit homme arrogant, décidé, sec et dur,
ı qui il faudrait reconnaître une dose honnête de mépris,
il en avait seulement le quart de ce que la nature prodigue
ıi a accordé de suffisance, aurait été un peu plus réservé
ans son jugement si vous aviez eu, vous, la complaisance
e lui exposer vos raisons, lui, la patience de vous écouter;
ıais le malheur est qu'il sait tout, et qu'à titre d'homme
niversel, il se croit dispensé d'écouter.

LE PREMIER

En revanche, le public le lui rend bien. Connaissez-vous
ıadame Riccoboni?

LE SECOND

Qui est-ce qui ne connaît pas l'auteur d'un grand nombre
'ouvrages charmants, pleins de génie, d'honnêteté, de déli-
atesse et de grâce?

LE PREMIER

Croyez-vous que cette femme fût sensible?

---

1. Dans cette controverse déjà fort ancienne, Riccoboni
laidait pour le sang-froid et Sainte-Albine pour la sensibilité
:f. *Correspondance littéraire*, t. I, p. 112); Antoine Riccoboni, fils
u grand Lelio, acteur lui-même, avait donné en 1752 *L'Art du
héâtre* (in-8°, 102 p.). Pierre Rémond de Sainte-Albine, qui dirigea
ı *Gazette de France* et le *Mercure* l'avait précédé en 1747 avec
.e Comédien (2ᵉ édition, 1749).

LE SECOND

Ce n'est pas seulement par ses ouvrages, mais par s
conduite qu'elle l'a prouvé. Il y a dans sa vie un inciden
qui a pensé la conduire au tombeau. Au bout de vingt an
ses pleurs ne sont pas encore taris, et la source de ses larme
n'est pas encore épuisée.

LE PREMIER

Eh bien, cette femme, une des plus sensibles que la natur
ait formées, a été une des plus mauvaises actrices qui aien
jamais paru sur la scène. Personne ne parle mieux de l'ar
personne ne joue plus mal [1].

LE SECOND

J'ajouterai qu'elle en convient, et qu'il ne lui est jamai
arrivé d'accuser les sifflets d'injustice.

LE PREMIER

Et pourquoi, avec la sensibilité exquise, la qualité princi
pale, selon vous, du comédien, la Riccoboni était-elle s
mauvaise?

LE SECOND

C'est qu'apparemment les autres lui manquaient à u
point tel [2] que la première n'en pouvait compenser l
défaut.

LE PREMIER

Mais elle n'est point mal de figure; elle a de l'esprit; elle
le maintien décent; sa voix n'a rien de choquant. Toutes le
bonnes qualités qu'on tient de l'éducation, elle les possé
dait. Elle ne présentait rien de choquant en société. On l
voit sans peine, on l'écoute avec le plus grand plaisir.

---

1. Développement parallèle sur Mme Riccoboni dans l
Réfutation d'Helvétius (cf. *Œuvres philosophiques*, éd. Garnier, p. 57
note). Nous connaissons le drame que fut pour elle vers 173
1732 la trahison de son premier amant, par les confidences
peine voilées de son roman, les *Lettres de Fanny Butler* (1756).

2. V : tel point.

LE SECOND

Je n'y entends rien; tout ce que je sais, c'est que jamais le public n'a pu se réconcilier avec elle, et qu'elle a été vingt ans de suite la victime de sa profession.

LE PREMIER

Et de sa sensibilité, au-dessus de laquelle elle n'a jamais pu s'élever; et c'est parce qu'elle est constamment restée [1] elle, que le public l'a constamment dédaignée.

LE SECOND

Et vous, ne connaissez-vous pas Caillot?

LE PREMIER

Beaucoup.

LE SECOND

Avez-vous quelquefois causé là-dessus?

LE PREMIER

Non.

LE SECOND

A votre place, je serais curieux de savoir son avis.

LE PREMIER

Je le sais.

LE SECOND

Quel est-il?

LE PREMIER

Le vôtre et celui de votre ami.

LE SECOND

Voilà une terrible autorité contre vous.

LE PREMIER

J'en conviens.

LE SECOND

Et comment avez-vous appris le sentiment de Caillot?

---

1. V *omisit :* restée.

LE PREMIER

Par une femme pleine d'esprit et de finesse, la princesse de Galitzin. Caillot avait joué le Déserteur, il était encore sur le lieu où il venait d'éprouver et elle de partager, à côté de lui, toutes les transes d'un malheureux prêt à perdre sa maîtresse et la vie. Caillot s'approche de sa loge et lui adresse, avec ce visage riant que vous lui connaissez, des propos gais, honnêtes et polis. La princesse, étonnée, lui dit : « Comment! vous n'êtes pas mort! Moi, qui n'ai été que spectatrice de vos angoisses, je n'en suis pas encore revenue. — Non, madame, je ne suis pas mort. Je serais trop à plaindre si je mourais si souvent. — Vous ne sentez donc rien? — Pardonnez-moi... » Et puis les voilà engagés dans une discussion qui finit entre eux comme celle-ci finira entre nous : je resterai dans mon opinion, et vous dans la vôtre. La princesse ne se rappelait point les raisons de Caillot, mais elle avait observé que ce grand imitateur de la nature, au moment de son agonie, lorsqu'on allait l'entraîner au supplice, s'apercevant que la chaise où il aurait à déposer Louise évanouie était mal placée, la rarrangeait en chantant d'une voix moribonde : « Mais Louise ne vient pas, et mon heure s'approche... [1] » Mais vous êtes distrait; à quoi pensez-vous?

LE SECOND

Je pense à vous proposer un accommodement : de réserver à la sensibilité naturelle de l'acteur ces moments rares où sa tête se perd, où il ne voit plus le [spectateur] [2], où il a

---

1. Le *Déserteur*, drame en trois actes mêlé de musique, de Sedaine, fut créé aux Italiens le 6 mars 1769. Grimm en fit un grand éloge (*Corr. litt.*, t. VIII, p. 317). Le prince Galitzine, marié le 10 août 1768 à Aix-la-Chapelle avec Amélie de Schmettau, séjourna durant l'année 1769 à Pétersbourg (cf. *A Sophie Volland*, t. II, p. 229), avant d'obtenir l'ambassade de la Haye. Il semble donc que la princesse ait assisté à la représentation du *Déserteur* au cours d'un voyage à Paris en 1770 où elle avait été chargée par Catherine II d'acheter des dentelles (cf. Pierre Brachin, *Le cercle de Munster* (I.A.C., 1951, p. 16).

2. Leçon de V. — L : spectacle.

oublié qu'il est sur un théâtre, où il s'est oublié lui-même, où il est dans Argos, dans Mycènes, où il est le personnage même qu'il joue; il pleure.

LE PREMIER

En mesure?

LE SECOND

En mesure. Il crie.

LE PREMIER

Juste?

LE SECOND

Juste. S'irrite, s'indigne, se désespère, présente à mes yeux l'image réelle, porte à mon oreille et à mon cœur l'accent vrai de la passion qui l'agite, au point qu'il m'entraîne, que je m'ignore moi-même, que ce n'est plus ni Brizard, ni Le Kain, mais Agamemnon que je vois, mais Néron que j'entends... etc., d'abandonner à l'art tous les autres instants... Je pense que peut-être alors il en est de la nature comme de l'esclave qui apprend à se mouvoir librement sous la chaîne : l'habitude de la porter lui en dérobe le poids et la contrainte.

LE PREMIER

Un acteur sensible aura peut-être dans son rôle un ou deux de ces moments d'aliénation qui dissoneront avec [1] le reste d'autant plus fortement qu'ils seront plus beaux. Mais dites-moi, le spectacle alors ne cesse-t-il pas d'être un plaisir et ne devient-il pas un supplice pour vous?

LE SECOND

Oh! non.

LE PREMIER

Et ce pathétique de fiction ne l'emporte-t-il pas sur le spectacle domestique et réel d'une famille éplorée autour de la couche funèbre d'un père chéri ou d'une mère adorée?

1. V : d'avec.

LE SECOND

Oh! non.

LE PREMIER

Vous ne vous êtes donc pas, ni le comédien, ni vous, parfaitement oubliés...

LE SECOND

Vous m'avez déjà fort embarrassé, et je ne doute pas qu vous ne puissiez m'embarrasser encore; mais je vous ébran lerais, je crois, si vous me permettiez de m'associer u second. Il est quatre heures et demie; on donne *Didon* allons voir mademoiselle Raucourt [1]; elle vous répondr mieux que moi.

LE PREMIER

Je le souhaite, mais je ne l'espère pas. Pensez-vous qu'ell fasse ce que ni la Le Couvreur, ni la Duclos, ni la de Seine ni la Balincourt [2], ni la Clairon, ni la Dumesnil n'ont p faire? J'ose vous assurer que, si notre jeune débutante es encore loin de la perfection, c'est qu'elle est trop novic pour ne point sentir, et je vous prédis que, si elle continu de sentir, de rester elle et de préférer l'instinct borné de l nature à l'étude illimitée de l'art, elle ne s'élèvera jamais à l hauteur des actrices que je vous ai nommées. Elle aura d beaux moments, mais elle ne sera pas belle. Il en sera d'ell comme de la Gaussin et de plusieurs autres qui n'ont ét toute leur vie maniérées, faibles et monotones, que parc qu'elles n'ont jamais pu sortir de l'enceinte étroite où leu sensibilité naturelle les renfermait. Votre dessein est-il tou jours de m'opposer mademoiselle Raucourt?

---

1. L'*Énée et Didon*, tragédie de Lefranc de Pompignan, créé le 21 juin 1734, fut reprise à la Comédie-Française les 23, 26 e 28 décembre 1772. Or Mlle Raucourt débuta dans le rôle d Didon le 23 décembre.

2. Marguerite Thérèse de Balicourt débuta le 29 novembr 1727 dans *Rodogune* et prit sa retraite en 1738 : artiste peu connue mais encore présente dans le souvenir de Diderot.

LE SECOND

Assurément.

LE PREMIER

Chemin faisant, je vous raconterai un fait qui revient assez au sujet de notre entretien. Je connaissais [1] Pigalle; j'avais mes entrées chez lui. J'y vais un matin, je frappe; l'artiste m'ouvre, son ébauchoir à la main; et, m'arrêtant sur le seuil de son atelier : « Avant que de vous laisser passer, me dit-il, jurez-moi que vous n'aurez pas [2] de peur d'une belle femme toute nue... » Je souris... j'entrai. Il travaillait alors à son monument du maréchal de Saxe, et une très belle courtisane lui servait de modèle pour la figure de la France. Mais comment croyez-vous qu'elle me parut entre les figures colossales qui l'environnaient? pauvre, petite, mesquine, une espèce de grenouille; elle en était écrasée; et j'aurais pris, sur la parole de l'artiste, cette grenouille pour une belle femme, si je n'avais pas attendu la fin de la séance et si je ne l'avais pas vue terre à terre et le dos tourné à ces figures gigantesques qui la réduisaient à rien [3]. Je vous laisse le soin d'appliquer ce phénomène singulier à la Gaussin, à la Riccoboni et à toutes celles qui n'ont pu s'agrandir sur la scène.

Si, par impossible, une actrice avait reçu [4] la sensibilité à un degré comparable à celle que l'art porté à l'extrême peut simuler, le théâtre propose tant de caractères divers à imiter, et un seul rôle principal amène tant de situations opposées, que cette rare pleureuse, incapable de bien jouer deux rôles différents, excellerait à peine dans quelques endroits

---

1. V : je connais.

2. V : point.

3. Pigalle travaillait au monument du maréchal de Saxe en 1756. Diderot lui adressa de longues remarques dans une lettre du 2 octobre 1756 (*Correspondance*, édition Roth, t. I, p. 223-226) : « N'allez pas croire que la postérité examine jamais avec nos caillettes de Paris et nos aristarques modernes, si décents et si petits, en quel lieu le Maréchal allait prendre les femmes qu'il destinait à ses plaisirs. »

4. V : avait reçu de nature.

du même rôle; ce serait la comédienne la plus inégale, la plus bornée et la plus inepte qu'on pût imaginer. S'il lui arrivait de tenter un élan, sa sensibilité prédominante ne tarderait pas à la ramener à la médiocrité. Elle ressemblerait moins à un vigoureux coursier qui galope qu'à une faible haquenée qui prend le mors aux dents. Son instant d'énergie, passager, brusque, sans gradation, sans préparation, sans unité, vous paraîtrait un accès de folie.

La sensibilité étant, en effet, compagne de la douleur et de la faiblesse, dites-moi si une créature douce, faible et sensible est bien propre à concevoir et à rendre le sang-froid de Léontine [1], les transports jaloux d'Hermione, les fureurs de Camille, la tendresse maternelle de Mérope, le délire et les remords de Phèdre, l'orgueil tyrannique d'Agrippine, la violence de Clytemnestre? Abandonnez votre éternelle pleureuse à quelques-uns de nos rôles élégiaques, et ne l'en tirez pas.

C'est qu'être sensible est une chose, et sentir est [2] une autre. L'une est une affaire d'âme, l'autre une affaire de jugement. C'est qu'on sent avec force et [3] qu'on ne saurait rendre; c'est qu'on rend, seul, en société, au coin d'un foyer, en lisant, en jouant, pour quelques auditeurs, et qu'on ne rend rien qui vaille au théâtre; c'est qu'au théâtre, avec ce qu'on appelle de la sensibilité, de l'âme, des entrailles, on rend bien une ou deux tirades et qu'on manque le reste; c'est qu'embrasser toute l'étendue d'un grand rôle, y ménager les clairs et les obscurs, les doux et les faibles, se montrer égal dans les endroits tranquilles et dans les endroits agités, être varié dans les détails, harmonieux et un dans l'ensemble, et se former un système soutenu de déclamation qui aille jusqu'à sauver les boutades du poète, c'est l'ouvrage d'une tête froide, d'un profond jugement, d'un goût exquis, d'une étude pénible, d'une longue expérience et d'une ténacité de mémoire peu commune; c'est que la règle

1. Personnage de l'*Héraclius* de Corneille (1647).
2. V *omisit :* est.
3. V : ce.

qualis ab incepto processerit et sibi constet[1], très rigoureuse pour le poète, l'est jusqu'à la minutie pour le comédien; c'est que celui qui sort de la coulisse sans avoir son jeu présent et son rôle noté éprouvera toute sa vie le rôle d'un débutant, ou que si, doué d'intrépidité, de suffisance et de verve, il compte sur la prestesse de sa tête et l'habitude du métier, cet homme vous en imposera par sa chaleur et son ivresse, et que vous applaudirez à son jeu comme un connaisseur en peinture sourit à une esquisse libertine où tout est indiqué et rien n'est décidé. C'est un de ces prodiges qu'on a vu quelquefois à la foire ou chez Nicolet. Peut-être ces fous-là font-ils bien de rester ce qu'ils sont, des comédiens ébauchés. Plus de travail ne leur donnerait pas ce qui leur manque et pourrait leur ôter ce qu'ils ont. Prenez-les pour ce qu'ils valent, mais ne les mettez pas à côté d'un tableau fini.

LE SECOND

Il ne me reste plus qu'une question à vous faire.

LE PREMIER

Faites.

LE SECOND

Avez-vous vu jamais une pièce entière parfaitement jouée?

LE PREMIER

Ma foi, je ne m'en souviens pas... Mais attendez... Oui, quelquefois une pièce médiocre, par des acteurs médiocres..

Nos deux interlocuteurs allèrent au spectacle, mais n'y trouvant plus de place ils se rabattirent aux Tuileries. Ils se promenèrent quelque temps en silence. Ils semblaient avoir oublié qu'ils étaient ensemble, et chacun s'entretenait avec lui-même comme s'il eût été seul, l'un à haute voix, l'autre à voix si basse qu'on ne l'entendait pas, laissant seulement

---

1. Horace, *Art poétique*, vers 127 : « Que le personnage demeure jusqu'au bout tel qu'il s'est montré dès le début et reste d'accord avec lui-même ».

échapper par intervalles des mots isolés, mais distincts, desquels il était facile de conjecturer qu'il ne se tenait pas pour battu.

Les idées de l'homme au paradoxe sont les seules dont je puisse rendre compte, et les voici aussi décousues qu'elles doivent le paraître lorsqu'on supprime d'un soliloque les intermédiaires qui servent de liaison. Il disait :

Qu'on mette à sa place un acteur sensible, et nous verrons comment il s'en tirera. Lui, que fait-il? Il pose son pied sur la balustrade, rattache sa jarretière, et répond au courtisan qu'il méprise, la tête tournée sur une de ses épaules; et c'est ainsi qu'un incident qui aurait déconcerté tout autre que ce froid et sublime comédien, subitement adapté à la circonstance, devient un trait de génie.

(Il parlait, je crois, de Baron dans la tragédie du *Comte d'Essex*. Il ajoutait en souriant :)

Eh oui, il croira que celle-là sent, lorsque renversée sur le sein de sa confidente et presque moribonde, les yeux tournés vers les troisièmes loges, elle y aperçoit un vieux procureur qui fondait en larmes et dont la douleur grimaçait d'une manière tout à fait burlesque, et dit : « Regarde donc un peu là-haut la bonne figure que voilà... » murmurant dans sa gorge ces paroles comme si elles eussent été la suite d'une plainte inarticulée... A d'autres! à d'autres! Si je me rappelle bien ce fait, il est de la Gaussin, dans *Zaïre*.

Et ce troisième dont la fin a été si tragique, je l'ai connu, j'ai connu son père, qui m'invitait aussi quelquefois à dire mon mot dans son cornet.

(Il n'y a pas de doute qu'il ne soit ici question du sage Montménil[1].)

C'était la candeur et l'honnêteté même. Qu'y avait-il de commun entre son caractère naturel et celui de Tartuffe qu'il jouait supérieurement? Rien. Où avait-il pris ce torticolis, ce roulement d'yeux si singulier, ce ton radouci et toutes les autres finesses du rôle de l'hypocrite? Prenez garde à ce que vous allez répondre. Je vous tiens. — Dans

1. Montménil, le fils de Le Sage, mort en 1743.

une imitation profonde de la nature. — Dans une imitation profonde de la nature? Et vous verrez que les symptômes extérieurs qui désignent le plus fortement la sensibilité de l'âme ne sont pas autant dans la nature que les symptômes extérieurs de l'hypocrisie; qu'on ne saurait les y étudier, et qu'un acteur à grand talent trouvera plus de difficultés à saisir et à imiter les uns que les autres! Et si je soutenais que de toutes les qualités de l'âme la sensibilité est la plus facile à contrefaire, n'y ayant peut-être pas un seul homme assez cruel, assez inhumain pour que le germe n'en existât pas dans son cœur, pour ne l'avoir jamais éprouvée; ce qu'on ne saurait assurer de toutes les autres passions, telle que l'avarice, la méfiance? Est-ce qu'un excellent instrument?... — Je vous entends; il y aura toujours, entre celui qui contrefait la sensibilité et celui qui sent, la différence de l'imitation à la chose. — Et tant mieux, tant mieux, vous dis-je. Dans le premier cas, le comédien n'aura pas à se séparer de lui-même, il se portera tout à coup et de plein saut à la hauteur du modèle idéal. — Tout à coup et de plein saut! — Vous me chicanez sur une expression. Je veux dire que, n'étant jamais ramené au petit modèle qui est en lui, il sera aussi grand, aussi étonnant, aussi parfait imitateur de la sensibilité que de l'avarice, de l'hypocrisie, de la duplicité et de tout autre caractère qui ne sera pas le sien, de toute autre passion qu'il n'aura pas. La chose que le personnage naturellement sensible me montrera sera petite; l'imitation de l'autre sera forte; ou s'il arrivait que leurs copies fussent également fortes, ce que je ne vous accorde pas, mais pas du tout, l'un, parfaitement maître de lui-même et jouant tout à fait d'étude et de jugement, serait tel que l'expérience journalière le montre, plus un que celui qui jouera moitié de nature, moitié d'étude, moitié d'après un modèle, moitié d'après lui-même. Avec quelque habileté que ces deux imitations soient fondues ensemble, un spectateur délicat les discernera plus facilement encore [1] qu'un profond artiste

1. V : encore plus facilement.

ne démêlera dans une statue la ligne qui séparerait ou deux styles différents, ou le devant exécuté d'après un modèle, et le dos d'après un autre. — Qu'un acteur consommé cesse de jouer de tête, qu'il s'oublie; que son cœur s'embarrasse; que la sensibilité le gagne, qu'il s'y livre. Il nous enivrera. — Peut-être. — Il nous transportera d'admiration. — Cela n'est pas impossible; mais c'est à condition qu'il ne sortira pas de son système de déclamation et que l'unité ne disparaîtra point, sans quoi vous prononcerez qu'il est devenu fou... Oui, dans cette supposition vous aurez un bon moment, j'en conviens; mais préférez-vous un beau moment à un beau rôle? Si c'est votre choix, ce n'est pas le mien.

Ici l'homme au paradoxe se tut. Il se promenait à grands pas sans regarder où il allait; il eût heurté de droite et de gauche ceux qui venaient à sa rencontre s'ils n'eussent évité le choc. Puis, s'arrêtant tout à coup, et saisissant son antagoniste fortement par le bras, il lui dit d'un ton dogmatique et tranquille : Mon ami, il y a trois modèles, l'homme de la nature, l'homme du poète, l'homme de l'acteur. Celui de la nature est moins grand que celui du poète, et celui-ci moins grand encore que celui du grand comédien, le plus exagéré de tous. Ce dernier monte sur les épaules du précédent, et se renferme dans un grand mannequin d'osier dont il est l'âme; il meut ce mannequin d'une manière effrayante, même pour le poète qui ne se reconnaît plus, et il nous épouvante, comme vous l'avez fort bien dit, ainsi que les enfants s'épouvantent les uns les autres en tenant leurs petits pourpoints courts élevés au-dessus de leur tête, en s'agitant, et en imitant de leur mieux la voix rauque et lugubre d'un fantôme qu'ils contrefont. Mais, par hasard, n'auriez-vous pas vu des jeux d'enfants qu'on a gravés? N'y auriez-vous pas vu un marmot qui s'avance sous un masque hideux de vieillard qui le cache de la tête aux pieds? Sous ce masque, il rit de ses petits camarades que la terreur met en fuite. Ce marmot est le vrai symbole de l'acteur; ses camarades sont les symboles du spectateur. Si le comédien n'est doué que d'une sensibilité médiocre, et que ce soit là tout son mérite, ne le tiendrez-vous pas pour un homme médiocre? Prenez-y garde, c'est encore un piège que je vous tends. — Et s'il est doué d'une extrême sensibilité, qu'en arrivera-t-il? — Ce qu'il en arrivera? C'est qu'il ne jouera pas du tout, ou qu'il jouera ridiculement. Oui, ridiculement, et la preuve, vous la verrez en moi quand il vous plaira. Que j'aie un récit un peu pathétique à faire, il s'élève je ne sais quel trouble dans mon cœur, dans ma tête; ma langue s'embarrasse; ma voix s'altère; mes idées se décomposent; mon discours se suspend; je balbutie, je m'en aperçois; les larmes coulent de mes joues, et je me tais. — Mais cela vous réussit. — En société; au théâtre, je serais hué. — Pourquoi? — Parce qu'on ne vient pas pour voir des pleurs, mais pour entendre des discours qui en arrachent, parce que cette vérité de nature dissone avec la vérité de convention. Je m'explique : je veux dire que, ni le système dramatique [1], ni l'action, ni les discours du poète, ne s'arrangeraient point de ma déclamation étouffée, interrompue, sanglotée. Vous voyez qu'il n'est pas même permis d'imiter la nature, même la belle nature, la vérité de trop près, et qu'il est des limites dans lesquelles il faut se renfermer. — Et ces limites, qui les a posées? — Le bon sens, qui ne veut pas qu'un talent nuise à un autre talent. Il faut quelquefois que l'acteur se sacrifie au poète. — Mais si la composition du poète s'y prêtait? — Eh bien! vous auriez une autre sorte de tragédie tout à fait différente de la vôtre. — Et quel inconvénient à cela? — Je ne sais pas trop ce que vous y gagneriez; mais je sais très bien ce que vous y perdriez.

Ici l'homme paradoxal s'approcha pour la seconde ou la troisième fois de son antagoniste, et lui dit :

Le mot est de mauvais goût, mais il est plaisant, mais il est d'une actrice sur le talent de laquelle il n'y a pas deux sentiments. C'est le pendant de la situation et du propos de la Gaussin; elle est aussi renversée entre [2] Pillot-Pollux; elle

---

1. V : les systèmes dramatiques.
2. Malgré la leçon commune des manuscrits, il faut probablement entendre : entre *les bras de*.

se meurt, du moins je le crois, et elle lui bégaye tout bas : *Ah ! Pillot, que tu pues* [1] *!*

Ce trait est d'Arnould faisant Télaïre. Et dans ce moment, Arnould est vraiment Télaïre? Non, elle est Arnould, toujours Arnould. Vous ne m'amènerez jamais à louer les degrés intermédiaires d'une qualité qui gâterait tout, si, poussée à l'extrême, le comédien en [2] était dominé. Mais je suppose que le poète eût écrit la scène pour être déclamée au théâtre comme je la réciterais en société; qui est-ce qui jouerait cette scène? Personne, non, personne, pas même l'acteur le plus maître de son action; s'il s'en tirait bien une fois, il la manquerait mille. Le succès tient alors à si peu de chose!... Ce dernier raisonnement vous paraît peu solide? Eh bien, soit; mais je n'en conclurai pas moins de piquer un peu nos ampoules, de rabaisser de quelques crans [3] nos échasses, et de laisser les choses à peu près comme elles sont. Pour un poète de génie qui atteindrait à cette prodigieuse vérité de Nature, il s'élèverait une nuée d'insipides et plats imitateurs. Il n'est pas permis, sous peine d'être insipide, maussade, détestable, de descendre d'une ligne au-dessous de la simplicité de Nature. Ne le pensez-vous pas?

LE SECOND

Je ne pense rien. Je ne vous ai pas entendu.

LE PREMIER

Quoi! nous n'avons pas continué de disputer?

LE SECOND

Non.

LE PREMIER

Et que diable faisiez-vous donc?

---

1. Diderot utilise ici l'anecdote racontée par Grimm dans une note des *Observations sur Garrick* (cf. A.T., t. VIII, p. 358); mais Grimm édulcorait le mot de Sophie Arnould : « Ah, mon cher Pillot, ce que tu es laid. » Pillot jouait Pollux et Arnould Télaïre dans l'opéra *Castor et Pollux* de Jean-Philippe Rameau.

2. V *omisit :* en.

3. V : écrans.

LE SECOND

Je rêvais.

LE PREMIER

Et que rêviez-vous ?

LE SECOND

Qu'un acteur anglais appelé, je crois, Macklin (j'étais ce jour-là au spectacle), ayant à s'excuser auprès du parterre de la témérité de jouer après Garrick je ne sais quel rôle dans la *Macbeth* de Shakespeare, disait, entre autres choses, que les impressions qui subjuguaient le comédien et le soumettaient au génie et à l'inspiration du poète lui étaient très nuisibles ; je ne sais plus les raisons qu'il en donnait, mais elles étaient très fines, et elles furent senties et applaudies. Au reste, si vous en êtes curieux, vous les trouverez dans une lettre insérée dans le *Saint James Chronicle*, sous le nom de Quinctilien [1].

LE PREMIER

Mais j'ai donc causé longtemps tout seul ?

LE SECOND

Cela se peut ; aussi longtemps que j'ai rêvé tout seul. Vous savez qu'anciennement des acteurs faisaient des rôles de femmes ?

LE PREMIER

Je le sais.

LE SECOND

Aulu-Gelle raconte, dans ses *Nuits attiques*, qu'un certain Paulus, couvert des habits lugubres d'Électre, au lieu de se

---

1. Ernest Dupuy a vérifié cette anecdote, qui parut effectivement dans le numéro du 6-9 novembre 1773 du *Saint James Chronicle*, sous la signature bizarre de Quintilien. Le vieil acteur rival de Garrick, Macklin, prononça cet étrange discours le samedi 30 octobre 1773 sur la scène de Covent garden. Diderot aurait-il disposé du *Saint James Chronicle* à Pétersbourg, où il se trouvait à la fin de 1773 ? Mais quel est cet interlocuteur qui, répondant à l'homme au paradoxe (évidemment Diderot), prétend avoir assisté au discours de Macklin ?

présenter sur la scène avec l'urne d'Oreste, parut en embrassant l'urne qui renfermait les cendres de son propre fils qu'il venait de perdre, et qu'alors ce ne fut point une vaine représentation, une petite douleur de spectacle, mais que la salle retentit de cris et de vrais gémissements [1].

LE PREMIER

Et vous croyez que Paulus dans ce moment parla sur la scène comme il aurait parlé dans ses foyers? Non, non. Ce prodigieux effet, dont je ne doute pas, ne tint ni aux vers d'Euripide, ni à la déclamation de l'acteur, mais bien à la vue d'un père désolé qui baignait de ses pleurs l'urne de son propre fils. Ce Paulus n'était peut-être qu'un médiocre comédien; non plus que cet Æsopus dont Plutarque rapporte que « jouant un jour en plein théâtre le rôle d'Atréus délibérant en lui-même comment il se pourra venger de son frère Thyestès, il y eut d'aventure quelqu'un de ses serviteurs [2] qui voulut soudain passer en courant devant lui, et que lui, Æsopus, étant hors de lui-même pour l'affection véhémente et pour l'ardeur qu'il avait de représenter au vif [3] la passion furieuse du roi Atréus, lui donna sur la tête un tel coup du sceptre qu'il tenait en sa main, qu'il le tua sur la place... [4] » C'était un fou que le tribun devait envoyer sur-le-champ au mont Tarpéien.

---

1. Anecdote sur l'acteur Polus, jouant à Athènes l'*Électre* de Sophocle (*Nuits Attiques*, VI, 5, édition Garnier, t. II, p. 28-29) : « Igitur Polus, lugubri habitu Electrae indutus, ossa atque urnam e sepulcro tulit filii, et quasi Oresti amplexus, opplevit omnia, non simulacris neque imitamentis, sed luctu atque lamentis veris et spirantibus. Itaque cum agi fabula videretur, dolor actus est ».

2. V : quelques-uns des serviteurs.

3. V : bien représenter.

4. Cf. Plutarque, *Vie de Cicéron*, VI (trad. Amyot, Paris, 1786, t. VIII, p. 79); histoire de Clodius Aesopus, acteur tragique qui fut l'ami de Cicéron : « Jouant un jour en plein théâtre le rôle d'Atreus qui délibère en soi-même comment il se pourra venger de son frère Thyestes, il y eut d'aventure quelqu'un des serviteurs qui voulut soudain passer en courant par devant luy et

LE SECOND

Comme il fit apparemment.

LE PREMIER

J'en doute. Les Romains faisaient tant de cas de la vie d'un grand comédien, et si peu de la vie [1] d'un esclave!

Mais, dit-on, un orateur en vaut mieux quand il s'échauffe, quand il est en colère. Je le nie. C'est quand il imite la colère. Les comédiens font impression sur le public, non lorsqu'ils sont furieux, mais lorsqu'ils jouent bien la fureur. Dans les tribunaux, dans les assemblées, dans tous les lieux où l'on veut se rendre maître des esprits, on feint tantôt la colère, tantôt la crainte, tantôt la pitié, pour amener les autres à ces sentiments divers. Ce que la passion elle-même n'a pu faire, la passion bien imitée l'exécute.

Ne dit-on pas dans le monde qu'un homme est un grand comédien? On n'entend pas par là qu'il sent, mais au contraire qu'il excelle à simuler, bien qu'il ne sente rien : rôle bien plus difficile que celui de l'acteur, car cet homme a de plus à trouver le discours et deux fonctions à faire, celle du poète et du comédien. Le poète sur la scène peut être plus habile que le comédien dans le monde, mais croit-on que sur la scène l'acteur soit plus profond, soit plus habile à feindre la joie, la tristesse, la sensibilité, l'admiration, la haine, la tendresse, qu'un vieux courtisan?

Mais il se fait tard. Allons souper.

---

ue, luy étant hors de soi-même pour l'affection véhémente et our l'ardeur qu'il avait de bien représenter au vif la furieuse assion de ce roi, luy donna sur la tête un tel coup du sceptre u'il tenait en la main qu'il le rua mort sur la place ». Diderot suivi strictement la traduction d'Amyot sauf deux corrections 'archaïsmes (« par devant lui » — « rua mort sur la place »).

1. V *omisit* : de la vie.

II

ART

RECHERCHES PHILOSOPHIQUES SUR L'ORIGINE ET LA NATURE DU BEAU

INTRODUCTION

L'ARTICLE BEAU *faisait partie du deuxième tome de l'*Encyclopédie, *qui, approuvé le 1er janvier 1752 à Versailles, fut mis en vente, au dire de Barbier, le 22 ou le 23 janvier* [1]. *Article étrange, qui étonna par sa richesse d'information et par la rigueur quelque peu scolastique de son contenu. Naguère encore, Franco Venturi était surpris de son obscurité et de son schématisme* [2]. *De là à douter de son authenticité, il n'y avait qu'un pas. C'est le mérite de Lester G. Crocker d'avoir prouvé sans conteste que Diderot en était bien l'auteur* [3]. *Non seulement bon nombre de détails ou d'exemples appartiennent spécifiquement au philosophe, notamment celui de la pluralité des jets* (*cf.* Pensées philosophiques, *XXI, édition Garnier, p.* 22), *mais la thèse centrale, celle de la beauté considérée comme* « la perception de rapports », *ne se retrouve que chez lui. Dès* 1748, *avant l'emprisonnement à Vincennes, Diderot disait dans ses* Mémoires sur différents sujets de mathématiques : « Le plaisir, en général, consiste dans la perception des rapports. Ce principe a lieu en poésie, en peinture, en architecture, en morale, dans tous les arts et dans toutes les sciences. Une belle machine, un beau tableau, un beau portique ne nous plaisent que par les rapports que nous y remarquons... La perception des rapports est l'unique fondement de notre admiration et de nos plaisirs... Ce principe doit servir de base à un

---

1. Cf. *Journal* de Barbier (t. V, p. 151). Comme le remarque Georges Roth (*Correspondance de Diderot, op. cit*., t. I, p. 137), le tome II de l'*Encyclopédie* portait la date de 1751.

2. *Jeunesse de Diderot* (Paris, Skira, 1938, p. 344).

3. *Two Diderot Studies* (Baltimore, The Johns Hopkins Press, 1952, p. 115-117).

essai philosophique sur le goût, s'il se trouve jamais quelqu'un assez instruit pour en faire une application générale à tout ce qu'il embrasse[1]. »

Trois ans plus tard, le même thème est repris à propos de la Lettre sur les sourds et muets : « Le goût, en général, consiste dans la perception des rapports. Un beau tableau, un poème, une belle musique, ne nous plaisent que par les rapports que nous y remarquons. Je me souviens d'avoir fait ailleurs une application assez heureuse de ces principes aux phénomènes les plus délicats de la musique, et je crois qu'ils embrassent tout[2]. »

Ainsi donc, en 1751, *Diderot, dans sa controverse avec l'abbé Batteux, ne semble penser qu'à un article sur le goût. L'extrapolation fut aisée et notre philosophe passa rapidement d'une définition psychologique du goût à une définition logique de la beauté. L'article* BEAU, *à notre sens, dérive donc directement de la* Lettre sur les sourds et muets *et fut rédigé dans la deuxième moitié de l'année* 1751.

***

*L'article fut vivement apprécié, grâce à son information sûre et à sa dialectique robuste. Diderot y faisait un grand éloge de l'*Essai sur le beau *du père André*[3]. *Peut-être dissimule-t-il ainsi un peu trop aisément les pages d'un ouvrage qu'il démarque : sa science de saint Augustin était prise entièrement au jésuite. Les contemporains n'y virent aucun mal, et lorsque Formey réédita en* 1759 *l'*Essai sur le beau, *il reproduisit sans commentaire dans sa préface l'article de* « l'habile encyclopédiste »[4].

1. *Œuvres*, A.T., t. IX, p. 104-105 (les *Mémoires* parurent chez Durand et Pissot, en juin-juillet 1748, cf. *Correspondance*, édition Roth, t. I, p. 55).

2. *Œuvres*, t. I, p. 406 (la *Lettre* parut le 18 février 1751, mais l'éclaicissement qui contient ces quelques lignes est adressé en mai 1751 à Mlle de la Chaux, cf. *Corresp.*, éd. Roth, t. I, p. 117-125).

3. Paris, Guérin, 1741.

4. *Essai sur le beau*, Amsterdam, Schneider, 1759, p. LXX-CXXIX.

Assézat prétend que l'article fut imprimé à part, comme spécimen du grand ouvrage [1]. *Nous n'avons pas retrouvé d'édition séparée avant* 1772 [2]. *Dès* 1759, *Kant en recommande la lecture à son disciple Hamann* [3]. *En* 1764, *ce dernier, rendant compte des* Observations sur le sentiment du beau et du sublime, *n'hésitera pas à proclamer :* « Les considérations de Kant méritent d'être placées à côté de l'article BEAU, rédigé par Diderot dans l'*Encyclopédie* [4]. » *Ce n'est donc pas un mince honneur pour Diderot que d'avoir initié Kant aux problèmes esthétiques et de l'avoir forcé à préciser sa propre doctrine, vingt-cinq ans avant la géniale synthèse de la* Critique du jugement (1790).

***

*Nous reproduisons exactement le texte du tome II de l'*Encyclopédie; *toutes les éditions ultérieures, qui ont prétendu le suivre, sont ordinairement fautives. Assézat entre autres accumule les erreurs : graves et longues omissions, variantes qui faussent la pensée* (solidairement *au lieu de* solitairement — fatalité *au lieu de* facilité — manière *au lieu de* matière). *La copie manuscrite du fonds Vandeul* (*B. N., n. a. fr.*, 13 764, *n*° 5, *folios* 35-72) *ne saurait faire foi.*

P. V.

1. A.T., t. X, p. 4.

2. Tchémerzine (*Bibliographie d'éditions originales*, t. IV, p. 459) cite d'après Quérard (t. II, p. 455) une édition d'Amsterdam (1772) sous le titre *Traité du beau.*

3. *Hamanns Schriften* (édit. Roth, Berlin, Reimer, 1821, t. I, p. 431) et R. Mortier, *Diderot en Allemagne* (PUF, 1954, p. 151).

4. *Ibid.*, t. III, p. 269-270 (article de la *Gazette de Koenigsberg* du 30 avril 1764).

BIBLIOGRAPHIE

Père André. *Essai sur le beau* (1741 et 1759, Amsterdam, Schneider, avec *Discours préliminaire* de Formey).

W. Folkierski. *Entre le classicisme et le romantisme* (Paris, Champion, 1925, p. 375 sq.).

Y. Bélaval. L'*esthétique sans paradoxe de Diderot* (Gallimard, 1950, p. 74 sq.).

Lester G. Crocker. *Two Diderot Studies* (Baltimore, The Johns Hopkins Press, 1952, p. 53-67 et p. 115-117).

R. Mortier. *Diderot en Allemagne* (PUF, 1954, p. 151-153 et p. 302-303).

Emmanuel Kant, *Beobachtungen über das gefühl des Schönen und Erhabenen* (Königsberg, Kanter, 1764, et *Œuvres*, Cassirer, Berlin, 1922, t. II, p. 245 sq.).

RECHERCHES PHILOSOPHIQUES SUR L'ORIGINE ET LA NATURE DU BEAU[1]

AVANT que d'entrer dans la recherche difficile de l'origine du *beau*, je remarquerai[2] d'abord, avec tous les auteurs qui en ont écrit, que, par une sorte de fatalité, les choses dont on parle le plus parmi les hommes sont assez ordinairement celles qu'on connaît le moins; et que telle est, entre beaucoup d'autres, la nature du *beau*. Tout le monde raisonne du *beau* : on l'admire dans les ouvrages de la nature; on l'exige dans les productions des arts; on accorde ou l'on refuse cette qualité à tout moment; cependant si l'on demande aux hommes du goût le plus sûr et le plus exquis, quelle est son origine, sa nature, sa notion précise, sa véritable idée, son exacte définition; si c'est quelque chose d'absolu ou de relatif; s'il y a un *beau* [essentiel][3], éternel, immuable, règle et modèle du *beau* subalterne, ou s'il en est de la *beauté* comme des modes, on voit aussitôt les sentiments partagés, et les uns avouent leur ignorance, les autres se jettent dans le scepticisme. Comment se fait-il que presque tous les hommes soient d'accord qu'il y a un

---

1. Titre de Naigeon *in Œuvres*, 1798. Édition d'Amsterdam des *Œuvres* (Marc-Michel Rey, 1772) : *Traité du beau*. Édition séparée (Amsterdam, 1772) : *Traité du beau*.
2. A.T. : remarquai.
3. *Omisit* A. T.

beau; qu'il y en ait tant entre eux qui le sentent vivement où il est, et que si peu sachent ce que c'est[1]?

Pour parvenir, s'il est possible, à la solution de ces difficultés, nous commencerons par exposer les différents sentiments des auteurs qui ont écrit le mieux sur le *beau;* nous proposerons ensuite nos idées sur le même sujet, et nous finirons cet article par des observations générales sur l'entendement humain et ses opérations relatives à la question dont il s'agit.

Platon a écrit deux dialogues du *beau*, le *Phèdre* et le *Grand Hippias :* dans celui-ci il enseigne plutôt ce que le *beau* n'est pas, que ce qu'il est; et dans l'autre, il parle moins du *beau* que de l'amour naturel qu'on a pour lui. Il ne s'agit dans le *Grand Hippias* que de confondre la vanité d'un sophiste; et dans le *Phèdre*, que de passer quelques moments agréables avec un ami dans un lieu délicieux[2].

Saint Augustin avait composé un traité sur le *beau;* mais cet ouvrage est perdu, et il ne nous reste de saint Augustin sur cet objet important, que quelques idées éparses dans ses écrits, par lesquelles on voit que ce rapport exact des parties d'un tout entre elles, qui le constitue UN, était, selon lui, le caractère distinctif de la *beauté*. Si je demande à un architecte, dit ce grand homme, pourquoi, ayant élevé une arcade à une des ailes de son bâtiment, il en fait autant à l'autre, il me répondra sans doute, que *c'est afin que les membres de son architecture symétrisent bien ensemble.* Mais

---

1. Cette remarque n'est pas de « tous les auteurs », mais du père André (*Essai sur le beau*, 1741, Amsterdam, Schneider, 1759, p. 1). Tout ce préambule n'en est qu'une paraphrase : « Je ne sais par quelle fatalité il arrive que les choses dont on parle le plus parmi les hommes sont ordinairement celles que l'on connaît le moins. Telle est entre mille autres la matière que j'entreprends de traiter. C'est le beau. Tout le monde en parle, tout le monde en raisonne... Demandez dans une compagnie quel est ce beau qui les charme tant? Quel en est le fond, la nature, la notion précise, la véritable idée? Si le beau est quelque chose de relatif ou d'absolu?... A ces questions, vous verrez aussitôt les sentiments se partager... »

2. Reprise du père André (*op. cit.*, p. 10).

pourquoi cette symétrie vous paraît-elle nécessaire? *Par la raison qu'elle plaît*. Mais qui êtes-vous pour vous ériger en arbitre de ce qui doit plaire ou ne pas plaire aux hommes? et d'où savez-vous que la symétrie nous plaît? *J'en suis sûr*, *parce que les choses ainsi disposées ont de la décence*, *de la justesse*, *de la grâce; en un mot*, *parce que cela est beau*. Fort bien; mais, dites-moi, cela est-il *beau* parce qu'il plaît? ou cela plaît-il parce qu'il est *beau? Sans difficulté cela plaît parce qu'il est beau*. Je le crois comme vous; mais je vous demande encore pourquoi cela est-il *beau?* et si ma question vous embarrasse, parce qu'en effet les maîtres de votre art ne vont guère jusque-là, vous conviendrez du moins sans peine que la similitude, l'égalité, la convenance des parties de votre bâtiment, réduit tout à une espèce d'unité qui contente la raison. *C'est ce que je voulais dire*. Oui; mais prenez-y garde, il n'y a point de vraie unité dans les corps, puisqu'ils sont tous composés d'un nombre innombrable de parties, dont chacune est encore composée d'une infinité d'autres. Où la voyez-vous donc, cette unité qui vous dirige dans la construction de votre dessin; cette unité que vous regardez dans votre art comme une loi inviolable; cette unité que votre édifice doit imiter pour être *beau*, mais que rien sur la terre ne peut imiter parfaitement, puisque rien sur la terre ne peut être parfaitement UN? Or, de là que s'ensuit-il? Ne faut-il pas reconnaître qu'il y a au-dessus de nos esprits une certaine unité originale, souveraine, éternelle, parfaite, qui est la règle essentielle du *beau*, et que vous cherchez dans la pratique de votre art [1]? D'où saint Augustin conclut, dans un autre ouvrage, que *c'est l'unité qui constitue*, *pour*

---

1. Toute la page est du père André (*op. cit.*, p. 10-13). Mais Diderot se permet quelques coupures significatives : « Saint Augustin (qui était un aigle en tout) ». — « Ce saint docteur » devient « ce grand homme ». Le père André traduit le traité *De vera religione* (chap. XXX-XXXI-XXXII) et Diderot dans son emprunt s'est dispensé de recourir à l'original (cf. Migne, *Démonstrations évangéliques*, Garnier, 1877, t. II, chap. XXXII, p. 422 : « Que si l'on demande à un architecte... »)

ainsi dire, la forme et l'essence du beau en tout genre. Omnis porro pulchritudinis forma, unitas est[1].

M. Wolff dit, dans sa *Psychologie*, qu'il y a des choses qui nous plaisent, d'autres[2] qui nous déplaisent, et que cette différence est ce qui constitue le *beau* et le *laid;* que ce qui nous plaît s'appelle *beau*, et que ce qui nous déplaît est *laid*.

Il ajoute que la *beauté* consiste dans la perfection, de manière que par la force de cette perfection, la chose qui en est revêtue est propre à produire en nous du plaisir.

Il distingue ensuite deux sortes de *beautés*, la vraie et l'apparente : la *vraie* est celle qui naît d'une perfection réelle; et l'*apparente*, celle qui naît d'une perfection apparente[3].

Il est évident que saint Augustin avait été beaucoup plus loin dans la recherche du *beau* que le philosophe Leibnitzien : celui-ci semble prétendre d'abord qu'une chose est *belle*, parce qu'elle [nous plaît; au lieu qu'elle ne nous plaît que parce qu'elle[4]] est *belle*, comme Platon et saint Augustin l'ont très bien remarqué. Il est vrai qu'il fait ensuite entrer la perfection dans l'idée de la *beauté;* mais qu'est-ce que la

---

1. Cette conclusion du père André vient d'une épître de saint Augustin, *la lettre* 18 *à Caelestinus* (cf. t. XXXIV du *Corpus* de Vienne, Tempsky, 1895, p. 45 : « Cum autem omne, quod esse dicimus, in quantum manet dicamus et in quantum unum est, *omnis porro pulchritudinis forma unitatis sit*, vides profecto in ista distributione naturarum, quid summe sit, quid infime et tamen sit, quid medie, magis infimo et minus summo, sit »).

2. A.T. : et d'autres.

3. Jean-Chrétien, baron de Wolff, né en 1679 à Breslau, étudie à Iéna et Leipzig. Après avoir soutenu en 1701 une thèse sur la méthode mathématique, Wolff se lie avec Leibniz dont il donnera une transcription systématique et scolaire. De 1707 à 1723 il enseigne les sciences à Halle. Attaqué par les piétistes, il s'installe à Marbourg; son éviction déclenche une véritable querelle nationale. Frédéric II au pouvoir le rappelle à Halle. Il y meurt le 9 avril 1754. Diderot a quelque peine à tirer une esthétique cohérente d'une mauvaise traduction de la *Psychologia empirica* de 1732 (*Psychologie ou traité de l'âme*, Amsterdam, 1745).

4. *Omisit* A.T.

perfection? le *parfait* est-il plus clair et plus intelligible que le *beau?*

Tous ceux qui, se piquant de ne pas parler simplement par coutume et sans réflexion, dit M. Crousaz[1], voudront descendre dans eux-mêmes et faire attention à ce qui s'y passe, à la manière dont ils pensent, et à ce qu'ils sentent lorsqu'ils s'écrient *cela est beau*, s'apercevront qu'ils expriment par ce terme un certain rapport d'un objet avec des sentiments agréables ou avec des idées d'approbation, et tomberont d'accord que dire *cela est beau*, c'est dire, j'aperçois quelque chose que j'approuve ou qui me fait plaisir.

On comprend assez[2] que cette définition de M. Crousaz n'est point prise de la nature du *beau*, mais de l'effet seulement qu'on éprouve à sa présence; elle a le même défaut que celle de M. Wolff. C'est ce que M. Crousaz a bien senti; aussi s'occupe-t-il ensuite à fixer les caractères du *beau :* il en compte cinq, *la variété*, l'*unité*, *la régularité*, *l'ordre*, *la proportion*.

D'où il s'ensuit, ou que la définition de saint Augustin est incomplète, ou que celle de M. Crousaz est redondante. Si l'idée d'*unité* ne renferme pas les idées de *variété*, de *régularité*, d'*ordre* et de *proportion*, et si ces qualités sont essentielles au *beau*, saint Augustin n'a pas dû les omettre; si l'idée d'*unité* les renferme, M. Crousaz n'a pas dû les ajouter.

M. Crousaz ne définit point ce qu'il entend par *variété;* il semble entendre par *unité*, la relation de toutes les parties à un seul but; il fait consister la *régularité* dans la position semblable des parties entre elles; il désigne par *ordre* une

---

1. Jean-Pierre de Crousaz, né à Lausanne en 1663, fit carrière dans sa ville natale comme pasteur, professeur de philosophie et recteur de l'Académie. En 1724, il s'installe en Hollande et enseigne les mathématiques à Groningue; gouverneur du prince de Hesse-Cassel, il meurt le 22 mars 1750. Son éloge venait d'être prononcé dans l'*Histoire de l'Académie des Sciences* par Gr. de Fouchy (1750, p. 779). Le *Traité du beau* de Crousaz, publié à Amsterdam en 1714 (in-8°) fut réédité en 1724 (2 vol. in-12). *Le Journal Littéraire de La Haye* (sept.-oct. 1714) le fit connaître par un copieux compte rendu.

2. A.T. : On voit.

certaine dégradation de parties, qu'il faut observer dans le passage des unes aux autres; et il définit la *proportion*, l'*unité assaisonnée de variété*, de *régularité* et d'*ordre* dans chaque partie.

Je n'attaquerai point cette définition du *beau* par les choses vagues qu'elle contient; je me contenterai seulement d'observer ici qu'elle est particulière, et qu'elle n'est applicable qu'à l'architecture, ou tout au plus à de grands touts dans les autres genres, à une pièce d'éloquence, à un drame, etc., mais non pas à *un mot*, à *une pensée*, à *une portion d'objet*.

M. Hutcheson, célèbre professeur de philosophie morale dans l'université de Glasgow, s'est fait un système particulier[1] : il se réduit à penser qu'il ne faut pas plus demander *qu'est-ce que le beau*, que demander *qu'est-ce que le visible*. On entend par *visible*, ce qui est fait pour être aperçu par l'œil; et M. Hutcheson entend par *beau*, ce qui est fait pour être saisi par le sens interne du *beau*. Son sens interne du *beau* est une faculté par laquelle nous distinguons les belles choses, comme le sens de la vue est une faculté par laquelle nous recevons la notion des couleurs et des figures. Cet auteur et ses sectateurs mettent tout en œuvre pour démontrer la réalité et la nécessité de ce *sixième sens* : et voici comment ils s'y prennent :

1° Notre âme, disent-ils, est passive dans le plaisir et dans le déplaisir. Les objets ne nous affectent pas précisément comme nous le souhaiterions : les uns font sur notre âme une impression nécessaire de plaisir; d'autres nous déplaisent nécessairement; tout le pouvoir de notre volonté se réduit à rechercher la première sorte d'objets et à fuir

1. Francis Hutcheson, né en Irlande en 1694, étudie à Glasgow, puis tient une école à Dublin. Deux ouvrages fondent sa renommée : *An inquiry into the original of our ideas of Beauty and Virtue* (1725) et *An essay of the nature and conduct of the passions* (1728). En 1729, l'Université de Glasgow lui offre une chaire de philosophie morale qu'il illustre jusqu'à sa mort en 1747; c'est un ami de Diderot, Eidous, qui donna en 1749 chez Durand la traduction des *Recherches sur la beauté et la vertu*. Nous citerons l'*Inquiry* d'après l'édition de Londres de 1738.

l'autre : c'est la constitution même de notre nature, quelquefois individuelle, qui nous rend les uns agréables et les autres désagréables.

2° Il n'est peut-être aucun objet qui puisse affecter notre âme, sans lui être plus ou moins une occasion nécessaire de plaisir ou de déplaisir. Une figure, un ouvrage d'architecture ou de peinture, une composition de musique, une action, un sentiment, un caractère, une expression, un discours, toutes ces choses nous plaisent ou nous déplaisent de quelque manière. Nous sentons que le plaisir ou le déplaisir s'excite nécessairement par la contemplation de l'idée qui se présente alors à notre esprit avec toutes ses circonstances. Cette impression se fait, quoiqu'il n'y ait rien dans quelques-unes de ces idées de ce qu'on appelle ordinairement *perceptions sensibles*, et dans celles qui viennent des sens, le plaisir ou le déplaisir qui les accompagne, naît de l'ordre ou du désordre, de l'arrangement ou défaut de symétrie, de l'imitation ou de la bizarrerie qu'on remarque dans les objets, et non des idées simples de la couleur, du son et de l'étendue, considérées solitairement[1].

3° Cela posé, j'appelle, dit M. Hutcheson[2], du nom de *sens internes*, ces déterminations de l'âme à se plaire ou à se déplaire à certaines formes ou à certaines idées, quand elle les considère; et pour distinguer les *sens internes* des facultés corporelles connues sous ce nom, j'appelle *sens interne du beau*, la faculté qui discerne le *beau* dans la régularité, l'ordre et l'harmonie; et *sens interne du bon*, celle qui approuve les affections, les actions, les caractères des agents raisonnables et vertueux.

4° Comme les déterminations de l'âme à se plaire ou à se déplaire à certaines formes ou à certaines idées, quand elle les considère, s'observent dans tous les hommes, à moins qu'ils ne soient stupides; sans rechercher encore ce que c'est que le *beau*, il est constant qu'il y a dans tous les hom-

1. A.T. : solidairement.
2. *Inquiry*, *op. cit.*, I, 10, p. 8.

mes un *sens naturel* et propre pour cet objet; qu'ils s'accordent à trouver de la *beauté* dans les figures, aussi généralement qu'à éprouver de la douleur à l'approche d'un trop grand feu, ou du plaisir à manger quand ils sont pressés par l'appétit, quoiqu'il y ait entre eux une diversité de goûts infinie.

5º Aussitôt que nous naissons, nos *sens externes* commencent à s'exercer et à nous transmettre des perceptions des objets sensibles; et c'est là sans doute ce qui nous persuade qu'ils sont naturels. Mais les objets de ce que j'appelle les *sens internes*, ou les *sens du beau et du bon*, ne se présentent pas si tôt à notre esprit. Il se passe du temps avant que les enfants réfléchissent, ou du moins qu'ils donnent des indices de réflexion sur les proportions, ressemblances et symétries, sur les affections et les caractères; ils ne connaissent qu'un peu tard les choses qui excitent le goût ou la répugnance intérieure; et c'est là ce qui fait imaginer que ces facultés, que j'appelle les *sens internes du beau et du bon*, viennent uniquement de l'instruction et de l'éducation. Mais quelque notion qu'on ait de la *vertu* et de la *beauté*, un objet *vertueux* ou *bon* est une occasion d'approbation et de plaisir, aussi naturellement que des mets sont des objets de notre appétit. Et qu'importe que les premiers objets se soient présentés tôt ou tard? Si les sens ne se développaient en nous que peu à peu et les uns après les autres, en seraient-ils moins des sens et des facultés? Et serions-nous bien venus à prétendre qu'il n'y a vraiment dans les objets visibles, ni couleur ni figure, parce que nous aurions eu besoin de temps et d'instructions pour les y apercevoir, et qu'il n'y aurait pas entre nous tous deux personnes qui les y apercevraient de la même manière?

6º On appelle *sensations* les perceptions qui s'excitent dans notre âme à la présence des objets extérieurs, et par l'impression qu'ils font sur nos organes. Et lorsque deux perceptions diffèrent entièrement l'une de l'autre, et qu'elles n'ont de commun que le nom générique de *sensation*, les facultés par lesquelles nous recevons ces différentes percepions s'appellent des *sens différents*. La vue et l'ouïe, par xemple, désignent des facultés différentes dont l'une nous lonne les idées de couleur, et l'autre les idées de son; nais quelque différence que les sons aient entre eux et les ouleurs entre elles, on rapporte à un même sens toutes les ouleurs, et à un autre sens tous les sons; et il paraît que ios sens ont chacun leur organe. Or, si vous appliquez 'observation précédente au *bon* et au *beau*, vous verrez u'ils sont exactement dans ce cas.

7° Les défenseurs du *sens interne* entendent par *beau*, 'idée que certains objets excitent dans notre âme, et par le *ens interne du beau*, la faculté que nous avons de recevoir ette idée; et ils observent que les animaux ont des facultés emblables à nos sens extérieurs, et qu'ils les ont même uelquefois dans un degré supérieur à nous; mais qu'il n'y n a pas un qui donne un signe de ce qu'on entend ici par *ens interne*. Un être, continuent-ils, peut donc avoir en ntier la même sensation extérieure que nous éprouvons, ans observer entre les objets les ressemblances et les apports; il peut même discerner ces ressemblances et ces apports sans en ressentir beaucoup de plaisir; d'ailleurs les dées seules de la figure et des formes, etc., sont quelque hose de distinct du plaisir. Le plaisir peut se trouver où es proportions ne sont ni considérées ni connues; il peut nanquer, malgré toute l'attention qu'on donne à l'ordre t aux proportions. Comment nommerons-nous donc cette aculté, qui agit en nous sans que nous sachions bien pour-quoi? *Sens interne*.

8° Cette dénomination est fondée sur le rapport de la aculté qu'elle désigne avec les autres facultés. Ce rapport onsiste principalement en ce que le plaisir que le *sens nterne* nous fait éprouver est différent de la connaissance les principes. La connaissance des principes peut l'accroître u le diminuer; mais cette connaissance n'est pas lui ni sa ause. Ce sens a des plaisirs nécessaires; car la *beauté* et la *aideur* d'un objet est toujours la même pour nous, quelque lessein que nous puissions former d'en juger autrement.

Un objet désagréable, pour être utile, ne nous en paraît pas plus *beau;* un bel objet, pour être nuisible, ne nous paraît pas plus *laid.* Proposez-nous le monde entier pour nous contraindre par la récompense à trouver belle la laideur, et laide la beauté; ajoutez à ce prix les plus terribles menaces, vous n'apporterez aucun changement à nos perceptions et au jugement du *sens interne :* notre bouche louera ou blâmera à votre gré; mais le *sens interne* restera incorruptible.

9° Il paraît de là, continuent les mêmes systématiques, que certains objets sont immédiatement et par eux-mêmes, les occasions du plaisir que donne la *beauté;* que nous avons un sens propre à le goûter; que ce plaisir est individuel, et qu'il n'a rien de commun avec l'intérêt. En effet n'arrive-t-il pas en cent occasions qu'on abandonne l'utile pour le *beau?* Cette généreuse préférence ne se remarque-t-elle pas quelquefois dans les conditions les plus méprisées? Un honnête artisan se livrera à la satisfaction de faire un chef-d'œuvre qui le ruine, plutôt qu'à l'avantage de faire un ouvrage[1] qui l'enrichirait[2].

10° Si on ne joignait pas à la considération de l'utile quelque sentiment particulier, quelque effet subtil d'une faculté différente de l'entendement et de la volonté, on n'estimerait une maison que pour son utilité, un jardin que pour sa fertilité, un habillement que pour sa commodité. Or cette estimation étroite des choses n'existe pas même dans les enfants et dans les sauvages. Abandonnez la nature à elle-même, et le sens interne exercera son empire : peut-être se trompera-t-il dans son objet; mais la sensation de plaisir n'en sera pas moins réelle. Une philosophie austère, ennemie du luxe, brisera les statues, renversera les obélisques, transformera nos palais en cabanes, et nos jardins en forêts mais elle n'en sentira pas moins la *beauté* réelle de ces objets le sens interne se révoltera contre elle; et elle sera réduite à se faire un mérite de son courage.

---

1. A.T. : un mauvais ouvrage.
2. *Inquiry*, *op. cit.*, I, 14-15, p. 12 sq.

C'est ainsi, dis-je, que Hutcheson et ses sectateurs s'efforcent d'établir la nécessité *du sens interne du beau;* mais ils ne parviennent qu'à démontrer qu'il y a quelque chose d'obscur et d'impénétrable dans le plaisir que le *beau* nous cause; que ce plaisir semble indépendant de la connaissance des rapports et des perceptions; que la vue de l'utile n'y entre pour rien, et qu'il fait des enthousiastes que ni les récompenses ni les menaces ne peuvent ébranler.

Du reste, ces philosophes distinguent dans les êtres corporels un *beau absolu* et un *beau relatif*. Ils n'entendent point par un *beau absolu*, une qualité tellement inhérente dans l'objet, qu'elle le rende *beau* par lui-même, sans aucun rapport à l'âme qui le voit et qui en juge. Le terme *beau*, semblable aux autres noms des idées sensibles, désigne proprement, selon eux, la perception d'un esprit; comme le froid et le chaud, le doux et l'amer, sont des sensations de notre âme, quoique sans doute il n'y ait rien qui ressemble à ces sensations dans les objets qui les excitent, malgré la prévention populaire qui en juge autrement. On ne voit pas, disent-ils, comment les objets pourraient être appelés *beaux*, s'il n'y avait pas un esprit doué du *sens de la beauté* pour leur rendre hommage. Ainsi, par le *beau absolu*, ils n'entendent que celui qu'on reconnaît en quelques objets, sans les comparer à aucune chose extérieure dont ces objets soient l'imitation et la peinture. Telle est, disent-ils, la *beauté* que nous apercevons dans les ouvrages de la nature, dans certaines formes artificielles, et dans les figures, les solides, les surfaces; et par *beau relatif*, ils entendent celui qu'on aperçoit dans des objets considérés communément comme des imitations et des images de quelques autres. Ainsi leur division a plutôt son fondement dans les différentes sources du plaisir que le *beau* nous cause, que dans les objets; car il est constant que le *beau absolu* a, pour ainsi dire, un *beau relatif*, et le *beau relatif*, un *beau absolu* [1].

---

1. *Op. cit.*, I, 17, p. 14-15

DU BEAU ABSOLU, SELON HUTCHESON ET SES SECTATEURS

Nous avons fait sentir, disent-ils, la nécessité du[1] *sens propre* qui nous avertit, par le plaisir, de la présence du *beau;* voyons maintenant quelles doivent être les qualités d'un objet pour émouvoir ce sens. Il ne faut pas oublier, ajoutent-ils, qu'il ne s'agit ici de ces qualités que relativement à l'homme; car il y a certainement bien des objets qui font sur lui l'impression de *beauté*, et qui déplaisent à d'autres animaux. Ceux-ci ayant des sens et des organes autrement conformés que les nôtres, s'ils étaient juges du *beau*, en attacheraient des idées à des formes toutes différentes. L'ours peut trouver sa caverne commode; mais il ne la trouve ni belle ni laide; peut-être s'il avait le *sens interne du beau* la regarderait-il comme une retraite délicieuse. Remarquez en passant qu'un être bien malheureux, ce serait celui qui aurait le sens interne du *beau*, et qui ne reconnaîtrait jamais le *beau* que dans les objets qui lui seraient nuisibles; la Providence y a pourvu par rapport à nous; et une chose vraiment *belle* est assez ordinairement une chose bonne[2].

Pour découvrir l'occasion générale des idées du *beau* parmi les hommes, les sectateurs d'Hutcheson examinent les êtres les plus simples, par exemple, les figures; et ils trouvent qu'entre les figures, celles que nous nommons *belles* offrent à nos sens l'uniformité dans la variété. Ils assurent qu'un triangle équilatéral est moins *beau* qu'un carré; un pentagone moins *beau* qu'un hexagone, et ainsi de suite, parce que les objets également uniformes sont d'autant plus *beaux*, qu'ils sont plus variés; et ils sont d'autant plus variés, qu'ils ont plus de côtés comparables. Il est vrai, disent-ils, qu'en augmentant beaucoup le nombre des côtés, on perd de vue les rapports qu'ils ont entre eux et avec le rayon; d'où il s'ensuit que la *beauté* de ces figures n'augmente pas toujours comme le nombre des côtés.

1. A.T. : d'un.
2. Résumé et commentaire de l'*Inquiry*, II, 1, p. 16.

Ils se font cette objection; mais ils ne se soucient guère d'y répondre. Ils remarquent seulement que le défaut de parallélisme dans les côtés des heptagones et des autres polygones impairs en diminue la *beauté;* mais ils soutiennent toujours que, tout étant égal d'ailleurs, une figure régulière à vingt côtés surpasse en *beauté* celle qui n'en a que douze; que celle-ci l'emporte sur celle qui n'en a que huit, et cette dernière sur le carré. Ils font le même raisonnement sur les surfaces et sur les solides. De tous les solides réguliers, celui qui a le plus grand nombre de surfaces est pour eux le plus *beau*, et ils pensent que la *beauté* de ces corps va toujours en décroissant jusqu'à la pyramide régulière.

Mais si entre les objets également uniformes les plus variés sont les plus *beaux*, selon eux, réciproquement entre les objets également variés, les plus *beaux* seront les plus uniformes : ainsi le triangle équilatéral ou même isocèle est plus *beau* que le scalène; le carré plus *beau* que le rhombe ou losange. C'est le même raisonnement pour les corps solides réguliers, et en général pour tous ceux qui ont quelque uniformité, comme les cylindres, les prismes, les obélisques, etc.; et il faut convenir avec eux que ces corps plaisent certainement plus à la vue, que des figures grossières où l'on n'aperçoit ni uniformité, ni symétrie, ni unité.

Pour avoir des raisons composées du rapport de l'uniformité et de la variété, ils comparent les cercles et les sphères avec les ellipses et les sphéroïdes peu excentriques; et ils prétendent que la parfaite uniformité des uns est compensée par la variété des autres, et que leur *beauté* est à peu près égale[1].

Le *beau*, dans les ouvrages de la nature, a le même fondement selon eux. Soit que vous envisagiez, disent-ils, les formes des corps célestes, leurs révolutions, leurs aspects; soit que vous descendiez des cieux sur la terre, et que vous considériez les plantes qui la couvrent, les couleurs dont

1. *Ibid.*, II, 3, p. 17-19.

les fleurs sont peintes, la structure des animaux, leurs espèces, leurs mouvements, la proportion de leurs parties, le rapport de leur mécanisme à leur bien-être; soit que vous vous élanciez dans les airs et que vous examiniez les oiseaux et les météores; ou que vous vous plongiez dans les eaux, et que vous compariez entre eux les poissons, vous rencontrerez partout l'uniformité dans la variété[1]; partout vous verrez ces qualités compensées dans les êtres également *beaux*, et la raison composée des deux, inégale dans les êtres de *beauté* inégale; en un mot, s'il est permis de parler encore la langue des géomètres, vous verrez dans les entrailles de la terre, au fond des mers, au haut de l'atmosphère, dans la nature entière et dans chacune de ses parties, l'uniformité dans la variété, et la *beauté* toujours en raison composée de ces deux qualités.

Ils traitent ensuite de la *beauté* des arts, dont on ne peut regarder les productions comme une véritable imitation, tels que l'architecture, les arts mécaniques et l'harmonie naturelle; ils font tous leurs efforts pour les assujettir à leur loi de l'uniformité dans la variété; et si leur preuve pèche, ce n'est pas par le défaut de l'énumération; ils descendent depuis le palais le plus magnifique jusqu'au plus petit édifice, depuis l'ouvrage le plus précieux jusqu'aux bagatelles, montrant le caprice partout où manque l'uniformité, et l'insipidité où manque la variété[2].

Mais il est une classe d'êtres forts différents des précédents, dont les sectateurs de Hutcheson sont fort embarrassés; car on y reconnaît de la *beauté*, et cependant la règle de l'uniformité dans la variété ne leur est pas applicable : ce sont les démonstrations des vérités abstraites et universelles. Si un théorème contient une infinité de vérités particulières qui n'en sont que le développement, ce théorème n'est proprement que le corollaire d'un axiome d'où découle une infinité d'autres théorèmes; cependant on

1. *Ibid.*, II, 5-9, p. 19-24.
2. *Ibid.*, III, 7 p. 37-38.

dit : voilà un *beau théorème*, et l'on ne dit pas : voilà un *bel axiome*[1].

Nous donnerons plus bas la solution de cette difficulté dans d'autres principes. Passons à l'examen du *beau relatif*, de ce *beau* qu'on aperçoit dans un objet considéré comme l'imitation d'un original, selon ceux de Hutcheson et de ses sectateurs[2].

Cette partie de son système n'a rien de particulier. Selon cet auteur, et selon tout le monde, ce *beau* ne peut consister que dans la conformité qui se trouve entre le modèle et la copie.

D'où il s'ensuit que pour le *beau relatif*, il n'est pas nécessaire qu'il y ait aucune *beauté* dans l'original. Les forêts, les montagnes, les précipices, le chaos, les rides de la vieillesse, la pâleur de la mort, les effets de la maladie, plaisent en peinture; ils plaisent aussi en poésie; ce qu'Aristote appelle un caractère moral, n'est point celui d'un homme vertueux; et ce qu'on entend par *fabula bene morata*, n'est autre chose qu'un poème épique ou dramatique, où les actions, les sentiments et les discours sont d'accord avec les caractères bons ou mauvais[3].

Cependant on ne peut nier que la peinture d'un objet qui aura quelque *beauté absolue*, ne plaise ordinairement davantage que celle d'un objet qui n'aura point ce *beau*. La seule exception qu'il y ait peut-être à cette règle, c'est le cas où la conformité de la peinture avec l'état du spectateur gagnant tout ce qu'on ôte à la *beauté absolue* du modèle, la peinture en devient d'autant plus intéressante; cet intérêt, qui naît de l'imperfection, est la raison pour laquelle on a voulu que le héros d'un poème épique ou héroïque ne fût point sans défaut.

La plupart des autres *beautés* de la poésie et de l'éloquence suivent la loi du *beau relatif*. La conformité avec le vrai rend les comparaisons, les métaphores et les allégories *belles*,

1. *Ibid.*, III 1-4, p. 30 sq.
2. *Ibid.*, IV, 1, p. 39.
3. *Ibid.*, IV, 2, p. 40.

lors même qu'il n'y a aucune *beauté absolue* dans les objets qu'elles représentent.

Hutcheson insiste sur le penchant que nous avons à la comparaison. Voici, selon lui, quelle en est l'origine. Les passions produisent presque toujours dans les animaux les mêmes mouvements qu'en nous; et les objets inanimés de la nature ont souvent des positions qui ressemblent aux attitudes du corps humain, dans[1] certains états de l'âme; il n'en a pas fallu davantage, ajoute l'auteur que nous analysons, pour rendre le lion symbole de la fureur; le tigre, celui de la cruauté; un chêne droit, et dont la cime orgueilleuse s'élève jusque dans la nue, l'emblème de l'audace; les mouvements d'une mer agitée, la peinture des agitations de la colère; et la mollesse de la tige d'un pavot, dont quelques gouttes de pluie ont fait pencher la tête, l'image d'un moribond[2].

Tel est le système de Hutcheson, qui paraîtra sans doute plus singulier que vrai. Nous ne pouvons cependant trop recommander la lecture de son ouvrage, surtout dans l'original[3] ; on y trouvera un grand nombre d'observations délicates sur la manière d'atteindre la perfection dans la pratique des beaux-arts. Nous allons maintenant exposer les idées du P. André, jésuite. Son *Essai sur le beau* est le système le plus suivi, le plus étendu et le mieux lié que je connaisse. J'oserais assurer qu'il est dans son genre, ce que le Traité des *Beaux-Arts réduits à un seul principe*[4] est dans le sien. Ce sont deux bons ouvrages auxquels il n'a manqué qu'un chapitre pour être excellents; et il en faut savoir d'autant plus mauvais gré à ces deux auteurs de l'avoir omis. M. l'abbé Batteux rappelle tous les principes des beaux-arts à l'imitation de la belle nature; mais il ne nous apprend point ce que c'est que la *belle nature*. Le

---

1. A.T. : et dans.
2. *Inquiry*, *op. cit.*, IV, 4, p. 42.
3. Critique indirecte de la traduction d'Eidous, ce qui nous assure que Diderot a eu recours à l'original anglais.
4. Ouvrage de l'abbé Batteux (Paris, Durand, 1746).

P. André distribue avec beaucoup de sagacité et de philosophie le *beau* en général dans ses différentes espèces; il les définit toutes avec précision; mais on ne trouve la définition du genre, celle du *beau* en général, dans aucun endroit de son livre, à moins qu'il ne le fasse consister dans l'unité comme saint Augustin. Il parle sans cesse d'ordre, de proportion, d'harmonie, etc.; mais il ne dit pas un mot de l'origine de ces idées [1].

Le P. André distingue les notions générales de l'esprit pur, qui nous donnent des règles [2] éternelles du *beau;* les jugements naturels de l'âme où le sentiment se mêle avec les idées purement spirituelles, mais sans les détruire; et les préjugés de l'éducation et de la coutume, qui semblent quelquefois les renverser les uns et les autres. Il distribue son ouvrage en quatre chapitres. Le premier est du *beau visible;* le second, du *beau dans les mœurs;* le troisième, du *beau dans les ouvrages d'esprit;* et le quatrième, du *beau musical.*

Il agite trois questions sur chacun de ces objets : il prétend qu'on y découvre un *beau essentiel*, absolu, indépendant de toute institution, même divine; un *beau naturel* dépendant de l'institution du créateur, mais indépendant de nos opinions et de nos goûts; un *beau artificiel* et en quelque sorte arbitraire, mais avec quelque dépendance des lois éternelles.

Il fait consister le *beau essentiel* dans la régularité, l'ordre, la proportion, la symétrie en général; le *beau naturel*, dans la régularité, l'ordre, les proportions, la symétrie, observés dans les êtres de la nature; le *beau artificiel*, dans la régularité, l'ordre, la symétrie, les proportions observées dans nos productions mécaniques, nos parures, nos bâtiments, nos jardins. Il remarque que ce dernier *beau* est mêlé d'arbitraire et d'absolu. En architecture, par exemple, il aperçoit deux sortes de règles, les unes qui découlent de la notion

---

1. Diderot, dans cette longue analyse du père André, s'en tient au premier chapitre : *Sur le beau en général et en particulier sur le beau visible* (édition d'Amsterdam, Schneider, 1759, p. 1-36.)
2. A.T. : les règles.

indépendante de nous, du *beau original* et *essentiel*, et qui exigent indispensablement la perpendicularité des colonnes, le parallélisme des étages, la symétrie des membres, le dégagement et l'élégance du dessin, et l'unité dans le tout. Les autres, qui sont fondées sur des observations particulières, que les maîtres ont faites en divers temps, et par lesquelles ils ont déterminé les proportions des parties dans les cinq ordres d'architecture : c'est en conséquence de ces règles que dans le toscan la hauteur de la colonne contient sept fois le diamètre de sa base, dans le dorique huit fois, neuf dans l'ionique, dix dans le corinthien, et dans le composite autant; que les colonnes ont un renflement, depuis leur naissance jusqu'au tiers du fût; que dans les deux autres tiers, elles diminuent peu à peu en fuyant le chapiteau; que les entre-colonnements sont au plus de huit modules, et au moins de trois; que la hauteur des portiques, des arcades, des portes et des fenêtres est double de leur largeur. Ces règles n'étant fondées que sur des observations à l'œil et sur des exemples équivoques, sont toujours un peu incertaines et ne sont pas tout à fait indispensables. Aussi voyons-nous quelquefois que les grands architectes se mettent au-dessus d'elles, y ajoutent, en rabattent, et en imaginent de nouvelles selon les circonstances [1].

Voilà donc dans les productions des arts, un *beau essentiel*, un *beau de création humaine* et un *beau de système* : un *beau essentiel*, qui consiste dans l'ordre; un *beau de création humaine*, qui consiste dans l'application libre et dépendante de l'artiste des lois de l'ordre, ou, pour parler plus clairement, dans le choix de tel ordre; et un *beau de système*, qui naît des observations, et qui donne des variétés même entre les plus savants artistes; mais jamais au préjudice du *beau essentiel*, qui est une barrière qu'on ne doit jamais franchir.

---

1. Reprise très exacte de l'*Essai sur le beau* (*op. cit.*, p. 27-28). Le père André cite parmi ces architectes de génie « Michel Ange, Palladio, Vignole en Italie, Mansard et De Lorme en France ».

Hic murus aheneus esto[1]. S'il est arrivé quelquefois aux grands maîtres de se laisser emporter par leur génie au delà de cette barrière, c'est dans les occasions rares où ils ont prévu que cet écart ajouterait plus à la *beauté* qu'il ne lui ôterait; mais ils n'en ont pas moins fait une faute qu'on peut leur reprocher.

Le *beau arbitraire* se subdivise[2], selon le même auteur, en un *beau de génie*, un *beau de goût*, et un *beau de pur caprice :* un *beau de génie*, fondé sur la connaissance du *beau essentiel*, qui donne les règles inviolables; un *beau de goût*, fondé sur la connaissance des ouvrages de la nature et des productions des grands maîtres, qui dirige dans l'application et l'emploi du *beau essentiel;* un *beau de caprice*, qui n'étant fondé sur rien, ne doit être admis nulle part.

Que devient le système de Lucrèce et des Pyrrhoniens, dans le système du P. André? Que reste-t-il d'abandonné à l'arbitraire? Presque rien; aussi pour toute réponse à l'objection de ceux qui prétendent que la *beauté* est d'éducation et de préjugé, il se contente de développer la source de leur erreur [3]. Voici, dit-il, comment ils ont raisonné : ils ont cherché dans les meilleurs ouvrages des exemples de *beau de caprice*, et ils n'ont pas eu de peine à y en rencontrer et à démontrer que le *beau* qu'on y reconnaissait était de caprice; ils ont pris des exemples du *beau de goût*, et ils ont

1. Cf. *Essai sur le Beau* (*op. cit.*, p. 29) : « Voilà donc manifestement un Beau abstrait, un Beau, si j'ose ainsi parler, de création humaine, un Beau de génie et de système, que nous pouvons admettre dans les Arts, mais toujours sans préjudice du Beau essentiel, qui est une barrière qu'on ne doit jamais passer. *Hic murus aheneus esto* ». L'expression vient d'Horace (*Odes*, III, 3, 65) :

> « Ter si resurgat murus aeneus
> Auctore Phoebo, ter pereat meis
> Excisus Argivis... »

2. A.T. : sous-divise.

3. Cf. *Essai sur le Beau* (*op. cit.*, p. 35) : « De ces diversités infinies d'opinions et de goûts sur le Beau visible, les Pyrrhoniens ont conclu qu'il n'y a point de règle pour en juger. Mais qu'on aille à sa source... » C'est Diderot qui cite l'autorité de Lucrèce.

très bien démontré qu'il y avait aussi de l'arbitraire dans ce *beau;* et sans aller plus loin, ni s'apercevoir que leur énumération était incomplète, ils ont conclu que tout ce qu'on appelle *beau*, était arbitraire et de caprice; mais on conçoit aisément que leur conclusion n'était juste que par rapport à la troisième branche du *beau artificiel*, et que leur raisonnement n'attaquait ni les deux autres branches de ce *beau*, ni le *beau naturel*, ni le *beau essentiel*.

Le P. André passe ensuite à l'application de ses principes aux mœurs, aux ouvrages d'esprit et à la musique; et il démontre qu'il y a dans ces trois objets du *beau*, un *beau essentiel*, absolu et indépendant de toute institution, même divine, qui fait qu'une chose est une; un *beau naturel* dépendant de l'institution du créateur, mais indépendant de nous; un *beau arbitraire*, dépendant de nous, mais sans préjudice du *beau essentiel* [1].

Un *beau essentiel* dans les mœurs, dans les ouvrages d'esprit et dans la musique, fondé sur l'ordonnance, la régularité, la proportion, la justesse, la décence, l'accord, qui se remarquent dans une *belle action*, une *bonne pièce*, un *beau concert*, et qui font que les productions morales, intellectuelles et harmoniques sont UNES.

Un *beau naturel*, qui n'est autre chose dans les mœurs, que l'observation du *beau essentiel* dans notre conduite, relative à ce que nous sommes entre les êtres de la nature; dans les ouvrages d'esprit, que l'imitation et la peinture fidèle des productions de la nature en tout genre; dans l'harmonie, qu'une soumission aux lois que la nature a introduites dans les corps sonores, leur résonance et la conformation de l'oreille.

Un *beau artificiel*, qui consiste dans les mœurs à se conformer aux usages de sa nation, au génie de ses concitoyens, à leurs lois; dans les ouvrages d'esprit, à respecter les règles du discours, à connaître la langue, et à suivre le goût dominant; dans la musique, à insérer à propos la

---

1. Résumé qui passe rapidement sur les trois derniers chapitres du père André.

issonance, à conformer ses productions aux mouvements t aux intervalles reçus.

D'où il s'ensuit que, selon le P. André, le *beau essentiel* et i vérité ne se montrent nulle part avec tant de profusion ue dans l'univers; le *beau moral*, que dans le philosophe hrétien; et le *beau intellectuel*, que dans une tragédie accom-agnée de musique et de décoration.

L'auteur qui nous a donné l'*Essai sur le mérite et la vertu*, ejette toutes ces distinctions du *beau*, et prétend avec eaucoup d'autres, qu'il n'y a qu'un *beau*, dont l'utile est : fondement : ainsi tout ce qui est ordonné de manière à roduire le plus parfaitement l'effet qu'on se propose, est uprêmement *beau*. Si vous lui demandez qu'est-ce qu'un *el homme*, il vous répondra que c'est celui dont les membres ien proportionnés conspirent de la façon la plus avan-ageuse à l'accomplissement des fonctions animales de homme. L'homme, la femme, le cheval et les autres nimaux, continuera-t-il, occupent un rang dans la nature : r, dans la nature, ce rang détermine les devoirs à remplir; :s devoirs déterminent l'organisation, et l'organisation st plus ou moins parfaite ou *belle*, selon le plus ou le ıoins de facilité que l'animal en reçoit pour vaquer à ses onctions. Mais cette facilité [1] n'est pas arbitraire, ni par onséquent les formes qui la constituent, ni la *beauté* qui épend de ces formes [2]. Puis descendant de là aux objets

1. A.T. : fatalité.

2. C'est Diderot qui donna en 1745 la traduction de l'*Essai ur le mérite et la vertu* de Shaftesbury. Il résume ici, non son mo-èle, mais une de ses propres notes (cf. *Œuvres*, A.T., t. I, p. 35) ur la beauté des êtres imaginaires : « Les voilà placés sur la toile, e même que l'homme, la femme, le cheval et les autres animaux ont placés dans l'univers; or, dans l'univers, les devoirs à rem-lir déterminent l'organisation; l'organisation est plus ou moins arfaite selon le plus ou le moins de facilité que l'automate en eçoit pour vaquer à ses fonctions. Car qu'est-ce qu'un bel omme, si ce n'est celui dont les membres bien proportionnés onspirent de la façon la plus avantageuse à l'accomplissement es fonctions animales? Mais cet avantage de conformation n'est as imaginaire : les formes qui le produisent ne sont pas arbi-raires, ni par conséquent la beauté qui est une suite de ces formes.»

les plus communs, aux chaises, aux tables, aux portes, etc., il tâchera de vous prouver que la forme de ces objets ne nous plaît qu'à proportion de ce qu'elle convient mieux à l'usage auquel on les destine; et si nous changeons si souvent de mode, c'est-à-dire si nous sommes si peu constants dans le goût pour les formes que nous leur donnons, c'est, dira-t-il, que cette conformation, la plus parfaite relativement à l'usage, est très difficile à rencontrer; c'est qu'il y a là une espèce de *maximum* qui échappe à toutes les finesses de la géométrie naturelle et artificielle, et autour duquel nous tournons sans cesse : nous nous apercevons à merveille quand nous en approchons et quand nous l'avons passé, mais nous ne sommes jamais sûrs de l'avoir atteint. De là cette révolution perpétuelle dans les formes : ou nous les abandonnons pour d'autres, ou nous disputons sans fin sur celles que nous conservons. D'ailleurs ce point n'est pas partout au même endroit; ce *maximum* a dans mille occasions des limites plus étendues ou plus étroites : quelques exemples suffiront pour éclaircir sa pensée. Tous les hommes, ajoutera-t-il, ne sont pas capables de la même attention, n'ont pas [1] la même force d'esprit; ils sont tous plus ou moins patients, plus ou moins instruits, etc. Que produira cette diversité? c'est qu'un spectacle composé d'académiciens trouvera l'intrigue d'*Héraclius* [2] admirable, et que le peuple la traitera d'embrouillée; c'est que les uns restreindront l'étendue d'une comédie à trois actes, et les autres prétendront qu'on peut l'étendre à sept; et ainsi du reste. Avec quelque vraisemblance que ce système soit exposé, il ne m'est pas possible de l'admettre.

Je conviens avec l'auteur qu'il se mêle dans tous nos jugements un coup d'œil délicat sur ce que nous sommes, un retour imperceptible vers nous-mêmes, et qu'il y a mille occasions où nous croyons n'être enchantés que par les belles formes, et où elles sont en effet la cause principale

1. A.T. : et n'ont pas.
2. *Héraclius, empereur d'Orient*, tragédie de Corneille (1647), dont l'intrigue fort complexe roule sur une substitution d'enfants.

mais non la seule, de notre admiration; je conviens que cette admiration n'est pas toujours aussi pure que nous l'imaginons : mais comme il ne faut qu'un fait pour renverser un système, nous sommes contraints d'abandonner celui de l'auteur que nous venons de citer, quelque attachement que nous ayons eu jadis pour ses idées[1]; et voici nos raisons :

Il n'est personne qui n'ait éprouvé que notre attention se porte principalement sur la similitude des parties, dans les choses même où cette similitude ne contribue point à l'utilité : pourvu que les pieds d'une chaise soient égaux et solides, qu'importe qu'ils aient la même figure? Ils peuvent différer en ce point, sans en être moins utiles. L'un pourra donc être droit, et l'autre en pied de biche; l'un courbe en dehors, et l'autre en dedans. Si l'on fait une porte en forme de bière, sa forme paraîtra peut-être mieux assortie à la figure de l'homme qu'aucune des formes qu'on suit. De quelle utilité sont en architecture les imitations de la nature et de ses productions? A quelle fin placer une colonne et des guirlandes où il ne faudrait qu'un poteau de bois, ou qu'un massif de pierre? A quoi bon ces cariatides? Une colonne est-elle destinée à faire la fonction d'un homme, ou un homme a-t-il jamais été destiné à faire l'office d'une colonne dans l'angle d'un vestibule? Pourquoi imite-t-on dans les entablements des objets naturels? Qu'importe que dans cette imitation les proportions soient bien ou mal observées? Si l'utilité est le seul fondement de la *beauté*, les bas-reliefs, les cannelures, les vases, et en général tous les ornements, deviennent ridicules et superflus.

Mais le goût de l'imitation se fait sentir dans les choses dont le but unique est de plaire, et nous admirons souvent des formes, sans que la notion de l'utile nous y porte. Quand le propriétaire d'un cheval ne le trouverait jamais *beau* que quand il compare la forme de cet animal au service qu'il prétend en tirer, il n'en est pas de même du passant à qui il n'appartient pas. Enfin on discerne tous les jours de

---

1. Encore une fois, cette doctrine utilitariste est beaucoup plus de Diderot (en 1745) que de Shaftesbury.

la *beauté* dans des fleurs, des plantes et mille ouvrages de la nature dont l'usage nous est inconnu.

Je sais qu'il n'y a aucune des difficultés que je viens de proposer contre le système que je combats, à laquelle on ne puisse répondre : mais je pense que ces réponses seraient plus subtiles que solides.

Il suit de ce qui précède, que Platon s'étant moins proposé d'enseigner la vérité à ses disciples, que de désabuser ses concitoyens sur le compte des sophistes, nous offre dans ses ouvrages, à chaque ligne, des exemples du *beau*, nous montre très bien ce que ce n'est point, mais ne nous dit rien de ce que c'est.

Que saint Augustin a réduit toute *beauté* à l'unité ou au rapport exact des parties d'un tout entre elles, et au rapport exact des parties d'une partie considérée comme tout, et ainsi à l'infini; ce qui me semble constituer plutôt l'essence du parfait que du *beau*.

Que M. Wolff a confondu le *beau* avec le plaisir qu'il occasionne, et avec la perfection, quoiqu'il y ait des êtres qui plaisent sans être *beaux*, d'autres qui sont *beaux* sans plaire; que tout être soit susceptible de la dernière perfection, et qu'il y en ait qui ne sont pas susceptibles de la moindre *beauté* : tels sont tous les objets de l'odorat et du goût, considérés relativement à ces sens.

Que M. Crousaz, en chargeant sa définition du *beau*, ne s'est pas aperçu que plus il multipliait les caractères du *beau*, plus il le particularisait : et que s'étant proposé de traiter du *beau* en général, il a commencé par en donner une notion, qui n'est applicable qu'à quelques espèces de *beaux* particuliers.

Que Hutcheson qui s'est proposé deux objets, le premier, d'expliquer l'origine du plaisir que nous éprouvons à la présence du *beau*; et le second, de rechercher les qualités que doit avoir un être pour occasionner en nous ce plaisir individuel, et par conséquent nous paraître *beau*, a moins prouvé *la réalité de son sixième sens*, que fait sentir la difficulté de développer sans ce secours la source du plaisir que nous donne le *beau*; et que son principe de l'*uniformité dans la variété* n'est pas général; qu'il en fait aux figures de la géométrie, une application plus subtile que vraie, et que ce principe ne s'applique point du tout à une autre sorte de *beau*, celui des démonstrations des vérités abstraites et universelles.

Que le système proposé dans l'*Essai sur le mérite et sur la vertu*, où l'on prend l'utile pour le seul et unique fondement du *beau*, est plus défectueux encore qu'aucun des précédents.

Enfin que le P. André, jésuite, ou l'auteur de l'*Essai sur le beau*, est celui qui jusqu'à présent a le mieux approfondi cette matière, en a le mieux connu l'étendue et la difficulté, en a posé les principes les plus vrais et les plus solides, et mérite le plus d'être lu.

La seule chose qu'on pût désirer peut-être dans son ouvrage, c'est [1] de développer l'origine des notions qui se trouvent en nous, de rapport, d'ordre, de symétrie; car du ton sublime dont il parle de ces notions, on ne sait s'il les croit acquises et factices, ou s'il les croit innées; mais il faut ajouter en sa faveur que la matière [2] de son ouvrage, plus oratoire encore que philosophique, l'éloignait de cette discussion, dans laquelle nous allons entrer.

Nous naissons avec la faculté de sentir et de penser; le premier pas de la faculté de penser, c'est d'examiner ses perceptions, de les unir, de les comparer, de les combiner, d'apercevoir entre elles des rapports de convenance et disconvenance, etc. Nous naissons avec des besoins qui nous contraignent de recourir à différents expédients, entre lesquels nous avons souvent été convaincus par l'effet que nous en attendions, et par celui qu'ils produisaient, qu'il y en a de bons, de mauvais, de prompts, de courts, de complets, d'incomplets, etc. La plupart de ces expédients étaient un outil, une machine, ou quelque autre invention de ce genre; mais toute machine suppose combi-

1. A.T. : c'était.
2. A.T. : manière.

naison, arrangement de parties tendantes à un même but, etc. Voilà donc nos besoins, et l'exercice le plus immédiat de nos facultés qui conspirent aussitôt que nous naissons à nous donner des idées d'ordre, d'arrangement, de symétrie, de mécanisme, de proportion, d'unité; toutes ces idées viennent des sens et sont factices; et nous avons passé de la notion d'une multitude d'êtres artificiels et naturels, arrangés, proportionnés, combinés, symétrisés, à la notion [positive et abstraite d'ordre, d'arrangement, de proportion, de combinaison, de rapports, de symétrie, et à la notion[1]] abstraite et négative de disproportion, de désordre et de chaos.

Ces notions sont expérimentales comme toutes les autres; elles nous sont aussi venues par les sens; il n'y aurait point de Dieu, que nous ne les aurions pas moins : elles ont précédé de longtemps en nous celle de son existence; elles sont aussi positives, aussi distinctes, aussi nettes, aussi réelles, que celles de longueur, largeur, profondeur, quantité, nombre; comme elles ont leur origine dans nos besoins et l'exercice de nos facultés, y eût-il sur la surface de la terre quelque peuple dans la langue duquel ces idées n'auraient point de nom, elles n'en existeraient pas moins dans les esprits d'une manière plus ou moins étendue, plus ou moins développée, fondée sur un plus ou moins grand nombre d'expériences, appliquée à un plus ou moins grand nombre d'êtres; car voilà toute la différence qu'il peut y avoir entre un peuple et un autre peuple, entre un homme et un autre homme, chez le même peuple; et quelles que soient les expressions sublimes dont on se serve pour désigner les notions abstraites d'ordre, de proportion, de rapports, d'harmonie, qu'on les appelle, si l'on veut, *éternelles*, *originales*, *souveraines*, *règles essentielles du beau*, elles ont passé par nos sens pour arriver dans notre entendement, de même que les notions les plus viles, et ce ne sont que des abstractions de notre esprit.

---

1. *Omisit* A.T.

Mais à peine l'exercice de nos facultés intellectuelles, et la nécessité de pourvoir à nos besoins par des inventions, des machines, etc., eurent-ils ébauché, dans notre entendement, les notions d'ordre, de rapports, de proportion, de liaison, d'arrangement, de symétrie, que nous nous trouvâmes environnés d'êtres où les mêmes notions étaient, pour ainsi dire, répétées à l'infini; nous ne pûmes faire un pas dans l'univers sans que quelque production ne les réveillât; elles entrèrent dans notre âme à tout instant et de tous côtés; tout ce qui se passait en nous, tout ce qui existait hors de nous, tout ce qui subsistait des siècles écoulés, tout ce que l'industrie, la réflexion, les découvertes de nos contemporains produisaient sous nos yeux, continuait de nous inculquer les notions d'ordre, de rapports, d'arrangement, de symétrie, de convenance, de disconvenance, etc., et il n'y a pas une notion, si ce n'est peut-être celle d'existence, qui ait pu devenir aussi familière aux hommes, que celle dont il s'agit.

S'il n'entre donc dans la notion du *beau* soit *absolu*, soit *relatif*, soit *général*, soit *particulier*, que les notions d'ordre, de rapports, de proportion, d'arrangement, de symétrie, de convenance, de disconvenance; ces notions ne découlant pas d'une autre source que celles d'existence, de nombre, de longueur, largeur, profondeur, et une infinité d'autres sur lesquelles on ne conteste point, on peut, ce me semble, employer les premières dans une définition du *beau*, sans être accusé de substituer un terme à la place d'un autre, et de tourner dans un cercle vicieux.

Beau est un terme que nous appliquons à une infinité d'êtres; mais quelque différence qu'il y ait entre ces êtres, il faut ou que nous fassions une fausse application du terme *beau*, ou qu'il y ait dans tous ces êtres une qualité dont le terme *beau* soit le signe.

Cette qualité ne peut être du nombre de celles qui constituent leur différence spécifique; car ou il n'y aurait qu'un seul être *beau*, ou tout au plus qu'une seule belle espèce d'êtres.

Mais entre les qualités communes à tous les êtres que nous

appelons *beaux*, laquelle choisirons-nous pour la chose dont le terme *beau* est le signe? Laquelle? Il est évident, ce me semble, que ce ne peut être que celle dont la présence les rend tous *beaux;* dont la fréquence ou la rareté, si elle est susceptible de fréquence et de rareté, les rend plus ou moins *beaux;* dont l'absence les fait cesser d'être *beaux;* qui ne peut changer de nature, sans faire changer le *beau* d'espèce, et dont la qualité contraire rendrait les plus *beaux* désagréables et laids; celle en un mot par qui la *beauté* commence, augmente, varie à l'infini, décline et disparaît. Or, il n'y a que la notion de *rapports* capable de ces effets.

J'appelle donc *beau* hors de moi, tout ce qui contient en soi de quoi réveiller dans mon entendement l'idée de rapports; et *beau* par rapport à moi, tout ce qui réveille cette idée [1].

Quand je dis *tout*, j'en excepte pourtant les qualités relatives au goût et à l'odorat; quoique ces qualités pussent réveiller en nous l'idée de rapports, on n'appelle point *beaux* les objets en qui elles résident, quand on ne les considère que relativement à ces qualités. On dit *un mets excellent*, *une odeur délicieuse*, mais non *un beau mets*, *une belle odeur*. Lors donc qu'on dit, *voilà un beau turbot*, *voilà une belle rose*, on considère d'autres qualités dans la rose et dans le turbot que celles qui sont relatives aux sens du goût et de l'odorat.

Quand je dis *tout ce qui contient en soi de quoi réveiller dans mon entendement l'idée de rapports*, ou *tout ce qui réveille cette idée*, c'est qu'il faut bien distinguer les formes qui sont dans les objets, et la notion que j'en ai. Mon entendement ne met rien dans les choses et n'en ôte rien. Que je pense ou ne pense point à la façade du Louvre, toutes les parties qui la composent n'en ont pas moins telle ou telle forme,

---

1. Cette doctrine a été exprimée deux fois par Diderot, comme nous l'avons marqué dans notre préface : en 1748, dans le premier des *Mémoires de mathématiques* (A.T., t. IX, p. 104-105); en 1751, dans une lettre à Mlle de la Chaux (*ibid.*, p. 406) pour servir d'éclaircissement à la *Lettre sur les sourds et les muets*.

t tel ou tel[1] arrangement entre elles[2] : qu'il y eût des
ommes ou qu'il n'y en eût point, elle n'en serait pas moins
elle, mais seulement pour des êtres possibles constitués de
orps et d'esprit comme nous; car, pour d'autres, elle
ourrait n'être ni *belle* ni *laide*, ou même être *laide*. D'où
l s'ensuit que, quoiqu'il n'y ait point de *beau absolu*, il y
deux sortes de *beau* par rapport à nous, un *beau réel*, et
n *beau aperçu*.

Quand je dis, *tout ce qui réveille en nous l'idée de rapports*,
e n'entends pas que, pour appeler un être *beau*, il faille
pprécier quelle est la sorte de rapports qui y règne; je
'exige pas que celui qui voit un morceau d'architecture
oit en état d'assurer ce que l'architecte même peut
gnorer, que cette partie est à celle-là comme tel nombre
st à tel nombre, ou que celui qui entend un concert sache
lus quelquefois que ne sait le musicien, que tel son est à
el son dans le rapport de deux à quatre, ou de quatre à
inq. Il suffit qu'il aperçoive et sente que les membres de
ette architecture, et que les sons de cette pièce de musique
nt des rapports, soit entre eux, soit avec d'autres objets.
'est l'indétermination de ces rapports, la facilité de les
aisir et le plaisir qui accompagne leur perception, qui ont
ait imaginer que le *beau* était plutôt une affaire de sentiment
ue de raison. J'ose assurer que toutes les fois qu'un prin-
ipe nous sera connu dès la plus tendre enfance, et que nous
n ferons par habitude une application facile et subite aux
bjets placés hors de nous, nous croirons en juger par
entiment; mais nous serons contraints d'avouer notre
rreur dans toutes les occasions où la complication des
apports et la nouveauté de l'objet suspendront l'appli-
ation du principe : alors le plaisir attendra, pour se faire

1. A.T. : tel et tel.

2. Diderot reprendra cet exemple dans la *Réfutation de l'Homme
'Helvétius* (A.T., t. II, p. 437) : « Le beau est toujours beau. Il
'y a que ma sensation qui varie. Je passe devant la colonnade du
ouvre sans la regarder. En est-elle moins belle pour moi? Nul-
ement. »

sentir, que l'entendement ait prononcé que l'objet est *beau*. D'ailleurs le jugement, en pareil cas, est presque toujours du *beau relatif*, et non du *beau réel*.

Ou l'on considère les rapports dans les mœurs, et l'on a le *beau moral;* ou on les considère dans les ouvrages de littérature, et l'on a le *beau littéraire;* ou on les considère dans les pièces de musique, et l'on a le *beau musical;* ou on les considère dans les ouvrages de la nature, et l'on a le *beau naturel;* ou on les considère dans les ouvrages mécaniques des hommes, et l'on a le *beau artificiel;* ou on les considère dans les représentations des ouvrages de l'art ou de la nature, et l'on a le *beau d'imitation* : dans quelque objet, et sous quelque aspect que vous considériez les rapports dans un même objet, le *beau* prendra différents noms.

Mais un même objet, quel qu'il soit, peut être considéré solitairement et en lui-même, ou relativement à d'autres. Quand je prononce d'une fleur qu'elle est *belle*, ou d'un poisson qu'il est *beau*, qu'entends-je? Si je considère cette fleur ou ce poisson solitairement, je n'entends pas autre chose, sinon que j'aperçois entre les parties dont ils sont composés, de l'ordre, de l'arrangement, de la symétrie, des rapports (car tous ces mots ne désignent que différentes manières d'envisager les rapports mêmes) : en ce sens toute fleur est *belle*, tout poisson est *beau;* mais de quel *beau?* de celui que j'appelle *beau réel*.

Si je considère la fleur et le poisson relativement à d'autres fleurs et d'autres poissons; quand je dis qu'ils sont *beaux*, cela signifie qu'entre les êtres de leur genre, qu'entre les fleurs celle-ci, qu'entre les poissons celui-là, réveillent en moi le plus d'idées de rapports, et le plus de certains rapports; car je ne tarderai pas à faire voir que tous les rapports n'étant pas de la même nature, ils contribuent plus ou moins les uns que les autres à la *beauté*. Mais je puis assurer que sous cette nouvelle façon de considérer les objets, il y a *beau* et *laid;* mais quel *beau*, quel *laid?* celui qu'on appelle *relatif*.

Si au lieu de prendre une fleur ou un poisson, on généralise, et qu'on prenne une plante ou un animal; si on particularise et qu'on prenne une rose et un turbot, on en tirera toujours la distinction du *beau relatif* et du *beau réel*.

D'où l'on voit qu'il y a plusieurs *beaux relatifs*, et qu'une tulipe peut être *belle* ou *laide* entre les tulipes, *belle* ou *laide* entre les fleurs, *belle* ou *laide* entre les plantes, *belle* ou *laide* entre les productions de la nature.

Mais on conçoit qu'il faut avoir vu bien des roses et bien des turbots, pour prononcer que ceux-ci sont *beaux* ou *laids* entre les roses et les turbots; bien des plantes et bien des poissons, pour prononcer que la rose et le turbot sont *beaux* ou *laids* entre les plantes et les poissons, et qu'il faut avoir une grande connaissance de la nature, pour prononcer qu'ils sont *beaux* ou *laids* entre les productions de la nature.

Qu'est-ce donc qu'on entend, quand on dit à un artiste : *Imitez la belle nature ?* Ou l'on ne sait ce qu'on commande, ou on lui dit : Si vous avez à peindre une fleur, et qu'il vous soit d'ailleurs indifférent laquelle peindre, prenez la plus *belle* d'entre les fleurs; si vous avez à peindre une plante, et que votre sujet ne demande point que ce soit un chêne ou un ormeau sec, rompu, brisé, ébranché, prenez la plus *belle* d'entre les plantes; si vous avez à peindre un objet de la nature, et qu'il vous soit indifférent lequel choisir, prenez le plus *beau*.

D'où il s'ensuit : 1° que le principe de l'imitation de la belle nature demande l'étude la plus profonde et la plus étendue de ses productions en tout genre;

2° Que quand on aurait la connaissance la plus parfaite de la nature, et des limites qu'elle s'est prescrites dans la production de chaque être, il n'en serait pas moins vrai que le nombre des occasions où le plus *beau* pourrait être employé dans les arts d'imitation, serait à celui où il faut préférer le moins *beau*, comme l'unité à l'infini;

3° Que quoiqu'il y ait en effet un *maximum* de *beauté* dans chaque ouvrage de la nature, considéré en lui-même; ou, pour me servir d'un exemple, que, quoique la plus belle rose qu'elle produise n'ait jamais ni la hauteur ni l'étendue d'un chêne, cependant il n'y a ni *beau* ni *laid* dans ses productions, considérées relativement à l'emploi qu'on en peut faire dans les arts d'imitation.

Selon la nature d'un être, selon qu'il excite en nous la perception d'un plus grand nombre de rapports, et selon la nature des rapports qu'il excite, il est *joli*, *beau*, *plus beau*, *très beau* ou *laid; bas*, *petit*, *grand*, *élevé*, *sublime*, *outré*, *burlesque* ou *plaisant;* et ce serait faire un très grand ouvrage, et non pas un article de dictionnaire, que d'entrer dans tous ces détails : il nous suffit d'avoir montré les principes; nous abandonnons au lecteur le soin des conséquences et des applications. Mais nous pouvons lui assurer que, soit qu'il prenne ses exemples dans la nature, ou qu'il les emprunte de la peinture, de la morale, de l'architecture, de la musique, il trouvera toujours qu'il donne le nom de *beau réel* à tout ce qui contient en soi de quoi réveiller l'idée de rapport; et le nom de *beau relatif*, à tout ce qui réveille des rapports convenables avec les choses auxquelles il en faut faire la comparaison.

Je me contenterai d'en apporter un exemple, pris de la littérature. Tout le monde sait le mot sublime de la tragédie des *Horaces :* QU'IL MOURÛT. Je demande à quelqu'un qui ne connaît point la pièce de Corneille, et qui n'a aucune idée de la réponse du vieil Horace, ce qu'il pense de ce trait : *Qu'il mourût*. Il est évident que celui que j'interroge ne sachant ce que c'est que ce *qu'il mourût*, ne pouvant deviner si c'est une phrase complète ou un fragment, et apercevant à peine entre ces trois termes quelque rapport grammatical, me répondra que cela ne lui paraît ni *beau* ni *laid*. Mais si je lui dis que c'est la réponse d'un homme consulté sur ce qu'un autre doit faire dans un combat, il commence à apercevoir dans le répondant une sorte de courage qui ne lui permet pas de croire qu'il soit toujours meilleur de vivre que de mourir; et le *qu'il mourût* commence à l'intéresser. Si j'ajoute qu'il s'agit dans ce combat de l'honneur de la patrie; que le combattant est fils de celui qu'on interroge; que c'est le seul qui lui reste; que le jeune homme avait affaire à trois ennemis, qui avaient déjà ôté la vie à deux de ses frères ; que le vieillard parle à sa fille ; que c'est un Romain : alors la réponse *qu'il mourût*, qui n'était ni *belle*, ni *laide*, s'embellit à mesure que je développe ses rapports avec les circonstances, et finit par être sublime.

Changez les circonstances et les rapports, et faites passer le *qu'il mourût* du théâtre français sur la scène italienne, et de la bouche du vieil Horace dans celle de Scapin, le *qu'il mourût* deviendra *burlesque*.

Changez encore les circonstances, et supposez que Scapin soit au service d'un maître dur, avare et bourru, et qu'ils soient attaqués sur un grand chemin par trois ou quatre brigands. Scapin s'enfuit; son maître se défend : mais pressé par le nombre, il est obligé de s'enfuir aussi; et l'on vient apprendre à Scapin que son maître a échappé au danger. Comment, dira Scapin trompé dans son attente, il s'est donc enfui ? ah, le lâche! — Mais, lui répondra-t-on, *seul contre trois, que voulais-tu qu'il fît ?* — *Qu'il mourût*, répondra-t-il; et ce *qu'il mourût* deviendra *plaisant*. Il est donc constant que la *beauté* [commence] [1], s'accroît, varie, décline et disparaît avec les rapports, ainsi que nous l'avons dit plus haut.

Mais qu'entendez-vous par un *rapport ?* me demandera-t-on; n'est-ce pas changer l'acception des termes, que de donner le nom de *beau* à ce qu'on n'a jamais regardé comme tel ? Il semble que dans notre langue l'idée de *beau* soit toujours jointe à celle de grandeur, et que ce ne soit pas définir le *beau* que de placer sa différence spécifique dans une qualité qui convient à une infinité d'êtres, qui n'ont ni grandeur ni sublimité. M. Crousaz a péché, sans doute, lorsqu'il a chargé sa définition du *beau* d'un si grand nombre de caractères, qu'elle s'est trouvée restreinte à un très petit nombre d'êtres; mais n'est-ce pas tomber dans le défaut contraire, que de le rendre si général, qu'elle semble les embrasser tous, sans en excepter un amas de pierres informes, jetées au hasard sur le bord d'une carrière ? Tous les objets, ajoutera-t-on, sont susceptibles de rapports

1. *Omisit Encyclopédie.*

entre eux, entre leurs parties, et avec d'autres êtres; il n'y en a point qui ne puissent être arrangés, ordonnés, symétrisés. La perfection est une qualité qui peut convenir à tous; mais il n'en est pas de même de la *beauté;* elle est d'un petit nombre d'objets.

Voilà, ce me semble, sinon la seule, du moins la plus forte objection qu'on puisse me faire, et je vais tâcher d'y répondre.

Le rapport en général est une opération de l'entendement, qui considère soit un être, soit une qualité, en tant que cet être ou cette qualité suppose l'existence d'un autre être ou d'une autre qualité. Exemple : Quand je dis que Pierre est un *bon père*, je considère en lui une qualité qui suppose l'existence d'une autre, celle de fils; et ainsi des autres rapports, tels qu'ils puissent être. D'où il s'ensuit que, quoique le rapport ne soit que dans notre entendement, quant à la perception, il n'en a pas moins son fondement dans les choses; et je dirai qu'une chose contient en elle des rapports réels, toutes les fois qu'elle sera revêtue de qualités qu'un être constitué de corps et d'esprit comme moi ne pourrait considérer sans supposer l'existence ou d'autres êtres, ou d'autres qualités, soit dans la chose même, soit hors d'elle; et je distribuerai les rapports en *réels* et en *aperçus*. Mais il y a une troisième sorte de rapports; ce sont les rapports *intellectuels* ou *fictifs;* ceux que l'entendement humain semble mettre dans les choses. Un statuaire jette l'œil sur un bloc de marbre; son imagination plus prompte que son ciseau, en enlève toutes les parties superflues, et y discerne une figure : mais cette figure est proprement imaginaire et fictive; il pourrait faire, sur une portion d'espace terminée par des lignes intellectuelles, ce qu'il vient d'exécuter d'imagination dans un bloc informe de marbre. Un philosophe jette l'œil sur un amas de pierres jetées au hasard; il anéantit par la pensée toutes les parties de cet amas qui produisent l'irrégularité, et il parvient à en faire sortir un globe, un cube, une figure régulière. Qu'est-ce que cela signifie? Que, quoique la main de l'artiste ne puisse tracer un dessin que sur des surfaces résistantes, il en peut transporter l'image par la pensée sur tout corps; que dis-je, sur tout corps! dans l'espace et le vide. L'image, ou transportée par la pensée dans les airs, ou extraite par imagination des corps les plus informes, peut être *belle* ou *laide*, mais non la toile idéale à laquelle on l'a attachée, ou le corps informe dont on l'a fait sortir.

Quand je dis donc qu'un être est *beau* par les rapports qu'on y remarque, je ne parle point des rapports intellectuels ou fictifs que notre imagination y transporte, mais des rapports réels qui y sont, et que notre entendement y remarque par le secours de nos sens.

En revanche, je prétends que, quels que soient les rapports, ce sont eux qui constitueront la *beauté*, non dans ce sens étroit où le *joli* est l'opposé du *beau*, mais dans un sens, j'ose le dire, plus philosophique et plus conforme à la notion du *beau* en général, et à la nature des langues et des choses.

Si quelqu'un a la patience de rassembler tous les êtres auxquels nous donnons le nom de *beau*, il s'apercevra bientôt que dans cette foule il y en a une infinité où l'on n'a nul égard à la petitesse ou à la grandeur; la petitesse et la grandeur sont comptées pour rien toutes les fois que l'être est solitaire, ou qu'étant individu d'une espèce nombreuse, on le considère solitairement. Quand on prononça de la première horloge ou de la première montre qu'elle était *belle*, faisait-on attention à autre chose qu'à son mécanisme, ou au rapport de ses parties entre elles? Quand on prononce aujourd'hui que la montre est *belle*, fait-on attention à autre chose qu'à son usage et à son mécanisme? Si donc la définition générale du *beau* doit convenir à tous les êtres auxquels on donne cette épithète, l'idée de grandeur en est exclue. Je me suis attaché à écarter de la notion du *beau* la notion de grandeur, parce qu'il m'a semblé que c'était celle qu'on lui attachait plus ordinairement. En mathématique, on entend par un *beau problème*, un problème difficile à résoudre; par une *belle solution*, la solution simple et facile d'un problème difficile et compliqué. La notion de *grand*, de *sublime*, d'*élevé*, n'a aucun lieu dans ces occasions où on ne laisse pas d'employer le nom de *beau*. Qu'on parcoure de cette manière tous les êtres qu'on nomme *beaux* : l'un exclura la grandeur, l'autre exclura l'utilité; un troisième la symétrie; quelques-uns même l'apparence marquée d'ordre et de symétrie : telle serait la peinture d'un orage, d'une tempête, d'un chaos; et l'on sera forcé de convenir que la seule qualité commune, selon laquelle ces êtres conviennent tous, est la notion de rapports.

Mais quand on demande que la notion générale de *beau* convienne à tous les êtres qu'on nomme tels, ne parle-t-on que de sa langue, ou parle-t-on de toutes les langues? Faut-il que cette définition convienne seulement aux êtres que nous appelons *beaux* en français, ou à tous les êtres qu'on appellerait *beaux* en hébreu, en syriaque, en arabe, en chaldéen, en grec, en latin, en anglais, en italien, et dans toutes les langues qui ont existé, qui existent ou qui existeront? et pour prouver que la notion de rapports est la seule qui resterait après l'emploi d'une règle d'exclusion aussi étendue, le philosophe sera-t-il forcé de les apprendre toutes? Ne lui suffit-il pas d'avoir examiné que l'acception du terme *beau* varie dans toutes les langues; qu'on le trouve appliqué là à une sorte d'êtres, à laquelle il ne s'applique point ici, mais qu'en quelque idiome qu'on en fasse usage, il suppose perception de rapports? Les Anglais disent *a fine flavour*, *a fine woman*, une belle femme, une belle odeur. Où en serait un philosophe anglais, si, ayant à traiter du *beau*, il voulait avoir égard à cette bizarrerie de sa langue? C'est le peuple qui a fait les langues; c'est au philosophe à découvrir l'origine des choses; et il serait assez surprenant que les principes de l'un ne se trouvassent pas souvent en contradiction avec les usages de l'autre. Mais le principe de la perception des rapports, appliqué à la nature du *beau*, n'a pas même ici ce désavantage; et il est si général, qu'il est difficile que quelque chose lui échappe.

Chez tous les peuples, dans tous les lieux de la terre, et dans tous les temps, on a eu un nom pour la *couleur* en général, et d'autres noms pour les *couleurs* en particulier, et pour leurs nuances. Qu'aurait à faire un philosophe à qui l'on proposerait d'expliquer ce que c'est qu'une *belle couleur*, sinon d'indiquer l'origine de l'application du terme *beau* à une couleur en général, quelle qu'elle soit, et ensuite d'indiquer les causes qui ont pu faire préférer telle nuance à telle autre? De même c'est la perception des rapports qui a donné lieu à l'invention du terme *beau;* et selon que les rapports et l'esprit des hommes ont varié, on a fait les noms *joli*, *beau*, *charmant*, *grand*, *sublime*, *divin*, et une infinité d'autres, tant relatifs au physique qu'au moral. Voilà les nuances du *beau;* mais j'étends cette pensée, et je dis :

Quand on exige que la notion générale de *beau* convienne à tous les êtres *beaux*, parle-t-on seulement de ceux qui portent cette épithète ici et aujourd'hui, ou de ceux qu'on a nommés *beaux* à la naissance du monde, qu'on appelait *beaux* il y a cinq mille ans, à trois mille lieues, et qu'on appellera tels dans les siècles à venir; de ceux que nous avons regardés comme tels dans l'enfance, dans l'âge mûr, et dans la vieillesse; de ceux qui font l'admiration des peuples policés, et de ceux qui charment les sauvages? La vérité de cette définition sera-t-elle locale, particulière, et momentanée? ou s'étendra-t-elle à tous les êtres, à tous les temps, à tous les hommes et à tous les lieux? Si l'on prend le dernier parti, on se rapprochera beaucoup de mon principe, et l'on ne trouvera guère d'autre moyen de concilier entre eux les jugements de l'enfant et de l'homme fait : de l'enfant, à qui il ne faut qu'un vestige de symétrie et d'imitation pour admirer et pour être récréé; de l'homme fait, à qui il faut des palais et des ouvrages d'une étendue immense pour être frappé; du sauvage et de l'homme policé; du sauvage, qui est enchanté à la vue d'une pendeloque de verre, d'une bague de laiton, ou d'un bracelet de clincaille[1]; et de l'homme policé, qui n'accorde son attention qu'aux ouvrages les plus parfaits; des premiers hommes, qui prodiguaient les noms de *beaux*, de *magnifiques*, etc., à des cabanes, des chaumières et des granges; et des hommes

1. A.T. : quincaille.

d'aujourd'hui, qui ont restreint ces dénominations aux derniers efforts de la capacité de l'homme.

Placez la *beauté* dans la perception des rapports, et vous aurez l'histoire de ses progrès depuis la naissance du monde jusqu'aujourd'hui; choisissez pour caractère différentiel du *beau* en général, telle autre qualité qu'il vous plaira, et votre notion se trouvera tout à coup concentrée dans un point de l'espace et du temps.

La perception des rapports est donc le fondement du *beau;* c'est donc la perception des rapports qu'on a désignée dans les langues sous une infinité de noms différents, qui tous n'indiquent que différentes sortes de *beau.*

Mais dans la nôtre, et dans presque toutes les autres, le terme *beau* se prend souvent par opposition à *joli;* et sous ce nouvel aspect, il semble que la question du *beau* ne soit plus qu'une affaire de grammaire, et qu'il ne s'agisse plus que de spécifier exactement les idées qu'on attache à ce terme.

Après avoir tenté d'exposer en quoi consiste l'origine du *beau*, il ne nous reste plus qu'à rechercher celle des opinions différentes que les hommes ont de la *beauté :* cette recherche achèvera de donner de la certitude à nos principes; car nous démontrerons que toutes ces différences résultent de la diversité des rapports aperçus ou introduits, tant dans les productions de la nature que dans celles des arts.

Le *beau* qui résulte de la perception d'un seul rapport, est moindre ordinairement que celui qui résulte de la perception de plusieurs rapports. La vue d'un *beau* visage ou d'un *beau* tableau affecte plus que celle d'une seule couleur; un ciel étoilé, qu'un rideau d'azur; un paysage, qu'une campagne ouverte; un édifice, qu'un terrain uni; une pièce de musique, qu'un son. Cependant il ne faut pas multiplier le nombre des rapports à l'infini; et la *beauté* ne suit pas cette progression : nous n'admettons de rapports dans les *belles* choses que ce qu'un bon esprit en peut saisir nettement et facilement. Mais qu'est-ce qu'un bon esprit? Où est ce point dans les ouvrages en deçà duquel, faute de rapports, ils sont trop unis, et au delà duquel ils en sont chargés par excès? Première source de diversité dans les jugements. Ici commencent les contestations. Tous conviennent qu'il y a un *beau*, qu'il est le résultat des rapports aperçus : mais selon qu'on a plus ou moins de connaissance, d'expérience, d'habitude de juger, de méditer, de voir, plus d'étendue naturelle dans l'esprit, on dit qu'un objet est pauvre ou riche, confus ou rempli, mesquin ou chargé.

Mais combien de compositions où l'artiste est contraint d'employer plus de rapports que le grand nombre n'en peut saisir, et où il n'y a guère que ceux de son art, c'est-à-dire les hommes les moins disposés à lui rendre justice, qui connaissent tout le mérite de ses productions? Que devient alors le *beau?* Ou il est présenté à une troupe d'ignorants qui ne sont pas en état de le sentir, ou il est senti par quelques envieux qui se taisent; c'est là souvent tout l'effet d'un grand morceau de musique. M. d'Alembert a dit dans le *Discours préliminaire* [du *Dictionnaire encyclopédique*][1], discours qui mérite bien d'être cité dans cet article, qu'après avoir fait un art d'apprendre la musique, on en devrait bien faire un de l'écouter[2] : et j'ajoute qu'après avoir fait un art de la poésie et de la peinture, c'est en vain qu'on en a fait un de lire et de voir; et qu'il régnera toujours dans les jugements de certains ouvrages une uniformité apparente, moins injurieuse, à la vérité, pour l'artiste que le partage des sentiments, mais toujours fort affligeante.

Entre les rapports on en peut distinguer une infinité de sortes : il y en a qui se fortifient, s'affaiblissent et se tempèrent mutuellement. Quelle différence dans ce qu'on pensera de la *beauté* d'un objet, si on les saisit tous, ou si l'on n'en saisit qu'une partie! Seconde source de diversité dans les jugements. Il y en a d'indéterminés et de déterminés : nous nous contentons des premiers pour accorder le nom de *beau*, toutes les fois qu'il n'est pas de l'objet immédiat et unique de la science ou de l'art de les déterminer. Mais

---

1. E. : de cet ouvrage.
2. Exacte citation de d'Alembert, *Discours préliminaire* (*in Œuvres*, Paris, Bastien, 1805, t. I, p. 223).

si cette détermination est l'objet immédiat et unique d'une science ou d'un art, nous exigeons non seulement les rapports, mais encore leur valeur : voilà la raison pour laquelle nous disons un *beau* théorème, et que nous ne disons pas un *bel* axiome; quoiqu'on ne puisse pas nier que l'axiome exprimant un rapport n'ait aussi sa *beauté réelle*. Quand je dis, en mathématiques, que le tout est plus grand que sa partie, j'énonce assurément une infinité de propositions particulières sur la quantité partagée : mais je ne détermine rien sur l'excès juste du tout sur ses portions; c'est presque comme si je disais : « Le cylindre est plus grand que la sphère inscrite, et la sphère plus grande que le cône inscrit. » Mais l'objet propre et immédiat des mathématiques est de déterminer de combien l'un de ces corps est plus grand ou plus petit que l'autre; et celui qui démontrera qu'ils sont toujours entre eux comme les nombres 3, 2, 1, aura fait un théorème admirable. La *beauté* qui consiste toujours dans les rapports, sera dans cette occasion en raison composée du nombre des rapports et de la difficulté qu'il y avait à les apercevoir; et le théorème qui énoncera que toute ligne qui tombe du sommet d'un triangle isocèle sur le milieu de sa base, partage l'angle en deux angles égaux, ne sera pas merveilleux : mais celui qui dira que les asymptotes d'une courbe s'en approchent sans cesse sans jamais la rencontrer, et que les espaces formés par une portion de l'axe, une portion de la courbe, l'asymptote et le prolongement de l'ordonnée, sont entre eux comme tel nombre à tel nombre, sera *beau*. Une circonstance qui n'est pas indifférente à la *beauté*, dans cette occasion et dans beaucoup d'autres, c'est l'action combinée de la surprise et des rapports, qui a lieu toutes les fois que le théorème dont on a démontré la vérité passait auparavant pour une proposition fausse.

Il y a des rapports que nous jugeons plus ou moins essentiels; tel est celui de la grandeur relativement à l'homme, à la femme et à l'enfant; nous disons d'un enfant qu'il est *beau*, quoiqu'il soit petit; il faut absolument qu'un *bel* homme soit grand; nous exigeons moins cette qualité dans une femme; et il est plus permis à une petite femme d'être *belle* qu'à un petit homme d'être *beau*. Il me semble que nous considérons alors les êtres, non seulement en eux-mêmes, mais encore relativement aux lieux qu'ils occupent dans la nature, dans le grand tout; et selon que ce grand tout est plus ou moins connu, l'échelle qu'on se forme de la grandeur des êtres est plus ou moins exacte : mais nous ne savons jamais bien quand elle est juste. Troisième source de diversité de goûts et de jugements dans les arts d'imitation. Les grands maîtres ont mieux aimé que leur échelle fût un peu trop grande que trop petite : mais aucun d'eux n'a la même échelle, ni peut-être celle de la nature.

L'intérêt, les passions, l'ignorance, les préjugés, les usages, les mœurs, les climats, les coutumes, les gouvernements, les cultes, les événements, empêchent les êtres qui nous environnent, ou les rendent capables de réveiller ou de ne point réveiller en nous plusieurs idées, anéantissent en eux des rapports très naturels, et y en établissent de capricieux et d'accidentels. Quatrième source de diversité dans les jugements.

On rapporte tout à son art et à ses connaissances : nous faisons tous plus ou moins le rôle du critique d'Apelle, et quoique nous ne connaissions que la chaussure, nous jugeons aussi de la jambe; ou, quoique nous ne connaissions que la jambe, nous descendons aussi à la chaussure [1] : mais nous ne portons pas seulement ou cette témérité ou cette ostentation de détail dans le jugement des productions de l'art; celles de la nature n'en sont pas exemptes. Entre les tulipes d'un jardin, la plus *belle* pour un curieux sera

1. « On dit qu'un jour un cordonnier blâmait Apelle d'avoir mis à des chaussures une attache de moins qu'il ne fallait. Le lendemain l'ouvrier, tout glorieux de sa première remarque, se mit à critiquer la jambe; mais Apelle, indigné, s'écria : cordonnier, ne passe pas la chaussure, *ne supra crepidam judicaret* » (Pline, *Histoire naturelle*, XXXV, 36, Panckoucke, 1833, t. XX, p. 19). Même anecdote dans Valère Maxime (*Faits et dits mémorables*, VIII, 12, Garnier, t. II, p. 247).

celle où il remarquera une étendue, des couleurs, une feuille des variétés peu communes; mais le peintre occupé d'effet de lumière, de teintes, de clair-obscur, de formes relative à son art, négligera tous les caractères que le fleuriste admire et prendra pour modèle la fleur même méprisée par l curieux. Diversité de talents et de connaissances, cinquièm source de diversité dans les jugements.

L'âme a le pouvoir d'unir ensemble les idées qu'ell a reçues séparément, de comparer les objets par le moye des idées qu'elle en a, d'observer les rapports qu'elles on entre elles, d'étendre ou de resserrer ses idées à son gré de considérer séparément chacune des idées simples qu peuvent s'être trouvées réunies dans la sensation qu'ell en a reçue. Cette dernière opération de l'âme s'appell *abstraction*. Les idées des substances corporelles son composées de diverses idées simples, qui ont fait ensembl leurs impressions lorsque les substances corporelles s sont présentées à nos sens : ce n'est qu'en spécifiant en détai ces idées sensibles qu'on peut définir les substances. Ce sortes de définitions peuvent exciter une idée assez clair d'une substance dans un homme qui ne l'a jamais immédia tement aperçue, pourvu qu'il ait autrefois reçu séparémen par le moyen des sens, toutes les idées simples qui entrer dans la composition de l'idée complexe de la substanc définie; mais s'il lui manque la notion de quelqu'un des idées simples dont cette substance est composée, s'il est privé du sens nécessaire pour les apercevoir, ou ce sens est dépravé sans retour, il n'est aucune définitio qui puisse exciter en lui l'idée dont il n'aurait pas eu préc demment une perception sensible. Sixième source d diversité dans les jugements que les hommes porteront d la *beauté* d'une description; car combien entre eux d notions fausses, combien de demi-notions du même objet

Mais ils ne doivent pas s'accorder davantage sur l êtres intellectuels : ils sont tous représentés par des signe et il n'y a presque aucun de ces signes qui soit assez exa tement défini, pour que l'acception n'en soit pas plus étendu ou plus resserrée dans un homme que dans un autre. L logique et la métaphysique seraient bien voisines de la perfection, si le Dictionnaire de la langue était bien fait : mais c'est encore un ouvrage à désirer; et comme les mots sont les couleurs dont la poésie et l'éloquence se servent, quelle conformité peut-on attendre dans les jugements du tableau, tant qu'on ne saura seulement pas à quoi s'en tenir sur les couleurs et sur les nuances? Septième source de diversité dans les jugements.

Quel que soit l'être dont nous jugeons, les goûts et les dégoûts excités par l'instruction, par l'éducation, par le préjugé ou par un certain ordre factice dans nos idées, sont tous fondés sur l'opinion où nous sommes que ces objets ont quelque perfection ou quelque défaut dans des qualités, pour la perception desquelles nous avons des sens ou des facultés convenables. Huitième source de diversité.

On peut assurer que les idées simples qu'un même objet excite en différentes personnes, sont aussi différentes que les goûts et les dégoûts qu'on leur remarque. C'est même une vérité de sentiment; et il n'est pas plus difficile que plusieurs personnes diffèrent entre elles dans un même instant, relativement aux idées simples, que le même homme ne diffère de lui-même dans des instants différents. Nos sens sont dans un état de vicissitude continuel : un jour on n'a point d'yeux, un autre jour on entend mal; et d'un jour à l'autre, on voit, on sent, on entend diversement. Neuvième source de diversité dans les jugements des hommes d'un même âge, et d'un même homme en différents âges.

Il se joint par accident à l'objet le plus *beau* des idées désagréables : si l'on aime le vin d'Espagne, il ne faut qu'en prendre avec de l'émétique pour le détester; il ne nous est pas libre d'éprouver ou non des nausées à son aspect : le vin d'Espagne est toujours bon, mais notre condition n'est pas la même par rapport à lui. De même, ce vestibule est toujours magnifique, mais mon ami y a perdu la vie. Ce théâtre n'a pas cessé d'être *beau*, depuis qu'on m'y a sifflé : mais je ne peux plus le voir, sans que mes oreilles ne soient encore frappées du bruit des sifflets. Je ne vois sous ce vestibule que mon ami expirant; je ne sens plus sa *beauté*. Dixième source d'une diversité dans les jugements, occasionnée par ce cortège d'idées accidentelles qu'il ne nous est pas libre d'écarter de l'idée principale.

Post equitem sedet atra cura [1].

Lorsqu'il s'agit d'objets composés, et qui présentent en même temps des formes naturelles et des formes artificielles comme dans l'architecture, les jardins, les ajustements, etc. notre goût est fondé sur une autre association d'idées moitié raisonnables, moitié capricieuses : quelque faible analogie avec la démarche, le cri, la forme, la couleur d'un objet malfaisant, l'opinion de notre pays, les conventions de nos compatriotes, etc., tout influe dans nos jugements Ces causes tendent-elles à nous faire regarder les couleurs éclatantes et vives comme une marque de vanité ou de quelque autre mauvaise disposition de cœur ou d'esprit ? certaines formes sont-elles en usage parmi les paysans ou des gens dont la profession, les emplois, le caractère nous sont odieux ou méprisables ? Ces idées accessoires reviendront malgré nous, avec celles de la couleur et de la forme, et nous prononcerons contre cette couleur et ces formes, quoiqu'elles n'aient rien en elles-mêmes de désagréable. Onzième source de diversité.

Quel sera donc l'objet dans la nature sur la *beauté* duquel les hommes seront parfaitement d'accord ? La structure des végétaux ? Le mécanisme des animaux ? Le monde ? Mais ceux qui sont [le] [2] plus frappés des rapports, de l'ordre, des symétries, des liaisons, qui règnent entre les parties de ce grand tout, ignorant le but que le Créateur s'est proposé en le formant, ne sont-ils pas entraînés à prononcer qu'il est parfaitement *beau*, par les idées qu'ils ont de la Divinité ? Et ne regardent-ils pas cet ouvrage comme un chef-d'œuvre, principalement parce qu'il n'a manqué à l'auteur ni la puissance ni la volonté pour le former tel ?

---

1. « Sur son cheval s'installe en croupe le noir souci » (Horace *Odes*, III, 1, vers 40).
2. E. : les.

Mais combien d'occasions où nous n'avons pas le même droit d'inférer la perfection de l'ouvrage, du nom seul de l'ouvrier, et où nous ne laissons pas que d'admirer? Ce tableau est de Raphaël, cela suffit. Douzième source, sinon de diversité, du moins d'erreur dans les jugements.

Les êtres purement imaginaires, tels que le sphinx, la sirène, le faune, le minotaure, l'homme idéal, etc., sont ceux sur la *beauté* desquels on semble moins partagé, et cela n'est pas surprenant[1] : ces êtres imaginaires sont, à la vérité, formés d'après les rapports que nous voyons observés dans les êtres réels; mais le modèle auquel ils doivent ressembler, épars entre toutes les productions de la nature, est proprement partout et nulle part.

Quoi qu'il en soit de toutes ces causes de diversité dans nos jugements, ce n'est point une raison de penser que le *beau* réel, celui qui consiste dans la perception des rapports, soit une chimère; l'application de ce principe peut varier à l'infini, et ses modifications accidentelles occasionner des dissertations et des guerres littéraires : mais le principe n'en est pas moins constant. Il n'y a peut-être pas deux hommes sur la terre qui aperçoivent exactement les mêmes rapports dans un même objet, et qui le jugent *beau* au même degré; mais s'il y en avait un seul qui ne fût affecté des rapports dans aucun genre, ce serait un stupide parfait; et s'il y était insensible seulement dans quelques genres, ce phénomène décèlerait en lui un défaut d'économie animale; et nous serions toujours éloignés du scepticisme, par la condition générale du reste de l'espèce.

Le *beau* n'est pas toujours l'ouvrage d'une cause intelligente : le mouvement établit souvent, soit dans un être considéré solitairement, soit entre plusieurs êtres comparés entre eux, une multitude prodigieuse de rapports surprenants. Les cabinets d'histoire naturelle en offrent un grand nombre d'exemples. Les rapports sont alors des résultats de combinaisons fortuites, du moins par rapport à nous.

---

1. Idée reprise d'une note de l'*Essai sur le mérite et la vertu* (A.T., t. I, p. 35).

La nature imite, en se jouant, dans cent occasions, les productions de l'art; et l'on pourrait demander, je ne dis pas si ce philosophe qui fut jeté par une tempête sur les bords d'une île inconnue avait raison de s'écrier, à la vue de quelques figures de géométrie : *Courage, mes amis, voici des pas d'hommes*[1]*;* mais combien il faudrait remarquer de rapports dans un être pour avoir une certitude complète qu'il est l'ouvrage d'un artiste; en quelle occasion un seul défaut de symétrie prouverait plus que toute somme donnée de rapports; comment sont entre eux le temps de l'action de la cause fortuite, et les rapports observés dans les effets produits; et si, à l'exception des œuvres du Tout-Puissant, il y a des cas où le nombre des rapports ne puisse jamais être compensé par celui des jets [2].

---

1. L'anecdote d'Aristippe, rapportée par Cicéron (*De republica* I, 17), a été utilisée par Montesquieu (*Esprit des Lois*, XVIII 15). Mais Diderot l'a prise à Fontenelle (*Entretiens sur la plura lité des mondes*, Paris, Nouvelle France, 1945, p. 62) : « N'ai-je pa ouï dire qu'un philosophe qui fut jeté par un naufrage dans un île qu'il ne connaissait point, s'écria à ceux qui le suivaient, e voyant de certaines figures, des lignes et des cercles tracés sur l bord de la mer : *Courage, compagnons, l'île est habitée, voici de pas d'hommes.* »

2. Reprise d'un thème des *Pensées philosophiques* de 1746 (éd tion Garnier, 1956, Pensée XXI, p. 22) : dans le cas de la créa tion divine, « la quantité des jets est infinie, c'est-à-dire que l difficulté de l'événement est plus que suffisamment compensé par la multitude des jets ».

LES SALONS

INTRODUCTION

COMMENT *devient-on critique d'art? Diderot nous l'apprend avec une heureuse modestie dans sa lettre à Grimm* : ‹ Si j'ai quelques notions suivies de la peinture et de la culpture, c'est à vous, mon ami que je les dois; j'aurais uivi au Salon la foule des oisifs; j'aurais accordé comme ux un coup d'œil superficiel et distrait aux productions de ıos artistes; d'un mot j'aurais jeté dans le feu un morceau ›récieux... C'est la tâche que vous m'avez proposée qui a ixé mes yeux sur la toile et qui m'a fait tourner autour du ıarbre. J'ai donné le temps à l'impression d'arriver et l'entrer. J'ai ouvert mon âme aux effets, je m'en suis aissé pénétrer... J'ai compris ce que c'était que finesse de lessin et vérité de nature. J'ai connu la magie de la lumière t des ombres. J'ai connu la couleur; j'ai acquis le sentinent de la chair. Seul, j'ai médité ce que j'ai vu et entendu; :t ces termes de l'art, unité, variété, contraste, symétrie, ›rdonnance, composition, caractères, expression, si famiiers dans ma bouche, si vagues dans mon esprit, se sont ixés[1]. » *Interprétons cet aveu qui consigne une expérience de dix ıns; Grimm n'a pas éduqué Diderot; mais en lui imposant la édaction des* Salons *pour la* Correspondance littéraire, *il ui proposait la découverte d'un monde neuf, l'inventaire de procédés nconnus de la littérature, la recherche d'un langage approprié, ref, la création d'un genre : la critique d'art.*

Il s'agissait en effet de la création d'un genre. Nul prédécesseur, i nous excluons les timides essais de La Font de Saint-Yenne, le l'abbé Leblanc, de Caylus et de Grimm lui-même. Aucune ègle, ce qui donnait toutes les audaces; aucune réserve de politesse, ›uisque la Correspondance littéraire *était discrète; jamais Diderot ne s'était senti à la fois plus libre et plus démuni. Il 'avait fait ni le voyage d'Italie ni celui des Flandres. Paris ffrait les Rubens du Luxembourg, les Le Sueur des Chartreux,*

1. *Salon de* 1765. Préambule (A.T., t. X, p. 233).

une part des collections royales aux Tuileries, l'admirable galeri du Régent au Palais-Royal. Mais comment saisir l'art moderne sinon dans l'atelier? Le littérateur, le moraliste qu'est Diderot prétend juger sainement de l'expression des passions, des sujets de l'ordonnance. Mais comment surprendre les secrets du dessin la chimie des couleurs, les procédés du clair-obscur, le sens de lumières? Diderot délibérément se met à l'école des artistes fréquente La Tour, Chardin, Greuze, Michel Van Loo, Casanove Vernet; il les interroge, fidèle à sa méthode d'encyclopédiste visite les Salons à leurs côtés, recueille leurs boutades, leurs plaintes confronte leurs opinions; il les guette au chevalet, devant le modèle il pose lui-même devant Garand, Greuze, Michel Van Loo Mme Therbouche, Fragonard, Le Moyne, Houdon et Lévitzki

Prolongeons vingt ans cette expérience, et nous avons les Salons *avec tous les deux ans l'obligation d'une mise au point rigoureuse le classement de deux ou trois cents tableaux, l'inquiétude devan un talent qui se perd, une technique qui évolue; à côté des valeur sûres, de Chardin et de Vernet dont la monotonie lasse, voici le nouveaux venus, Le Prince, Loutherbourg, Hubert Robert Fragonard et David. Les goûts anciens s'émoussent. Commen éviter le caprice? Comment critiquer Casanove dont la femme es charmante, aimer encore la peinture de Greuze quand l'homme nou est devenu odieux?*

***

Nous devinons dès lors le prodigieux effort que représentent les Salons *de Diderot. Information, intuition géniale, souci d'être juste mais aussi d'être sincère, d'exprimer le jugement du siècle mais aussi de s'exprimer soi-même. Encore fallait-il varier la mise en œuvre, utiliser la lettre, l'essai, le discours, le dialogue, et faire de la critique d'art une œuvre d'art. Diderot n'y a pas manqué. Ses neuf* Salons (1759-1761-1763-1765-1767-1769-1771-1775-1781), *échelonnés sur vingt-deux ans, dans leur étonnante variété, constituent la meilleure documentation dont nous disposions sur l'art français du* XVIIIe *siècle, à mi-chemin du triomphe de Boucher et de celui de David. N'y voyons pas seulement une transition, essentielle d'ailleurs, entre les fêtes galantes de la Régence et du règne Pompadour et l'académisme romain de l'ère révolutionnaire et impériale. Les contemporains de Diderot lécouvrirent le pathétique bourgeois de Greuze, mais aussi le harme des ruines et des tombeaux, le romantisme des ciels, des rbres, de la mer et des eaux vives. Diderot ne prélude pas aux oûts de sa génération, il les exprime et les partage intensément. Dès* 1759, *il s'attaque à Boucher ; en* 1781, *il saluera le* Bélisaire *le David, sa puissance et sa raideur. Mais entre temps, ses grands beintres seront* La Tour *et Chardin, Greuze et Vernet. N'en faisons pas un critique d'avant-garde, sourd aux leçons du passé. Il reconnaît en Chardin la tradition des* Le Nain, *compare les paysages de Vernet et ceux de Claude* Lorrain, *retrouve dans Casanove les leçons de Van der Meulen et du Bourguignon, dans Loutherbourg les traces de Téniers et de Wouwermans, dans Hubert* Robert *le dessin affaibli de* Pagani *et du* Piranese. *Mais comment résister à un art qui l'exprime lui-même ? Chardin, c'est l'âme bourgeoise dans son austérité, le reflet de la maison de Langres avec sa fontaine de cuivre rouge, sa vaisselle de terre, les fruits du potager et les gros pains ronds ; Greuze, c'est l'âme bourgeoise avec ses exigences neuves de sensibilité et de moralité explicite : gestes, sermons et pleurs dont Diderot est prodigue dans le grenier de la rue Taranne ; sensibilité qui se frelate d'ailleurs et moralité qui se dupe elle-même dans le symbole ambigu des cruches cassées et des miroirs brisés. Vernet, c'est l'essor d'une génération qui s'évade des parcs à la française et découvre l'air, la lumière, les cieux brouillés, les clairs de lune, les crépuscules du soir et du matin. Hubert* Robert *enfin n'évoque pas seulement les empires passés, mais aussi les fins de siècle que l'on* pressent, *dans l'espoir ou la peur.*

***

Nous décelons dès lors l'importance des Salons. *Comme les Goncourt l'ont fort bien compris, à travers l'art d'un siècle apparaît son âme ; mais l'âme de ce siècle révèle Diderot, à la fois proche et loin de nous. Jamais Diderot ne s'est montré plus libre, plus spontané que dans les* Salons. *Jamais il n'a plus souffert de ne pouvoir* « retirer gloire et profit » *d'une œuvre condamnée à l'obscurité.* « C'est certainement la meilleure chose que j'ai faite depuis que je cultive les lettres », *disait-il du* Salon de 1765 : « Il y a des moments où je voudrais que cette besogne tombât du ciel tout imprimée au milieu de la capitale[1]. »

Ce vœu ne fut pas exaucé. Les Salons, *destinés à la* Correspondance littéraire *de Grimm, puis de Meister, furent édités bien après la mort de Diderot, sans critique ni cohérence, dans des conditions scientifiques douteuses. En* 1795, *l'éditeur Buisson fait suivre les* Essais sur la peinture *du* Salon de 1765 : *son manuscrit venait probablement des papiers de Grimm. En* 1798, *dans la collection des* Œuvres *de Diderot, Naigeon révèle le* Salon de 1767 : *il prétendait disposer d'un manuscrit autographe. En* 1813, *l'édition de la* Correspondance littéraire, *à la suite de la saisie des manuscrits de Berlin, nous offre le* Salon de 1759. *En* 1819, *l'éditeur Belin, dans son* Supplément aux Œuvres de Diderot, *donne le* Salon de 1761 *et les cinq dernières lettres du* Salon de 1769. *En* 1857 *enfin, l'érudit Walferdin, dans la* Revue de Paris (*tomes XXXVIII, XXXIX, XL*), *complète l'ensemble avec les* Salons de 1763, 1771, 1775, 1781 *et les douze premières lettres de* 1769 : *il utilisait les copies établies par Léon Godard, lors de sa mission en Russie* (1856), *d'après le fonds de l'Ermitage. L'édition Assézat-Tourneux s'est bornée à suivre le texte de ses devanciers, donnant pour les* Salons de 1765 et 1767 *une juste préférence à Naigeon.*

L'heure est enfin venue d'éditer correctement les Salons *de Diderot. Quatre fonds de manuscrits nous sont ouverts :*

1) La collection Firmiani (*B. N., n. a. fr.*, 12961) *est un choix des* Salons *établi par Grimm lui-même, en* 1779, *pour le comte Firmiani, gouverneur de Lombardie. S'y retrouvent les* Salons de 1761-63-65 *et la première livraison de* 1767.

2) Le fonds de Leningrad *possède la collection complète en trois volumes* (*t. XIX-XX-XXI*) *dont la Bibliothèque nationale détient les microfilms.*

3) Le fonds de Stockholm, *copie de la* Correspondance littéraire, *contient les* Salons de 1761-1763-1765-1767, *et des fragments des* Salons de 1769 et de 1781.

4) Le fonds Vandeul *contenait autrefois les* Salons *en collection double ; une ancienne liste, éditée par Herbert Dieckmann*[2],

---

1. *A Sophie Volland, op. cit.*, t. II, p. 81 (10 novembre 1765).
2. *Inventaire du fonds Vandeul* (Droz, 1951, p. 173-174).

signale une série complète (*n*os 8-9-10-11) *et une série incomplète de minutes* (*n*os 19-20-21) *où manquent les* Salons de 1775 et 1781. *Actuellement, l'ensemble est gravement dépareillé : huit volumes disparates* (*t. XIV à XXI-B. N. n.a.fr.*, 13744 *à* 13751) *contiennent en double les* Salons *de* 1765 *et* 1767, *mais les* Salons de 1769, 1775 et 1781 *ont disparu. Voici, pour chaque salon, le répertoire des manuscrits disponibles*[1].

SALONS	COLLECTIONS MANUSCRITES
1759	*L, XIX*, 22 *p.* *V, XIX*, 21 *p.* *Lettre autographe à Grimm* (15 *sept.* 1759-*B.N., n.a.fr.*, 24930)
1761	*L, XIX*, 111 *p.* *V, XIX*, 84 *p.* *F et S*
1763	*L, XIX*, 144 *p.* *V, XIX*, 129 *p.* *F et S*
1765	*L, XIX*, 498 *p.* *V, XIV*, 433 *p.* *V, XX*, 434 *p.* *F et S*
1767	*L, XX*, (*I*, 416 *p.-II*, 390 *p.*) *V, XV-XVI*, 419 et 371 *p.* *V, XXI* (*I*, 400 *p.*) *et XVIII* (*II*, 354 *p.*) *F* (*préface + Van* Loo) *et S*
1769	*L, XXI*, 145 *p. et S* (*fragments*)
1771	*L, XXI*, 168 *p.* *V, XVII*, 161 *p.*
1775	*L, XXI*, 43 *p.*
1781	*L, XXI*, 87 *p. et S* (*fragments*)

1. En représentant les quatre collections par les sigles F, L, V et S

Il résulte de ce tableau que la seule collection complète des Salons *est celle de Leningrad. Nous l'avons étudiée sur microfilms : c'est un texte excellent, calligraphié, sans aucune rature stylistique ou repentir pudibond; le scribe recopie souvent telle page mal venue qui demeure en double dans le volume relié.* Elle devrait constituer la base de toute édition critique. *Les manuscrits Vandeul, tantôt viennent confirmer l'excellence de la version russe sans en avoir la correction matérielle (t. XVII-XVIII-XIX-XX-XXI), tantôt gardent la trace d'une censure injustifiée (t. XIV-XV-XVI). Il faudrait enfin tenir le plus grand compte, pour les* Salons de 1765 et 1767, *de l'édition Naigeon qui prétend avoir disposé d'un autographe de Diderot*[1].

***

Nous ne sommes pas en mesure, dans le cadre de notre édition, de donner l'ensemble des Salons (945 *pages dans l'édition Assézat-Tourneux). Nous savons que M. Jean Seznec réalisera ce grand dessein. Mais tout choix devient contestable et tout principe de classement demeure chanceux. La plupart de nos prédécesseurs, depuis Eugène Fallex (Delagrave,* 1889*), Joseph Texte (Hachette, s. d.) et Auguste Dupouy (Larousse,* 1913*), jusqu'à Roland Desné (Éditions sociales,* 1955*) ont conservé l'ordre chronologique des* Salons *et les meilleures pages de chacun : leur critère était résolument littéraire. Nous tentons ici autre chose. Au lieu de mettre en valeur la critique de peintres oubliés, au risque de négliger quelques pages éclatantes, nous nous bornerons à regrouper, de Salon en Salon, l'opinion de Diderot sur quelques grands peintres qu'il aime ou conteste, mais qui sont — faut-il s'en étonner? — les seuls peintres qui vivent encore à nos yeux. Qu'importe Drouais, Juliart, Demachy ou le chevalier Pierre auprès de Chardin, de Vernet, de Boucher ou de Greuze? Ce*

---

1. Jean Seznec, dans le tome I des *Salons* (Oxford, 1957), paru trop tard pour que notre édition profite de ses belles recherches, signale deux autographes, celui du *Salon de* 1761 (vendu à Paris en mars 1948) et celui du *Salon de* 1767 (vendu à Londres en 1911). L'un et l'autre sont inaccessibles.

classement, malgré son artifice, aura deux avantages ; tout d'abord de déceler, à propos de chaque peintre, l'évolution du goût de Diderot et de le sentir s'interrogeant sur la valeur de ses enthousiasmes et de ses préventions ; mais surtout de dessiner plus clairement et de façon positive les grands traits de sa doctrine esthétique. Notre critère sera donc ici résolument celui de la philosophie de l'art.

Dans le dessein modeste d'éditer seulement des extraits des Salons, *nous suivrons fidèlement le texte de Leningrad, sans donner un apparat critique complet. Mais les variantes importantes seront signalées.*

P. V.

BIBLIOGRAPHIE

Nous ne donnons ici qu'un résumé d'une bibliographie immense :

I. *GÉNÉRALITÉS D'HISTOIRE ET D'ESTHÉTIQUE.*

Ed. et Jules de GONCOURT. *L'art au* XVIIIe siècle (Fasquelle, 3 vol.).

A. FONTAINE. *Les doctrines d'art en France de Poussin à Diderot* (Paris, Renouard, 1909).

Camille MAUCLAIR. *Greuze et son temps* (Albin Michel, 1926).

W. FOLKIERSKI. *Entre le classicisme et le romantisme, étude sur l'esthétique et les esthéticiens au* XVIIIe siècle (Champion, 1925).

Yvon BÉLAVAL. *L'esthétique sans paradoxe de Diderot* (Gallimard, 1950).

Lester G. CROCKER. *Two Diderot studies, ethics and esthetics* (Baltimore, The Johns Hopkins Press, 1952).

II. *LES SALONS.*

F. BRUNETIÈRE. *Les Salons de Diderot* (Revue des Deux Mondes, 15 mai 1880, et *Études critiques*, II, 295-321).

Daniel MORNET. *Le sentiment de la nature en France de* J.-J. *Rousseau à Bernardin de Saint-Pierre* (Hachette, 1907, livre III, chap. I).

Félix VEXLER. *Studies in Diderot's esthetic Naturalism* (New York, Columbia University Press, 1922).

Jean POMMIER. *Les Salons de Diderot et leur influence au* XIXe *siècle* (Revue des cours et conférences, 30 mai et 15 juin 1936).

Jean THOMAS. *L'humanisme de Diderot* (Belles Lettres, 1938, chapitre IV, l'humanisme et l'art).

Roland DESNÉ. *Les Salons* (Éditions sociales, 1955, p. 7-68).

J. SEZNEC et J. ADHÉMAR. *Les Salons* (Oxford, Clarendon Press, t. I, seul paru, 1957, Salons de 1759-61-63).

III. *RECHERCHES TECHNIQUES.*

Jules GUIFFREY. *Collection des livrets des anciennes expositions* (Paris, Liepmannsohn et Dufour, 1869-1879, 42 volumes).

H. MIREUR. *Dictionnaire des ventes d'art faites en France et à l'étranger pendant les* XVIIIe *et* XIXe *siècles* (Paris, Vincenti, 7 vol.)

Vicomte Charles du PELOUX. *Répertoire biographique et bibliographique des artistes du* XVIIIe *siècle français* (I, Champion, 1930-II, Droz, 1941).

E. BÉNÉZIT. *Dictionnaire critique et documentaire des peintres*, etc. (Paris, Gründ, 1953, 8 vol.).

THIEME-BECKER. *Allgemeines Lexikon der bildenden Künstler* (Leipzig, Engelmann, puis Seeman, 1907-1950, 37 vol.).

I

LES FÊTES GALANTES

N. B. — L'illustration qu'on trouvera dans les page
suivantes ne prétend pas reproduire chaque fois les tableau
décrits par Diderot. Quelques détails peuvent différer, soi
que le souvenir de Diderot manque de sûreté, soit que l
tableau comporte plusieurs états.

BOUCHER

SALON DE 1759

Il ne faut pas que j'oublie une petite *Nativité* de Boucher[1]. J'avoue que le coloris en est faux, qu'elle a trop d'éclat, que l'enfant est de couleur rose[2], qu'il n'y a rien de si ridicule qu'un lit galant en baldaquin dans un sujet pareil; mais la Vierge est si belle, si amoureuse et si touchante! Il est impossible d'imaginer rien de plus fini ni[3] de plus espiègle que ce petit saint Jean, couché sur le dos, qui tient un épi. Il me prend toujours envie d'imaginer une flèche à la place de cet épi... et puis des têtes d'anges plus animées, plus gaies, plus vivantes; le nouveau-né le plus joli! Je ne serais pas fâché d'avoir ce tableau. Toutes les fois que vous viendriez chez moi vous en diriez du mal, mais vous le regarderiez.

SALON DE 1761

PASTORALES ET PAYSAGES DE BOUCHER[4].

Quelles couleurs! quelle variété! quelle richesse d'objets et d'idées! Cet homme a tout, excepté la vérité. Il n'y a aucune partie de ses compositions qui, séparée des autres, ne vous plaise; l'ensemble même vous séduit. On se

---

1. Serait-ce la *Nativité* de la vente Randon de Boisset (1777) qui atteignit 800 livres? Rien ne permet de l'affirmer.
2. *Lettre à Grimm* : de rose.
3. A.T. : ni rien.
4. Morceaux difficiles à identifier.

demande : Mais où a-t-on vu des bergers vêtus avec cette élégance et ce luxe? Quel sujet a jamais rassemblé dans un même endroit, en pleine campagne, sous les arches d'un pont, loin de toute habitation, des femmes, des hommes, des enfants, des bœufs, des vaches, des moutons, des chiens, des bottes de paille, de l'eau, du feu, une lanterne, des réchauds, des cruches, des chaudrons? Que fait là cette femme charmante, si bien vêtue, si propre, si voluptueuse? et ces enfants qui jouent et qui dorment, sont-ce les siens? et cet homme qui porte du feu qu'il va renverser sur sa tête, est-ce son époux? que veut-il faire de ces charbons allumés? où les a-t-il pris? Quel tapage d'objets disparates! On en sent toute l'absurdité; avec tout cela on ne saurait quitter le tableau. Il vous attache. On y revient. C'est un vice si agréable, c'est une extravagance si inimitable et si rare! Il y a tant d'imagination, d'effet, de magie et de facilité!

Quand on a longtemps regardé un paysage tel que celui que nous venons d'ébaucher, on croit avoir tout vu. On se trompe; on y retrouve une infinité de choses d'un prix!... Personne n'entend comme Boucher l'art de la lumière et des ombres. Il est fait pour tourner la tête à deux sortes de personnes, les gens du monde et les artistes. Son élégance, sa mignardise, sa galanterie romanesque, sa coquetterie, son goût, sa facilité, sa variété, son éclat, ses carnations fardées, sa débauche, doivent captiver les petits-maîtres, les petites femmes, les jeunes gens, les gens du monde, la foule de ceux qui sont étrangers au vrai goût, à la vérité, aux idées justes, à la sévérité de l'art. Comment résisteraient-ils au saillant, aux pompons, aux nudités, au libertinage, à l'épigramme de Boucher? Les artistes qui voient jusqu'à quel point cet homme a surmonté les difficultés de la peinture, et pour qui c'est tout que ce mérite qui n'est guère bien connu que d'eux, fléchissent le genou devant lui; c'est leur dieu. Les gens d'un grand goût, d'un goût sévère et antique, n'en font nul cas. Au reste, ce peintre est à peu près en peinture ce que l'Arioste est en poésie. Celui qui est enchanté de l'un est inconséquent s'il n'est pas fou de l'autre. Ils ont, ce me semble, la même imagination, le même goût, le même style, le même coloris. Boucher a un faire qui lui appartient tellement, que dans quelque morceau de peinture qu'on lui donnât une figure à exécuter, on la reconnaîtrait sur-le-champ.

SALON DE 1763

Il y a deux tableaux de Boucher : le *Sommeil de l'enfant Jésus*, et une *Bergerie*[1].

9. LE SOMMEIL DE L'ENFANT JÉSUS.

Ce maître a toujours le même feu, la même facilité, la même fécondité, la même magie et les mêmes défauts qui gâtent un talent rare.

Son enfant Jésus est [mollement][2] peint; il dort bien. Sa Vierge mal drapée est sans caractère. La gloire est[3] très aérienne. L'ange qui vole est tout à fait vaporeux. Il est impossible de toucher plus grandement et de donner une plus belle tête au Joseph qui sommeille derrière la Vierge qui adore son fils... Mais la couleur? Pour la couleur, ordonnez à votre chimiste de vous faire une détonation ou plutôt une déflagration de cuivre par le nitre, et vous la verrez telle qu'elle est dans le tableau de Boucher. C'est celle d'un bel émail de Limoges. Si vous dites au peintre : « Mais, monsieur Boucher, où avez-vous pris ces tons de couleur? » il vous répondra : « Dans ma tête. — Mais ils sont faux. — Cela se peut, et je ne me suis pas soucié d'être vrai. Je peins un événement fabuleux avec un pinceau romanesque. Que savez-vous? la lumière du Thabor et celle du paradis sont peut-être comme cela. Avez-vous jamais été visité la nuit par des anges? — Non. — Ni

---

1. *Le Sommeil de Jésus* est le seul tableau indiqué au livret. *La Bergerie* n'est pas signalée. Tableaux non identifiés.
2. L : molletement (*sic*).
3. A.T. : en est très aérienne.

moi non plus; et voilà pourquoi je m'essaye comme il me plaît dans une chose qui n'a point de modèle en nature. — Monsieur Boucher, vous n'êtes pas bon philosophe, si vous ignorez qu'en quelque lieu du monde que vous alliez et qu'on vous parle de Dieu, ce soit autre chose que l'homme. »

LA BERGERIE.

Imaginez sur le fond un vase posé sur son piédestal et couronné d'un faisceau de branches renversées; au-dessous, un berger endormi sur les genoux de sa bergère; répandez autour une houlette, un petit chapeau rempli de roses, un chien, des moutons, un bout de paysage et je ne sais combien d'autres objets entassés les uns sur les autres; peignez le tout de la couleur la plus brillante, et vous aurez la *Bergerie* de Boucher.

Quel abus du talent! Combien de temps de perdu! Avec la moitié moins de frais, on eût obtenu la moitié plus d'effet. Entre tant de détails, tous également soignés, l'œil ne sait où s'arrêter; point d'air, point de repos. Cependant la bergère a bien la physionomie de son état; et ce bout de paysage qui serre le vase est d'une délicatesse, d'une fraîcheur et d'un charme surprenants. Mais que signifient ce vase et son piédestal? Que signifient ces lourdes branches dont il est surmonté? Quand on écrit, faut-il tout écrire? Quand on peint, faut-il tout peindre? De grâce, laissez quelque chose à suppléer par mon imagination... Mais dites cela à un homme corrompu par la louange et entêté de son talent, et il hochera dédaigneusement de la tête; il vous laissera dire et nous le quitterons : *Jussum se suaque solum amare*[1]. C'est dommage pourtant.

Cet homme, lorsqu'il était nouvellement revenu d'Italie, faisait de très belles choses; il avait une couleur forte et vraie; sa composition était sage, quoique pleine de chaleur; son faire large et grand. Je connais quelques-uns de ses

1. « Il est condamné à n'aimer que lui-même et ses œuvres. »

premiers morceaux qu'il appelle aujourd'hui des *croûtes* et qu'il rachèterait volontiers pour les brûler[1].

Il a de vieux portefeuilles pleins de morceaux admirables qu'il dédaigne. Il en a de nouveaux, farcis de moutons et de bergers à la Fontenelle, sur lesquels il s'extasie.

Cet homme est la ruine de tous les jeunes élèves en peinture. A peine savent-ils manier le pinceau et tenir la palette, qu'ils se tourmentent à enchaîner des guirlandes d'enfants, à peindre des culs joufflus et vermeils, et à se jeter dans toutes sortes d'extravagances qui ne sont rachetées ni par la chaleur, ni par l'originalité, ni par la gentillesse, ni par la magie de leur modèle : ils n'en ont que les défauts.

SALON DE 1765

Je ne sais que dire de cet homme-ci. La dégradation du goût, de la couleur, de la composition, des caractères, de l'expression, du dessin, a suivi pas à pas la dépravation des mœurs. Que voulez-vous que cet artiste jette sur la toile? Ce qu'il a dans l'imagination; et que peut avoir dans l'imagination un homme qui passe sa vie avec les prostituées du plus bas étage[2]? La grâce de ses bergères est la grâce de la Favart dans *Rose et Colas*[3], celle de ses déesses est

---

1. Boucher fit en 1727 le voyage d'Italie, à la suite de Carle Van Loo. Lors de son retour en 1731, l'influence italienne, celle de Tiepolo notamment, marque son œuvre (*Vénus commandant des armes pour Énée*, Fontainebleau, 1732).

2. Les deux sœurs Murphy, Victoire puis Louise, furent les modèles préférés de Boucher. La seconde servit aux plaisirs de Louis XV, ce qui fit accuser le peintre de proxénétisme (cf. *Journal* du duc de Croÿ).

3. La Favart débuta en 1744 à l'Opéra-Comique puis fut reçue à la Comédie italienne en janvier 1752. Elle venait de triompher dans *Annette et Lubin* (15 février 1762 — pièce de Favart, son mari) et dans *Rose et Colas*, opéra-comique en un acte de Sedaine et Monsigny (8 mars 1764). Boucher a laissé plusieurs esquisses de Mme Favart (collection Georges-Pannier).
Buisson : Annette et Lubin.

empruntée de la Deschamps[1]. Je vous défie de trouver dans toute une campagne un seul brin d'herbe de ses paysages. Et puis une confusion d'objets entassés les uns sur les autres, si déplacés, si disparates, que c'est moins le tableau d'un homme sensé que le rêve d'un fou. C'est de lui qu'il a été écrit :

..........Velut ægri somnia, vanæ.............
Fingentur species : ut nec pes, nec caput[2].

J'ose dire que cet homme ne sait vraiment ce que c'est que la grâce; j'ose dire qu'il n'a jamais connu la vérité; j'ose dire que les idées de délicatesse, d'honnêteté, d'innocence, de simplicité, lui sont devenues presque étrangères; j'ose dire qu'il n'a pas vu un instant la nature, du moins celle qui est faite pour intéresser mon âme, la vôtre, celle d'un enfant bien né, celle d'une femme qui sent; j'ose dire qu'il est sans goût. Entre une infinité de preuves que j'en donnerais, une seule suffira; c'est que dans la multitude de figures d'hommes et de femmes qu'il a peintes, je défie qu'on en trouve quatre de caractère propre au bas-relief, encore moins à la statue. Il y a trop de mines, de petites mines, de manière, d'afféterie pour un art sévère. Il a beau me les montrer nues, je leur vois toujours le rouge, les mouches, les pompons et toutes les fanfioles de la toilette. Croyez-vous qu'il ait jamais eu dans sa tête quelque chose de cette image honnête et charmante de Pétrarque?

E'l riso, e'l canto, e'l parlar dolce umano[3].

---

1. La Deschamps fut la plus étonnante courtisane du siècle; née vers 1728 d'un savetier de Paris nommé Pagès, elle épousa Deschamps, comédien ambulant, entra comme danseuse à l'Opéra; rapace et prodigue à la fois, elle dut sa fortune au duc d'Orléans. En 1760, elle se vantait « d'avoir déjà dissipé deux millions » (cf. *Lettres à Sophie Volland*, t. I, p. 164). Elle mourait en 1764, pénitence faite. Les rapports de police consignés par Camille Pitou (*Paris sous Louis XV*, t. V, p. 89 sq.) sont intarissables à son sujet.

2. Horace, *Art poétique*, vers 7.

3. Sonnet CCXLIX sur la dernière rencontre avec Laure :
« Elle avait quitté son élégance usuelle,
Les perles, les guirlandes et les étoffes gaies,
Le rire, le chant et le doux parler aimable. »

Ces analogies fines et déliées qui appellent sur la toile les objets [les uns à côté des autres] [1] et qui les y lient par des fils [secrets et] [2] imperceptibles; sur mon Dieu, il ne sait ce que c'est. [Toutes ses compositions font aux yeux un tapage insupportable.] [3] C'est le plus mortel ennemi du silence que je connaisse; il en est aux plus jolies marionnettes du monde; il tombera à l'enluminure. Eh bien, mon ami, c'est au moment où Boucher cesse d'être un artiste, qu'il est nommé premier peintre du roi [4]. N'allez pas croire qu'il soit en son genre ce que Crébillon fils [5] est dans le sien. Ce sont [bien] [6] à peu près les mêmes mœurs; mais le littérateur a tout un autre talent que le peintre. Le seul avantage de celui-ci sur l'autre, c'est une fécondité qui ne s'épuise point, une facilité incroyable, surtout dans les accessoires de ses pastorales. Quand il fait des enfants, il les groupe bien; mais qu'ils restent à folâtrer sur des nuages. Dans toute cette innombrable famille, vous n'en trouverez pas un à employer aux actions réelles de la vie, à étudier sa leçon, à lire, à écrire, à tiller du chanvre. Ce sont des natures romanesques, idéales; de petits bâtards de Bacchus et de Silène. Ces enfants-là, la sculpture s'en accommoderait assez sur le tour d'un vase antique. Ils sont gras, joufflus, potelés. Si l'artiste sait pétrir le marbre, on le verra. En un mot, prenez tous les tableaux de cet homme; et à peine y en aura-t-il un à qui vous ne puissiez dire comme Fontenelle à la Sonate : « Sonate, que me veux-tu ? » « Tableau, que me veux-tu? » N'a-t-il pas été un temps où il était pris de la fureur de faire des vierges? Eh bien, qu'était-ce

---

1. *Omisit* L.
2. *Omisit* L.
3. *Omisit* L.
4. A la suite de la mort de Carle Van Loo, Boucher fut nommé premier peintre du roi le 8 août 1765, deux semaines avant l'ouverture du Salon.
5. Crébillon fils (1707-1777), l'auteur du *Sopha* et des *Égarements du cœur et de l'esprit*.
6. *Omisit* L.

que ses vierges? De gentilles petites caillettes[1]. Et ses anges? De petits satyres libertins. Et puis, il est, dans ses paysages, d'un gris de couleur et d'une uniformité de ton qui vous ferait prendre sa toile, à deux pieds de distance, pour un morceau de gazon ou d'une couche de persil coupé en carré. Ce n'est pas un sot pourtant. C'est un faux bon peintre, comme on est un faux bel esprit. Il n'a pas la pensée de l'art, il n'en a que les *concetti*.

8. JUPITER TRANSFORMÉ EN DIANE POUR SURPRENDRE CALISTO[2].

On voit au centre le Jupiter métamorphosé; il est de profil : il se penche sur les genoux de Calisto : d'une main il cherche à écarter doucement son linge; cette main, c'est la droite. Il lui passe la main gauche sous le menton. Voilà deux mains bien occupées. Calisto est peinte de face; elle éloigne faiblement la main qui s'occupe à la dévoiler. Au-dessous de cette figure, le peintre a répandu de la draperie, un carquois; des arbres occupent le fond; on voit à gauche un groupe d'enfants qui jouent dans les airs: au-dessus de ce groupe, l'aigle de Jupiter.

Mais est-ce que les personnages de la mythologie ont d'autres pieds et d'autres mains que nous? Ah! La Grenée! que voulez-vous que je pense de cela, lorsque je vous vois tout à côté, et que je suis frappé de votre couleur ferme, de la beauté de vos chairs et des vérités de nature qui percent tous les points de votre composition? Des pieds, des mains, des bras, des épaules, une gorge, un cou, s'il vous en faut, comme vous en avez baisé quelquefois, La Grenée vous en fournira. Pour Boucher, non. Passé cinquante ans, mon ami, il n'y a presque pas un peintre qui appelle le modèle,

1. B : Eh bien, ces vierges?... étaient de jolies petites catins Accord N et L.

2. Tableau déjà ancien (1759) qui provenait du cabinet du financier Bergeret de Grandcourt. Faut-il y voir le *Jupiter et Callisto* de la Wallace Collection de Londres? Il en est fait légèrement différent.

Boucher. — Jupiter et Callisto.
Londres, Wallace Collection.

ils ne font plus que de pratique; et Boucher en est là[1] : ce sont ses anciennes figures tournées et retournées. Est-ce qu'il ne nous a pas déjà montré cent fois et cette Calisto, et ce Jupiter, et cette peau de tigre dont il est couvert?

9. ANGÉLIQUE ET MÉDOR.

Les deux figures principales sont placées à droite de celui qui regarde. Angélique est couchée nonchalamment à terre, et vue par le dos, à l'exception d'une petite portion de son visage qu'on attrape, et qui lui donne l'air de la mauvaise humeur. Du même côté, mais sur un plan plus enfoncé, Médor, debout, vu de face, le corps penché, porte sa main vers le tronc d'un arbre, sur lequel il écrit apparemment les deux vers de Quinault, ces deux vers que Lulli a si bien mis en musique, et qui donnent lieu à toute la bonté d'âme de Roland de se montrer et de me faire pleurer quand les autres rient :

> Angélique engage son cœur;
> Médor en est vainqueur [2].

Des Amours sont occupés à entourer l'arbre de guirlandes. Médor est à moitié couvert d'une peau de tigre, et sa main gauche tient un dard de chasseur. Au-dessous d'Angélique, imaginez de la draperie, un coussin; un coussin, mon ami, qui va là comme le tapis du Nicaise de La Fontaine[3]; un carquois et des fleurs. A terre, un gros Amour étendu sur le dos, et deux autres qui jouent dans les airs,

---

1. C'est le mot de Josuah Reynolds racontant sa visite à l'atelier de Boucher (automne 1752); comme il manifestait sa surprise devant l'absence de modèle, le peintre répondait « qu'il avait regardé le modèle nécessaire pendant sa jeunesse, mais qu'il y avait longtemps qu'il avait cessé de s'en servir ».

2. Vers de Quinault dans l'acte IV de *Roland* (1685).

3. Épisode d'un conte de La Fontaine, *Nicaise* (*in Œuvres*, Hachette, t. V, p. 219, vers 156 sq.) : le jeune drapier Nicaise, à l'heure du berger, va chercher un tapis pour ne pas gâter les robes de sa belle.

aux environs de l'arbre, confidents du bonheur de Médor; et puis à gauche, du[1] paysage et des arbres.

Il a plu au peintre d'appeler cela *Angélique et Médor ;* mais ce sera tout ce qu'il me plaira. Je défie qu'on me montre quoi que ce soit qui caractérise la scène, et qui désigne les personnages. Eh! mordieu, il n'y avait qu'à se laisser mener par le poète. Comme le lieu de son aventure est plus beau, plus grand, plus pittoresque et mieux choisi! C'est un antre ustique, c'est un lieu retiré, c'est le séjour de l'ombre et du silence : c'est là que, loin de tout importun, on peut rendre un amant heureux, et non pas en plein jour, en pleine campagne, sur un coussin. C'est sur la mousse du roc que Médor grave son nom et celui d'Angélique. [Tenez, monsieur Boucher] [2], cela n'a pas le sens commun; petite composition de boudoir; et puis, ni pieds, ni mains, ni vérité, ni couleur, et toujours du persil sur les arbres. Voyez, ou plutôt ne voyez pas le Médor, ses jambes surtout; elles ont d'un petit garçon qui n'a ni goût ni étude. L'Angélique est une petite tripière : ô le vilain mot! D'accord, mais il peint : dessin rond, mou et chairs flasques. Cet homme ne prend le pinceau que pour me montrer des tétons et des fesses. Je suis bien aise d'en voir; mais je ne veux pas[3] qu'on me les montre.

10. DEUX PASTORALES[4].

Eh bien! mon ami, y avez-vous jamais rien compris? Au centre de la toile, une bergère, Catinon en petit chapeau, qui conduit un âne; on ne voit que la tête et le dos de l'animal. Sur ce dos d'âne, des hardes, du bagage, un chaudron. La femme tient de la main gauche le licou de sa bête;

1. A.T. : un paysage.
2. *Omisit* L.
3. A.T. : je ne puis souffrir.
4. Ces pastorales sont difficiles à identifier. Deux thèmes cependant, celui du dénicheur d'oiseaux et celui de la bergère endormie, se retrouvent au Louvre et dans la Wallace Collection.

de l'autre elle porte un panier de fleurs. Ses yeux sont attachés sur un berger assis à droite. Ce grand dénicheur de merles est à terre; il a sur ses genoux une cage; sur la cage, il y a de petits oiseaux. Derrière ce berger, plus sur le fond, un petit paysan debout, qui jette de l'herbe aux petits oïseaux. Au-dessous du berger, son chien; au-dessus du petit paysan, plus encore sur le fond, une fabrique de pierre, de plâtre et de solives, une espèce de bergerie, plantée là on ne sait comment. Autour de l'âne, des moutons; vers la gauche, derrière la bergère, une barricade rustique, un ruisseau, des arbres, du paysage. Derrière la bergerie, des arbres encore et du paysage. Au bas, sur le devant, tout à fait à gauche, encore une chèvre et des moutons, et tout cela pêle-mêle à plaisir : c'est la meilleure leçon à donner à un jeune élève, sur l'art de détruire tout effet à force d'objets et de travail. Je ne vous dis rien ni de la couleur, ni des caractères, ni des autres détails; c'est comme ci-devant. Mon ami, est-ce qu'il n'y a point de police à cette Académie? Est-ce qu'au défaut d'un commissaire aux tableaux, qui empêchât cela d'entrer, il ne serait pas permis de le pousser à coups de pied le long du Salon, sur l'escalier, dans la cour, jusqu'à ce que le berger, la bergère, la bergerie, l'âne, les oiseaux, la cage, les arbres, l'enfant, toute la pastorale fût dans la rue? Hélas! non : il faut que cela reste en place; mais le bon goût indigné n'en fait pas moins la brutale mais juste exécution.

AUTRE PASTORALE.

Même grandeur, même forme et même mérite que le précédent

Eh! vous croyez, mon ami, que mon goût brutal sera plus indulgent pour celui-ci? point du tout. Je l'entends qui crie au dedans de moi : « Hors du Salon, hors du Salon! » J'ai beau lui répéter la leçon de Chardin : « De la douceur de la douceur; » il se dépite, et n'en crie que plus haut « Hors du Salon! »

C'est l'image d'un délire. A droite sur le devant, toujour la bergère Catinon ou Favart, couchée et endormie, ave

ne bonne fluxion sur l'œil gauche. Pourquoi s'endormir
ıssi dans un lieu humide, un petit chat sur son giron?
errière cette femme, en partant du bord de la toile, et
ı s'enfonçant successivement par différents plans, et des
ıvets, et des choux, et des poireaux, et un pot de terre, et
n seringat dans ce pot, et un gros quartier de pierre, et
ır ce gros quartier de pierre un grand vase guirlandé[1] de
eurs, et des arbres, et de la verdure, et du paysage. En
ıce de la dormeuse, un berger debout qui la contemple;
en est séparé par une petite barricade rustique, il porte
'une main un panier de fleurs; de l'autre il tient une rose.
.à, mon ami, dites-moi ce que fait un chaton sur le giron
'une paysanne qui ne dort pas à la porte de sa chaumière?
:t cette rose à la main du paysan, n'est-elle pas d'une
latitude inconcevable? Et pourquoi ce benêt-là ne se
enche-t-il pas, ne prend-il pas, ne se dispose-t-il pas à
rendre un baiser sur une bouche qui s'y présente? pourquoi
.e s'avance-t-il pas doucement?... Mais vous croyez que
'est là tout ce qu'il a plu au peintre de jeter sur sa toile?
h que non! Est-ce qu'il n'y a pas au delà un autre paysage?
st-ce qu'on ne voit pas s'élever par derrière les arbres
ı fumée apparemment d'un hameau voisin?

Un méchant petit tableau de Philippe d'Orléans[2], où
on voit les deux plus jolis petits innocents enfants possibles,
gaçant du bout du doigt un moineau placé devant eux,
rrête, fait plus de plaisir que tout cela : c'est qu'on voit à
ı mine de la petite fille qu'elle joue de malice avec l'oiseau.
Même confusion d'objets et même fausseté de couleur
u'au précédent. Quel abus de la facilité de pinceau!

11. QUATRE PASTORALES.

Je suis juste, je suis bon, et je ne demande pas mieux
u'à louer. Ces quatre morceaux forment un petit poème

---

1. A.T. : de guirlandes.
2. Esquisse du Régent qui se flattait de dessiner et qu'Audran
.vait gravée pour son *Daphnis et Chloé*.

charmant. Écrivez que le peintre eut une fois en sa vie un moment de raison. Un berger attache une lettre au cou d'un pigeon : le pigeon part; une bergère reçoit la lettre; elle la lit à une de ses amies : c'est un rendez-vous qu'on lui donne; elle s'y trouve, et le berger aussi.

1. A la gauche de celui qui regarde, le berger est assis sur un bout de roche; il a le pigeon sur ses genoux; il attache la lettre; sa houlette et son chien sont derrière lui : il a à ses pieds un panier de fleurs qu'il offre peut-être à sa bergère. Plus sur la gauche, quelques bouts de roche; à droite, de la verdure, un ruisseau, des moutons. Voilà qui est simple et sage; il n'y manque que la couleur.

2. On voit à gauche arriver le pigeon messager, l'oiseau Mercure; il vient à tire-d'aile. La bergère, debout, la main appuyée contre un arbre placé devant elle, l'aperçoit entre les arbres; il fixe ses regards; elle a tout à fait l'air de l'impatience et du désir; sa position, son action, sont simples, naturelles, intéressantes, élégantes. Et ce chien, qui voit arriver l'oiseau, qui a les deux pattes élevées sur un bout de terrasse, qui a la tête dressée vers le messager, qui lui aboie de joie, et qui semble agiter sa queue : il est imaginé avec esprit. L'action de l'animal marque un petit commerce galant établi de longue main. A droite, derrière la bergère, on voit sa quenouille à terre, un panier de fleurs, un petit chapeau, avec un fichu; à ses pieds un mouton : plus simple encore, et mieux composé; il n'y manque que la couleur : le sujet est si clair, que le peintre n'a pu l'obscurcir par ses détails.

3. A droite on voit deux jeunes filles : l'une sur le devant, et lisant la lettre; sur le plan qui suit, sa compagne. La première me tourne le dos; ce qui est mal, car on pouvait aisément lui donner la physionomie de son action. C'est sa compagne qu'il fallait placer ainsi. La confidence se fait dans un lieu solitaire et écarté, au pied d'une fabrique de pierre rustique, d'où sort une fontaine, au-dessus de laquelle il y a un petit Amour en bas-relief. A gauche, des chèvres, des boucs et des moutons. Celui-ci est moins intéressant

ue le précédent, et c'est la faute de l'artiste. D'ailleurs, et endroit était vraiment le lieu du rendez-vous; c'est la ontaine d'Amour. Toujours faux de couleur.

4. Le rendez-vous. Au centre, vers la droite de celui qui egarde, la bergère assise à terre, un mouton à côté d'elle, n agneau sur ses genoux; son berger la serre doucement de es bras, et la regarde avec passion. Au-dessus du berger, on chien attaché. Fort bien. A gauche, un panier de fleurs. droite, un arbre brisé, rompu. Fort bien encore. Sur le ond, hameau, cabane, bout de maison. C'est ici qu'il fal- it lire la lettre; et c'est à la fontaine d'Amour qu'il fal- it placer le rendez-vous. Quoi qu'il en soit, le tout est fin, élicat, solidement[1] pensé; ce sont quatre petites églogues la Fontenelle. Peut-être les mœurs de Théocrite, ou celles e Daphnis et Chloé, plus simples, plus naïves, m'auraient ntéressé davantage. Tout ce que font ces bergers-ci, les iens l'auraient fait; mais le moment d'auparavant ils ne 'en seraient pas doutés; au lieu que ceux-ci [savaient][2] 'avance ce qui leur arriverait : et cela me déplaît, à moins ue cela ne soit bien franchement prononcé.

AUTRE PASTORALE.

C'est une bergère debout, qui tient d'une main une cou- onne, et qui porte de l'autre un panier de fleurs; elle est rrêtée devant un berger assis à terre, son chien à ses pieds. Qu'est-ce que cela dit? rien. Par derrière, tout à fait à auche, des arbres touffus, vers la cime desquels, sans u'on sache trop comment elle s'y trouve, une fontaine, n trou rond qui verse de l'eau. Ces arbres, apparemment, achent une roche; mais il ne le fallait pas. Je me radoucis peu de frais; sans les quatre précédents, j'aurais bien pu ire à celui-ci : « Hors du Salon »; mais je ne ferai jamais râce au suivant.

1. A.T. : joliment.
2. L : savent.

13. AUTRE PASTORALE.

Ne me tirerai-je jamais de ces maudites pastorales? C'est une fille qui attache une lettre au cou d'un pigeon; elle est assise; on la voit de profil. Le pigeon est sur ses genoux; il est fait à ce rôle; il s'y prête, comme on voit à son aile pendante. L'oiseau, les mains de la bergère et son giron sont embarrassés de tout un rosier. Dites-moi, je vous prie, si ce n'est pas un rival, jaloux de tuer toute cette petite composition, qui a fourré là cet arbuste. Il faut être bien ennemi de soi pour se faire de pareils tours!

Le livret parle encore d'un *Paysage où l'on voit un moulin à eau*. Je l'ai cherché, sans avoir pu le découvrir; je ne crois pas que vous y perdiez beaucoup.

SALON DE 1769

MARCHE DE BOHÉMIENS.

Le vieil athlète n'a pas voulu mourir sans se montrer encore une fois sur l'arène; c'est de Boucher que je veux dire [1]. Il y avait de cet artiste une *Marche de Bohémiens* ou une *Caravane* dans le goût de Benedetto di Castiglione, morceau de 9 pieds de large sur 6 pieds 6 pouces de haut.

On y remarquait encore de la fécondité, de la facilité, de la fougue; j'ai même été surpris qu'il n'y en eût pas davantage, car la vieillesse des hommes sensés dégénère en radotage, en platitude, en imbécillité, et la vieillesse des fous penche de plus en plus vers la violence, l'extravagance et

---

1. François Boucher mourut dans son atelier du Louvre le 30 mai 1770. Diderot rédigea donc tardivement l'ensemble du *Salon de* 1769. Cette *Caravane* dans le goût de Benedetto Castiglione, peintre gênois (1616-1670), traduit peut-être quelque souvenir d'un séjour à Gênes. Une esquisse de ce tableau est passée à la vente Marius-Paulme (Paris, 15 mai 1929). Signalons enfin que le musée de Rouen possède une *Caravane* de Castiglione.

le délire. O l'insupportable vieillard que je serai, si Dieu me prête vie!

On aurait dû placer au bas de ce tableau un de ces polissons qu'on voit à l'entrée des jeux de la foire; il aurait crié : « Approchez, messieurs, c'est ici qu'on voit le grand tapageur... » Aimez-vous les figures? Il y en avait à profusion; il y avait aussi des chevaux, des ânes, des mulets, des chiens, des oiseaux, des troupeaux, des montagnes, des fabriques, une multitude d'accessoires, une variété prodigieuse d'actions, de mouvements, de draperies et d'ajustements. C'était la plus belle cohue que vous ayez vue de votre vie.

Mais cette cohue formait une belle composition pittoresque. Les groupes y étaient liés et distribués avec intelligence; il régnait entre eux une chaîne de lumière bien entendue; les accessoires y étaient répandus adroitement et faits de bon goût; rien n'y sentait la peine; la touche était hardie et spirituelle; on discernait partout le grand maître; le ciel surtout, chaud, léger, vrai, était d'enthousiasme et sublime.

Si mon ami trouve quelqu'un qui lui dise que la *Caravane* de Boucher était un des meilleurs tableaux du Salon, qu'il ne le contredise pas; s'il trouve quelqu'un qui lui dise que la *Caravane* de Boucher était un des plus mauvais tableaux du Salon, qu'il le contredise encore moins. Je vais, pour vous amuser, vous mettre ces deux personnages en scène.

« Disputez-vous au tableau de Boucher les qualités que je lui trouve?

— Non; mais y trouvez-vous de la couleur?

— Non; il est faible et monotone.

— Et l'illusion?

— Il n'y en a point.

— Et la magie qui donne de la profondeur à la toile, qui avance et recule les objets, qui les distribue sur différents plans, qui met de l'intervalle entre les plans, qui fait circuler l'air entre les figures?

— D'accord, elle y manque; c'est une boîte mince où la caravane est renfermée, pressée, étouffée.

— Et la perspective, qui donne à tout sa dégradation réelle?

— Il n'y en a point.

— Et ces figures placées derrière cet âne, au troisième plan, qu'en pensez-vous?

— Qu'elles sont trop fortes.

— Et de cet homme qui court sur le devant?

— Qu'il est trop petit pour le lieu qu'il occupe.

— Et de la figure principale?

— Laquelle? Cette femme assise sur son cheval?

— Précisément.

— Que, quoique sa chemise soit un peu trop ample, elle est bien ajustée, bien coiffée, que sa tête est d'un caractère agréable et qu'on ne peut, sans humeur, refuser le même éloge à celles qui l'entourent sur le fond.

— Oui; mais le ton des chairs?

— Oh! j'en conviens, il est gris et plombé.

— Le Bourdon a tiré bon parti de ces gris-là[1]; Boucher les connaît, mais en abuse. Il manque à ce morceau des masses d'ombre plus décidées, des tons plus résolus dans les groupes du premier plan. Je ne sais pourquoi je distingue des plans dans ce morceau; il n'y en a point. Les reflets trop multipliés y divisent les masses et en détruisent l'effet. Et cette femme assise sur le devant, croyez-vous qu'elle y fasse bien, de la même couleur que celle du milieu? Doutez-vous qu'en cet endroit une figure plus coloriée et d'un caractère plus mâle n'eût pas contrasté plus fortement avec les autres et ne les eût pas fait valoir davantage?

— Je ne puis me refuser à vos observations; mais en revanche, vous accorderez à ce morceau d'être généralement bien dessiné.

— Avec un peu de manière.

— Que des artistes à qui il ait été donné de se soutenir

1. Diderot penserait-il, à propos du sujet de Boucher, à *la Halte de bohémiens* de Sébastien Bourdon (1616-1671), actuellement au Louvre?

ussi longtemps sont rares! Avoir, à soixante-huit ans assés, toute la chaleur d'un jeune homme!

— Mais quel cas voulez-vous que je fasse d'une chaleur ui me laisse froid? Qu'est-ce que tout cela dit à mon cœur, mon esprit? Dans cet amas d'incidents, où est celui qui n'attache, me pique, m'émeut, m'intéresse?

— Voilà précisément les critiques que je faisais à Chardin, ui s'est moqué de moi.

— Laissez dire Chardin; cela est mauvais, et Chardin le ait bien. Le Castiglione est vigoureux et ce tableau est ade. »

BAUDOUIN

SALON DE 1767

TOUJOURS petits tableaux, petites idées, compositions frivoles, propres au boudoir d'une petite maîtresse, à la petite maison d'un petit maître; faites pour de petits abbés, de petits robins, de gros financiers ou autres personnages sans mœurs et d'un petit goût.

73. LE COUCHER DE LA MARIÉE[1].

Entrons dans cet appartement, et voyons cette scène. A droite, cheminée et glace. Sur la cheminée et devant la glace, flambeaux à plusieurs branches et allumés. Devant le foyer, suivante accroupie qui couvre le feu. Derrière celle-ci, autre suivante accroupie qui, l'éteignoir à la main, se dispose à éteindre les bougies des bras attachés à la boiserie. Au côté de la cheminée, en s'avançant vers la gauche, troisième suivante debout, tenant sa maîtresse sous les bras, et la pressant d'entrer dans la couche nuptiale. Cette couche, à moitié ouverte, occupe le fond. La jeune mariée s'est laissé vaincre; elle a déjà un genou sur la couche; elle est en déshabillé de nuit. Elle pleure. Son époux, en robe de chambre, est à ses pieds, et la conjure. On ne le voit que par le dos. Il y a au chevet du lit une quatrième suivante qui a levé la couverture; tout à fait à gauche, sur

1. Célèbre gouache appartenant au marquis de Marigny devenu marquis de Ménars, qui fut vendue à sa mort en 1782 (853 livres). On la signale en 1868 à la vente Henry-Didier (2.025 fr.). Les gravures de Simonet et de Moreau le jeune l'ont vulgarisée.

Baudouin. — Le coucher de la mariée,
d'après la gravure de Moreau le jeune.

Bibliothèque Nationale. Cl. Giraudon.

un guéridon, un autre flambeau à branches; sur le devant, du même côté, une table de nuit avec des linges.

Monsieur Baudouin, faites-moi le plaisir de me dire en quel lieu du monde cette scène s'est passée? Certes, ce n'est pas en France. Jamais on n'y a vu une jeune fille bien née, bien élevée, à moitié nue, un genou sur le lit, sollicitée par son époux en présence de ses femmes qui la tiraillaient. Une innocente prolonge sans fin sa toilette de nuit; elle tremble, elle s'arrache avec peine des bras de son père et de sa mère; elle a les yeux baissés, elle n'ose les lever sur ses femmes. Elle verse une larme. Quand elle sort de la[1] toilette pour passer vers le lit nuptial, ses genoux se dérobent sous elle, ses femmes sont retirées; elle est seule, lorsqu'elle est abandonnée aux désirs, à l'impatience de son jeune époux. Ce moment est faux. Il serait vrai, qu'il serait d'un mauvais choix. Quel intérêt cet époux, cette épouse, ces femmes de chambre, tout cette scène peut-elle avoir? Feu notre ami Greuze[2] n'eût pas manqué de prendre l'instant précédent, celui où un père, une mère, envoient leur fille à son époux. Quelle tendresse! quelle honnêteté! quelle délicatesse! quelle variété d'actions et d'expressions dans les frères, les sœurs, les parents, les amis, les amies! quel pathétique n'y aurait-il pas mis! Le pauvre homme, que celui qui n'imagine, dans cette circonstance, qu'un troupeau de femmes de chambre!

Le rôle de ces suivantes serait ici d'une indécence insupportable, sans les physionomies ignobles, basses et malhonnêtes que l'artiste leur a données. La petite mine chiffonnée de la mariée, l'action ardente et peu touchante du jeune époux vu par le dos, ces indignes créatures qui entourent la couche, tout me représente un mauvais lieu. Je ne vois qu'une courtisane qui s'est mal trouvée des

---

1. A.T. : sa.

2. Greuze, n'ayant pas encore proposé de tableau de concours pour entrer à l'Académie, s'était vu refuser l'accès du Salon de 1767. Diderot lui donnait tort, sur le vu d'une lettre de Greuze à Cochin qui était « un modèle de vanité et d'impertinence ».

caresses d'un petit libertin, et qui redoute le même péril, sur lequel quelques-unes de ses malheureuses compagnes la rassurent. Il ne manque là qu'une vieille.

Rien ne prouve mieux que l'exemple de Baudouin combien les mœurs sont essentielles au bon goût. Ce peintre choisit mal ou son sujet ou son instant; il ne sait pas même être voluptueux. Croit-il que le moment où tout le monde s'est retiré, où la jeune épouse est seule avec son époux, n'eût pas fourni une scène plus intéressante que la sienne?

Artistes, si vous êtes jaloux de la durée de vos ouvrages, je vous conseille de vous en tenir aux sujets honnêtes. Tout ce qui prêche aux hommes la dépravation est fait pour être détruit; et d'autant plus sûrement détruit, que l'ouvrage sera plus parfait. Il ne subsiste presque plus aucune de ces infâmes et belles estampes que le Jules Romain a composées d'après l'impur Arétin. La probité, la vertu, l'honnêteté, le scrupule, le petit scrupule superstitieux, font tôt ou tard main basse sur les productions déshonnêtes. En effet, quel est celui d'entre nous qui, possesseur d'un chef-d'œuvre de peinture ou de sculpture capable d'inspirer la débauche, ne commence pas à en dérober la vue à sa femme, à sa fille, à son fils? Quel est celui qui ne pense que ce chef-d'œuvre ne puisse passer à un autre possesseur moins attentif à le serrer? Quel est celui qui ne prononce, au fond de son cœur, que le talent pouvait être mieux employé, un pareil ouvrage n'être pas fait, et qu'il y aurait quelque mérite à le supprimer? Quelle compensation y a-t-il entre un tableau, une statue, si parfaite qu'on la suppose, et la corruption d'un cœur innocent? Et si ces pensées, qui ne sont pas tout à fait ridicules, s'élèvent, je ne dis pas dans un bigot, mais dans un homme de bien; et dans un homme de bien, je ne dis pas religieux, mais esprit fort, mais athée, âgé, sur le point de descendre au tombeau, que deviennent le beau tableau, la belle statue, ce groupe du satyre qui jouit d'une chèvre, ce petit Priape qu'on a tiré des ruines d'Herculanum; ces deux morceaux les plus précieux que l'antiquité nous ait transmis, au jugement du baron de Gleichen et de l'abbé Galiani, qui s'y connaissent[1] ? Voilà donc, en un instant, le fruit des veilles du talent le plus rare [brisé,][2] mis en pièces? Et qui de nous osera blâmer la main honnête et barbare qui aura commis cette espèce de sacrilège? Ce n'est pas moi, qui cependant n'ignore pas ce qu'on peut m'objecter : le peu d'influence que les productions des beaux-arts ont sur les mœurs générales; leur indépendance même de la volonté et de l'exemple d'un souverain, des ressorts momentanés, tels que l'ambition, le péril, l'esprit patriotique; je sais que celui qui supprime un mauvais livre, ou qui détruit une statue voluptueuse, ressemble à un idiot qui craindrait de pisser dans un fleuve de peur qu'un homme ne s'y noyât : mais laissons là l'effet de ces productions sur les mœurs de la nation; restreignons-le aux mœurs particulières. Je ne puis me dissimuler qu'un mauvais livre, une estampe malhonnête que le hasard offrirait à ma fille, suffirait pour la faire rêver et la perdre. Ceux qui peuplent nos jardins publics des images de la prostitution ne savent guère ce qu'ils font! Cependant tant d'inscriptions infâmes dont la statue de la *Vénus aux belles fesses* est sans cesse barbouillée dans les bosquets de Versailles; tant d'actions dissolues avouées dans ces inscriptions, tant d'insultes faites par la débauche même à ses propres idoles; insultes qui marquent des imaginations perdues, un mélange inexplicable de corruption et de barbarie, instruisent assez de l'impression pernicieuse de ces sortes d'ouvrages. Croit-on que les bustes de ceux qui ont bien mérité de la patrie, les armes à la main, dans les tribunaux de la justice, aux conseils du souverain, dans la carrière des lettres ou[3]

1. Henri-Charles, baron de Gleichen (1735-1807), ministre de Danemark à Madrid puis à Paris, et l'abbé Galiani, secrétaire d'ambassade du roi des Deux-Siciles, firent partie dès leur arrivée en France de la synagogue du baron d'Holbach. L'un et l'autre connaissaient les fouilles d'Herculanum (cf. *A Sophie Volland*, t. II, p. 164).

2. *Omisit* L.

3. A.T. : et.

des beaux-arts, ne donnassent pas une meilleure leçon? Pourquoi donc ne rencontrons-nous point les statues de Turenne et de Catinat? c'est que tout ce qui s'est fait de bien chez un peuple se rapporte à un seul homme; c'est que cet homme, jaloux de toute gloire, ne souffre pas qu'un autre soit honoré. C'est qu'il n'y a que lui.

Encore, si le mauvais choix des tableaux de Baudouin était racheté par le dessin, l'expression des caractères, un faire merveilleux; mais non, toutes les parties de l'art y sont médiocres. Dans le morceau dont il s'agit ici, la mariée est d'un joli ensemble, la tête en est bien dessinée; mais le mari, vu par le dos, a l'air d'un sac, sous lequel on ne ressent rien; sa robe de chambre l'emmaillote, la couleur en est terne. Point de nuit; scène de nuit, peinte de jour. La nuit, les ombres sont fortes, et par conséquent les clairs éclatants, et tout est gris. La suivante qui lève la couverture n'est pas mal ajustée.

SALON DE 1769

L'ami Baudouin, vous regardez trop votre beau-père, je vous l'ai déjà dit, et ce beau-père est le plus dangereux des modèles; c'est une chose que je vous ai dite encore; mais vous ne tenez aucun compte de mes avis. On peut se rencontrer, dites-vous, mais non pas sans cesse et toujours nez à nez. A votre place, j'aimerais mieux être un pauvre petit original qu'un grand copiste; c'est ma fantaisie et ce n'est peut-être pas la vôtre : maître dans ma chaumière plutôt qu'esclave dans un palais. Vous n'êtes pas sans éclat, vos *Feuillets d'évangiles* ne manquent pas de couleur; mais il n'y a dans vos figures ni ensemble ni dessin, pas une qui n'ait quelque membre disloqué et qui n'invoque Botentuyt [1]; ce sont ici des têtes trop grosses, là des cuisses trop courtes; votre style est [plat] [2] comme votre toile.

---

1. Chirurgien célèbre. (A.)
2. L : peint.

Et puis votre couleur, qui appelle d'abord, paraît ensuite dure et sèche. Ce *Modèle honnête* est plus vôtre, il y a plus de correction, mais la couleur en est fade. Le linge dont cette fille s'enveloppe étend très bien la lumière, mais pourquoi ne l'avoir pas fait plus grand et plus de goût? Vous courez à toutes jambes après l'expression, que vous n'atteignez pas; vous êtes minaudier, maniéré, et puis c'est tout. Pour s'allonger, on n'est pas grand. Et puis ce sujet, de la manière dont vous l'avez traité, est obscur; cette femme n'est pas une mère, c'est une ignoble créature qui fait quelque vilain commerce. On n'entend rien à tout ce mouvement dans une scène pathétique et de repos. Une jeune fille toute nue, assise sur la sellette de l'artiste, la tête penchée sur une de ses mains, laissant échapper de ses yeux baissés deux larmes, son autre bras posé sur les épaules de sa mère, ses haillons épars en désordre à côté d'elle, cette mère honnête et déguenillée se cachant le visage de son tablier, le peintre suspendant son ouvrage et attachant ses regards attendris sur ces deux figures, et tout était dit. Croyez-moi, abandonnez ces sortes de sujets à Greuze [1].

---

1. *Le Modèle honnête*, demeuré dans l'atelier de Baudouin, fu vendu à sa mort (décembre 1769). Le tableau passa chez Mlle Tes tard, danseuse de l'Opéra (1776, 1.750 livres) puis chez le rich imprimeur Prault (1780). On connaît la gravure de Moreau l jeune.

Baudouin. — Le Modèle honnête,
d'après la gravure de Moreau le jeune.

Bibliothèque Nationale. Cl. Giraudon.

FRAGONARD

SALON DE 1767

Quantum mutatus ab illo [1].

137. TABLEAU OVALE REPRÉSENTANT DES GROUPES D'ENFANTS DANS LE CIEL [2].

C'est une belle et grande omelette d'enfants; il y en a par centaines, tous entrelacés les uns dans les autres, têtes, cuisses, jambes, corps, bras, avec un art tout particulier; mais cela est sans force, sans couleur, sans profondeur, sans distinction de plans. Comme ces enfants sont très petits, ils ne sont pas faits pour être vus à une grande distance; mais comme le tout ressemble à un projet de plafond ou de coupole, il faudrait le suspendre horizontalement au-dessus de sa tête, et le juger de bas en haut. J'aurais attendu de cet artiste quelque effet piquant de lumière; et il n'y en a point. Cela est plat, jaunâtre, d'une teinte égale et monotone, et peint cotonneux. Ce mot n'a peut-être pas encore été dit, mais il rend bien, et si bien qu'on prendrait cette composition pour un lambeau d'une belle toison de brebis, bien propre, bien jaunâtre, dont les poils entremêlés ont formé par hasard des guirlandes d'enfants. Les nuages répandus entre eux sont pareillement jaunâtres et achèvent de rendre la comparaison exacte. Monsieur Fragonard, cela est diablement fade. Belle omelette, bien douillette, bien jaune et bien brûlée.

---

1. Virgile, *Énéide*, II, 274. Allusion perfide au tableau de réception de Fragonard, *Corésus et Callirhoë*, que Diderot avait admiré au Salon de 1765 (A.T., t. X, p. 296 sq.).

2. Selon le livret, tableau « tiré du cabinet de M. Bergeret »

138. UNE TÊTE DE VIEILLARD[1].

Cela est faible, mou, jaunâtre, teintes variées, passages bien entendus, mais point de vigueur. Ce vieillard regarde au loin; sa barbe est un peu monotone, point touchée de verve; même reproche aux cheveux, quoiqu'on ait voulu l'éviter. Couleur fade. Cou sec et raide. Monsieur Fragonard, quand on s'est fait un nom, il faut avoir un peu plus d'amour-propre. Quand, après une immense composition, qui a excité la plus forte sensation, on ne présente au public qu'une tête, je vous demande à vous-même ce qu'elle doit être.

139. PLUSIEURS DESSINS.

Pauvres choses! Le paysage est mauvais. L'homme appuyé sur sa bêche ne vaut pas mieux. J'en dis autant de cette espèce de brocanteur, assis devant sa table dans un fauteuil à bras. La mine en est pourtant excellente.

---

1. Motif que nous retrouvons aux musées d'Aix, d'Amiens et de Grenoble.

CHARDIN

SALON DE 1759

Il y a de Chardin un *Retour de chasse ;* des *Pièces de gibier ;* un *Jeune Élève qui dessine, vu par le dos ;* une *Fille qui fait de la tapisserie ;* deux petits tableaux de *Fruits ;* c'est toujours la nature et la vérité [1]. Vous prendriez les bouteilles par le goulot si vous aviez soif; les pêches et les raisins éveillent l'appétit et appellent la main [2]. M. Chardin est homme d'esprit, il entend la théorie de son art; il peint d'une manière qui lui est propre, et ses tableaux seront un jour recherchés. Il a le faire aussi large dans ses petites figures que si elles avaient des coudées. La largeur du faire est indépendante de l'étendue de la toile et de la grandeur des objets. Réduisez tant qu'il vous plaira une *Sainte Famille* de Raphaël et vous n'en détruirez point la largeur du faire.

---

1. Rien de plus difficile à identifier que les tableaux de Chardin, les répliques étant fort nombreuses. Nous disposons cependant d'un guide excellent, le *Chardin* d'A. Dayot et J. Guiffrey (Piazza, Paris, s.d.). Le *Retour de chasse* qui appartenait au comte du Luc est peut-être au musée d'Amiens. La *Fille qui fait de la tapisserie* appartenait à Cars, graveur du roi, passa dans la collection Silvestre dispersée en 1811 et se trouve actuellement dans la collection H. de Rothschild (Dayot, *op. cit.*, p. 87, nº 195); on en connaît une réplique à Stockholm. Quant aux tableaux de fruits, ils étaient en possession du « vilain Trublet », dont la réputation était fâcheuse, mais le goût excellent.

2. *Lettre à Grimm :* J'aimerais bien mieux que ces derniers fussent dans votre cabinet que chez ce vilain Trublet, à qui ils appartiennent.

SALON DE 1761

On a de Chardin un *Benedicite*[1], des *Animaux*, des *Vanneaux*[2], quelques autres morceaux. C'est toujours une imitation très fidèle de la nature, avec le faire qui est propre à cet artiste; un faire rude et comme heurté; une nature basse, commune et domestique. Il y a longtemps que ce peintre ne finit plus rien; il ne se donne plus la peine de faire des pieds et des mains. Il travaille comme un homme du monde qui a du talent, de la facilité, et qui se contente d'esquisser sa pensée en quatre coups de pinceau. Il s'est mis à la tête des peintres négligés, après avoir fait un grand nombre de morceaux qui lui ont mérité une place distinguée parmi les artistes de la première classe. Chardin est homme d'esprit, et personne peut-être ne parle mieux que lui de la peinture. Son tableau de réception[3], qui est à l'Académie, prouve qu'il a entendu la magie des couleurs. Il a répandu cette magie dans quelques autres compositions, où se trouvant jointe au dessin, à l'invention et à une extrême vérité, tant de qualités réunies en font dès à présent des morceaux d'un grand prix. Chardin a de l'originalité dans son genre. Cette originalité passe de sa peinture dans la gravure. Quand on a

---

1. D'après le livret (édition J. Guiffrey, Paris, 1869, p. 17), il s'agit « d'une répétition du tableau qui est au cabinet du roi, mais avec des changements »; or le *Benedicite* du Louvre, daté de 1740, fut l'objet de quatre répliques (Stockholm — Ermitage — collection Jahan-Marcille — collection Lacaze du Louvre). La réplique Jahan-Marcille, datée de 1746, provient de M. de la Live. Notre tableau de 1761 appartenait au notaire Fortier et fut vendu 900 livres en 1770.

2. Tableaux d'*Animaux* appartenant au peintre Aved et de *Vanneaux* appartenant à Silvestre, maître à dessiner du roi; l'un et l'autre étaient de grands amis de Chardin.

3. *La Raie* (actuellement au Louvre) que Chardin exposa en plein air, place Dauphine, lors de la procession de la Fête-Dieu (1728).

vu un de ses tableaux, on ne s'y trompe plus; on le reconnaît partout. Voyez sa *Gouvernante avec ses enfants* [1], et vous aurez vu son *Benedicite.*

SALON DE 1763

C'est celui-ci qui est un peintre; c'est celui-ci qui est un coloriste.

Il y a au Salon plusieurs petits tableaux de Chardin; ils représentent presque tous des fruits avec les accessoires d'un repas. C'est la nature même; les objets sont hors de la toile et d'une vérité à tromper les yeux.

Celui qu'on voit en montant l'escalier mérite surtout l'attention. L'artiste a placé sur une table un vase de vieille porcelaine de la Chine, deux biscuits, un bocal rempli d'olives, une corbeille de fruits, deux verres à moitié pleins de vin, une bigarade avec un pâté [2].

Pour regarder les tableaux des autres, il semble que j'aie besoin de me faire des yeux; pour voir ceux de Chardin, je n'ai qu'à garder ceux que la nature m'a donnés et m'en bien servir.

Si je destinais mon enfant à la peinture, voilà le tableau que j'achèterais. « Copie-moi cela, lui dirais-je, copie-moi cela encore. » Mais peut-être la nature n'est-elle pas plus difficile à copier.

C'est que ce vase de porcelaine est de la porcelaine; c'est que ces olives sont réellement séparées de l'œil par l'eau

---

1. *La Gouvernante*, exposée au Salon de 1739, fut achetée .800 livres par le prince de Liechtenstein lors de son ambas- ıde en France. Le tableau, qui est toujours à Vienne dans la col- ːction Liechtenstein, présente *un seul* enfant morigéné par sa ouvernante. Est-ce une erreur de Diderot ou une allusion à une ːplique inconnue?

2. Ce tableau (nº 62 du livret de 1763, *op. cit.*, rééd. 1870, p. 19) ɔpartenait au sculpteur Le Moyne. Sa description très précise ɔus permet de reconnaître avec certitude le *Bocal d'olives* de la ɔllection Lacaze au Louvre (cf. Dayot, *op. cit.*, p. 71, nº 82). La bigarade » est l'orange amère.

dans laquelle elles nagent; c'est qu'il n'y a qu'à prendre ces biscuits et les manger, cette bigarade l'ouvrir et la presser, ce verre de vin et le boire, ces fruits et les peler, ce pâté et y mettre le couteau.

C'est celui-ci qui entend l'harmonie des couleurs et des reflets. O Chardin! ce n'est pas du blanc, du rouge, du noir que tu broies sur ta palette : c'est la substance même des objets, c'est l'air et la lumière que tu prends à la pointe de ton pinceau et que tu attaches sur la toile.

Après que mon enfant aurait copié et recopié ce morceau, je l'occuperais sur la *Raie dépouillée* du même maître. L'objet est dégoûtant, mais c'est la chair même du poisson, c'est sa peau, c'est son sang; l'aspect même de la chose n'affecterait pas autrement. Monsieur Pierre [1], regardez bien ce morceau, quand vous irez à l'Académie, et apprenez, si vous pouvez, le secret de sauver par le talent le dégoût de certaines natures.

On n'entend rien à cette magie. Ce sont des couches épaisses de couleur appliquées les unes sur les autres et dont l'effet transpire de dessous en dessus. D'autres fois, on dirait que c'est une vapeur qu'on a soufflée sur la toile; ailleurs, une écume légère qu'on y a jetée. Rubens, Berghem, Greuze, Loutherbourg vous expliqueraient ce faire bien mieux que moi; tous en feront sentir l'effet à vos yeux. Approchez-vous, tout se brouille, s'aplatit et disparaît; éloignez-vous, tout se recrée et se reproduit.

On m'a dit que Greuze montant au Salon et apercevant le morceau de Chardin que je viens de décrire, le regarda et passa en poussant un profond soupir. Cet éloge est plus court et vaut mieux que le mien.

Qui est-ce qui payera les tableaux de Chardin, quand cet homme rare ne sera plus? Il faut que vous sachiez encore que cet artiste a le sens droit et parle à merveille de son art

Ah! mon ami, crachez sur le rideau d'Apelle et sur les raisins de Zeuxis. On trompe sans peine un artiste impa

1. Jean-Baptiste Pierre (1713-1789), alors premier peintre du duc d'Orléans.

45. LES ATTRIBUTS DES SCIENCES.

On voit sur une table couverte d'un tapis rougeâtre, en allant, je crois, de la droite à la gauche, des livres posés sur la tranche, un microscope, une clochette, un globe à demi caché d'un rideau de taffetas vert, un thermomètre, un miroir concave sur son pied, une lorgnette avec son étui, des cartes roulées, un bout de télescope.

C'est la nature même, pour la vérité des formes et de la couleur; les objets se séparent les uns des autres, avancent, reculent, comme s'ils étaient réels; rien de plus harmonieux, et nulle confusion, malgré leur nombre et le petit espace.

46. LES ATTRIBUTS DES ARTS.

Ici ce sont des livres à plat, un vase antique, des dessins, des marteaux, des ciseaux, des règles, des compas, une statue en marbre, des pinceaux, des palettes, et autres objets analogues. Ils sont posés sur une espèce de balustrade. La statue est celle de la fontaine de Grenelle, le chef-d'œuvre de Bouchardon [1]. Même vérité, même couleur, même harmonie.

47. LES ATTRIBUTS DE LA MUSIQUE.

Le peintre a répandu sur une table couverte d'un tapis rougeâtre, une foule d'objets divers, distribués de la manière la plus naturelle et la plus pittoresque; c'est un pupitre dressé; c'est devant ce pupitre un flambeau à deux branches; c'est par derrière une trompe [2] et un cor de chasse, dont on voit le concave de la trompe par-dessus le pupitre; ce sont des hautbois, une mandore, des papiers de musique étalés, le manche d'un violon avec son archet, et des livres

1. La fontaine de la rue de Grenelle fut achevée par Edme Bouchardon en 1747 : la sculpture s'y accorde fort bien avec le cadre architectural.

2. A. T. : trompette.

posés sur la tranche. Si un être animé malfaisant, un serpent, était peint aussi vrai, il effrayerait.

48. RAFRAICHISSEMENTS, FRUITS ET ANIMAUX.

Imaginez une fabrique carrée de pierre grisâtre, une espèce de fenêtre avec sa saillie et sa corniche. Jetez, avec le plus de noblesse et d'élégance que vous pourrez, une guirlande de gros verjus qui s'étende le long de la corniche, et qui retombe sur les deux côtés. Placez dans l'intérieur de la fenêtre un verre plein de vin, une bouteille, un pain entamé, d'autres carafes qui rafraîchissent dans un seau de faïence, un cruchon de terre, des radis, des œufs frais, une salière, deux tasses à café servies et fumantes; et vous verrez le tableau de Chardin. Cette fabrique, de pierre large et unie, avec cette guirlande de verjus qui la décore, est de la plus grande beauté. C'est un modèle pour la façade d'un temple de Bacchus.

48. PENDANT DU PRÉCÉDENT TABLEAU.

La même fabrique de pierre; autour, une guirlande de gros raisins muscats blancs; en dedans, des pêches, des prunes, des carafes de limonade dans un seau de fer-blanc peint en vert, un citron pelé et coupé par le milieu, une corbeille pleine d'échaudés, un mouchoir de Masulipatam pendant en dehors, une carafe d'orgeat, avec un verre qui en est à moitié plein. Combien d'objets! quelle diversité de formes et de couleurs! Et cependant quelle harmonie! quel repos! Le mouchoir est d'une mollesse à étonner.

48. TROISIÈME TABLEAU DE RAFRAICHISSEMENTS A PLACER ENTRE LES DEUX PREMIERS.

S'il est vrai qu'un connaisseur ne puisse se dispenser d'avoir au moins un Chardin, qu'il s'empare de celui-ci : l'artiste commence à vieillir. Il a fait quelquefois aussi bien,

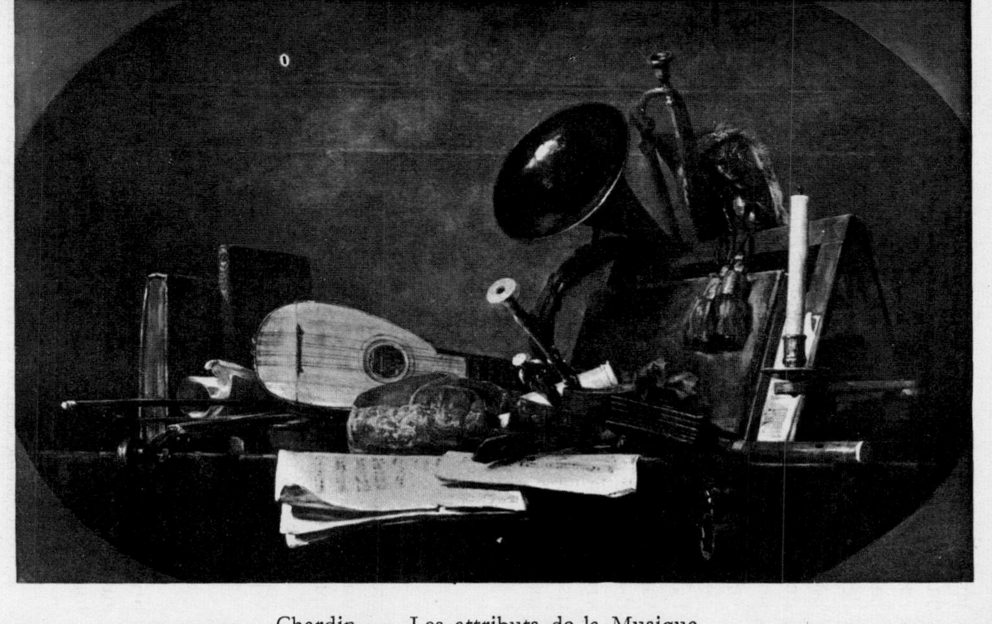

Chardin. — Les attributs de la Musique.

Musée du Louvre. Cl. Giraudon.

jamais mieux. Suspendez par la patte un oiseau de rivière; sur un buffet au-dessous, supposez des biscuits entiers et rompus, un bocal bouché de liège et rempli d'olives, une jatte de la Chine peinte et couverte, un citron, une serviette dépliée [1] et jetée négligemment, un pâté sur un rondin de bois, avec un verre à moitié plein de vin. C'est là qu'on voit qu'il n'y a guère d'objets ingrats dans la nature, et que le point est de les rendre. Les biscuits sont jaunes, le bocal est vert, la serviette blanche, le vin rouge, et ce jaune, ce vert, ce blanc, ce rouge, mis en opposition, récréent l'œil par l'accord le plus parfait. Et ne croyez pas que cette harmonie soit le résultat d'une manière faible, douce et léchée; point du tout; c'est partout la touche la plus vigoureuse. Il est vrai que ces objets ne changent point sous les yeux de l'artiste. Tels il les a vus un jour, tels il les retrouve le lendemain. Il n'en est pas ainsi de la nature animée. La constance n'est l'attribut que de la pierre [2].

49. UNE CORBEILLE DE RAISINS.

C'est tout le tableau; dispersez seulement autour de la corbeille quelques grains de raisins séparés, un macaron, une poire, et deux ou trois pommes d'api. On conviendra que des grains de raisins séparés, un macaron, des pommes d'api isolées, ne sont favorables ni de forme, ni de couleur; cependant qu'on voie le tableau de Chardin.

49. UN PANIER DE PRUNES.

Placez sur un banc de pierre un panier d'osier plein de prunes, auquel une méchante ficelle serve d'anse, et jetez autour, des noix, deux ou trois cerises, et quelques grappillons de raisin [3].

1. A.T. : déployée.

2. Le troisième tableau de rafraîchissements peut être identifié il appartient actuellement à la collection Jacques-Doucet (cf Dayot, *op. cit.*, p. 76, nº 117).

3. Très probablement le *Panier de prunes* de la collection Jahan-Marcille (cf. Dayot, *op. cit.*, p. 79, nº 142).

Cet homme est le premier coloriste du Salon, et peut-être un des premiers coloristes de la peinture. Je ne pardonne point à cet impertinent Webb, d'avoir écrit un traité de l'art, sans citer un seul Français [1]. Je ne pardonne pas davantage à Hogarth d'avoir dit que l'École française n'avait pas même un médiocre coloriste. Vous en avez menti, monsieur Hogarth; c'est, de votre part, ignorance ou platitude. Je sais bien que votre nation a le tic de dédaigner un auteur impartial, qui ose parler de nous avec éloge; mais faut-il que vous fassiez bassement la cour à vos concitoyens, aux dépens de la vérité? Peignez, peignez mieux, si vous pouvez. Apprenez à dessiner et n'écrivez point. Nous avons, les Anglais et nous, deux manières[2] bien diverses. La nôtre est de surfaire les productions anglaises; la leur est de déprimer [3] les nôtres. Hogarth vivait encore il y a deux ans. Il avait séjourné en France; et il y a trente ans que Chardin est un grand coloriste [4].

Le faire de Chardin est particulier. Il a de commun avec la manière heurtée, que de près on ne sait ce que c'est, et qu'à mesure qu'on s'éloigne l'objet se crée, et finit par être celui de la nature même. Quelquefois aussi, il vous plaît également [5] de près et de loin. Cet homme est au-dessus de Greuze de toute la distance de la terre au ciel, mais en ce point seulement. Il n'a point de manière; je me trompe, il a

---

1. L'ouvrage de Daniel Webb, *An inquiry into the beauties of Painting*, date de 1760. Diderot en avait donné quelques extraits dans la *Correspondance littéraire* (16 janvier 1763, A.T., t. XIII, p. 33-39) et l'abbé Bergier venait de le traduire (Paris, Briasson, 1765).

2. A.T. : manies.

3. A.T. : déprécier.

4. William Hogarth, mort à Londres le 25 octobre 1764, était d'une redoutable gallophobie; dans son *Analysis of Beauty* (1753), il écrase les artistes français sous des jugements d'une rare suffisance. Mais Diderot ignore l'explication : en 1749, après la paix d'Aix-la-Chapelle, Hogarth voulut visiter la France; contemplant à Calais le blason anglais de la vieille porte, il fut pris pour un espion et immédiatement expulsé. *Inde ira.*

5. A.T. : presque également.

la sienne. Mais puisqu'il a une manière sienne, il devrait être faux dans quelques circonstances, et il ne l'est jamais. Tâchez, mon ami, de vous expliquer cela. Connaissez-vous en littérature un style propre à tout? Le genre de peinture de Chardin est le plus facile [1] ; mais aucun peintre vivant, pas même Vernet, n'est aussi parfait dans le sien.

SALON DE 1767

38. DEUX TABLEAUX REPRÉSENTANT DIVERS INSTRUMENTS DE MUSIQUE.

Commençons par dire le secret de celui-ci. Cette indiscrétion sera sans conséquence. Il place son tableau devant la Nature, et il le juge mauvais, tant qu'il n'en soutient pas la présence.

Ces deux tableaux sont très bien composés. Les instruments y sont disposés avec goût. Il y a, dans ce désordre qui les entasse, une sorte de verve. Les effets de l'art y sont préparés à ravir. Tout y est, pour la forme et pour la couleur, de la plus grande vérité. C'est là qu'on apprend comment on peut allier la vigueur avec l'harmonie. Je préfère celui où l'on voit des timbales; soit que ces objets y forment de plus grandes masses, soit que la disposition en soit plus piquante. L'autre passerait pour un chef-d'œuvre, sans son pendant [2].

Je suis sûr que, lorsque le temps aura éteint l'éclat un peu dur et cru des couleurs fraîches, ceux qui pensent que Chardin faisait encore mieux autrefois changeront d'avis. Qu'ils aillent revoir ses ouvrages [3] lorsque le temps les aura peints.

---

1. A.T. : à la vérité le plus facile.

2. Ces deux tableaux cintrés, « destinés à la salle de musique du château de Bellevue », sont actuellement dans la collection Jahan-Marcille (cf. E. Pilon, *Chardin*, s. d., Plon, p. 132 et 144). Tous deux sont datés de 1767 et représentent les *Instruments de la musique civile* et les *Instruments de la musique militaire*. Diderot préfère le second, « avec des timbales ».

3. A.T. : ces.

J'en dis autant de Vernet, et de ceux qui préfèrent ses premiers tableaux à ceux qui sortent de dessus sa palette.

Chardin et Vernet voient leurs ouvrages à douze ans du moment où ils peignent; et ceux qui les jugent ont aussi peu de raison que ces jeunes artistes qui s'en vont copier servilement à Rome des tableaux faits il y a cent cinquante ans. Ne soupçonnant pas l'altération que le temps a faite à la couleur, ils ne soupçonnent pas davantage qu'ils ne verraient pas les morceaux des Carraches, tels qu'ils les ont sous les yeux, s'ils avaient été sur le chevalet des Carraches, tels qu'ils les voient. Mais qui est-ce qui leur apprendra à apprécier les effets du temps ? [Qui est-ce] [1] qui les garantira de la tentation de faire demain de vieux tableaux, de la peinture du siècle passé? Le bon sens et l'expérience.

Je n'ignore pas que les modèles de Chardin, les natures inanimées qu'il imite, ne changent ni de place, ni de couleur, ni de formes; et qu'à perfection égale, un portrait de La Tour a plus de mérite qu'un morceau de genre de Chardin. Mais un coup de l'aile du temps ne laissera rien qui justifie la réputation du premier. La poussière précieuse s'en ira de dessus la toile, moitié dispersée dans les airs, moitié attachée aux longues plumes du vieux Saturne. On parlera de La Tour, mais on verra Chardin. O La Tour! *memento homo, quia pulvis es et in pulverem reverteris* [2].

On dit de celui-ci qu'il a un technique qui lui est propre, et qu'il se [sert] [3] autant de son pouce que de son pinceau. Je ne sais ce qui en est. Ce qu'il y a de sûr, c'est que je n'ai jamais connu personne qui l'ait vu travailler; quoi qu'il en soit, ses compositions appellent indistinctement l'ignorant et le connaisseur. C'est une vigueur de couleur incroyable, une harmonie générale, un effet piquant et vrai, de belles masses, une magie de faire à désespérer, un ragoût dans l'assortiment et l'ordonnance. Éloignez-vous, approchez-vous, même illusion, point de confusion, point de symétrie

1. *Omisit* L.
2. *Genèse*, III, 19.
3. L : sent.

non plus, [point de papillotage; l'œil est toujours récréé][1], parce qu'il y a calme et repos. On s'arrête devant un Chardin, comme d'instinct, comme un voyageur fatigué de sa route va s'asseoir, sans presque s'en apercevoir, dans l'endroit qui lui offre un siège de verdure, du silence, des eaux, de l'ombre et du frais.

SALON DE 1769

Je devrais vous indiquer les morceaux de Chardin et vous renvoyer à ce que j'ai dit de cet artiste dans les Salons précédents; mais j'aime à me répéter quand je loue : je cède à ma pente naturelle. Le bien en général m'affecte beaucoup plus que le mal. Le mal, au premier moment, me fait sauter aux solives; mais c'est un transport qui passe. L'admiration du bien me dure. Chardin n'est pas un peintre d'histoire, mais c'est un grand homme. C'est le maître à tous pour l'harmonie, cette partie si rare dont tout le monde parle et que très peu connaissent. Arrêtez-vous longtemps devant un beau Teniers ou un beau Chardin; fixez-en bien dans votre imagination l'effet; rapportez ensuite à ce modèle tout ce que vous verrez, et soyez sûr que vous aurez trouvé le secret d'être rarement satisfait.

31. LES ATTRIBUTS DES ARTS ET LES RÉCOMPENSES QUI LEUR SONT ACCORDÉES.

Tous voient la nature, mais Chardin la voit bien et s'épuise à la rendre comme il la voit; son morceau des *Attributs des Arts* en est une preuve. Comme la perspective y est observée! comme les objets y reflètent les uns sur les autres! comme les masses y sont décidées! On ne sait où est le prestige, parce qu'il est partout. On cherche des obscurs et des clairs, et il faut bien qu'il y en ait, mais ils ne frappent dans aucun endroit; les objets se séparent sans apprêt.

Prenez le plus petit tableau de cet artiste, une pêche, un

1. *Omisit* A.T.

ıisin, une poire, une noix, une tasse, une soucoupe, un
.pin, une perdrix, et vous y trouverez le grand et profond
ɔloriste. En regardant ses *Attributs des Arts*, l'œil récréé
ɛste satisfait et tranquille. Quand on a regardé longtemps
ɛ morceau, les autres paraissent froids, découpés, plats,
rus et désaccordés. Chardin est entre la nature et l'art; il
ɛlègue les autres imitations au troisième rang. Il n'y a rien
n lui qui sente la palette. C'est une harmonie au delà de
ıquelle on ne songe pas à désirer; elle serpente impercep-
blement dans sa composition, toute sous chaque partie de
étendue de sa toile; c'est, comme les théologiens disent de
esprit, sensible dans le tout et secret en chaque point.
Iais comme il faut être juste, c'est-à-dire sincère avec soi-
ıême, le Mercure, symbole de la sculpture, m'en a semblé
'un dessin un peu maigre, tant soit peu trop clair et trop
ominant sur le reste; il ne fait pas toute l'illusion possible.
'est qu'il ne fallait pas prendre pour modèle un plâtre
euf; c'est qu'un plâtre plus poudreux aurait été d'une
ımière plus sourde, et plus heureux par les accidents; c'est
u'il y a si longtemps que nous n'avons dessiné une aca-
émie, que nous n'y sommes plus, et qu'en sus le dessin de
ette figure n'est pas pur. Chardin est un vieux magicien à
ui l'âge n'a pas encore ôté sa baguette. Ce tableau des
1ttributs des Arts est la répétition de celui qu'il a exécuté
our l'impératrice de Russie et qui lui est préférable. Char-
in se copie volontiers, ce qui me ferait penser que ses
uvrages lui coûtent beaucoup [1].

32. UNE FEMME QUI REVIENT DU MARCHÉ.

Cette cuisinière qui revient du marché est encore la redite
l'un morceau peint il y a quarante ans [2]. C'est une belle

1. Réplique avec changements du tableau fait pour l'impéra-
rice Catherine II et actuellement perdu. Il appartenait à l'abbé
'ommyer, conseiller au Parlement, et correspond exactement au
ableau de la collection Groult (cf. Dayot, *op. cit.*, p. 77, nº 130).

2. Exagération de Diderot : *la Pourvoyeuse* du Louvre fut
xposée au Salon de 1739. Il s'agit ici d'une réplique apparte-

petite chose que ce tableau. Si Chardin a un défaut, comm
il tient à son faire particulier, vous le retrouverez partout
par la même raison, ce qu'il a de parfait, il ne le perd jamais
Il est ici également harmonieux; c'est la même entente de
reflets, la même vérité d'effets, chose rare; car il est facil
d'avoir de l'effet quand on se permet des licences, lorsqu'o
établit une masse d'ombres sans se soucier de ce qui la pro
duit. Mais être chaud et principié, esclave de la nature e
maître de l'art, avoir du génie et de la raison, c'est le diabl
à confesser. C'est dommage que Chardin mette sa manièr
à tout, et qu'en passant d'un objet à un autre elle devienn
quelquefois lourde et pesante. Elle se conciliera à merveill
avec l'opaque, le mat, le solide des objets inanimés; ell
jurera avec le vivant, la délicatesse des objets sensibles
Voyez-la, ici, dans un réchaud, des pains et autres acces
soires, et jugez si elle fait également bien au visage et au
bras de cette servante, qui me paraît d'ailleurs un peu colos
sale de proportion et maniérée d'attitude.

Chardin est un si rigoureux [1] imitateur de nature, un jug
si sévère de lui-même, que j'ai vu de lui un tableau de *Gibie*
qu'il n'a jamais achevé, parce que de petits lapins d'aprè
lesquels il travaillait étant venus à se pourrir, il désespér
d'atteindre avec d'autres à l'harmonie dont il avait l'idée
Tous ceux qu'on lui apporta étaient ou trop bruns ou trop
clairs.

34. DEUX BAS-RELIEFS.

Les modèles de ses deux petits *Bas-reliefs* sont d'un mau
vais choix, c'est de la médiocre sculpture; malgré cela, il
me jettent dans l'admiration. On y voit qu'on peut être har
monieux et coloriste dans les objets qui le comportent le

---

nant à « M. Silvestre, maître à dessiner des Enfants de France »
actuellement dans la collection Henri de Rothschild (cf. Dayot
op. cit., p. 86, nº 190). On peut vérifier d'après Diderot les changements apportés : c'est bien un « réchaud » qui remplace l'as
siette brune de 1739.

1. A.T. : vigoureux.

moins. Ils sont blancs, et il n'y a ni noir ni blanc; pas deux tons qui se ressemblent, et cependant le plus parfait accord. Ce Chardin avait bien raison de dire à un de ses confrères, peintre de routine : « Est-ce qu'on peint avec des couleurs? — Avec quoi donc? — Avec quoi? Avec le sentiment... » C'est lui qui voit ondoyer la lumière et les reflets à la surface des corps; c'est lui qui les saisit et qui rend, avec je ne sais quoi, leur inconcevable confusion.

33. UNE HURE DE SANGLIER [1].

Voilà une *Hure de sanglier* de sa façon qui ne me tente pas. Les masses y sont bien, mais la touche en est lourde, les détails y manquent, et les soies [2] de l'animal n'ont ni la facilité, ni la verve que j'y veux.

35. DEUX TABLEAUX DE FRUITS.

Ses deux tableaux de *Fruits* sont très jolis. Il ne faut à Chardin qu'une poire, une grappe de raisin pour signer son nom : *ex ungue leonem*. Et malheur à celui qui ne sait pas reconnaître l'animal à sa griffe.

37. DEUX TABLEAUX DE GIBIER.

Qu'est-ce que cette perdrix? Ne le voyez-vous pas? c'est une perdrix [3]. Et celle-là? C'en est une encore.

SALON DE 1771

Un tableau représentant un bas-relief :

---

1. « Tableau tiré du cabinet » du chancelier Maupeou. On signale de Chardin une étude de sanglier à Stockholm (Dayot, *op. cit.*, p. 94, n° 248).
2. A.T. : faces (erreur de lecture du manuscrit).
3. D'après Assézat, une *Perdrix* de Chardin figurait sous le second Empire dans la collection du duc de Morny. Une autre se trouve à la galerie grand-ducale de Karlsruhe.

38. JEUX D'ENFANTS[1].

On reconnaît le grand homme en tout temps. M. Chardin emploie ici une magie différente; ce morceau est beaucoup moins fini que ses ouvrages précédents, et a néanmoins autant d'effet et de vérité que tout ce qui sort de son pinceau; l'illusion y est de la plus grande force, et j'ai vu plus d'une personne y être trompée. Il me semble qu'on pourrait dire de M. Chardin et de M. de Buffon que la nature les a mis dans sa confidence.

39. TROIS TÊTES D'ÉTUDE AU PASTEL.

C'est toujours la même main sûre et libre et les mêmes yeux accoutumés à voir la nature, mais à la bien voir et à démêler la magie de ses effets[2].

SALON DE 1775

SAINT-QUENTIN

Voilà des *Études*[3] de Chardin qui ont de la sensibilité; la couleur en est un peu maniérée. En général, j'aime mieux ses tableaux de genre.

DIDEROT

Pourquoi passez-vous si vite?

---

1. S'agirait-il de l'*Enfant jouant avec une chèvre* de la collection Jahan-Marcille (Dayot, *op. cit.*, p. 80, nº 151)?

2. Diderot ne précise malheureusement pas ce qu'étaient ces premiers pastels de Chardin, dernier renouvellement de sa technique. En faisait partie le *Chardin aux besicles* du Louvre (Dayot, *op. cit.*, p. 65, nº 60).

3. Aucun renseignement sur ces « trois têtes d'étude au pastel » indiquées au livret.

Chardin. — Chardin aux bésicles, pastel.

Musée du Louvre. Cl. Viollet.

III

LE VISAGE HUMAIN

LA TOUR

SALON DE 1761

Les pastels de M. de La Tour sont toujours comme il les sait faire. Parmi ceux qu'il a exposés cette année, le portrait du vieux *Crébillon* à la romaine, la tête nue, et celui de *M. Laideguive* [1], notaire, ajouteront beaucoup à sa réputation [2].

SALON DE 1763

La Tour est toujours le même. Si ses portraits frappent moins aujourd'hui, c'est qu'on attend tout ce qu'il fait.

Il a peint le *Prince Clément* et la *Princesse Christine de Saxe*, le *Dauphin* et presque toute sa famille [3]. Le portrait du célèbre sculpteur *Le Moyne* est surprenant pour la vie et la vérité qui y sont.

C'est un rare corps que ce La Tour; il se mêle de poésie, de morale, de théologie, de métaphysique, et de politique. C'est un homme franc et vrai. C'est un fait qu'en 1756, faisant le portrait du roi, Sa Majesté cherchait à s'entretenir

---

1. Goncourt, *Art au* XVIIIe *siècle* (t. II, p. 408) : *Laiguedive*.

2. Parmi les neuf portraits exposés en 1761 figurait le *Chardin* du Louvre. Le *Crébillon* (ou son esquisse) est actuellement au musée de Saint-Quentin (cf. Henri Lapauze, *La Tour et son œuvre*, Paris, 1905, nº 44). *Le notaire Laideguive* gravé par Waltner pour le journal *l'Art* fut exposé au Palais de l'Industrie, en sept. 1874; actuellement, dans la collection Cambo, à Barcelone.

3. *Le Dauphin* et *La Dauphine* ont disparu, de même que les princes de Saxe ; mais le Louvre conserve le *Comte de Provence* et le sculpteur *Le Moyne*.

avec lui sur son art pendant les séances, et que La Tour répondit à toutes les observations du monarque : *Vous avez raison, sire, mais nous n'avons point de marine.* Cette liberté déplacée n'offensa point et le portrait s'acheva. Il dit un jour à monseigneur le Dauphin qui lui paraissait mal instruit d'une affaire qu'il lui avait recommandée : *Voilà comme vous vous laissez toujours tromper par des fripons, vous autres.* Il prétend qu'il ne va à la cour que pour leur dire leurs vérités, et à Versailles il passe pour un fou dont les propos ne tirent point à conséquence, ce qui lui conserve son franc parler.

J'y étais, chez M. le baron d'Holbach, lorsqu'on lui montra deux pastels de Mengs, aujourd'hui, je crois, premier peintre du roi d'Espagne. La Tour les regarda longtemps. C'était avant dîner. On sert, il se met à table; il mange sans parler; puis, tout à coup, il se lève, va revoir les deux pastels et ne reparaît plus [1].

Ces deux pastels représentent l'*Innocence* sous la figure d'une jeune fille qui caresse un agneau, et le *Plaisir* sous la figure d'un jeune garçon enlacé de soie, couronné de fleurs et la tête entourée de l'arc-en-ciel.

SALON DE 1767

Il y avait, cette année, au Salon, beaucoup de portraits, peu de bons, comme cela doit être, et pas un pastel qu'on pût regarder, si vous en exceptez l'ébauche d'une tête de femme dont on pouvait dire : *ex ungue leonem;* le portrait de l'oculiste Demours, figure hideuse, beau morceau de peinture [2]; et la figure crapuleuse et basse de ce vilain abbé de

---

1. Raphaël Mengs (1728-1779) étudia à Rome, s'y convertit et fut nommé par Benoît XIV professeur à l'Académie du Capitole. Nommé premier peintre du roi d'Espagne, il quitta Rome pour Madrid en 1761. Les deux pastels n'ont pas été retrouvés.

2. Le pastel de Pierre Demours, célèbre oculiste (1702-1795) spécialiste de chirurgie oculaire, est actuellement dans une collection particulière. Une excellente reproduction en est donnée dans l'*Histoire générale de la médecine* de Laignel-Lavastine (Albin Michel, t. III, p. 723).

Lattaignant. C'était lui-même passant sa tête à travers un petit cadre de bois noir [1]. C'est, certes, un grand mérite aux portraits de La Tour de ressembler; mais ce n'est ni leur principal, ni leur seul mérite. Toutes les parties de la peinture y sont encore. Le savant, l'ignorant, les admire sans avoir jamais vu les personnes; c'est que la chair et la vie y sont : mais pourquoi juge-t-on que ce sont des portraits, et cela sans s'y méprendre? Quelle différence y a-t-il entre une tête de fantaisie et une tête réelle? Comment dit-on d'une tête réelle qu'elle est bien dessinée, tandis qu'un des coins de la bouche relève; tandis que l'autre tombe; qu'un des yeux est plus petit et plus bas que l'autre; et que toutes les règles conventionnelles du dessin y sont enfreintes dans la position, les longueurs, la forme et la proportion des parties? Dans les ouvrages de La Tour, c'est la nature même, c'est le système de ses incorrections telles qu'on les y voit tous les jours. Ce n'est pas de la poésie; ce n'est que de la peinture. J'ai vu peindre La Tour; il est tranquille et froid; il ne se tourmente point; il ne souffre point; il ne halète point; il ne fait aucune de ces contorsions du modeleur enthousiaste, sur le visage duquel on voit se succéder les ouvrages qu'il se propose de rendre, et qui semblent passer de son âme sur son front, et de son front sur sa terre ou sur sa toile. Il n'imite point les gestes du furieux; il n'a point le sourcil relevé de l'homme qui dédaigne le regard de sa femme qui s'attendrit; il ne s'extasie point; il ne sourit point à son travail; il reste froid, et cependant son imitation est chaude. Obtiendrait-on d'une étude opiniâtre et longue le mérite de La Tour? Ce peintre n'a jamais rien produit de verve; il a le génie du technique; c'est un machiniste merveilleux. Quand je dis de La Tour qu'il est machiniste, c'est

1. L'abbé Gabriel-Charles de Lattaignant, « homme de très bonne famille et de beaucoup d'esprit, connu ici par mille petites chansons ingénieuses et par son libertinage », disait Raynal en 1748 dans les *Nouvelles littéraires* (*Corresp. litt.*, I, 123). « Le plus grand chansonnier de France » (*Pièces dérobées*, Amsterdam, 1750) devait se convertir en 1770 et écraser les athées sous de pieux quatrains.

comme je le dis de Vaucanson, et non comme je le dirais
Rubens. Voilà ma pensée pour le moment, sauf à revenir
mon erreur, si c'en est une. Lorsque le jeune Perrone
parut, La Tour en fut inquiet; il craignit que le public
pût sentir autrement que par une comparaison directe l'i
tervalle qui les séparait. Que fit-il? Il proposa son portra
à peindre à son rival, qui s'y refusa par modestie; c'est cel
où il a le devant du chapeau rabattu, la moitié du visa
dans la demi-teinte, et le reste du corps éclairé. L'innoce
artiste se laisse vaincre à force d'instances; et, tandis qu'
travaillait, l'artiste jaloux exécutait le même ouvrage de s
côté. Les deux tableaux furent achevés en même temps,
exposés au même Salon; ils montrèrent la différence
maître et de l'écolier. Le tour est fin, et me déplaît [1]. Homm
singulier, mais bon homme, mais galant homme, La To
ne ferait pas cela aujourd'hui; et puis il faut avoir quelq
indulgence pour un artiste piqué de se voir rabaissé sur
ligne d'un homme qui ne lui allait pas à la cheville du pie
Peut-être n'aperçut-il dans cette espièglerie que la morti
cation du public, et non celle d'un confrère trop habile po
ne pas sentir son infériorité, et trop franc pour ne pas
reconnaître. Eh! ami La Tour, n'était-ce pas assez que Pe
roneau te dît : « Tu es le plus fort; » ne pouvais-tu êt
content, à moins que le public ne te le dît aussi? Eh bie
il fallait attendre un moment, et ta vanité aurait été sati
faite, et tu n'aurais point humilié ton confrère. A la long
chacun a la place qu'il mérite. La société, c'est la maison
Bertin; un fat y prend le haut bout la première fois qu'il s
présente, mais peu à peu il est repoussé par les survenant

---

1. Nous ne saurions juger sur pièces cette compétition de 17
entre La Tour et Jean-Baptiste Perronneau (1715-1783) : Le
Tour de Perronneau, actuellement au musée de Saint-Quent
ne répond pas à la description de Diderot et La Tour s'était d
peint lui-même en 1742 avec le chapeau rabattu. Diderot a cepe
dant quelque chance de bien connaître l'affaire : il aimait cons
ter La Tour sur son art et le peintre l'invitait chez lui (cf.
Sophie Volland, II, 69-8 septembre 1765).

il fait le tour de la table; et il se trouve à la dernière place au-dessus ou au-dessous de l'abbé de La Porte [1].

Encore un mot sur les portraits et portraitistes. Pourquoi un peintre d'histoire est-il communément un mauvais portraitiste? Pourquoi un barbouilleur du pont Notre-Dame fera-t-il plus ressemblant qu'un professeur de l'Académie? C'est que celui-ci ne s'est jamais occupé de l'imitation rigoureuse de la nature; c'est qu'il a l'habitude d'exagérer, d'affaiblir, de corriger son modèle; c'est qu'il a la tête pleine de règles qui l'assujettissent et qui dirigent son pinceau, sans qu'il s'en aperçoive; c'est qu'il a toujours altéré les formes d'après ces règles de goût, et qu'il continue de les altérer; c'est qu'il fond, avec les traits qu'il a sous les yeux et qu'il s'efforce en vain de copier rigoureusement, des traits empruntés des antiques qu'il a étudiés, des tableaux qu'il a vus et admirés et de ceux qu'il a faits; c'est qu'il est savant; c'est qu'il est libre, et qu'il ne peut se réduire à la condition de l'esclave et de l'ignorant; c'est qu'il a son faire, son tic, sa couleur, auxquels il revient sans cesse; c'est qu'il exécute une caricature en beau, et que le barbouilleur, au contraire, exécute une caricature en laid. Le portrait ressemblant du barbouilleur meurt avec la personne; celui de l'habile homme reste à jamais. C'est d'après ce dernier, que nos neveux se forment les images des grands hommes qui les ont précédés. Lorsque le goût des beaux-arts est général chez une nation, savez-vous ce qui arrive? C'est que l'œil du peuple se conforme à l'œil du grand artiste, et que l'exagération laisse pour lui la ressemblance entière. Il ne s'avise point de chicaner, il ne dit point : Cet œil est trop petit, trop grand; ce muscle est exagéré, ces formes ne sont pas justes; cette paupière est trop saillante; ces os orbiculaires sont trop élevés : il fait abstraction de ce que la connaissance du beau a introduit dans la copie. Il voit le

1. L'itinéraire autour de la table chez le riche Bertin, où l'abbé de la Porte, rédacteur de l'*Observateur littéraire*, se retrouve au bas bout, sera décrit à peu près dans les mêmes termes par le neveu de Rameau (A.T., V, p. 444).

modèle, où il n'est pas à la rigueur; et il s'écrie d'admiration. Voltaire fait l'histoire comme les grands statuaires anciens faisaient le buste; comme les peintres savants de nos jours font le portrait. Il agrandit, il exagère, il corrige les formes; a-t-il raison? a-t-il tort? Il a tort pour le pédant; il a raison pour l'homme de goût. Tort ou raison, c'est la figure qu'il a peinte qui restera dans la mémoire des hommes à venir.

MICHEL VAN LOO

SALON DE 1767

8. M. DIDEROT.

Moi. J'aime Michel; mais j'aime encore mieux la vérité. Assez ressemblant; il peut dire à ceux qui ne le reconnaissent pas, comme le jardinier de l'opéra-comique : « C'est qu'il ne m'a jamais vu sans perruque. » Très vivant; c'est sa douceur, avec sa vivacité; mais trop jeune, tête trop petite, joli comme une femme, lorgnant, souriant, mignard, faisant le petit bec, la bouche en cœur [1]; rien de la sagesse de couleur du *Cardinal de Choiseul* [2]; et puis un luxe de vêtement à ruiner le pauvre littérateur, si le receveur de la capitation vient à l'imposer sur sa robe de chambre [3]. L'écritoire, les livres, les accessoires aussi bien qu'il est possible, quand on a voulu la couleur brillante et qu'on veut être harmonieux. Pétillant de près, vigoureux de loin, surtout les chairs. Du reste, de belles mains bien modelées, excepté la gauche qui n'est pas dessinée. On le voit de face; il a la

1. La très précise description de Diderot ne permet aucun doute : c'est le *Diderot* du Louvre, de face, écrivant à son bureau, et non la réplique du musée de Langres, de trois quarts et les mains jointes.

2. Tableau de Van Loo exposé au Salon de 1767, actuellement au musée de Coutances.

3. La robe de chambre offerte par Mme Geoffrin qui provoqua les fameux *Regrets*. Ce jugement de Van Loo est résumé dans une lettre à Sophie Volland (*op. cit.*, t. II, p. 170) du 11 octobre 1767 : « Mme Diderot prétend qu'on m'a donné l'air d'une vieille coquette qui fait le petit bec et qui a encore des prétentions. Il y a bien quelque chose de vrai dans cette critique. »

tête nue; son toupet gris, avec sa mignardise, lui donne l'air d'une vieille coquette qui fait encore l'aimable; la position d'un secrétaire d'État et non d'un philosophe. La fausseté du premier moment a influé sur tout le reste. C'est cette folle de madame Van Loo qui venait jaser avec lui, tandis qu'on le peignait, qui lui a donné cet air-là, et qui a tout gâté. Si elle s'était mise à son clavecin, et qu'elle eût préludé ou chanté,

> Non ha ragione, ingrato,
> Un core abbandonato,

ou quelque autre morceau du même genre, le philosophe sensible eût pris un tout autre caractère; et le portrait s'en serait ressenti. Ou mieux encore, il fallait le laisser seul, et l'abandonner à sa rêverie. Alors sa bouche se serait entr'ouverte, ses regards distraits se seraient portés au loin, le travail de sa tête, fortement occupée, se serait peint sur son visage; et Michel eût fait une belle chose. Mon joli philosophe, vous me serez à jamais un témoignage précieux de l'amitié d'un artiste, excellent artiste, plus excellent homme. Mais que diront mes petits-enfants, lorsqu'ils viendront à comparer mes tristes ouvrages avec ce riant, mignon, efféminé, vieux coquet-là? Mes enfants, je vous préviens que ce n'est pas moi. J'avais en une journée cent physionomies diverses, selon la chose dont j'étais affecté. J'étais serein, triste, rêveur, tendre, violent, passionné, enthousiaste; mais je ne fus jamais tel que vous me voyez là. J'avais un grand front, des yeux très vifs, d'assez grands traits, la tête tout à fait du caractère d'un ancien orateur, une bonhomie qui touchait de bien près à la bêtise, à la rusticité des anciens temps. Sans l'exagération de tous les traits dans la gravure qu'on a faite d'après le crayon de Greuze [1], je serais infiniment mieux. J'ai un masque qui trompe l'artiste; soit qu'il y ait trop de choses fondues ensemble; soit que, les impressions de mon âme se succédant très rapidement et se pei-

---

1. Ce profil au pastel appartenait à l'érudit Walferdin, d'après Assézat. Saint-Aubin en donnait en 1766 une très belle gravure (cf. B.N., n.a.fr., 1311).

Michel Van Loo. — Diderot.

Musée du Louvre. Cl. Giraudon.

gnant toutes sur mon visage, l'œil du peintre ne me retrou vant pas le même d'un instant à l'autre, sa tâche devienn beaucoup plus difficile qu'il ne la croyait. Je n'ai jamais ét bien fait que par un pauvre diable appelé Garand [1], qu m'attrapa, comme il arrive à un sot qui dit un bon mot Celui qui voit mon portrait par Garand, me voit. *Ecco i vero* [*Pulcinella*][2]. M. Grimm l'a fait graver; mais il ne le com munique pas. Il attend toujours une inscription qu'il n'aur que quand j'aurai produit quelque chose qui m'immorta lise. — Et quand l'aura-t-il? — Quand? demain peut-être et qui sait ce que je puis? Je n'ai pas la conscience d'avoi encore employé la moitié de mes forces. Jusqu'à présent j n'ai que baguenaudé. J'oubliais parmi les bons portraits d moi, le buste de mademoiselle Collot, surtout le dernier, qu appartient à M. Grimm, mon ami. Il est bien, il est très bien il a pris chez lui la place d'un autre, que son maître M. Fa conet avait fait, et qui n'était pas bien. Lorsque Falcon eut vu le buste de son élève, il prit un marteau, et cassa l sien devant elle. Cela est franc et courageux [3]. Ce buste e

---

1. C'est en septembre 1760, au château de la Chevrette, ch Mme d'Épinay, que l'obscur Jean-Baptiste Garand fit le portra de Diderot : « Je suis représenté la tête nue, en robe de chambr assis dans un fauteuil, le bras droit soutenant le gauche et celu ci servant d'appui à la tête, le col débraillé et jetant mes regar au loin, comme quelqu'un qui médite. Je médite en effet s cette toile, j'y vis, j'y respire, j'y suis animé; la pensée paraît travers le front » (*A Sophie Volland*, t. I, p. 111). Chenu ava gravé ce portrait pour Grimm et la gravure fut reproduite p Delannoy pour Assézat-Tourneux. Garand, mort vers 178 donna aux expositions de l'Académie de Saint-Luc quelqu tableaux en miniature.

2. Anecdote du moine vénitien « qui, pour détourner l badauds amassés autour d'un polichinelle, leur crie en leur mo trant le crucifix : le polichinelle qui vous rassemble n'est qu' sot; le seul, le vrai polichinelle, le voilà » (A.T.). Le trait f probablement raconté à Diderot par le docteur Gatti en se tembre 1762 (cf. *Lettres à Sophie Volland*, t. I, p. 287).

L : Polichinello.

3. Épisode antérieur au départ pour la Russie, à la fin de 176 du sculpteur Falconet et de son élève, Mlle Collot.

Garand. — Diderot,
d'après la gravure de Delannoy.

tombant en morceaux sous le coup de l'artiste, mit à découvert deux belles oreilles qui s'étaient conservées entières sous une indigne perruque dont madame Geoffrin m'avait fait affubler après coup. M. Grimm n'avait jamais pu pardonner cette perruque à madame Geoffrin. Dieu merci, les voilà réconciliés; et ce Falconet, cet artiste si peu jaloux de la réputation dans l'avenir, ce contempteur si déterminé de l'immortalité, cet homme si *disrespectueux* de la postérité[1], délivré du souci de lui transmettre un mauvais buste. Je dirai cependant de ce mauvais buste, qu'on y voyait les traces d'une peine d'âme secrète dont j'étais dévoré, lorsque l'artiste le fit. Comment se fait-il que l'artiste manque les traits grossiers d'une physionomie qu'il a sous les yeux, et fasse passer sur sa toile ou sur sa terre glaise les sentiments secrets, les impressions cachées au fond d'une âme qu'il ignore? La Tour avait fait le portrait d'un ami. On dit à cet ami qu'on lui avait donné un teint brun qu'il n'avait pas. L'ouvrage est rapporté dans l'atelier de l'artiste, et le jour pris pour le retoucher. L'ami arrive à l'heure marquée. L'artiste prend ses crayons. Il travaille, il gâte tout; il s'écrie : « J'ai tout gâté. Vous avez l'air d'un homme qui lutte contre le sommeil; » et c'était en effet l'action de son modèle, qui avait passé la nuit à côté d'une parente indisposée.

---

1. C'est le thème principal des *Lettres de Diderot à Falconet* qui s'échelonnent de 1765 à 1773 (A. T., t. XVIII).

IV

LE PATHÉTIQUE BOURGEOIS

GREUZE

SALON DE 1759

Les Greuze ne sont pas merveilleux cette année. Le faire en est raide et la couleur fade et blanchâtre. J'en étais tenté autrefois [1]; je ne m'en soucie plus.

SALON DE 1761

Il paraît que notre ami Greuze a beaucoup travaillé. On dit que le portrait de *M. le Dauphin* ressemble beaucoup; celui de *Babuti*, beau-père du peintre, est de toute beauté. Et ces yeux éraillés et larmoyants, et cette chevelure grisâtre, et ces chairs, et ces détails de vieillesse qui sont infinis au bas du visage et autour du cou, Greuze les a tous rendus; et cependant sa peinture est large. *Son portrait* peint par lui-même a de la vigueur; mais il est un peu fatigué, et me plaît beaucoup moins que celui de son beau-père [2].

Cette *Petite Blanchisseuse* qui, penchée sur sa terrine, presse du linge entre ses mains, est charmante; mais c'est une coquine à laquelle je ne me fierais pas. Tous les usten-

---

1. Diderot avait, comme tout Paris, admiré chez M. de la Live de Jully *le Père de famille expliquant la Bible à ses enfants*. C'était en 1755 et déjà s'affirmait la communauté d'esthétique de Diderot et de Greuze. Puis le peintre partit pour l'Italie. Entre temps échouaient les tentatives dramatiques de Diderot. D'où cette relative froideur. En 1759 la contribution de Greuze fut d'ailleurs médiocre.

2. L'auto-portrait de Greuze est au Louvre, le *Babuti* dans la collection David-Weill.

siles de son ménage sont d'une grande vérité. Je serais seulement tenté d'avancer son tréteau un peu plus sous elle, afin qu'elle fût mieux assise [1].

Le *Portrait de madame Greuze en vestale*. Cela, une vestale! Greuze, mon cher, vous vous moquez de nous; avec ses mains croisées sur sa poitrine, ce visage long, cet âge, ces grands yeux tristement tournés vers le ciel, cette draperie ramenée à grands plis sur la tête; c'est une mère de douleurs, mais d'un petit caractère et un peu grimaçante. Ce morceau serait honneur à Coypel, mais il ne vous en fait pas.

Il y a une grande variété d'action, de physionomies et de caractères dans tous ces petits fripons dont les uns occupent cette pauvre *Marchande de marrons*, tandis que les autres la volent.

Ce *Berger*, qui tient un chardon à la main, et qui tente le sort pour savoir s'il est aimé de sa bergère, ne signifie pas grand'chose. A l'élégance du vêtement, à l'éclat des couleurs, on le prendrait presque pour un morceau de Boucher. Et puis, si on ne savait pas le sujet, on ne le devinerait jamais.

Le *Paralytique* qui est secouru par ses enfants, ou le dessin que le peintre a appelé *le Fruit de la bonne éducation*, est un tableau de mœurs [2]. Il prouve que ce genre peut fournir des compositions capables de faire honneur aux talents et aux sentiments de l'artiste. Le vieillard est dans son fauteuil; ses pieds sont supportés par un tabouret. Sa tête, celle de son fils et celle de sa femme sont d'une beauté rare. Greuze a beaucoup d'esprit et de goût. Lorsqu'il travaille, il est tout à son ouvrage; il s'affecte profondément : il porte dans le monde le caractère du sujet qu'il traite dans son atelier, triste ou gai, folâtre ou sérieux, galant ou réservé,

---

1. *La Petite blanchisseuse* appartenait à La Live de Jully et fut vendue en 1770 (2.399 livres). On la signalait à Londres, lors de la vente Saville, le 18 novembre 1938.

2. Esquisse de la composition célèbre gravée par Flipart, actuellement à l'Ermitage. Ce dessin fut acquis par un ami de Greuze, le collectionneur orléanais Defriches, passa à la vente Revil en 1845, puis dans la collection Walferdin.

selon la chose qui a occupé le matin son pinceau et son imagination.

C'est un beau dessin que celui du *Fermier incendié*. Une mère sur le visage de laquelle la douleur et la misère se montrent; des filles aussi affligées et aussi misérables, couchées à terre autour d'elle; des enfants affamés qui se disputent un morceau de pain sur ses genoux; un autre qui mange à la dérobée dans un coin; le père de cette famille qui s'adresse à la commisération des passants; tout est pathétique et vrai. J'aime assez dans un tableau un personnage qui parle au spectateur sans sortir du sujet. Ici il n'y a pas d'autre passant que celui qui regarde. La scène est supposée au coin d'une rue. Le lieu en pouvait être mieux choisi. Pourquoi n'avoir pas placé tous ces infortunés sur des débris incendiés de leur chaumière? J'aurais vu les ravages du feu, des murs renversés, des poutres à demi consumées, et une foule d'autres objets touchants et pittoresques.

Il y a de Greuze plusieurs têtes qui sont autant de petits tableaux très vrais, entre lesquels on distingue l'*Enfant qui boude* [1] et la *Petite fille qui se repose sur sa chaise*.

***

Enfin je l'ai vu, ce tableau de notre ami Greuze; mais ce n'a pas été sans peine; il continue d'attirer la foule. C'est *Un Père qui vient de payer la dot de sa fille* [2]. Le sujet est pathétique, et l'on se sent gagner d'une émotion douce en le regardant. La composition m'en a paru très belle : c'est la chose comme elle a dû se passer. Il y a douze figures; chacune est à sa place, et fait ce qu'elle doit. Comme elles

---

1. *L'Enfant boudeur* demeura jusqu'en 1770 dans le cabinet La Live de Jully; actuellement au musée de Glasgow.

2. C'est la fameuse *Accordée de village*. Commandé par Randon de Boisset, ce tableau avait été cédé pour 39.000 livres au marquis de Marigny. A sa mort en 1782, il fut cédé à l'expert Joullain pour 10.650 livres : le cabinet du roi le retint, ce qui explique sa présence au Louvre.

s'enchaînent toutes! comme elles vont en ondoyant et en pyramidant! Je me moque de ces conditions; cependant quand elles se rencontrent dans un morceau de peinture par hasard, sans que le peintre ait eu la pensée de les y introduire, sans qu'il leur ait rien sacrifié, elles me plaisent.

A droite de celui qui regarde le morceau est un tabellion assis devant une petite table, le dos tourné au spectateur. Sur la table, le contrat de mariage et d'autres papiers. Entre les jambes du tabellion, le plus jeune des enfants de la maison. Puis en continuant de suivre la composition de droite à gauche, une fille aînée debout, appuyée sur le dos du fauteuil de son père. Le père assis dans le fauteuil de la maison. Devant lui, son gendre debout, et tenant de la main gauche le sac qui contient la dot. L'accordée, debout aussi, un bras passé mollement sous celui de son fiancé; l'autre bras saisi par la mère, qui est assise au-dessous. Entre la mère et la fiancée, une sœur cadette debout, penchée sur la fiancée, et un bras jeté autour de ses épaules. Derrière ce groupe, un jeune enfant qui s'élève sur la pointe des pieds pour voir ce qui se passe. Au-dessous de la mère, sur le devant, une jeune fille assise qui a de petits morceaux de pain coupé dans son tablier. Tout à fait à gauche dans le fond et loin de la scène, deux servantes debout qui regardent. Sur la droite, un garde-manger bien propre, avec ce qu'on a coutume d'y renfermer, faisant partie du fond. Au milieu, une vieille arquebuse pendue à son croc; ensuite un escalier de bois qui conduit à l'étage au-dessus. Sur le devant, à terre, dans l'espace vide que laissent les figures, proche des pieds de la mère, une poule qui conduit ses poussins auxquels la petite fille jette du pain; une terrine pleine d'eau, et sur le bord de la terrine un poussin, le bec en l'air, pour laisser descendre dans son jabot l'eau qu'il a bue. Voilà l'ordonnance générale. Venons aux détails.

Le tabellion est vêtu de noir, culotte et bas de couleur, en manteau et en rabat, le chapeau sur la tête. Il a bien l'air un peu matois et chicaneur, [1] comme il convient à

1. A.T. : chicanier.

un paysan de sa profession; c'est une belle figure. Il écoute ce que le père dit à son gendre. Le père est le seul qui parle. Le reste écoute et se tait.

L'enfant qui est entre les jambes du tabellion est excellent pour la vérité de son action et de sa couleur. Sans s'intéresser à ce qui se passe, il regarde les papiers griffonnés, et promène ses petites mains par dessus.

On voit dans la sœur aînée, qui est appuyée debout sur le dos du fauteuil de son père, qu'elle crève de douleur et de jalousie de ce qu'on a accordé le pas sur elle à sa cadette. Elle a la tête portée sur une de ses mains, et lance sur les fiancés des regards curieux, chagrins et courroucés.

Le père est un vieillard de soixante ans, en cheveux gris, un mouchoir tortillé autour de son cou; il a un air de bonhomie qui plaît. Les bras étendus vers son gendre, il lui parle avec une effusion de cœur qui enchante; il semble lui dire : « Jeannette est douce et sage; elle fera ton bonheur; songe à faire le sien... » ou quelque autre chose sur l'importance des devoirs du mariage... Ce qu'il dit est sûrement touchant et honnête. Une de ses mains, qu'on voit en dehors, est hâlée et brune; l'autre, qu'on voit en dedans, est blanche; cela est dans la nature.

Le fiancé est d'une figure tout à fait agréable. Il est hâlé de visage; mais on voit qu'il est blanc de peau; il est un peu penché vers son beau-père; il prête attention à son discours, il en a l'air pénétré; il est fait au tour, et vêtu à merveille, sans sortir de son état. J'en dis autant de tous les autres personnages.

Le peintre a donné à la fiancée une figure charmante, décente et réservée; elle est vêtue à merveille. Ce tablier de toile blanc fait on ne peut pas mieux; il y a un peu de luxe dans sa garniture; mais c'est un jour de fiançailles. Il faut voir comme [tous][1] les plis de tous les vêtements de cette figure et des autres sont vrais. Cette fille charmante n'est point droite; mais il y a une légère et molle inflexion dans toute sa figure et dans tous ses membres qui la remplit de

1. *Omisit* A.T.

grâce et de vérité. Elle est jolie vraiment, et très jolie. Un
gorge faite au tour qu'on ne voit point du tout; mais j
gage qu'il n'y a rien là qui la relève, et que cela se soutien
tout seul. Plus à son fiancé, elle n'eût point [1] été asse
décente; plus à sa mère ou à son père [2], elle eût été fausse
Elle a le bras à demi passé sous celui de son futur époux
et le bout de ses doigts tombe et appuie doucement sur s
main; c'est la seule marque de tendresse qu'elle lui donn
et peut-être sans le savoir elle-même; c'est une idée délicat
du peintre.

La mère est une bonne paysanne qui touche à la soixan-taine, mais qui a de la santé; elle est aussi vêtue large et à
merveille. D'une main elle tient le haut du bras de sa fille; de
l'autre, elle serre ce [3] bras au-dessus du poignet : elle est
assise; elle regarde sa fille de bas en haut; elle a bien quelque
peine à la quitter; mais le parti est bon. Jean est un brave
garçon, honnête et laborieux; elle ne doute point que sa
fille ne soit heureuse avec lui. La gaieté et la tendresse
sont mêlées dans la physionomie de cette bonne mère.

Pour cette sœur cadette qui est debout à côté de la fiancée,
qui l'embrasse et qui s'afflige sur son sein, c'est un person-nage tout à fait intéressant. Elle est vraiment fâchée de se
séparer de sa sœur, elle en pleure; mais cet incident n'attriste
pas la composition; au contraire, il ajoute à ce qu'elle a de
touchant. Il y a du goût, et du bon goût, à avoir imaginé
cet épisode.

Les deux enfants, dont l'un, assis à côté de la mère,
s'amuse à jeter du pain à la poule et à sa petite famille, et
dont l'autre s'élève sur la pointe des pieds et tend le cou pour
voir, sont charmants; mais surtout le dernier.

Les deux servantes, debout, au fond de la chambre,
nonchalamment penchées l'une contre l'autre, semblent
dire, d'attitude et de visage : Quand est-ce que notre tour
viendra?

---

1. A.T. : pas.
2. A.T. : et elle n'eût... et elle eût...
3. A.T. : le.

Et cette poule qui a mené ses poussins au milieu de la scène, et qui a cinq ou six petits, comme la mère aux pieds de laquelle elle cherche sa vie a six à sept enfants, et cette petite fille qui leur jette du pain et qui les nourrit; il faut avouer que tout cela est d'une convenance charmante avec la scène qui se passe, et avec le lieu et les personnages. Voilà un petit trait de poésie tout à fait ingénieux.

C'est le père qui attache principalement les regards; ensuite l'époux ou le fiancé; ensuite l'accordée, la mère, la sœur cadette ou l'aînée, selon le caractère de celui qui regarde le tableau, ensuite le tabellion, les autres enfants, les servantes et le fond. Preuve certaine d'une bonne ordonnance.

Teniers peint des mœurs plus vraies peut-être. Il serait plus aisé de retrouver les scènes et les personnages de ce peintre; mais il y a plus d'élégance, plus de grâce, une nature plus agréable dans Greuze. Ses paysans ne sont ni grossiers comme ceux de notre bon Flamand, ni chimériques comme ceux de Boucher. Je crois Teniers fort supérieur à Greuze pour la couleur. Je lui crois aussi beaucoup plus de fécondité : c'est d'ailleurs un grand paysagiste, un grand peintre d'arbres, de forêts, d'eaux, de montagnes, de chaumières et d'animaux.

On peut reprocher à Greuze d'avoir répété une même tête dans trois tableaux différents. La tête du *Père qui paye la dot* et celle du *Père qui lit l'Écriture sainte à ses enfants*, et je crois aussi celle du *Paralytique*. Ou du moins ce sont trois frères avec un grand air de famille.

Autre défaut. Cette sœur aînée, est-ce une sœur ou une servante? Si c'est une servante, elle a tort d'être appuyée sur le dos de la chaise de son maître, et je ne sais pourquoi elle envie si violemment le sort de sa maîtresse; si c'est une [1] enfant de la maison, pourquoi cet air ignoble, pourquoi ce négligé? Contente ou mécontente, il fallait la vêtir comme elle doit l'être aux fiançailles de sa sœur. Je vois qu'on s'y trompe, que la plupart de ceux qui regardent le tableau la

1. A.T. : un.

prennent pour une servante, et que les autres sont perplexes. Je ne sais si la tête de cette sœur aînée n'est pas aussi celle de la *Blanchisseuse*.

Une femme de beaucoup d'esprit a rappelé que ce tableau était composé de deux natures. Elle prétend que le père, le fiancé et le tabellion sont bien des paysans, des gens de campagne; mais que la mère, la fiancée et toutes les autres figures sont de la halle de Paris. La mère est une grosse marchande de fruits ou de poissons; la fille est une jolie bouquetière. Cette observation est au moins fine; voyez, mon ami, si elle est juste.

Mais il vaudrait mieux négliger ces bagatelles, et s'extasier sur un morceau qui présente des beautés de tous côtés; c'est certainement ce que Greuze a fait de mieux. Ce morceau lui fera honneur, et comme peintre savant dans son art, et comme homme d'esprit et de goût. Sa composition est pleine d'esprit et de délicatesse. Le choix de ses sujets marque de la sensibilité et des [1] bonnes mœurs.

SALON DE 1763

C'est vraiment là mon homme que ce Greuze. Oubliant pour un moment ses petites compositions, qui me fourniront des choses agréables à lui dire, j'en viens tout de suite à son tableau de la *Piété filiale*, qu'on intitulerait mieux : *De la récompense de la bonne éducation donnée* [2].

D'abord le genre me plaît; c'est la peinture morale. Quoi donc! le pinceau n'a-t-il pas été assez et trop longtemps consacré à la débauche et au vice? Ne devons-nous pas être satisfaits de le voir concourir enfin avec la poésie dramatique à nous toucher, à nous instruire, à nous corriger et à nous inviter à la vertu? Courage, mon ami Greuze fais de la morale en peinture, et fais-en toujours comme cela

---

1. A.T. : de.
2. La *Piété filiale*, autrement dit *Le Paralytique*, dont l'esquisse avait été exposée au Salon de 1761, sous le titre *Le Fruit de la bonne éducation* (cf. *supra*).

orsque tu seras au moment de quitter la vie, il n'y aura
ucune de tes compositions que tu ne puisses te rappeler
vec plaisir. Que n'étais-tu à côté de cette jeune fille qui,
egardant la tête de ton *Paralytique*, s'écria avec une vivacité
harmante : « Ah! mon Dieu, comme il me touche! mais
i je le regarde encore, je crois que je vais pleurer. » Et
ue cette jeune fille n'était-elle la mienne! je l'aurais reconnue
ce mouvement. Lorsque je vis ce vieillard éloquent et
athétique, je sentis comme elle mon âme s'attendrir et
es pleurs prêts à tomber de mes yeux.

Ce tableau a 4 pieds 6 pouces de large sur 3 pieds de haut.

Le principal personnage, celui qui occupe le milieu de
a scène et qui fixe l'attention, est un vieillard paralytique
tendu dans son fauteuil, la tête appuyée sur un traversin
t les pieds sur un tabouret. Il est habillé; ses jambes
nalades sont enveloppées d'une couverture. Il est entouré
le ses enfants et de ses petits-enfants, la plupart empressés
le servir. Sa belle tête est d'un caractère si touchant, il
araît si sensible aux services qu'on lui rend, il a tant de
eine à parler, sa voix est si faible, ses regards si tendres,
on teint si pâle, qu'il faut être sans entrailles pour ne pas
es sentir remuer.

A sa droite, une de ses filles est occupée à relever sa
ête et son traversin.

Devant lui, du même côté, son gendre vient lui présenter
les aliments. Ce gendre écoute ce que son beau-père lui
lit, et il a l'air tout à fait touché.

A gauche, de l'autre côté, un jeune garçon lui apporte à
oire. Il faut voir la douleur et toute la figure de celui-ci;
a peine n'est pas seulement sur son visage, elle est dans ses
ambes, elle est partout.

De derrière le fauteuil du vieillard sort une petite tête
l'enfant. Il s'avance, il voudrait bien aussi entendre son
grand-papa, le voir et le servir. Les enfants sont officieux.
On voit ses petits doigts sur le haut du fauteuil.

Un autre plus âgé est à ses pieds et arrange sa couverture.

Devant lui, un tout à fait jeune s'est glissé entre lui et
son gendre et lui présente un chardonneret. Comme il

tient l'oiseau! comme il l'offre! Il croit que cela va guérir le grand-papa.

Plus loin, à la droite du vieillard, est sa fille mariée. Elle écoute avec joie ce que son père dit à son mari. Elle est assise sur un tabouret, elle a la tête appuyée sur sa main elle a sur ses genoux l'Écriture sainte. Elle a suspendu la lecture qu'elle faisait au bonhomme.

A côté de [la] [1] fille est sa mère et l'épouse du paralytique; elle est aussi assise sur une chaise de paille. Elle recousait une chemise. Je suis sûr qu'elle a l'ouïe dure, elle a cessé son ouvrage, elle avance de côté sa tête pour entendre.

Du même côté, tout à fait à l'extrémité du tableau, une servante, qui était à ses fonctions, prête aussi l'oreille.

Tout est rapporté au principal personnage, et ce qu'on fait dans le moment présent et ce qu'on faisait dans le moment précédent.

Il n'y a pas jusqu'au fond qui ne rappelle les soins qu'on prend du vieillard. C'est un grand drap suspendu sur une corde et qui sèche; ce drap est très bien imaginé, et pour le sujet du tableau et pour l'effet de l'art. On se doute bien que le peintre n'a pas manqué de le peindre largement.

Chacun ici a précisément le degré d'intérêt qui convient à l'âge et au caractère. Le nombre des personnages rassemblés dans un assez petit espace est fort grand; cependant ils y sont sans confusion, car ce maître excelle surtout à ordonner sa scène. La couleur des chairs est vraie; les étoffes sont bien soignées; point de gêne dans les mouvements; chacun est à ce qu'il fait. Les enfants les plus jeunes sont gais, parce qu'ils ne sont pas encore dans l'âge où l'on sent. La commisération s'annonce fortement dans les plus grands. Le gendre paraît le plus touché, parce que c'est à lui que le malade adresse ses discours et ses regards. La fille mariée paraît écouter plutôt avec plaisir qu'avec douleur. L'intérêt est sinon éteint, du moins presque insensible dans la vieille mère, et cela est tout à fait dans la nature : *Jam proximus*

---

1. L : sa.

rdet Ucalegon[1] ; elle ne peut plus se promettre d'autre
ɔnsolation que la même tendresse de la part de ses enfants
our un temps qui n'est pas loin. Et puis l'âge, qui endurcit
:s fibres, dessèche l'âme.

Il y en a qui disent que le paralytique est trop renversé et
u'il est impossible de manger en cette position. Il ne mange
as, il parle, et l'on est prêt à lui relever la tête.

Que c'était à sa fille de lui présenter à manger et à son
endre à relever sa tête et son traversin, parce que l'un
emande de l'adresse et l'autre de la force. Cette observa-
on n'est pas si fondée qu'elle le paraît d'abord. Le peintre
voulu que son paralytique reçût un secours marqué de
elui de qui il était le moins en droit de l'attendre; cela
istifie le bon choix qu'il a fait pour sa fille; c'est la vraie
ause de l'attendrissement de son visage, de son regard
: du discours qu'il lui tient. Déplacer ce personnage, c'eût
:é changer le sujet du tableau; mettre la fille à la place du
endre, c'eût été renverser toute la composition : il y
urait eu quatre têtes de femme de suite, et l'enfilade de
ɔutes ces têtes aurait été insupportable.

Ils disent aussi que cette attention de tous les personnages
'est pas naturelle; qu'il fallait en occuper quelques-uns
u bonhomme et laisser les autres à leurs fonctions parti-
ulières; que la scène en eût été plus simple et plus vraie,
t que c'est ainsi que la chose s'est passée, qu'ils en sont
ûrs... Ces gens-là *faciunt ut nimis intelligendo nihil intelligant*[2].
e moment qu'ils demandent est un moment commun,
ans intérêt; celui que le peintre a choisi est particulier;
ar hasard il arriva ce jour-là que ce fut son gendre qui
ui apporta des aliments, et le bonhomme, touché, lui en
:moigna sa gratitude d'une manière si vive, si pénétrée,
u'elle suspendit les occupations et fixa l'attention de toute
. famille.

---

1. Virgile, *Énéide*, II, 312 : « Déjà brûle à côté la demeure
'Ucalegon. » Par cette allusion à l'incendie de Troie, Diderot
voque la proximité de la mort. Avouons que le rapport d'idées
:t obscur.

2. « Ne comprennent rien en voulant trop comprendre ».

On dit encore que le vieillard est moribond et qu'il a l
visage d'un agonisant... Le docteur Gatti [1] dit que ce
critiques-là n'ont jamais vu de malades, et que celui-là
bien encore trois ans à vivre.

Que sa fille mariée, qui suspend la lecture, manqu
d'expression ou n'a pas celle qu'elle devrait avoir... Je sui
un peu de cet avis.

Que les bras de cette figure, d'ailleurs charmante, son
raides, secs, mal peints et sans détails... Oh! pour cela, rie
n'est plus vrai.

Que le traversin est tout neuf, et qu'il serait plus nature
qu'il eût déjà servi... Cela se peut.

Que cet artiste est sans fécondité, et que toutes les tête
de cette scène sont les mêmes que celles de son tableau de
Fiançailles, et celles de ses *Fiançailles* les mêmes que celle
de son *Paysan qui fait la lecture à ses enfants*... D'accord; mai
si le peintre l'a voulu ainsi? s'il a suivi l'histoire de la mêm
famille?

Que... Et que mille diables emportent les critiques e
moi tout le premier! Ce tableau est beau et très beau, e
malheur à celui qui peut le considérer un moment de sang
froid! Le caractère du vieillard est unique; le caractère d
gendre est unique; l'enfant qui apporte à boire, unique
la vieille femme, unique. De quelque côté qu'on porte se
yeux, on est enchanté. Le fond, les couvertures, les vête
ments sont du plus grand fini. Et puis cet homme dessin
comme un ange. Sa couleur est belle et forte, quoique c
ne soit pas encore celle de Chardin pourtant. Encore un
fois, ce tableau est beau, ou il n'y en eut jamais. Aus
appelle-t-il les spectateurs en foule; on ne peut en approche
On le voit avec transport, et quand on le revoit, on trouv
qu'on avait eu raison d'en être transporté.

Il serait bien surprenant que cet artiste n'excellât pas.
a de l'esprit et de la sensibilité; il est enthousiaste de so

---

1. Angelo Gatti, médecin de Pise, ardent propagandiste e
France de l'inoculation, familier dès 1762 du salon d'Holbac
(cf. *A Sophie Volland*, t. I, p. 243).

rt; il fait des études sans fin; il n'épargne ni soins ni lépenses pour avoir les modèles qui lui conviennent. Rencontre-t-il une tête qui le frappe, il se mettrait volontiers aux genoux du porteur de cette tête pour l'attirer dans son atelier. Il est sans cesse observateur dans les rues, dans les églises, dans les marchés, dans les spectacles, dans les promenades, dans les assemblées publiques. Médite-t-il un sujet? Il en est obsédé, suivi partout. Son caractère même s'en ressent; il prend celui de son tableau : il est brusque, doux, insinuant, caustique, galant, triste, gai, froid, chaud, sérieux ou fou, selon la chose qu'il projette.

Outre le génie de son art qu'on ne lui refusera pas, on voit encore qu'il est spirituel dans le choix et la convenance des accessoires. Dans le tableau du *Paysan qui lit l'Écriture sainte à sa famille*, il avait placé dans un coin à terre un petit enfant, qui pour se désennuyer, faisait les cornes à un chien. Dans ses *Fiançailles*, il avait amené une poule avec toute sa couvée. Dans celui-ci, il a placé à côté du garçon qui apporte à boire à son père infirme une grosse chienne debout qui a le nez en l'air, et que ses petits tettent toute droite; sans parler de ce drap qu'il a étendu sur une corde et qui fait le fond de son tableau.

On lui reprochait de peindre un peu gris; il s'est bien corrigé de ce défaut. Quoi qu'on en dise, Greuze est mon peintre.

128. PORTRAIT DE MONSIEUR LE DUC DE CHARTRES.

Je n'aime pas ce portrait; il est froid et sans grâce.

129. PORTRAIT DE MADEMOISELLE.

Je n'aime pas ce portrait; il est gris et cette enfant est souffrante. Il y a pourtant dans celui-ci des détails charmants, comme le petit chien, etc. [1]

---

1. Même tableau que le précédent. Actuellement au musée de Versailles.

130. PORTRAIT DE MONSIEUR LE COMTE DE LUPÉ.

Il est dur.

132. PORTRAIT DE MADEMOISELLE DE PANGE.

On loue beaucoup celui-ci, et en effet il est mieux : mai ses cheveux sont métalliques. C'est aussi le défaut de l tête d'un *Petit Paysan* dont les cheveux mats et jaunes son de cuivre. Du reste, pour l'habit, le caractère et la couleur c'est l'ouvrage d'un habile homme.

Mais je laisse là tous ces portraits pour courir à celui d sa femme.

133. PORTRAIT DE MADAME GREUZE.

Je jure que ce portrait est un chef-d'œuvre qui, un jour venir, n'aura point de prix. Comme elle est coiffée! Que ce cheveux châtains sont vrais! Que ce ruban qui serre la têt fait bien! Que cette longue tresse qu'elle relève d'une mai sur ses épaules et qui tourne plusieurs fois autour de so bras, est belle! Voilà des cheveux, pour le coup! Il fau voir le soin et la vérité dont le dedans de cette main et le plis de ces doigts sont peints. Quelle finesse et quell variété de teintes sur ce front! On reproche à ce visage so sérieux et sa gravité; mais n'est-ce pas là le caractère d'un femme grosse qui sent la dignité, le péril et l'importance d son état? Que ne lui reproche-t-on aussi ces traits rougeâtre qu'elle a aux angles des yeux? Que ne lui reproche-t-o aussi ce teint jaunâtre sur les tempes et vers le front, cett gorge qui s'appesantit, ces membres qui s'affaissent e ce ventre qui commence à se relever? Ce portrait tue tou ceux qui l'environnent. La délicatesse avec laquelle le ba de ce visage est touché et l'ombre du menton portée su le cou est inconcevable. On serait tenté de passer sa mai sur ce menton, si l'austérité de la personne n'arrêtait e l'éloge et la main. L'ajustement est simple; c'est celui d'une femme le matin dans sa chambre à coucher : un petit tablier de taffetas noir sur une robe de satin blanc. Mettez l'escalier entre ce portrait et vous, regardez-le avec une lunette, et vous verrez la nature même; je vous défie de me nier que cette figure ne vous regarde et ne vive.

Ah! monsieur Greuze, que vous êtes différent de vous-même lorsque c'est la tendresse ou l'intérêt qui guide votre pinceau! Peignez votre femme, votre maîtresse, votre père, votre mère, vos enfants, vos amis, mais je vous conseille de renvoyer les autres à Roslin ou à Michel Van Loo.

SALON DE 1765

Je suis peut-être un peu long; mais si vous saviez comme je m'amuse en vous ennuyant! c'est comme tous les autres ennuyeux du monde [1]. Et puis voilà pourtant cent-dix tableaux de décrits et trente et un peintres jugés.

Voici votre peintre et le mien, le premier qui se soit avisé, parmi nous, de donner des mœurs à l'art, et d'enchaîner des événements d'après lesquels il serait facile de faire un roman. Il est un peu vain, notre peintre; mais sa vanité est celle d'un enfant; c'est l'ivresse du talent. Otez-lui cette naïveté qui lui fait dire de son propre ouvrage : *Voyez-moi cela ! C'est cela qui est beau !* vous lui ôterez la verve, vous [lui] [2] éteindrez le feu, et le génie s'éclipsera. Je crains bien, lorsqu'il deviendra modeste, qu'il n'ait raison de l'être. Nos qualités, certaines du moins, tiennent de près à nos défauts. La plupart des honnêtes femmes ont de l'humeur; les artistes ont un petit coup de hache dans [3] la tête. Presque toutes les femmes galantes sont généreuses; les dévotes, les bonnes même, ne sont pas ennemies de la

1. N, A.T. : Vous me direz que c'est comme tous les ennuyeux du monde; ils ennuient sans s'en apercevoir.
2. *Omisit* N, A.T.
3. N, A.T. : à.

médisance. Il est difficile à un maître qui sent qu'il fait l
bien, de n'être pas un peu despote. [A qui passera-t-on le
défauts si ce n'est aux grands hommes?] [1] Je hais toute
ces petites bassesses, qui ne montrent qu'une âme abjecte
mais je ne hais pas les grands crimes : premièrement
parce qu'on en fait de beaux tableaux et de belles tragédies
et puis, c'est que les grandes et sublimes actions et le
grands crimes portent le même caractère d'énergie. S
un homme n'était pas capable d'incendier une ville, u
autre homme ne serait pas capable de se précipiter dans u
gouffre pour la sauver. Si l'âme de César n'eût pas ét
possible, celle de Caton ne l'aurait pas été davantage
L'homme est né citoyen tantôt du Ténare, tantôt de
cieux [2] ; c'est Castor et Pollux; un héros, un scélérat
Marc-Aurèle, Borgia : *diversis studiis ovo prognatus eodem* [3]

Nous avons trois peintres habiles, féconds et studieu
observateurs de la nature, ne commençant, ne finissan
rien, sans avoir appelé [4] le modèle. C'est La Grenée
Greuze et Vernet... Le second porte son talent partout
dans les cohues populaires, dans les églises, aux marchés
aux promenades, dans les maisons, dans les rues; sans cess
il va recueillant des actions, des passions, des caractères
des expressions. Chardin et lui parlent fort bien de leu
talent [5] : Chardin, avec jugement et de sang-froid; Greuze
avec chaleur et enthousiasme. La Tour, en petit comité
est aussi fort bon à entendre.

Il y a un grand nombre de morceaux de Greuze : quelque
médiocres, plusieurs bons, beaucoup d'excellents : parcou-
rons-les.

---

1. *Omisit* L.
2. N, A.T. : de l'Olympe.
3. Rectifions la citation latine (Horace, *Satires*, II, I, 26) :
« Castor gaudet equis, ovo prognatus eodem
Pugnis... » (Castor se plaît aux chevaux, Pollux, né du mêm
œuf, au pugilat...).
4. N, A.T. : plusieurs fois le modèle.
5. N, A.T. : art. B, L : talent.

110. LA JEUNE FILLE QUI PLEURE SON OISEAU MORT[1].

La jolie élégie! le charmant poème! la belle idylle que Gessner en ferait! C'est la vignette d'un morceau de ce poète. Tableau délicieux! le plus agréable et peut-être le plus intéressant du Salon. Elle est[2] de face; sa tête est appuyée sur sa main gauche : l'oiseau mort est posé sur le bord supérieur de la cage, la tête pendante, les ailes traînantes, les pattes en l'air. Comme elle est naturellement placée! que sa tête est belle! qu'elle est élégamment coiffée! que son visage a d'expression! Sa douleur est profonde; elle est à son malheur, elle y est tout entière. Le joli catafalque que cette cage! Que cette guirlande de verdure qui serpente autour a de grâces[3]! O la belle main! la belle main! le beau bras! Voyez la vérité des détails de ces doigts; et ces fossettes, et cette mollesse, et cette teinte de rougeur dont la pression de la tête a coloré le bout de ces doigts délicats, et le charme de tout cela. On s'approcherait de cette main pour la baiser, si on ne respectait cette enfant et sa douleur. Tout enchante en elle, jusqu'à son ajustement. Ce mouchoir de cou est jeté d'une manière! il est d'une souplesse et d'une légèreté! Quand on aperçoit ce morceau, on dit : *Délicieux!* Si l'on s'y arrête, ou qu'on y revienne, on s'écrie : *Délicieux! délicieux!* Bientôt on se surprend conversant avec cette enfant, et la consolant. Cela est si vrai, que voici ce que je me souviens de lui avoir dit à différentes reprises.

« Mais, petite, votre douleur est bien profonde, bien

---

1. *L'Oiseau mort* appartenait à La Live de la Briche et se trouve actuellement au Louvre. Le musée d'Édimbourg en possède une réplique, provenant de la collection Ramsay.

2. N, A.T. : La pauvre petite.

3. Deux phrases reportées plus haut dans A.T. suivant N, à la suite de la description de l'oiseau et suivies de : « La pauvre petite! Ah, qu'elle est affligée! »

réfléchie! Que signifie cet air rêveur et mélancolique! Quoi! pour un oiseau! Vous ne pleurez pas, vous êtes affligée; et la pensée accompagne votre affliction. Ça, petite, ouvrez-moi votre cœur : parlez-moi vrai; est-ce[1] la mort de cet oiseau qui vous retire si fortement et si tristement en vous-même?... Vous baissez les yeux; vous ne me répondez pas. Vos pleurs sont prêts à couler. Je ne suis pas père; je ne suis ni indiscret ni sévère... Eh bien, je le conçois, il vous aimait, il vous le jurait, et le jurait depuis [si][2] longtemps. Il souffrait tant : le moyen de voir souffrir ce qu'on aime?... Eh! laissez-moi continuer; pourquoi me fermer la bouche de votre main?... « Ce matin-là, par malheur votre mère était absente. Il vint; vous étiez seule : il était si beau, si passionné, si tendre, si charmant! il avait tant d'amour dans les yeux! tant de vérité dans les expressions! il disait de ces mots qui vont si droit à l'âme! et en les disant il était à vos genoux : cela se conçoit encore. Il tenait une de vos mains; de temps en temps vous y sentiez la chaleur de quelques larmes qui tombaient de ses yeux, et qui coulaient le long de vos bras. Votre mère ne revenait toujours point. Ce n'est pas votre faute; c'est la faute de votre mère... Mais voilà-t-il pas que vous pleurez...[3] Mais ce que je vous en dis n'est pas pour vous faire pleurer. Et pourquoi pleurer? Il vous a promis; il ne manquera à rien de ce qu'il vous a promis. Quand on a été assez heureux pour rencontrer une enfant charmante[4] comme vous, pour s'y attacher, pour lui plaire; c'est pour toute la vie... — Et mon oiseau?... — Vous souriez. » (Ah! mon ami, qu'elle était belle! ah! si vous l'aviez vue sourire et pleurer!) Je continuai. « Eh bien, votre oiseau! Quand on s'oublie soi-même, se souvient-on de son oiseau? Lorsque l'heure du retour de votre mère approcha, celui que vous aimez s'en alla. Qu'il était

1. N, A.T. : est-ce bien.
2. *Omisit* A.T.
3. A.T. : pleurez de plus belle.
4. A.T. : un enfant charmant.

heureux, content, transporté! qu'il eut de peine à s'arracher d'auprès de vous!... Comme vous me regardez! Je sais tout cela. Combien il se leva et se rassit de fois! combien il vous dit, redit adieu sans s'en aller! combien de fois il sortit et rentra! Je viens de le voir chez son père : il est d'une gaieté charmante, d'une gaieté qu'ils partagent tous, sans pouvoir s'en défendre... — Et ma mère?... — Votre mère? A peine fut-il parti qu'elle rentra : elle vous trouva rêveuse, comme vous l'étiez tout à l'heure. On l'est toujours comme cela. Votre mère vous parlait, et vous n'entendiez pas ce qu'elle vous disait; elle vous commandait une chose et vous en faisiez une autre. Quelques pleurs se présentaient au bord de vos paupières; ou vous les reteniez, ou vous détourniez la tête pour les essuyer furtivement. Vos distractions continues impatientèrent votre mère; elle vous gronda; et ce vous fut une occasion de pleurer sans contrainte et de soulager votre cœur... Continuerai-je[1]? Je crains que ce que je vais dire ne renouvelle votre peine. Vous le voulez?... Eh bien, votre bonne mère se reprocha de vous avoir contristée; elle s'approcha de vous, elle vous prit les mains, elle vous baisa le front et les joues, et vous en pleurâtes bien davantage. Votre tête se pencha sur elle; et votre visage, que la rougeur commençait à colorer, tenez, tout comme le voilà qui se colore, alla se cacher dans son sein. Combien cette bonne mère vous dit de choses douces! et combien ces choses douces vous faisaient de mal! Cependant votre serin avait beau chanter[2], vous avertir, vous appeler, battre des ailes, se plaindre de votre oubli, vous ne le voyiez point, vous ne l'entendiez point : vous étiez à d'autres pensées. Son eau ni sa[3] graine ne furent point renouvelées; et ce matin l'oiseau n'était plus... Vous me regardez encore; est-ce qu'il me reste encore quelque chose à dire? Ah! j'entends[4], cet oiseau, c'est

1. A.T. : continuerai-je, petite?
2. A.T. : s'égosiller.
3. A.T. : la.
4. A.T. : j'entends, petite;

lui qui vous l'avait donné : eh bien, il en retrouvera un autre aussi beau... Ce n'est pas tout encore : vos yeux se fixent sur moi, et s'affligent[1]; qu'y a-t-il donc encore Parlez, je ne saurais vous deviner... — Et si la mort de ce oiseau n'était que le présage!... Que ferais-je? que deviendrais-je? S'il était ingrat... — Quelle folie! Ne craigne rien[2] : cela ne se peut, cela ne sera pas! »

Mais, mon ami ne riez-vous pas, vous, d'entendre un grave personnage s'amuser à consoler[3] un enfant en peinture de la perte de son oiseau, de la perte de tout ce qu'il vous plaira? Mais aussi voyez qu'elle est belle[4]! qu'elle est intéressante! Je n'aime point à affliger; malgré cela, i ne me déplairait pas trop d'être la cause de sa peine.

Le sujet de ce petit poème est si fin, que beaucoup de personnes ne l'ont pas entendu; ils ont cru que cette jeune fille ne pleurait que son serin. Greuze a déjà peint une foi le même sujet : il a placé devant une glace fêlée une grande fille en satin blanc, pénétrée d'une profonde mélancolie[5] Ne pensez-vous pas qu'il y aurait autant de bêtise à attribuer les pleurs de la jeune fille de ce Salon à la perte d'un oiseau, que la mélancolie de la jeune fille du Salon précédent à son miroir cassé? Cette enfant pleure autre chose, vous dis-je D'abord, vous l'avez entendue, elle en convient; et son affliction[6] le dit de reste. Cette douleur! à son âge! et pour un oiseau!... Mais quel âge a-t-elle donc?... Que vous répondrai-je; et quelle question m'avez-vous faite? Sa tête est de quinze à seize ans, et son bras et sa main de dix-huit à dix-neuf. C'est un défaut de cette composition qui devient d'autant plus sensible, que la tête étant appuyée contre la

---

1. A.T. : se remplissent de nouveau de larmes.
2. Incise de A.T. : pauvre petite.
3. A.T. : Quoi, mon ami, vous me riez au nez! Vous vous moquez d'un grave personnage qui s'occupe à consoler...
4. A.T. : Mais voyez donc comme elle est belle!
5. Diderot n'avait rien dit du *Miroir cassé* exposé au Salon de 1763. Le tableau est actuellement dans la collection Wallace, à Londres.
6. A.T. : affliction réfléchie.

main, une des parties donne tout contre la mesure de l'autre. Placez la main autrement, et l'on ne s'apercevra plus qu'elle est un peu trop forte et trop caractérisée. C'est, mon ami, que la tête a été prise d'après un modèle, et la main d'après un autre. Du reste, elle est très vraie, cette main, très belle, très parfaitement coloriée et dessinée. Si vous voulez passer au morceau [1] cette tache légère, avec un ton de couleur un peu violâtre, c'est une chose très belle. La tête est bien éclairée, de la couleur la plus agréable qu'on puisse donner à une blonde [2] : peut-être demanderait-on qu'elle [3] fît un peu plus le rond de bosse. Le mouchoir rayé est large, léger, du plus beau transparent; le tout fortement touché, sans nuire aux finesses de détail. Ce peintre peut avoir fait aussi bien, mais pas mieux.

Lorsque le Salon fut tapissé, on en fit les premiers honneurs à M. de Marigny. Poisson-Mécène [4] s'y rendit avec le cortège des artistes favoris qu'il admet à sa table; les autres s'y trouvèrent : il alla, il regarda, il approuva, il dédaigna. La *Pleureuse* de Greuze l'arrêta et le surprit. Cela est beau, dit-il à l'artiste, qui lui répondit : « Monsieur, je le sais; on me loue de reste; mais je manque d'ouvrage. — C'est, lui répondit Vernet, que vous avez une nuée d'ennemis, et parmi ces ennemis un quidam qui a l'air de vous aimer à la folie, et qui vous perdra. — Et qui est ce quidam? lui demanda Greuze. — C'est vous, lui répondit Vernet. »

III. L'ENFANT GATÉ[5].

C'est une mère placée à côté d'une table, et qui regarde avec complaisance son fils qui donne sa soupe à un chien.

---

1. A.T. : à ce tableau.
2. A.T. ajoute : car elle est blonde, notre petite.
3. A.T. : que cette tête.
4. B : le directeur ordonnateur des arts.
M. de Marigny lui-même, frère de la Pompadour, née Poisson.
5. *L'Enfant gâté*, du cabinet du duc de Praslin, connu par la gravure de Maleuvre.

L'enfant présente sa soupe au chien avec sa cuiller. Voilà le fond du sujet. Il y a des accessoires, comme à droite, une cruche, une terrine de terre où trempe du linge; au-dessus, une espèce d'armoire; à côté de l'armoire, une glane d'oignons suspendue; plus haut, une cage attachée au côté de l'armoire, et deux ou trois perches appuyées contre le mur. De la gauche à la droite, depuis l'armoire, règne une sorte de buffet sur lequel l'artiste a placé un pot de terre, un verre à moitié plein de vin, un linge qui pend; et derrière l'enfant, une chaise de paille, avec une terrine. Tout cela signifie que c'est sa petite *Blanchisseuse* d'il y a quatre ans qui s'est mariée, et dont il se propose de suivre l'histoire.

Le sujet de ce tableau n'est pas clair. L'idéal n'en est pas assez caractéristique; c'est, ou l'enfant, ou le chien gâté. Il pétille de petites lumières qui papillotent de tous côtés, et qui blessent les yeux. La tête de la mère est charmante de couleur; mais sa coiffure ne tient pas à sa tête, et l'empêche de faire le rond de bosse. Ses vêtements sont lourds, surtout le linge. La tête de l'enfant est de toute beauté, j'entends de beauté de peintre; c'est un bel enfant de peintre, mais non pas comme une mère le voudrait. Cette tête est de la plus grande finesse de touche, les cheveux bien plus légers qu'il n'a coutume de les faire. C'est ce chien-là qui est un vrai chien! La mère a la gorge opaque, sans transparence, et même un peu rouge. Il y a aussi trop d'accessoires, trop d'ouvrage. La composition en est alourdie, confuse. La mère, l'enfant, le chien et quelques ustensiles auraient produit plus d'effet. Il y aurait eu du repos qui n'y est pas.

112. UNE TÊTE DE FILLE.

Oui, de fille placée au coin de la rue, le nez en l'air, lisant l'affiche en attendant le chaland. Elle est de profil. C'est ce qu'on peut appeler un morceau de la plus grande vigueur de couleur. On la croirait modelée, tant les plans en sont bien annoncés. Elle tue cinquante tableaux autour d'elle. Voilà une petite catin bien méchante. Voyez comme

M. l'introducteur des ambassadeurs [1], qui est à côté d'elle, en est devenu blême, froid, aplati et blafard; le coup qu'elle porte de loin à Roslin et à toute sa triste famille! Je n'ai jamais vu un pareil dégât.

113. UNE PETITE FILLE QUI TIENT UN PETIT CAPUCIN DE BOIS.

Quelle vérité! quelle variété de ton! Et ces plaques de rouge qui est-ce qui ne les a pas vues sur le visage des enfants, lorsqu'ils ont froid, ou qu'ils souffrent des dents? Et ces yeux larmoyants, et ces menottes engourdies et gelées, et ces couettes de cheveux blonds, éparses sur le front, tout ébouriffées; c'est à les remettre sous le bonnet, tant elles sont légères et vraies. Bonne grosse étoffe de marmotte, avec les plis qu'elle affecte. Fichu de bonne grosse toile sur le cou, et arrangé comme on sait; petit capucin bien raide, bien de bois, bien raidement drapé. Monsieur Drouais, approchez. Voyez-vous cet enfant, c'est de la chair; ce capucin, c'est du plâtre. Pour la vérité et la vigueur du coloris, petit Rubens.

115. TÊTE EN PASTEL.

C'est encore une assez belle chose. Il y a tout plein de vérité de chair, et un moelleux infini. Elle est bien par plans, et grassement faite; cependant un peu grise; les coins de la bouche qui baissent, lui donnent un air de douleur mêlé de plaisir. Je ne sais, mon ami, si je ne brouille pas ici deux tableaux. J'ai beau me frotter le front, peindre et repeindre dans l'espace, ramener l'imagination au Salon; peine inutile. Il faut que cela reste comme le voilà.

---

1. Il s'agit de La Live de Jully, dont le portrait au pastel figurait au Salon (nº 122). Grand amateur de Greuze, il possédait la *Petite fille au Capucin de bois* décrite ci-dessous (vente de 1770 : 500 livres).

116. PORTRAIT DE M. WATTELET[1].

Il est terne; il a l'air d'être [embu][2]; il est maussade C'est l'homme. Retournez la toile.

121. PORTRAIT DE MADAME GREUZE.

Ce peintre est certainement amoureux de sa femme; e il n'a pas tort. Je l'ai bien aimée, moi, quand j'étais jeune et qu'elle s'appelait Mlle Babuti. Elle occupait une petit boutique de libraire sur le quai des Augustins; poupine blanche et droite comme le lis, vermeille comme la rose J'entrais avec cet air vif, ardent et fou que j'avais; et j lui disais : « Mademoiselle, les *Contes* de La Fontaine, u Pétrone, s'il vous plaît.

— Monsieur, les voilà; ne vous faut-il point d'autres livres?

— Pardonnez-moi, mademoiselle; mais...

— Dites toujours.

— *La Religieuse en chemise.*

— Fi donc! monsieur; est-ce qu'on a, est-ce qu'on lit ces vilenies-là?

— Ah! ah! ce sont des vilenies, mademoiselle; moi je n'en savais rien... »

Puis un autre jour, quand je repassais, elle souriait, et moi aussi.

Il y avait, au Salon dernier, un *Portrait de Mme Greuze enceinte;* l'intérêt de son état arrêtait; la belle couleur et la vérité des détails vous faisaient ensuite tomber les bras. Celui-ci n'est pas aussi beau; cependant l'ensemble en est gracieux; il est bien posé; l'attitude en est de volupté; ses

1. L'auteur de l'*Art de peindre* (1760), féru de peinture et collectionneur estimable. Diderot ne l'appréciait guère (cf. A.T., t. XIII, p. 23-26).

2. L : imbu (?). *Embu* est le terme technique et signifie l'état d'une toile, pénétrée par l'huile, qui prend des couleurs ternes et mates.

deux mains montrent des finesses de ton qui enchantent. La gauche seulement n'est pas ensemble; elle a même un doigt cassé; cela fait peine. Le chien que la belle main caresse est un épagneul à long poils noirs, le museau et les pattes tachetés de feu; il a les yeux pleins de vie. Si vous le regardez quelque temps, vous l'entendrez aboyer. La blonde qui coiffe la tête est à faire demander l'ouvrier; j'en dis autant du reste du vêtement. La tête a donné bien de la peine au peintre et au modèle; on le voit; et c'est déjà un défaut [1]. Les passages du front sont trop jaunes : on sait bien qu'il reste aux femmes qui ont eu des enfants de ces taches-là; mais si l'on pousse l'imitation de la nature jusqu'à vouloir les rendre, il faut les affaiblir; c'est là le cas d'embellir un peu, puisqu'on le peut sans que la ressemblance en souffre. Mais comme ces accidents du visage donnent lieu [à l'artiste] [2], par leurs difficultés, de déployer son talent, il est rare qu'il s'y refuse. Ces passages ont encore un œil rougeâtre, qui est vrai, mais déplaisant. Ses lèvres sont plates. Cet air pincé de la bouche lui donne un petit air sucré. Cela est tout à fait maniéré. Si ce maniéré est dans la personne, tant pis pour la personne, le peintre et le tableau. Cette femme agace-t-elle malignement son épagneul contre quelqu'un? l'air malin et sucré sera moins faux, mais sera toujours choquant. Au reste, le tour de la bouche, les yeux, tous les autres détails sont à ravir; des finesses de couleur sans fin; le cou soutient la tête à merveille. Il est beau de dessin et de couleur, et va, comme il doit, s'attacher aux épaules; mais pour cette gorge, je ne saurais la regarder; et si, même à cinquante ans, je ne hais pas les gorges. Le peintre a penché sa figure en devant, et par cette attitude il semble dire au spectateur : « Voyez la gorge de ma femme. » Je la vois, monsieur Greuze. Eh bien, votre femme a la gorge molle et jaune. Si elle ressemble, tant pis encore pour vous, pour elle et pour le tableau.

Un jour M. de la Martelière descendait de son apparte-

---

1. A.T. : un grand défaut.
2. *Omisit* L.

ment; il rencontra sur l'escalier un grand garçon qui montait à l'appartement de madame. Mme de la Martelière avait la plus belle tête du monde; et M. de la Martelière, regardant monter le jeune galant chez sa femme, disait entre ses dents : « Oui, oui; mais je l'attends à la cuisse. » Mme Greuze a la tête aussi fort belle; et rien n'empêchera M. Greuze de dire aussi quelque jour entre ses dents : « Oui, oui; mais je l'attends à la gorge. » Cela n'arrivera pas, car sa femme est sage [1]. La couleur jaune et la mollesse de cette gorge sont de madame; mais le défaut de transparence et le mat sont de monsieur.

118. PORTRAIT DU GRAVEUR WILLE [2].

Très beau portrait. C'est l'air brusque et dur de Wille; c'est sa raide encolure; c'est son œil petit, ardent, effaré; ce sont ses joues couperosées. Comme cela est coiffé! que le dessin est beau! que la touche est fière! quelles vérités et variétés de tons! et le velours, et le jabot, et les manchettes d'une exécution! J'aurais plaisir à voir ce portrait à côté d'un Rubens, d'un Rembrandt ou d'un Van Dyck. J'aurais plaisir à sentir ce qu'il y aurait à perdre ou à gagner pour notre peintre. Quand on a vu ce Wille, on tourne le dos aux portraits des autres, et même à ceux de Greuze.

123. LA MÈRE BIEN-AIMÉE.

Esquisse [3].

Les esquisses ont communément un feu que le tableau n'a pas. C'est le moment de chaleur de l'artiste, la verve pure,

1. Greuze avait épousé Gabrielle Babuty, la fille du libraire, le 3 février 1759. Diderot fut mauvais prophète : la conduite privée de Mme Greuze scandalisa dès 1769 le menu peuple des artistes logés aux galeries du Louvre; le peintre dut se résoudre à la séparation.

2. Cet admirable tableau, qui fit partie de la collection Delessert, est actuellement au musée Jacquemart-André.

3. Esquisse du tableau gravé par Massard que Mme Geoffrin qualifiait de « fricassée d'enfants ». Le tableau est actuellement

Greuze. — Le graveur Wille.

Musée Jacquemart-André. Cl. Bulloz.

sans aucun mélange de l'apprêt que la réflexion met à tout; c'est l'âme du peintre qui se répand librement sur la toile. La plume du poète, le crayon du dessinateur habile, ont l'air de courir et de se jouer. La pensée rapide caractérise d'un trait; or, plus l'expression des arts est vague, plus l'imagination est à l'aise. Il faut entendre dans la musique vocale ce qu'elle exprime. Je fais dire à une symphonie bien faite presque ce qu'il me plaît; et comme je sais mieux que personne la manière de m'affecter, par l'expérience que j'ai de mon propre cœur, il est rare que l'expression que je donne aux sons, analogue à ma situation actuelle, sérieuse, tendre ou gaie, ne me touche plus qu'une autre qui serait moins à mon choix. Il en est à peu près de même de l'esquisse et du tableau. Je vois dans le tableau une chose prononcée : combien dans l'esquisse y supposé-je de choses qui y sont à peine annoncées!

Voici, mon ami, de quoi montrer combien il reste d'équivoque dans le meilleur tableau. Vous voyez bien cette belle poissarde, avec son gros embonpoint, qui a la tête renversée en arrière, dont la couleur blême, le linge de tête étalé en désordre, l'expression mêlée de peine et de plaisir, montrent un paroxysme plus doux à éprouver qu'honnête à peindre? Eh bien, c'est l'esquisse, l'étude de la *Mère bien-aimée*. Comment se fait-il qu'ici un caractère soit décent, et que là il cesse de l'être? Les accessoires, les circonstances nous sont-elles nécessaires pour prononcer juste des physionomies? Sans ce secours, restent-elles indécises? Il faut bien qu'il en soit quelque chose. Cette bouche entr'ouverte, ces yeux nageants, cette attitude renversée, ce cou gonflé, ce mélange voluptueux de peine et de plaisir, font baisser les yeux et rougir toutes les honnêtes femmes dans cet endroit. Tout à côté c'est la même attitude, les mêmes yeux, le même cou, le même mélange de passions; et aucune d'elles ne s'en aperçoit. Au reste, si les femmes passent vite devant ce morceau,

---

dans la famille de La Borde (cf. Edmond Pilon, *Greuze peintre de la femme et de la jeune fille*, s. d., Piazza, p. 34).

les hommes s'y arrêtent longtemps; j'entends ceux qui s'y connaissent, et ceux qui, sous prétexte de s'y connaître, viennent jouir d'un spectacle de volupté forte, et ceux qui comme moi réunissent les deux motifs. Il y a au front, et du front sur les joues, et des joues vers la gorge, des passages de tons incroyables; cela vous apprend à voir la nature, et vous la rappelle. Il faut voir les détails de ce cou gonflé, et n'en pas parler. Cela est tout à fait beau, vrai et savant. Jamais vous n'avez vu la présence de deux expressions contraires aussi nettement caractérisées. Ce tour de force, Rubens ne l'a pas mieux fait à la galerie du Luxembourg, où le peintre a montré, sur le visage de la reine, et le plaisir d'avoir mis au monde un fils, et les traces du douloureux état qui a précédé [1].

La composition de la *Mère bien-aimée* est si naturelle, si simple, qu'elle fait croire à ceux qui réfléchissent peu, qu'ils l'auraient imaginée, et qu'elle n'exigeait pas un grand effort d'esprit. Je me contente de dire à ces gens-là : « Oui, je pense bien que vous auriez répandu autour de cette mère tous ses enfants, et que vous les auriez occupés à la caresser : mais vous auriez fait pleurer celui-ci du chagrin de n'être pas distingué des autres; et vous auriez introduit dans ce moment cet homme si gai, si content d'être l'époux de cette femme, et si vain d'être le père de tant d'enfants. Vous lui auriez fait dire : « C'est moi qui ai fait tout cela! » Et cette grand'mère, vous auriez songé à l'amener là; vous en êtes bien sûr? »

Établissons le local. La scène se passe à la campagne; on voit dans une salle basse, en allant de la droite à la gauche, un lit; au devant du lit, un chat sur un tabouret; puis la mère bien-aimée renversée sur sa chaise longue, et tous ses enfants répandus sur elle. Il y en a six au moins : le plus petit est entre ses bras; un second est pendu d'un côté; un

---

1. Allusion à la *Naissance de Louis XIII*, l'un des vingt-quatre tableaux de la série fameuse sur la vie de Marie de Médicis. L'ensemble est au Louvre.

troisième est pendu de l'autre; un quatrième, grimpé au dossier de la chaise, lui baise le front; un cinquième lui mange les joues; un sixième, debout, a la tête penchée sur son giron, et n'est pas content de son rôle. La mère de ces enfants a la joie et la tendresse peintes sur son visage, avec un peu de ce malaise inséparable du mouvement et du poids de tant d'enfants qui l'accablent, et dont les caresses violentes ne tarderaient pas à l'excéder si elles duraient. C'est cette sensation qui touche à la peine, fondue avec la tendresse et la joie, avec cette position renversée et de lassitude, et cette bouche entr'ouverte, qui donnent à cette tête, séparée du reste de la composition, un caractère si singulier. Sur le devant du tableau, autour de ce groupe charmant, à terre, un corps d'enfant, avec un petit chariot. Sur le fond du salon, le dos tourné à une cheminée couverte d'une glace, la grand'mère assise dans un fauteuil, et bien grand'mérisée de tête et d'ajustements, éclatant de rire de la scène qui se passe. Plus sur la gauche et sur le devant, un chien qui aboie de joie, et se fait de fête. Tout à fait vers la gauche, presque à autant de distance de la grand'mère qu'il y en a de la grand'mère à la mère bien-aimée, le mari qui revient de la chasse; il se joint à la scène, en étendant ses bras, se renversant le corps un peu en arrière et en riant. C'est un jeune et gros garçon, qui se porte bien, et au travers de la satisfaction duquel on discerne la vanité d'avoir produit toute cette jolie marmaille. A côté du père, son chien; derrière lui, tout à fait à l'extrémité de la toile, à gauche, un panier à sécher du linge; puis, sur le pas de la porte, un bout de servante qui s'en va.

Cela est excellent, et pour le talent, et pour les mœurs. Cela prêche la population, et peint très pathétiquement le bonheur et le prix inestimables de la paix domestique. Cela dit à tout homme qui a de l'âme et du sens : « Entretiens ta famille dans l'aisance; fais des enfants à ta femme; fais-lui-en tant que tu pourras; n'en fais qu'à elle, et sois sûr d'être bien chez toi. »

119. LE FILS INGRAT[1].

Autre esquisse.

Je ne sais comment je me tirerai de celle-ci; encore moins de la suivante. Mon ami, ce Greuze va vous ruiner.

Imaginez une chambre où le jour n'entre guère que par a porte, quand elle est ouverte, ou que par une ouverture carrée pratiquée au-dessus de la porte, quand elle est ermée. Tournez les yeux autour de cette chambre triste, et vous n'y verrez qu'indigence. Il y a pourtant sur la droite, dans un coin, un lit qui ne paraît pas trop mauvais; l est couvert avec soin. Sur le devant, du même côté, un grand confessionnal de cuir noir où l'on peut être commodément assis : asseyez-y le père du fils ingrat. Attenant à la porte, placez un bas d'armoire, et tout près du vieillard caduc, une petite table sur laquelle on vient de servir un potage.

Malgré le secours dont le fils aîné de la maison peut être son vieux père, à sa mère et à ses frères, il s'est enrôlé; mais il ne s'en ira point sans avoir mis à contribution ces malheureux. Il vient avec un vieux soldat; il a fait sa demande. Son père en est indigné; il n'épargne pas les mots durs à cet enfant dénaturé qui ne connaît plus ni père, ni mère, ni devoirs, et qui lui rend injures pour reproches. On le voit au centre du tableau; il a l'air violent, insolent et fougueux; il a le bras droit élevé du côté de son père, audessus de la tête d'une de ses sœurs; il se dresse sur ses pieds; il menace de la main; il a le chapeau sur la tête; et son geste et son visage sont également insolents. Le bon vieillard, qui a aimé ses enfants, mais qui n'a jamais souffert qu'aucun d'eux lui manquât, fait effort pour se lever; mais une de ses filles, à genoux devant lui, le retient par les

1. *Le Fils ingrat* ou *La Malédiction paternelle*, de même que le tableau suivant, *Le Mauvais fils puni*, est au Louvre. Tourneux constate fort justement quelques différences entre les esquisses et les morceaux achevés.

basques de son habit. Le jeune libertin est entouré d
l'aînée de ses sœurs, de sa mère et d'un de ses petits frères
Sa mère le tient embrassé par le corps; le brutal cherche
s'en débarrasser et la repousse du pied. Cette mère a l'ai
accablé, désolé; la sœur aînée s'est aussi interposée entr
son frère et son père; la mère et la sœur semblent, par leu
attitude, chercher à les cacher l'un à l'autre. Celle-ci a sais
son frère par son habit, et lui dit, par la manière dont ell
le tire : « Malheureux, que fais-tu? Tu repousses ta mère, t
menaces ton père; mets-toi à genoux et demande pardon.
Cependant le petit frère pleure, porte une main à ses yeux
et, pendu au bras droit de son grand frère, il s'efforce
l'entraîner hors de la maison. Derrière le fauteuil du vieil
lard, le plus jeune de tous a l'air intimidé et stupéfait. A
l'autre extrémité de la scène, vers la porte, le vieux soldat
qui a enrôlé et accompagné le fils ingrat chez ses parents
s'en va, le dos tourné à ce qui se passe, son sabre sous l
bras et la tête baissée. J'oubliais qu'au milieu de ce tumulte
un chien placé sur le devant l'augmentait encore par se
aboiements.

Tout est entendu, ordonné, caractérisé, clair, dans cett
esquisse, et la douleur, et même la faiblesse de la mère
pour un enfant qu'elle a gâté, et la violence du vieillard, e
les actions diverses des sœurs et des petits enfants, e
l'insolence de l'ingrat, et la pudeur du vieux soldat qui n
peut s'empêcher de lever les épaules de ce qui se passe; e
ce chien qui aboie est un de ces accessoires que Greuz
sait imaginer par un goût tout particulier.

Cette esquisse, très belle, n'approche pourtant pas,
mon gré, de celle qui suit.

120. LE MAUVAIS FILS PUNI.

Il a fait la campagne. Il revient; et dans quel moment? A
moment où son père vient d'expirer. Tout a bien chang
dans la maison. C'était la demeure de l'indigence. C'es
celle de la douleur et de la misère. Le lit est mauvais e
sans matelas. Le vieillard mort est étendu sur ce lit. Un

lumière qui tombe d'une fenêtre n'éclaire que son visage, le reste est dans l'ombre. On voit à ses pieds, sur une escabelle de paille, le cierge bénit qui brûle, et le bénitier. La fille aînée, assise dans le vieux confessionnal de cuir, a le corps renversé en arrière, dans l'attitude du désespoir, une main portée à sa tempe, et l'autre élevée et tenant encore le crucifix qu'elle a fait baiser à son père. Un de ses petits-enfants, effrayé, s'est caché le visage dans son sein. L'autre, les bras en l'air et les doigts écartés, semble concevoir les premières idées de la mort. La cadette, placée entre la fenêtre et le lit, ne saurait se persuader qu'elle n'a plus de père : elle est penchée vers lui; elle semble chercher ses derniers regards; elle soulève un de ses bras, et sa bouche entr'ouverte crie : « Mon père, mon père! est-ce que vous ne m'entendez plus? » La pauvre mère est debout, vers la porte, le dos contre le mur, désolée, et ses genoux se dérobent [1] sous elle.

Voilà le spectacle qui attend le fils ingrat. Il s'avance. Le voilà sur le pas de la porte. Il a perdu la jambe dont il a repoussé sa mère; et il est perclus du bras dont il a menacé son père.

Il entre. C'est sa mère qui le reçoit. Elle se tait; mais ses bras tendus vers le cadavre lui disent : « Tiens, vois, regarde; voilà l'état où tu l'as mis. »

Le fils ingrat paraît consterné; la tête lui tombe en devant, et il se frappe le front avec le poing.

Quelle leçon pour les pères et pour les enfants!

Ce n'est pas tout; celui-ci médite ses accessoires aussi sérieusement que le fond de son sujet.

A ce livre placé sur une table, [devant cette fille aînée,] [2] je devine qu'elle a été chargée, la pauvre malheureuse, de la fonction douloureuse de réciter la prière des agonisants.

Cette fiole qui est à côté du livre contient apparemment les restes d'un cordial.

---

1. A.T. : se dérobant.
2. *Omisit* L.

Et cette bassinoire qui est à terre, on l'avait apporté pour réchauffer les pieds du moribond.

Et puis, voici le même chien qui est incertain s'il recon naîtra cet éclopé pour le fils de la maison, ou s'il le prendr pour un gueux.

Je ne sais quel effet cette courte et simple descriptio d'une esquisse de tableau fera sur les autres; pour moi j'avoue que je ne l'ai point faite sans émotion.

Cela est beau, très beau, sublime; tout, tout. Mais comm il est dit que l'homme ne fera rien de parfait, je ne crois pa que la mère ait l'action vraie du moment; il me semble qu pour se dérober à elle-même la vue de son fils et celle d cadavre de son époux, elle a dû porter une de ses mains su ses yeux, et de l'autre montrer à l'enfant ingrat le cadavre de son père. On n'en aurait pas moins aperçu sur le reste de son visage toute la violence de sa douleur; et la figure en eût été plus simple et plus pathétique encore; et puis le costume est lésé, dans une bagatelle, à la vérité; mais Greuze ne se pardonne rien. Le grand bénitier rond, avec le goupillon, est celui que l'église mettra au pied de la bière; pour celui qu'on met dans les chaumières aux pieds des agonisants, c'est un pot à l'eau, avec un rameau de[1] buis bénit le dimanche des Rameaux.

Du reste ces deux morceaux sont, à mon sens, des chefs-d'œuvre de composition : point d'attitudes tourmentées ni recherchées; les actions vraies qui conviennent à la peinture; et dans ce dernier, surtout, un intérêt violent, bien un et bien général. Avec tout cela, le goût est si misérable, si petit que peut-être ces deux esquisses ne seront jamais peintes; et que, si elles sont peintes, Boucher aura plus tôt vendu cinquante de ses indécentes et plates marionnettes que Greuze ses deux sublimes tableaux. Eh! mon ami, je sais bien ce que je dis. Son *Paralytique*, ou son tableau de *la Récompense de la bonne éducation donnée*, n'est-il pas encore dans son atelier? C'est pourtant un chef-d'œuvre de l'art. On en entendit parler à la cour; on le fit venir : il fut regardé

1. A.T. : du buis.

Cl. Giraudon.

Greuze. — Le mauvais fils puni (Musée du Louvre).

avec admiration; mais on ne le prit pas; et il en coûta une vingtaine d'écus à l'artiste pour avoir le bonheur inestimable... Mais je me tais; l'humeur me gagne; et je me sens tout disposé à me faire quelque affaire sérieuse.

A propos de ce genre de Greuze, permettez-vous qu'on vous fasse quelques questions? La première, c'est : Qu'est-ce que la véritable poésie? la seconde, c'est : S'il y a de la poésie dans ces deux dernières esquisses de Greuze? la troisième : Quelle différence mettez-vous entre cette poésie et celle de l'esquisse du *Tombeau d'Artémise;* et laquelle vous préférez? la quatrième : De deux coupoles, l'une qu'on prend pour une coupole peinte, l'autre pour une coupole réelle, quoiqu'elle soit peinte, quelle est la belle? la cinquième : De deux lettres, par exemple d'une mère à sa fille, l'une pleine de beaux et grands traits d'éloquence et de pathétique, sur lesquels on ne cesse de se récrier, mais qui ne font illusion à personne; l'autre simple, naturelle, et si naturelle et si simple que tout le monde s'y trompe et la prend pour une lettre réellement écrite par une mère à sa fille : quelle est la bonne, et même quelle est la plus difficile à faire? Vous vous doutez bien que je n'entamerai point ces questions; votre projet ni le mien n'est pas que je fasse un livre dans un autre.

LES SEVREUSES[1].

Autre esquisse.

En allant de la droite à la gauche, trois tonneaux debout sur une même ligne, une table; sur cette table une écuelle, un poêlon, un chaudron et autres ustensiles de ménage. Sur le plan antérieur, un enfant qui conduit un chien avec une corde; à cet enfant tourne le dos une paysanne, sur le giron de laquelle une petite fille est endormie. Plus vers le fond, un assez grand enfant qui tient un oiseau; on voit un

---

1. Esquisse non signalée au livret. Les *Sevreuses* passèrent à la vente York, à Londres, le 6 mai 1927 (1.995 £).

ambour à ses pieds et la cage de l'oiseau attachée au mur. Ensuite une autre femme assise et groupée avec trois petits enfants; derrière elle un berceau; sur le pied du berceau un chaton; à terre, au-dessous, un coffre, un oreiller, des bâtons de coteret et autres agrès de chaumières et de sevreuses.

Ostade ne désavouerait pas ce morceau; on ne peint pas avec plus de vigueur. L'effet en est vrai; on ne cherche pas d'où vient la lumière; les groupes sont charmants. C'est la petite ordonnance la moins recherchée et la mieux entendue. Vous croyez être dans une chaumière; rien ne détrompe, ni la chose, ni l'art. On demande que le berceau soit plus piqué de lumière; pour moi, c'est le tableau que je demande... Ah! je respire; me voilà tiré de Greuze : le travail qu'il me donne est agréable; mais il m'en donne beaucoup.

SALON DE 1769

Je vous ai promis, mon ami, que je vous parlerais [1] du morceau de réception de Greuze, et que je vous en parlerais [2] sans partialité; je vais vous tenir parole [3].

Il faut que vous sachiez d'abord que les tableaux de cet artiste faisant dans le monde et au Salon la sensation la plus forte, l'Académie souffrit avec peine qu'un homme aussi habile et aussi justement admiré n'eût que le titre d'agréé. Elle désira qu'il fût incessamment décoré de celui d'académicien; ce désir et la lettre que le secrétaire de l'Académie, Cochin, fut chargé de lui écrire en conséquence sont un bel éloge de Greuze. J'ai vu la lettre, qui est un modèle d'honnêteté et d'estime; j'ai vu la réponse de Greuze, qui est un modèle de vanité et d'impertinence : il fallait appuyer cela d'un chef-d'œuvre, et c'est ce que Greuze n'a pas fait.

---

1. A.T. : de vous parler.
2. A.T. : de vous en parler.
3. Le *Sévère et Caracalla* de Greuze, témoignage regrettable de son inaptitude au genre historique, est conservé au Louvre.

Le Septime Sévère est ignoble de caractère, il a la peau noire et basanée d'un forçat; son action est équivoque. Il est mal dessiné. Il a le poignet cassé. La distance du cou au sternum est démesurée. On ne sait où va ni à quoi appartient le genou de la cuisse droite, qui fait relever la couverture.

Le Caracalla est plus ignoble encore que son père; c'est un vil et bas coquin; l'artiste n'a pas eu l'art d'allier la méchanceté avec la noblesse. C'est d'ailleurs une figure de bois, sans mouvement et sans souplesse; c'est l'*Antinoüs* déguisé sous l'habit[1] romain; j'en suis aussi sûr que si l'artiste m'en avait fait confidence.

Mais, me direz-vous, si le Caracalla est fait d'après l'*Antinoüs*, ce doit être une belle figure? Réponse. Faites dessiner l'*Antinoüs* par Raphaël, et vous aurez un chef-d'œuvre; faites calquer l'*Antinoüs* au voile par un ignorant, et vous aurez un dessin froid et misérable. — Mais Greuze n'est pas un ignorant! — Le plus habile homme du monde est un ignorant, lorsqu'il tente une chose qu'il n'a jamais faite. Greuze est sorti de son genre : imitateur scrupuleux de la nature, il n'a pas su s'élever à la sorte d'exagération qu'exige la peinture historique. Son Caracalla irait à merveille dans une scène champêtre et domestique; ce serait, dans un besoin, le mauvais frère de ce grand garçon qui écoute debout ce vieillard qui fait la lecture à ses enfants.

Concluez de ce qui précède que celui qui n'a vu les belles statues antiques que d'après des plâtres, quelque parfaits qu'ils fussent, ne les a pas vues.

La tête du Papinien est très belle; mais elle n'est pas du reste du corps. Sa tête[2] est faite pour être grande, et le corps pour rester petit. Il en est de cette tête au corps comme d'un Teniers à un Wouwermans. Prenez le plus petit Teniers, portez-le chez un peintre de copie, et demandez-lui de vous en faire une grande composition, une compo-

---

1. A.T. : affublé d'un habit.
2. A.T. : Cette tête.

sition de six pieds de large sur cinq pieds de haut; l'artiste divisera sa grande toile par petits carrés; chacun de ces petits carrés contiendra une partie proportionnée du petit tableau; et si votre copiste a quelque talent, soyez sûr d'avoir une bonne chose. Ne lui demandez pas la même opération sur un Wouwermans; le Wouwermans est fait pour être copié de la grandeur précise de l'original. Achetez donc un Wouwermans comme on achète un diamant précieux, mais achetez un Teniers comme un connaisseur en peinture.

La tête du sénateur, placée sur le fond, est peut-être encore plus belle que celle de Papinien.

Le linge et les couvertures du lit de Septime Sévère[1] sont du plus mauvais goût de couleur et de plis.

Mais ce n'est pas là le pis; c'est qu'il n'y a dans le tout aucun principe de l'art. Le fond du tableau touche au rideau du lit de Sévère, le rideau touche aux figures : tout cela n'a nulle profondeur, nulle magie. Il semble que l'artiste ait été privé, comme par un sortilège, de la partie du talent qu'on ne saurait perdre; Chardin m'a dit vingt fois que c'était pour lui un phénomène inexplicable. Point de couleur, nulles vérités de détail, rien de fait; tableau d'élève, trop bien pour laisser l'espoir de mieux. Nulle harmonie; tout est terne, dur et cru. Prenez cette critique, portez-la devant le tableau, et vous trouverez peut-être qu'on y peut ajouter, mais qu'on n'en peut rien rabattre.

Le livret annonce la *Mère bien-aimée*, caressée par ses enfants; mais ce morceau, dont j'ai entendu dire monts et merveilles, n'a point été exposé.

Je suis obligé en conscience de rétracter une bonne partie du bien que je vous ai dit autrefois de la *Jeune Fille qui envoie un baiser par la fenêtre, et qui brise des fleurs sans s'en apercevoir*. C'est une figure maniérée; c'est une ombre légère, mince comme une feuille de papier, et soufflée sur une toile.

La tête de la *Jeune Fille qui fait la prière à l'autel de l'Amour*

1. A.T. : de l'empereur.

est charmante; mais cette tête est d'un âge, et le reste de la figure est d'un autre. L'épaule est trop petite. La jambe droite est de mauvaise forme. Le pied est trop gros. La figure est mal drapée. Le paysage est lourd et fatigué. Les accessoires sont négligés. Les pigeons [apportés en offrande] sont si lisses, qu'on ne sait s'ils ont de la plume. [La petite statue de] l'Amour est bien modelé[e] [1] et de bonne couleur; mais, dans la crainte de le maniérer, on en a fait un petit Savoyard bien laid, un petit magot. Greuze connaît le beau idéal dans son genre [2]; mais il ne le connaît pas dans celui-ci. Si les mains de la jeune fille avaient été mieux coloriées, elles se détacheraient davantage de dessus sa gorge. Si le paysage avait été moins fort, les figures paraîtraient moins mesquines; ces énormes troncs d'arbres auxquels on les rapporte les écrasent. [Au reste] [3], pour ces figures-ci, elles sont peintes, et l'on n'en peut pas dire comme de la *Jeune Fille au baiser jeté*, que ce n'est qu'une vapeur. On vous dira de celle-ci qu'elle a de l'expression, de la volupté, de la lasciveté même si l'on veut; mais n'en faites nulle comparaison avec celle qui fait sa prière à l'Amour. J'aurais pu vous ajouter de la première que les teintes de sa gorge sont grises, même sales; qu'on ne sait si cette gorge est éclairée ou si elle ne l'est point; que sa draperie est un amas de petits plis; et que celui des tétons qu'on voit est trop bas et trop écarté. Je m'appesantis plus volontiers sur l'éloge que sur la critique, comme vous allez voir [4].

---

1. *Omisit* L.
2. A.T. : style.
3. *Omisit* L.
4. *La Jeune fille au baiser* et *La Jeune fille qui fait la prière à l'autel de l'amour* appartenaient au duc de Choiseul qui les vendit en 1772, après sa disgrâce (prix atteints : respectivement 2.500 et 5.650 livres). Le second tableau, sous le titre *L'Offrande à l'amour*, est à la Wallace Collection de Londres.

155. LA PETITE FILLE EN CAMISOLE, QUI TIENT ENTRE SES GENOUX UN CHIEN NOIR AVEC LEQUEL ELLE JOUE[1],

Est sans contredit le morceau le plus parfait qu'il y eût au Salon; depuis le rétablissement de la peinture, on n'a rien fait de mieux que la tête et le genou de cet enfant; ce sont les artistes même qui le disent; c'est le chef-d'œuvre de Greuze. La tête est pleine de vie; c'est de la peau; c'est de la chair; c'est du sang sous cette peau; ce sont les demi-teintes les plus fines, les transparents les plus vrais. Ces yeux-là voient; on y remarque le gras et l'humide propres à cet organe; c'est dans les angles l'ombre ou l'éclat de nature [2]. Et ce chien noir, il est tout aussi beau que l'enfant; il est vivant; il a les yeux éraillés de la vieillesse; c'est le luisant vrai du poil de ces animaux; la camisole est médiocrement imitée. Le bout de chemise qui est sur le bras est un morceau de pierre sillonné; je vous en ai dit la raison d'après La Tour. La tête tournerait encore davantage, si les bords du béguin étaient plus éclairés, ou si les teintes en étaient plus rompues sur le fond. Mais je me reprocherais de m'être tu sur les mains de cette enfant : ce sont[3] les deux plus jolies menottes qu'il soit possible de faire.

Que vous dirais-je de votre portrait de cet aimable *Prince héréditaire de Saxe-Gotha*, de celui du *Peintre Jeaurat*[4] et d'un autre [5] ? Qu'ils sont beaux, mais d'un faire un peu mat.

Et de ces [6] dessins? Que c'est là vraiment que Greuze

---

1. *La Petite fille au chien noir* appartenait aussi à Choiseul. Vendu 7.200 livres en 1772, le tableau a été gravé par Porporati, puis passa en Angleterre dans les collections Forster et John Cole.
2. A.T. : d'après nature.
3. A.T. : ce sont bien.
4. *Le Peintre Jeaurat* est au Louvre.
5. A.T. : d'un autre encore.
6. A.T. : Et des dessins.

s'est montré un homme de génie! Celui surtout de la *Mort d'un père de famille regretté de ses enfants* est beau de composition, d'expression et d'effet : celui qui entend l'art le voit peint [1]. Mais qu'on m'ôte ce chandelier d'église et ce bénitier avec le buis qui sert de goupillon : ces accessoires sont faux; cet homme n'est pas mort, et le prêtre ne s'en est pas encore emparé.

Et de ces [2] *Trois Têtes d'enfants?* Qu'il y en a deux d'une beauté excellente [3], et que la troisième est un pastiche de Rubens dont il fallait faire présent à un ami, et qu'il ne fallait pas montrer au public.

Sans ce *Septime Sévère*, Greuze aurait eu lieu d'être satisfait cette année; mais ce maudit *Septime* a tout gâté.

> Ne forçons point notre talent,
> Nous ne ferions rien avec grâce [4].

1. A.T. : quand on entend un peu l'art, on le voit peint.
2. A.T. : Que vous dirais-je enfin de ses...
3. A.T. : exquise.
4. La Fontaine, *Fables*, IV, 5. *L'âne et le petit chien.*

PAYSAGES ROMANTIQUES

VERNET

SALON DE 1759

Nous avons une foule de *Marines* de Vernet : les unes locales, les autres idéales; et, dans toutes, c'est la même imagination, le même feu, la même sagesse, le même coloris, les mêmes détails, la même variété. Il faut que cet homme travaille avec une facilité prodigieuse [1]. Vous connaissez son mérite. Il est tout entier dans quatorze ou quinze tableaux. Les mers se soulèvent et se tranquillisent à son gré; le ciel s'obscurcit, l'éclair s'allume, le tonnerre gronde, la tempête s'élève; les vaisseaux s'embrasent; on entend le bruit des flots, les cris de ceux qui périssent; on voit..., on voit tout ce qui lui plaît [2].

SALON DE 1761

Les deux *Vues de Bayonne* [3] que M. Vernet a données cette année sont belles, mais il s'en manque beaucoup qu'elles intéressent et qu'elles attirent autant que ses compositions précédentes. Cela tient au moment du jour qu'il a choisi. La chute du jour a rembruni et obscurci tous les objets. Il y a

---

1. *Lettre à Grimm* : incroyable.

2. Vernet exposait au Salon de 1759 deux vues de Bordeaux dans la série des *Ports de France* commandée par Louis XV (actuellement au Louvre et au Musée de la Marine). Le *Paysage, effet de clair de lune*, du Louvre (nº 608), est aussi daté de 1759. La production fort abondante de Vernet et la monotonie de ses sujets permettent rarement d'identifier ses tableaux.

3. Toujours dans la série des *Ports de France* (Musée de la Marine).

toujours un grand travail, une grande variété, beaucoup de talent; mais on dirait volontiers en les regardant : « A demain, lorsque le soleil sera levé. » Il est sûr que M. Vernet n'a pas peint ces deux morceaux à l'heure qu'on choisirait pour les admirer. La grande réputation de l'auteur fait aussi qu'on est plus difficile; il mérite bien d'être jugé sévèrement.

SALON DE 1763

Que ne puis-je, pour un moment, ressusciter les peintres de la Grèce et ceux tant de Rome ancienne que de Rome nouvelle, et entendre ce qu'ils diraient des ouvrages de Vernet! Il n'est presque pas possible d'en parler, il faut les voir.

Quelle immense variété de scènes et de figures! quelles eaux! quels ciels! quelle vérité! quelle magie! quel effet!

S'il allume du feu, c'est à l'endroit où son éclat semblerait devoir éteindre le reste de la composition. La fumée se lève épaisse, se raréfie peu à peu, et va se perdre dans l'atmosphère à des distances immenses.

S'il projette des objets sur le cristal des mers, il sait l'en teindre [1] à la plus grande profondeur sans lui faire perdre ni sa couleur naturelle, ni sa transparence.

S'il y fait tomber la lumière, il sait l'en pénétrer; on la voit trembler et frémir à sa surface.

S'il met des hommes en action, vous les voyez agir.

S'il répand des nuages dans l'air, comme ils y sont suspendus légèrement! comme ils marchent au gré des vents! quel espace entre eux et le firmament!

S'il élève un brouillard, la lumière en est affaiblie, et à son tour toute la masse vaporeuse en est empreinte et colorée. La lumière devient obscure et la vapeur devient lumineuse.

S'il suscite une tempête, vous entendez siffler les vents et mugir les flots; vous les voyez s'élever contre les rochers et

1. A.T. : éteindre.

les blanchir de leur écume. Les matelots crient; les flancs du bâtiment s'entr'ouvrent; les uns se précipitent dans les eaux; les autres, moribonds, sont étendus sur le rivage. Ici des spectateurs élèvent leurs mains aux cieux; là une mère presse son enfant contre son sein; d'autres s'exposent à périr pour sauver leurs amis ou leurs proches; un mari tient entre ses bras sa femme à demi pâmée; une mère pleure sur son enfant noyé; cependant le vent applique ses vêtements contre son corps et vous en fait discerner les formes; des marchandises se balancent sur les eaux, et des passagers sont entraînés au fond des gouffres.

C'est Vernet qui sait rassembler les orages, ouvrir les cataractes du ciel et inonder la terre; c'est lui qui sait aussi, quand il lui plaît, dissiper la tempête et rendre le calme à la mer, la sérénité aux cieux. Alors toute la nature sortant comme du chaos, s'éclaire d'une manière enchanteresse et reprend tous ses charmes.

Comme ses jours sont sereins! comme ses nuits sont tranquilles! comme ses eaux sont transparentes! C'est lui qui crée le silence, la fraîcheur et l'ombre dans les forêts. C'est lui qui ose sans crainte placer le soleil ou la lune dans son firmament. Il a volé à la nature son secret; tout ce qu'elle produit, il peut le répéter.

Et comment ses compositions n'étonneraient-elles pas? Il embrasse un espace infini; c'est toute l'étendue du ciel sous l'horizon le plus élevé, c'est la surface d'une mer, c'est une multitude d'hommes occupés du bonheur de la société, ce sont des édifices immenses et qu'il conduit à perte de vue.

91. LA NUIT PAR UN CLAIR DE LUNE [1].

Le tableau qu'on appelle son *Clair de lune* est un effort de l'art. C'est la nuit partout et c'est le jour partout; ici, c'est

1. Le *Clair de lune* faisait partie d'une série des quatre parties du jour, commandée par le Dauphin pour sa bibliothèque de Versailles, actuellement au Musée de Versailles. (Il s'agit de quatre marines : *Le Matin ou la pêche*, *Le Midi ou la tempête*, *Le Soir ou le coucher du soleil*, *La Nuit ou le clair de lune*).

l'astre de la nuit qui éclaire et qui colore; là, ce sont des feux allumés; ailleurs, c'est l'effet mélangé de ces deux lumières. Il a rendu en couleur les ténèbres visibles et palpables de Milton. Je ne vous parle pas de la manière dont il a fait frémir et jouer ce rayon de lumière sur la surface tremblotante [1] des eaux; c'est un effet qui a frappé tout le monde.

89. VUE DU PORT DE ROCHEFORT, PRISE DU MAGASIN DES COLONIES.

Son *Port de Rochefort* est très beau; il fixe l'attention des artistes par l'ingratitude du sujet.

90. VUE DU PORT DE LA ROCHELLE, PRISE DE LA PETITE RIVE[2].

Le *Port de la Rochelle* est infiniment plus piquant. Voilà ce qu'on peut appeler un ciel; voilà des eaux transparentes, et tous ces groupes, ce sont autant de petits tableaux vrais et caractéristiques du local; les figures en sont du dessin le plus correct. Comme la touche en est spirituelle et légère! Qui est-ce qui entend la perspective aérienne mieux que cet homme-là?

Regardez le *Port de la Rochelle* avec une lunette qui embrasse le champ du tableau et qui exclue la bordure, et oubliant tout à coup que vous examinez un morceau de peinture, vous vous écrierez, comme si vous étiez placé au haut d'une montagne, spectateur de la nature même : « Oh! le beau point de vue! »

Et puis la fécondité de génie et la vitesse d'exécution de cet artiste sont inconcevables. Il eût employé deux ans à peindre un seul de ces morceaux qu'on n'en serait point surpris, et il y en a vingt de la même force. C'est l'univers montré sous toutes sortes de faces, à tous les points du jour, à toutes les lumières.

---

1. A.T. : tremblante.
2. *Rochefort* est au Louvre, *La Rochelle* au Musée de la Marine.

Cl. Giraudon.

Joseph Vernet. — Clair de lune (Musée du Louvre).

Je ne regarde pas toujours, j'écoute quelquefois. J'entendis un spectateur d'un de ces tableaux qui disait à son voisin : « Le Claude Lorrain me semble encore plus piquant... » et celui-ci qui lui répondait : « D'accord, mais il est moins vrai. »

Cette réponse ne me parut pas juste. Les deux artistes comparés sont également vrais; mais le Lorrain a choisi des moments plus rares et des phénomènes plus extraordinaires.

Mais, me direz-vous, vous préférez donc le Lorrain à Vernet? car quand on prend la plume ou le pinceau, ce n'est pas pour dire ou pour montrer une chose commune.

J'en conviens; mais considérez que les grandes compositions de Vernet ne sont point d'une imagination libre, c'est un travail commandé, c'est un local qu'il faut rendre tel qu'il est, et remarquez que dans ces morceaux mêmes Vernet montre bien une autre tête, un autre talent que le Lorrain par la multitude incroyable d'actions, d'objets et de scènes particulières. L'un est un paysagiste, l'autre un peintre d'histoire et de la première force dans toutes les parties de la peinture.

92. LA BERGÈRE DES ALPES, SUJET TIRÉ DES CONTES MORAUX DE M. MARMONTEL[1].

Mme Geoffrin, femme célèbre à Paris, l'a fait exécuter. Je ne trouve ni le conte ni le tableau bien merveilleux. Les deux figures du peintre n'arrêtent ni n'intéressent. On se récrie beaucoup sur le paysage; on prétend qu'il a toute l'horreur des Alpes vues de loin. Cela se peut, mais c'est une absurdité; car pour les figures et pour moi qui m'assieds à côté d'elles, elles ne sont qu'à peu de distance; nous touchons à la montagne qui est derrière nous, cette montagne est peinte dans la vérité d'une montagne voisine; nous ne sommes séparés des Alpes que par une gorge étroite. Pour-

---

1. *La Bergère des Alpes* est au musée d'Avignon, patrie de Joseph Vernet.

Cl. Giraudon.

Joseph Vernet. — Le port de La Rochelle (Musée de la Marine).

quoi donc ces Alpes sont-elles informes, sans détail distinct, verdâtres et nébuleuses ? Pour pallier l'ingratitude de son sujet, l'artiste s'est épuisé sur un grand arbre qui occupe toute la partie gauche de sa composition ; il s'agissait bien de cela ! C'est qu'il ne faut rien commander à un artiste, et quand on veut avoir un beau tableau de sa façon, il faut lui dire : « Faites-moi un tableau et choisissez le sujet qui vous conviendra... » Encore serait-il plus sûr et plus court d'en prendre un tout fait.

Mais un tableau médiocre au milieu de tant de chefs-d'œuvre ne saurait nuire à la réputation d'un artiste, et la France peut se vanter de son Vernet à aussi juste titre que la Grèce de son Apelle et de son Zeuxis, et que l'Italie de ses Raphaël, de ses Corrège et de ses Carraches. C'est vraiment un peintre étonnant.

SALON DE 1765

VUE DU PORT DE DIEPPE. LES QUATRE PARTIES DU JOUR. DEUX VUES DES ENVIRONS DE NOGENT-SUR-SEINE. UN NAUFRAGE. UN PAYSAGE. UN AUTRE NAUFRAGE. UNE MARINE AU COUCHER DU SOLEIL. SEPT PETITS PAYSAGES. DEUX AUTRES MARINES. UNE TEMPÊTE, ET PLUSIEURS AUTRES TABLEAUX SOUS UN MÊME NUMÉRO.

Vingt-cinq tableaux, mon ami, vingt-cinq tableaux ! et quels tableaux ! C'est comme le Créateur, pour la célérité ; c'est comme la nature, pour la vérité. Il n'y a presque pas une de ces compositions à laquelle un peintre, qui aurait bien employé son temps, n'eût donné les deux années qu'il a mises à les faire toutes. Quels effets incroyables de lumière ! les beaux ciels ! quelles eaux ! quelle ordonnance ! quelle prodigieuse variété de scènes ! Ici, un enfant échappé du naufrage est porté sur les épaules de son père ; là, une femme étendue, morte sur le rivage, et son époux qui se désole. La mer mugit, les vents sifflent, le tonnerre gronde; la lueur sombre et pâle des éclairs perce la nue, montre et dérobe la scène. On entend le bruit des flancs d'un vaisseau qui s'entr'ouvre; ses mâts sont inclinés, ses voiles déchirées : les uns, sur le pont, ont les bras levés vers le ciel; d'autres se sont élancés dans les eaux. Ils sont portés par les flots contre des rochers voisins, où leur sang se mêle à l'écume qui les blanchit. J'en vois qui flottent; j'en vois qui sont prêts à disparaître dans le gouffre; j'en vois qui se hâtent d'atteindre le rivage, contre lesquels ils seront brisés. La même variété de caractères, d'actions et d'expressions règne sur les spectateurs : les uns frissonnent et détournent la vue; d'autres secourent; d'autres, immobiles, regardent. Il y en a qui ont allumé du feu sous une roche; ils s'occupent à ranimer une femme expirante; et j'espère qu'ils y réussiront. Tournez vos yeux sur une autre mer, et vous verrez le calme avec tous ses charmes. Les eaux tranquilles, aplanies et riantes, s'étendent en perdant insensiblement de leur transparence, et s'éclairant insensiblement à leur surface, depuis le rivage jusqu'où l'horizon confine avec le ciel. Les vaisseaux sont immobiles; les matelots, les passagers, sont à tous [1] les amusements qui peuvent tromper leur impatience. Si c'est le matin, quelles vapeurs légères s'élèvent! comme ces vapeurs éparses sur les objets de la nature, les ont rafraîchis et vivifiés! Si c'est le soir, comme la cime de ces montagnes se dore! de quelles nuances les cieux sont colorés! comme les nuages marchent, se meuvent et viennent déposer dans les eaux la teinte de leurs couleurs! Allez à la campagne, tournez vos regards vers la voûte des cieux, observez bien les phénomènes de l'instant, et vous jurerez qu'on a coupé un morceau de la grande toile lumineuse que le soleil éclaire, pour le transporter sur le chevalet de l'artiste; ou fermez votre main, et faites [2] un tube qui ne vous laisse apercevoir qu'un espace limité de la grande toile, et vous jurerez que

1. A.T. : ont tous.
2. A.T. : faites-en.

c'est un tableau de Vernet, qu'on a pris sur son chevalet, et transporté dans le ciel. Quoique de tous nos peintres, celui-ci soit le plus fécond, aucun ne me donne moins de travail. Il est impossible de rendre ses compositions; il faut les voir. Ses nuits sont aussi touchantes que ses jours sont beaux; ses ports sont aussi beaux que ses morceaux d'imagination sont piquants. Également merveilleux, soit que son pinceau captif s'assujettisse à une nature donnée, soit que sa muse, dégagée d'entraves, soit libre et abandonnée à elle-même; incompréhensible, soit qu'il emploie l'astre du jour ou celui de la nuit, la lumière naturelle ou les lumières artificielles, à éclairer ses tableaux; toujours harmonieux, vigoureux et sage, tel que ces grands poètes, ces hommes rares, en qui le jugement balance si parfaitement la verve, qu'ils ne sont jamais ni exagérés, ni froids. Ses fabriques, ses édifices, les vêtements, les actions, les hommes, les animaux, tout est vrai. De près, il vous frappe; de loin, il vous frappe plus encore. Chardin et Vernet, mon ami, sont deux grands magiciens. On dirait de celui-ci qu'il commence par créer le pays, et qu'il a des hommes, des femmes, des enfants en réserve dont il peuple sa toile, comme on peuple une colonie; puis il leur fait le temps, le ciel, la saison, le bonheur, le malheur qu'il lui plaît. C'est le Jupiter de Lucien qui, las d'entendre les cris lamentables des humains, se lève de table, et dit : « De la grêle en Thrace... » et l'on voit aussitôt les arbres dépouillés, les moissons hachées et le chaume des cabanes dispersé : « la peste en Asie... » et l'on voit les portes des maisons fermées, les rues désertes et les hommes se fuyant : « ici, un volcan... » et la terre s'ébranle sous les pieds, les édifices tombent, les animaux s'effarouchent, et les habitants des villes gagnent les campagnes : « une guerre là... » et les nations courent aux armes et s'entr'égorgent : « en cet endroit une disette... » et le vieux laboureur expire de faim sur sa porte. Jupiter appelle cela gouverner le monde, et il a tort. Vernet appelle cela faire des tableaux, et il a raison.

66. LE PORT DE DIEPPE[1].

Grande et immense composition. Ciel léger et argentin; elle masse de bâtiments; vue pittoresque et piquante; multude de figures occupées à la pêche, à l'apprêt, à la vente u poisson, au travail, au raccommodage des filets, et autres areilles manœuvres; actions naturelles et vraies, figures igoureusement et spirituellement touchées; cependant, ar il faut tout dire, ni aussi vigoureusement, ni aussi spiriuellement que de coutume.

67. LES QUATRE PARTIES DU JOUR[2].

La plus belle [3] entente de lumières. Je vais parcourant ces norceaux, et ne m'arrêtant qu'au talent particulier, au nérite propre qui les distingue; qu'en arrivera-t-il? C'est u'à la fin vous concevrez que cet artiste a tous les talents t tous les mérites.

68. DEUX VUES DE NOGENT-SUR-SEINE.

Excellente leçon pour Le Prince, dont on a entremêlé les ompositions avec celles de Vernet. Il ne perdra pas ce qu'il , et il connaîtra ce qui lui manque. Beaucoup d'esprit, de égèreté et de naturel dans les figures de Le Prince; mais de ı faiblesse, de la sécheresse, peu d'effet. L'autre peint dans ı pâte, est toujours ferme, d'accord, et étouffe son voisin. .es lointains de Vernet sont vaporeux, ses ciels légers : on ı'en saurait dire autant de Le Prince. Celui-ci n'est pourant pas sans mérite. En s'éloignant de Vernet, il se fortifie

---

1. Série des *Ports de France* (Louvre, n° 606).
2. Série réplique de celle du Dauphin, commandée pour servir e dessus de porte au château de Choisy. D'après le *Catalogue* de 'École française du Louvre, les n°s 613 et 614 proviendraient récisément de Choisy.
3. A.T. : Dans la plus belle.

et s'embellit; l'autre [l'efface et l'éteint] [1]. Ce cruel voisi
nage est encore une des malices du tapissier [Chardin] [2].

69. DEUX PENDANTS, L'UN UN NAUFRAGE L'AUTRE UN PAYSAGE.

Le paysage est charmant; mais le naufrage est tout autı
chose. C'est surtout aux figures qu'il faut s'attacher : le ven
est terrible; les hommes ont peine à se tenir debout. Voye
cette femme noyée qu'on vient de retirer des eaux; et défen
dez-vous de la douleur de son mari, si vous le pouvez.

70. AUTRE NAUFRAGE AU CLAIR DE LUNE.

Considérez bien ces hommes occupés à réchauffer cett
femme évanouie, au feu qu'ils ont allumé sous une roche
et dites que vous avez vu un des groupes les plus intéres
sants qu'il fût possible d'imaginer. Et cette scène touchant
comme elle est éclairée! et cette voûte, comme elle es
[teinte] [3] de la lueur rougeâtre des feux! et ce contraste d
la lumière faible et pâle de la lune, et de la lumière fort
rouge, triste et sombre des feux allumés. Il n'est pas permi
à tout peintre d'opposer ainsi des phénomènes aussi dis
cordants, et d'être harmonieux; le moyen de n'être pas fau
où les deux lumières se rencontrent, se fondent et formen
une splendeur particulière.

71. MARINE AU COUCHER DU SOLEIL.

Si vous avez vu la mer à cinq heures du soir, en automne
vous connaissez ce tableau.

---

1. L : s'efface et s'éteint. Erreur évidente.
2. *Omisit* A.T.
3. L : éclairée.

72. SEPT PETITS TABLEAUX DE PAYSAGE[1].

Je voudrais en savoir un médiocre, je vous le dirais. Le plus faible est beau; j'entends beau pour un autre; car il y en a un ou deux qui sont au-dessous de l'artiste, et que Chardin a cachés. Pensez des autres tant de bien qu'il vous plaira.

Le jeune Loutherbourg a aussi exposé une scène de nuit, que nous eussions pu comparer avec celle de Vernet, si le tapissier l'eût voulu; mais il a placé l'une de ces compositions à un des bouts du Salon, et l'autre à l'autre bout. Il a craint que ces deux morceaux ne se tuassent; je les ai bien regardés; mais j'avoue que je n'en sais pas assez pour juger entre eux. Il y a, ce me semble, plus de vigueur, d'un côté; plus d'harmonie et de moelleux, de l'autre. Quant à l'intérêt, des pâtres mêlés avec leurs animaux qui se réchauffent sous une roche ne sont pas à comparer avec une femme mourante, qu'on rappelle à la vie. Je ne crois pas non plus que le paysage qui occupe le reste de la toile de Loutherbourg, soit à mettre en parallèle avec la marine qui occupe le reste de la toile de Vernet. Les lumières de Vernet sont infiniment plus vraies, et son pinceau plus précieux; je résume : Loutherbourg serait vain du tableau de Vernet; Vernet ne rougirait pas de celui de Loutherbourg.

Un des morceaux des *Quatre Saisons*, celui où l'on voit à droite, sur le fond, un moulin à l'eau; autour du moulin, les eaux courantes; au bord des eaux, des femmes qui lavent du linge, m'a singulièrement frappé par la couleur, la fraîcheur, la diversité des objets, la beauté du site, et la vie de la nature.

Le reste des paysages fait dire *aliquando bonus dormitat Homerus*. Ces roches jaunâtres sont ternes, sourdes, sans effet; c'est partout une même teinte; composition malade

---

1. La plupart des tableaux de 1765 sont impossibles à identifier; à remarquer que les sept petits paysages (nº. 72 du livret) appartenaient à Mme Geoffrin.

de bile répandue; le pèlerin qui les traverse est pauvre mesquin, dur et sec. Un peintre jaloux de sa réputation n'aurait pas montré ce morceau; un peintre [envieux] [1] de la réputation de son confrère, l'aurait mis au grand jour [Le tapissier l'a placé dans un coin.] [2] J'aime à voir que Chardin pense et sente bien.

Autre composition malade d'une maladie plus dange reuse : c'est la bile verte répandue. Celui-ci est aussi sec aussi monotone, aussi terne, aussi froid, aussi sale que le précédent. Chardin l'a fourré dans le même coin. Monsieur Chardin, je vous en loue.

Il y aura, mon ami, dans cet article de Vernet, quelques redites de ce que j'en écrivais il y a deux ans; mais l'artiste me montrant le même génie et le même pinceau, il faut bien que je retombe dans le même éloge; je persiste dans mon opinion, Vernet balance le Claude Lorrain [3] dans l'art d'élever des vapeurs sur la toile; et il lui est infiniment supérieur dans l'invention des scènes, le dessin des figures, la variété des incidents, et le reste. Le premier n'est qu'un grand paysagiste tout court; l'autre est un peintre d'his toire, selon mon sens. Le Lorrain choisit des phénomènes de nature plus rares, et par cette raison peut-être plus piquants. L'atmosphère de Vernet est plus commune, et par cette raison, plus facile à reconnaître.

SALON DE 1767

Ce n'est donc plus de la nature, c'est de l'art; ce n'est plus de Dieu, c'est de Vernet que je vais vous parler.

Ce n'est point, vous disais-je, un port de mer qu'il a voulu peindre. On ne voit pas ici plus de bâtiments qu'il n'en faut pour enrichir et animer la scène. C'est l'intelligence et le goût; c'est l'art qui les a distribués pour l'effet; mais l'effet

---

1. L : jaloux.
2. *Omisit* L.
3. A.T. : Claude le Lorrain.

ɛst produit sans que l'art s'aperçoive. Il y a des incidents, nais pas plus que l'espace et le moment de la composition n'en exigent. C'est, vous le répéterai-je, la richesse et la par- :imonie de Nature, toujours économe, et jamais avare ni pauvre. Tout est vrai. On le sent. On n'accuse, on ne désire rien, on jouit également de tout. J'ai ouï dire à des personnes qui avaient fréquenté longtemps les bords de la mer, qu'elles econnaissaient sur cette toile, ce ciel, ces nuées, ce temps, oute cette composition.

***

La lune élevée sur l'horizon [est][1] à demi cachée dans des nuées épaisses et noires; un ciel tout à fait orageux et obs- cur occupe le centre de ce tableau, et teint de sa lumière pâle et faible, et le rideau qui l'offusque, et la surface de la mer qu'elle domine. On voit, à droite, une fabrique; proche [de] [2] cette fabrique, sur un plan plus avancé sur le devant, es débris d'un pilotis; un peu plus vers la gauche et le fond, une nacelle, à la proue de laquelle un marinier tient une torche allumée; cette nacelle vogue vers le pilotis; plus encore sur le fond, et presque en pleine mer, un vaisseau à a voile, et faisant route vers la fabrique; puis une étendue de mer obscure illimitée. Tout à fait à gauche, des rochers escarpés; au pied de ces rochers, un massif de pierre, une espèce d'esplanade d'où l'on descend de face et de côté, vers la mer; sur l'espace qu'elle enceint à gauche contre les rochers, une tente dressée; au dehors de cette tente, une tonne, sur laquelle deux matelots, l'un assis par devant, l'autre accoudé par derrière, et tous les deux regardant vers un brasier allumé à terre, sur le milieu de l'esplanade. Sur ce brasier, une marmite suspendue par des chaînes de fer à une espèce de trépied. Devant cette marmite, un matelot accroupi et vu par le dos; plus vers la gauche, une femme accroupie et vue de profil. Contre le mur vertical qui forme

---

1. L : et.
2. *Omisit* L.

le derrière de la fontaine, debout, le dos appuyé contre ce mur, deux figures, charmantes pour la grâce, le naturel, le caractère, la position, la mollesse, l'une d'homme, l'autre de femme. C'est un époux, peut-être, et sa jeune épouse; ce sont deux amants; un frère et sa sœur. Voilà à peu près toute cette prodigieuse composition. Mais que signifient mes expressions exagérées et froides, mes lignes sans chaleur et sans vie, ces lignes que je viens de tracer les unes au-dessous des autres? Rien, mais rien du tout; il faut voir la chose. Encore oubliais-je de dire que sur les degrés de l'esplanade il y a des commerçants, des marins occupés à rouler, à porter, agissants, de repos; et, tout à fait sur la gauche et les derniers degrés, des pêcheurs à leurs filets.

Je ne sais ce que je louerai de préférence dans ce morceau. Est-ce le reflet de la lune sur ces eaux ondulantes? Sont-ce ces nuées sombres et chargées de leur mouvement? Est-ce ce vaisseau qui passe au-devant de l'astre de la nuit, et qui le renvoie et l'attache à son immense éloignement? Est-ce la réflexion dans le fluide de la petite torche que ce marin tient à l'extrémité de la nacelle? Sont-ce les deux figures adossées à la fontaine? Est-ce le brasier dont la lueur rougeâtre se propage sur tous les objets environnants, sans détruire l'harmonie? Est-ce l'effet total de cette nuit? Est-ce cette belle masse de lumière qui colore les proéminences de cette roche, et dont la vapeur se mêle à la partie des nuages auxquels elle se réunit?

On dit de ce tableau, que c'est le plus beau de Vernet, parce que c'est toujours le dernier ouvrage de ce grand maître qu'on appelle le plus beau; mais, encore une fois, il faut le voir. L'effet de ces deux lumières, ces lieux, ces nuées, ces ténèbres qui couvrent tout, et laissent discerner tout; la terreur et la vérité de cette scène auguste, tout cela se sent fortement, et ne se décrit point [1].

---

1. Le livret du Salon de 1767 ne donne aucune précision sur les sept tableaux exposés. Le septième, d'après la description de Diderot, fait penser au *Port de mer au clair de lune* du Louvre. Mais le même motif se retrouve à Moscou (collection Roumianzeff).

Ce qu'il y a d'étonnant, c'est que l'artiste se rappelle ces effets à deux cents lieues de la nature, et qu'il n'a de modèle présent que dans son imagination; c'est qu'il peint avec une vitesse incroyable; c'est qu'il dit : Que la lumière se fasse, et la lumière est faite; que la nuit succède au jour, et le jour aux ténèbres, et il fait nuit, et il fait jour; c'est que son imagination, aussi juste que féconde, lui fournit toutes ces vérités; c'est qu'elles sont telles, que celui qui en fut spectateur froid et tranquille au bord de la mer, en est émerveillé sur la toile; c'est qu'en effet ces compositions prêchent plus fortement la grandeur, la puissance, la majesté de la nature, que la nature même. Il est écrit : *Cœli enarrant gloriam Dei.* Mais ce sont les cieux de Vernet; c'est la gloire de Vernet. Que ne fait-il pas avec excellence! Figures humaines de tous les âges, de tous les états, de toutes les nations; arbres, animaux, paysages, marines, perspectives; toute sorte de poésie, rochers imposants, montagnes [éternelles] [1], eaux dormantes, agitées, précipitées; torrents, mers tranquilles, mers en fureur; sites variés à l'infini, fabriques grecques, romaines, gothiques; architectures civile, militaire, ancienne, moderne; ruines, palais, chaumières; constructions, gréements, manœuvres, vaisseaux; cieux, lointains, calme, temps orageux, temps serein; ciel de diverses saisons, lumières de diverses heures du jour; tempêtes, naufrages, situations déplorables, victimes et scènes pathétiques de toute espèce; jour, nuit, lumières naturelles, artificielles, effets séparés ou confondus de ces lumières. Aucune de ses scènes accidentelles, qui ne fît seule un tableau précieux. Oubliez toute la droite de son *Clair de lune*, couvrez-la, et ne voyez que les rochers et l'esplanade de la gauche, et vous aurez un beau tableau. Séparez la partie de la mer et du ciel, d'où la lumière lunaire tombe sur les eaux, et vous aurez un beau tableau. Ne considérez sur la toile que le rocher de la gauche; et vous aurez vu une belle chose. Contentez-vous de l'esplanade et de ce qui s'y passe; ne regardez que les degrés avec les

1. *Omisit* A.T.

différentes manœuvres qui s'y exécutent; et votre goût sera satisfait. Coupez seulement cette fontaine avec les deux figures qui y sont adossées; et vous emporterez sous votre bras un morceau de prix. Mais, si chaque portion isolée vous affecte ainsi, quel ne doit pas être l'effet de l'ensemble! le mérite de tout!

Voilà vraiment le tableau de Vernet que je voudrais posséder. Un père, qui a des enfants et une fortune modique, serait économe en l'acquérant. Il en jouirait toute sa vie; et dans vingt à trente ans d'ici, lorsqu'il n'y aura plus de Vernet, il aurait encore placé son argent à un très honnête intérêt; car lorsque la mort aura brisé la palette de cet artiste, qui est-ce qui en ramassera les débris? Qui est-ce qui le restituera à nos neveux? Qui est-ce qui payera ses ouvrages?

Tout ce que je vous ai dit de la manière et du talent de Vernet, entendez-le des quatre premiers tableaux que je vous ai décrits comme des sites naturels.

Le cinquième est un de ses premiers ouvrages. Il le fit à Rome pour un habit, veste et culotte. Il est très beau, très harmonieux; et c'est aujourd'hui un morceau de prix.

En comparant les tableaux qui sortent tout frais de dessus son chevalet, avec ceux qu'il a peints autrefois, on l'accuse d'avoir outré sa couleur. Vernet dit qu'il laisse au temps le soin de répondre à ce reproche, et de montrer à ses critiques combien ils jugent mal. Il observait, à cette occasion, que la plupart des jeunes élèves qui allaient à Rome copier d'après les anciens maîtres, y apprenaient l'art de faire de vieux tableaux : ils ne songeaient pas que, pour que leurs compositions gardassent au bout de cent ans la vigueur de celles qu'ils prenaient pour modèles, il fallait savoir apprécier l'effet d'un ou de deux siècles, et se précautionner contre l'action des causes qui détruisent.

Le sixième est bien un Vernet, mais un Vernet faible faible :

...Aliquando bonus dormitat...[1]

1. *Cf.* Horace, *Art poétique*, vers 359.

Ce n'est pas un grand ouvrage, mais c'est l'ouvrage d'un grand peintre; ce qu'on peut toujours dire[1] des feuilles volantes de Voltaire. On y trouve le signe caractéristique, l'ongle du lion.

Mais comment, me direz-vous, le poète, l'orateur, le peintre, le sculpteur, peuvent-ils être si inégaux, si différents d'eux-mêmes? C'est l'affaire du moment, de l'état du corps, de l'état de l'âme; une petite querelle domestique; une caresse faite le matin à sa femme, avant que d'aller à l'atelier : deux gouttes de fluide perdues et qui renfermaient tout le feu, toute la chaleur, tout le génie; un enfant qui a dit ou fait une sottise; un ami qui a manqué de délicatesse; une maîtresse qui aura accueilli trop familièrement un indifférent; que sais-je? un lit trop froid ou trop chaud, une couverture qui tombe la nuit, un oreiller mal mis sur son chevet, un demi-verre de vin [pris][2] de trop, un embarras d'estomac, des cheveux ébouriffés sous le bonnet; et adieu la verve. Il y a du hasard aux échecs et à tous les autres jeux de l'esprit. Et pourquoi n'y en aurait-il pas? L'idée sublime qui se présente, où était-elle l'instant précédent? A quoi tient-il qu'elle soit ou ne soit pas venue? Ce que je sais, c'est qu'elle est tellement liée à l'ordre fatal de la vie du poète et de l'artiste, qu'elle n'a [pas][3] pu venir ni plus tôt ni plus tard, et qu'il est absurde de la supposer précisément la même dans un autre être, dans une autre vie, dans un autre ordre de choses.

Le septième est un tableau de l'effet le plus piquant et le plus grand. Il semblerait que de concert Vernet et Loutherbourg se seraient proposé de lutter, tant il y a de ressemblance entre cette composition de l'un et une autre composition du second; même ordonnance, même sujet, presque même fabrique, mais il n'y a pas à s'y tromper. De toute la scène de Vernet, ne laissez apercevoir que les pêcheurs placés sur la langue de terre, ou que la touffe d'arbres à

1. A.T. : dire toujours.
2. *Omisit* L.
3. *Omisit* L.

gauche, plongés dans la demi-teinte ou éclairés de la lumière du soleil couchant qui vient du fond, et vous direz : « Voilà Vernet »; Loutherbourg n'en sait pas encore jusque-là.

Ce Vernet, ce terrible Vernet, joint la plus grande modestie au plus grand talent. Il me disait un jour : « Me demandez-vous si je fais les ciels comme tel maître, je vous répondrai que non; les figures comme tel autre, je vous répondrai que non; les arbres et le paysage comme celui-ci, même réponse; les brouillards, les eaux, les vapeurs comme celui-là, même réponse encore : inférieur à chacun d'eux dans une partie, je les surpasse tous dans toutes les autres »; et cela est vrai.

Bonsoir, mon ami, en voilà bien suffisamment sur Vernet.

SALON DE 1769

Il semble que tous nos artistes se soient cette année donné le mot pour dégénérer. Les excellents ne sont que bons, les bons sont médiocres et les mauvais sont détestables. Vous aurez de la peine à deviner à propos de qui je fais cette observation; c'est à propos de Vernet, oui, de ce Vernet que j'aime, à qui je dois de la reconnaissance et que je me plais tant à louer, parce que je satisfais mon penchant sans tomber dans l'adulation [1].

38. PLUSIEURS TABLEAUX DE MARINE ET DE PAYSAGES.

Entre ses compositions vous vous seriez arrêté de préférence devant une *Tempête* et un *Brouillard.* Tous les deux sont d'un faire précieux, d'une extrême vérité et d'un meilleur ton de couleur que les autres, peut-être parce qu'ils ont

---

1. Le financier Joseph de la Borde avait commandé à Vernet huit grands tableaux destinés à orner la galerie de son château de La Ferté-Vidame. Il les avait payés 40.000 livres et refusa de les exposer au Salon de 1769. D'où la colère de Diderot dans sa préface (A.T., t. XI, p. 385) contre « le moderne Midas » et la modestie des œuvres présentées par Vernet.

l'avantage d'avoir été peints par le temps, comme il arrive aux ouvrages des grands coloristes. Vernet est bien avec le temps, qui fait tant de mal à ses confrères. Le reste n'est pas de la force des morceaux dont je vous entretiens, à beaucoup près. Il y a de la mollesse de pinceau et un ton de couleur cru; les figures, d'une touche toujours légère, y sont quelquefois d'un dessin négligé, les roches d'une même forme; on y sent la pratique. Ce n'est pas qu'il n'y ait un mérite réel à les avoir faits; si c'étaient les premiers qu'on vît on en aurait la tête tournée, mais on le compare à lui-même, et c'est lui qui se blesse. Il est bien de peindre facilement, mais il faut céler la routine qui donne aux productions en tout genre un air de manufacture. Ce n'est pas à Vernet seul que je m'adresse, c'est à Saint-Lambert, à Voltaire, à d'Alembert, à Rousseau, à l'abbé Morellet, à moi.

Vernet ne se montre guère sans un *Clair de lune ;* il y en avait donc un, et c'était une belle chose. La vérité la plus parfaite, bien que je n'en crusse rien; le contraste et le mélange des lumières de l'astre et du feu merveilleusement entendus; une profondeur de scène! une dégradation! une justesse de ton dans la couleur! Il y avait peu de morceaux aussi parfaits. Si vous y eussiez exigé une touche plus ferme et moins d'égalité [1] dans le faire, celui à qui vous l'eussiez dit à l'oreille, qui vous eût entendu et senti, aurait été un homme de l'art, parce qu'il n'y a qu'un homme de l'art qui eût osé hasarder ce souhait.

Écoutez un fait, mais un fait vrai à la lettre. Il était nuit, tout dormait autour de moi; j'avais passé la matinée au Salon. Je me recordais le soir ce que j'avais vu. J'avais pris la plume, j'allais écrire; j'allais écrire que le *Clair de lune* de Vernet était un peu sec et que les nuées m'en avaient paru trop noires et pas assez profondes, lorsque tout à coup je vis à travers mes vitres la lune entre des nuées, au ciel, la chose même que l'artiste avait imitée sur sa toile. Jugez de ma surprise lorsque, me rappelant le tableau, je n'y remarquai aucune différence avec le phénomène que j'avais sous

---

1. A.T. : de qualité. Non sens évident.

les yeux : même noir en nature, même sécheresse. J'allais calomnier l'art et blasphémer la nature. Je m'arrêtai et je me dis à moi-même qu'il ne fallait pas accuser Vernet de fausseté sans y avoir bien regardé.

Ce [1] *Clair de lune* avait pour pendant un *Soleil nébuleux et couchant* que je choisirais par goût [2]. Il est d'un accord étonnant, c'est le plus beau site; à une certaine distance, c'est l'illusion la plus parfaite; cependant, même forme à toutes les roches; la nature n'a point cette uniformité : elle place de petites choses à côté des grandes; ce sont en elle des formes bizarres, irrégulières tant de couleur que d'effet. C'est à regret que j'insiste sur ces minuties; je ne devrais pas les apercevoir devant cette sublime harmonie qui nous enchantait; mais je n'y suis plus, sa magie n'agit pas, et l'absence du charme me rend à toute mon impartialité.

Il y a peu d'artistes qui sachent comme celui-ci disposer des figures dans un paysage et les faire aussi bien; elles sont presque toujours telles que dans les premiers morceaux dont je vous ai parlé, grandes et belles encore dans les autres.

Venons à présent au tableau dont je vous ai déjà entretenu et que je tiens de son amitié. La reconnaissance a eu son moment, il faut que l'équité ait le sien [3]. Je persiste; le ciel, les eaux, l'arbre déchiré, les nuées [4] sont de la plus grande beauté, mais je ne m'en impose pas sur le reste. En dépit des attraits de la propriété, je ne suis pas aussi content des roches, de la terrasse et des figures. Les figures sont un peu colossales, je le sens, et il n'y a pas assez de liaison entre elles, elles ne font pas masse; peut-être le moment choisi ne le voulait-il pas. Ce sont des passagers qui s'échappent les

---

1. A.T. : Le.
2. Serait-ce la *Marine, soleil couchant par un temps brumeux* du Louvre?
3. C'est la *Tempête* achetée 600 livres par Diderot et dont le reçu est consigné dans le *Livre de raison* de J. Vernet (10 décembre 1768). Elle ornait le cabinet du philosophe et provoquait son enthousiasme dans les *Regrets sur ma vieille robe de chambre* (A.T., t. IV, p. 5).
4. A.T. : les nues.

uns après les autres d'un vaisseau qui vient d'échouer; les matelots qui sont sur le devant pourraient être sinon plus beaux, plus agissants, du moins occupés à une fonction plus décidée. Après cela j'espère que vous m'en croirez, si je vous dis que le malheureux qui ramasse les débris de ses effets et cet autre qui jette au ciel des regards furieux sont de la vigueur de Rubens. Un autre trouvera la terrasse blanchâtre, trop égale de lumière et de couleur, aux pierres une même forme carrée et le ton du bois pourri. Sans prévention, je suis sûr que le temps, en éteignant l'éclat de la terrasse, lui donnera toute la vigueur qu'on y désire à présent. Je ne puis souscrire à la critique sur la forme et le ton des pierres, parce que c'est l'imitation d'une nature que j'ai tant vue et qu'on ne connaît pas quand on n'a pas habité une contrée de montagnes et de marécages. Ah! si les figures étaient un peu moins fortes! Il n'y a point de remède à cela; mais heureusement je m'accommode à ce défaut.

SALON DE 1771

40. UNE TEMPÊTE AVEC LE NAUFRAGE D'UN VAISSEAU.

C'est encore un chef-d'œuvre de M. Vernet. Un vaisseau brisé par la tempête contre un vaste rocher est coulé bas; on n'en aperçoit que les agrès. L'orage, à peine éloigné, tient encore le ciel en désordre; les éclairs brillent au loin et la foudre tombe. Ici le précepte d'Horace est bien observé en maître : tout est tiré du sujet, tout court à l'action. Là, des matelots secourent un malheureux sans vêtements, qui, luttant contre la mort, attrape et grimpe le long d'un cordage qu'on lui tend pour gagner le mât, son unique espoir. Ici, une femme échappée à la fureur des flots est entraînée loin d'eux par des matelots secourables; enfin on n'aperçoit que de funestes effets de la rage de ce cruel élément. Loin de se relâcher, M. Vernet s'est, je crois, surpassé dans ce morceau, qui est du plus grand effet et de la plus grande vérité. Il règne dans tout ce tableau un certain air humide qui prouve qu'en peinture chaque genre a sa magie propre pour rendre la nature dans tous ses points de vérité.

(Quel ciel! quelles eaux! quelles roches! quelle profondeur! Comme cette lumière éclaire ces eaux! Il se répète un peu dans ses scènes de naufrage; mêmes figures, monotonie d'attitude et de situations. Perdu dans les petits sujets; alors paysages sans âme et sans vérité, arbres sans tons ni nuances.)

41. UN PAYSAGE ET MARINE, AU COUCHER DU SOLEIL[1].

Ce morceau est au moins de la force du précédent, s'il ne le surpasse, vu la difficulté. Le Lorrain n'est certainement pas plus vrai ni plus chaud; peut-être est-il moins franc de touche et d'un génie moins abondant pour les beaux sites que M. Vernet, qui joint à cette supériorité celle de faire les figures, talent que Claude n'avait pas.

42. UNE MARINE AU CLAIR DE LA LUNE.

Vous connaissez, monsieur, le grand talent de l'auteur à savoir opposer la lumière du feu pendant la nuit à celle de la lune. Ces deux contrastes font un effet merveilleux dans ce tableau, et, par un mystère qui tient à la force de l'art, ils s'entr'aident mutuellement. Les effets qui résultent de ces deux lumières sont séduisants par leur extrême vérité.

(Frais, vrai; silence de la nuit; reflet, ondulations de la lumière argentées; feu artificiel contrastant avec la lumière de la lune et surtout avec les masses noires du ciel, contraste pittoresque et frappant.)

---

1. Ces deux tableaux (*Naufrage* et *Marine*) appartenaient à l'Électeur palatin; depuis la dispersion de la galerie de Dusseldorf, ils se trouvent probablement à Munich.

43. UNE MARINE AVEC DES BAIGNEUSES.
44. UN PAYSAGE AU SOLEIL COUCHANT.

Il y a encore quelques autres tableaux de la même main dans le Salon, tels qu'une *Marine avec des baigneuses*, morceau fort agréable et piquant.

(Mauvais arbres, à la *Marine avec des baigneuses*. *Soleil couchant* aussi beau que jamais.)

SALON DE 1775

SAINT-QUENTIN

Voyez-vous ce *Paysage montueux*[1] *avec ce commencement d'orage?* Le voyez-vous?

DIDEROT

Eh bien! qu'est-ce qu'il y a à dire? Rien.

SAINT-QUENTIN

Et vraiment non, il n'y a rien à dire, c'est ce qui me désole. Je ne pourrai donc pas me venger d'un homme faux qui s'est montré mon plus cruel ennemi? Il faut, malgré moi, que j'en dise du bien. Celui qui montre la *Construction d'un grand chemin* est un peu violâtre; ses chevaux sont mauvais, mal dessinés, d'une autre espèce d'animaux; mais les *Abords de cette foire* [2], plus je les regarde, plus ils me plaisent. Peu s'en faut que ces tableaux ne soient comparables à ceux qu'il a faits en Italie; s'ils leur sont inférieurs, c'est qu'alors il copiait la nature et qu'aujourd'hui il copie sa chambre.

---

1. Le *Paysage montueux* appartenait à lord Shellburn, l'ami de Mme du Deffand et de l'abbé Morellet.

2. *Les Abords d'une foire*, tableau daté de 1774, actuellement au musée de Montpellier. De même que la *Construction d'un grand chemin*, actuellement au Louvre, ils appartenaient à l'abbé Terray, dernier ministre de Louis XV, et furent vendus 6.000 livres à sa mort en 1779.

DIDEROT

Mais il me semble que Vernet n'a pas trop à se louer de vous.

SALON DE 1781

54. QUATRE TABLEAUX DE MARINE.
55. PLUSIEURS TABLEAUX SOUS LE MÊME NUMÉRO.

Tous très beaux, mais pas également; cependant on n'en revoit aucun sans un nouveau plaisir : c'est toujours Vernet.

On reprochait jadis, dit une de nos critiques, on reprochait jadis à M. Vernet de toujours se répéter; on se plaint aujourd'hui de ce qu'il n'est plus le même.

CASANOVE

SALON DE 1761

Il me reste à vous dire un mot des morceaux de Casanove [1], mais que vous dirai-je de son grand tableau de bataille? Il faut le voir. Comment rendre le mouvement, la mêlée, le tumulte d'une foule d'hommes jetés confusément les uns à travers les autres? Comment peindre cet homme renversé qui a la tête fracassée, et dont le sang s'échappe entre les doigts de la main qu'il porte à sa blessure; et ce cavalier qui, monté sur un cheval blanc, foule les morts et les mourants? Il perdra la vie avant de quitter son drapeau. Il le tient d'une main; de l'autre il menace d'un revers de sabre celui qui lui appuie un coup de pistolet pendant qu'un autre lui saisit le bras. Comment sortira-t-il [hors][2] de danger? Un cheval tient le sien mordu par le cou, un fantassin est prêt à lui enfoncer sa pique dans le poitrail. Le feu, la poussière et la fumée, éclairent d'un côté et couvrent de l'autre une multitude infinie d'actions qui remplissent un vaste champ de bataille. Quelle couleur! quelle lumière! quelle étendue de scène! Les cuirasses rouges, vertes ou bleues, selon les objets qui s'y peignent, sont toujours d'acier : c'est pour la machine une des plus fortes compositions qu'il y ait au Salon. On reproche à Casanove d'avoir donné un peu trop de fraîcheur à ses vêtements; cela se peut; on dit que

---

1. François Casanove, né à Londres en 1727, frère cadet du grand aventurier Jacques Casanova, l'auteur des *Mémoires*, étudia à Venise, puis à Dresde. Il est à Paris en 1758, où il reçoit les conseils de Parrocel. Le tableau que décrit ici Diderot n'est, pas plus que son auteur, signalé au livret.

2. *Omisit* A.T.

son atmosphère n'est pas assez poudreuse; cela se peut; que les petites lumières partielles des sabres, des casques, des fusils et des cuirasses heurtées trop rudement, font ce qu'on appelle papilloter le tout, surtout quand on regarde le tableau de près; cela se peut encore; on dit que cet effet ressemble à celui du plafond d'une galerie[1] éclairée par la surface d'une eau vacillante, cela se peut encore. Avec tous ces défauts, c'est un grand et beau tableau, et ceux qui les ont relevés voudraient bien l'avoir fait. Moi, qui aime à mettre les choses en place, je le transporte d'imagination dans un des appartements du château de Potsdam.

Il y a du même peintre quelques petits tableaux de paysages. En vérité cet homme a bien du feu, de la hardiesse[2], une belle et vigoureuse couleur. Ce sont des rochers, des eaux, et pour figures des soldats qui sont en embuscade ou qui se reposent. On croirait que chaque objet est le produit d'un seul coup de pinceau; cependant on y remarque des nuances sans fin. On dit que Salvator Rosa n'est pas plus beau que cela quand il est beau.

Il y a de lui encore deux batailles en dessin qui ne sont pas déparées par celle qu'il a peinte.

Ce Casanove est dès à présent un homme à imagination, un grand coloriste, une tête chaude et hardie, un bon poète, un grand peintre.

SALON DE 1763

Ah! monsieur Casanove, qu'est devenu votre talent? Votre touche n'est plus fière comme elle était, votre coloris est moins vigoureux, votre dessin est devenu tout à fait incorrect. Combien vous avez perdu depuis que le jeune Loutherbourg vous a quitté!

---

1. A.T. : de la galerie.
2. A.T. : bien de la hardiesse.

125. UN COMBAT DE CAVALERIE[1].

Oui, il y a toujours du mouvement dans cette bataille. Voilà bien vos chevaux, je les reconnais; ces hommes blessés, morts ou mourants, ce tumulte, ce feu, cette obscurité, toutes ces scènes militaires et terribles sont de vous. Ce soldat s'élance bien; celui-là frappe à merveille; cet autre tombe on ne peut mieux; mais cela n'est plus hors de la toile, la chaleur du pinceau s'est évanouie...

On dit que Casanove tenait, depuis cinq à six ans, renfermé dans une maison de campagne un jeune peintre appelé Loutherbourg qui finissait ses tableaux, et peu s'en faut que la chose ne soit démontrée [2].

Les tableaux que Casanove a exposés dans ce Salon sont fort inférieurs à ceux du Salon précédent. Le pouce de Loutherbourg y manque, je veux dire cette manière de faire longue, pénible, forte et hardie, qui consiste à placer des épaisseurs de couleurs sur d'autres qui semblent percer à travers et qui leur servent comme de réserves.

SALON DE 1765

C'est un grand peintre que ce Casanove; il a de l'imagination, de la verve; il sort de son cerveau des chevaux qui hennissent, bondissent, mordent, ruent et combattent; des hommes qui s'égorgent en cent manières diverses; des crânes entr'ouverts, des poitrines percées, des cris, des menaces, du feu, de la fumée, du sang, des morts, des mourants, toute la confusion, toutes les horreurs d'une mêlée. Il sait aussi ordonner des compositions plus tranquilles, et montrer aussi bien le soldat en marche ou faisant halte qu'en bataille; et quelques-unes des parties les plus importantes du technique ne lui manquent pas.

---

1. Il nous est difficile d'identifier ce tableau, car il s'agit du motif favori du peintre (*Choc de cavaliers*, aux musées d'Amiens, Avignon, Metz, Rouen).

2. Diderot regrettera plus tard ces médisances.

94. UNE MARCHE D'ARMÉE[1].

Voici une des plus belles machines et des plus pittoresques que je connaisse. Le beau spectacle! la belle et grande poésie! Comment vous transporterai-je au pied de ces roches[2] qui touchent le ciel? Comment vous montrerai-je ce pont de grosses poutres soutenues en dessous par des chevrons, et jeté du sommet de ces rochers vers ce vieux château? Comment vous donnerai-je une idée vraie de ce vieux château, des antiques tours dégradées qui le composent, et de cet autre pont en voûte qui les unit et les sépare? Comment ferai-je descendre le torrent des montagnes, en précipiterai-je les eaux sous ce pont, et les répandrai-je tout autour du site élevé sur lequel la masse de pierre est construite? Comment vous tracerai-je la marche de cette armée, qui part du sentier étroit qu'on a pratiqué sur le sommet des roches, et qui conduit laborieusement et tortueusement les hommes du haut de ces roches sur le pont qui les unit au château? Comment vous effrayerai-je pour ces soldats, pour ces lourdes et pesantes voitures de bagages qui passent, de la montagne au château, sur cette tremblante fabrique de bois? Comment vous ouvrirai-je entre ces bois pourris des précipices obscurs et profonds? Comment ferai-je passer tout ce monde sous les portes d'une des tours, le conduirai-je de ces portes sous la voûte de pierre qui les unit, et le disperserai-je ensuite dans la plaine? Dispersé dans la plaine, vous exigerez que je vous peigne les uns baignant leurs chevaux, les autres se désaltérant, ceux-ci étendus nonchalamment sur les bords de cet étang vaste et tranquille : ceux-là, sous une tente qu'ils ont formée d'un grand voile qui tient ici au tronc d'un arbre, là à un bout de roche, buvant, cau-

---

1. Cette immense composition, vendue 410 livres en 1776 lors de la vente Blondel de Gagny, n'a pas été retrouvée. Grimm, loin de partager l'enthousiasme de Diderot, n'y voit « qu'un centon pillé çà et là, et assorti sans jugement ».

2. A.T. : rochers.

sant, riant, mangeant, dormant, assis, debout, couchés sur le dos, couchés sur le ventre, hommes, femmes, enfants, armes, chevaux, bagages. Mais peut-être qu'en désespérant de réaliser dans votre imagination tant d'objets animés, inanimés, ils le sont; et je l'ai fait. Si cela est, Dieu soit loué. Cependant je ne m'en tiens pas quitte. Laissons respirer la muse de Casanove et la mienne, et regardons son ouvrage plus froidement.

A droite du spectateur, imaginez une masse de grandes roches de hauteurs inégales; sur les plus basses de ces roches, un pont de bois jeté de leur sommet au pied d'une tour; cette tour, unie et séparée d'une autre tour par une voûte de pierre; cette fabrique, d'ancienne architecture militaire, bâtie sur un monticule; des eaux, qui descendent des montagnes, se rendent sous le pont de bois, sous la voûte de pierre, font le tour par derrière le monticule, et forment à sa gauche un vaste étang. Supposez un arbre au pied du monticule; couvrez le monticule de mousse et de verdure; appliquez, contre la tour qui est à droite, une chaumière; faites sortir d'entre les pierres dégradées du sommet de l'une et l'autre tour des arbrisseaux et des plantes parasites; hérissez-en la cime des montagnes qui sont à gauche. Au delà de l'étang, que les eaux ont formé à droite, supposez quelques ruines lointaines, et vous aurez une idée du local.

Voici maintenant la marche de l'armée.

Elle défile du sommet des montagnes qui sont à droite, par un sentier escarpé; elle se rend sur le pont de bois jeté des plus basses de ces montagnes au pied d'une des tours du château; elle tourne le monticule sur lequel le château est élevé; elle gagne la voûte de pierre qui unit les deux tours; elle passe sous cette voûte, et de là elle se répand, de gauche et de droite, autour du monticule, sur les bords de l'étang; et arrive, en se repliant, au bas des hautes montagnes du sommet desquelles elle est partie. En levant les yeux, chaque soldat peut mesurer avec effroi la hauteur d'où il est descendu.

Passons aux détails. On voit au sommet des roches quelques soldats en entier; à mesure qu'ils s'engagent dans le sentier escarpé, ils disparaissent; on les retrouve lorsqu'ils débouchent sur le pont de bois; ce pont est chargé d'une voiture de bagages; une grande partie de l'armée a déjà fait le tour du monticule, passé sous la voûte de pierre, et se repose. Supposez autour du monticule sur lequel le château s'élève tous les incidents d'une halte d'armée, et vous aurez le tableau de Casanove. Il n'est pas possible d'entrer dans le récit de ces incidents; ils se varient à l'infini; et puis, ce que j'en ai esquissé dans les premières lignes suffit.

Ah! si la partie technique de cette composition répondait à la partie idéale! Si Vernet avait peint le ciel et les eaux, Loutherbourg le château et les roches, et quelque autre grand maître les figures. Si tous ces objets, placés sur des plans distincts, avaient été éclairés et coloriés [1] selon la distance de ces plans, il faudrait avoir vu une fois en sa vie ce tableau; mais malheureusement celui de Casanove manque de toute la perfection qu'il aurait reçue de ces différentes mains. C'est un beau poème, bien conçu, bien conduit, et mal écrit.

Ce tableau est sombre, il est terne, il est sourd. Toute la toile ne vous offre [2] que les divers accidents d'une grande croûte de pain brûlé; et voilà l'effet de ces grandes roches, de cette grande masse de pierre élevée au centre de la toile, de ce merveilleux pont de bois, et de cette précieuse voûte de pierre, détruit et perdu; [et voilà l'effet de toute cette variété infinie de groupes et d'actions détruit et perdu] [3]. Il n'y a point d'intelligence dans les tons de la couleur; point de dégradation perspective; point d'air entre les objets; l'œil est arrêté, et ne saurait se promener. Les objets de devant n'ont rien de la vigueur exigée par leurs sites. Mon ami, si la scène se passe proche du spectateur, la figure placée la plus voisine de lui sera au moins huit ou dix fois plus grande que celle qui sera distante de huit ou dix toises

1. A.T. : colorés.
2. A.T. : paraît vous offrir d'abord.
3. *Omisit* L.

de cette figure; alors, ou de la vigueur sur le devant, ou point de vérité, point d'effet. Si au contraire le spectateur est loin de la scène, les objets seront relativement d'une dégradation plus insensible, et exigeront des tons plus doux, parce qu'il y aura plus de corps d'air entre l'œil et la scène. La proximité de l'œil sépare les objets; sa distance les presse et les confond. Voilà l'*a*, *b*, *c*, que Casanove paraît avoir oublié. Mais comment, me direz-vous, a-t-il oublié ici ce dont il se souvient si bien ailleurs? Vous répondrai-je comme je sens? C'est qu'ailleurs son ordonnance est à lui; il est inventeur. Ici, je le soupçonne de n'être que compilateur. Il aura ouvert ses portefeuilles d'estampes; il aura habilement fondu trois ou quatre morceaux de paysagistes ensemble; il en aura fait un croquis admirable; mais lorsqu'il aura été question de peindre ce croquis, le faire, le métier, le talent, la technique, l'auront abandonné. S'il avait vu la scène dans la nature ou dans sa tête, il l'aurait vue avec ses plans, son ciel, ses eaux, ses lumières, ses vraies couleurs, et il l'aurait exécutée. Rien n'est si commun et cependant si difficile à reconnaître que le plagiat en peinture. Je vous en dirai peut-être un mot dans l'occasion. Le style le décèle en littérature; la couleur, en peinture. Quoi qu'il en soit, combien de beautés détruites par le monotone de ce morceau qui reste, malgré cela, par la poésie, la variété, la fécondité, les détails des actions, la plus belle production de Casanove!

95. UNE BATAILLE.

C'est un combat d'Européens. On voit sur le devant un soldat mort ou blessé; auprès, un cavalier dont le cheval reçoit un coup de baïonnette : ce cavalier lâche un coup de pistolet à un autre qui a le sabre levé sur lui. Vers la gauche, un cheval abattu, dont le cavalier est renversé; sur le fond, une mêlée de combattants. A droite, sur le devant, des roches et des arbres rompus. Le ciel est éclairé de feux, et obscurci de fumée. Voilà la description la plus froide qu'il soit possible d'une action fort chaude.

95. AUTRE BATAILLE.

C'est une action entre des Turcs et des Européens. Sur le devant, un enseigne turc, dont le cheval est abattu d'un coup porté à la cuisse gauche : le cavalier semble, d'une main, couvrir sa tête de son drapeau, et de l'autre se défendre de son sabre. Cependant un Européen s'est saisi du drapeau, et menace de son épée la tête de l'ennemi. A droite, sur le fond, des soldats diversement attaquant et attaqués : entre ces soldats, on en remarque un, le sabre à la main, spectateur immobile. Sur le fond, à gauche, des morts, des mourants, des blessés, et d'autres soldats presque de repos.

Cette dernière bataille, c'est de la belle couleur prise sur la palette, et transportée sur la toile; mais nulle forme, nul effet, point de dessin : et pourquoi? C'est que les figures sont un peu grandes, et que notre Casanove ne les sait pas rendre. Plus un morceau est grand, plus l'esquisse en est difficile à conserver.

La composition précédente, où les figures sont plus petites, est mieux. Toutefois il y a du feu, du mouvement, de l'action dans toutes deux. On y frappe bien; on s'y défend bien; on y attaque; on y tue bien. C'est l'image que j'ai des horreurs d'une mêlée.

Casanove ne dessine pas précieusement. Ses figures sont courtes. Quoique chaud dans ses compositions [1], je le trouve monotone et stérile. C'est toujours au centre de sa toile un grand cheval avec ou sans son cavalier. Je sais bien qu'il est difficile d'imaginer une action plus grande, plus noble, plus belle, que celle d'un beau cheval appuyé sur ses deux pieds de derrière, jetant avec impétuosité ses deux autres pieds en avant, la tête retournée, la crinière agitée, la queue ondoyante, franchissant l'espace au milieu d'un tourbillon de poussière : mais parce qu'un objet est beau, faut-il le

---

1. A.T. : sa composition.

répéter à tout propos? Les autres affectent de pyramider de haut en bas; celui-ci de pyramider de la surface de la toile vers le fond : autre monotonie. C'est toujours un point au centre de la toile, très saillant en devant; puis, de ce point, sommet de la pyramide, des objets sur des plans qui vont successivement en s'étendant jusqu'à la partie la plus enfoncée, où se trouve le plus étendu de tous ces plans, ou la base de la pyramide. Cette ordonnance lui est si propre, que je le reconnaîtrais d'un bout à l'autre d'une galerie.

96. UN CAVALIER ESPAGNOL [1].

L'Espagnol est à cheval : il occupe presque toute la toile. La figure, le cheval et l'action, sont du plus grand naturel. On voit, à droite, une troupe de soldats qui défilent vers le fond; à gauche, ce sont des montagnes très suaves.

Beau petit tableau, très vigoureux, très chaud de couleur, et très vrai; bonne touche et spirituelle; effet décidé, sans dureté. Achetez ce beau petit tableau, et soyez sûr de ne vous en jamais dégoûter, à moins que vous ne soyez né inconstant dans vos goûts. On quitte la femme la plus aimable, sans autre motif que la durée de ses complaisances. On s'ennuie de la plus douce des jouissances, sans trop savoir pourquoi. Pourquoi le tableau aurait-il quelque privilège sur la chose? C'est pourtant une chose bien agréable que la vie! L'habitude, qui nous attache, rend les possessions moins flatteuses, et les privations plus cruelles. Comme cela est arrangé! Y avez-vous jamais rien compris?

---

1. Ce *Cavalier espagnol* serait-il celui de la vente Becq de Fouquières (8 mai 1925, 7.500 fr.)? Mais ce dernier peut être aussi le nº 68 du Salon de 1767.

SALON DE 1767

68. UN CAVALIER ESPAGNOL, VÊTU A L'ANCIENNE MODE.

Très beau petit tableau; je me trompe : grand et beau tableau; belle composition, bien simple; mais quel goût il faut avoir pour l'apprécier! Il n'y a ici ni éclat, ni tumulte, ni fracas de couleur et de figure; rien de ce qui en impose à la multitude; mais du repos, de la tranquillité, un art sévère. On n'aperçoit qu'un cavalier sur son cheval, il vient à vous; et l'homme, et l'animal docile, sont de la plus grande vérité. Ils sont hors la toile, toute la lumière est rassemblée sur eux; le reste est dans la demi-teinte. L'homme est merveilleusement bien en selle. L'animal qui descend se piète. A droite, sur le fond, ce sont des monticules; au delà de ces monticules défile une troupe de soldats, dont on entrevoit les têtes par-dessous le ventre du cheval. *Hic equus non est omnium*[1]. Il faut un faire, un naturel bien surprenant pour arrêter, pour intéresser avec si peu de chose.

69. BATAILLE.

Belle et grande masse au centre; sur le devant, un combattant sur un cheval blanc. Au delà, plus sur le fond, un autre combattant, puis un énorme cheval roux abattu. Sous les pieds des premiers chevaux, soldats renversés, foulés, écrasés, étouffés. Sur les ailes, mêlées particulières dérobées par le feu, la poussière et la fumée, et s'enfonçant en s'éteignant dans la profondeur du tableau, donnant à la scène de l'étendue et de la vigueur à la masse principale. Beau ciel, bien chaud, bien terrible, bien épais, bien enflammé d'une lumière rougeâtre. Grande variété d'incidents; beau et

---

1. Variante amusante de l'épigraphe des *Pensées philosophiques* de 1746 : *Piscis hic non est omnium.*

effrayant désordre avec harmonie. C'est tout ce que je puis dire. Mais quelle idée cela laisse-t-il? Aucune. On composerait, d'après cette description, cent autres tableaux différents entre eux, et de celui de Casanove.

69. UNE PETITE BATAILLE, ET SON PENDANT.

C'est un choc de cavalerie très vif d'action, savamment composé, figures d'hommes et de chevaux bien dessinées et pleines d'expression. Joli morceau, auquel on ne peut reprocher qu'une couleur un peu trop brillante, ce qui donne un ton de gaieté à un sujet qui doit remplir d'effroi. La vigueur et l'éclat du coloris sont deux choses diverses. On est éclatant sans vigueur, et vigoureux sans éclat; et peut-être est-on l'un ou l'autre sans harmonie.

Je juge ce sujet sans le décrire. On ne décrit point une bataille; il faut la voir.

Le pendant de ce morceau est un paysage avec figures, où la couleur éclatante est plus convenable qu'à la bataille.

70. DEUX PAYSAGES AVEC FIGURES.

On voit au premier de ces paysages, à gauche, un grand rocher, dont le pied est baigné par des eaux traversées par des voyageurs, entre lesquels une femme portant un enfant sur son dos; autour de cette femme, quelques moutons, puis une autre femme à cheval, tenant un petit chien; ensuite son mari arrêté, et faisant boire son cheval. A droite des eaux, d'autres passagers et un lointain.

Les figures de la gauche, quoique très agréables, sont un peu collées au rocher, dont la face est coupée à pic, et égale de forme et de ton. En changeant la forme et pratiquant à cette surface des enfoncements, des saillies, les figures seraient venues plus en devant; en laissant à cette masse son égalité plane, il eût fallu varier le ton, et faire passer de l'air entre les figures et le rocher.

Le second paysage dont je vais vous parler, est fort supérieur à celui-ci. C'est un très beau tableau, du moins pour ceux qui savent le regarder. A droite, grande et large masse de rochers. Ces rochers sont dans la demi-teinte, et couronnés d'herbes, de plantes et d'arbustes sauvages. Ce ne sont pas d'énormes pierres pelées, sèches, raides, hideuses. Une mousse tendre, une verdure obscure, jaunâtre et chaude les revêt; ils sont prolongés de la droite vers la gauche, et semblent diviser le paysage en deux; des eaux en baignent le pied. A droite, sur la rive de ces eaux, on voit deux pâtres sur leurs chevaux; plus sur le devant, entre eux, une chèvre; en s'avançant un peu vers la gauche, une bergère assise à terre; non loin d'elle, quelques moutons. Là, finissent les rochers, et s'ouvre une échappée au loin. Vous voyez le ciel et des nuées. Vous voyez ces nuées tourner autour de la masse des rochers, sur le fond, l'en détacher, et annoncer derrière elle une campagne dont elle dérobe l'aspect. Vis-à-vis de cette échappée, de l'espace le plus antérieur du tableau on grimpe sur des éminences qui ne sont que la continuité des rochers.

L'artiste a placé sur l'une des éminences un paysan avec un cheval. Le côté gauche de cette scène champêtre est fermé par deux grands arbres qui s'élèvent en s'inclinant vers la gauche, d'entre de la rocaille et des quartiers de pierres brutes; ces deux arbres peints avec vigueur sont encore très poétiques. Le ciel est si léger, qu'ayant pris ce morceau pour un ouvrage de Loutherbourg, cette qualité, qui manque à celui-ci, me fit suspecter mon erreur. Ce paysage est beau, bien ordonné, bien vrai, d'un bel effet.

71. DEUX PETITS TABLEAUX, DONT L'UN REPRÉSENTE UN MARÉCHAL, L'AUTRE UN CABARET.

Le Maréchal. Arcade ruinée à droite, fermée par en bas d'une cloison à claire-voie, et couverte d'arbustes par en haut. Du même côté, sur le devant, un soldat assis sur des porte-manteaux. Plus vers la gauche, le fond et de face, un cavalier sur un cheval brun, tenant par la bride un cheval qu'on ferre. Le pied de ce cheval est passé dans la boucle d'une corde qui le tient levé. Le maréchal qui ferre; autre maréchal accroupi derrière celui-ci; à gauche, la forge couverte d'une hotte de bois tout à fait pittoresque. Au bas de la forge, un panier à charbon et des outils du métier. Toute cette partie du tableau est dans la demi-teinte; ou plutôt il n'y a guère que la croupe du cheval qu'on ferre qui soit frappée de la lumière qui tombe du ciel.

Le Cabaret. Autre petit Wouwermans, à préférer au précédent pour l'effet. A droite, le cabaret avec du bois, des bûches, des paniers, des tonneaux à la porte; à quelque distance de la porte, le cabaretier un verre plein dans une main, sa bouteille de l'autre. Plus sur la gauche et le fond, un valet qui vient de poser à terre deux seaux d'eau pour les chevaux. Un de ces chevaux est sans cavalier, il a un portemanteau sur la croupe, une lanterne pendue à l'arçon de sa selle; il boit. L'autre cheval est monté de son cavalier, qui a le verre à la main. Au delà du cabaret, sur le fond, petites fabriques ruinées. A gauche en retour, les mêmes fabriques continuées; autour de ces masures, poules, canards et autres volailles.

J'ai dit que c'étaient deux petits Wouwermans; et cela est vrai pour les sujets, la manière, la couleur et l'effet. J'en croyais le technique perdu; Casanove le retrouverait. Il y a des connaisseurs difficiles [1] qui prétendent que ce faire est faux, sans aucun modèle approché dans la nature. Je ne saurais le nier; car je ne me rappelle pas d'avoir jamais rien vu de ressemblant à cette magie; mais elle est si douce, si harmonieuse, si durable, si vigoureuse, que je regarde, admire et me tais. Mais la nature étant une, comment concevez-vous, mon ami, qu'il y ait tant de manières diverses de l'imiter, et qu'on les approuve toutes? Cela ne viendrait-il pas de ce que, dans l'impossibilité reconnue et peut-être heureuse de la rendre avec une précision absolue, il y a une lisière de convention sur laquelle on permet à l'art de se promener; de ce que, dans toute production poétique, il y

1. A.T. : d'un goût difficile.

a toujours un peu de mensonge dont la limite n'est et n
sera jamais déterminée? Laissez à l'art la liberté d'un écar
approuvé par les uns et proscrit par d'autres. Quand on
une fois avoué que le soleil du peintre n'est pas celui d
l'univers et ne saurait l'être, ne s'est-on pas engagé dans u
autre aveu dont il s'ensuit une infinité de conséquences
la première, de ne pas demander à l'art au delà de ses res
sources; la seconde, de prononcer avec une extrême cir
conspection de toute scène où tout est d'accord.

Au reste, voulez-vous bien sentir la différence de l'opa
que, du compact, du monotone, du manque de tons, d
passages et de nuances, avec l'effet des qualités contraires
ces défauts? Comparez la croupe du cheval blanc de Casa
nove avec la croupe d'un cheval blanc d'une des bataille
de Loutherbourg. Ces comparaisons multipliées vous ren
draient bien difficile.

72. PETIT TABLEAU REPRÉSENTANT UN CAVALIER QUI RAJUSTE SA BOTTE.

A droite, un bout de rivière avec un lointain; deux cava
liers passent la rivière. Sur une terrasse assez élevée et asse
large au bord de la rivière, un cavalier sur son cheval, tenan
la bride de celui de son camarade, qu'on voit plus sur l
fond et sur la gauche, descendu à terre et rajustant sa botte

Autre petit morceau de la même école flamande; mais j
suis bien fâché contre ce mot de pastiche qui marque d
mépris, et qui peut décourager les artistes de l'imitation de
meilleurs maîtres anciens. Quoi donc! s'il arrivait que l'o
me présentât un morceau si bien fait de tout point dans l
manière de Raphaël, de Rubens, du Titien, du Dominiquin
que moi et tout autre s'y trompât, l'artiste n'aurait-il pa
exécuté une belle chose? Il me semble qu'un littérateu
serait assez content de lui-même, s'il avait composé un
page qu'on prît pour une citation d'Horace, de Virgile
d'Homère, de Cicéron ou de Démosthène; une vingtain
de vers qu'on fût tenté de restituer à Racine ou à Voltaire
N'avons-nous pas une infinité de pièces dans le style maro-

tique; et ces pièces, pour être de vrais pastiches en poésie, en sont-elles moins estimables?

Casanove est vraiment un peintre de batailles; mais, encore une fois, quelle est la description d'un tableau de bataille qui puisse servir à un autre que celui qui l'a[1] fait?

SALON DE 1769

Oh! les pauvres machines que nous sommes! C'est Casanove qui le dit. Un Dieu tient notre destinée cachée dans une nuit obscure : *Caliginosa nocte premit Deus et ridet*[2]. Le beau passe-temps pour un être bienfaisant! Un jour cet artiste, sortant de table avec ses amis, se soulageait d'un petit besoin dans un coin; un des convives, pressé du même besoin, lui demande place, il se range; une cheminée tombe et écrase celui à qui il avait cédé la place qu'il occupait; ce qui lui a appris à se moquer de l'avenir et surtout à être poli[3]. En vérité cette philosophie est presque aussi bonne que ses tableaux, qui étaient pourtant merveilleux cette année. Le nombre n'en était pas grand : *deux sujets de chasse; un grand paysage et trois petits*, et voilà tout.

Tenez, mon ami, mon gros épicurien Casanove est un grand peintre, un homme étonnant. Ce n'est pas tout à fait le sentiment de notre amie[4] de la cour de Marsan[5], qui s'y connaît mieux que moi, mais qui n'a pas vu ses tableaux de ce dernier Salon. Si vous rencontrez jamais les deux

---

1. A.T. : la.
2. Horace, *Odes*, III, 29, 30-31 : « La divinité enveloppe d'une nuit ténébreuse l'issue où aboutit l'avenir et elle rit... »
3. Anecdote que Diderot racontera, à l'époque même du Salon de 1769, dans une lettre à Mme de Maux (*A Sophie Volland*, t. II, p. 277).
4. A.T. : ami.
5. Que Diderot ait écrit *ami* ou *amie*, il s'agit toujours de M. de Maux ou de sa femme, née Jeanne Quinault-Dufresne, le dernier amour du philosophe (cf. *Correspondance inédite*, Lettres à Grimm, t. I, p. 138 et 140).

Sujets de chasse, ne les quittez pas; regardez-les, regardez-les longtemps, et lorsque vous croirez avoir assez accordé à votre admiration, vous vous serez trompé et vous y reviendrez. Comme l'œil s'y repose agréablement, surtout après s'être si fatigué et si déplu ailleurs! Si ces deux tableaux m'appartenaient et que l'indigence disposât de mes effets, les deux Casanove déménageraient les derniers. Écoutez-moi bien et gardez-vous de hocher du nez : il n'y a ni peintres présents ni peintres passés qui colorient mieux, qui sentent mieux l'harmonie et les beaux effets. Je n'ai jamais rien vu, mais rien qui m'ait plus attaché que le ciel de son *Soleil couchant*. Comme il est chaud et doré, sans être ni rouge ni jaune! Il régnait dans l'autre, qui est un *Ciel du matin*, un ton argentin et léger que vous ne verrez que là. Ses figures sont heureusement disposées et d'une touche, d'un esprit fort supérieurs à son élève.

Approche, Loutherbourg, et dis-nous à présent, si tu l'oses, que ton maître te devait le mérite de ses compositions. Casanove, c'est ainsi qu'il convient d'humilier l'envie. Cache-toi, Loutherbourg! Tu nous as montré de très belles choses assurément; mais, à ta place, je serais moins vain de ta dernière *Tempête*, quelque sublime qu'elle soit, que honteux d'une calomnie aussi fortement repoussée. Sous ces deux Casanove on avait placé deux Loutherbourg, et l'on disait : « Voilà le maître, voilà l'écolier! » Sois satisfait, Casanove, jouis; il fallait que le moment de ta vengeance arrivât, et il est venu.

Loutherbourg a un grand talent, je ne lui refuse pas même du génie; mais voyez et comparez. Si vous vous attachez à la couleur et au faire, l'un vous paraîtra sec et lourd, l'autre gras et léger; le premier, opaque, gris et également fait partout; le second, transparent, varié, d'une touche franche et large, et négligé quand il faut. Loutherbourg, que murmures-tu entre tes dents? Je t'entends, tu t'adresses à ces terrasses, tu les trouves brunes, un peu trop monotones; tu demandes à ces arbres plus de mouvement et de profondeur; tu voudrais que ces masses qui doivent saillir en devant fussent plus éclairées, et que celles-ci, qui doivent s'enfuir vers le fond, fussent plus sourdes. D'accord; mais, *médecin, guéris-toi toi-même ;* homme, pardonne à l'ouvrage de l'homme une imperfection, et ne corromps pas la pureté de mon plaisir par tes observations amères et jalouses. Nous souffrons tous les deux, mais ton malaise n'est pas le mien.

Le grand *Paysage* de Casanove est bon, mais je ne le mets pas sur la ligne des deux précédents; les arbres en sont d'un vert trop égal; la tête d'une femme qu'on voit auprès d'une vache est mauvaise; mais, en revanche, les figures du fond et le lointain sont admirables.

Le paysage en hauteur est de la plus belle couleur et d'un faire très spirituel.

Je ne vous dis rien de deux petits restes de palette qui ne sont pas de l'étendue des précédents, mais qui n'en valent pas moins.

Ce peintre est un de ceux qui se soutiennent le mieux, et il fait peu de choses médiocres.

SALON DE 1771

64. PREMIER DES TROIS COMBATS DE FRIBOURG DONNÉ LE 3 AOUT 1644, COMMANDÉ PAR M. LE DUC D'ENGHIEN, ET L'ARMÉE DES BAVAROIS AUX ORDRES DU GÉNÉRAL DE MERCY [1].

Voici, monsieur, un de ces tableaux capitaux qui, dans ce genre, décident ordinairement des talents de l'auteur. Je ne vous fais point l'histoire de ce morceau, puisque vous avez le livre du Salon entre les mains; je m'arrête à la partie du peintre. Ce sujet était d'autant plus difficile à traiter qu'il y a complication d'action. Il paraît qu'il était nécessaire que le compositeur exposât les débris de l'action précédente

1. Tableau commandé par le prince de Condé en souvenir de son ancêtre. Actuellement au Louvre (nº 91).

(de l'abatis des arbres); c'est d'abord une victoire de plu
pour notre général, et qui démontre les obstacles qu'il lu
a fallu surmonter pour être en état d'en vaincre de plu
grands. L'action principale [et que M. Casanove a spiri
tuellement saisie] [1], est le moment où le prince, ayant mi
pied à terre, jette son bâton de commandement dans le
retranchements de l'ennemi, environné de plusieurs géné
raux; moment terrible pour l'ennemi, moment de valeu
insigne et de gloire pour notre général; c'est le panach
d'Henri le Grand aux plaines d'Ivry. Il fallait d'ailleurs nou
montrer les Bavarois victimes de ce coup de valeur, enfon
cés, fuyants, éperdus, mais qui pouvaient être soutenus pa
l'armée en bataille que le général Mercy commandait a
delà de la montagne. Quel sujet, monsieur, et quelle ordon
nance difficile à diriger, surtout aux approches de la nuit
heure à laquelle les ombres, en s'allongeant, se multiplien
sur tant d'objets! Ajoutez-y l'obscurité des bois, de la mon
tagne; la poussière, la fumée qui s'élèvent, tout concourt
obscurcir encore le peu de jour qui reste au général ains
qu'au peintre. Toutes ces difficultés n'ont point arrêt
M. Casanove; il conserve l'unité de temps, de lieu et d'ac
tion pour l'œil du spectateur. En effet, la vue, qui se port
naturellement sur le premier plan d'un tableau, aperçoit ic
les débris de l'action passée. En se portant plus haut, c'es
le prince qui se présente où l'action commence, et le spec
tateur, en avançant, marche toujours avec elle et sur l
même terrain jusqu'à l'armée ennemie. Cette dispositio
des plans est claire et se développe aisément. M. Casanove
à l'aide d'une fumée claire, détache habilement son génér
de l'obscurité du lieu sur lequel il se trouve interposé
Malgré les difficultés dans l'ordonnance de ce tableau, le
différentes masses de groupes sont bien distribuées; l'effe
s'y trouve sans nuire à la précision de l'action; car il étai
difficile de rendre tout visible sans avoir de lumière princi
pale que celle des devants du tableau, laquelle, prise à l'heur

1. *Omisit* A.T.

Cl. Giraudon.

Casanove. — Combat de Fribourg (Musée du Louvre).

de sept ou huit heures, pouvait jeter beaucoup d'obscurité mais le peintre a su profiter de l'avantage que lui présentai la montagne. J'ignore, monsieur, le sentiment du publi sur ce tableau, mais, quel qu'il soit, la magie que M. Casa nove a employée me semble celle d'un habile homme qu mérite qu'on lui passe quelques incorrections dans le des sin, quelques négligences qui échappent toujours dans de morceaux d'un aussi grand détail. J'avoue qu'il pourrai être plus terminé, plus étudié, sur ses devants. Le Bourgui gnon, Parrocel étaient vigoureux [1]; mais le premier sur tout était fini, et Van der Meulen semble exciter, par se ouvrages, M. Casanove à donner plus de légèreté à se arbres. Peut-être voudrais-je un peu plus de génie et d recherche dans la scène de l'abatis des arbres, un mouve ment plus distinct dans l'attaque sur les Bavarois.

(On lui reproche de n'avoir pas donné à son héros l caractère impétueux et violent qui convient à un généra qui jette son bâton de commandement au milieu des enne mis; de faire ridiculement politiquer des officiers derrièr le prince dans un moment aussi chaud. Chevaux lourds e massifs; hommes, dos trop larges [2]. N'a ni la pureté, ni l netteté de Van der Meulen. Détails obscurs. Paysages crus n'ont pas la vivacité et le coloris des paysages de Louther bourg; mais ceux de Loutherbourg ne sont-ils pas auss outrés de couleur rouge et trop chauds?)

66. DEUX PAYSAGES SOUS LE MÊME NUMÉRO.

Il y a beaucoup de vigueur et de couleur dans ces deux tableaux, et les animaux y sont bien rendus. Je ne vous parl point du choix des sites : vous savez que l'auteur sembl

1. Jacques Courtois, dit le Bourguignon (1621-1676), peintr de batailles, modèle un peu trop évident de Casanove. Charle Parrocel (1688-1752), lui aussi peintre de batailles, avait aid Casanove lors de son premier séjour à Paris.

2. A.T. : large.

avoir adopté le goût de [1] Berghem dans ce genre, si ce n'est qu'il est moins gai que ce Hollandais et qu'il affecte une répétition de tons roux et obscurs que Berghem n'avait pas et qui nuisent à la fraîcheur que demande le paysage. D'ailleurs la légèreté du feuillé n'est plus la même; ici les arbres sont presque toujours impénétrables à la lumière par leur extrême touffu.

SALON DE 1781

85. UN CLAIR DE LUNE.

On y voit sur le devant du tableau une femme qui vend des canards à des passagers, et qui tient à la main un flambeau dont tout le groupe est éclairé.

C'est un superbe tableau; la couleur et l'effet s'y trouvent réunis. Sans être bien correct, le dessin est spirituel. Il me semble que ce qui est placé dans l'éloignement est trop du même ton; je parle du ciel, des arbres et de l'eau. On désirerait plus de fermeté de touche; on a désiré aussi très généralement plus de vérité dans le coloris.

86. SOLEIL LEVANT.

Certes, celui-ci n'est pas inférieur au précédent; l'effet, la couleur, tout y est également bien entendu. On y remarque une vapeur admirable; mais ne serait-il pas à souhaiter que la ruine la plus élevée ne fût pas tant du ton de la partie du ciel qui éclaire le tableau? La vache qui occupe le devant est digne de Berghem.

90. PAYSAGE ORNÉ DE FIGURES ET D'ANIMAUX.

Ce tableau est on ne peut plus agréable; c'est partout la touche du sentiment; tout y est traité convenablement.

---

1. A.T. : du.

Cette troupe d'animaux mêlée de cavaliers qui traverse un espace d'eau fait le plus grand plaisir; mais il me faut dans le dessin un peu plus de correction.

88. UN BERGER ITALIEN DORMANT AU PIED D'UNE RUINE

Ce tableau, ainsi que tous ceux de ce maître, est d'une bonne couleur, d'un bel effet : pardonnez-[lui] [1], je vous prie, son incorrection de dessin.

1. L : leur (?).

LOUTHERBOURG

SALON DE 1763

PHÉNOMÈNE étrange! Un jeune peintre, de vingt-deux ans, qui se montre et se place tout de suite sur la ligne de Berghem. Ses animaux sont peints de la même force et de la même vérité. C'est la même entente et la même harmonie générale. Il est large, il est moelleux; que n'est-il pas?

Il a exposé un grand nombre de *paysages*. Je n'en décrirai qu'un seul[1].

Voyez à gauche ce bout de forêt : il est un peu trop vert, à ce qu'on dit, mais il est touffu et d'une fraîcheur délicieuse. En sortant de ce bois et vous avançant vers la droite, voyez ces masses de rochers, comme elles sont grandes et nobles, comme elles sont douces et dorées dans les endroits où la verdure ne les couvre point, et comme elles sont tendres et agréables où la verdure les tapisse encore! Dites-moi si l'espace que vous découvrez au delà de ces roches n'est pas la chose qui a fixé cent fois votre attention dans la nature. Comme tout s'éloigne, s'enfuit, se dégrade insensiblement, et lumières et couleurs et objets! Et ces bœufs qui se reposent au pied de ces montagnes, ne vivent-ils pas? ne ruminent-ils pas? N'est-ce pas là la vraie couleur, le vrai

1. Jacques-Philippe Loutherbourg naquit à Strasbourg en 1740. Agréé en 1763 et reçu à l'Académie en 1768, il quitta Paris pour Londres en 1771. Le tableau décrit par Diderot est le n° 154 du livret : *Paysage avec figures et animaux*, sujet fréquent dans l'œuvre de Loutherbourg (Musée de Strasbourg et Galerie de Dulwich).

caractère, la vraie peau de ces animaux ? Quelle intelligence et quelle vigueur ! Cet enfant naquit donc le pouce passé dans la palette ? Où peut-il avoir appris ce qu'il sait ? Dans l'âge mûr, avec les plus heureuses dispositions, après une longue expérience, on s'élève rarement à ce point de perfection. L'œil est partout arrêté, récréé, satisfait. Voyez ces arbres ; regardez comme ce long sillon de lumière éclaire cette verdure, se joue entre les brins de l'herbe et semble leur donner de la transparence. Et l'accord et l'effet de ces petites masses de roches détachées et répandues sur le devant ne vous frappent-ils pas ? Ah ! mon ami, que la nature est belle dans ce petit canton ! arrêtons-nous-y ; la chaleur du jour commence à se faire sentir, couchons-nous le long de ces animaux. Tandis que nous admirerons l'ouvrage du Créateur, la conversation de ce pâtre et de cette paysanne nous amusera ; nos oreilles ne dédaigneront pas les sons rustiques de ce bouvier, qui charme le silence de cette solitude et trompe les ennuis de sa condition en jouant de la flûte. Reposons-nous ; vous serez à côté de moi, je serai à vos pieds tranquille et en sûreté, comme ce chien, compagnon assidu de la vie de son maître et garde fidèle de son troupeau ; et lorsque le poids du jour sera tombé nous continuerons notre route, et dans un temps plus éloigné, nous nous rappellerons encore cet endroit enchanté et l'heure délicieuse que nous y avons passée.

S'il ne fallait pour être artiste que sentir vivement les beautés de la nature et de l'art, porter dans son sein un cœur tendre, avoir reçu une âme mobile au souffle le plus léger, être né celui que la vue ou la lecture d'une belle chose enivre, transporte, rend souverainement heureux, je m'écrierais en vous embrassant, en jetant mes bras autour du cou de Loutherbourg ou de Greuze : « Mes amis, *son pittor anch'io.* »

La couleur et la touche de Loutherbourg sont fortes ; mais, il faut l'avouer, elles n'ont ni la facilité ni toute la vérité de celles de Vernet. Cependant, a-t-on dit, s'il est un peu trop vert dans le paysage que vous venez de décrire, c'est peut-être qu'il a craint qu'en se dégradant sur un long espace il ne finît par être trop faible. Mais ceux qui parlent ainsi ne sont pas artistes.

Ce faire de Loutherbourg, de Casanove, de Chardin et de quelques autres, tant anciens que modernes, est long et pénible. Il faut à chaque coup de pinceau, ou plutôt de brosse ou de pouce, que l'artiste s'éloigne de sa toile pour juger de l'effet. De près l'ouvrage ne paraît qu'un tas informe de couleurs grossièrement appliquées. Rien n'est plus difficile que d'allier ce soin, ces détails, avec ce qu'on appelle la manière large. Si les coups de force s'isolent et se font sentir séparément, l'effet du tout est perdu. Quel art il faut pour éviter cet écueil! Quel travail que celui d'introduire entre une infinité de chocs fiers et vigoureux une harmonie générale qui les lie et qui sauve l'ouvrage de la petitesse de forme! Quelle multitude de dissonances visuelles à préparer et à adoucir! Et puis, comment soutenir son génie, conserver sa chaleur pendant le cours d'un travail aussi long? Ce genre heurté ne me déplaît pas.

Le jeune Loutherbourg est, à ce qu'on dit, d'une figure agréable; il aime le plaisir, le faste et la parure, c'est presque un petit maître. Il travaillait chez Casanove et n'était pas mal avec sa femme...[1] Un beau jour il s'échappe de l'atelier de son maître et d'entre les bras de sa maîtresse; il se présente à l'Académie avec vingt tableaux de la même force et se fait recevoir par acclamation.

Il a fait, tout en débutant, une cruelle niche à Casanove chez qui il travaillait; parmi ses tableaux, il en a exposé un petit avec son nom, Loutherbourg, écrit sur le cadre en gros caractères; c'est un sujet de bataille. C'est précisément comme s'il eût dit à tout le monde : « Messieurs, rappelez-vous ces morceaux de Casanove qui vous ont tant surpris il y a deux ans; regardez bien celui-ci et jugez à qui appartient le mérite des autres. »

---

1. Ce n'est pas une calomnie. Mme Casanove, ancienne figurante à la Comédie italienne, était fort coquette et ridiculisait son mari (cf. *Mémoires* de Casanova, édition du Club du Livre, p. 493). Diderot n'était pas insensible à ses charmes (cf. *A Sophie Volland*, t. II, p. 227 et 229).

Ce petit tableau de bataille est entre deux paysages de la plus douce séduction. Ce n'est rien : des roches, des plantes des eaux; mais comme tout cela est fait! Comme je les mettrais sous mon habit si l'on ne me regardait pas!

SALON DE 1765

Voici ce jeune artiste qui débute par se mettre, pour la beauté des sites et des scènes champêtres, pour la fraîcheur des montagnes, sur la ligne du vieux Berghem; et qui ose lutter, pour la vigueur du pinceau, pour l'entente des lumières naturelles et artificielles et les autres qualités du peintre, avec le terrible Vernet.

Courage, jeune homme, tu as été plus loin qu'il ne l'est permis à ton âge. Tu ne dois pas connaître l'indigence, car tu fais vite, et tes compositions sont estimées. Tu as une compagne charmante, qui doit te fixer. Ne quitte ton atelier que pour aller consulter la nature. Habite les champs avec elle. Va voir le soleil se lever et se coucher, le ciel se colorer de nuages. Promène-toi dans la prairie, autour des troupeaux. Vois les herbes brillantes des gouttes de la rosée. Vois les vapeurs se former sur le soir, s'étendre sur la plaine et te dérober peu à peu la cime des montagnes. Quitte ton lit de grand matin, malgré la femme jeune et charmante près de laquelle tu reposes. Devance le retour du soleil. Vois son disque obscurci, les limites de son orbe effacées, et toute la masse de ses rayons perdue, dissipée, étouffée dans l'immense et profond brouillard qui n'en reçoit qu'une teinte faible et rougeâtre. Déjà le volume nébuleux commence à s'affaisser sous son propre poids; il se condense vers la terre; il l'humecte, il la trempe, et la glèbe amollie va s'attacher à tes pieds. Tourne tes regards vers les sommets [1] des montagnes. Les voilà qui commencent à percer l'océan vaporeux. Précipite tes pas; grimpe vite sur quelque colline élevée; et de là contemple la surface de ce

1. A.T. : le sommet.

océan qui ondule mollement au-dessus de la terre, et découvre, à mesure qu'il s'abaisse, le haut des clochers, la cime des arbres, les faîtes des maisons, les bourgs, les villages, les forêts entières, toute la scène de la nature éclairée de la lumière de l'astre du jour. Cet astre commence à peine sa carrière; ta compagne charmante a les yeux encore fermés; bientôt un de ses bras te cherchera à son côté. Hâte-toi de revenir. La tendresse conjugale t'appelle. Le spectacle de la nature animée t'attend. Prends le pinceau que tu viens de tremper dans la lumière, dans les eaux, dans les nuages; les phénomènes divers dont ta tête est remplie, ne demandent qu'à s'en échapper et à s'attacher à la toile. Tandis que tu t'occupes, pendant les heures brûlantes du jour, à peindre la fraîcheur des heures du matin, le ciel te prépare de nouveaux phénomènes. La lumière s'affaiblit; les nuages s'émeuvent, se séparent, s'assemblent, et l'orage s'apprête. Va voir l'orage se former, éclater et finir; et que, dans deux ans d'ici, je retrouve au Salon les arbres qu'il aura brisés, les torrents qu'il aura gonflés [1], tout le spectacle de son ravage; et que, mon ami et moi, l'un contre l'autre appuyés, les yeux attachés sur ton ouvrage, nous en soyons encore effrayés.

134. RENDEZ-VOUS DE CHASSE DU PRINCE DE CONDÉ DANS LA PARTIE DE LA FORÊT DE CHANTILLY NOMMÉE « LE RENDEZ-VOUS DE LA TABLE ».

Il y a un assez grand nombre de compositions de Loutherbourg, car cet artiste est fécond; il y en a plusieurs excellentes; pas une sans quelque mérite. Celle-ci, dont je vais parler la première, est la moins bonne [2] : aussi est-ce un ouvrage de commande. Le site et le sujet étaient donnés, et la muse du peintre emprisonnée.

1. A.T. : grossis.
2. A.T. : dont je vais parler, est moins bonne.

Si quelqu'un ignore l'effet maussade de la symétrie, il n'a qu'à regarder ce tableau. Tirez une ligne verticale du haut en bas; pliez la toile sur cette ligne, et vous verrez la moitié de l'enceinte tomber sur l'autre moitié. A l'entrée de cette enceinte, un bout de barricade tomber sur un bout de barricade; en s'avançant de là peu à peu vers le fond, des chasseurs et des chiens tomber sur des chasseurs et des chiens; successivement une portion de forêt tomber sur une égale portion de forêt. L'allée qui sépare ces deux portions touffues et la table placée au milieu de cette portion coupée en deux tomber aussi, l'une des moitiés de la table sur l'autre moitié, l'une des moitiés de l'allée sur l'autre. Prenez des ciseaux, et divisez par la ligne verticale la composition en deux lambeaux, et vous aurez deux demi-tableaux calqués l'un sur l'autre.

Mais, monsieur Loutherbourg, n'était-il pas permis de rompre cette symétrie? Fallait-il de nécessité que cette allée s'ouvrît rigoureusement au centre de votre toile; le sujet en aurait-il été moins un rendez-vous de chasse, quand elle aurait été percée de côté? Le local n'a-t-il pas, dans la forêt de Chantilly, cent points d'où on y arrive et d'où on le voit, sans qu'il cesse d'être le même? Pourquoi avoir préféré le point du milieu? pourquoi n'avoir pas senti qu'en s'assujettissant au cérémonial de Du Fouilloux et de Salnove [1], vous alliez faire une platitude? Ce n'est pas tout. C'est que vos chasseurs et vos amazones sont raides et mannequinés. Portez-moi tout cela à la foire Saint-Ovide, on en aura débit; car, il faut l'avouer, ces poupées sont fort supérieures à celles qu'on y vend; pas toutes pourtant, car il y en a que les enfants prendraient pour des morceaux de carton jaune découpés. Ces arbres sont mal touchés, et d'un vert que vous n'avez jamais vu. Pour ces chiens, ils sont [tous] [2] très

1. Autorités suprêmes en matière cynégétique : Jacques du Fouilloux, auteur de *La Vénerie* (Poitiers, 1560) et Robert de Salnove, lieutenant de la grande louveterie de France et favori de Louis XIII, qui publia en 1655 la *Vénerie royale*.

2. *Omisit* A.T.

bien, et la terrasse qui forme l'enceinte et qui s'élève au[1] bord de votre toile jusqu'au fond, la seule chose dont vous ayez[2] pu disposer; je vous y reconnais, c'est vous, à sa vérité, à ses accidents, à sa couleur chaude et à sa merveilleuse dégradation. Elle est belle, et très belle.

Mon ami, si vous rêvez un moment à la symétrie, vous verrez qu'elle ne convient qu'aux grandes masses de l'architecture, et de l'architecture seule, et non à celles de la nature, comme les montagnes; c'est qu'un bâtiment est un ouvrage de règle, et que la symétrie se raccorde avec cette idée; c'est que la symétrie soulage l'attention et agrandit. La nature a fait l'animal symétrique, un front dont un côté ressemble à l'autre, deux yeux, au milieu un nez, deux oreilles, une bouche, deux joues, deux bras, deux mamelles, deux cuisses, deux pieds. Coupez l'animal par une ligne verticale qui passe par le milieu du nez, et une des deux moitiés sera tout à fait semblable à l'autre. De là l'action, le mouvement et le contraste introduits entre la position des membres qu'ils varient; de là, la tête de profil plus agréable que la tête de face, parce qu'il y a ordre et variété sans symétrie; de là la tête de trois quarts plus ou moins préférable encore au profil, parce qu'il y a ordre, variété et symétrie prononcée et dérobée. Dans la peinture, si l'on décore un fond avec une fabrique d'architecture, on la place de biais pour en dérober la symétrie qui choquerait; ou, si on la montre de front, on appelle quelques nuages, ou l'on plante quelques arbres qui la brisent. Nous ne voulons pas tout savoir à la fois. Les femmes ne l'ignorent pas; elles accordent et refusent; elles exposent et dérobent. Nous aimons que le plaisir dure; il y faut donc quelques progrès. La pyramide est plus belle que le cône qui est simple, mais sans variété. La statue équestre plaît plus que la statue pédestre; la ligne droite brisée, que la ligne droite; la ligne circulaire, que la ligne droite brisée; l'ovale, que la circulaire, la serpentante, que l'ovale. Après la variété, ce qui nous frappe

1. A.T. : du.
2. A.T. : avez.

le plus, c'est la masse; de là les groupes, plus intéressants que les figures isolées; les grandes lumières, belles; tous les objets présentés par grandes parties, beaux. Les masses nous frappent dans la nature et dans l'art. Nous sommes frappés de la masse énorme des Alpes et des Pyrénées, de la vaste étendue de l'Océan, de la profondeur obscure des forêts, de l'étendue de la façade du Louvre, quoique laide; de la grande fabrique des tours de Notre-Dame, malgré la multitude infinie des petits repos qui en divisent la hauteur, et aident l'art à les mesurer [1]; des pyramides d'Égypte; de l'éléphant; de la baleine; des grandes robes de la magistrature et de leurs plis volumineux; de la longue, touffue, hérissée et terrible crinière du lion. C'est cette idée de masse puisée secrètement dans la nature, avec le cortège des idées de durée, de grandeur, de puissance, de solidité, qui l'accompagnent, qui a donné naissance au faire simple, grand et large, même dans les plus petites choses; car on fait large un fichu. C'est dans un artiste l'absence de cette idée qui rend son goût petit dans ses formes, petit et chiffonné dans ses draperies, petit dans ses caractères, petit dans toute sa composition. Donnez-moi, donnez à ces derniers les Cordillères, les Pyrénées et les Alpes, et nous réussirons, eux d'imbécillité, moi d'artifice, à en détruire l'effet grand et majestueux. Nous n'aurons qu'à les couvrir de petits gazons arrondis et de petites places pelées; et vous ne les verrez plus que comme revêtues et couvertes d'une grande pièce d'étoffe à petits carreaux. Plus les carreaux seront petits et la pièce d'étoffe étendue, plus le coup d'œil sera déplaisant et plus le contraste du petit au grand sera ridicule; car le ridicule naît souvent du voisinage et de l'opposition des qualités. Une bête grave vous fait rire, parce qu'elle est bête et qu'elle affecte le maintien de la dignité. L'âne et le hibou sont ridicules, parce qu'ils sont sots et qu'ils ont l'air de méditer. Voulez-vous que le singe qui se tortille en cent manières diverses, de comique qu'il est, devienne ridicule? mettez-lui un chapeau. Le voulez-vous plus ridicule? mettez

1. Ponctuation toute différente et modifiant le sens dans A.T.

ous ce chapeau une longue perruque à la conseillère. Voilà
ourquoi le président de Brosses, que je respecte en habit
ordinaire, me fait mourir de rire en habit de palais. Et le
noyen de voir, sans que les coins de la bouche ne se relè-
vent, une petite tête gaie, ironique et satyresque, perdue
lans l'immensité d'une forêt de cheveux qui l'offusque; et
ette forêt descendant à droite et à gauche, qui va s'empa-
er des trois quarts du reste de la petite figure? Mais reve-
ons à Loutherbourg.

135. UNE MATINÉE APRÈS LA PLUIE.
136. UN COMMENCEMENT D'ORAGE AU SOLEIL COUCHANT[1].

Au centre de la toile, un vieux château; auprès du châ-
eau, des bestiaux qui vont aux champs; derrière, un pâtre
cheval qui les conduit; à gauche, des roches et un chemin
ratiqué entre ces roches. Comme ce chemin est éclairé! A
roite, lointain avec un bout de paysage. Cela est beau;
elle lumière; bel effet, mais effet difficile à sentir, quand on
'a pas habité la campagne. Il faut y avoir vu, le matin, ce
iel nébuleux et grisâtre, cette tristesse de l'atmosphère,
qui annonce encore du mauvais temps pour le reste de la
ournée. Il faut se rappeler cette espèce d'aspect blême et
nélancolique que la pluie de la nuit a laissé sur les champs,
t qui donne de l'humeur au voyageur, lorsque au point du
our il se lève et s'en va, en chemise et en bonnet de nuit,
uvrir le volet de la fenêtre de l'auberge, et voir le temps et
a journée que le ciel lui promet.

Celui qui n'a pas vu le ciel s'obscurcir à l'approche de
'orage, les bestiaux revenir des champs, les nuages s'assem-
bler, une lumière rougeâtre et faible éclairer le haut des
naisons; celui qui n'a pas vu le paysan se renfermer dans sa
chaumière, et qui n'a pas entendu les volets des maisons se

---

1. Le second de ces tableaux fait penser aux *Animaux surpris par l'orage* du musée d'Amiens.

fermer de tous côtés avec bruit; celui qui n'a pas senti l'horreur, le silence et la solitude de cet instant s'établir subitement dans tout un hameau, n'entend rien au *Commencement d'Orage* de Loutherbourg.

J'aime, dans le premier de ces deux tableaux, la fraîcheur et le site; dans le second, j'aime le vieux château et cette porte obscure qui y donne entrée... Les nuages qui annoncent l'orage sont lourds, épais, et simulant trop le tourbillon de poussière, ou la fumée... d'accord. La vapeur rougeâtre... Cette vapeur est crue... d'accord encore, pourvu que vous ne parliez pas de celle qui couvre ce moulin qu'on voit à gauche. C'est une imitation sublime de la nature. Plus je la regarde, moins je connais les limites de l'art. Quand on a fait cela, je ne sais plus ce qu'il y a d'impossible.

137. UNE CARAVANE.

C'est au sommet et au centre de la toile, sur un mulet, une femme qui tient un petit enfant, et qui l'allaite. Cette femme et ce mulet, partie sur un autre mulet chargé de hardes, de bagages, d'ustensiles de ménage, sur celui qui le conduit et sur le chien qui le suit; partie sur un autre mulet pareillement chargé de bagages et de marchandises : et ce chien, et ce conducteur, et les deux mulets, sur un troupeau de moutons, ce qui forme une belle pyramide d'objets entassés les uns sur les autres, entre des rochers arides à gauche, et des montagnes couvertes de verdure à droite.

Voilà ce que produit l'affectation outrée et mal entendue de pyramider, quand elle est séparée de l'intelligence des plans. Or il n'y a ici nulle intelligence, nulle distinction de plans. Tous ces objets semblent vraiment assis les uns sur les autres, les moutons à la base; sur cette base de moutons les deux mulets, le conducteur et son chien; sur ce chien, ces mulets et le conducteur, le mulet de la femme; sur ce dernier la femme et son enfant, qui forment la pointe.

Monsieur Loutherbourg, quand on a dit que, pour plaire à l'œil, il fallait qu'une composition pyramidât, ce n'est pas par deux lignes droites qui allassent concourir en un point et former le sommet d'un triangle isocèle ou scalène; c'est par une ligne serpentante qui se promenât sur différents objets, et dont les inflexions, après avoir atteint, en rasant, la cime de l'objet le plus élevé de la composition, s'en allât en descendant par d'autres inflexions raser la cime des autres objets; encore cette règle souffre-t-elle autant d'exceptions qu'il y a de scènes différentes en nature.

Du reste, cette *Caravane* est de couleur vigoureuse; les objets en sont bien empâtés, et les figures très pittoresquement ajustées. C'est dommage que ce soit un chaos pointu. Jamais ce chaos ne se tirera des montagnes où le peintre s'est engagé; il y restera.

138. DES VOLEURS ATTAQUANT DES VOYAGEURS DANS UNE GORGE DE MONTAGNES.

139. LES MÊMES VOLEURS PRIS ET CONDUITS PAR DES CAVALIERS.

Il n'y a rien à ajouter aux titres, ils disent tout. Les petites figures qui composent les sujets, on ne saurait plus joliment, plus spirituellement faites. Les montagnes qui s'élèvent des deux côtés, traitées à merveille, et de la plus forte couleur; et les ciels charmants de couleur et d'effet.

Vous voyez, monsieur Louthérbourg, que j'aime à louer, que c'est le penchant de mon cœur, et que je me satisfais moi-même lorsque l'occasion de vanter le mérite se présente sous ma plume. Mais pourquoi ne pas toujours faire ainsi? car il est certain que cela dépend de vous. D'où vient, par exemple, que, dans ces deux morceaux, les voleurs pris et conduits par les cavaliers ne sont pas aussi précieux pour les figures que ces mêmes coquins attaquant les voyageurs?

140. PLUSIEURS AUTRES TABLEAUX DE PAYSAGE.

Les paysages de Loutherbourg n'ont pas la finesse de ton de ceux de Vernet; mais les effets en sont bien décidés. Il peint dans la pâte. Il est vrai qu'il est quelquefois un peu cru, et noir dans les ombres.

Monsieur Francisque, vous qui vous mêlez de paysage, venez, approchez, voyez comme ces roches à gauche sont vraies! comme ces eaux courantes sont transparentes! Suivez le prolongement de cette roche; là, en allant vers la droite, regardez bien cette tour avec son petit pont voûté par derrière, et apprenez que c'est ainsi qu'on pose, qu'on élève et qu'on éclaire une fabrique de pierre quand on en a besoin dans son tableau. Ne dédaignez pas d'arrêter votre attention sur les arbrisseaux et plantes sauvages qui sortent d'entre les fentes des rochers sur lesquels la tour est bâtie, parce que c'est la vérité. Cette porte étroite et obscure pratiquée dans le roc ne fait pas mal; qu'en dites-vous? et ces paysans, et ces soldats que vous apercevez au loin, en regardant vers la droite; ils sont dessinés, ils ont du mouvement. Et ce ciel; il a de l'effet. Monsieur Francisque, cela ne vous consterne pas? Ah! vous vous croyez de la force de Loutherbourg; et c'est autant de perdu que ma leçon. Allez donc, monsieur Francisque, continuez de vous estimer, et de vous estimer vous seul [1].

Le plus beau morceau de Loutherbourg est sa *Nuit*. Je l'ai comparée à celle de Vernet. Il est inutile d'y revenir. Ceux qui trouvent les animaux mauvais oublient que ce sont des rosses, de vilaines bêtes de somme. Mais il m'est impossible de me taire des deux petits paysages, grands comme la main, que vous aurez vus au-dessus du guichet qui conduit aux salles de l'Académie. Ils sont suaves, ils sont chauds, ils sont délicieux. L'un est le *Point du Jour, au printemps* : on voit sortir, à gauche, d'une cabane, des troupeaux qui s'en vont aux champs; à droite, c'est une campagne. L'autre est un *Coucher du Soleil, en automne*, entre deux montagnes; à droite, il n'y a que les montagnes obscures; à gauche, les montagnes éclairées; entre deux, une portion enflammée du ciel; sur le devant, une terrasse sur

1. Millet Francisque, académicien, qui donnait plusieurs paysages au même Salon de 1765.

laquelle un pâtre, placé au-dessous, fait monter ses animaux. Ce sont deux beaux morceaux, mais ce dernier surtout; c'est le plus piquant et le plus vigoureux. Cet homme-ci ne tâtonne pas; sa touche est large et fière. J'abandonne ces deux paysages à tout le bien qu'il vous plaira d'en penser.

SALON DE 1767

UNE MARINE.

On voit, à droite, un grand pan de murailles ruinées au-dessus duquel, tout à fait de ce côté, une espèce de fabrique voûtée. Au pied de cette fabrique, des masses de roches. Plus vers la gauche, au-dessus du même mur, et un peu dans l'enfoncement, une assez haute portion de tour gothique avec l'éperon qui la soutient. Sur le devant, vers le sommet de la fabrique, un passage étroit, avec une balustrade conduisant de cette fabrique ruinée à une espèce de phare. Ce passage est construit sur le cintre d'une arcade, d'où l'on descend à la mer par un long escalier. Au pied du phare, sur le même plan, vers la gauche, un vaisseau penché à la côte, comme pour être radoubé ou calfaté. Plus vers la gauche, un autre vaisseau. Tout l'espace compris entre la fabrique de la droite et l'autre côté de la toile est mer. Seulement, sur le devant, vers la gauche, il y a une langue de terre, où des matelots boivent, fument et se reposent.

Très beau tableau, d'une grande vigueur. La fabrique à droite bien variée, bien imaginée, de bel effet. Les figures, sur la langue de terre, bien dessinées et coloriées à plaisir. Si l'on voyait ce morceau seul, on ne pourrait s'empêcher de s'écrier : « O la belle chose! » mais on le compare malheureusement avec un Vernet, qui en alourdit le ciel, qui fait sortir l'embarras et le travail de la fabrique, qui accuse les eaux de fausseté, et qui rend sensible aux moins connaisseurs la différence [d'une figure faite avec grâce, facilité, légèreté, esprit, mollesse, et] [1] d'une figure qui a du dessin

1. *Omisit* A.T.

et de la couleur, mais qui n'a que cela; la différence d'un pinceau vigoureux, mais âpre et dur, et d'une harmonie de nature; d'un original et d'une belle imitation; de Virgile et de Lucain. Le Loutherbourg est fait et bien fait. Le Vernet est créé.

123. UNE TEMPÊTE.

On voit, à gauche, un grand rocher. Sur une longue saillie de ce rocher s'élevant à pic au-dessus des eaux, un homme agenouillé et courbé, qui tend une corde à un malheureux qui se noie. Voilà qui est bien imaginé. Sur une avance, au pied du rocher, un autre homme qui tourne le dos à la mer, qui se dérobe avec les mains, dont il se couvre le visage, les horreurs de la tempête; cela est bien encore. Sur le devant, du même côté, un enfant noyé, étendu sur le rivage, et la mère qui se désole sur son enfant. Monsieur Loutherbourg, cela est mieux, mais ne vous appartient pas; vous avez pris cet incident à Vernet. Au même endroit, plus vers la droite, un époux qui soutient sous les bras sa femme nue et moribonde. Ni cela non plus, monsieur Loutherbourg, autre incident emprunté de Vernet. Le reste est une mer orageuse, des eaux agitées et couvertes d'écume. Au-dessus des eaux un ciel obscur, qui se résout en pluie.

Tableau cru, dur, sans mérite, sans effet, peint de réminiscence de plusieurs autres. Plagiat. Ces eaux de Loutherbourg sont fausses, ou celles de Vernet. Ce ciel de Loutherbourg est solide et pesant, ou les mêmes ciels de Vernet ont trop de légèreté, de liquidité et de mouvement. Monsieur Loutherbourg, allez voir la mer. Vous êtes entre des étables, et l'on s'en aperçoit; mais vous n'avez jamais vu de tempêtes.

124. AUTRE TEMPÊTE [1].

A droite, roches formidables, dont les proéminences s'élancent vers la mer, et sont suspendues en voûte au-des-

---

1. Cette deuxième tempête appartenait au comte de Creutz, ambassadeur de Suède. Mais le *Naufrage* du musée de Stockholm rappellerait plutôt la première.

Loutherbourg. — Naufrage (Musée de Stockholm).

sus de la surface des eaux. Sur ces roches, plus sur le devant, autres roches moins considérables, mais plus avancées dans la mer. Dans une espèce de détroit ou d'anse formée par ces dernières, une mer qui s'y porte avec fureur. Sur leur penchant, dans la demi-teinte, homme assis, soutenant par la tête une femme noyée, qu'un autre, sur la pente en dessous, porte par les pieds. Sur l'extrémité d'une de ces roches cintrées du fond, la plus isolée, la plus loin jetée sur les flots, un spectateur, les bras étendus, effrayé, stupéfait, et regardant les flots en un endroit où vraisemblablement des malheureux viennent d'être brisés, submergés. Autour de ces masses escarpées, hérissées, inégales, sur le devant et dans le lointain, des flots soulevés et écumeux. Vers le fond, sur la gauche, un vaisseau battu de la tempête. Toute cette scène obscure ne reçoit du jour que d'un endroit du ciel, à gauche, où les nuées sont moins épaisses. Ces nuées vont, en se condensant, en s'obscurcissant, sur toute l'étendue des eaux. Elles sont comme palpables vers la gauche.

Les eaux sont dures et crues. Pour ces nuées, Vernet aurait bien su les rendre aussi denses, sans les faire mates, lourdes, immobiles et compactes. Si les ciels, les eaux, les nuées de Loutherbourg sont durs et crus, c'est la suite de sa vigueur affectée, et de la difficulté de mettre d'accord, quand on a forcé de couleur quelques objets.

PAYSAGES

128. CASCADE.

A droite, masse de rochers. Cascade entre ces rochers. Montagnes sur le fond. Vers la gauche, au delà des eaux de la cascade, sur une terrasse assez élevée, animaux et pâtre, une vache couchée, une autre vache qui descend dans l'eau une troisième arrêtée, sur laquelle le pâtre, debout et vu par le dos, a les bras appuyés. Tout à fait vers la gauche, le chien du pâtre, ensuite des arbres et du paysage.

Arbres lourds, mauvais ciel, à l'ordinaire; pauvre paysage. Cet artiste a communément le pinceau plus chaud

Mais, me direz-vous, qu'est-ce que peindre chaudement? C'est conserver sur la toile, aux objets imités, la couleur des êtres de la nature, dans toute sa force, dans toute sa vérité, dans tous ses accidents. Si vous exagérez, vous serez éclatant, mais dur, mais cru. Si vous restez en deçà, vous serez peut-être doux, moelleux, harmonieux, mais faible. Dans l'un et l'autre cas, vous serez faux, à vous juger à la rigueur.

AUTRE PAYSAGE.

J'aperçois des montagnes à ma droite; plus sur le fond, du même côté, le clocher d'une église de village; sur le devant, en m'avançant vers la gauche, un paysan assis sur un bout de rocher, son chien dressé sur les pattes de derrière, et posé sur ses genoux; plus bas et plus à gauche, une laitière qui donne, dans une écuelle, de son lait à boire au chien du berger. Quand une laitière donne de son lait à boire au chien, je ne sais ce qu'elle refuse au berger. Autour du berger, sur le devant, moutons qui se reposent et qui paissent. Plus vers la gauche, et un peu plus sur le fond, des bœufs, des vaches; puis une mare d'eau. Tout à fait à ma gauche, et sur le devant, chaumière, maisonnette, petite fabrique, derrière laquelle des arbres et des rochers qui terminent la scène champêtre, dont le centre présente des montagnes dispersées dans le lointain; montagnes qui lui donnent de l'étendue et de la profondeur. La lumière rougeâtre, dont elle est éclairée, est bien du soir; et il y a quelque finesse dans l'idée du tableau.

AUTRE PAYSAGE.

Il y a un tableau de Vernet qui semble avoir été fait exprès pour être comparé à celui-ci, et faire apprécier le mérite des deux artistes. Je voudrais que ces rencontres fussent plus fréquentes. Quel progrès n'en ferions-nous pas dans la connaissance de la peinture? En Italie, plusieurs musiciens composent sur les mêmes paroles. En Grèce, plusieurs poètes dramatiques traitaient le même sujet. Si l'on instituait la même lutte entre les peintres, avec quelle chaleur n'irions-nous pas au Salon! quelles disputes ne s'élèveraient pas entre nous! Et chacun s'appliquant à motiver sa préférence, quelles lumières, quelle certitude de jugement n'acquerrions-nous pas! D'ailleurs, croit-on que la crainte de n'être que le second n'excitât pas l'émulation[1] entre les artistes, et ne les portât pas à quelques efforts de plus?

Des particuliers, jaloux de la durée de l'art parmi nous, avaient projeté une souscription, une loterie. Le prix des billets devait être employé à occuper les pinceaux de notre Académie. Les tableaux auraient été exposés et appréciés. S'il y avait eu moins d'argent qu'il n'en fallait, on aurait augmenté le prix du billet. Si le fonds de la loterie avait excédé la valeur des tableaux, le surplus aurait été reversé sur la loterie suivante. Le gain du premier lot consistait à entrer le premier dans le lieu de l'exposition, et à choisir le tableau qu'on aurait préféré. Ainsi il n'y avait d'autre juge que le gagnant. Tant pis pour lui, et tant mieux pour celui qui choisissait après lui, si, négligeant le jugement des artistes et du public, il s'en tenait à son goût particulier. Ce projet n'a point eu lieu, parce qu'il était embarrassé de différentes difficultés, qui disparaissent en suivant la manière simple dont je l'ai conçu.

La scène montre à droite le sommet d'un vieux château; au-dessous, des rochers. Dans ces rochers, trois arcades pratiquées. Au long de ces arcades, un torrent, dont les eaux, resserrées par une autre masse de roches qui s'avancent encore plus sur le devant, viennent se briser, bondir, couvrir de leur écume un gros quartier de pierre brute, et s'échappent ensuite en petites nappes sur les côtés de cet obstacle. Ce torrent, ces eaux, cette masse font un très bel effet et bien pittoresque. Au delà de ce poétique local, les eaux se répandent et forment un étang. Au delà des arcades, un peu plus sur le fond et vers la gauche, on découvre le sommet d'un nouveau rocher couvert d'arbustes et de plantes sauvages. Au pied de ce rocher, un voyageur

1. A. T. : de l'émulation.

Loutherbourg. — Paysage avec château et chute d'eau.

Musée de Stockholm.

conduit un cheval chargé de bagages; il semble se proposer de grimper vers les arcades par un sentier coupé dans le roc, sur la rive du torrent. Il y a, entre son cheval et lui, une chèvre. Au-dessous de ce voyageur, plus sur le devant et plus sur la gauche, on rencontre une paysanne montée sur une bourrique. L'ânon suit sa mère. Tout à fait sur le devant, au bord de l'étang formé des eaux du torrent, sur un plan correspondant à l'intervalle qui sépare le voyageur qui conduit son cheval de la paysanne affourchée sur son ânesse, c'est un pâtre qui mène ses bestiaux à l'étang. La scène est fermée à gauche par une haute masse de roches couvertes d'arbustes, et elle reçoit sa profondeur des sommités de montagnes vaporeuses qu'on a placées au loin, et qu'on découvre entre les roches de la gauche et la fabrique de la droite [1].

Quand Vernet ne l'emporterait pas de très loin sur Loutherbourg par la facilité, l'effet, toutes les parties du technique, ses compositions seraient encore plus intéressantes que celles de son antagoniste. Celui-ci ne sait introduire dans ses compositions que des pâtres et des animaux. Qu'y voit-on? Des pâtres et des animaux; et toujours des pâtres et des animaux. L'autre y sème des personnages et des incidents de toute espèce, et ces personnages et ces incidents, quoique vrais, ne sont pas la nature commune des champs. Cependant ce Vernet, tout ingénieux, tout fécond qu'il est, reste encore bien en arrière du Poussin du côté de l'idéal. Je ne vous parlerai point de l'*Arcadie* de celui-ci, ni de son inscription sublime : *Et ego in Arcadia.* « Je vivais aussi dans la délicieuse Arcadie. » Mais voici ce qu'il a montré dans un autre paysage plus sublime peut-être, et moins connu. C'est celui-ci, qui sait aussi, quand il lui plaît, vous jeter du milieu d'une scène champêtre l'épouvante et l'effroi! La profondeur de sa toile est occupée par un paysage noble, majestueux, immense. Il n'y a que des roches et des arbres; mais

1. Ce deuxième paysage serait-il le *Paysage avec château et chute d'eau* du musée de Stockholm?

ls sont imposants. Votre œil parcourt une multitude de
lans différents depuis le point le plus voisin de vous jus-
u'au point de la scène le plus enfoncé. Sur un de ces plans-
i, à gauche, tout à fait au loin, sur le fond, c'est un groupe
le voyageurs qui se reposent, qui s'entretiennent, les uns
ssis, les autres couchés; tous dans la plus parfaite sécurité.
ur un autre plan, plus sur le devant, et occupant le centre
le la toile, c'est une femme qui lave son linge dans une
ivière; elle écoute. Sur un troisième plan, plus sur la gauche
t tout à fait sur le devant, c'était un homme accroupi; mais
l commence à se lever et à jeter ses regards mêlés d'inquié-
ude et de curiosité vers la gauche et le devant de la scène;
l a entendu. Tout à fait à droite et sur le devant, c'est un
omme debout, transi de terreur, et prêt à s'enfuir; il a vu.
Mais qui est-ce qui lui imprime cette terreur? Qu'a-t-il vu?
l a vu, tout à fait sur la gauche et sur le devant, une femme
tendue à terre, enlacée d'un énorme serpent qui la dévore
t qui l'entraîne au fond des eaux, où ses bras, sa tête et sa
hevelure pendent déjà. Depuis les voyageurs tranquilles
lu fond jusqu'à ce dernier spectacle de terreur, quelle
tendue immense, et sur cette étendue, quelle suite de pas-
ions différentes, jusqu'à vous qui êtes le dernier objet, le
erme de la composition! Le beau tout! le bel ensemble!
'est une seule et unique idée qui a engendré le tableau. Ce
aysage, ou je me trompe fort, est le pendant de l'*Arcadie*;
t l'on peut écrire sous celui-ci φοβὸς (la crainte); et sous le
récédent καὶ ἐλεὸς (la pitié)[1].

Voilà les scènes qu'il faut savoir imaginer, quand on se
nêle d'être un paysagiste. C'est à l'aide de ces fictions qu'une
cène champêtre devient autant et plus intéressante qu'un
ait historique. On y voit le charme de la nature avec les
ncidents les plus doux ou les plus terribles de la vie. Il
'agit bien de montrer ici un homme qui passe; là, un pâtre
ui conduit ses bestiaux, ailleurs, un voyageur qui se repose;
n un autre endroit, un pêcheur, sa ligne à la main, et les

1. C'est le *Paysage au serpent* du musée de Dijon.

yeux attachés sur les eaux. Qu'est-ce que cela signifie
Quelle sensation cela peut-il exciter en moi? Quel espri
quelle poésie y a-t-il là-dedans? Sans imagination on peu
trouver ces objets, à qui il ne reste plus que le mérite d'êtr
bien ou mal placés, bien ou mal peints; c'est qu'avant de s
livrer à un genre de peinture quel qu'il soit, il faudrait avoi
lu, réfléchi, pensé; c'est qu'il faudrait s'être exercé à la pein
ture historique qui conduit à tout. Tous les incidents d
paysage du Poussin sont liés par une idée commune, quoiqu
isolés, distribués sur différents plans, et séparés par d
grands intervalles. [Les plus exposés au péril, ce sont ceu
qui en sont les plus éloignés.] [1] Ils ne s'en doutent pas; il
sont tranquilles; ils sont heureux; ils s'entretiennent d
leur voyage. Hélas! parmi eux, il y a peut-être un épou
que sa femme attend avec impatience, et qu'elle ne reverr
plus; un fils unique que sa mère a perdu de vue depui
longtemps, et dont elle soupire en vain le retour; un pèr
qui brûle du désir de rentrer dans sa famille; et le monstr
terrible qui veille dans la contrée perfide, dont le charm
les a invités au repos, va peut-être tromper toutes ces espé
rances. On est tenté, à l'aspect de cette scène, de crier à ce
homme qui se lève d'inquiétude : « Fuis »; à cette femm
qui lave son linge : « Quittez votre linge, fuyez »; à ce
voyageurs qui se reposent : « Que faites-vous là? fuyez,
mes amis, fuyez. » Est-ce que les habitants des campagnes,
au milieu des occupations qui leur sont propres, n'ont pas
leurs peines, leurs plaisirs, leurs passions : l'amour, la
jalousie, l'ambition? leurs fléaux : la grêle qui détruit leurs
moissons, et qui les désole; l'impôt qui déménage et vend
leurs ustensiles; la corvée qui dispose de leurs bestiaux, et
les emmène; l'indigence et la loi qui les conduisent dans les
prisons? N'ont-ils pas aussi nos vices et nos vertus? Si, au
sublime du technique, l'artiste flamand avait réuni le sublime
de l'idéal, on lui élèverait des autels.

1. *Omisit* L.

120. TABLEAU D'ANIMAUX.

On voit, à droite, un bout de roche; sur cette roche, des arbres; au pied, le pâtre assis. Il tend, en souriant, un morceau de son pain à une vache blanche qui s'avance vers lui, et sous laquelle l'artiste a accroupi une autre vache rousse. Celle-ci est sur le devant, et couvre les pieds de la vache blanche. Autour de ces deux vaches, ce sont des moutons, des brebis, des béliers, des boucs, des chèvres. Il y a une échappée de campagne sur le fond. Tout à fait sur la gauche, un âne s'avance de derrière une autre fabrique de roche, vers des chardons parsemés autour de cette masse qui ferme la scène du côté gauche.

Beau, très beau tableau, très vigoureusement et très sagement colorié. Animaux vrais, peints et éclairés largement. Les brebis, les chèvres, les boucs, les béliers et l'âne sont surprenants. Pour le pâtre et tout le côté droit du tableau, s'il paraît un peu sourd, c'est peut-être le défaut de l'exposition, l'effet de la demi-teinte, qui est forte. Le ciel est un des plus mauvais, des plus lourds de l'artiste : c'est un gros quartier de lapis-lazuli à couper avec le ciseau d'un tailleur de pierre. On peut s'asseoir là-dessus, cela est solide. Jamais corps ne divisera cette épaisseur en tombant. Point d'oiseau qui n'y périsse étouffé. Il ne se meut point; il ne fuit point; il pèse sur ces pauvres bêtes. Vernet nous a rendus difficiles sur les ciels. Les siens sont si légers, si rares, si vaporeux, si liquides! Si Loutherbourg en avait le secret, comme ils feraient valoir le reste de sa composition! Les objets seraient isolés, hors de la toile; ce serait une scène réelle. Jeune artiste, étudiez donc les ciels : vous voulez être vigoureux, j'y consens; mais tâchez de n'être pas dur. Ici, par exemple, vous avez évité l'un de ces défauts, sans tomber dans l'autre; et le vieux Berghem aurait souri à vos animaux.

SALON DE 1769

Malgré la sortie vigoureuse que j'ai faite contre Louther
bourg à l'article Casanove, cela ne m'empêchera pas d
convenir que c'est un grand artiste. Voulez-vous que j
vous dise bien franchement ce que je pense du démêlé d
ces deux peintres? Casanove est un gros épicurien, un pe
libertin, aimant le repos et l'argent; il avait dans son atelie
un élève dont il connaissait l'habileté et à qui il confiait l
soin de finir ses tableaux. L'élève, jeune, étourdi et vain
sorti de dessous l'aile de son maître, enflé de ses premier
succès, reçu à l'Académie, applaudi au Salon, laissa croir
des secours qu'il donnait à Casanove tout ce qu'on voulut

Loutherbourg travaille avec une célérité inconcevable e
travaille bien. Son *Mistral* ou *Marine par un vent frais*, s
Tempête, sa *Carène et Entrée d'un port*, son *Paysage au solei
couchant*, sa *Grande Tempête en pleine mer*, sa *Marine au solei
couchant*, sa *Tempête avec un coup de tonnerre*, son autre *Tem
pête par un grain de vent*, ses *Bergers avec un troupeau poursuivi
par des maraudeurs*, ses *Pèlerins d'Emmaüs*, son *Matin* et so
Soir, son autre *Soir* et son autre *Matin*, ses *Paysages avec ani
maux*, son *Paysage au soleil couchant*, le *Goûter des deux ami
au retour de la chasse*, son *Départ pour la chasse au vol*, tout cel
est fort beau; il n'y a que du plus ou moins. En général i
n'est pas aussi harmonieux que Casanove, ni aussi facile e
aussi vrai que Vernet; il outre pour être vigoureux; il n'y a
pas assez d'air entre ses figures, mais tout cela est rachet
par tant d'autres qualités! Le Salon tirait à sa fin, il avai
recueilli une assez bonne provision d'éloges, lorsqu'on vi
paraître sur le chevalet une dernière composition, ou qu
n'était pas encore achevée lorsque l'exposition s'ouvrit, ou
qu'il avait mise en réserve par politique, afin de nous rassembler tous autour de lui lorsque nous serions las de regarder les autres. C'était une *Tempête;* ah! mon ami, quelle
tempête! Rien de plus beau que des rochers placés à la
gauche, entre lesquels les flots allaient se briser en écumant;

au milieu de ces eaux agitées, on voyait les deux pieds d'un malheureux qui se noyait attaché aux débris du vaisseau, et l'on frémissait; ailleurs le cadavre flottant d'une femme enveloppée dans sa draperie, et l'on frémissait; dans un autre endroit, un homme qui luttait contre les vagues qui l'emportaient contre les rochers, et l'on frémissait; sur ces rochers, des spectateurs peignant bien la terreur, surtout le groupe ménagé sur la pointe du rocher le plus avancé dans la mer. Je ne vous dirai pas que ces figures fussent aussi vigoureuses, aussi correctes, aussi grandes que celles de Vernet, mais elles étaient belles. Pour le ciel, ma foi, c'était à s'y tromper pour la verve et la légèreté. Ce Loutherbourg est le meilleur que j'aie vu; c'est, je crois, vous en dire assez de bien! Ah! si jamais cet artiste voyage et qu'il se détermine à voir la nature!...

SALON DE 1771

100. MARINE REPRÉSENTANT UN SOLEIL COUCHANT, AVEC UN EMBARQUEMENT POUR UN RÉGAL A BORD D'UN VAISSEAU DE GUERRE[1].

Quelle chaleur de ciel! quel air embrasé! On respire à peine à la vue de ce tableau; tout s'y ressent de la chaleur d'un grand jour d'été; je n'en excepte même pas les principales figures, qui, par malheur, portent encore sur leurs visages ce cruel rouge dont j'ai parlé ci-devant; quel dommage! car elles sont pleines de vie, d'esprit et bien dessinées. Le paysage y est d'un fini et d'un ton de vérité qui charment. Enfin, c'est un très beau tableau où il y a peu à désirer.

---

1. Tableau vendu 795 francs en 1857 lors de la vente de la duchesse de Raguse.

101. LA PETITE LAITIÈRE. — LA MANGEUSE DE CERISES.

Tous deux très piquants par la manière dont ils sont traités. Le premier enchante par sa composition simple, mais gaie, fine et spirituelle. Les figures sont admirablement bien dessinées et coloriées, et les animaux d'une vérité singulière. Le second n'a pas moins de mérite et est au moins aussi agréable pour la composition

(Mêmes qualités, mêmes défauts; trop rouges, outrés de couleur. Défaut d'expression, ressemblant à toutes les autres figures du même peintre.)

102. UN PAYSAGE.

Fort bon.

103. UNE VUE DES ALPES AVEC ANIMAUX ET FIGURES.

C'est un des riches tableaux de ce maître, pour le coloris, le genre du feuillé et le fini. Le ciel en est beau et pur de touche.

104. UN SOLEIL COUCHANT SUR MER, AVEC EMBARQUEMENT D'ANIMAUX[1].

L'architecture de ce tableau est peinte par M. de Machy.

105. UNE TEMPÊTE A LA VUE D'UN PORT.

L'architecture peinte par M. de Machy.

(Tableau vigoureux. Voyez surtout le mouvement de ce groupe, à gauche, d'hommes et de femmes occupés à secou-

---

1. On retrouve cette collaboration de Loutherbourg et de De Machy dans une *Marine* du musée de Vienne.

rir une moribonde : comme il est chaud et vrai! Je l'aurais pris pour un Vernet, sans l'excès de vigueur et de chaleur.)

106. LE DINER INTERROMPU.

[Chaud, mais rouge, mais monotone, mais papillotant, mais outré. Et puis ces pâtres et ces animaux jetés pêle-mêle font de la confusion; ce n'est pas grouper, c'est brouiller.] [1]

107. LE PARTAGE DE LA PÊCHE.
108. VUE D'UN PORT DE MER.

Ces deux tableaux, qui font pendants, sont charmants; le coloris en est vrai et la légèreté admirable; ils sont séduisants pour l'effet.

109. UNE BATAILLE DE CUIRASSIERS CONTRE LES TURCS.

Il y a beaucoup de chaleur, monsieur, dans ce morceau, et la couleur en est belle et variée. Je ne puis cependant m'empêcher de supprimer les louanges à l'égard du dessin. M. Loutherbourg, qui dessine avec tant de légèreté des matelots, des pâtres, etc., et même toutes autres figures, se montre ici un peu lourd et court jusque dans ses chevaux. Ses cuirassiers, quoique chargés de vêtements et de cuirasses, paraissent des hommes de la plus petite taille, et d'une lourdeur singulière; les chevaux tiennent de leurs cavaliers, et sont pour le moins soufflés du ventre et raccourcis de l'encolure. D'ailleurs M. Loutherbourg ne devrait pas ignorer que, quoique le galop du cheval soit faux par lui-même, lorsque le cavalier porte perpendiculairement sur un côté, le cheval remonte ce côté : or dans le combat de ce tableau, le cuirassier qui monte un cheval blanc se jette sur sa droite pour lâcher son coup de pistolet

---

1. *Omisit* L.

à l'ennemi; ce cheval devrait donc aussi remonter de la droite, mais il fait le contraire. J'avoue que cette observation ne peut faire de tort à un tableau qui est bon d'ailleurs; mais comme ce peintre est jaloux ou doit l'être de ne nous point présenter de tons faux ou de figures estropiées, il doit avoir la même délicatesse pour conserver l'élégance, les proportions, le costume et la convenance. C'est ce qui sépare la grande pratique d'avec le jugement.

(Loutherbourg, homme étonnant, homme à tout. Qu'il a vu avec plaisir les deux grandes *Batailles* de Casanove!)

110. UN NAUFRAGE.

C'est un des tableaux de ce maître qui m'a fait le plus de plaisir par sa composition, son bon goût de dessin et sa couleur charmante. Sur le coin d'un rocher, et à peine échappée à la fureur des flots, une femme est sans connaissance; un de ses compagnons d'infortune est occupé à lui verser dans la bouche quelque liqueur pour la rappeler à la vie; un autre (son mari sans doute) la tient à bras-le-corps et dans l'attitude du désespoir; il semble la croire perdue pour lui; un troisième se cramponne à un morceau de roche pour échapper à la violence de la tempête. Ce sujet est pathétique et plein de naturel; il parle à l'âme. Le ciel et l'eau sont rendus avec une vérité qui fait illusion et qui attache en effrayant.

(Il y a un de ces tableaux de Loutherbourg où le ciel est si ardent, si chaud à l'horizon, que cela ressemble plutôt à un incendie qu'à un soleil couchant; on est tenté de crier à cette bergère assise : « Fuyez, si vous ne voulez être brûlée. »)

HUBERT ROBERT

SALON DE 1767

ROBERT est un jeune artiste qui se montre pour la première fois. Il revient d'Italie, d'où il a rapporté de la facilité et de la couleur. Il a exposé un grand nombre de morceaux, entre lesquels il y en a d'excellents, quelques-uns médiocres, presque pas un mauvais[1]. Je les distribuerai en trois classes : les tableaux, les esquisses et les dessins.

TABLEAUX

103. UN GRAND PAYSAGE DANS LE GOUT DES CAMPAGNES D'ITALIE.

Je voudrais revoir ce morceau hors du Salon. Je soupçonne les compositions des artistes de souffrir autant du côté du mérite, par le voisinage et l'opposition des unes aux autres, que du côté de leurs dimensions, par l'étendue du lieu où elles sont exposées. Un tableau tel que celui-ci, d'une grandeur considérable, n'y paraît qu'une toile ordinaire. J'avais jeté hors du Salon des ouvrages que j'ai retrouvés seuls, isolés, et pour lesquels il m'a semblé que j'avais eu trop de dédain. La *Tête de Pompée présentée à César* était quelque chose sur le chevalet de l'artiste; rien sur la muraille

---

1. Hubert Robert, revenu d'Italie, fut aussitôt patronné par Joseph Vernet, et reçu à l'Académie le 26 juillet 1766. Son tableau de réception, le *Port de Rome*, devenu propriété de l'Académie, se trouve actuellement à la bibliothèque de l'École des Beaux-Arts.

du Louvre[1]. Nos yeux fatigués, éblouis par tant de faires différents, sont-ils mauvais juges ? Quelque composition vigoureusement coloriée et d'un grand effet nous servirait-elle de règle ? Y rapporterions-nous toutes les autres, qui deviendraient pauvres et mesquines par la comparaison avec ce modèle ? Ce qu'il y a de certain, c'est que si je vous disais que ce marmouset de César de La Grenée était plus grand que nature, vous n'en croiriez rien. Mais pourquoi l'étendue du lieu ne produit-elle pas le même effet sur tous les tableaux indistinctement ? Pourquoi, tandis qu'il y en a de grands que je trouve petits, y en a-t-il de petits que je trouve grands ? Pourquoi, dans telle esquisse qui n'est guère plus grande que ma main, les figures prennent-elles six, sept, huit, neuf pieds de hauteur, et dans telle ou telle composition, même estimée, des figures qui ont réellement cette proportion, la perdent-elles et se réduisent-elles de moitié ? Il faut chercher l'explication de ce phénomène, ou dans les figures mêmes, ou dans le rapport de ces figures avec les êtres environnants. Dans tout tableau, l'orteil du Satyre endormi se mesure. Il y a le pâtre, il y a la paille, sous cette forme ou sous une autre. Allez voir l'*Offrande à l'Amour* de Greuze, et vous me direz ce que sa figure principale devient à côté des arbres[2] énormes qui l'environnent[3].

Dans ce grand ou petit tableau de Robert, on voit à droite un bout d'ancienne architecture ruinée. A la face de cette ruine, qui regarde le côté gauche, dans une grande niche, l'artiste a placé une statue. Du piédestal de cette statue coule une fontaine dont un bassin reçoit les eaux. Autour de ce bassin il y a quelques figures d'hommes et d'animaux. Un pont jeté du côté droit au côté gauche de la scène, et coupant en deux toute la composition, laisse en devant un assez grand espace, et dans la profondeur du

1. Œuvre de La Grenée, exposée au Salon de 1767 (A.T., t. XI, p. 68).
2. N : autres.
3. Allusion au tableau de Greuze exposé au Salon de 1769, *Une jeune fille qui fait sa prière au pied de l'autel de l'amour*, actuellement dans la collection Wallace de Londres.

tableau, au loin, un beaucoup plus grand encore. On voit couler les eaux d'une rivière sous ce pont; elles s'étendent en venant à vous. La rive de ces eaux, ces eaux, et le pont forment trois plans bien distincts et un espace déjà fort vaste. Sur ces eaux, à gauche, au-devant du pont, on aperçoit un bateau. Le fond est une campagne où l'œil va se promener et se perdre. Le côté gauche, au delà du bateau, est terminé par quelques arbres.

La fabrique de la droite, la statue, le bassin, la rive, en un mot toute cette moitié de la composition est bien de couleur et d'effet. Le reste, pauvre, terne, gris, effacé, l'ouvrage d'un écolier qui a mal fini ce que le maître avait bien commencé. Mais pour sentir combien le tout est faible, on n'a qu'à jeter l'œil sur un Vernet, ou plutôt cela n'est pas nécessaire. Ce n'est pas une de ces productions équivoques qu'on ne puisse juger que par un modèle de comparaison.

Le redoutable voisin que ce Vernet! Il fait souffrir tout ce qu'il approche, et rien ne le blesse. C'est celui-là, monsieur Robert, qui sait, avec un art infini, entremêler le mouvement et le repos, le jour et les ténèbres, le silence et le bruit! Une seule de ces qualités, fortement prononcée, dans une composition, nous arrête et nous touche. Quel ne doit donc pas être l'effet de leur réunion et de leur contraste? Et puis, sa main docile à la variété, à la rapidité de son imagination, vous dérobe toujours la fatigue. Tout est vigoureux comme dans la nature, et rien ne se nuit comme dans la nature. Jamais il ne paraît qu'on ait sacrifié un objet pour en faire valoir un autre. Il règne partout une âme, un esprit, un souffle dont on pourrait dire, comme Virgile ou Lucrèce, de l'œuvre entière de la création :

Deum namque ire per omnes
Terrasque, tractusque maris, cœlumque profundum :
Hinc pecudes, armenta, viros, genus omne ferarum,
Quemque sibi tenues nascentem arcessere vitas.
Scilicet huc reddi deinde, ac resoluta referri
Omnia; nec morti esse locum [1].

---

1. Virgile, *Géorgiques*, IV, 220 sq.

« C'est la présence d'un Dieu qui se fait sentir sur la surface de la terre, au fond des mers, dans la vaste étendue des cieux; c'est de là que les hommes, les animaux, les troupeaux, les bêtes féroces reçoivent l'élément subtil de la vie. Tout s'y résout, tout en émane, et la mort n'a lieu nulle part. »

Tout ce que vous rencontrerez dans les poètes du développement du chaos et de la naissance du monde lui conviendra. Dites de lui :

> Spiritus intus alit, totamque infusa per artus
> Mens agitat molem, et magno se corpore miscet [1].

« C'est un esprit qui vit au dedans, qui se répand dans toute la masse, qui la meut, et s'unit au grand tout. »

Et l'on n'en rabattra pas un mot.

III. UN PONT SOUS LEQUEL ON DÉCOUVRE LES CAMPAGNES DE SABINE, A QUARANTE LIEUES DE ROME. LES RUINES DU FAMEUX PORTIQUE DU TEMPLE DE BALBEC, A HÉLIOPOLIS.

Imaginez, sur deux grandes arches cintrées, un pont de bois, d'une hauteur et d'une longueur prodigieuses. Il touche d'un bout à l'autre de la composition, et occupe la partie la plus élevée de la scène. Brisez la rampe de ce pont dans son milieu, et ne vous effrayez pas, si vous le pouvez, pour les voitures qui passent dans cet endroit. Descendez de là. Regardez sous les arches, et voyez dans le lointain, à une grande distance de ce premier pont, un second pont de pierre qui coupe la profondeur de l'espace en deux, laissant entre l'une et l'autre fabrique une énorme distance. Portez vos yeux au-dessus de ce second pont, et dites-moi, si vous le savez, quelle est l'étendue que vous découvrez. Je ne vous parlerai point de l'effet de ce tableau. Je vous

---

1. Virgile, *Énéide*. VI, 726-727.

demanderai seulement sur quelle toile vous le croyez peint. Il est sur une très petite toile, sur une toile d'un pied dix pouces de large, sur un pied cinq pouces de haut.

Au pendant, c'est à droite une colonnade ruinée; un peu plus vers la gauche, et sur le devant, un obélisque entier; puis la porte d'un temple. Au delà de cette porte, une partie symétrique à la première. Au-devant de la ruine entière, un grand escalier qui règne sur toute sa longueur, et d'où l'on descend de la porte du temple au bas de la composition. Faible, faible; de peu d'effet. Le précédent est l'ouvrage de l'imagination. Celui-ci est une copie de l'art. Ici on n'est arrêté que par l'idée de la puissance éclipsée des peuples qui ont élevé de pareils édifices. Ce n'est pas de la magie du pinceau, c'est des ravages du temps que l'on s'entretient.

102. RUINE D'UN ARC DE TRIOMPHE, ET AUTRES MONUMENTS.

L'effet de ces compositions, bonnes ou mauvaises, c'est de vous laisser dans une douce mélancolie. Nous attachons nos regards sur les débris d'un arc de triomphe, d'un portique, d'une pyramide, d'un temple, d'un palais, et nous revenons sur nous-mêmes. Nous anticipons sur les ravages du temps, et notre imagination disperse sur la terre les édifices mêmes que nous habitons. A l'instant, la solitude et le silence règnent autour de nous. Nous restons seuls de toute une nation qui n'est plus; et voilà la première ligne de la poétique des ruines.

A droite, c'est une grande fabrique étroite, dans le massif de laquelle on a pratiqué une niche, occupée de sa statue. Il reste de chaque côté de la niche une colonne sans chapiteau. Plus sur la gauche, et sur [1] le devant, un soldat est étendu à plat ventre sur des quartiers de pierre, la plante des pieds tournée vers la fabrique de la droite, la tête vers la gauche, d'où s'avance à lui un autre soldat, avec une

1. A.T. : vers.

femme qui porte entre ses bras un petit enfant. On voit au delà, sur le fond, des eaux; au delà des eaux, vers la gauche, entre des arbres et du paysage, le sommet d'un dôme ruiné; plus loin, du même côté, une arcade tombant de vétusté; près de cette arcade, une colonne sur son piédestal; autour de cette colonne, des masses de pierres informes; sous l'arcade, un escalier qui conduit vers la rive d'un lac [1]; au delà, un lointain, une campagne; au pied de l'arcade, une figure; plus sur le devant, au bord des eaux, une autre figure. Je ne caractérise point ces figures, si peu soignées qu'on ne sait ce que c'est, hommes ou femmes, moins encore ce qu'elles font. Ce n'est pourtant pas à cette condition qu'on anime les ruines. Monsieur Robert, soignez vos figures. Faites-en moins, et faites-les mieux. Surtout, étudiez l'esprit de ce genre de figures, car elles en ont un qui leur est propre. Une figure de ruine n'est pas la figure d'un autre site.

106. GRANDE GALERIE ÉCLAIRÉE DU FOND.

O les belles, les sublimes ruines! Quelle fermeté, et en même temps quelle légèreté, sûreté, facilité de pinceau! Quel effet! quelle grandeur! quelle noblesse! Qu'on me dise à qui ces ruines appartiennent, afin que je les vole : le seul moyen d'acquérir quand on est indigent. Hélas! elles font peut-être si peu de bonheur au riche stupide qui les possède; et elles me rendraient si heureux! Propriétaire indolent! époux aveugle! quel tort te fais-je, lorsque je m'approprie des charmes que tu ignores ou que tu négliges! Avec quel étonnement, quelle surprise je regarde cette voûte brisée, les masses surimposées à cette voûte! Les peuples qui ont élevé ce monument, où sont-ils? que sont-ils devenus? Dans quelle énorme profondeur obscure et muette mon œil va-t-il s'égarer? A quelle prodigieuse distance est renvoyée la portion du ciel que j'aperçois à cette ouverture! L'étonnante dégradation de lumière! comme

---

1. A.T. : du lac.

elle s'affaiblit en descendant du haut de cette voûte, sur la longueur de ces colonnes! comme ces ténèbres sont pressées par le jour de l'entrée et le jour du fond! on ne se lasse point de regarder. Le temps s'arrête pour celui qui admire. Que j'ai peu vécu! que ma jeunesse a peu duré!

C'est une grande galerie voûtée et enrichie intérieurement d'une colonnade qui règne de droite et de gauche. Vers le milieu de sa profondeur, la voûte s'est brisée, et montre au-dessus de sa fracture les débris d'un édifice surimposé. Cette longue et vaste fabrique reçoit encore la lumière par son ouverture du fond. On voit à gauche, en dehors, une fontaine; au-dessus de cette fontaine, une statue antique assise; au-dessous du piédestal de cette statue, un bassin élevé sur un massif de pierre; autour de ce bassin, au-devant de la galerie, dans les entre-colonnements, une foule de petites figures, de petits groupes, de petites scènes très variées. On puise de l'eau, on se repose, on se promène, on converse. Voilà bien du mouvement et du bruit. Je vous en dirai mon avis ailleurs, monsieur Robert; tout à l'heure. Vous êtes un habile homme. Vous excellerez, vous excellez dans votre genre. Mais étudiez Vernet. Apprenez de lui à dessiner, à peindre, à rendre vos figures intéressantes; et puisque vous vous êtes voué à la peinture des ruines, sachez que ce genre a sa poétique. Vous l'ignorez absolument. Cherchez-la. Vous avez le faire, mais l'idéal vous manque. Ne sentez-vous pas qu'il y a trop de figures ici; qu'il en faut effacer les trois quarts? Il n'en faut réserver que celles qui ajouteront à la solitude et au silence. Un seul homme, qui aurait erré dans ces ténèbres, les bras croisés sur la poitrine et la tête penchée, m'aurait affecté davantage. L'obscurité seule, la majesté de l'édifice, la grandeur de la fabrique, l'étendue, la tranquillité, le retentissement sourd de l'espace m'aurait fait frémir. Je n'aurais jamais pu me défendre d'aller rêver sous cette voûte, de m'asseoir entre ces colonnes, d'entrer dans votre tableau. Mais il y a trop d'importuns. Je m'arrête. Je regarde. J'admire et je passe. Monsieur Robert, vous ne savez pas encore pourquoi les ruines font tant de plaisir, indépendamment de la variété des accidents qu'elles montrent; et je vais vous en dire ce qui m'en viendra sur-le-champ.

Les idées que les ruines réveillent en moi sont grandes. Tout s'anéantit, tout périt, tout passe. Il n'y a que le monde qui reste. Il n'y a que le temps qui dure. Qu'il est vieux ce monde! Je marche entre deux éternités. De quelque part que je jette les yeux, les objets qui m'entourent m'annoncent une fin et me résignent à celle qui m'attend. Qu'est-ce que mon existence éphémère, en comparaison de celle de ce rocher qui s'affaisse, de ce vallon qui se creuse, de cette forêt qui chancelle, de ces masses suspendues au-dessus de ma tête et qui s'ébranlent? Je vois le marbre des tombeaux tomber en poussière; et je ne veux pas mourir! et j'envie un faible tissu de fibres et de chair, à une loi générale qui s'exécute sur le bronze! Un torrent entraîne les nations les unes sur les autres au fond d'un abîme commun; moi, moi seul, je prétends m'arrêter sur le bord et fendre le flot qui coule à mes côtés!

Si le lieu d'une ruine est périlleux, je frémis. Si je m'y promets le secret et la sécurité, je suis plus libre, plus seul, plus à moi, plus près de moi. C'est là que j'appelle mon ami. C'est là que je regrette mon amie. C'est là que nous jouirons de nous, sans trouble, sans témoins, sans importuns, sans jaloux. C'est là que je sonde mon cœur. C'est là que j'interroge le sien, que je m'alarme et me rassure. De ce lieu, jusqu'aux habitants des villes, jusqu'aux demeures du tumulte, au séjour de l'intérêt, des passions, des vices, des crimes, des préjugés, des erreurs, il y a loin.

Si mon âme est prévenue d'un sentiment tendre, je m'y livrerai sans gêne. Si mon cœur est calme, je goûterai toute la douceur de son repos.

Dans cet asile désert, solitaire et vaste, je n'entends rien; j'ai rompu avec tous les embarras de la vie. Personne ne me presse et ne m'écoute. Je puis me parler tout haut, m'affliger, verser des larmes sans contrainte.

Sous ces arcades obscures, la pudeur serait moins forte dans une femme honnête; l'entreprise d'un amant tendre et timide, plus vive et plus courageuse. Nous aimons, sans nous en douter, tout ce qui nous livre à nos penchants, nous séduit et excuse notre faiblesse.

« Je quitterai le fond de cet antre et j'y laisserai la mémoire importune du moment », dit une femme, et elle ajoute :

« Si l'on m'a trompée et que la mélancolie m'y ramène, je m'abandonnerai à toute ma douleur. La solitude retentira de ma plainte. Je déchirerai le silence et l'obscurité de mes cris, et lorsque mon âme sera rassasiée d'amertumes, j'essuierai mes larmes de mes mains, je reviendrai parmi les hommes et ils ne soupçonneront pas que j'ai pleuré. »

Si je te perdais jamais, idole de mon âme; si une mort inopinée, un malheur imprévu te séparait de moi, c'est ici que je voudrais qu'on déposât ta cendre et que je viendrais converser avec ton ombre.

Si l'absence nous tient éloignés, j'y viendrai rechercher la même ivresse qui avait si entièrement, si délicieusement disposé de nos sens; mon cœur palpitera derechef; je rechercherai, je retrouverai l'égarement voluptueux. Tu y seras, jusqu'à ce que la douce langueur, la douce lassitude du plaisir soit passée. Alors je me relèverai; je m'en reviendrai; mais je n'en reviendrai pas sans m'arrêter, sans retourner la tête, sans fixer mes regards sur l'endroit où je fus heureux avec toi et sans toi. Sans toi! je me trompe; tu y étais encore; et à mon retour, les hommes verront ma joie; mais ils n'en devineront pas la cause. Que fais-tu à présent? où es-tu? n'y a-t-il aucun antre, aucune forêt, aucun lieu secret, écarté, où tu puisses porter tes pas et perdre aussi ta mélancolie?

O censeur, qui résides au fond de mon cœur, tu m'as suivi jusqu'ici! Je cherchais à me distraire de ton reproche, et c'est ici que je t'entends plus fortement. Fuyons ces lieux. Est-ce le séjour de l'innocence? est-ce celui du remords? C'est l'un et l'autre, selon l'âme qu'on y porte. Le méchant fuit la solitude; l'homme juste la cherche. Il est si bien avec lui-même!

Les productions des artistes sont regardées d'un œil bien différent, et par celui qui connaît les passions, et par celui qui les ignore. Elles ne disent rien à celui-ci. Que ne disent-elles point à moi? L'un n'entrera point dans cette caverne que je cherchais; il s'écartera de cette forêt où je me plais à m'enfoncer. Qu'y ferait-il? il s'y ennuierait.

S'il me reste quelque chose à dire sur la poésie des ruines, Robert m'y ramènera.

Le morceau dont il s'agit ici est le plus beau de ceux qu'il a exposés. L'air y est épais; la lumière chargée de la vapeur des lieux frais et des corpuscules que des ténèbres visibles nous y font discerner; et puis cela est d'un pinceau si doux, si moelleux, si sûr! C'est un effet merveilleux produit sans effort. On ne songe pas à l'art. On admire, et c'est de l'admiration même que l'on accorde à la nature.

109. INTÉRIEUR D'UNE GALERIE RUINÉE.

A droite, une colonnade; debout sur les débris ou restes d'une voûte brisée, un homme enveloppé dans son manteau; sur une assise inférieure de la même fabrique, au pied de cet homme, une femme courbée qui se repose. Au bas, à l'angle, vers l'intérieur de la galerie, groupe de paysans et de paysannes entre lesquelles une qui porte une cruche sur sa tête. Au-devant de ce groupe, dont on n'aperçoit que les têtes, femme qui ramène un cheval. Le reste des figures de ce côté est masqué par un grand piédestal qui soutient une statue. De ce piédestal sort une fontaine dont les eaux tombent dans un vaste bassin. Vers les bords de ce bassin, sur le fond, femme avec une cruche à la main, une corbeille de linges mouillés sur sa tête et s'en allant vers une arcade qui s'ouvre sur la scène et l'éclaire. Sous cette arcade, paysan monté sur sa bête et faisant son chemin. En tournant de là vers la gauche, fabriques ruinées, colonnes qui tombent de vétusté et grand pan de vieux mur. Le côté droit étant éclairé par la lumière qui vient de dessous l'arcade, on pense bien que le côté gauche est tout entier dans la demi-teinte. Au pied du grand pan de vieux mur, sur le devant, paysan assis à terre et se reposant sur la gerbe qu'il a glanée; et puis des masses de pierres détachées et autres accessoires communs à ce genre.

Ce qu'il y a de remarquable dans ce morceau, c'est la vapeur ondulante et chaude qu'on voit au haut de l'arcade; effet de la lumière arrêtée, brisée, réfléchie par la concavité de la voûte.

PETITE, TRÈS PETITE RUINE.

A droite, le toit en pente d'un hangar adossé à une muraille. Sous ce hangar couvert de paille, des tonneaux, les uns pleins apparemment et couchés, d'autres vides et debout. Au-dessus du toit, l'excédent du mur dégradé et couvert de plantes parasites. A l'extrémité à gauche, au haut de ce mur, un bout de balustrade à pilastres ruinés. Sur ce bout de balustrade, un pot de fleurs. Attenant à cette fabrique, une ouverture ou espèce de porte dont la fermeture, faite de poutrelles assemblées à claire-voie, à demi ouverte, fait angle droit en devant, avec le côté de la fabrique qui lui sert d'appui. Au delà de cette porte, une autre fabrique de pierre, en ruine. Par derrière celle-ci, une troisième fabrique; sur le fond, un escalier qui conduit à une vaste étendue d'eaux qui se répandent et qu'on aperçoit par l'ouverture qui sépare les deux fabriques. A gauche, une quatrième fabrique de pierre faisant face à celle de la droite et en retour avec celles du fond. A la façade de cette dernière, une mauvaise figure de saint dans sa niche; au bas de la niche, la goulotte d'une fontaine dont les eaux sont reçues dans une auge. Sur l'escalier de bois qui descend à la rivière, une femme avec sa cruche. A l'auge, une autre femme qui lave. La partie supérieure de la fabrique de la gauche est aussi dégradée et revêtue de plantes parasites. L'artiste a encore décoré son extrémité supérieure d'un autre pot de fleurs. Au-dessous de ce pot il a ouvert une fenêtre et fiché dans le mur, aux deux côtés de cette fenêtre, des perches sur lesquelles il a mis des draps à sécher. Tout à fait à gauche, la porte d'une maison; au dedans de la maison, les bras appuyés sur le bas de la porte, une femme qui regarde ce qui se passe dans la rue.

Très bon petit tableau; mais exemple de la difficulté de

décrire et d'entendre une description. Plus on détaille, plus l'image qu'on présente à l'esprit des autres diffère de celle qui est sur la toile. D'abord l'étendue que notre imagination donne aux objets est toujours proportionnée à l'énumération des parties. Il y a un moyen sûr de faire prendre à celui qui nous écoute un puceron pour un éléphant; il ne s'agit que de pousser à l'excès l'anatomie circonstanciée de l'atome vivant. Une habitude mécanique très naturelle, surtout aux bons esprits, c'est de chercher à mettre de la clarté dans leurs idées; en sorte qu'ils exagèrent et que le point dans leur esprit est un peu plus gros que le point décrit, sans quoi ils ne l'apercevraient pas plus au dedans d'eux-mêmes qu'au dehors. Le détail, dans une description, produit à peu près le même effet que la trituration. Un corps remplit dix fois, cent fois moins d'espace ou de volume en masse qu'en molécules. M. de Réaumur ne s'en est pas douté; mais faites-vous lire quelques pages de son *Traité des insectes*, et vous y démêlerez le même ridicule qu'à mes descriptions. Sur celle qui précède, il n'y a personne qui n'accordât plusieurs pieds en carré à une petite ruine grande comme la main. Je crois avoir déjà quelque part déduit de là une expérience qui déterminerait la grandeur relative des images dans la tête de deux artistes ou dans la tête d'un même artiste en différents temps. Ce serait de leur ordonner le dessin net et distinct, et le plus petit qu'ils pourraient, d'un objet susceptible d'une description détaillée. Je crois que l'œil et l'imagination ont à peu près le même champ, ou peut-être, au contraire, que le champ de l'imagination est en raison inverse du champ de l'œil. Quoi qu'il en soit, il est impossible que le presbyte et le myope, qui voient si diversement en nature, voient de la même manière dans leurs têtes. Les poètes, prophètes et presbytes, sont sujets à voir les mouches comme des éléphants; les philosophes, myopes, à réduire les éléphants à des mouches. La poésie et la philosophie sont les deux bouts de la lunette.

108. GRAND ESCALIER QUI CONDUIT A UN ANCIEN PORTIQUE.

Sur le fond et dans le lointain, à droite, une pyramide, puis l'escalier. Au côté droit de l'escalier, à sa partie supérieure, un obélisque; au bas, sur le devant, deux hommes poussant un tronçon de colonne, que quatre chevaux n'ébranleraient pas : absurdité palpable. Sur les degrés, une figure d'homme qui monte; vers le milieu, une figure de femme qui descend; au haut, un petit groupe d'hommes et de femmes qui conversent. A gauche, une grande fabrique, une colonnade, un péristyle dont la façade s'enfonce dans le tableau. Les degrés de l'escalier aboutissent à cette façade. La partie inférieure de cette fabrique est en niches. Ces niches sont remplies de statues. Des groupes de figures, qu'on a peine à discerner, sont répandus dans les entre-colonnements de la partie supérieure. On y entrevoit un homme enveloppé dans son manteau, assis, et les jambes pendantes en dehors. Derrière lui, debout, quelques autres personnages. Au bas d'une petite façade, en retour de cette colonnade, l'artiste a étendu à terre un passager, qui se repose parmi des fragments de colonnes.

C'est bien un morceau de Robert, et ce n'est pas un des moins bons. Je n'ajouterai rien de plus; car il faudrait revenir sur les mêmes éloges, qui vous fatigueraient autant à lire que moi à les écrire. Souvenez-vous seulement que toutes ces figures, tous ces groupes insignifiants, prouvent évidemment que la poétique des ruines est encore à faire.

SALON DE 1769

Si je vous faisais passer en revue toutes les compositions de Robert, je ne finirais pas. C'est un peintre assurément que ce Robert; mais il fait trop facilement : ses morceaux sentent la détrempe; leur mérite principal est d'offrir des points de vue et des fabriques antiques. Il n'excelle pas pour la figure; ses arbres sont lourds, et en général le choix de ses accessoires pourrait être meilleur. Négligez, s'il vous convient, son *Port orné d'architecture*, quoiqu'il appartienne à un ministre qui peut se procurer de belles choses sans s'appauvrir; passez devant son imitation des *Portiques*, *galeries et jardins*, *tels qu'on en voit autour de Rome* [1], parce que ce tableau appartient à un autre ministre qui ne mérite pas mieux que cela; devant sa *Cascade du belvédère Pamphile à Frascati*, parce que je la trouve froidement touchée. Mais regardez avec attention les *Restes d'un escalier antique*, les *Ruines du vestibule d'un temple*, la *Pièce d'eau environnée de galeries*, la *Maison de campagne du prince Mattei*, le *Paysage avec des monuments*, ma foi, la plupart des autres parce qu'ils sont beaux. *Les dessins coloriés de paysages*, *de jardins*, *de temples et autres édifices antiques et modernes de Rome* ont de l'effet, de la verve, et sont très précieux.

SALON DE 1771

80. MONUMENTS ET ÉDIFICES DE ROME ANCIENNE ET MODERNE.

81. VUE DE LA FORÊT DE CAPRAROLE. LE PONT DE TIVOLI.

Par ces deux tableaux, M. Robert démontre visiblement combien il est plus difficile de peindre le paysage d'après nature que de peindre des pierres et des colonnes dans son cabinet, d'après des dessins, et les colorier. Ils ne sont cependant pas sans mérite.

---

1. Le *Port orné d'architecture* appartenait au duc de Choiseul et fut vendu en 1772. Les *Portiques* étaient au comte de Saint-Florentin. Mais la plupart des toiles d'Hubert Robert sont impossibles à identifier, par suite de la monotonie de leurs thèmes.

82. UNE FONTAINE ANTIQUE, AU MILIEU DES CAMPAGNES DE ROME.

Ce morceau confirme ce que je viens de dire ci-dessus. La partie la plus essentielle de ce tableau est l'architecture, et elle est bien rendue et d'un bon ton de couleur. Le paysage, qui n'y est qu'accessoire et lointain, est plus vrai et mieux traité.

83. INCENDIE DANS LES PRINCIPAUX ÉDIFICES DE ROME[1]. RUINES D'ARCHITECTURE.

Le premier a beaucoup d'effet et est vigoureux de couleur; il est dommage qu'il ne soit pas traité plus en grand, l'illusion y ajouterait. Le second est d'un bon choix et la couleur vraie.

84. VUE DES JARDINS DU PRINCE BORGHÈSE A ROME.

Le point de vue est choisi avec discernement et produit un effet agréable. Les figures qui servent à l'égayer sont d'une touche légère et bien coloriées; mais *Watteau était peintre aussi.*

85. UNE VUE DES JARDINS BARBERINI. MONTAGNES DE SORA ENTRE ROME ET NAPLES.

86. FONTAINE DES JARDINS PAMPHILE A FRASCATI.

Je regrette, monsieur, que l'auteur ne se soit pas attaché à terminer ces trois tableaux, dont il aurait pu faire des mor-

1. Cette toile, qui appartenait à la marquise de Langeac, est peut-être au musée du Havre.

ceaux fort agréables. Quelle est donc cette manie de ne vouloir que croquer du paysage? de se faire un mérite d'expédier sans se soucier comment?

87. UNE PARTIE DES PORTIQUES DE L'ANCIEN PALAIS DU PAPE JULES A ROME.

C'est une fort jolie esquisse et dont M. Robert pouvait se faire un mérite réel, si, moins expéditif, moins *croquant*, il eût voulu traiter ce morceau plus en grand et le traiter sérieusement. Panini en eût fait un tableau admirable. Mais aujourd'hui il nous faut des petits tableaux; on ne les examine guère, mais on les compte, et l'artiste y trouve le sien [1].

88. DEUX DESSINS FAITS D'APRÈS NATURE AU CHATEAU D'AMBOISE. — 89. PLUSIEURS AUTRES DESSINS COLORIÉS DE DIFFÉRENTES VUES ET MONUMENTS D'ITALIE.

Encore des idées multipliées et point de tableaux. Eh! mes amis, dirais-je à ces messieurs les croqueurs, gardez vos dessins et croquis, bistrés, coloriés, et tout comme il vous plaira, dans vos portefeuilles, et qu'ils ne paraissent à nos yeux qu'en tableaux bien rendus et bien finis. On court après les dessins de Raphaël, de Rubens, etc., parce qu'on n'a pas de leurs tableaux autant qu'on en désire, et que tout ce qui vient d'eux est marqué au coin de l'homme savant, du grand homme. Mais vos progénitures si promptement mises au jour décèlent la quantité de vos idées, il est vrai; sont-elles grandes et sublimes?...

(Un mot sur Robert. Si cet artiste continue à esquisser, il perdra l'habitude de finir; sa tête et sa main deviendront libertines. Il ébauche jeune, que fera-t-il donc lorsqu'il vieillira? Il veut gagner ses dix louis dans la matinée; il est fastueux, sa femme est une élégante, il faut faire vite; mais

1. A.T. : gagne.

on perd son talent, et né pour être grand, on reste médiocre. Finissez, monsieur Robert; prenez l'habitude de finir, monsieur Robert, et quand vous l'aurez prise, monsieur Robert, il ne vous en coûtera presque pas plus pour faire un tableau qu'une esquisse.)

SALON DE 1775

Ah! monsieur Robert, que ce *Décintrement du pont de Neuilly* est pauvre, mal colorié, sans effet! Les mauvaises figures! Vous destinez là un beau cadeau à M. de Trudaine[1]! Vos *Bestiaux qui passent entre des ruines* sont un peu meilleurs; j'en excepte cependant les figures, qui ne sont pas des chefs-d'œuvre. Mais, Robert, il y a si longtemps que vous faites des ébauches, ne pourriez-vous faire un tableau fini?

SALON DE 1781

94. L'INCENDIE DE L'OPÉRA, VU D'UNE CROISÉE DE L'ACADÉMIE DE PEINTURE PLACE DU LOUVRE. — INTÉRIEUR DE LA SALLE LE LENDEMAIN DE L'INCENDIE [2].

L'éruption de l'incendie de l'Opéra fait de l'effet; mais cet effet est dur et sec; il n'y a pas assez d'air, et les figures n'en sont pas très bien dessinées.

---

1. Le *Décintrement du pont de Neuilly* appartenait à l'intendant Trudaine. C'est le 22 septembre 1772 qu'avait été inauguré le pont de Neuilly, œuvre de l'ingénieur Perronnet, en présence de Louis XV et de la Du Barry. La toile est actuellement au musée Carnavalet.

2. Deux tableaux appartenant à Girardot de Marigny, actuellement au musée Carnavalet. La salle du Palais-Royal, où l'on donnait l'opéra, brûla pour la seconde fois en un siècle le 8 juin 1781.

Hubert Robert. — Le décintrement du pont de Neuilly.

Musée Carnavalet. Cl. Bulloz.

L'intérieur de la salle incendié me plaît davantage; je le trouve mieux d'accord, mais je n'en aime pas les figures. Du reste, ces figures sont bien groupées.

95. LES RUINES DU COLYSÉE DE ROME.

Me paraissent égales de ton; les masses y sont, et produisent de l'effet; j'y voudrais seulement une variété qui ne détruisît pas cet effet; cela donnerait de l'harmonie et ajouterait à la magie pittoresque.

96. LAVOIR AU MILIEU D'UN JARDIN. UN CASIN ITALIEN.

Très agréables, mais crus de couleur, avec des sécheresses que je n'aime pas, surtout aux laveuses. Arbres fort lourds, surtout à leurs cimes.

ESSAIS SUR LA PEINTURE

INTRODUCTION

Le Salon de 1765 *fut donné par la* Correspondance littéraire *en 6 livraisons : les quatre premières* (1er *janvier* 1766, 15 *janvier*, 1er *février*, 15 *février*) *traitaient des peintres ; la cinquième, des sculpteurs* (15 *juin*); *la sixième, consacrée aux graveurs* (1er *juillet* 1766), *annonçait dans une conclusion assez abrupte le désir de Diderot de* « produire ses titres » : « C'est peut-être un moyen d'adoucir la critique sévère que nous avons faite de plusieurs productions que d'exposer franchement les motifs de confiance qu'on peut avoir dans nos jugements. Pour cet effet, nous oserons donner un petit *Traité de peinture* et parler à notre manière et selon la mesure de nos connaissances, du dessin, de la couleur, du clair-obscur, de l'expression et de la composition [1]. » *Ce traité en cinq chapitres, achevé dès juillet* 1766, *adressé à Grimm* [2], *parut dans la* Correspondance littéraire *au cours du dernier trimestre de l'année, probablement du* 15 *octobre au* 15 *décembre : nous avons en effet conservé dans le manuscrit Firmiani la livraison du* 15 *novembre* 1766 *qui correspond au troisième chapitre sur le clair-obscur* [3]. *A-t-il été dès cette époque suivi de deux chapitres sur l'architecture? Nous l'ignorons. Toujours est-il que*

1. Ce paragraphe manque dans l'édition Buisson de l'An IV, mais Naigeon l'a donné en 1798. Nous nous sommes assurés de son authenticité d'après les deux manuscrits du fonds Vandeul (B.N., n.a.fr. 13744 et 13750), le manuscrit Firmiani de la *Correspondance litt.* (B.N., n.a.fr., 12961), et le manuscrit de Leningrad (tome XIX, p. 473).

2. Les nombreux vocatifs en font foi : « Mon ami, etc. »

3. B.N., n.a.fr., 12961, folios 184-187 : « *Suite du traité de peinture par M. Diderot* ».

l'éditeur Buisson publia en l'An IV un traité en sept chapitres sous le titre nouveau, Essais sur la peinture (*p.* 1-117)[1].

L'avertissement posait assez bien le problème de la critique d'art : « On verra... quels secours peuvent tirer les arts de la perspicacité du véritable homme de lettres et des réflexions du philosophe. Peut-être s'égareront-ils quelquefois sur la partie purement technique; mais quant aux autres parties, il est impossible qu'elles ne s'étendent et ne s'éclairent entre leurs mains quand ils y appliquent leurs lumières et leurs méditations. L'imitation de la nature, l'idée du beau, la connaissance approfondie des passions ont été l'objet de leurs études : c'est la base de tous les arts; c'est celle de la peinture et de la sculpture, comme de l'éloquence et de la poésie. »

Buisson ne donnait aucune précision sur l'origine de son texte. Mais Mme de Vandeul nous renseigne dans une lettre que son ami Meister consigna dans la Correspondance littéraire (*édit. Tourneux*, t. XVI, *p.* 229) : « L'ouvrage de mon père est publié. Je crois qu'il a été dérobé chez notre ami, puisqu'il y a des notes de lui. » *L'ami est Grimm, parti en émigration, dont les papiers avaient été confisqués. Le texte est souvent incorrect, mais nous ne saurions partager l'indignation de Mme de Vandeul, quelque peu vexée de voir publier un ouvrage dont elle ne possédait elle-même aucune copie*[2]. *Deux ans plus tard, Naigeon le publiait à nouveau* (*Paris*, 1798, *t. XIII*, *p.* 375-482) *dans sa grande édition des* Œuvres *de Diderot. Sa préface était une longue attaque contre Grimm* « le cauteleux », *qu'il accusait d'avoir altéré le texte* « dans la crainte de déplaire aux grands dont il était l'esclave et le flatteur gagé ». *Mais Naigeon prétendait disposer du manuscrit autographe, corrigeait le texte sur vingt-cinq points, éliminait les notes de Grimm*; *plus encore, il apportait au*

---

1. L'ouvrage est annoncé par le *Moniteur* du 30 novembre 1795 (9 frimaire An IV, nº 69, p. 276), au prix de 130 livres en assignats.

2. Le 9 fructidor An IV, un commissionnaire en librairie l'avait avertie : « Il a causé de l'ouvrage sur la peinture » (cf. J. Massiet du Biest, *in Bulletin de la société hist. et arch. de Langres*, janv. 1948, p. 8).

troisième chapitre un important complément de cinq pages sur le clair-obscur. Les éditeurs ultérieurs suivirent Naigeon avec une fidélité qui n'excluait pas quelques fantaisies personnelles.

Or le fait que les Essais sur la peinture *ne se retrouvent en manuscrit ni dans le fonds Vandeul ni dans le fonds de Leningrad nous permet de résumer ainsi la genèse de l'ouvrage : un petit traité sur la peinture en cinq chapitres, écrit en* 1766, *se grossit de deux chapitres sur l'architecture et s'égare dans l'officine de Grimm qui le commente; quelques années plus tard, probablement avant son départ de* 1773 *pour la Russie, Diderot dispose de son autographe en faveur de Naigeon : les notes de Grimm en étaient absentes, mais entre temps le troisième chapitre avait doublé de volume.*

***

A l'heure trouble où le Directoire s'exerçait au pouvoir, le succès de l'ouvrage demeurait chanceux. Un bel article parut cependant le 30 *janvier* 1796 *dans la* Décade philosophique (*t. VIII*) : *l'auteur,* Amaury Duval, *se souciait peu de peinture, mais évoquait avec bonheur un Diderot nouveau,* « sans apprêt, sans toilette, en bonnet de nuit enfin » : « Ceux qui ne l'ont pas connu concevront quel était ce mélange de bonhomie, d'élévation, de grâces piquantes et nobles, cette familiarité extrême de tournures et d'images qui caractérisaient ce philosophe. » *Mais le vrai succès vint d'Allemagne. En décembre* 1796, *Gœthe a lu les* Essais *et les confie à Schiller qui s'exalte aussitôt :* « Diderot m'enchante positivement et a mis mon esprit en branle jusqu'au fond... Chacun de ses aphorismes... est comme un éclair qui illumine les profondeurs secrètes de l'art [1]. » « Livre magnifique qui s'adresse peut-être plus à l'écrivain qu'à l'artiste », *répond Gœthe* [2]. *L'été suivant, le* 7 *août* 1797, *Schiller revenait sur son enthousiasme et critiquait l'art moralisateur :* « Diderot se préoccupe trop à mon goût de fins étrangères à l'art et porte insuffisamment son attention

1. *Correspondance Schiller-Gœthe* (trad. L. Herr, Plon, 1923, t. II, p. 70).
2. *Ibid.*, t. II, p. 74.

sur l'objet même et sur l'exécution[1]. » *Évolution parallèl chez Gœthe :* « Diderot n'a pas su se hausser jusqu'à comprendre que la culture qui résulte de l'art doit aller son propre chemin[2]. » *Un an plus tard, leur doctrine commune se précisait ; le programme des* Propylées *s'éclairait dans un génial commentaire de Diderot, le* Diderots Versuch über die Malerei[3] : *notre philosophe avait été dupé par le mensonge classique l'éternel mensonge de l'alliance de l'art et de la nature. Les lois organiques de l'univers visent à créer la vie et non la beauté. L'œuvre d'art est une création spirituelle. Et Gœthe, dans un mouvement dialectique que reprendra Hegel, tente de dépasser la réalité de l'art et la vérité de la nature pour accéder à la vérité de l'art* Kunstwahrheit.

Cette ambitieuse critique était-elle justifiée par la doctrine des Essais ? *Diderot s'y attardait-il dans l'académisme ? Fallait-il se laisser prendre au classicisme du plan qui demeurait à l'image des traités de Lomazzo et de Du Fresnoy ? La modestie ironique des titres de chapitres pouvait alerter Gœthe. Diderot vantait la nature, mais pour exclure la manière ; critiquait l'école et l'atelier pour révéler le plein air, la lumière, la magie de la chair et des ciels évoquait, loin de toute allégorie, les paysages pénétrés d'âme l'accord des forêts et des architectures, le symbolisme discret des ruines et des tombeaux. Mais cette esthétique de plein air, ventée et ensoleillée, s'accommodait de sites pathétiques et gardait quelque tendresse pour la scène théâtrale. Entre le réalisme, qui prétend reproduire l'univers matériel, et la recherche dramatique de l'effet Diderot n'a guère choisi. Il n'a voulu sacrifier ni Chardin ni Greuze, insoucieux de placer l'art, comme le voulaient Schiller et Gœthe, dans une sphère idéale de* « surréalité » (« Das Übernatürliche »). *Mais Diderot n'avouait-il pas, un an plus tard, dans le* Salon de 1767, *que la peinture est poésie et que* « le soleil du peintre n'est pas celui de l'univers » (*A.T., t. XI, p.* 185) *L'auteur de* Dichtung und Wahrheit *ne demandait pas davantage*

1. *Corr. Schiller-Gœthe, op. cit.*, t. II, p. 199.

2. *Ibid.*, p. 207.

3. Commencé en sept. 1798, cf. *Œuvres* de Gœthe (édition Dunker, Teubner, t. XXIV, p. 221-276).

***

Étant donné l'absence de manuscrit complet des Essais sur la peinture, *nous pourrions hésiter dans notre choix entre les deux textes imprimés, celui de Buisson (B) issu des papiers de Grimm, et celui de Naigeon (N), issu de l'autographe disparu de Diderot. En fait la tradition Naigeon est la meilleure : les* 25 *variantes de Buisson sont fautives ou sans intérêt; une seule mérite d'être conservée (cf. A.T., p.* 465 *:* « Pour les chasser de sa tête »)*; c'est cette tradition qu'après Assézat nous reprendrons, sans introduire comme ce dernier des corrections contestables ou redresser indûment des citations inexactes.*

*Cependant, grâce au manuscrit Firmiani (F), nous disposons d'une version différente du troisième chapitre qui apporte quelques variantes intéressantes : nous les consignerons. Enfin, l'*Examen du clair-obscur, *supplément au même chapitre, exhumé par Naigeon en* 1798 *d'après l'autographe, a été retrouvé dans trois manuscrits, deux du fonds Vandeul* (13750, *fol.* 210-214 *et* 13744, fol. 233-236), *l'autre du fonds de* Leningrad (*t. XIX, p.* 486-495), *que nous désignerons respectivement par les sigles V, V_1 et* L. *V_1 étant fortement remanié, probablement par les héritiers de Diderot, V et* L *étant ordinairement d'accord, nous préférerons cette version commune au texte de Naigeon, reproduit par Assézat, dont les vingt-deux variantes ne nous semblent pas probantes.*

P. V.

BIBLIOGRAPHIE

La Décade philosophique (30 janvier 1796, t. VIII).

Correspondance Schiller-Gœthe (édition Herr, Plon, 1923, t. II, p. 68-69-70-74-199-207).

GŒTHE. *Diderots Versuch über die Malerei* (*in Œuvres*, édit. Dunker, Teubner, t. XXIV, p. 221-276).

J. ROUGE. *Gœthe et l'Essai sur la peinture de Diderot* (*in Études germaniques*, 1949, p. 227-234).

R. MORTIER. *Diderot et l'Allemagne* (P.U.F , 1955, p. 313-318).

ESSAIS SUR LA PEINTURE

CHAPITRE PREMIER

Mes pensées bizarres sur le dessin.

La nature ne fait rien d'incorrect. Toute forme, belle ou laide, a sa cause; et, de tous les êtres qui existent, il n'y en a pas un qui ne soit comme il doit être.

Voyez cette femme qui a perdu les yeux dans sa jeunesse. L'accroissement successif de l'orbe n'a plus distendu ses paupières; elles sont rentrées dans la cavité que l'absence de l'organe a creusée; elles se sont rapetissées. Celles d'en haut ont entraîné les sourcils; celles d'en bas ont fait remonter légèrement les joues, la lèvre supérieure s'est ressentie de ce mouvement, et s'est relevée; l'altération a affecté toutes les parties du visage, selon qu'elles étaient plus éloignées ou plus voisines du lieu principal de l'accident. Mais croyez-vous que la difformité se soit renfermée dans l'ovale? croyez-vous que le cou en ait été tout à fait garanti? et les épaules ou la gorge? Oui bien, pour vos yeux et les miens. Mais appelez la nature; présentez-lui ce cou, ces épaules, cette gorge, et la nature dira : « Cela c'est le cou, ce sont les épaules, c'est la gorge d'une femme qui a perdu les yeux dans sa jeunesse. »

Tournez vos regards sur cet homme, dont le dos et la poitrine ont pris une forme convexe. Tandis que les cartilages antérieurs du cou s'allongeaient, les vertèbres postérieures s'en affaissaient; la tête s'est renversée, les mains se sont redressées à l'articulation du poignet, les coudes se sont portés en arrière, tous les membres ont cherché le centre de gravité commun, qui convenait le mieux à ce système hétéroclite; le visage en a pris un air de contrainte et de peine. Couvrez cette figure; n'en montrez que les pieds à la nature; et la nature dira, sans hésiter : « Ces pieds sont ceux d'un bossu[1]. »

Si les causes et les effets nous étaient évidents, nous n'aurions rien de mieux à faire que de représenter les êtres tels qu'ils sont. Plus l'imitation serait parfaite et analogue aux causes, plus nous en serions satisfaits.

Malgré l'ignorance des effets et des causes, et les règles de convention qui en ont été les suites[2], j'ai peine à douter qu'un artiste qui oserait négliger ces règles, pour s'assujettir à une imitation rigoureuse de la nature, ne fût souvent justifié de ses pieds trop gros, de ses jambes courtes, de ses genoux gonflés, de ses têtes lourdes et pesantes, par ce tact fin que nous tenons de l'observation continue des phénomènes, et qui nous ferait sentir une liaison secrète, un enchaînement nécessaire entre ces difformités.

Un nez tors, en nature, n'offense point, parce que tout tient[3]; on est conduit à cette difformité par de petites altérations adjacentes qui l'amènent et la sauvent. Tordez le nez à l'Antinoüs, en laissant le reste tel qu'il est, ce nez sera mal. Pourquoi? c'est que l'Antinoüs n'aura pas le nez tors, mais cassé.

Nous disons d'un homme qui passe dans la rue, qu'il est mal fait. Oui, selon nos pauvres règles; mais selon la nature, c'est autre chose. Nous disons d'une statue, qu'elle

---

1. Même développement dans le compte rendu du poème de Watelet, sur *l'Art de peindre* (1760) : « Supposons la nature personnifiée et plaçons-la devant l'*Antinoüs* ou la *Vénus de Médicis*. Je couvre la statue d'un voile qui ne laisse échapper que l'extrémité d'un des pieds et je demande à la nature d'achever la figure sur cette extrémité donnée. Peut-être n'exécuterait-elle qu'une figure estropiée, contrefaite... » (A.T., t. XIII, p. 23).

2. B : qui ont été les suites de cette ignorance.

3. A.T. : tout se tient.

est dans les proportions les plus belles. Oui, d'après nos pauvres règles ; mais selon la nature ?

Qu'il me soit permis de transporter le voile de mon bossu sur la Vénus de Médicis, et de ne laisser apercevoir que l'extrémité de son pied. Si, sur l'extrémité de ce pied, la nature, évoquée derechef, se chargeait d'achever la figure, vous seriez peut-être surpris de ne voir naître sous ses crayons que quelque monstre hideux et contrefait. Mais si une chose me surprenait, moi, c'est qu'il en arrivât autrement.

Une figure humaine est un système trop composé, pour que les suites d'une inconséquence insensible dans son principe n'eussent pas jeté [1] la production de l'art la plus parfaite à mille lieues de l'œuvre de Nature.

Si j'étais initié dans les mystères de l'art, je saurais peut-être jusqu'où l'artiste doit s'assujettir aux proportions reçues, et je vous le dirais. Mais ce que je sais, c'est qu'elles ne tiennent point contre le despotisme de la nature, et que l'âge et la condition en entraînent le sacrifice en cent manières diverses [2]. Je n'ai jamais entendu accuser une figure d'être mal dessinée, lorsqu'elle montrait bien, dans [3] son organisation extérieure, l'âge et l'habitude ou la facilité de remplir ses fonctions journalières. Ce sont ces fonctions qui déterminent et la grandeur entière de la figure, et la

---

1. B : ne jettent pas.

2. Prise de position très nette de la part de Diderot contre l'académisme du siècle précédent, qu'il s'agisse des admirateurs de Lomazzo ou des lecteurs d'Audran (*Recueil des proportions du corps humain*, 1683). Mais la plupart des conférenciers de l'Académie de peinture, du vivant de Diderot, ne tenaient pas un autre langage ; Nonnotte, dans son discours *Sur le dessin* (*Mercure de France*, octobre 1755), disait déjà : « L'âme et la vie font le premier mérite d'un tableau et nous ne pouvons les tenir que de ce feu divin qui caractérise la nature vivante » (cf. A. Fontaine, *Les doctrines d'art en France*, Paris, 1909, p. 237-251). Nous retrouverons cette hostilité au modèle idéal et aux proportions canoniques dans l'introduction au *Salon de* 1767 (A.T., t. XI, p. 15-16).

3. B *omisit :* dans.

vraie proportion de chaque membre, et leur ensemble : c'est de là que je vois sortir, et l'enfant, et l'homme adulte, et le vieillard, et l'homme sauvage, et l'homme policé, et le magistrat, et le militaire, et le portefaix. S'il y avait une figure difficile à trouver, ce serait celle d'un homme de vingt-cinq ans, qui serait né subitement du limon [1] de la terre, et qui n'aurait encore rien fait; mais cet homme est une chimère.

L'enfance est presque une caricature; j'en dis autant de la vieillesse. L'enfant est une masse informe et fluide, qui cherche à se développer; le vieillard, une autre masse informe et sèche, qui rentre en elle-même, et tend à se réduire à rien. Ce n'est que dans l'intervalle de ces deux âges, depuis le commencement de la parfaite adolescence jusqu'au sortir de la virilité, que l'artiste s'assujettit à la pureté, à la précision rigoureuse du trait, et que le *poco più* ou *poco meno*, le trait en dedans ou en dehors, fait défaut ou beauté.

Vous me direz : Quels que [2] soient l'âge et les fonctions, en altérant les formes, elles n'anéantissent pas les organes. D'accord... Il faut donc les connaître... j'en conviens. Voilà le motif qu'on a d'étudier l'écorché.

L'étude de l'écorché a sans doute ses avantages; mais n'est-il pas à craindre que cet écorché ne reste perpétuellement dans l'imagination; que l'artiste n'en devienne entêté de la vanité de se montrer savant; que son œil corrompu ne puisse plus s'arrêter à la superficie; qu'en dépit de la peau et des graisses, il n'entrevoie toujours le muscle, son origine, son attache et son insertion; qu'il ne prononce tout trop [3] fortement; qu'il ne soit dur et sec; et que je ne retrouve ce maudit écorché, même dans ses figures de femmes? Puisque je n'ai que l'extérieur à montrer, j'aimerais bien autant qu'on m'accoutumât à le bien voir, et qu'on

1. B : formé du limon.
2. B : Vous me direz que quels que.
3. B *omisit :* trop.

me dispensât d'une connaissance perfide, qu'il faut que j'oublie.

On n'étudie l'écorché, dit-on, que pour apprendre à regarder la nature; mais il est d'expérience qu'après cette étude, on a beaucoup de peine à ne pas la voir autrement qu'elle est.

Personne que vous, mon ami, ne lira ces papiers; ainsi je puis écrire [1] tout ce qu'il me plaît. Et ces sept ans passés à l'Académie à dessiner d'après le modèle, les croyez-vous bien employés? et voulez-vous savoir ce que j'en pense? C'est que c'est là, et pendant ces sept pénibles et cruelles années, qu'on prend la *manière* dans le dessin. Toutes ces positions académiques, contraintes, apprêtées, arrangées; toutes ces actions froidement et gauchement exprimées par un pauvre diable, et toujours par le même pauvre diable, gagé pour venir trois fois la semaine se déshabiller et se faire mannequiner par un professeur, qu'ont-elles de commun avec les positions et les actions de la nature? Qu'ont de commun l'homme qui tire de l'eau dans le puits de votre cour, et celui qui, n'ayant pas le même fardeau à tirer, simule gauchement cette action, avec ses deux bras en haut, sur l'estrade de l'école? Qu'a de commun celui qui fait semblant de se [2] mourir là, avec celui qui expire dans son lit, ou qu'on assomme dans la rue? Qu'a de commun ce lutteur d'école avec celui de mon carrefour? Cet homme qui implore, qui prie, qui dort, qui réfléchit, qui s'évanouit à discrétion, qu'a-t-il de commun avec le paysan étendu de fatigue sur la terre, avec le philosophe qui médite au coin de son feu, avec l'homme étouffé qui s'évanouit dans la foule? Rien, mon ami, rien [3].

---

1. B : je puis y écrire.
2. B *omisit* : se.
3. Première esquisse de l'essai *De la manière* qui termine le *Salon de* 1767 (t. XI, p. 368-373). Rappelons la conférence du comte de Caylus, *Sur la manière et les moyens de l'éviter* (Bibliothèque de la Sorbonne, cf. Fontaine, *op. cit*, p. 222) que Diderot n'a probablement pas connue.

J'aimerais autant qu'au sortir de là, pour compléter l'absurdité, on envoyât les élèves apprendre la grâce chez Marcel ou Dupré [1] ou tel autre maître à danser qu'on voudra. Cependant, la vérité de nature s'oublie; l'imagination se remplit d'actions, de positions et de figures fausses, apprêtées, ridicules et froides. Elles y sont emmagasinées; et elles en sortiront pour s'attacher sur la toile. Toutes les fois que l'artiste prendra ses crayons ou son pinceau, ces maussades fantômes se réveilleront, se présenteront à lui; il ne pourra s'en distraire; et ce sera un prodige s'il réussit à les exorciser [pour les chasser de sa tête] [2]. J'ai connu un jeune homme plein de goût, qui, avant de jeter le moindre trait sur sa toile, se mettait à genoux, et disait : « Mon Dieu, délivrez-moi du modèle. » S'il est si rare aujourd'hui de voir un tableau composé d'un certain nombre de figures, sans y retrouver, par-ci par-là, quelques-unes de ces figures, positions, actions, attitudes académiques, qui déplaisent à la mort à un homme de goût, et qui ne peuvent en imposer qu'à ceux à qui la vérité est étrangère, accusez-en l'éternelle étude du modèle de l'école.

Ce n'est pas dans l'école qu'on apprend la conspiration générale des mouvements; conspiration qui se sent, qui se voit, qui s'étend et serpente de la tête aux pieds. Qu'une femme laisse tomber sa tête en devant [3], tous ses membres obéissent à ce poids; qu'elle la relève et la tienne droite, même obéissance du reste de la machine.

---

1. B : Vestris ou Gardel.

Marcel, maître à danser du roi en 1726, dont Rousseau se rit dans l'*Émile* (Paris, 1762, t. I, p. 183) et Dupré représentent la première génération. Vestris, né à Florence en 1729, élève de Dupré, débute à l'Opéra en 1748 et dirige les ballets jusqu'en 1781; Pierre-Gabriel Gardel, né à Nancy en 1758, n'entre à l'Opéra qu'en 1776 et dirigera les ballets jusqu'en 1816. Les variantes de l'édition Buisson, du moins l'allusion à Gardel, ne peuvent dater de 1766. Faut-il les attribuer à Grimm ou à l'éditeur de 1795?

2. *Omisit* N, *texte de* B.

3. B : en rêvant.

Oui, vraiment, c'est un art, et un grand art que de poser le modèle; il faut voir comme M. le professeur en est fier. Et ne craignez pas qu'il s'avise de dire au pauvre diable gagé : « Mon ami, pose-toi toi-même, fais ce que tu voudras. » Il aime bien mieux lui donner quelque attitude singulière, que de lui en laisser prendre une simple et naturelle : cependant il faut en passer par là.

Cent fois j'ai été tenté de dire aux jeunes élèves que je trouvais sur le chemin du Louvre, avec leur portefeuille sous le bras : « Mes amis, combien y a-t-il que vous dessinez là ? Deux ans. Eh bien ! c'est plus qu'il ne faut. Laissez-moi cette boutique de *manière*. Allez-vous-en aux Chartreux [1]; et vous y verrez la véritable attitude de la piété et de la componction. C'est aujourd'hui veille de grande fête : allez à la paroisse, rôdez autour des confessionnaux, et vous y verrez la véritable attitude du recueillement et du repentir. Demain, allez à la guinguette, et vous verrez l'action vraie de l'homme en colère. Cherchez les scènes publiques; soyez observateurs dans les rues, dans les jardins, dans les marchés, dans les maisons, et vous y prendrez des idées justes du vrai mouvement dans les actions de la vie. Tenez, regardez vos deux camarades qui disputent; voyez comme c'est la dispute même qui dispose à leur insu de la position de leurs membres. Examinez-les bien, et vous aurez pitié de la leçon de votre insipide professeur et de l'imitation de votre insipide modèle. Que je vous plains, mes amis, s'il faut qu'un jour vous mettiez à la place de toutes les faussetés que vous avez apprises, la simplicité et la vérité de Le Sueur ! Et il le faudra bien, si vous voulez être quelque chose.

« Autre chose est une attitude, autre chose une action. Les attitudes sont fausses et petites, les actions toutes belles et vraies [2].

---

1. Les Chartreux de la rue d'Enfer, derrière le Luxembourg, dont le cloître conservait encore la magnifique suite de la *Vie de saint Bruno* par Le Sueur.

2. A.T. : Toute attitude est fausse et petite; toute action est belle et vraie.

« Le contraste mal entendu est une des plus funestes causes du maniéré. Il n'y a de véritable contraste que celui qui naît du fond de l'action, ou de la diversité, soit des organes, soit de l'intérêt. Voyez Raphaël, Le Sueur; ils placent quelquefois trois, quatre, cinq figures debout les unes à côté des autres, et l'effet en est sublime. A la messe ou à vêpres aux Chartreux, on voit sur deux longues files parallèles, quarante à cinquante moines, mêmes stalles, même fonction, même vêtement, et cependant pas deux de ces moines qui se ressemblent; ne cherchez pas d'autre contraste que celui qui les distingue [1]. Voilà le vrai : tout autre est mesquin et faux. »

Si ces élèves étaient un peu disposés à profiter de mes conseils, je leur dirais encore : « N'y a-t-il pas assez longtemps que vous ne voyez que la partie de l'objet que vous copiez? Tâchez, mes amis, de supposer toute la figure transparente, et de placer votre œil au centre : de là vous observerez tout le jeu extérieur de la machine; vous verrez comment certaines parties s'étendent, tandis que d'autres se raccourcissent; comment celles-là s'affaissent, tandis que celles-ci se gonflent; et, perpétuellement occupés d'un ensemble et d'un tout, vous réussirez à montrer, dans la partie de l'objet que votre dessin présente, toute la correspondance convenable avec celle qu'on ne voit pas; et, ne m'offrant qu'une face, vous forcerez toutefois mon imagination à voir encore la face opposée; et c'est alors que je m'écrierai que vous êtes un dessinateur surprenant. »

Mais ce n'est pas assez que d'avoir bien établi l'ensemble, il s'agit d'y introduire les détails, sans détruire la masse; c'est l'ouvrage de la verve, du génie, du sentiment, et du sentiment exquis.

Voici donc comment je désirerais qu'une école de dessin fût conduite. Lorsque l'élève sait dessiner facilement d'après

---

1. Assézat fait justement remarquer que Diderot transpose ici sa doctrine du contraste dans les caractères dramatiques (cf. *De la poésie dramatique*, 1758, A.T., t. VII, p. 347-sq.).

l'estampe et la bosse [1], je le tiens pendant deux ans devant le modèle académique de l'homme et de la femme. Puis je lui expose des enfants, des adultes, des hommes faits, des vieillards, des sujets de tout âge, de tout sexe, pris dans toutes les conditions de la société, toutes sortes de natures en un mot : les sujets se présenteront en foule à la porte de mon académie, si je les paye bien; si je suis dans un pays d'esclaves, je les y ferai venir. Dans ces différents modèles, le professeur aura soin de lui faire remarquer les accidents que les fonctions journalières, la manière de vivre, la condition et l'âge ont introduits dans les formes. Mon élève ne reverra plus le modèle académique qu'une fois tous les quinze jours; et le professeur abandonnera au modèle le soin de se poser lui-même. Après la séance de dessin, un habile anatomiste expliquera à mon élève l'écorché, et lui fera l'application de ses leçons sur le nu animé et vivant; et il ne dessinera d'après l'écorché que douze fois au plus dans une année. C'en sera assez pour qu'il sente que les chairs sur les os et les chairs non appuyées ne se dessinent pas de la même manière; qu'ici le trait est rond, là, comme anguleux; et que s'il néglige ces finesses, le tout aura l'air d'une vessie soufflée, ou d'une balle de coton.

Il n'y aurait point de manière, ni dans le dessin, ni dans la couleur, si l'on imitait scrupuleusement la nature. La manière vient du maître, de l'académie, de l'école, et même de l'antique.

1. Terme de sculpture : le relief. Dessiner d'après la bosse, c'est-à-dire d'après une figure moulée.

CHAPITRE II

Mes petites idées sur la couleur.

C'est le dessin qui donne la forme aux êtres; c'est la couleur qui leur donne la vie. Voilà le souffle divin qui les anime.

Il n'y a que les maîtres dans l'art qui soient bons juges du dessin, tout le monde peut juger de la couleur.

On ne manque pas d'excellents dessinateurs; il y a peu de grands coloristes. Il en est de même en littérature : cent froids logiciens pour un grand orateur; dix grands orateurs pour un poète sublime. Un grand intérêt fait éclore subitement un homme éloquent; quoi qu'en dise Helvétius, on ne ferait pas dix bons vers, même sous peine de mort [1].

Mon ami, transportez-vous dans un atelier; regardez travailler l'artiste. Si vous le voyez arranger bien symétriquement ses teintes et ses demi-teintes tout autour de sa palette, ou si un quart d'heure de travail n'a pas confondu tout cet ordre, prononcez hardiment que cet artiste est froid, et qu'il ne fera rien qui vaille. C'est le pendant d'un lourd et pesant érudit qui a besoin d'un passage, qui monte à son échelle, prend et ouvre son auteur, vient à son bureau, copie la ligne dont il a besoin, remonte à l'échelle, et remet le livre à sa place. Ce n'est pas là l'allure du génie.

Celui qui a le sentiment vif de la couleur, a les yeux attachés sur sa toile; sa bouche est entr'ouverte; il halète; sa

---

1. Diderot simplifie quelque peu la thèse d'Helvétius sur le génie (conclusion du 3e discours de l'*Esprit* et 4e Discours, chapitre 2). Ne disait-il pas à Sophie Volland (*Corresp.*, t. II, p. 165, sept. 1767) : « Helvétius s'occupe, à sa terre, à prouver que son valet de chiens aurait tout aussi bien fait le livre de l'*Esprit* que lui. »

alette est l'image du chaos. C'est dans ce chaos qu'il
rempe son pinceau; et il en tire l'œuvre de la création, et les
iseaux et les nuances dont leur plumage est teint, et les
eurs et leur velouté, et les arbres et leurs différentes ver-
ures, et l'azur du ciel, et la vapeur des eaux qui les ternit,
t les animaux, et les longs poils, et les taches variées de
ur peau, et le feu dont leurs yeux étincellent. Il se lève, il
'éloigne, il jette un coup d'œil sur son œuvre; il se rassied;
t vous allez voir naître la chair, le drap, le velours, le damas,
taffetas, la mousseline, la toile, le gros linge, l'étoffe gros-
ère; vous verrez la poire jaune et mûre tomber de l'arbre,
t le raisin vert attaché au cep.

Mais pourquoi y a-t-il si peu d'artistes qui sachent rendre
chose à laquelle tout le monde s'entend? Pourquoi cette
ariété de coloristes, tandis que la couleur est une en nature?
a disposition de l'organe y fait sans doute. L'œil tendre et
ible ne sera pas ami des couleurs vives et fortes. L'homme
ui peint répugnera à introduire dans son tableau les effets
ui le blessent dans la nature. Il n'aimera ni les rouges écla-
nts, ni les grands blancs. Semblable à la tapisserie dont il
ouvrira les murs de son appartement, sa toile sera coloriée
'un ton faible, doux et tendre; et communément il vous
estituera par l'harmonie ce qu'il vous refusera en vigueur.
Iais pourquoi le caractère, l'humeur même de l'homme
'influeraient-ils pas sur son coloris? Si sa pensée habi-
elle est triste, sombre et noire; s'il fait toujours nuit dans
a tête mélancolique et dans son lugubre atelier; s'il bannit
jour de sa chambre; s'il cherche la solitude et les ténè-
res, n'aurez-vous pas raison de vous attendre à une scène
igoureuse peut-être, mais obscure, terne et sombre? S'il
st ictérique, et qu'il voie tout jaune, comment s'empê-
hera-t-il de jeter sur sa composition le même voile jaune
ue son organe vicié jette sur les objets de nature, et qui le
hagrine lorsqu'il vient à comparer l'arbre vert qu'il a dans
on imagination avec l'arbre jaune qu'il a sous ses yeux?

Soyez sûr qu'un peintre se montre dans son ouvrage
utant et plus qu'un littérateur dans le sien. Il lui arrivera
ne fois de sortir de son caractère, de vaincre la disposition

et la pente de son organe. C'est comme l'homme taciturne et muet qui élève une fois la voix : l'explosion faite, il retombe dans son état naturel, le silence. L'artiste triste, ou né avec un organe faible, produira une fois un tableau vigoureux de couleur; mais il ne tardera pas à revenir à son coloris naturel.

Encore un coup, si l'organe est affecté, quelle que soit son affection [1], il répandra sur tous les corps, interposera entre eux et lui une vapeur qui flétrira la nature et son imitation.

L'artiste, qui prend de la couleur sur sa palette, ne sait pas toujours ce qu'elle produira sur son tableau. En effet, à quoi compare-t-il cette couleur, cette teinte sur sa palette ? A d'autres teintes isolées, à des couleurs primitives. Il fait mieux; il la regarde où il l'a préparée, et il la transporte d'idée dans l'endroit où elle doit être appliquée. Mais combien de fois ne lui arrive-t-il pas de se tromper dans cette appréciation! En passant de la palette sur la scène entière de la composition, la couleur est modifiée, affaiblie, rehaussée et change totalement d'effet. Alors l'artiste tâtonne, manie, remanie, tourmente sa couleur. Dans ce travail, sa teinte devient un composé de diverses substances qui réagissent plus ou moins les unes sur les autres, et tôt ou tard se désaccordent.

En général donc, l'harmonie d'une composition sera d'autant plus durable que le peintre aura été plus sûr de l'effet de son pinceau; aura touché plus fièrement, plus librement; aura moins remanié, tourmenté [2] sa couleur, l'aura employée plus simple et plus franche.

On voit des tableaux modernes perdre leur accord en très peu de temps; on en voit d'anciens qui se sont conservés frais, harmonieux et vigoureux, malgré le laps du temps. Cet avantage me semble être plutôt la récompense du faire que l'effet de la qualité des couleurs.

---

1. B : affectation.
2. B : remanié et tourmenté.

Rien, dans un tableau, n'appelle comme la couleur vraie; elle parle à l'ignorant comme au savant. Un demi-connaisseur passera sans s'arrêter devant un chef-d'œuvre de dessin, d'expression, de composition; l'œil n'a jamais négligé le coloriste.

Mais ce qui rend le vrai coloriste [1] rare, c'est le maître qu'il adopte. Pendant un temps infini, l'élève copie les tableaux de ce maître, et ne regarde pas la nature; c'est-à-dire qu'il s'habitue à voir par les yeux d'un autre et qu'il perd l'usage des siens. Peu à peu il se fait un technique qui l'enchaîne, et dont il ne peut ni s'affranchir ni s'écarter; c'est une chaîne qu'il s'est mise à l'œil, comme l'esclave à son son pied. Voilà l'origine de tant de faux coloris; celui qui copiera d'après La Grenée copiera éclatant et solide; celui qui copiera d'après Le Prince sera rougeâtre et briqueté; celui qui copiera d'après Greuze sera gris et violâtre; celui qui étudiera Chardin sera vrai. Et de là cette variété de jugements du dessin et de la couleur, même entre les artistes. L'un vous dira que le Poussin est sec; l'autre, que Rubens est outré; et moi, je suis le Lilliputien qui leur frappe doucement sur l'épaule, et qui les avertit qu'ils ont dit une sottise.

On a dit que la plus belle couleur qu'il y eût au monde, était cette rougeur aimable dont l'innocence, la jeunesse, la santé, la modestie et la pudeur coloraient les joues d'une fille; et l'on a dit une chose qui n'était pas seulement fine, touchante et délicate, mais vraie; car c'est la chair qu'il est difficile de rendre; c'est ce blanc onctueux, égal sans être pâle ni mat; c'est ce mélange de rouge et de bleu qui transpire imperceptiblement; c'est le sang, la vie qui font le désespoir du coloriste. Celui qui a acquis le sentiment de la chair, a fait un grand pas; le reste n'est rien en comparaison. Mille peintres sont morts sans avoir senti la chair; mille autres mourront sans l'avoir sentie.

La diversité de nos étoffes et de nos draperies n'a pas peu

1. B : le coloriste vrai.

contribué à perfectionner l'art de colorier. Il y a un pres
tige dont il est difficile de se garantir, c'est celui d'un gran
harmoniste. Je ne sais comment je vous rendrai clairemen
ma pensée. Voilà sur une toile une femme vêtue de sati
blanc; couvrez le reste du tableau, et ne regardez que l
vêtement; peut-être ce satin vous paraîtra-t-il sale, mat, pe
vrai; mais restituez cette femme au milieu des objets don
elle est environnée, et en même temps le satin et sa couleu
reprendront leur effet. C'est que tout le ton est trop faible
mais chaque objet perdant proportionnellement, le défau
de chacun vous échappe : il est sauvé par l'harmonie. C'es
la nature vue à la chute du jour.

Le ton général de la couleur peut être faible sans êtr
faux. Le ton général de la couleur peut être faible sans qu
l'harmonie soit détruite; au contraire, c'est la vigueur d
coloris qu'il est difficile d'allier avec l'harmonie.

Faire blanc et faire lumineux, sont deux choses for
diverses. Tout étant égal d'ailleurs entre deux composi
tions, la plus lumineuse vous plaira sûrement davantage
c'est la différence du jour et de la nuit.

Quel est donc pour moi le vrai, le grand coloriste ? C'es
celui qui a pris le ton de la nature et des objets bien éclairés
et qui a su accorder son tableau.

Il y a des caricatures de couleur comme de dessin; e
toute caricature est de mauvais goût.

On dit qu'il y a des couleurs amies et des couleurs enne
mies; et l'on a raison, si l'on entend qu'il y en a qui s'allien
si difficilement, qui tranchent tellement les unes à côté de
autres, que l'air et la lumière, ces deux harmonistes univer
sels, peuvent à peine nous en rendre le voisinage immédia
supportable. Je n'ai garde de renverser dans l'art l'ordr
de l'arc-en-ciel. L'arc-en-ciel est en peinture ce que la bass
fondamentale est en musique; et je doute qu'aucun peintr
entende mieux cette partie qu'une femme un peu coquette
ou une bouquetière qui sait son métier. Mais je crains bie
que les peintres pusillanimes ne soient partis de là pour res
treindre pauvrement les limites de l'art, et se faire un peti
technique facile et borné, ce que nous appelons entre nou

un protocole [1]. En effet, il y a tel protocolier en peinture, si humble serviteur de l'arc-en-ciel, qu'on peut presque toujours le deviner. S'il a donné telle ou telle couleur à un objet, on peut être sûr que l'objet voisin sera de telle ou telle couleur. Ainsi la couleur d'un coin de leur toile étant donnée, on sait tout le reste. Toute leur vie, ils ne font plus que transporter ce coin. C'est un point mouvant, qui se promène sur une surface, qui s'arrête et se place où il lui plaît, mais qui a toujours le même cortège; il ressemble à un grand seigneur qui n'aurait qu'un habit avec ses valets sous la même livrée. Ce n'est pas ainsi qu'en usent Vernet et Chardin; leur intrépide pinceau se plaît à entremêler avec la plus grande hardiesse, la plus grande variété et l'harmonie la plus soutenue, toutes les couleurs de la nature avec toutes leurs nuances. Ils ont pourtant un technique propre et limité. Je n'en doute point, et je le découvrirais, si je voulais m'en donner la peine; c'est que l'homme n'est pas Dieu; c'est que l'atelier de l'artiste n'est pas la nature.

Vous pourriez croire que, pour se fortifier dans la couleur, un peu d'étude des oiseaux et des fleurs ne nuirait pas. Non, mon ami; jamais cette imitation ne donnera le sentiment de la chair. Voyez ce que devient Bachelier, quand il a perdu de vue sa rose, sa jonquille et son œillet. Proposez à Mme Vien de faire un portrait, et portez ensuite ce portrait à La Tour [2]. Mais non, ne le lui portez pas; le traître n'estime aucun de ses confrères assez pour lui dire la vérité. Proposez-lui plutôt à lui, qui sait faire de la chair, de peindre une étoffe, un ciel, un œillet, une prune avec sa

---

1. Un protocole est un formulaire, un ensemble de règles et de procédés techniques. Le « protocolier » (néologisme de Diderot) est donc ici le peintre à recettes qui croit aux accords stricts des couleurs.

2. Mêmes critiques de Diderot dans le *Salon de* 1765 ; Bachelier, délaissant la nature morte, avait peint une *Charité romaine* : « Croyez-moi, revenez au jasmin et à la jonquille, à la tubéreuse, au raisin » (t. X, p. 292). Mme Vien, née Marie-Thérèse Reboul (1738-1805), élève de son mari, donnait des gouaches ou des pastels d'animaux et de fleurs.

vapeur, une pêche avec son duvet, et vous verrez avec quelle supériorité il s'en tirera. Et ce Chardin, pourquoi prend-on ses imitations d'êtres inanimés pour la nature même? C'est qu'il fait de la chair quand il lui plaît.

Mais ce qui achève de rendre fou le grand coloriste, c'est la vicissitude de cette chair; c'est qu'elle s'anime et qu'elle se flétrit d'un clin d'œil à l'autre; c'est que, tandis que l'œil de l'artiste est attaché à la toile, et que son pinceau s'occupe à me rendre, je passe; et que, lorsqu'il retourne la tête, il ne me retrouve plus. C'est l'abbé Le Blanc [1] qui s'est présenté à mon idée; et j'ai bâillé d'ennui. C'est l'abbé Trublet qui s'est montré; et j'ai l'air ironique. C'est mon ami Grimm ou ma Sophie [2] qui m'ont apparu; et mon cœur a palpité, et la tendresse et la sérénité se sont répandues sur mon visage; la joie me sort par les pores de la peau, le cœur s'est dilaté, les petits réservoirs sanguins ont oscillé, et la teinte imperceptible du fluide qui s'en est échappé a versé de tous côtés l'incarnat et la vie. Les fruits, les fleurs changent sous le regard attentif de La Tour et de Bachelier. Quel supplice n'est donc pas pour eux le visage de l'homme, cette toile qui s'agite, se meut, s'étend, se détend, se colore, se ternit selon la multitude infinie des alternatives de ce souffle léger et mobile qu'on appelle l'âme!

Mais j'allais oublier de vous parler de la couleur de la passion; j'étais pourtant tout contre. Est-ce que chaque passion n'a pas la sienne? Est-elle la même dans tous les instants d'une passion? La couleur a ses nuances dans la colère. Si elle enflamme le visage, les yeux sont ardents; si elle est

---

1. L'abbé Le Blanc, né en 1707, obtint quelque réputation avec sa pièce d'*Aben Saïd* (1735) et ses *Lettres d'un Français sur les Anglais* (1745). Favori de la Pompadour, il passait pour bas avec les puissants et insolent avec les autres. « Le gros abbé Le Blanc », d'une loquacité redoutable, est plusieurs fois pris à partie par Diderot dans *Le Neveu de Rameau*. Par antiphrase Diderot parle aussi dans *Le Neveu* de « l'ingénuité de l'abbé Trublet » : entré à l'Académie en 1761, ce dernier se relevait difficilement de l'épigramme de Voltaire.

2. Sophie Volland évidemment. Les *Essais* étaient destinés à Grimm; la confidence ne peut donc nous surprendre.

extrême, et qu'elle serre le cœur au lieu de le détendre, les yeux s'égarent, la pâleur se répand sur le front et sur les joues, les lèvres deviennent tremblantes et blanchâtres. Une femme garde-t-elle le même teint dans l'attente du plaisir, dans les bras du plaisir, au sortir de ses bras? Ah! mon ami, quel art que celui de la peinture! J'achève en une ligne ce que le peintre ébauche à peine en une semaine; et son malheur, c'est qu'il sait, voit et sent comme moi, et qu'il ne peut rendre et se satisfaire; c'est que le sentiment [1] le portant en avant, le trompe sur ce qu'il peut, et lui fait gâter un chef-d'œuvre : il était, sans s'en douter, sur la dernière limite de l'art.

CHAPITRE III

Tout ce que j'ai compris de ma vie du clair-obscur.

Le clair-obscur est la juste distribution des ombres et de la lumière. Problème simple et facile, lorsqu'il n'y a qu'un objet régulier ou qu'un point lumineux; mais problème dont la difficulté s'accroît à mesure que les formes de l'objet sont variées; à mesure que la scène s'étend, que les êtres s'y multiplient, que la lumière y arrive de plusieurs endroits, et que les lumières sont diverses. Ah! mon ami, combien d'ombres et de lumières fausses dans une composition un peu compliquée! combien de licences prises! en combien d'endroits la vérité sacrifiée à l'effet!

On appelle un effet de lumière, en peinture, ce que vous avez vu dans le tableau de *Corésus* [2], un mélange des ombres

1. B : ce sentiment.

2. Le grand morceau de réception de Fragonard à l'Académie, *Corésus et Callirhoé*, fut acheté en 1765 par le roi pour être reproduit aux Gobelins. Diderot en a donné une minutieuse description dans le *Salon de* 1765 (t. X, p. 396-407). Le tableau est dans les collections du Louvre.

à Paris, ce 15 Novembre 1766.

Nro 22.

Suite du Traité de Peinture par M. Diderot.

Tout ce que j'ai compris de ma vie du Clair obscur.

Le clair obscur est la juste distribution des ombres et de la
Problême simple et facile, lorsqu'il n'y a qu'un objet régulier ou qu'un
lumineux; mais problême dont la difficulté s'accroit à mesure que les for
l'objet sont variées, à mesure que la scene s'étend, que les êtres s'y multip
ou la lumiere y arrive de plusieurs endroits, et que les lumieres sont div
Ah, mon ami, combien d'ombres et de lumieres fausses dans une composition
compliquée! Combien de licences prises! En combien d'endroits la vérité sacr
à l'effet!

On appelle un effet de lumiere en peinture ce que vous avez
le tableau de Corésus, un mélange des ombres et de la lumiere, vrai, fort e
quant : moment poëtique qui vous arrête et vous étonne. Chose difficile san
mais moins peutêtre qu'une distribution graduée qui éclairerait la scene
maniere diffuse et large, et où la qualité de la lumiere serait accor
chaque point de la toile, eu égard à sa véritable exposition et à
itable distance du corps lumineux: quantité que les objets environnans fo
ier en cent manieres diverses, plus ou moins sensibles, selon les pertes et
prunts qu'ils occasionnent.

Rien de plus rare que l'unité de lumiere dans ~~une~~ compos
urtout chez les paysagistes. Ici c'est du soleil, là de la lune; ailleurs
lampe, un flambeau, ou quelque autre corps enflammé. Vice commun, mais
discerner.

Il y a aussi des caricatures d'ombres et de lumieres; et tou
alors est de mauvais gout.

Si dans un tableau la vérité des lumieres se joint à
la couleur, tout est pardonné, du moins dans le premier instant. Incorrect
essin, manques d'expression, pauvreté de caracteres, vices d'ordonna

Essais sur la peinture
(manuscrit Firmiani de la *Correspondance littéraire*,
début du chapitre III.)

B.N. n.a.fr. 12.961.

et de la lumière, vrai, fort et piquant : moment poétique, qui vous arrête et vous étonne. Chose difficile, sans doute, mais moins peut-être qu'une distribution graduée, qui éclairerait la scène d'une manière diffuse et large, et où la quantité de lumière serait accordée à chaque point de la toile, eu égard à sa véritable exposition et à sa véritable distance du corps lumineux : quantité que les objets environnants font varier en cent manières diverses, plus ou moins sensibles, selon les pertes et les emprunts qu'ils occasionnent.

Rien de plus rare que l'unité de lumière dans une composition, surtout chez les paysagistes. Ici, c'est du soleil; là de la lune; ailleurs, une lampe, un flambeau, ou quelque autre corps enflammé. Vice commun, mais difficile à discerner.

Il y a aussi des caricatures d'ombres et de lumières, et toute caricature est de mauvais goût.

Si, dans un tableau, la vérité des lumières se joint à celle de la couleur, tout est pardonné, du moins dans le premier instant. Incorrections de dessin, manque d'expression, pauvreté de caractères, vices d'ordonnance, on oublie tout; on demeure extasié, surpris, enchaîné, enchanté.

S'il nous arrive de nous promener aux Tuileries, au Bois de Boulogne, ou dans quelque endroit écarté des Champs-Élysées, sous quelques-uns de ces vieux arbres épargnés parmi tant d'autres qu'on a sacrifiés au parterre et à la vue de l'hôtel de Pompadour [1], sur la fin d'un beau jour, au

---

1. B et N portent entre parenthèses la date (1766).

L'hôtel d'Évreux, construit en 1718 par l'architecte Mollet, fut acheté en 1753 par Mme de Pompadour et restauré par Lassurance pour son frère, le marquis de Marigny : c'est le palais de l'Élysée actuel. Dans ses *Mémoires*, le marquis d'Argenson (édition elzévirienne, 1858, t. IV, p. 222) précise la date de l'incident, juin 1755 : « On va abattre les arbres des Champs-Élysées... pour donner à l'Hôtel de la marquise de Pompadour un aspect plus agréable sur la rivière. » La date donnée par les éditeurs, 1766, n'a donc pas de sens : la marquise mourut d'ailleurs en 1764.

moment où le soleil plonge ses rayons obliques à travers la masse touffue de ces arbres, dont les branches entremêlées les arrêtent, les renvoient, les brisent, les rompent, les dispersent sur les troncs, sur la terre, entre les feuilles, et produisent autour de nous une variété infinie d'ombres fortes, d'ombres moins fortes, de parties obscures, moins obscures, éclairées, plus éclairées, tout à fait éclatantes : alors les passages de l'obscurité à l'ombre, de l'ombre à la lumière, de la lumière au grand éclat, sont si doux, si touchants, si merveilleux, que l'aspect d'une branche, d'une feuille, arrête l'œil et suspend la conversation au moment même le plus intéressant. Nos pas s'arrêtent involontairement; nos regards se promènent sur la toile magique, et nous nous écrions : « Quel tableau! Oh! que cela est beau! » Il semble que nous considérions la nature comme le résultat de l'art; et, réciproquement, s'il arrive que le peintre nous répète le même enchantement sur la toile, il semble que nous regardions l'effet de l'art comme celui de la nature. Ce n'est pas au Salon, c'est dans le fond d'une forêt, parmi les montagnes que le soleil ombre et éclaire, que Loutherbourg et Vernet sont grands.

Le ciel répand une teinte générale sur les objets. La vapeur de l'atmosphère se discerne au loin; près de nous son effet est moins sensible; autour de moi les objets gardent toute la force et toute la variété de leurs couleurs; ils se ressentent moins de la teinte de l'atmosphère et du ciel; au loin, ils s'effacent, ils s'éteignent; toutes les couleurs se confondent; et la distance qui produit cette confusion, cette monotonie, les montre tout gris, grisâtres, d'un blanc mat ou plus ou moins éclairé, selon le lieu de la lumière et l'effet du soleil; c'est le même effet que celui de la vitesse avec laquelle on tourne un globe tacheté de différentes couleurs, lorsque cette vitesse est assez grande pour lier les taches et réduire leurs sensations particulières de rouge, de blanc, de noir, de bleu, de vert, à une sensation unique et simultanée.

Que celui qui n'a pas étudié et senti les effets de la lumière et de l'ombre dans les campagnes, au fond des forêts, sur les maisons des hameaux, sur les toits des villes, le jour, la nuit, laisse là les pinceaux; surtout qu'il ne s'avise pas d'être paysagiste. Ce n'est pas dans la nature seulement, c'est sur les arbres, c'est sur les eaux de Vernet, c'est sur les collines de Loutherbourg, que le clair de la lune est beau.

Un site peut sans doute être délicieux. Il est sûr que de hautes montagnes, que d'antiques forêts, que des ruines immenses en imposent. Les idées accessoires qu'elles réveillent sont grandes. J'en ferai descendre, quand il me plaira, Moïse ou Numa. La vue d'un torrent, qui tombe à grand bruit à travers des rochers escarpés qu'il blanchit de son écume, me fera frissonner. Si je ne le vois pas, et que j'entende au loin son fracas, « C'est ainsi, me dirai-je, que ces fléaux si fameux dans l'histoire ont passé : le monde reste, et tous leurs exploits ne sont plus qu'un vain bruit perdu qui m'amuse. » Si je vois une verte prairie, de l'herbe tendre et molle, un ruisseau qui l'arrose, un coin de forêt écarté qui me promette du silence, de la fraîcheur et du secret, mon âme s'attendrira; je me rappellerai celle que j'aime : « Où est-elle? m'écrierai-je; pourquoi suis-je seul ici? » Mais ce sera la distribution variée des ombres et des lumières qui ôtera ou donnera à toute la scène son charme général. Qu'il s'élève une vapeur qui attriste le ciel, et qui répande sur l'espace un ton grisâtre et monotone, tout devient muet, rien ne m'inspire, rien ne m'arrête [1]; et je ramène mes pas vers ma demeure.

Je connais un portrait peint par Le Sueur; vous jureriez que la main droite est hors de la toile, et repose sur la bordure. On vante singulièrement ce merveilleux dans la jambe et le pied du *Saint Jean-Baptiste* de Raphaël, qui est au Palais-Royal [2]. Ces tours de l'art ont été fréquents dans

---

1. B : ni ne m'arrête — F confirme N.

2. Le *Saint Jean dans le désert*, acquis par le Régent, passait alors pour un Raphaël authentique. Lors de la liquidation de la Galerie d'Orléans en 1793, il fut acquis par lord Berwick pour 37.500 francs. Est-ce le *Saint Jean* du Louvre, attribué à Sebastiano del Piombo, dont la pose correspond exactement à la description de Diderot? (cf. *L'Œuvre de Raphaël*, Hachette, p. 210).

tous les temps et chez tous les peuples. J'ai vu un Arlequin, ou un Scaramouche de Gillot [1], dont la lanterne était à un demi-pied du corps. Quelle est la tête de La Tour autour de laquelle l'œil ne tourne pas ? Où est le morceau de Chardin, ou même de Roland de La Porte, où l'air ne circule pas entre les verres, les fruits et les bouteilles ? Le bras du *Jupiter foudroyant* d'Apelle saillait hors de la toile, menaçait l'impie, l'adultère, s'avançait vers sa tête. Peut-être n'appartiendrait-il qu'à un grand maître de déchirer le nuage qui enveloppait Énée, de me le montrer comme il apparut à la crédule et facile reine de Carthage :

Circumfusa repente
Scindit se nubes, et in æthera purgat apertum [2].

Avec tout cela, ce n'est pas là la grande partie, la partie difficile du clair-obscur. La voici :

Imaginez, comme dans la géométrie des indivisibles de Cavalleri [3], toute la profondeur de la toile coupée, n'importe en quel sens, par une infinité de plans infiniment petits. Le difficile, c'est la dispensation juste de la lumière et des ombres, et sur chacun de ces plans, et sur chaque tranche infiniment petite des objets qui les occupent ; ce sont les échos, les reflets de toutes ces lumières les unes sur les autres. Lorsque cet effet est produit (mais où et quand l'est-

---

1. Claude Gillot, né à Langres en 1673, mort en 1722, a laissé peu de tableaux mais de nombreux dessins sur des scènes de la comédie italienne. Les ouvrages de Populus (Paris, 1930) et de J. Poley (Wurzbourg, 1938) ne permettent pas d'identifier le tableau dont parle Diderot ; la collection Léon-Michel-Lévy possédait cependant une scène tirée de l'*Arlequin empereur dans la lune* où un duel grotesque se déroulait à la lueur de deux lanternes posées au sol (Poley, *op. cit*, p. 57, nº 126).

2. Virgile, *Énéide*, I, 586-587.

3. Bonaventure Cavalieri (et non Cavalleri), né à Milan en 1598, élève de Galilée, fonda la géométrie des indivisibles qui fut à la base des recherches de Pascal et peut-être des découvertes de Newton et de Leibniz (*Geometria indivisibilibus continuorum nova quadam ratione promota*, Bologne, 1635). Il mourut en 1647 après avoir enseigné à Bologne.

B, F : Cavalieri.

il?) l'œil est arrêté, il se repose. Satisfait partout, il se repose partout; il s'avance, il s'enfonce, il est ramené sur sa trace. Tout est lié, tout tient. L'art et l'artiste sont oubliés. Ce n'est plus une toile, c'est la nature, c'est une portion de l'univers qu'on a devant soi.

Le premier pas vers l'intelligence du clair-obscur, c'est une étude des règles de la perspective. La perspective approche [1] les parties des corps, ou les fait fuir, par la seule dégradation de leurs grandeurs, par la seule projection de leurs parties, vues à travers un plan interposé entre l'œil et l'objet, et attachées, ou sur ce plan même, ou sur un plan supposé au delà de l'objet.

Peintres, donnez quelques instants à l'étude de la perspective; vous en serez bien récompensés par la facilité et la sûreté que vous en retrouverez dans la pratique de votre art. Réfléchissez-y un moment; et vous concevrez que le corps d'un prophète enveloppé de toute sa volumineuse draperie, et sa barbe touffue, et ses cheveux qui se hérissent sur son front, et ce linge pittoresque qui donne un caractère divin à sa tête, sont assujettis dans tous leurs points aux mêmes principes que le polyèdre. A la longue, l'un ne vous embarrassera pas plus que l'autre. Plus vous multiplierez le nombre idéal de vos plans, plus vous serez corrects et vrais; et ne craignez pas d'être froids par une condition de plus ou de moins ajoutée à votre technique.

Ainsi que la couleur générale d'un tableau, la lumière générale a son ton. Plus elle est forte et vive, plus les ombres sont limitées, décidées et noires. Éloignez successivement la lumière d'un corps, et successivement vous en affaiblirez l'éclat et l'ombre. Éloignez-la davantage encore, et vous verrez la couleur d'un corps prendre un ton monotone, et son ombre s'amincir, pour ainsi dire, au point que vous n'en discernerez plus les limites. Rapprochez la lumière, le corps s'éclairera, et son ombre se terminera. Au crépuscule, presque plus d'effet de lumière sensible, presque

1. F : rapproche.

aucune ombre particulière discernable. Comparez une scène de la nature, dans un jour et sous un soleil brillant, avec la même scène sous un ciel nébuleux. Là, les lumières et les ombres seront fortes; ici, tout sera faible et gris. Mais vous avez vu cent fois ces deux scènes se succéder en un clin d'œil, lorsque au milieu d'une campagne immense quelque nuage épais, porté par les vents qui régnaient dans la partie supérieure de l'atmosphère, tandis que la partie qui vous entourait était immobile et tranquille, allait à votre insu s'interposer entre l'astre du jour et la terre. Tout a perdu subitement son éclat. Une teinte, un voile triste, obscur et monotone est tombé rapidement sur la scène. Les oiseaux même en ont été surpris, et leur chant suspendu. Le nuage a passé, tout a repris son éclat, et les oiseaux ont recommencé leur ramage.

C'est l'instant du jour, la saison, le climat, le site, l'état du ciel, le lieu de la lumière, qui en rendent le ton général fort ou faible, triste ou piquant. Celui qui éteint la lumière s'impose la nécessité de donner du corps à l'air même, et d'apprendre à mon œil à mesurer l'espace vide par des objets interposés et graduellement affaiblis. Quel homme, s'il sait se passer du grand agent, et produire sans son secours un grand effet!

Méprisez ces gauches repoussoirs, si grossièrement, si bêtement placés, qu'il est impossible d'en méconnaître l'intention. On a dit qu'en architecture, il fallait que les parties principales se tournassent en ornements; il faut, en peinture, que les objets essentiels se tournassent en repoussoirs. Il faut que dans une composition les figures se lient, s'avancent, se reculent, sans ces intermédiaires postiches, que j'appelle des chevilles ou des bouche-trous. [Téniers] [1] avait une autre magie.

Mon ami, les ombres ont aussi leurs couleurs. Regardez attentivement les limites et même la masse de l'ombre d'un corps blanc; et vous y discernerez une infinité de points

1. B, F : Tesnière — N : Ténières.

noirs et blancs interposés. L'ombre d'un corps rouge se teint de rouge; il semble que la lumière, en frappant l'écarlate, en détache et emporte avec elle des molécules. L'ombre d'un corps avec la chair et le sang de la peau, forme une faible teinte jaunâtre. L'ombre d'un corps bleu prend une nuance de bleu; et les ombres et les corps reflètent les uns sur les autres. Ce sont ces reflets infinis des ombres et des corps qui engendrent l'harmonie sur votre bureau, où le travail et le génie ont jeté la brochure à côté du livre, le livre à côté du cornet, le cornet au milieu de cinquante objets disparates de nature, de forme et de couleur. Qui est-ce qui observe? qui est-ce qui connaît? qui est-ce qui exécute? qui est-ce qui fond tous ces effets ensemble? qui est-ce qui en connaît le résultat nécessaire? La loi en est pourtant bien simple; et le premier teinturier à qui vous portez un échantillon d'étoffe nuancée, jette la pièce d'étoffe blanche dans sa chaudière, et sait l'en tirer teinte comme vous l'avez désirée. Mais le peintre observe lui-même cette loi sur sa palette, quand il mêle ses teintes. Il n'y a pas une loi pour les couleurs, une loi pour la lumière, une loi pour les ombres; c'est partout la même.

Et malheur aux peintres, si celui qui parcourt une galerie y porte jamais ces principes! Heureux le temps où ils seront populaires! C'est la lumière générale de la nation qui empêche le souverain, le ministre et l'artiste de faire des sottises. *O sacra reverentia plebis !* Il n'y en a pas un qui ne soit tenté de s'écrier : « Canaille, combien je me donne de peine, pour obtenir de toi un signe d'approbation! »

Il n'y a pas un artiste qui ne vous dise qu'il sait tout cela mieux que moi. Répondez-lui de ma part que toutes ses figures lui crient qu'il en a menti.

Il y a des objets que l'ombre fait valoir, d'autres qui deviennent plus piquants à la lumière. La tête des brunes s'embellit dans la demi-teinte, celle des blondes à la lumière.

Il est un art de faire les fonds, surtout aux portraits. Une loi assez générale, c'est qu'il n'y ait au fond aucune teinte qui, comparée à une autre teinte du sujet, soit assez forte pour l'étouffer ou arrêter l'œil.

SUITE DU CHAPITRE PRÉCÉDENT [1]

Examen du clair-obscur.

Si une figure est dans l'ombre, elle est trop ou trop peu ombrée, si, la comparant aux figures plus éclairées, et la faisant par la pensée avancer à leur place, elle ne nous inspire pas un pressentiment vif et certain qu'elle le serait autant qu'elles. Exemple de deux personnes qui montent d'une cave, dont l'une porte une lumière, et que l'autre suit. Si celle-ci a la quantité de lumière ou d'ombre qui lui convient, vous sentirez qu'en la plaçant sur la même marche que celle-là, elle s'éclairera successivement, de manière que, parvenue sur cette marche, elles seront toutes deux également éclairées [2].

Moyen technique de s'assurer si les figures sont ombrées sur le tableau comme elles le seraient en nature. C'est de tracer sur un plan celui de son tableau; d'y disposer des objets, soit à la même distance que ceux du tableau, soit à des distances relatives, et de comparer les lumières des objets du plan aux lumières des objets du tableau. Elles doivent être, de part et d'autre, ou les mêmes, ou dans les mêmes rapports.

La scène d'un peintre peut être aussi étendue qu'il le désire; cependant il ne lui est pas permis de placer partout des objets; il est des lointains où les formes de ces objets n'étant plus sensibles, il est ridicule de les y jeter, puisqu'on ne met un objet sur la toile que pour le faire apercevoir et distinguer tel. Ainsi, quand la distance est telle qu'à cette

1. Naigeon donne ici cette note : « Ce chapitre manque dans l'édition de ce *Salon* publiée en l'an IV; mais il se trouve dans le manuscrit autographe de cet *Essai sur la peinture*. »

2. Paragraphe entier omis par V_1, et inséré dans ce recueil dans les *Pensées détachées* (cf. *infra*).

istance les caractères qui individuélisent [1] ne s'y font plus [2] istinguer, qu'on prendrait, par exemple [3], un loup pour un hien, ou un chien pour un loup, il n'y faut plus rien mettre [4]. oilà peut-être un cas où il ne faut plus peindre la nature.

Tous les possibles ne doivent point avoir lieu en bonne einture [non plus qu'en bonne littérature][5] ; car il y a tel oncours d'événements dont on ne peut nier la possibilité, nais dont la combinaison est telle qu'on voit que peut-être ls n'ont jamais eu lieu, et ne l'auront peut-être jamais. Les ossibles qu'on peut employer, ce sont les possibles vrai- emblables, [et les possibles vraisemblables] [6] ce sont ceux ù il y a plus à parier pour que contre, qu'ils ont passé de état de possibilité à l'état d'existence dans un certain temps imité par celui de l'action. Exemple : il se peut faire qu'une emme soit surprise par les douleurs de l'enfantement en leine campagne; il se peut faire qu'elle y trouve une rèche; il est possible que cette crèche soit appuyée contre s ruines d'un ancien monument; mais la rencontre pos- ible de cet ancien monument est à sa rencontre réelle, omme l'espace entier où il peut y avoir des crèches est à la artie de cet espace qui est occupée par d'anciens monu- nents. Or ce rapport est infiniment petit; il n'y faut donc voir aucun égard; et cette circonstance est absurde, à noins qu'elle ne soit donnée par l'histoire, ainsi que les utres circonstances de l'action. Il n'en est pas ainsi des ber- ers, des chiens, des hameaux, des troupeaux, des voya- eurs, des arbres, des ruisseaux, des montagnes et de tous s autres objets qui sont dispersés dans les campagnes, et ui les constituent. Pourquoi peut-on les mettre dans la

---

1. V, L : qui individuélisent — V_1 : qui individuélisent, assez-moi l'expression (correction d'une autre main). N : qui individualisent les autres — A. T. : qui individuali- ent les êtres.
2. N : ne se font plus.
3. Barré par V_1.
4. N : il ne faut plus en mettre.
5. *Omisit* A.T.
6. *Omisit* A.T.

peinture dont il s'agit, et sur le champ du tableau? Parc
qu'ils se trouvent plus souvent dans la scène de la natur
qu'on se propose d'imiter, qu'ils ne s'y trouvent pas [1]. L
proximité ou [2] rencontre d'un ancien monument est auss
ridicule que le passage d'un empereur dans le moment d
l'action. Ce passage est possible, mais d'un possible tro
rare pour être employé; celui d'un voyageur ordinaire l'es
aussi, mais d'un possible si commun que l'emploi n'en
rien que de naturel. Il faut que le passage de l'empereur o
la présence de la colonne soit donné par l'histoire.

Deux sortes de peintures; l'une qui, plaçant l'œil tou
aussi près du tableau qu'il est possible, sans le priver de s
faculté de voir distinctement, rend les objets dans tous le
détails qu'il aperçoit à cette distance, et rend ces détail
avec autant de scrupule que les formes principales; en sort
qu'à mesure que le spectateur s'éloigne du tableau, à mesur
il perd de ses détails, jusqu'à ce qu'enfin il arrive à une dis
tance où tout disparaisse, en sorte qu'en s'approchant [3] d
cette distance où tout est confondu, les formes commen
cent peu à peu à se faire discerner, et successivement le
détails à se recouvrer, jusqu'à ce que l'œil replacé en so
premier et moindre éloignement, il voit dans les objets d
tableau les variétés les plus légères et les plus minutieuses
Voilà la belle peinture, voilà la véritable imitation de l
nature. Je suis, par rapport à ce tableau, ce que je suis pa
rapport à la nature, que le peintre a prise pour modèle; j
la vois mieux à mesure que mon œil s'en approche; je l
vois moins [4] à mesure que mon œil s'en éloigne. Mais il es
une autre peinture qui n'est pas moins dans la nature, mai
qui ne l'imite [5] parfaitement qu'à une certaine distance; ell

1. N, A.T. : qu'il n'arrive qu'ils ne s'y trouvent pas.
2. N, A.T. : ou la rencontre.
3. Corrections ultérieures *in* V_1 : Dans cette première sorte d
peinture, à mesure que le spectateur s'éloigne du tableau,
perd de ces détails... où tout disparaît, et en revenant de cett
distance...
4. N, A.T. : moins bien.
5. V_1 : elle ne l'imite.

n'est, pour ainsi parler, imitatrice que dans un point; c'est celle où [1] le peintre n'a rendu vivement et fortement que les détails qu'il a aperçus [2] dans les objets du point qu'il a choisi; au delà de ce point, on ne voit plus rien; c'est pis encore en deçà. Son tableau n'est point un tableau; depuis sa toile jusqu'à son point de vue on ne sait ce que c'est. Il ne faut pourtant pas blâmer ce genre de peinture; c'est celui du fameux Rembrandt. Ce nom seul en fait suffisamment l'éloge.

D'où l'on voit que la loi de tout finir a quelque restriction : elle est d'observation absolue dans le premier genre de peinture dont j'ai parlé dans [3] l'article précédent; elle n'est pas de même nécessité dans le second genre. Le peintre y néglige tout ce qui ne s'aperçoit dans les objets que dans les points plus voisins du tableau que ceux [4] qu'il a pris pour son point de vue.

Exemple d'une idée sublime du Rembrandt [5] : le Rembrandt a peint une *Résurrection de Lazare;* son Christ a l'air d'un *tristo* [6] *:* il est à genoux sur le bord du sépulcre; il prie, et l'on voit s'élever deux bras du fond du sépulcre [7].

---

1. V_1 : dans celle-ci.
2. V_1 : les détails aperçus.
3. V_1 : à.
4. N, A.T. : celui.
5. V_1 *omisit :* du Rembrandt.
6. V : triste.
7. Nous connaissons deux *Résurrections du Lazare* de Rembrandt, celle de Chicago (Angel Norris Collection) et celle de R. Langton Douglas à Londres (cf. A. Bredius, *Rembrandt Gemälde*, Phaidon Verlag, Vienne, 1935, n°s 537 et 538). Toutes deux montrent au centre gauche un Christ, debout sur le couvercle du sépulcre, levant la main droite; le buste du Lazare apparaît entièrement. Les deux gravures sur le même sujet attribuées à Rembrandt (cf. Charles Blanc, *L'Œuvre de Rembrandt*, Paris, Lévy, 1873, t. I, p. 129 et 130) donnent au Christ et au Lazare la même attitude. Diderot nous décrit ici un tout autre tableau, auquel il a fait allusion dans le *Salon de* 1763 à propos de Deshays (A.T., t. X, p. 190) et dans le *Salon de* 1759 à propos de Vien (*ibid*, p. 90 : « Vous rappelez-vous la *Résurrection du Lazare* par Rembrandt, ces disciples écartés, ce Christ en prière, cette tête enveloppée du linceul dont on ne voit que le sommet et ces deux bras effrayants qui sortent du tombeau? »).

Exemple d'une autre espèce : il n'y aurait rien de si ridicule qu'un homme peint en habit neuf au sortir de chez so[n] tailleur, ce tailleur fût-il le plus habile homme de son temps Mieux un habit collerait sur les membres, plus la figur[e] aurait[1] la figure d'un homme de bois. Outre ce que le peintr[e] perdrait du côté de la variété des formes et des lumières qu[i] naissent des plis et du chiffonnage des vieux habits, il y [a] encore une raison qui agit en nous, sans que nous nous e[n] apercevions; c'est qu'un habit n'est neuf que pendant quelques jours, et qu'il est vieux pendant longtemps, et qu'i[l] faut prendre les choses dans l'état qu'elles ont d'une manièr[e] la plus durable. D'ailleurs il y a dans un habit vieux un[e] multitude infinie de petits accidents intéressants : de l[a] poudre, des boutons manquants, et tout ce qui tient d[e] l'user [2]. Tous ces accidents rendus réveillent autant d'idée[s] et servent à lier les différentes parties de l'ajustement : i[l] faut de la poudre pour lier la perruque avec l'habit [3].

Un jeune homme fut consulté par sa famille sur la manièr[e] dont il voulait qu'on fît peindre son père. C'était un ouvrie[r] en fer : « Mettez-lui, dit-il, son habit de travail, son bonne[t] de forge, son tablier; que je le voie à son établi [avec un[e] lancette ou autre ouvrage à la main] [4]; qu'il éprouve o[u] qu'il repasse, et surtout n'oubliez pas de lui faire mettre se[s] lunettes sur le nez. » Ce projet ne fut point suivi; on lu[i] envoya un beau portrait de son père, en pied, avec un[e] belle perruque, un bel habit, de beaux bas, une belle tabatière à la main; le jeune homme, qui avait du goût et de l[a] vérité dans le caractère, dit à sa famille en la remerciant « Vous n'avez rien fait qui vaille, ni vous, ni le peintre; j[e] vous avais demandé mon père de tous les jours, et vous n[e]

---

1. A.T. : serait.
2. V_1 : de l'usé.
3. N, A.T. : à cet habit.
4. Texte de N, A.T. — V, V_1 : avec une lancette à la main o[u] autre — L : avec une lancette à la main ou autre ouvrage

m'avez envoyé que mon père des dimanches... [1] ». C'est par la même raison que M. de La Tour, si vrai, si sublime d'ailleurs, n'a fait, du portrait de M. Rousseau, qu'une belle chose, au lieu d'un chef-d'œuvre qu'il en pouvait faire. J'y cherche le censeur des lettres, le Caton et le Brutus de notre âge; je m'attendais à voir Épictète en habit négligé, en perruque ébouriffée, effrayant, par son air sévère, les littérateurs, les grands et les gens du monde; et je n'y vois que l'auteur du *Devin du village*, bien habillé, bien peigné, bien poudré, et ridiculement [2] assis sur une chaise de paille; et il faut convenir que le vers [3] de Marmontel [4] dit très bien ce qu'est M. Rousseau, et ce qu'on devrait trouver, et ce qu'on cherche en vain dans le tableau de M. de La Tour [5]. On a exposé dans le Salon [6] un tableau de *la Mort de Socrate* [7], qui

---

1. Allusion évidente au père de Diderot, le coutelier de Langres. Mais le portrait en pied et en perruque n'a pas été retrouvé. Dans une lettre à Grimm du 14 août 1759, Diderot de retour à Langres disait à son ami : « Imaginez que j'ai toujours été assis à table vis-à-vis d'un portrait de mon père qui est mal peint, mais qu'on a fait tirer il y a seulement quelques années et qui ressemble assez » (*Corresp. inéd.*, t. I, p. 68). A la mort de sa tante Denise, Angélique le réclamera (cf. Lettre à M. de Vandeul, *in* Jean Massiet du Biest, *La Fille de Diderot*, Tours, 1949, p. 173-24 thermidor An IV). S'agirait-il du même tableau?

2. V : ridiculeusement.

3. V : les vers.

4. N, A.T. : M. de Marmontel.

5. Le célèbre pastel de Jean-Jacques Rousseau par La Tour fut exposé au Salon de 1753. Les vers de Marmontel :

« A ces traits, par le zèle et l'amitié tracés,
Sages, arrêtez-vous; gens du monde, passez »

ne traduisent nullement l'afféterie souriante du philosophe (cf. *Corresp. litt.*, édition Tourneux, t. II, p. 284).

6. V_1 : dans le Salon (1765). N, A.T. : cette année dans le Salon.

7. Il ne peut s'agir de la *Mort de Socrate* de Charles Challes (1718-1778), exposée au Salon de 1761 (N° 40), qui avait fait les délices de l'abbé Galiani. Diderot en était enthousiaste (*Salon de* 1761, t. X, p. 128-129). Les manuscrits qui prétendent qu'une *Mort de Socrate* fut exposée au Salon de 1765 font erreur; la *Collection des livrets des anciennes expositions* (Paris, Liepmannssohn,

a tout le ridicule qu'une composition de cette espèce pouvait avoir. On y fait mourir sur un lit de parade le philosophe le plus austère et le plus pauvre de la Grèce. Le peintre n'a pas conçu combien la vertu et l'innocence, prêtes [1] d'expirer au fond d'un cachot, sur un lit de paille, sur un grabat, faisait [2] une représentation pathétique et sublime.

CHAPITRE IV

Ce que tout le monde sait sur l'expression, et quelque chose que tout le monde ne sait pas.

Sunt lacrymæ rerum, et mentem mortalia tangunt [3].

L'EXPRESSION est en général l'image d'un sentiment. Un comédien qui ne se connaît pas en peinture est pauvre comédien; un peintre qui n'est pas physionomiste est un pauvre peintre.

Dans chaque partie du monde, chaque contrée; dans une même contrée, chaque province; dans une province, chaque ville; dans une ville, chaque famille; dans une famille, chaque individu; dans un individu, chaque instant a sa physionomie, son expression.

L'homme entre en colère, il est attentif, il est curieux, il aime, il hait, il méprise, il dédaigne, il admire; et chacun des mouvements de son âme vient se peindre sur son visage en caractères clairs, évidents, auxquels nous ne nous méprenons jamais.

1869-1870) confirme sur ce point la *Table des peintures exposées aux salons du* XVIIIe *siècle* de J. Guiffrey (Paris, 1910). Selon Jean Seznec (*Essais sur Diderot et l'Antiquité*, Oxford, 1957, p. 123), Diderot penserait au *Socrate* de Sané, hors-concours pour le prix de Rome de 1762 (cf. *ibid.*, planche 6).

1. N, A.T. : près.
2. N, A.T. : ferait.
3. Virgile, *Énéide*, I, 462.

Sur son visage! Que dis-je? sur sa bouche, sur ses joues, dans ses yeux, en chaque partie de son visage. L'œil s'allume, s'éteint, languit, s'égare, se fixe; et une grande imagination de peintre est un recueil immense de toutes ces expressions. Chacun de nous en a sa petite provision; et c'est la base du jugement que nous portons de la laideur et de la beauté. Remarquez-le bien, mon ami; interrogez-vous à l'aspect d'un homme ou d'une femme, et vous reconnaîtrez que c'est toujours l'image d'une bonne qualité, ou l'empreinte plus ou moins marquée d'une mauvaise, qui vous attire ou vous repousse.

Supposez l'*Antinoüs* devant vous. Ses traits sont beaux et réguliers. Ses joues larges et pleines annoncent la santé. Nous aimons la santé; c'est la pierre angulaire du bonheur. Il est tranquille; nous aimons le repos. Il a l'air réfléchi et sage; nous aimons la réflexion et la sagesse. Je laisse là le reste de la figure, et je vais m'occuper seulement de la tête.

Conservez tous les traits de ce beau visage comme ils sont; relevez seulement un des coins de la bouche, l'expression devient ironique, et le visage vous plaira moins. Remettez la bouche dans son premier état et relevez les sourcils, le caractère devient orgueilleux, et il vous plaira moins. Relevez les deux coins de la bouche en même temps, et tenez les yeux bien ouverts, vous aurez une physionomie cynique, et vous craindrez pour votre fille, si vous êtes père. Laissez retomber les coins de la bouche, et rabaissez les paupières, qu'elles couvrent la moitié de l'iris et partagent la prunelle en deux, et vous en aurez fait un homme faux, caché, dissimulé, que vous éviterez.

Chaque âge a ses goûts. Des lèvres vermeilles bien bordées, une bouche entr'ouverte et riante, de belles dents blanches, une démarche libre, le regard assuré, une gorge découverte, de belles grandes joues larges, un nez retroussé, me faisaient galoper à dix-huit ans. Aujourd'hui que le vice ne m'est plus bon, et que je ne suis plus bon au vice, c'est une jeune fille qui a l'air décent et modeste, la démarche composée, le regard timide, et qui marche en silence à côté de sa mère, qui m'arrête et me charme.

Qui est-ce qui a le bon goût? Est-ce moi à dix-huit ans? Est-ce moi à cinquante? La question sera bientôt décidée. Si l'on m'eût dit à dix-huit ans : « Mon enfant, de l'image du vice, ou de l'image de la vertu, quelle est la plus belle? — Belle demande! aurais-je répondu; c'est celle-ci. »

Pour arracher de l'homme la vérité, il faut à tout moment donner le change à la passion, en empruntant des termes généraux et abstraits. C'est qu'à dix-huit ans, ce n'était pas l'image de la beauté, mais la physionomie du plaisir qui me faisait courir.

L'expression est faible ou fausse si elle laisse incertain sur le sentiment.

Quel que soit le caractère de l'homme, si sa physionomie habituelle est conforme à l'idée que vous avez d'une vertu, il vous attirera; si sa physionomie habituelle est conforme à l'idée que vous avez d'un vice, il vous éloignera.

On se fait à soi-même quelquefois sa physionomie. Le visage, accoutumé à prendre le caractère de la passion dominante, le garde. Quelquefois aussi on la reçoit de la nature; et il faut bien la garder comme on l'a reçue. Il lui a plu de nous faire bons et de nous donner le visage du méchant; ou de nous faire méchants et de nous donner le visage de la bonté.

J'ai vu au fond du faubourg Saint-Marceau, où j'ai demeuré longtemps [1], des enfants charmants de visage. A l'âge de douze à treize ans, ces yeux pleins de douceur étaient devenus intrépides et ardents; cette agréable petite bouche s'était contournée bizarrement; ce cou, si rond, était gonflé de muscles; ces joues larges et unies étaient parsemées d'élévations dures. Ils avaient pris la physionomie de la halle et du marché. A force de s'irriter, de s'injurier, de se battre, de crier, de se décoiffer pour un liard, ils avaient contracté, pour toute leur vie, l'air de l'intérêt sordide, de l'impudence et de la colère.

---

1. Lors de son mariage (novembre 1743), Diderot alla loger rue Saint-Victor, près de la place Maubert. En 1744, le jeune ménage s'installa rue Traversière, au faubourg Saint-Antoine, puis en 1746 regagna le faubourg Saint-Marceau, rue Mouffetard. Il s'en éloigna en 1749 pour la rue de la Vieille-Estrapade.

Si l'âme d'un homme ou la nature a donné à son visage l'expression de la bienveillance, de la justice et de la liberté, vous le sentirez, parce que vous portez en vous-même des images de ces vertus, et vous accueillerez celui qui vous les annonce. Ce visage est une lettre de recommandation écrite dans une langue commune à tous les hommes.

Chaque état de la vie a son caractère propre et son expression.

Le sauvage a les traits fermes, vigoureux et prononcés, des cheveux hérissés, une barbe touffue, la proportion la plus rigoureuse dans les membres; quelle est la fonction qui aurait pu l'altérer? Il a chassé, il a couru, il s'est battu contre l'animal féroce, il s'est exercé; il s'est conservé, il a produit son semblable, les deux seules occupations naturelles. Il n'a rien qui sente l'effronterie ni la honte. Un air de fierté mêlé de férocité. Sa tête est droite et relevée; son regard fixe. Il est le maître dans sa forêt. Plus je le considère, plus il me rappelle la solitude et la franchise de son domicile. S'il parle, son geste est impérieux, son propos énergique et court. Il est sans lois et sans préjugés. Son âme est prompte à s'irriter. Il est dans un état de guerre perpétuel. Il est souple, il est agile; cependant il est fort.

Les traits de sa compagne, son regard, son maintien, ne sont point de la femme civilisée. Elle est nue sans s'en apercevoir. Elle a suivi son époux dans la plaine, sur la montagne, au fond de la forêt; elle a partagé son exercice; elle a porté son enfant dans ses bras. Aucun vêtement n'a soutenu ses mamelles. Sa longue chevelure est éparse. Elle est bien proportionnée. La voix de son époux était tonnante, la sienne est forte. Ses regards sont moins arrêtés; elle conçoit de l'effroi plus facilement. Elle est agile.

Dans la société, chaque ordre de citoyens [1] a son caractère et son expression; l'artisan, le noble, le roturier, l'homme de lettres, l'ecclésiastique, le magistrat, le militaire.

Parmi les artisans, il y a des habitudes de corps, des physionomies de boutiques et d'ateliers.

1. B : chaque individu de citoyens.

Chaque société a son gouvernement, et chaque gouvernement a sa qualité dominante, réelle ou supposée, qui en est l'âme, le soutien et le mobile.

La république est un état d'égalité. Tout sujet se regarde comme un petit monarque. L'air du républicain sera haut, dur et fier.

Dans la monarchie, où l'on commande et l'on obéit, le caractère, l'expression sera celle de l'affabilité, de la grâce, de la douceur, de l'honneur, de la galanterie.

Sous le despotisme, la beauté sera celle de l'esclave. Montrez-moi des visages doux, soumis, timides, circonspects, suppliants et modestes. L'esclave marche la tête inclinée; il semble toujours la présenter à un glaive prêt à le frapper.

Et qu'est-ce que la sympathie? j'entends cette impulsion prompte, subite, irréfléchie, qui presse et colle deux êtres l'un à l'autre, à la première vue, au premier coup, à la première rencontre; car la sympathie, même en ce sens, n'est point une chimère. C'est l'attrait momentané et réciproque de quelque vertu. De la beauté naît l'admiration; de l'admiration, l'estime, le désir de posséder, et l'amour.

Voilà pour les caractères et leurs diverses physionomies; mais ce n'est pas tout : il faut joindre encore à cette connaissance une profonde expérience des scènes de la vie. Je m'explique. Il faut avoir étudié le bonheur et la misère de l'homme sous toutes ses faces; des batailles, des famines, des pestes, des inondations, des orages, des tempêtes; la nature sensible, la nature inanimée, en convulsion. Il faut feuilleter les historiens, se remplir des poètes, s'arrêter sur leurs images. Lorsque le poète dit : *vera incessu* [1] *patuit dea* [2], il faut chercher en soi cette figure-là. Lorsqu'il dit : *summa placidum caput extulit unda*, il faut modeler cette tête-là [3];

1. B : vero incessu.

2. Virgile, *Énéide*, I, 405. Lorsque Vénus vient au secours d'Énée, « sa démarche a révélé la déesse ».

3. Virgile, *Énéide*, I, 127. Neptune va calmer la tempête : « Il a levé sa tête calme au-dessus des vagues. » Diderot reprendra ce thème dans le *Salon de* 1767 : « Que le plus habile artiste, s'arrêtant strictement à l'image du poète, nous montre cette

sentir ce qu'il en faut prendre, ce qu'il en faut laisser; connaître les passions douces et fortes, et les rendre sans grimace. Le Laocoon souffre, il ne grimace pas [1]; cependant la douleur cruelle serpente depuis l'extrémité de son orteil jusqu'au sommet de sa tête. Elle affecte profondément sans inspirer de l'horreur. Faites que je ne puisse ni arrêter mes yeux, ni les arracher de dessus votre toile.

Ne confondez point les minauderies, la grimace, les petits coins de bouche relevés, les petits becs pincés, et mille autres puériles afféteries, avec la grâce, moins encore avec l'expression.

Que votre tête soit d'abord d'un beau caractère. Les passions se peignent plus facilement sur un beau visage. Quand elles sont extrêmes, elles n'en deviennent que plus terribles. Les Euménides des Anciens sont belles, et n'en sont que plus effrayantes. C'est quand on est en même temps attiré et repoussé violemment qu'on éprouve le plus de malaise; et ce sera l'effet d'une Euménide à laquelle on aura conservé les grands traits de la beauté.

L'ovale du visage, allongé dans l'homme, large par le haut, se rétrécissant par le bas : caractère de noblesse.

L'ovale du visage, arrondi dans la femme, dans l'enfant : caractère de jeunesse, principe de la grâce.

Un trait déplacé de l'épaisseur d'un cheveu embellit ou dépare.

Sachez donc ce que c'est que la grâce, ou cette rigoureuse et précise conformité des membres avec la nature de l'action.

---

tête si belle, si noble, si sublime dans l'*Énéide*; et vous verrez son effet sur la toile. » Il ne connaissait pas encore le *Quos ego* de Rubens qu'il admirera en 1773 à Dresde, mais il semble ici vouloir contredire le rédacteur (Grimm?) du *Salon de* 1757 dans la *Corresp. litt.* (t. III, p. 433) : « Rien de si noble et si majestueux que la menace *Quos ego*. Cependant si Rubens... avait suivi le poète, il aurait fait du tableau une chose tout à fait ignoble. »

1. Est-ce là un souvenir de Winckelmann, dont l'*Histoire de l'art chez les anciens* fut traduite en 1766 par Sellius et Robinet, assez tôt pour être appréciée rapidement à la fin du *Salon de* 1765 (t. X, p. 417)?

Surtout ne la prenez point pour celle de l'acteur ou du maître à danser. La grâce de l'action et celle de Marcel se contredisent exactement. Si Marcel rencontrait un homme placé comme l'Antinoüs, lui portant une main sous le menton et l'autre sur les épaules : « Allons donc, grand dadais, lui dirait-il, est-ce qu'on se tient comme cela ? » Puis, lui repoussant les genoux avec les siens, et le relevant par-dessous les bras, il ajouterait : « On dirait que vous êtes de cire, et que vous allez fondre. Allons, nigaud, tendez-moi ce jarret ; déployez-moi cette figure ; ce nez un peu au vent. » Et quand il en aurait fait le plus insipide petit-maître, il commencerait à lui sourire, et à s'applaudir de son ouvrage [1].

Si vous perdez le sentiment de la différence de l'homme qui se présente en compagnie et de l'homme intéressé qui agit, de l'homme qui est seul et de l'homme qu'on regarde, jetez vos pinceaux dans le feu. Vous académiserez, vous redresserez, vous guinderez toutes vos figures.

Voulez-vous sentir, mon ami, cette différence ? Vous êtes seul chez vous. Vous attendez mes papiers qui ne viennent point. Vous pensez que les souverains veulent être servis à point nommé. Vous voilà étendu sur votre chaise de paille, les bras posés sur vos genoux; votre bonnet de nuit renfoncé sur vos yeux, ou vos cheveux épars et mal retroussés sous un peigne courbé; votre robe de chambre entr'ouverte et retombant à longs plis de l'un et de l'autre côté : vous êtes tout à fait pittoresque et beau. On vous annonce M. le marquis de Castries [2]; et voilà le bonnet relevé, la robe de

---

1. Toute cette scène du maître de danse devant l'*Antinoüs* est directement inspirée par l'ouvrage de William Hogarth, *The analysis of Beauty, written with a view of fixing the fluctuations of the taste* (Londres, 1753, p. 20) : « The Antinous easy sway must submit to the stiff and straight figure of the dancing master. » Diderot a sous les yeux la gravure de Hogarth (planche I, n°s 6 et 7) où le maître à danser essaie de redresser l'attitude de l'Antinoüs.

2. Charles de la Croix, marquis de Castries et maréchal de France, né en 1727, avait combattu sous Maestricht en 1748, à

chambre croisée ; mon homme droit, tous ses membres bien composés, se maniérant, se marcélisant, se rendant très agréable pour la visite qui lui arrive, très maussade pour l'artiste. Tout à l'heure vous étiez son homme; vous ne l'êtes plus.

Quand on considère certaines figures, certains caractères de tête de Raphaël, des Carraches et d'autres, on se demande où ils les ont [pris][1]. Dans une imagination forte, dans les auteurs, dans les nuages, dans les accidents du feu, dans les ruines, dans la nation où ils ont recueilli les premiers traits que la poésie a ensuite exagérés.

Ces hommes rares avaient de la sensibilité, de l'originalité, de l'humeur. Ils lisaient, les poètes surtout. Un poète est un homme d'une imagination forte, qui s'attendrit, qui s'effraye lui-même des fantômes qu'il se fait.

Je ne saurais résister. Il faut absolument, mon ami, que je vous entretienne ici [2] de l'action et de la réaction du poète sur le statuaire ou le peintre; du statuaire sur le poète; et de l'un et de l'autre sur les êtres tant animés qu'inanimés de la nature. Je rajeunis de deux mille ans pour vous exposer comment, dans les temps anciens, ces artistes influaient réciproquement les uns sur les autres; comment ils influaient sur la nature même et lui donnaient une empreinte divine. Homère avait dit que Jupiter ébranlait l'Olympe du seul mouvement de ses noirs sourcils [3]. C'est le théologien qui avait parlé; et voilà la tête que le marbre exposé dans un temple avait à montrer à l'adorateur prosterné. La cervelle du sculpteur s'échauffait; et il ne prenait la terre molle et

---

Rosbach, puis à Minden et Clostercamp (1759-1760). Le 22 septembre 1762 il fut dangereusement blessé à la prise du château d'Amoenebourg. Il fut l'un des protecteurs les plus influents de Grimm qui, en 1762, n'hésita pas à le rejoindre en Westphalie (cf. Diderot, *Œuvres*, t. XIX, p. 145 : « Il va à deux cent cinquante lieues voir quel secours ou quelles consolations il pourra donner à son ami »).

1. B, N : prises.
2. B *omisit :* ici.
3. *Iliade*, chant I, vers 528-530.

l'ébauchoir que quand il avait conçu l'image orthodoxe. Le poète avait consacré les beaux pieds de Thétis, et ces pieds étaient de foi; la gorge ravissante de Vénus, et cette gorge était de foi; les épaules charmantes d'Apollon, et ces épaules étaient de foi; les fesses rebondies de Ganymède, et ces fesses étaient de foi. Le peuple s'attendait à retrouver sur les autels ses dieux et ses déesses avec les charmes caractéristiques de son catéchisme. Le théologien ou le poète les avait désignés, et le statuaire n'avait garde d'y manquer. On se serait moqué d'un Neptune qui n'aurait pas eu la poitrine, d'un Hercule qui n'aurait pas eu le dos de la *Bible* païenne, et le bloc de marbre hérétique serait resté dans l'atelier.

Qu'arrivait-il de là? car, après tout, le poète n'avait rien révélé ni fait croire; le peintre et le sculpteur n'avaient représenté que des qualités empruntées de la nature. C'est que, quand, au sortir du temple, le peuple venait à reconnaître ces qualités dans quelques individus, il en était bien autrement touché. La femme avait fourni ses pieds à Thétis, sa gorge à Vénus; la déesse les lui rendait, mais les lui rendait sanctifiés, divinisés. L'homme avait fourni à Apollon ses épaules, sa poitrine à Neptune, ses flancs nerveux à Mars, sa tête sublime à Jupiter, ses fesses à Ganymède; mais Apollon, Neptune, Mars, Jupiter et Ganymède les lui rendaient sanctifiés, divinisés.

Lorsque quelque circonstance permanente, quelquefois même passagère, a associé certaines idées dans la tête des peuples, elles ne s'y séparent plus; et s'il arrivait à un libertin de retrouver sa maîtresse sur l'autel de Vénus, parce qu'en effet c'était elle, un dévot n'en était pas moins porté à révérer les épaules de son dieu sur le dos d'un mortel, quel qu'il fût. Ainsi, je ne puis m'empêcher de croire que, lorsque le peuple assemblé s'amusait à considérer des hommes nus aux bains, dans les gymnases, dans les jeux publics, il y avait, sans qu'ils s'en doutassent, dans le tribut d'admiration qu'ils rendaient à la beauté, une teinte mêlée de sacré et de profane, je ne sais quel mélange bizarre de libertinage et de dévotion. Un voluptueux qui tenait sa maîtresse entre ses bras l'appelait ma reine, ma souveraine, ma déesse; et ces propos, fades dans notre bouche, avaient bien un autre sens dans la sienne. C'est qu'ils étaient vrais; c'est qu'en effet il était dans les cieux, parmi les dieux; c'est qu'il jouissait réellement de l'objet de son adoration et de l'adoration nationale.

Et pourquoi les choses se seraient-elles passées autrement dans l'esprit du peuple que dans la tête de ses poètes ou théologiens ? Les ouvrages que nous en avons, les descriptions qu'ils nous ont laissées des objets de leurs passions, sont pleins [1] de comparaisons, d'allusions aux objets de leur culte. C'est le sourire des Grâces; c'est la jeunesse d'Hébé; ce sont les doigts de l'Aurore; c'est la gorge, c'est le bras, c'est l'épaule, ce sont les cuisses, ce sont les yeux de Vénus. « Va-t'en à Delphes, et tu verras mon Bathylle. Prends cette fille pour modèle, et porte ton tableau à Paphos. » Il ne leur a manqué que de nous dire plus souvent où l'on voyait ce dieu, ou cette déesse, dont ils caressaient l'original vivant; mais les peuples qui lisaient leurs poésies ne l'ignoraient pas.

Sans ces simulacres subsistants, leurs galanteries auraient été bien insipides et bien froides. Je vous en atteste, vous, mon ami; et vous, fin et délicat Suard; vous, chaud et bouillant Arnaud; vous, original, savant, profond et plaisant Galiani [2]. Dites-moi, ne pensez-vous pas que c'est là l'origine de tous ces éloges des mortels, empruntés des attributs des dieux, et de toutes ces épithètes indivisiblement attachées aux héros et aux dieux ? C'étaient autant d'articles de la foi, autant de versets du symbole païen, consacrés par la poésie, la peinture et la sculpture. Lorsque nous voyons ces épithètes revenir sans cesse, si elles nous fatiguent et nous ennuient, c'est qu'il ne subsiste plus aucune statue, aucun

---

1. B : pleines.

2. L'abbé François Arnaud (1721-1784) et Jean-Baptiste Suard (1734-1817) tous deux fort amis de Diderot, jouèrent un rôle de premier plan dans le journalisme du temps. Diderot a donné des articles au *Journal étranger* (1760-62), à la *Gazette littéraire de l'Europe* (1764-66), aux *Variétés littéraires* (1768-69). Depuis 1762, ils dirigeaient avec succès la *Gazette de France*. Quant au charmant abbé Galiani, il résidait en France depuis 1759, avec le titre de secrétaire d'ambassade du roi de Naples.

temple, aucun modèle, auxquels nous puissions les rapporter. Le païen, au contraire, à chaque fois qu'il les retrouvait dans un poète, rentrait d'imagination dans un temple, revoyait le tableau, se rappelait la statue qui les avait fournies.

Attendez, mon ami : peut-être que ce qui suit donnera quelque vraisemblance à des idées qui ne vous ont amusé jusqu'à présent que comme un rêve agréable, que comme un système ingénieux. Si notre religion n'était pas une triste et plate métaphysique; si nos peintres et nos statuaires étaient des hommes à comparer aux peintres et aux statuaires anciens (j'entends les bons; car vraisemblablement ils en ont eu de mauvais, et plus que nous, comme l'Italie est le lieu où l'on fait le plus de bonne et de mauvaise musique); si nos prêtres n'étaient pas de stupides bigots; si cet abominable christianisme ne s'était pas établi par le meurtre et par le sang; si les joies de notre paradis ne se réduisaient pas à une impertinente vision béatifique de je ne sais quoi, qu'on ne comprend ni n'entend; si notre enfer offrait autre chose que des gouffres de feux, des démons hideux et gothiques, des hurlements et des grincements de dents; si nos tableaux pouvaient être autre chose que des scènes d'atrocité, un écorché, un pendu, un rôti, un grillé, une dégoûtante boucherie; si tous nos saints et nos saintes n'étaient pas voilés jusqu'au bout du nez; si nos idées de pudeur et de modestie n'avaient proscrit la vue des bras, des cuisses, des tétons, des épaules, toute nudité; si l'esprit de mortification n'avait flétri ces tétons, amolli ces cuisses, décharné ces bras, déchiré ces épaules; si nos artistes n'étaient pas enchaînés et nos poètes contenus par les mots effrayants de sacrilège et de profanation; si la vierge Marie avait été la mère du plaisir, ou bien, mère de Dieu, si c'eût été ses beaux yeux, ses beaux tétons, ses belles fesses, qui eussent attiré l'Esprit-Saint sur elle, et que cela fût écrit dans le livre de son histoire; si l'ange Gabriel y était vanté par ses belles épaules; si la Madeleine avait eu quelque aventure galante avec le Christ; si, aux noces de Cana, le Christ entre deux vins, un peu non-conformiste, eût parcouru la gorge d'une des filles de noce et les fesses de saint Jean, incertain s'il resterait fidèle ou non à l'apôtre au menton ombragé d'un duvet léger : vous verriez ce qu'il en serait de nos peintres, de nos poètes et de nos statuaires; de quel ton nous parlerions de ces charmes, qui joueraient un si grand et si merveilleux rôle dans l'histoire de notre religion et de notre Dieu; et de quel œil nous regarderions la beauté à laquelle nous devrions la naissance, l'incarnation du Sauveur, et la grâce de notre rédemption.

Nous nous servons cependant encore des expressions de charmes divins, de beauté divine : mais, sans quelque reste de paganisme, que l'habitude avec les anciens poètes entretient dans nos cerveaux poétiques, cela serait froid et vide de sens. Cent femmes de formes diverses peuvent recevoir le même éloge; mais il n'en était pas ainsi chez les Grecs. Il existait en marbre, ou sur la toile, un modèle donné; et celui qui, aveuglé par sa passion, s'avisait de comparer quelque figure commune avec la Vénus de Gnide ou de Paphos, était aussi ridicule que celui qui, parmi nous, oserait mettre quelque petit nez retroussé de bourgeoise à côté de madame la comtesse de Brionne [1] : on hausserait les épaules, et on lui rirait au visage.

Nous avons cependant quelques caractères traditionnels, quelques figures données par la peinture et par la sculpture. Personne ne se méprend au Christ, à saint Pierre, à la Vierge, à la plupart des apôtres; et croyez-vous qu'au moment où un bon croyant reconnaît dans la rue quelques-unes de ces

1. Julie-Constance de Rohan Montauban, née en 1727, avait épousé en 1751 Charles-Louis de Lorraine, comte de Brionne, qui la laissa veuve en 1761. Le Moyne exposa son buste en terre cuite au Salon de 1763 et en marbre au Salon de 1765, « buste d'une vérité étonnante qui fait d'autant plus de plaisir que l'artiste a rendu les grâces du modèle dans toute leur beauté » (*Journal encyclopédique*). Diderot, dans son *Salon de* 1765 (t. X, p. 425), est plus réservé, critiquant la poitrine et l'esquisse des cheveux. Le roi de Suède Gustave III, amoureux du modèle, finit par obtenir le buste de marbre en 1781 : il est actuellement au Musée national de Stockholm (cf. L. Réau, *Les Le Moyne*, Paris, 1927, p. 93 et planche 46.)

têtes, il n'éprouve pas un léger sentiment de respect? Que serait-ce donc si ces figures ne se présentaient jamais à la vue, sans réveiller un cortège d'idées douces, voluptueuses, agréables, qui missent les sens et les passions en jeu?

Grâce à Raphaël, au Guide, au Baroche, au Titien, et à quelques autres peintres italiens, lorsque quelque femme nous offre ce caractère de noblesse, de grandeur, d'innocence et de simplicité qu'ils ont donné à leurs vierges, voyez ce qui se passe alors dans l'âme; si le sentiment qui nous affecte n'a pas quelque chose de romanesque, qui tient de l'admiration, de la tendresse et du respect; et si ce respect ne dure pas encore, lors même que nous savons, à n'en pouvoir douter, que cette vierge est consacrée par état au culte de la Vénus publique, qui se célèbre tous les soirs aux environs du Palais-Royal? Il semble qu'on vous propose là d'aller coucher avec la mère de votre dieu. Il faut avouer aussi que ces belles et grandes indolentes-là ne promettent pas beaucoup de plaisir, et qu'on les aimerait mieux en peinture à son chevet, qu'en chair et vivantes dans son lit.

Combien de choses plus fines encore sur l'expression! Savez-vous qu'elle décide quelquefois la couleur? N'y a-t-il pas un teint plus analogue qu'un autre à certains états, à certaines passions? La couleur pâle et blême ne messied pas aux poètes, aux musiciens, aux statuaires, aux peintres : ces hommes sont communément bilieux; fondez dans ce blême une teinte jaunâtre, si vous voulez. Les cheveux noirs ajoutent de l'éclat à la blancheur, et de la vivacité aux regards. Les cheveux blonds s'accorderont mieux avec la langueur, la paresse, la nonchalance, les peaux transparentes et fines, les yeux humides, tendres et bleus.

L'expression se fortifie merveilleusement par ces accessoires légers, qui facilitent encore l'harmonie. Si vous me peignez une chaumière, et que vous placiez un arbre à l'entrée, je veux que cet arbre soit vieux, rompu, gercé, caduc; qu'il y ait une conformité d'accidents, de malheurs et de misère entre lui et l'infortuné auquel il prête son ombre les jours de fête.

Les peintres ne manquent pas ces grossières analogies:

mais s'ils en connaissaient distinctement la raison, bientôt ils iraient plus loin. J'entends ceux qui ont l'instinct de Greuze; et les autres ne tomberaient pas dans des disparates qui font pitié, quand elles ne font pas rire.

Mais je vais vous développer, par un ou deux exemples, le fil secret et délié qui les a conduits dans le choix délicat de leurs accessoires. Presque tous les peintres de ruines vous montreront, autour de leurs fabriques solitaires, palais, villes, obélisques, ou autres édifices renversés, un vent violent qui souffle; un voyageur qui porte son petit bagage sur son dos, et qui passe; une femme courbée sous le poids de son enfant enveloppé dans des guenilles, et qui passe; des hommes à cheval, qui conversent, le nez sous leur manteau, et qui passent. Qui est-ce qui a suggéré ces accessoires? L'affinité des idées. Tout passe; l'homme et la demeure de l'homme. Changez l'espèce de l'édifice ruiné; supposez à la place des ruines d'une ville quelque grand tombeau, vous verrez l'affinité des idées opérer pareillement sur l'artiste, et attirer des accessoires tout contraires aux premiers. Alors le voyageur fatigué aura déposé son fardeau à ses pieds, et lui et son chien seront assis et se reposeront sur les degrés du tombeau; la femme, arrêtée et assise, allaitera son enfant; les hommes seront descendus de cheval, et, laissant paître en liberté leurs animaux, étendus sur la terre, ils continueront l'entretien, ou ils s'amuseront à lire l'inscription de la tombe. C'est que les ruines sont un lieu de péril, et que les tombeaux sont des sortes d'asiles; c'est que la vie est un voyage, et le tombeau le séjour du repos; c'est que l'homme s'assied où la cendre de l'homme repose.

Il y aurait un contresens à faire passer le voyageur le long du tombeau, et à l'arrêter entre des ruines. Si le tombeau comporte autour de lui quelques êtres qui se meuvent, ce sont ou des oiseaux qui planent au-dessus à une grande hauteur, ou d'autres qui passent à tire-d'aile, ou des travailleurs à qui le labeur dérobe le terme de la vie, et qui chantent au loin. Je ne parle ici que des peintres de ruines. Les peintres d'histoire, les paysagistes varient, contrastent, diversifient leurs accessoires comme les idées se diversifient, s'unissent, se fortifient, s'opposent et contrastent dans leur entendement.

Je me suis quelquefois demandé pourquoi les temples ouverts et isolés des Anciens sont si beaux, et font un si grand effet. C'est qu'on en décorait les quatre faces, sans nuire à la simplicité; c'est qu'ils étaient accessibles de toutes parts : image de la sécurité. Les rois même ferment leurs palais par des portes; leur caractère auguste ne suffit pas pour les garantir de la méchanceté des hommes. C'est qu'ils étaient placés dans des lieux écartés, et que l'horreur d'une forêt environnante, se joignant au sombre des idées superstitieuses, remuait l'âme d'une sensation particulière. C'est que la Divinité ne parle pas dans le tumulte des villes; elle aime le silence et la solitude. C'est que l'hommage des hommes y était porté d'une manière plus secrète et plus libre. Il n'y avait point de jours fixes où l'on s'y assemblât; ou, s'il y en avait, ces jours-là le concours et le tumulte les rendaient moins augustes, parce que le silence et la solitude n'y étaient plus.

Si j'avais eu à former la place de Louis XV [1] où elle est, je me serais bien gardé d'abattre la forêt. J'aurais voulu qu'on en vît la profondeur obscure entre les colonnes d'un grand péristyle. Nos architectes sont sans génie; ils ne savent ce que c'est que les idées accessoires, qui se réveillent par le local et les objets circonvoisins : c'est comme nos poètes de théâtre, qui n'ont jamais su tirer aucun parti du lieu de la scène.

Ce serait ici le moment de traiter du choix de la belle nature. Mais il suffit de savoir que tous les corps et tous les aspects d'un corps ne sont pas également beaux : voilà pour les formes. Que tous les visages ne sont pas également propres à rendre fortement la même passion; il y a des boudeuses charmantes, et des ris déplaisants : voilà pour les caractères. Que tous les individus ne montrent pas égale-

1. La place Louis XV, aujourd'hui place de la Concorde, aménagée de 1757 à 1765 sur les dessins de l'architecte Gabriel, avait été primitivement conçue pour l'érection de la statue équestre du roi par Bouchardon et Pigalle.

ment bien l'âge et la condition, et qu'on ne risque jamais de se tromper, quand on établit la convenance la plus forte entre la nature dont on fait choix et le sujet qu'on traite.

Mais ce que j'esquisse ici en passant se trouvera peut-être un peu plus fortement rendu au chapitre de la composition qui va suivre. Qui sait où l'enchaînement des idées me conduira ? Ma foi ! ce n'est pas moi.

CHAPITRE V

Paragraphe sur la composition, où j'espère que j'en parlerai.

Nous n'avons qu'une certaine mesure de sagacité. Nous ne sommes capables que d'une certaine durée d'attention. Lorsqu'on fait un poème, un tableau, une comédie, une histoire, un roman, une tragédie, un ouvrage pour le peuple, il ne faut pas imiter les auteurs qui ont écrit des traités d'éducation. Sur deux mille enfants, à peine y en a-t-il deux qu'on puisse élever d'après leurs principes. S'ils y avaient réfléchi, ils auraient conçu qu'un aigle n'est pas le modèle commun d'une institution générale. Une composition, qui doit être exposée aux yeux d'une foule de toutes sortes de spectateurs, sera vicieuse, si elle n'est pas intelligible pour un homme de bon sens tout court.

Qu'elle soit simple et claire. Par conséquent aucune figure oisive, aucun accessoire superflu. Que le sujet en soit un. Le Poussin a montré dans un même tableau, sur le devant, Jupiter qui séduit Calisto; et dans le fond, la nymphe séduite traînée par Junon [1]. C'est une faute indigne d'un artiste aussi sage.

---

1. Le tableau de Poussin, *Jupiter et Callisto*, peint vers 1635, appartenait sous Louis XIV au peintre Le Brun. On le retrouve en 1872 chez le baron de Clary, en 1914 chez le comte de la Tournelle à Paris : il est actuellement au musée de Cincinnati

Le peintre n'a qu'un instant; et il ne lui est pas plus permis d'embrasser deux instants que deux actions. Il y a seulement quelques circonstances où il n'est ni contre la vérité, ni contre l'intérêt, de rappeler l'instant qui n'est plus, ou d'annoncer l'instant qui va suivre. Une catastrophe subite surprend un homme au milieu de ses fonctions : il est à la catastrophe, et il est encore à ses fonctions.

Un chanteur, que l'exécution d'un air *di bravura* met à la gêne; un violon, qui se démène et se tourmente, m'angoisse et me chagrine. J'exige du chanteur tant d'aisance et de liberté, je veux que le symphoniste promène ses doigts sur les cordes, si facilement, si légèrement, que je ne me doute pas de la difficulté de la chose. Il me faut du plaisir pur et sans peine; et je tourne le dos à un peintre qui me propose un emblème, un logogriphe à déchiffrer.

Si la scène est une, claire, simple et liée, j'en saisirai l'ensemble d'un coup d'œil; mais ce n'est pas assez. Il faut encore qu'elle soit variée; et elle le sera, si l'artiste est rigoureux observateur de la nature.

Un homme fait une lecture intéressante à un autre. Sans qu'ils y pensent l'un et l'autre, le lecteur se disposera de la manière la plus commode pour lui; l'auditeur en fera autant. Si c'est Robbé qui lit, il aura l'air d'un énergumène [1]; il ne regardera pas son papier, ses yeux seront égarés dans l'air. Si je l'écoute, j'aurai l'air sérieux. Ma main droite ira chercher mon menton et soutenir ma tête qui tombe; et ma main gauche ira chercher le coude de mon bras droit, et

---

(cf. Otto Grautoff, *Nicolas Poussin*, Munich, Müller, 1914, t. II, p. 100). Mais il était au XVIIIe siècle la propriété du baron d'Holbach, ce qui explique la précision descriptive de Diderot, familier de l'hôtel de la rue Royale.

1. Robbé de Beauveset (1714-1794), poète satirique et licencieux, sans goût mais non sans talent. Collé le trouvait « sans agrément et très ennuyeux » en société (*Journal*, Didot, 1768, t. I, p. 275). Diderot l'a mis en scène dans *Le Neveu de Rameau* (A.T., p. 441) : « Nous avons quelquefois l'ami Robbé... Je hais ses vers mais j'aime à l'entendre réciter : il a l'air d'un énergumène. »

soutenir le poids de ma tête et de ce bras. Ce n'est pas ainsi que j'entendrais réciter Voltaire.

Ajoutez un troisième personnage à la scène, il subira la loi des deux premiers; c'est un système combiné de trois intérêts. Qu'il en survienne cent, deux cents, mille : la même loi s'observera. Sans doute il y aura un moment de bruit, de mouvement, de tumulte, de cris, de flux, de reflux, d'ondulations; c'est le moment où chacun ne pense qu'à soi et cherche à se sacrifier la république entière. Mais on ne tardera pas à sentir l'absurdité de sa prétention et l'inutilité de ses efforts. Peu à peu chacun se résoudra à se départir d'une portion de son intérêt; et la masse se composera.

Jetez les yeux sur cette masse, dans le moment tumultueux : l'énergie de chaque individu s'exerce dans toute sa violence; et, comme il n'y en a pas un seul qui en soit pourvu précisément au même degré, c'est ici comme aux feuilles d'un arbre : pas une qui soit du même vert; pas un de ces individus qui soit le même d'action et de position.

Regardez ensuite la masse dans le moment du repos, celui où chacun a sacrifié le moins qu'il a pu de son avantage; et comme la même diversité subsiste dans les sacrifices, même diversité d'action et de position. Et le moment du tumulte et le moment du repos ont cela de commun, que chacun s'y montre ce qu'il est.

Que l'artiste garde cette loi des énergies et des intérêts; et quelque étendue que soit sa toile, sa composition sera vraie partout. Le seul contraste que le goût puisse approuver, celui qui résulte de la variété des énergies et des intérêts, s'y trouvera; et il n'y en faut point d'autre.

Ce contraste d'étude, d'académie, d'école, de technique, est faux. Ce n'est plus une action qui se passe en nature, c'est une action apprêtée, compassée, qui se joue sur la toile. Le tableau n'est plus une rue, une place publique, un temple; c'est un théâtre.

On n'a point encore fait, et l'on ne fera jamais un morceau de peinture supportable, d'après une scène théâtrale; et c'est, ce me semble, une des plus cruelles satires de nos acteurs, de nos décorations, et peut-être de nos poètes.

Une autre chose qui ne choque pas moins, ce sont les petits usages des peuples civilisés. La politesse, cette qualité si aimable, si douce, si estimable dans le monde, est maussade dans les arts d'imitation. Une femme ne peut plier les genoux, un homme ne peut déployer son bras, prendre son chapeau sur sa tête, et tirer un pied en arrière, que sur un écran [1]. Je sais bien qu'on m'objectera les tableaux de Watteau; mais je m'en moque, et je persiste.

Otez à Watteau ses sites, sa couleur, la grâce de ses figures, de ses vêtements; ne voyez que la scène, et jugez. Il faut aux arts d'imitation quelque chose de sauvage, de brut, de frappant et d'énorme. Je permettrai bien à un Persan de porter la main à son front et de s'incliner; mais voyez le caractère de cet homme incliné; voyez son respect, son adoration; voyez la grandeur de sa draperie, de son mouvement. Quel est celui qui mérite un hommage si profond? Est-ce son dieu? Est-ce son père?

Ajoutez à la platitude de nos révérences, celle de nos vêtements : nos manches retroussées, nos culottes en fourreau, nos basques carrées et plissées, nos jarretières sous le genou, nos boucles en lacs d'amour, nos souliers pointus. Je défie le génie même de la peinture et de la sculpture de tirer parti de ce système de mesquinerie. La belle chose, en marbre ou en bronze, qu'un Français avec son justaucorps à boutons, son épée et son chapeau!

Mais revenons à l'ordonnance, à l'ensemble des personnages. On peut, on doit en sacrifier un peu au technique. Jusqu'où? je n'en sais rien. Mais je ne veux pas qu'il en coûte la moindre chose à l'expression, à l'effet du sujet. Touche-moi, étonne-moi, déchire-moi; fais-moi tressaillir, pleurer, frémir, m'indigner d'abord; tu récréeras mes yeux après, si tu peux.

Chaque action a plusieurs instants; mais je l'ai dit, et je le

---

1. Petit meuble portatif qui se place devant la cheminée pour garantir de l'ardeur du feu. L'écran devient au XVIIIe siècle un objet de luxe et s'orne de riches panneaux de tapisserie à gracieux motifs, tirés des cartons de Gillot, de Watteau ou de Boucher.

répète, l'artiste n'en a qu'un, dont la durée est celle d'un coup d'œil. Cependant, comme sur un visage où régnait la douleur et où l'on a fait poindre [1] la joie, je retrouverai la passion présente confondue parmi les vestiges de la passion qui passe; il peut aussi rester, au moment que le peintre a choisi, soit dans les attitudes, soit dans les caractères, soit dans les actions, des traces subsistantes du moment qui a précédé.

Un système d'êtres un peu composé ne change pas tout à la fois; c'est ce que n'ignore pas celui qui connaît la nature, et qui a le sentiment du vrai : mais ce qu'il sent aussi, c'est que ces figures partagées, ces personnages indécis, ne concourant qu'à moitié à l'effet général, il perd du côté de l'intérêt ce qu'il gagne du côté de la variété. Qu'est-ce qui entraîne mon imagination [2]? C'est le concours de la multitude. Je ne saurais me refuser à tant de monde qui m'invite. Mes yeux, mes bras, mon âme, portent malgré moi où je vois leurs yeux, leurs bras, leur âme, attachés. J'aimerais donc mieux, s'il était possible, reculer le moment de l'action, pour être énergique, et me débarrasser des paresseux. Pour les oisifs, à moins que le contraste n'en soit sublime, cas rare, je n'en veux point. Encore, lorsque ce contraste est sublime, la scène change; et l'oisif devient le sujet principal.

Je ne saurais souffrir, à moins que ce ne soit dans une apothéose, ou quelque autre sujet de verve pure, le mélange des êtres allégoriques et réels. Je vois frémir d'ici tous les admirateurs de Rubens; mais peu m'importe, pourvu que le bon goût et la vérité me sourient.

Le mélange des êtres allégoriques et réels donne à l'histoire l'air d'un conte; et, pour trancher le mot, ce défaut défigure pour moi la plupart des compositions de Rubens. Je ne les entends pas. Qu'est-ce que cette figure qui tient un nid d'oiseau, un Mercure, l'arc-en-ciel, le zodiaque, le sagittaire, dans la chambre et autour du lit d'une accou-

1. B : peindre.
2. B : attention.

chée [1] ? Il faudrait faire sortir de la bouche de chacun de ces personnages, comme on le voit à nos vieilles tapisseries de château, une légende qui dît ce qu'ils veulent.

Je vous ai déjà dit mon avis sur le monument de Reims, exécuté par Pigalle; et mon sujet m'y ramène. Que signifie, à côté de ce portefaix étendu sur des ballots, cette femme qui conduit un lion par la crinière? La femme et l'animal s'en vont du côté du portefaix endormi; et je suis sûr qu'un enfant s'écrierait : « Maman, cette femme va faire manger ce pauvre homme-là, qui dort, par sa bête. » Je ne sais si c'est son dessein; mais cela arrivera, si cet homme ne s'éveille, et que cette femme fasse un pas de plus. Pigalle, mon ami, prends ton marteau, brise-moi cette association d'êtres bizarres. Tu veux faire un roi protecteur; qu'il le soit de l'agriculture, du commerce et de la population. Ton portefaix dormant sur ses ballots, voilà bien le Commerce. Abats, de l'autre côté de ton piédestal, un taureau; qu'un vigoureux habitant des champs se repose entre les cornes de l'animal; et tu auras l'Agriculture. Place entre l'un et l'autre une bonne grosse paysanne qui allaite un enfant; et je reconnaîtrai la Population. Est-ce que ce n'est pas une belle chose qu'un taureau abattu? est-ce que ce n'est pas une belle chose qu'un paysan nu qui se repose? est-ce que ce n'est pas une belle chose qu'une paysanne à grands traits et grandes mamelles? est-ce que cette composition n'offrira pas à ton ciseau toutes sortes de natures? est-ce que cela ne me touchera pas, ne m'intéressera pas plus que tes figures symboliques? Tu m'auras montré le monarque protecteur des conditions subalternes, comme il le doit être; car ce sont elles qui forment le troupeau et la nation [2].

---

1. Allusion à la *Naissance de Louis XIII*, l'une des compositions de Rubens pour la galerie du Luxembourg (*Histoire de la reine Marie de Médicis*, 1621-1625). La série est maintenant au Louvre.

2. Le monument de Reims, fondu par Pigalle en 1760 et achevé en 1764, représentait Louis XV dominant deux figures allégoriques, le Citoyen et la France conduisant un lion par la crinière. Le « portefaix » selon Diderot, c'est l'allégorie du

C'est qu'il faudrait méditer profondément son sujet. Il s'agit vraiment bien de meubler sa toile de figures! Il faut que ces figures s'y placent d'elles-mêmes comme dans la nature. Il faut qu'elles concourent toutes à un effet commun, d'une manière forte, simple et claire; sans quoi je dirai comme Fontenelle à la sonate : « Figure, que me veux-tu[1] ? »

La peinture a cela de commun avec la poésie, et il semble qu'on ne s'en soit pas encore avisé, que toutes deux elles doivent être *bene moratae;* il faut qu'elles aient des mœurs. Boucher ne s'en doute pas; il est toujours vicieux, et n'attache jamais. Greuze est toujours honnête; et la foule se presse autour de ses tableaux. J'oserais dire à Boucher : « Si tu ne t'adresses jamais qu'à un polisson de dix-huit ans, tu as raison, mon ami; continue à faire des culs, des tétons; mais, pour les honnêtes gens et moi, on aura beau t'exposer à la grande lumière du Salon, nous t'y laisserons pour aller chercher dans un coin obscur ce Russe charmant de Le Prince, et cette jeune, honnête, innocente marraine qui est debout à ses côtés [2]. Ne t'y trompe pas : cette figure-là me fera plutôt faire un péché le matin, que toutes tes impures. Je ne sais où tu vas les prendre; mais il n'y a pas moyen de s'y arrêter, quand on fait quelque cas de sa santé. »

---

citoyen, « étendu sur des ballots » pour symboliser la sécurité. Grimm a donné une excellente analyse de ce jugement dans une note du *Salon de* 1765 (t. X, p. 451). Diderot ne fait ici que durcir les conclusions d'un article de la *Correspondance litt.* (juillet 1760, cf. *Œuvres*, t. XVII, p. 27 sq.).

1. Expression reprise du *Salon de* 1765 (t. X, p. 258) : « A peine y en aurait-il un à qui vous ne puissiez dire comme Fontenelle à la Sonate : « Sonate, que me veux-tu ? », Tableau, que me veux-tu ? ».

2. Le Lorrain Jean-Baptiste Le Prince séjourna en Russie de 1758 à 1765, accumulant les croquis dont il devait tirer, à son retour en France, la matière de son œuvre. Son morceau de réception à l'Académie de 1765, le *Baptême russe* a été fort prisé de Diderot (cf. *Salon de* 1765, t. X, p. 383-385). Longtemps relégué au ministère de la Justice, le tableau est passé au Louvre qui, faute de place, ne l'expose pas (cf. L. Réau, *L'Europe française au siècle des lumières*, Albin Michel, 1938, planche XXI).

Je ne suis pas scrupuleux. Je lis quelquefois mon Pétrone. La satire d'Horace, *Ambubaiarum* [1], me plaît au moins autant qu'une autre. Les petits madrigaux infâmes de Catulle, j'en sais les trois quarts par cœur. Quand je suis en pique-nique avec mes amis, et que la tête s'est un peu échauffée de vin blanc, je cite, sans rougir, une épigramme de Ferrand [2]. Je pardonne au poète, au peintre, au sculpteur, au philosophe même, un instant de verve et de folie; mais je ne veux pas qu'on trempe toujours là son pinceau, et qu'on pervertisse le but des arts. Un des plus beaux vers de Virgile, et un des plus beaux principes de l'art imitatif, c'est celui-ci :

Sunt lacrymæ rerum, et mentem mortalia tangunt [3].

Il faudrait l'écrire sur la porte de son atelier : *Ici les malheureux trouvent des yeux qui les pleurent*.

Rendre la vertu aimable, le vice odieux, le ridicule saillant, voilà le projet de tout honnête homme qui prend la plume, le pinceau ou le ciseau. Qu'un méchant soit en société, qu'il y porte la conscience de quelque infamie secrète, ici il en trouve le châtiment. Les gens de bien l'asseyent, à leur insu, sur la sellette. Ils le jugent, ils l'interpellent lui-même. Il a beau s'embarrasser, pâlir, balbutier; il faut qu'il souscrive à sa propre sentence. Si ses pas le conduisent au Salon, qu'il craigne d'arrêter ses regards sur la toile sévère! C'est à toi qu'il appartient aussi de célébrer, d'éterniser les grandes et

---

1. Premier mot de la seconde satire du livre I qui passe, au dire d'A. Cartault, pour « le code de l'inconduite modérée et rationnelle » :

Ambubaiarum collegia, pharmacopolae,
Mendici, mimae, balatrones, hoc genus omne,
Maestum ac sollicitum est cantoris morte Tigelli.

Les *ambubaiae* sont les joueuses de flûte, en deuil pour la mort du riche chanteur Tigellius.

2. Antoine Ferrand, conseiller à la cour des Aides de Paris, mort en 1719. Ses *Pièces libres* parurent à Londres (Godwin Harald, 1738).

3. Mot d'Énée aux Enfers à la vue de Priam (*Énéide*, I, 462) : « Il y a des larmes pour l'infortune et les choses humaines touchent les cœurs. »

belles actions, d'honorer la vertu malheureuse et flétrie, de flétrir le vice heureux et honoré, d'effrayer les tyrans. Montre-moi Commode abandonné aux bêtes ; que je le voie, sur ta toile, déchiré à coups de crocs. Fais-moi entendre les cris mêlés de la fureur et de la joie autour de son cadavre. Venge l'homme de bien du méchant, des dieux et du destin. Préviens, si tu l'oses, les jugements de la postérité ; ou si tu n'en as pas le courage, peins-moi du moins celui qu'elle a porté. Renverse sur les peuples fanatiques l'ignominie dont ils ont prétendu couvrir ceux qui les instruisaient et qui leur disaient la vérité. Étale-moi les scènes sanglantes du fanatisme. Apprends aux souverains et aux peuples ce qu'ils ont à espérer de ces prédicateurs sacrés du mensonge. Pourquoi ne veux-tu pas t'asseoir aussi parmi les précepteurs du genre humain, les consolateurs des maux de la vie, les vengeurs du crime, les rémunérateurs de la vertu ? Est-ce que tu ne sais pas que,

> Segnius irritant animos demissa per aures,
> Quam quæ sunt oculis subjecta fidelibus, et quæ
> Ipse sibi tradit spectator [1] ?

Tes personnages sont muets, si tu veux ; mais ils font que je me parle, et que je m'entretiens avec moi-même.

On distingue la composition en pittoresque et en expressive. Je me soucie bien que l'artiste ait disposé ses figures pour les effets les plus piquants de lumière, si l'ensemble ne s'adresse point à mon âme ; si ces personnages y sont comme des particuliers qui s'ignorent dans une promenade publique, ou comme les animaux au pied des montagnes du paysagiste.

Toute composition expressive peut être en même temps pittoresque ; et quand elle a toute l'expression dont elle est susceptible, elle est suffisamment pittoresque ; et je félicite

---

1. Horace, *Art poétique* (vers 180 sq.) : « L'esprit est moins vivement touché de ce qui lui est transmis par l'oreille que des tableaux offerts au rapport fidèle des yeux et perçus sans intermédiaire par le spectateur. »

l'artiste de n'avoir pas immolé le sens commun au plaisir de l'organe. S'il eût fait autrement, je me serais écrié, comme si j'avais entendu un beau parleur qui déraisonne : « Tu dis très bien, mais tu ne sais ce que tu dis. »

Il y a sans doute des sujets ingrats; mais c'est pour l'artiste ordinaire qu'ils sont communs. Tout est ingrat pour une tête stérile. A votre avis, était-ce un sujet bien intéressant qu'un prêtre qui dicte à son secrétaire des homélies? Voyez cependant ce que Carle Van Loo en a fait. C'est, sans contredit, le sujet le plus simple, et la plus belle de ses esquisses [1].

On a prétendu que l'ordonnance était inséparable de l'expression. Il me semble qu'il peut y avoir de l'ordonnance sans expression, et que rien même n'est si commun. Pour de l'expression sans ordonnance, la chose me paraît plus rare, surtout quand je considère que le moindre accessoire superflu nuit à l'expression, ne fût-ce qu'un chien, un cheval, un bout de colonne, une urne.

L'expression exige une imagination forte, une verve brûlante, l'art de susciter des fantômes, de les animer, de les agrandir; l'ordonnance, en poésie ainsi qu'en peinture, suppose un certain tempérament de jugement et de verve, de chaleur et de sagesse, d'ivresse et de sang-froid, dont les exemples ne sont pas communs en nature. Sans cette balance rigoureuse, selon que l'enthousiasme ou la raison prédomine, l'artiste est extravagant ou froid.

La principale idée, bien conçue, doit exercer son despotisme sur toutes les autres. C'est la force motrice de la machine qui, semblable à celle qui retient les corps célestes dans leurs orbes et les entraîne, agit en raison inverse de la distance.

---

1. Il s'agit d'une des sept esquisses de Carle Van Loo destinées à la chapelle Saint-Grégoire des Invalides et représentant la vie du saint. La sixième montre saint Grégoire dictant ses homélies à son secrétaire. « Esquisse surprenante », disait Diderot (*Salon de* 1765, t. X, p. 250), par « la nature, la vérité, la solitude,... la lumière douce et tendre ».

L'artiste veut-il savoir s'il ne reste rien d'équivoque et d'indécis sur sa toile, qu'il appelle deux hommes instruits qui lui expliquent séparément et en détail toute sa composition. Je ne connais presque aucune composition moderne qui résistât à cet essai. De cinq à six figures, à peine en resterait-il deux ou trois sur lesquelles il ne fallût pas passer la brosse. Ce n'est pas assez que tu aies voulu que celui-ci fît telle chose, celui-là telle autre; il faut encore que ton idée ait été juste et conséquente, et que tu l'aies rendue si nettement que je ne m'y méprenne pas, ni moi, ni les autres, ni ceux qui sont à présent, ni ceux qui viendront après.

Il y a dans presque tous nos tableaux une faiblesse de concept, une pauvreté d'idée, dont il est impossible de recevoir une secousse violente, une sensation profonde. On regarde; on tourne la tête, et l'on ne se rappelle rien de ce qu'on a vu. Nul fantôme qui vous obsède et qui vous suive. J'ose proposer au plus intrépide de nos artistes de nous effrayer autant par son pinceau que nous le sommes par le simple récit du gazetier, de cette foule d'Anglais expirants, étouffés dans un cachot trop étroit, par les ordres d'un nabab [1]. Et à quoi sert donc que tu broies tes couleurs, que tu prennes ton pinceau, que tu épuises toutes les ressources de ton art, si tu m'affectes moins qu'une gazette? C'est que ces hommes sont sans imagination, sans verve; c'est qu'ils ne peuvent atteindre à aucune idée forte et grande.

Plus une composition est vaste, plus elle demande d'études d'après nature. Or, quel est celui d'entre eux qui aura la patience de la finir? Qui est-ce qui y mettra le prix quand elle sera achevée? Parcourez les ouvrages des grands maîtres, et vous y remarquerez en cent endroits l'indigence de l'artiste à côté de son talent; parmi quelques vérités de

---

1. B : nabad.

Épisode dramatique de la conquête du Bengale par les Anglais : en juin 1756, le nabab du Bengale Suraj ud Daula réduisit la garnison anglaise de Calcutta : les deux tiers des prisonniers, enfermés dans un cachot sans air, moururent étouffés (cf. abbé Raynal, *Histoire des Deux Indes*, livre III, chapitre 64).

nature, une infinité de choses exécutées de routine. Celles-ci blessent d'autant plus qu'elles sont à côté des autres; c'est le mensonge rendu plus choquant par la présence de la vérité. Ah! si un sacrifice, une bataille, un triomphe, une scène publique pouvait être rendue avec la même vérité dans tous ses détails, qu'une scène domestique de Greuze ou de Chardin!

C'est sous ce point de vue surtout que le travail du peintre d'histoire est infiniment plus difficile que celui du peintre de genre. Il y a une infinité de tableaux de genre qui défient notre critique. Quel est le tableau de bataille qui pût supporter le regard du roi de Prusse? Le peintre de genre a sa scène sans cesse présente sous ses yeux; le peintre d'histoire, ou n'a jamais vu, ou n'a vu qu'un instant la sienne. Et puis l'un est pur et simple imitateur, copiste d'une nature commune; l'autre est, pour ainsi dire, le créateur d'une nature idéale et poétique. Il marche sur une ligne difficile à garder. D'un côté de cette ligne, il tombe dans le mesquin; de l'autre, il tombe dans l'outré. On peut dire de l'un, *multa ex industria, pauca ex animo;* de l'autre, au contraire, *pauca ex industria, plurima ex animo.*

L'immensité du travail rend le peintre d'histoire négligent dans les détails. Où est celui de nos peintres qui se soucie de faire des pieds et des mains? Il vise, dit-il, à l'effet général; et ces misères n'y font rien. Ce n'était pas l'avis de Paul Véronèse; mais c'est le sien. Presque toutes les grandes compositions sont croquées. Cependant le pied et la main du soldat, qui joue aux cartes dans son corps de garde, sont les mêmes dont il marche au combat, dont il frappe dans la mêlée.

Que voulez-vous que je vous dise du costume? Il serait choquant de le braver à un certain point; il y aurait plus souvent de la pédanterie et du mauvais goût à s'y assujettir à la rigueur. Des figures nues, dans un siècle, chez un peuple, au milieu d'une scène où c'est l'usage de se vêtir, ne nous offensent point. C'est que la chair est plus belle que la plus belle draperie; c'est que le corps de l'homme, sa poitrine, ses bras, ses épaules; c'est que les pieds, les mains, la gorge d'une femme sont plus beaux que toute la richesse des étoffes dont on les couvrirait; c'est que l'exécution en est encore plus savante et plus difficile; c'est que *major e longinquo reverentia*, et qu'en faisant nu, on éloigne la scène, on rappelle un âge plus innocent et plus simple, des mœurs plus sauvages, plus analogues aux arts d'imitation; c'est qu'on est mécontent du temps présent, et que ce retour vers les temps antiques ne nous déplaît pas; c'est que si les nations sauvages se civilisent imperceptiblement, il n'en est pas tout à fait de même des individus, qu'on voit bien des hommes se dépouiller et se faire sauvages, mais rarement des sauvages prendre des habits et se civiliser; c'est que les figures à demi nues, dans une composition, sont comme les forêts et la campagne transportées autour de nos maisons.

Græca res est nihil velare[1]. C'était l'usage des Grecs, nos maîtres dans tous les beaux-arts. Mais si nous avons permis à l'artiste de dépouiller ses figures, n'ayons pas la barbarie de l'asservir à un costume ridicule et gothique. Les yeux du goût ne sont pas ceux du pensionnaire de l'Académie des Inscriptions. Bouchardon a vêtu Louis XV à la romaine, et il a bien fait[2]. Toutefois ne faisons pas un précepte d'une licence :

...Licentia sumpta pudenter[3].

Comme ces gens-ci sont ignorants, et qu'ils ne savent point garder de mesure, si vous leur jetez la bride sur le cou, je ne désespère pas qu'ils n'en viennent à mettre un plumet sur la tête d'un soldat romain.

Je ne connais guère de lois sur la manière de draper les figures; elle est toute de poésie pour l'invention, toute de rigueur pour l'exécution. Point de petits plis chiffonnés les uns sur les autres. Celui qui aura jeté un morceau d'étoffe sur le bras tendu d'un homme, et qui, faisant seulement tourner ce bras sur lui-même, aura vu des muscles qui

---

1. Pline, *Histoire naturelle* (livre XXXIV, chap. V, section 10).
2. Allusion à la statue équestre dressée sur la place Louis XV, commencée par Bouchardon et achevée par Pigalle.
3. Horace, *Art poétique*, vers 51.

saillaient s'affaisser, des muscles affaissés devenir saillants, et l'étoffe dessiner ces mouvements, prendra son mannequin et le jettera dans le feu. Je ne puis souffrir qu'on me montre l'écorché sous la peau; mais on ne peut trop me montrer le nu sous la draperie.

On dit beaucoup de bien et beaucoup de mal de la manière de draper des Anciens. Mon avis, qui est en ceci sans conséquence, est qu'elle étend la lumière des parties larges par l'opposition des ombres et des lumières des petites parties longues et étroites. Une autre manière de draper, surtout en sculpture, oppose des lumières larges à des lumières larges, et détruit l'effet des unes par les autres.

Il me semble qu'il y a autant de genres de peinture que de genres de poésie; mais c'est une division superflue. La peinture en portrait et l'art du buste doivent être honorés *chez un peuple républicain*, où il convient d'attacher sans cesse les regards des citoyens sur les défenseurs de leurs droits et de leur liberté. *Dans un État monarchique*, c'est autre chose; il n'y a que Dieu et le roi.

Cependant, s'il est vrai qu'un art ne se soutienne que par le premier principe qui lui donna naissance, la médecine par l'empirisme, la peinture par le portrait, la sculpture par le buste; le mépris du portrait et du buste annonce la décadence des deux arts. Point de grands peintres qui n'aient su faire le portrait : témoin Raphaël, Rubens, Le Sueur, Van Dyck. Point de grands sculpteurs qui n'aient su faire le buste. Tout élève commence comme l'art a commencé. Pierre disait un jour [1] : « Savez-vous pourquoi, nous autres peintres d'histoire, nous ne faisons pas le portrait? c'est que cela est trop difficile. »

Les peintres de genre et les peintres d'histoire n'avouent pas nettement le mépris qu'ils se portent réciproquement; mais on le devine. Ceux-ci regardent les premiers comme des

---

1. Jean-Baptiste Pierre, dit le chevalier Pierre, né à Paris en 1713, élève de Natoire, était en 1765 le premier peintre du duc d'Orléans.

têtes étroites, sans idées, sans poésie, sans grandeur, sans élévation, sans génie, qui vont se traînant servilement d'après la nature qu'ils n'osent perdre un moment de vue. Pauvres copistes, qu'ils compareraient volontiers à notre artisan des Gobelins, qui va choisissant ses brins de laine les uns après les autres, pour en former la vraie nuance du tableau de l'homme sublime qu'il a derrière le dos. A les entendre, ce sont gens à petits sujets mesquins, à petites scènes domestiques prises du coin des rues, à qui l'on ne peut rien accorder au delà du mécanique du métier, et qui ne sont rien quand ils n'ont pas porté ce mérite au dernier degré. Le peintre de genre, de son côté, regarde la peinture historique comme un genre romanesque, où il n'y a ni vraisemblance ni vérité, où tout est outré, qui n'a rien de commun avec la nature, où la fausseté se décèle, et dans les caractères exagérés, qui n'ont existé nulle part; et dans les incidents, qui sont tous d'imagination; et dans le sujet entier, que l'artiste n'a jamais vu hors de sa tête creuse; et dans les détails, qu'il a pris on ne sait où; et dans ce style qu'on appelle grand et sublime, et qui n'a point de modèle en nature; et dans les actions et les mouvements des figures, si loin des actions et des mouvements réels. Vous voyez bien, mon ami, que c'est la querelle de la prose et de la poésie, de l'histoire et du poème épique, de la tragédie héroïque et de la tragédie bourgeoise, de la tragédie bourgeoise et de la comédie gaie.

Il me semble que la division de la peinture, en peinture de genre et peinture d'histoire, est sensée; mais je voudrais qu'on eût un peu plus consulté la nature des choses dans cette division. On appelle du nom de peintres de genre, indistinctement, et ceux qui ne s'occupent que des fleurs, des fruits, des animaux, des bois, des forêts, des montagnes, et ceux qui empruntent leurs scènes de la vie commune et domestique; [Téniers][1], Wouwermans, Greuze, Chardin, Loutherbourg, Vernet même, sont des peintres de genre.

1. N : Tenières.

Cependant je proteste que le *Père qui fait la lecture à sa famille*, le *Fils ingrat*, et les *Fiançailles* de Greuze; que les *Marines* de Vernet, qui m'offrent toutes sortes d'incidents et de scènes, sont autant pour moi des tableaux d'histoire, que les *Sept Sacrements* du Poussin [1], la *Famille de Darius* de Le Brun [2], ou la *Suzanne* de Van Loo [3].

Voici ce que c'est. La nature a diversifié les êtres en froids, immobiles, non vivants, non sentants, non pensants, et en êtres qui vivent, sentent et pensent. La ligne était tracée de toute éternité : il fallait appeler *peintres de genre*, les imitateurs de la nature brute et morte; *peintres d'histoire*, les imitateurs de la nature sensible et vivante; et la querelle était finie.

Mais en laissant aux mots les acceptions reçues, je vois que la peinture de genre a presque toutes les difficultés de la peinture historique, qu'elle exige autant d'esprit, d'imagination, de poésie même, égale science du dessin, de la perspective, de la couleur, des ombres, de la lumière, des caractères, des passions, des expressions, des draperies, de la composition; une imitation plus stricte de la nature, des détails plus soignés; et que, nous montrant des choses plus connues et plus familières, elle a plus de juges et de meilleurs juges.

Homère est-il moins grand poète, lorsqu'il range des grenouilles en bataille sur les bords d'une mare, que lorsqu'il ensanglante les flots du Simoïs et du Xante, et qu'il engorge le lit des deux fleuves de cadavres humains? Ici seulement les objets sont plus grands, les scènes plus terribles. Qui est-

---

1. Poussin avait peint pour le chevalier Del Pozzo une série des sept sacrements. L'ayant appris en 1644, l'ami et protecteur de Poussin, Fréart de Chantelou, n'eut de cesse qu'il n'obtînt une seconde série, plus belle encore. Le Régent l'acheta 120.000 livres. Lors de la liquidation de la galerie d'Orléans, en 1793, le duc de Bridgewater en donna 135.000 francs; elle est toujours à Londres, à Bridgewater House. Diderot était un familier de la galerie du Palais-Royal, largement ouverte au public.

2. La *Famille de Darius* fait partie de la série du Louvre des *Batailles d'Alexandre* de Charles Le Brun.

3. La *Suzanne* de Carle Van Loo, décrite par Diderot dans le *Salon de* 1765 (t. X, p. 242 sq).

ce qui ne se reconnaît pas dans Molière? Et si l'on ressuscitait les héros de nos tragédies, ils auraient bien de la peine à se reconnaître sur notre scène; et, placés devant nos tableaux historiques, Brutus, Catilina, César, Auguste, Caton, demanderaient infailliblement qui sont ces gens-là. Qu'est-ce que cela signifie, sinon que la peinture d'histoire demande plus d'élévation, d'imagination peut-être, une autre poésie plus étrange? la peinture de genre, plus de vérité? et que cette dernière peinture, même réduite au vase et à la corbeille de fleurs, ne se pratiquerait pas sans toute la ressource de l'art et quelque étincelle de génie, si ceux dont elle décore les appartements avaient autant de goût que d'argent?

Pourquoi me placer sur ce buffet nos maussades ustensiles de ménage? est-ce que ces fleurs seront plus brillantes dans un pot de la manufacture de Nevers, que dans un vase de meilleure forme? Et pourquoi ne verrais-je pas, autour de ce vase, une danse d'enfants, les joies du temps de la vendange, une bacchanale? Pourquoi, si ce vase a des anses, ne les pas former de deux serpents entrelacés? Pourquoi la queue de ces serpents n'irait-elle pas faire quelques circonvolutions à la partie inférieure? Et pourquoi leurs têtes penchées sur l'orifice, ne sembleraient-elles pas y chercher l'eau pour se désaltérer? Mais il faudrait savoir animer les choses mortes; et le nombre de ceux qui savent conserver la vie aux choses qui l'ont reçue est facile à compter.

Un mot encore, avant que de finir, sur les peintres en portrait et sur les sculpteurs.

Un portrait peut avoir l'air triste, sombre, mélancolique, serein, parce que ces états sont permanents; mais un portrait qui rit est sans noblesse, sans caractère, souvent même sans vérité, et par conséquent une sottise. Le ris est passager. On rit par occassion; mais on n'est pas rieur par état.

Je ne saurais m'empêcher de croire qu'en sculpture une figure qui fait bien ce qu'elle fait, ne fasse bien ce qu'elle fait, et par conséquent ne soit belle de tous côtés. La vouloir également belle de tous côtés, c'est une sottise. Chercher entre ses membres des oppositions purement techniques, y sacrifier la vérité rigoureuse de son action, voilà l'origine du style antithétique et petit. Toute scène a un aspect, un point de vue plus intéressant qu'aucun autre; c'est de là qu'il faut la voir. Sacrifiez à cet aspect, à ce point de vue, tous les aspects, ou points de vue subordonnés; c'est le mieux.

Quel groupe plus simple, plus beau que celui du *Laocoon* et de ses enfants? Quel groupe plus maussade, si on le regarde par la gauche, de l'endroit où la tête du père se voit à peine, et où l'un des enfants est projeté sur l'autre? Cependant le *Laocoon* est jusqu'à présent le plus beau morceau de sculpture connu.

CHAPITRE VI

Mon mot sur l'architecture.

Il ne s'agit point ici, mon ami, d'examiner le caractère des différents ordres d'architecture; encore moins de balancer les avantages de l'architecture grecque et romaine avec les prérogatives de l'architecture gothique; de vous montrer celle-ci étendant l'espace au dedans par la hauteur des voûtes et la légèreté de ses colonnes; détruisant au dehors l'imposant de la masse par la multitude et le mauvais goût des ornements; de faire valoir l'analogie de l'obscurité des vitraux colorés, avec la nature incompréhensible de l'être adoré et les idées sombres de l'adorateur; mais de vous convaincre que, sans architecture, il n'y a ni peinture, ni sculpture; et que c'est à l'art qui n'a point de modèle subsistant sous le ciel, que les deux arts imitateurs de la nature doivent leur origine et leur progrès.

Transportez-vous dans la Grèce, au temps où une énorme poutre de bois, soutenue sur deux troncs d'arbres équarris, formait la magnifique et superbe entrée de la tente d'Agamemnon; ou, sans remonter si loin dans les âges, établissez-vous entre les sept collines, lorsqu'elles n'étaient couvertes que de chaumières, et ces chaumières habitées par les brigands, aïeux des fastueux maîtres du monde.

Croyez-vous que dans toutes ces chaumières il y eût un seul morceau de peinture, bonne ou mauvaise? Certainement vous ne le croyez pas.

Et les dieux, mieux révérés peut-être que quand ils sortirent de dessous le ciseau des plus grands maîtres, comment les y voyez-vous? Fort inférieurs, beaucoup plus mal taillés, sans doute, que ces bûches de bois informes auxquelles le charpentier a fait à peu près un nez, des yeux, une bouche, des pieds et des mains, et devant lesquelles l'habitant de nos hameaux fait sa prière.

Eh bien, mon ami, comptez que les temples, les chaumières et les dieux resteront dans cet état misérable, jusqu'à ce qu'il arrive quelque grande calamité publique, une guerre, une famine, une peste, un vœu public, en conséquence duquel vous voyiez un arc de triomphe élevé au vainqueur, une grande fabrique de pierre consacrée au dieu.

D'abord l'arc de triomphe et le temple ne se feront remarquer que par la masse, et je ne crois pas que la statue qu'on y placera ait d'autre avantage sur l'ancienne que d'être plus grande. Pour plus grande, elle le sera certainement; car il faudra proportionner l'hôte à son nouveau domicile.

De tous temps les souverains ont été les émules des dieux. Lorsque le dieu aura une vaste demeure, le souverain exhaussera la sienne; les grands, émules des souverains, exhausseront les leurs; les premiers citoyens, émules des grands, en feront autant; et dans l'intervalle de moins d'un siècle, il faudra sortir de l'enceinte des sept collines pour retrouver une chaumière.

Mais les murs des temples, du palais du maître, des hôtels des premiers hommes de l'État, des maisons des citoyens opulents, offriront de toutes parts de grandes surfaces nues qu'il faudra couvrir.

Les chétifs dieux domestiques ne répondront plus à l'espace qu'on leur aura accordé; il en faudra tailler d'autres.

On les taillera du mieux qu'on pourra; on revêtira les murs de toiles plus ou moins mal barbouillées.

Mais le goût s'accroissant avec la richesse et le luxe, bientôt l'architecture des temples, des palais, des hôtels, des maisons, deviendra meilleure; et la sculpture et la peinture suivront ses progrès.

J'en appelle à présent de ces idées à l'expérience.

Citez-moi un peuple qui ait des statues et des tableaux, des peintres et des sculpteurs, sans palais ni temples, ou avec des temples d'où la nature du culte ait banni la toile coloriée et la pierre sculptée.

Mais si c'est l'architecture qui a donné naissance à la peinture et à la sculpture, c'est en revanche à ces deux arts que l'architecture doit sa grande perfection, et je vous conseille de vous méfier du talent d'un architecte qui n'est pas un grand dessinateur. Où cet homme se serait-il formé l'œil? Où aurait-il pris le sentiment exquis des proportions? Où aurait-il puisé les idées du grand, du simple, du noble, du lourd, du léger, du svelte, du grave, de l'élégant, du sérieux? Michel-Ange était grand dessinateur, lorsqu'il conçut le plan de la façade et du dôme de Saint-Pierre de Rome; et notre Perrault dessinait supérieurement, lorsqu'il imagina la colonnade du Louvre.

Je terminerai ici mon chapitre sur l'architecture. Tout l'art est compris sous ces trois mots : solidité ou sécurité, convenance et symétrie.

D'où l'on doit conclure que ce système de mesures d'ordres vitruviennes et rigoureuses semble n'avoir été inventé que pour conduire à la monotonie et étouffer le génie.

Cependant je ne finirai point ce paragraphe sans vous proposer un petit problème à résoudre.

On dit de Saint-Pierre de Rome, que les proportions y sont si parfaitement gardées, que l'édifice perd au premier coup d'œil tout l'effet de sa grandeur et de son étendue; en sorte qu'on peut en dire : *Magnus esse, sentiri parvus*.

Là-dessus, voici comment on raisonne. A quoi donc ont servi toutes ces admirables proportions? A rendre petite et commune une grande chose? Il semble qu'il eût mieux valu s'en écarter, et qu'il y aurait eu plus d'habileté à produire l'effet contraire, et à donner de la grandeur à une chose ordinaire et commune.

On répond qu'à la vérité l'édifice aurait paru plus grand au premier coup d'œil, si l'on eût sacrifié avec art les proportions; mais on demande lequel était préférable, ou de produire une admiration grande et subite, ou d'en créer une qui commençât faible, s'accrût peu à peu, et devînt enfin grande et permanente, par un examen réfléchi et détaillé.

On accorde que, tout étant égal d'ailleurs, un homme mince et élancé paraîtra plus grand qu'un homme bien proportionné; mais on demande encore quel est, de ces deux hommes, celui qu'on admirera davantage; et si le premier ne consentirait pas à être réduit aux proportions les plus rigoureuses de l'antique, au hasard de perdre quelque chose de sa grandeur apparente.

On ajoute que l'édifice étroit que l'art a agrandi, finit par être conçu tel qu'il est; au lieu que le grand édifice, que l'art et ses proportions ont réduit à une apparence ordinaire et commune, finit par être conçu grand, le prestige défavorable des proportions s'évanouissant par la comparaison nécessaire du spectateur avec quelques-unes des parties de l'édifice.

On réplique qu'il n'est pas étonnant que l'homme consente à perdre de sa grandeur apparente, en acceptant des proportions rigoureuses, parce qu'il n'ignore pas que c'est de cette exactitude rigoureuse dans la proportion de ses membres, qu'il obtiendra l'avantage de satisfaire, le plus parfaitement qu'il est possible, aux différentes fonctions de la vie; que c'est d'elle que dépendront la force, la dignité, la grâce, en un mot, la beauté dont l'utilité est toujours la base; mais qu'il n'en est pas ainsi d'un édifice qui n'a qu'un seul objet, qu'un seul but.

On nie que la comparaison du spectateur avec une des parties de l'édifice produise l'effet qu'on en attend, et répare l'illusion défavorable du premier coup d'œil. En s'approchant de cette statue, qui devient tout à coup colossale, sans doute on est étonné : on conçoit l'édifice beaucoup plus grand qu'on ne l'avait d'abord apprécié; mais le dos tourné à la statue, la puissance générale de toutes les autres parties de l'édifice reprend son empire, et restitue l'édifice, grand en lui-même, à une apparence ordinaire et commune; en sorte que, d'un côté, chaque détail paraît grand, tandis que le tout reste petit et commun; au lieu que dans le système contraire d'irrégularité, chaque détail paraît petit, tandis que le tout reste extraordinaire, imposant et grand.

Le talent d'agrandir les objets par la magie de l'art, celui d'en dérober l'énormité par l'intelligence des proportions, sont assurément deux grands talents; mais quel est le plus grand des deux? Quel est celui que l'architecte doit préférer? Comment fallait-il faire Saint-Pierre de Rome? Valait-il mieux réduire cet édifice à un effet ordinaire et commun, par l'observation rigoureuse des proportions, que de lui donner un aspect étonnant, par une ordonnance moins sévère et moins régulière?

Et que l'on ne se presse pas de choisir; car enfin, Saint-Pierre de Rome, grâce à ses proportions si vantées, ou n'obtient jamais, ou n'acquiert qu'à la longue, ce qu'on lui aurait accordé constamment et subitement dans un autre système. Qu'est-ce qu'un accord qui empêche l'effet général? Qu'est-ce qu'un défaut qui fait valoir le tout [1]?

Voilà la querelle de l'architecture gothique et de l'architecture grecque ou romaine, proposée dans toute sa force.

---

1. Interrompons le philosophe un seul moment; et, sans nous arroger le droit de prononcer sur le fond de cette question délicate, observons que Saint-Pierre de Rome n'a pas été achevé comme il a été d'abord conçu dans le premier plan. L'incohérence ou la discordance qui en est résultée entre la nef et le chœur de ce superbe édifice, ne serait-elle pas, plutôt que l'observation rigoureuse des proportions, la véritable cause du peu d'effet qu'il fait au premier coup d'œil? Si le premier plan eût été exécuté en son entier, peut-être l'effet en aurait-il été d'un imposant sans égal, malgré l'exactitude la plus scrupuleuse des proportions. C'est ce que nous déciderons, mon cher philosophe, sur les lieux, pendant notre voyage d'Italie. En attendant, reprenons le fil de vos observations. (*Note de Grimm.*)

Mais la peinture n'offre-t-elle pas la même question à résoudre ? Quel est le grand peintre, ou de Raphaël que vous allez chercher en Italie, et devant lequel vous passeriez sans le reconnaître, si l'on ne vous tirait pas par la manche, et qu'on ne vous dît pas : « Le voilà »; ou de Rembrandt, du Titien, de Rubens, de Van Dyck, et de tel autre grand coloriste qui vous appelle de loin, et vous attache par une si forte, si frappante imitation de la nature, que vous ne pouvez plus en arracher les yeux ?

Si nous rencontrions dans la rue une seule des figures de femmes de Raphaël, elle nous arrêterait tout à coup; nous tomberions dans l'admiration la plus profonde; nous nous attacherions à ses pas, et nous la suivrions jusqu'à ce qu'elle nous fût dérobée; et il y a sur la toile du peintre, deux, trois, quatre figures semblables; elles y sont environnées d'une foule d'autres figures d'hommes d'un aussi beau caractère; toutes concourent de la manière la plus grande, la plus simple, la plus vraie, à une action extraordinaire, intéressante, et rien ne m'appelle, rien ne me parle, rien ne m'arrête ! Il faut qu'on m'avertisse de regarder, qu'on me donne un petit coup sur l'épaule, tandis que savants et ignorants, grands et petits, se précipitent d'eux-mêmes vers les bamboches de [Téniers] [1] !

J'oserais dire à Raphaël : *Oportuit hæc facere, et alia non omittere*. J'oserais dire qu'il n'y eut peut-être pas un plus grand poète que Raphaël : pour un plus grand peintre, je le demande; mais qu'on commence d'abord par bien définir la peinture [2].

---

1. N : Ténières.

2. Je nie la mineure. Je nie que Denis Diderot et moi nous passions devant un tableau de Raphaël sans y prendre garde. Je nie qu'on m'ait jamais frappé sur l'épaule pour m'arrêter devant la *Sainte Famille* de Versailles. Je soutiens que je n'ai jamais pu m'en arracher et que j'ai été obligé de m'acheter la plus belle épreuve que j'aie pu déterrer de l'estampe qu'Edelinck en a faite, pour l'avoir sans cesse devant les yeux.

Je voudrais, sans doute, que Raphaël fût aussi grand coloriste

Autre question. Si l'on a appauvri l'architecture en l'assujettissant à des mesures, à des modules, elle qui ne doit reconnaître de loi que celle de la variété infinie des convenances, n'aurait-on pas aussi appauvri la peinture, la sculpture, et tous les arts, enfants du dessin, en soumettant les figures à des hauteurs de têtes, les têtes à des longueurs de nez ? N'aurait-on pas fait de la science des conditions, des caractères, des passions, des organisations diverses, une petite affaire de règle et de compas ? Qu'on me montre sur toute la surface de la terre, je ne dis pas une seule figure entière, mais la plus petite partie d'une figure, un ongle, que l'artiste puisse imiter rigoureusement. Mais, laissant de côté les difformités naturelles pour ne s'attacher qu'à celles qui sont nécessairement occasionnées par les fonctions habituelles, il me semble qu'il n'y a que les dieux et l'homme sauvage, dans la représentation desquels on puisse s'assujettir à la rigueur des proportions, ensuite les héros, les prêtres, les magistrats, mais avec moins de sévérité. Dans les ordres inférieurs, il faut choisir l'individu le plus rare, ou celui qui représente le mieux son état, et se soumettre ensuite à toutes les altérations qui le caractérisent. La figure sera sublime, non pas quand j'y remarquerai l'exactitude des proportions ; mais quand j'y verrai, tout au contraire, un système de difformités bien liées et bien nécessaires.

En effet, si nous connaissions bien comment tout s'enchaîne dans la nature, que deviendraient toutes les conventions symétriques ? Un bossu est bossu de la tête aux pieds. Le plus petit défaut particulier a son influence générale sur toute la masse. Cette influence peut devenir imperceptible ;

---

qu'il est poète sublime ; mais depuis quand la poésie n'appelle-t-elle plus, n'arrête-t-elle plus Denis Diderot ? Quelle que soit la définition de la peinture, il faudra toujours y faire entrer la poésie comme chose essentielle.

Nous en demandons jusque dans une fleur ou dans une pêche de Van Huysum, car si elle n'a pas l'aspect poétique, pourquoi la peindrait-on ? Un peintre de fleurs ou de fruits peut être froid ou chaud, comme un peintre d'histoire.

(*Note de Grimm.*)

mais elle n'en est pas moins réelle. Combien de règles et de productions, qui ne doivent notre aveu qu'à notre paresse, notre inexpérience, notre ignorance et nos mauvais yeux!

Et puis, pour en revenir à la peinture, d'où nous sommes partis, souvenons-nous sans cesse de la règle d'Horace :

> . . . . .Pictoribus atque poetis
> Quidlibet audendi semper fuit æqua potestas...
> Sed non ut placidis coeant immitia; non ut
> Serpentes avibus geminentur... [1]

C'est-à-dire, vous imaginerez, vous peindrez, célèbre Rubens, tout ce qu'il vous plaira; mais à condition que je ne verrai point, dans l'appartement d'une accouchée, le zodiaque, le sagittaire, etc. Savez-vous ce que c'est que cela? Des serpents accouplés avec des oiseaux.

Si vous tentez l'apothéose du grand Henri, exaltez votre tête; osez, jetez, tracez, entassez tant de figures allégoriques que votre génie fécond et chaud vous en fournira, j'y consens. Mais si c'est le portrait de la lingère du coin que vous ayez fait; un comptoir, des pièces de toile dépliées, une aune, à ses côtés quelques jeunes apprenties, un serin avec sa cage; voilà tout. Mais il vous vient en tête de transformer votre lingère en Hébé. Faites, je ne m'y oppose pas; et je ne serai plus choqué de voir autour d'elle Jupiter avec son aigle, Pallas, Vénus, Hercule, tous les dieux d'Homère et de Virgile. Ce ne sera plus la boutique d'une petite bourgeoise; ce sera l'assemblée des dieux; ce sera l'Olympe : et que m'importe, pourvu que tout soit un?

> Denique sit quodvis simplex duntaxat et unum [2].

---

1. Horace, *Art poétique* (vers 9-13) : « Peintres et poètes, toujours, eurent le juste pouvoir de tout oser... mais non jusqu'à mettre ensemble animaux paisibles et bêtes féroces, jusqu'à apparier les serpents avec les oiseaux. »

2. *Ibid* (vers 23) : « Bref, que l'œuvre soit ce qu'on voudra, pourvu qu'elle soit simple et une. »

CHAPITRE VII

Un petit corollaire de ce qui précède.

Mais que signifient tous ces principes, si le goût est une chose de caprice, et s'il n'y a aucune règle éternelle, immuable, du beau?

Si le goût est une chose de caprice, s'il n'y a aucune règle du beau, d'où viennent donc ces émotions délicieuses qui s'élèvent si subitement, si involontairement, si tumultueusement au fond de nos âmes, qui les dilatent ou qui les serrent, et qui forcent de nos yeux les pleurs de la joie, de la douleur, de l'admiration, soit à l'aspect de quelque grand phénomène physique, soit au récit de quelque grand trait moral? *Apage, Sophista* [1] *!* tu ne persuaderas jamais à mon cœur qu'il a tort de frémir; à mes entrailles, qu'elles ont tort de s'émouvoir.

Le vrai, le bon et le beau se tiennent de bien près. Ajoutez à l'une des deux premières qualités quelque circonstance rare, éclatante, et le vrai sera beau, et le bon sera beau. Si la solution du problème des trois corps n'est que le mouvement de trois points donnés sur un chiffon de papier; ce n'est rien, c'est une vérité purement spéculative. Mais si l'un de ces trois corps est l'astre qui nous éclaire pendant le jour; l'autre, l'astre qui nous luit pendant la nuit; et le troisième, le globe que nous habitons : tout à coup la vérité devient grande et belle [2].

---

1. « Arrière, sophiste. »

2. Développement repris des *Réflexions sur le livre de l'Esprit* (1758, t. II, p. 269) : « Qu'un géomètre place trois points sur son papier, qu'il suppose que ces trois points s'attirent tous les trois dans le rapport inverse du carré des distances... à peine en sera-t-il question ni dans le monde, ni entre les savants. Mais si

Un poète disait d'un autre poète : *Il n'ira pas loin ; il n'a pas le secret.* Quel secret ? celui de présenter des objets d'un grand intérêt, des pères, des mères, des époux, des femmes, des enfants.

Je vois une haute montagne couverte d'une obscure, antique et profonde forêt. J'en vois, j'en entends descendre à grand bruit un torrent, dont les eaux vont se briser contre les pointes escarpées d'un rocher. Le soleil penche à son couchant ; il transforme en autant de diamants les gouttes d'eau qui pendent attachées aux extrémités inégales des pierres. Cependant les eaux, après avoir franchi les obstacles qui les retardaient, vont se rassembler dans un vaste et large canal qui les conduit à une certaine distance vers une machine. C'est là que, sous des masses énormes, se broie et se prépare la subsistance la plus générale de l'homme. J'entrevois la machine, j'entrevois ses roues que l'écume des eaux blanchit ; j'entrevois, au travers de quelques saules, le haut de la chaumière du propriétaire : je rentre en moi-même, et je rêve.

Sans doute la forêt qui me ramène à l'origine du monde est une belle chose ; sans doute ce rocher, image de la constance et de la durée, est une belle chose ; sans doute ces gouttes d'eau transformées par les rayons du soleil, brisées et décomposées en autant de diamants étincelants et liquides, sont une belle chose ; sans doute le bruit, le fracas d'un torrent qui brise le vaste silence de la montagne et de sa solitude, et porte à mon âme une secousse violente, une terreur secrète, est une belle chose !

Mais ces saules, cette chaumière, ces animaux qui paissent aux environs ; tout ce spectacle d'utilité n'ajoute-t-il rien à mon plaisir ? Et quelle différence encore de la sensation de l'homme ordinaire à celle du philosophe ! C'est

---

ces trois points viennent à représenter les trois corps principaux de la nature ; que l'un s'appelle la terre, l'autre la lune et le troisième le soleil ; alors la solution du problème des trois points représentera la loi des corps célestes ; le géomètre s'appellera Newton ; et sa mémoire vivra éternellement parmi les hommes. »

lui qui réfléchit et qui voit, dans l'arbre de la forêt, le mât qui doit un jour opposer sa tête altière à la tempête et aux vents ; dans les entrailles de la montagne, le métal brut qui bouillonnera un jour au fond des fourneaux ardents, et prendra la forme, et des machines qui fécondent la terre, et de celles qui en détruisent les habitants ; dans le rocher, les masses de pierre dont on élèvera des palais aux rois et des temples aux dieux ; dans les eaux du torrent, tantôt la fertilité, tantôt le ravage de la campagne, la formation des rivières, des fleuves, le commerce, les habitants de l'univers liés, leurs trésors portés de rivage en rivage, et de là dispersés dans toute la profondeur des continents ; et son âme mobile passera subitement de la douce et voluptueuse émotion du plaisir au sentiment de la terreur, si son imagination vient à soulever les flots de l'océan.

C'est ainsi que le plaisir s'accroîtra à proportion de l'imagination, de la sensibilité et des connaissances. La nature, ni l'art qui la copie, ne disent rien à l'homme stupide ou froid, peu de chose à l'homme ignorant.

Qu'est-ce donc que le goût ? Une facilité acquise, par des expériences réitérées, à saisir le vrai ou le bon, avec la circonstance qui le rend beau, et d'en être promptement et vivement touché.

Si les expériences qui déterminent le jugement sont présentes à la mémoire, on aura le goût éclairé ; si la mémoire en est passée, et qu'il n'en reste que l'impression, on aura le tact, l'instinct.

Michel-Ange donne au dôme de Saint-Pierre de Rome la plus belle forme possible. Le géomètre de La Hire, frappé de cette forme, en trace l'épure, et trouve que cette épure est la courbe de la plus grande résistance. Qui est-ce qui inspira cette courbe à Michel-Ange, entre une infinité d'autres qu'il pouvait choisir [1] ? L'expérience journalière

1. Rapide résumé d'un fragment de lettre à Sophie Volland (*op. cit*, t. I, p. 281-282, 2 septembre 1762) : « Michel-Ange cherche la forme qu'il donnera au dôme de l'église de Saint-Pierre à

de la vie. C'est elle qui suggère au maître charpentier, aussi sûrement qu'au sublime Euler [1], l'angle de l'étai avec le mur qui menace ruine ; c'est elle qui lui a appris à donner à l'aile du moulin l'inclinaison la plus favorable au mouvement de rotation ; c'est elle qui fait souvent entrer, dans son calcul subtil, des éléments que la géométrie de l'Académie ne saurait saisir.

De l'expérience et de l'étude ; voilà les préliminaires, et de celui qui fait, et de celui qui juge. J'exige ensuite de la sensibilité. Mais comme on voit des hommes qui pratiquent la justice, la bienfaisance, la vertu, par le seul intérêt bien entendu, par l'esprit et le goût de l'ordre, sans en éprouver le délice et la volupté ; il peut y avoir aussi du goût sans sensibilité, de même que de la sensibilité sans goût. La sensibilité, quand elle est extrême, ne discerne plus ; tout l'émeut indistinctement. L'un vous dira froidement : « Cela est beau ! » L'autre sera ému, transporté, ivre :

> Saliet, tundet pede terram ; ex oculis stillabit amicis rorem [2]

Il balbutiera ; il ne trouvera point d'expressions qui rendent l'état de son âme.

Le plus heureux est, sans contredit, ce dernier. Le

Rome; c'est une des plus belles formes qu'il fût possible de choisir... Quelle raison avait-il de donner la préférence entre tant de figures successives qu'il dessinait sur son papier?... Je me rappelai que M. de la Hire, grand géomètre de l'Académie des sciences, arrivé à Rome dans un voyage d'Italie qu'il fit, fut touché comme tout le monde de la beauté du dôme de Saint-Pierre. Mais son admiration ne fut pas stérile; il voulut avoir la courbe que formait ce dôme; il la fit prendre et il en chercha les propriétés par la géométrie. Quelle ne fut pas sa surprise, lorsqu'il vit que c'était celle de la plus grande résistance... ».

1. Léonard Euler (1707-1783), l'auteur du *Traité complet de mécanique* (1741), résidait à Saint-Pétersbourg depuis l'avènement de Catherine II.

2. Diderot a quelque peu bouleversé les vers 429-430 de l'*Art poétique* : « Il bondira, il frappera la terre du pied. De ses yeux complaisants, les larmes tomberont comme une rosée. »

meilleur juge ? C'est autre chose. Les hommes froids, sévères et tranquilles observateurs de la nature, connaissent souvent mieux les cordes délicates qu'il faut pincer : ils font des enthousiastes, sans l'être ; c'est l'homme et l'animal [1].

La raison rectifie quelquefois le jugement rapide de la sensibilité ; elle en appelle. De là tant de productions presque aussitôt oubliées qu'applaudies ; tant d'autres, ou inaperçues, ou dédaignées, qui reçoivent du temps, du progrès de l'esprit et de l'art, d'une attention plus rassise, le tribut qu'elles méritaient.

De là l'incertitude du succès de tout ouvrage de génie. Il est seul. On ne l'apprécie qu'en le rapportant immédiatement à la nature. Et qui est-ce qui sait remonter jusque-là ? Un autre homme de génie.

---

1. Première ébauche, timide encore, de la thèse centrale du *Paradoxe sur le comédien.*

PENSÉES DÉTACHÉES SUR LA PEINTURE

INTRODUCTION

DEPUIS *les* Essais sur la peinture *confiés à Grimm à la fin de* 1766, *Diderot n'avait plus donné d'ouvrage théorique sur les beaux-arts, si l'on excepte l'essai* De la manière *qui terminait le* Salon de 1767. *Ce n'était pas de sa part suspension d'intérêt, mais prudence en un domaine où rien ne remplace la vision directe des œuvres. Or cette expérience allait être renouvelée et enrichie par son voyage de* 1773-1774 *en Hollande, Allemagne et Russie. Deux séjours en Hollande le mettaient en contact avec une peinture peu et mal représentée en France; il parcourt à Leyde, chez M. Hope,* une immense collection de Rembrandt [1]. *Traversant l'Allemagne, il atteint Dusseldorf et visite le* 25 *ou le* 26 *août* 1773 *la galerie de l'Électeur palatin* [2] *: il y admire le* Saltimbanque *de Gérard Dow, une* Latone *attribuée à Rubens, une* Vierge *de Gaspard Crayer.* Le 14 *septembre, il s'attarde plus longuement à la galerie royale de Dresde* [3] *: il y remarque des Schiavone, des Elzheimer, le* Quos ego *de Rubens, une* Chasse au sanglier *de Snyders, les* Vierges folles *de Schalken ; il s'amuse devant l'immonde* Ganymède *de Rembrandt, s'émerveille devant trois admirables Corrège et surtout devant le* Saint-Georges [4]. A *Saint-Pétersbourg, l'Ermitage lui offrira quotidiennement ses collections et rafraîchira son goût pour Nicolas Poussin.*

Mais à son retour, à l'automne de 1774, *d'autres travaux le*

---

1. *Voyage en Hollande* (A.T., t. XVII, p. 415 et 430).

2. H. Dieckmann, *Inventaire du fonds Vandeul*, Droz, 1951, p. 267.

3. *Ibid*, p. 268.

4. *Caractères des différents peintres* (ms Leningrad, t. XXI, p. 118-119-134).

sollicitent. Ce n'est qu'à la fin de 1775 qu'un ouvrage inconnu en France déclenche la rédaction et la mise en ordre des Pensées détachées sur la peinture *: il s'agissait des* Betrachtungen über die Malerei *de Christian Louis de Hagedorn, ouvrage qui datait de 1762*[1], *mais qu'un ami de Diderot, Huber, lecteur de français à Leipzig, venait de traduire*[2]. *L'intermédiaire était-il le graveur Wille, vieil ami de trente ans*[3] *? Faut-il exclure un contact direct entre Huber et Diderot ? Or les* Betrachtungen *sont du plus grand intérêt. L'auteur, frère du fabuliste, graveur et paysagiste, était depuis 1763 directeur général des Académies de Dresde et de Leipzig; son érudition minutieuse, son impartialité en face des écoles nationales, son étonnante mémoire des attitudes et des couleurs en font un guide averti. Une faiblesse cependant, le crédit excessif qu'il accorde à Gérard de Lairesse et à son* Grand livre des peintres, *qu'il a lu dans la traduction allemande de 1728*[4], *et que les Français ignoreront jusqu'en 1787*[5].

Diderot s'empare aussitôt des Betrachtungen. *Dans les* Pensées détachées, *nous avons décelé plus de soixante points de contact indiscutables. Ce qui est plus grave, c'est que Diderot a groupé ses emprunts dans l'ordre d'une lecture juxta-linéaire de Hagedorn. Le plan des* Betrachtungen *se retrouve presque intact chez Diderot ; les trois livres de Hagedorn :* Du goût, De la composition, Du coloris, *sont repris par Diderot, qui cependant fait du chapitre du goût un simple préambule et annexe à son chapitre de la composition une grande part du livre I*er *de Hagedorn. Mais le livre III des* Betrachtungen (Du dessin) *éclate dans Diderot qui lui substitue une série de menus articles sur l'antique, la grâce, le naïf, la beauté, le costume. Une dizaine d'emprunts excluent cependant toute servitude et supposent*

---

1. Wendler, Leipzig, 1762.
2. Gaspar Fritsch, Leipzig, 1775, 2 vol.
3. Cf. Wille, *Mémoires* (Paris, Renouard, 1857, t. II, p. 30) : Wille remercie Huber de l'envoi de son livre le 15 novembre 1775.
4. *Das Gross Mahlerbuch*, Weigel, Nuremberg, 1728.
5. Traduction Jansen, Paris, 1787.

un reclassement ultérieur [1]. *La qualité de ces emprunts révèle les nuances de sa curiosité. Ce sont tantôt d'entières anecdotes, comme celle du concours Van Goyen-Percellis-Kniberggen, ou celle du jeune peintre de Dresde, Mylius. Il accueille ailleurs la riche érudition de Hagedorn : des notes de Longin, Plutarque, Newton, des exemples de tableaux qu'il ignore, des opinions de De Piles, d'Audran, de Dézallier-Dargenville, une notice sur Elzheimer, une longue citation italienne de Lomazzo. Mais l'essentiel, c'est la révélation de Gérard de Lairesse et de son* Grand livre des peintres (Het Groot Schilderboek). *Diderot retient de précieux détails techniques : constitution de maquettes, concavité ou convexité des tableaux, secondes couleurs, demi-teintes, obtention du bleu tendre, poudrage des contours, procédés du flou. Tous ces menus secrets le ravissent. Si le professeur Mayer lui apprend par Hagedorn l'existence de* 819 *nuances, il enregistre aussitôt cette précision.*

Est-ce à dire que Diderot ne fait qu'adapter Hagedorn ? Certes non. Sur 57 *pages de l'édition Assézat-Tourneux, une douzaine viennent des* Betrachtungen. *Il en fait son bien, fidèle à son génie propre ; il interpelle son informateur, conteste ses opinions :* « Le contraste est une affaire de règles, *dites-vous ?* Je n'en crois rien... » *Son opposition se fait parfois véhémente : il n'aime pas un Apollon trop respectueux de Daphné, un Pyrrhus sans sauvagerie, les querelles de chronologie, l'appel au spectateur dans les tableaux. La fable des paysans transformés en grenouilles évoque pour lui le bassin de Latone à Versailles et non le tableau d'Elzheimer ; la métamorphose de Daphné, le tableau de Le Moyne et non celui de Lairesse.*

Mais nous ne saurions innocenter totalement Diderot. Il y a quelque légèreté, quelque indélicatesse à citer une fois seulement le nom de Hagedorn, à la fin de l'anecdote Percellis-Van Goyen, alors que ses emprunts dépassent la soixantaine. Sa véritable excuse, c'est que les Pensées détachées *sont un ouvrage inachevé. Nous soupçonnons seulement que Diderot pensait à couronner*

---

1. Nos notes préciseront ces emprunts. Un tableau synoptique est donné dans notre article : *Diderot et Hagedorn* (*Revue de littérature comparée*, 1956, p. 239-254).

tous ses essais esthétiques par une véritable axiomatique : une note manuscrite, non datée malheureusement et intitulée bizarrement L'Homme de métier, *retrouvée par M. Dieckmann dans le fonds Vandeul*[1], *nous propose un plan général d'étude de la peinture qui devait se terminer sur un essai de sociologie critique, opposant le peuple, la mode, l'esprit général du siècle ou du pays, à* l'Eglise invisible, *celle des connaisseurs philosophes.*

***

Or le texte même des Pensées *révèle cet état d'inachèvement. Le manuscrit utilisé par Naigeon dans son édition des* Œuvres *de* 1798, *manuscrit disparu qui fonda la vulgate imprimée, se termine bizarrement par des définitions et des omissions. Nous pouvons y déceler une première rédaction vers* 1776-1777 : *Diderot connaît la* Dissertation sur Vénus *de Lachau* (1776), *mais parle encore comme de personnages vivants de Randon de Boisset*[2] *et du sculpteur Le Moyne mort le* 25 *mai* 1778. *Mais les définitions et omissions laissent croire à des retouches ultérieures, sans doute proches de ses derniers travaux et de son dernier* Salon, *celui de* 1781.

Cette hypothèse est confirmée par deux manuscrits, disponibles depuis peu, celui de Leningrad (t. XXI, p. 1-108), *et celui du fonds Vandeul (B. N., n. a. fr.,* 13.744, *fol.* 123-278). *Le premier (L) intègre dans les chapitres correspondants les omissions sur le goût et la composition, mais laisse en fin d'ouvrage les définitions ; une définition nouvelle apparaît* (Accord). *Le second (V) ajoute les définitions au chapitre* Des formes bizarres *qui lui-même se soude au chapitre* Du costume ; *enfin, ce qui révèle une intention de publication et probablement une intervention des Vandeul, une attaque contre Falconet est vigoureusement grattée ; les commentaires gaillards sur la* Daphné

1. *Op. cit.*, p. 225-233.

2. Diderot annonce sa mort à Grimm le 14 octobre 1776 (*Corresp. inédite*, *op. cit* , t. I, p. 164).

de Lairesse sont barrés, de même qu'une allusion maligne à la femme de Le Moyne, modèle de son mari [1].

***

Le choix d'un texte est donc fort délicat. Notre prédécesseur Roland Desné (Éditions sociales, Paris, 1955, p. 118) a édité le manuscrit de Leningrad, calligraphié et remarquablement correct. Mais nous ne saurions le suivre lorsqu'il affirme l'accord général de L et de V. En nombre de cas, L et V permettent de corriger les bévues de la tradition imprimée (Lomazzo *au lieu de* Gomazzo. L'inimitié du rouge et du bleu *et non* du rouge et du blanc. Cet aigle est peint *et non* se peint. Il faut *et non* il vaut) *et même de revoir une description de tableau* (une rivière, un rivage et des bateaux remplis de différentes figures *au lieu de* une rivière, un rivage remplis de bestiaux et de différentes figures). *Mais le texte Vandeul est ordinairement mauvais; le copiste accumule les erreurs* (lenteur *pour* lueur. Il ne lit pas *pour* il ne dit pas. L'humidité *pour* l'humilité de la violette. Votre *pour* notre organe. Expérience *pour* espérance) *ou les platitudes* (prendre *pour* préférer, choses *pour* sujets, *etc.*). *Nous éditerons donc, après Roland Desné, le seul texte de Leningrad, en consignant entre parenthèses nos rares retouches; mais nous conserverons l'ordre du manuscrit Vandeul, qui insère les définitions à l'intérieur des chapitres. Nous espérons ainsi donner des* Pensées détachées, *bien qu'il s'agisse d'un ouvrage demeuré à l'état d'ébauche, à la fois une ordonnance plus nette et une lettre plus sûre.*

P. V.

---

1. Ajoutons qu'à ce remaniement succéda un « bourrage » : on met à la suite du chapitre *Du coloris* l'article *De la manière* qui terminait le *Salon de* 1767 (A.T., t. XI, p. 368-373) puis six folios allogènes, d'une écriture différente et d'une liaison peu évidente avec le texte des *Pensées*. Enfin deux notes, insérées dans le chapitre *Du coloris*, ne sont que les deux premiers paragraphes de l'*Examen du clair-obscur*, annexe au chapitre III des *Essais sur la peinture*.

BIBLIOGRAPHIE

DIDEROT. *Œuvres*, t. V (édition Roland Desné, Éditions sociales, p. 118-206).

DIECKMANN. *Inventaire du fonds Vandeul* (Droz, 1951, p. 225-233).

P. VERNIÈRE. *Diderot et Hagedorn, une étude d'influence* (Revue de litt. comparée, 1956, p. 239-254).

HAGEDORN. *Betrachtungen über die Malerei* (Wendler, Leipzig, 1762, trad. Huber, Fritsch, Leipzig, 1765)

G. DE LAIRESSE. *Das gross Mahlerbuch* (Weigel, Nuremberg, 1728, traduction Jansen, Paris, 1787).

PENSÉES DÉTACHÉES

SUR

LA PEINTURE, LA SCULPTURE ET LA POÉSIE

POUR SERVIR DE SUITE AUX SALONS

DU GOUT.

On retrouve les poètes dans les peintres, et les peintres dans les poètes. La vue des tableaux des grands maîtres est aussi utile à un auteur, que la lecture des grands ouvrages à un artiste.

★

Il ne suffit pas d'avoir du talent, il faut y joindre le goût. Je reconnais le talent dans presque tous les tableaux flamands ; pour le goût, je l'y cherche inutilement.

★

Le talent imite la nature ; le goût en inspire le choix ; cependant j'aime mieux la rusticité que la mignardise ; et je donnerais dix Watteau pour un Téniers. J'aime mieux Virgile que Fontenelle, et je préférerais volontiers Théocrite à tous les deux ; s'il n'a pas l'élégance de l'un, il est bien [1] plus vrai, et bien loin de l'afféterie de l'autre.

---

1. *Omisit* A.T.

Pensées détachées
Sur la Peinture, la Sculpture
[illegible] et la Poésie
Pour servir de suite
au Sallon de 1765

Du Goût

On retrouve les Poëtes dans les Peintres et les Peintres dans les Poëtes. La vue des tableaux des grands maîtres est aussi utile à un auteur que la lecture des grands ouvrages à un artiste.

Il ne suffit pas d'avoir du talent, il faut y joindre le goût. Je reconnais le talent dans presque tous les tableaux flamands; pour le goût, je l'y cherche inutilement.

Le talent imite la nature, le goût en inspire le choix; cependant j'aime mieux la rusticité que la mignardise, et je donnerais dix <u>Watteau</u> pour un <u>Teniers</u>. J'aime mieux Virgile que Fontenelle, et je préférerais volontiers Théocrite à tous les deux; s'il n'a pas l'élégance de l'un, il est bien plus vrai et bien loin de l'afféterie de l'autre

Pensées détachées.

B.N. fonds Vandeul, n. a. fr. 13.744.

3

Pensées détachées
sur la Peinture, la Sculpture, l'Architecture et la Poésie; pour servir de suite aux Sallons.

Du Goût.

On retrouve les Poëtes dans les Peintres et
les Peintres dans les Poëtes. La vue des Tableaux
des grands Maîtres est aussi utile à un Auteur
que la lecture des grands Ouvrages à un Artiste.

Il ne suffit pas d'avoir du talent, il faut
y joindre le goût. Je reconnais le talent dans
presque tous les tableaux flamands; pour le
goût, je l'y cherche inutilement.

Le talent imite la Nature, le goût en
inspire le choix; cependant j'aime mieux la
rusticité que la mignardise, et je donnerais dix
Watteau pour un Teniers. J'aime mieux Virgile
que Fontenelle, et je préférerais volontiers Théo
crite à tous les deux: s'il n'a pas l'élégance

Pensées détachées.

Manuscrit de Leningrad, fonds Diderot, t. XXI, p. 1.

★

Question qui n'est pas aussi ridicule qu'elle le paraîtra : Peut-on avoir le goût pur, quand on a le cœur corrompu ?

★

N'y a-t-il aucune différence entre le goût que l'on tient de l'éducation ou [de][1] l'habitude du grand monde, et celui qui naît du sentiment de l'honnête[2]? Le premier n'a-t-il pas ses caprices ? N'a-t-il pas eu un législateur? Et ce législateur quel est-il ?

★

Le sentiment du beau est le résultat d'une longue suite d'observations ; et ces observations, quand les a-t-on faites ? En tout temps, à tout instant. Ce sont ces observations qui dispensent de l'analyse. Le goût a prononcé longtemps avant que de connaître le motif de son jugement ; il le cherche quelquefois sans le trouver, et cependant il persiste [3].

---

1. V, L : ou l'habitude.
2. V : honnêteté.
3. La doctrine du goût demeure constante chez Diderot. Dès 1762, le goût ou « instinct du beau » n'est que « le résultat d'une infinité de petites expériences » (*A Sophie Volland*, t. I, p. 281). Le goût est donc bien, selon la formule de M. Folkierski, « la résultante d'une expérience oubliée » (*op. cit.*, p. 367). Même définition dans les *Essais sur la peinture* de 1766 : « Une facilité acquise par des expériences réitérées », ou dans une conversation avec Suard de septembre 1767 : « Je répondis que ce sixième sens, que quelques métaphysiciens avaient accrédité en Angleterre, était une chimère; que tout était expérimental en nous. » Le jugement esthétique prend donc l'aspect d'une rencontre émotionnelle entre une expérience enfouie et un objet qui déclenche l'afflux des souvenirs; c'est une « re-connaissance » au sens claudélien du mot.

★

Je me souviens de m'être promené dans les jardins de Trianon. C'était au coucher du soleil ; l'air était embaumé du parfum des fleurs. Je me disais : Les Tuileries sont belles ; mais il est plus doux d'être ici.

★

La nature commune fut le premier modèle de l'art. Le succès de l'imitation d'une nature moins commune fit sentir l'avantage du choix ; et le choix le plus rigoureux conduisit à la nécessité d'embellir ou de rassembler dans un seul objet les beautés que la nature ne montrait éparses que dans un grand nombre. Mais comment établit-on l'unité entre tant de parties empruntées de différents modèles ? Ce fut l'ouvrage du temps.

★

Tous disent que le goût est antérieur à toutes les règles ; peu savent le pourquoi. Le goût, le bon goût est aussi vieux que le monde, l'homme et la vertu ; les siècles ne l'ont que perfectionné.

★

J'en demande pardon à Aristote ; mais c'est une critique vicieuse que de déduire des règles exclusives des ouvrages les plus parfaits, comme si les moyens de plaire n'étaient pas infinis. Il n'y a presque aucune de ces règles que le génie ne puisse enfreindre avec succès. Il est vrai que la troupe des esclaves, tout en admirant, crie au sacrilège.

★

Les règles ont fait de l'art une routine ; et je ne sais si elles n'ont pas été plus nuisibles qu'utiles. Entendons-nous : elles ont servi à l'homme ordinaire ; elles ont nui à l'homme de génie.

★

Les pygmées de Longin, vains de leur petitesse, arrêtaient leur croissance par des ligatures. *De te fabula narratur*, homme pusillanime qui craint de penser [1].

★

Je suis sûr que lorsque Polygnote de Thasos et Mycon [2] d'Athènes [3] quittèrent le camaïeu, et se mirent à peindre avec quatre couleurs, les anciens admirateurs de la peinture traitèrent leurs tentatives de libertinage.

★

Je crois que nous avons plus d'idées que de mots. Combien de choses senties, et qui ne sont pas nommées! De ces choses, il y en a sans nombre dans la morale, sans nombre dans la poésie, sans nombre dans les beaux-arts. J'avoue que je n'ai jamais su dire ce que j'ai senti dans

1. Diderot démarque ici les *Réflexions sur la peinture* de Hagedorn dans la traduction française de Huber (Leipzig, Fritsch, 1775, t. I, p. 93) : « Comme de vrais pygmées dans l'art, ils se ravalent encore au-dessous des pygmées du Longin qui se servaient de bandages et de ligatures pour suspendre la croissance et pour diminuer le volume de leur petite figure. » L'origine de l'anecdote est dans le *Traité du sublime* du Pseudo-Longin (XLIV, 5, cf. traduction de Boileau, Garnier, 1873, t. IV, p. 42).

2. L : Myron (erreur manifeste).

3. Cf. Hagedorn, *op. cit*, t. I, p. 43 : « Polygnotus de Thasoe et Mycon furent les premiers à quitter la peinture monochroms et à peindre avec quatre couleurs. » Cette érudition sur les décorateurs du portique de Delphes et du Poecile d'Athènes vient de Pline (*Hist. naturelle*, livre XXXV, chap. 9); mais Diderot, de même que dans ses Lettres à Falconet (t. XVIII, p. 165), avait écrit « Myron », confondant le peintre avec le célèbre sculpteur du *Discobole*. Aucun éditeur ne l'avait relevé.

l'*Andrienne* de Térence et dans la *Vénus de Médicis*. C'est peut-être la raison pour laquelle ces ouvrages me sont toujours nouveaux. On ne retient presque rien sans le secours des mots, et les mots ne suffisent presque jamais pour rendre précisément ce que l'on sent.

★

On regarde ce que l'on sent et ce que l'on ne saurait rendre comme un [1] secret.

★

Rien n'est si aisé que de reconnaître l'homme qui sent bien et qui parle mal, de l'homme qui parle bien et qui ne sent pas. Le premier est quelquefois dans les rues, le second est souvent à la cour.

★

Le sentiment est difficile sur l'expression ; il la cherche, et cependant, ou il balbutie, ou il produit d'impatience un éclair de génie. [Cependant] [2] cet éclair n'est pas la chose qu'il sent ; mais on l'aperçoit à la lueur [3].

★

Un mauvais mot, une expression bizarre m'en a quelquefois plus appris que dix belles phrases.

★

Rien n'est plus ridicule [et plus ordinaire] [4] dans la société qu'un sot qui veut tirer d'embarras un homme de

1. A.T. : son secret.
2. Barré dans V.
3. V : lenteur.
4. *Omisit* V.

génie. Eh ! pauvre idiot, laisse-le se tourmenter, le mot lui viendra ; et quand il l'aura dit, tu ne l'entendras pas.

★

Presque aucun des arts du luxe qui puisse atteindre à quelque degré de perfection sans la pratique et des écoles publiques de dessin. Il n'en faut pas une, il en faut un grand nombre. Une nation où l'on apprendrait à dessiner comme on apprend à écrire l'emporterait bientôt sur les autres dans les arts [du] goût [1].

★

Quel nom donner à un inventeur ? Le nom d'homme de génie. Quel nom reste-t-il pour ceux qui portent les inventions grossières à ce point de perfection qui nous étonne ? Le même. C'est ainsi que l'écho des siècles va répétant successivement l'épithète sublime, qui ne convient peut-être pas même au dernier instant.

★

Minerve, d'âge en âge, jette sa flûte ; et il est toujours un Marsyas qui la ramasse. Le premier de ce nom fut écorché.

DE LA CRITIQUE.

Je voudrais bien savoir où est l'école où l'on apprend à sentir.

* * *

Il en est une autre où j'enverrais bien des élèves, c'est celle où l'on apprendrait à voir le bien et à fermer les yeux sur le mal. Eh ! n'as-tu vu dans Homère que l'endroit où

1. L : de.

le poète peint les puérilités dégoûtantes du jeune Achille ? Tu remues le sable d'un fleuve qui roule des paillettes d'or, et tu reviens les mains pleines de sable, et tu laisses les paillettes !

★

Je disais à un jeune homme : « Pourquoi blâmes-tu toujours, et ne loues-tu jamais ? — C'est, me répondit-il, que mon blâme déplacé ne peut faire du mal qu'à un autre... » Si je ne l'avais connu pour un bon enfant, combien il se serait trompé !

★

On est plus jaloux de passer pour un homme d'esprit, que l'on ne craint de passer pour un méchant. N'est-ce donc pas assez des inconvénients de l'esprit sans y joindre ceux de la méchanceté ? Tous les sots redoutent l'homme d'esprit ; tout le monde redoute le méchant, sans en excepter les méchants.

★

Il est peu, très peu d'hommes, qui se réjouissent franchement du succès de celui qui court la même carrière; c'est un des phénomènes les plus rares de la nature.

★

L'ambition de César est bien plus commune qu'on ne pense ; le cœur ne propose pas même l'alternative, il ne dit[1] pas : *aut Cæsar, aut nihil.*

★

Il est une certaine subtilité d'esprit très pernicieuse; elle sème le doute et l'incertitude. Ces amasseurs de nuages me

---

1. V : lit.

déplaisent spécialement; ils ressemblent au vent qui remplit les yeux de poussière.

★

Il y a bien de la différence entre un raisonneur et un homme raisonnable. L'homme raisonnable se tait souvent, le raisonneur ne déparle pas.

★

Le poète a dit :

...Trahit sua quemque voluptas [1].

Si l'observation de la nature n'est pas le goût dominant du littérateur ou de l'artiste, n'en attendez rien qui vaille; et lui reconnaîtriez-vous ce goût dès sa plus tendre jeunesse, suspendez encore votre jugement. Les muses sont femmes, elles n'accordent pas toujours leurs faveurs à ceux qui les sollicitent le plus opiniâtrement. Combien elles ont fait d'amants malheureux, et combien elles en feront encore! Et pour l'amant favorisé, encore y a-t-il l'heure du berger.

★

La sotte occupation que celle de nous empêcher sans cesse de prendre du plaisir, ou de nous faire rougir de celui que nous avons pris!... C'est celle du critique.

★

Plutarque dit qu'il y eut, une fois, un homme si parfaitement beau, que, dans un temps où les arts florissaient, il mit en défaut toutes les ressources de la peinture et de la sculpture [2]. Mais cet homme était un prince, il s'appelait *Démétrius*

---

1. Virgile, *Bucoliques*, II, 65.

2. Cf. Hagedorn, t. I, p. 70 : « Plutarque rapporte, dans la *Vie de Démétrius*, que sa beauté était telle que ni les peintres ni les sculpteurs de son temps ne purent venir à bout de la rendre parfaitement, quoiqu'on vît fleurir alors les plus grands artistes. » Nous avouons préférer le langage d'Amyot : « Il n'y avait ni

Poliorcètes. Il n'y avait peut-être pas une seule partie dans cet homme que l'art ne pût encore embellir; la flatterie n'en doutait pas, mais elle se gardait bien de le dire.

★

Un peintre ancien a dit qu'il était plus agréable de peindre que d'avoir peint. Il y a un fait moderne qui le prouve : c'est celui d'un artiste qui abandonne à un voleur un tableau fini pour une ébauche.

★

Il y a une fausse délicatesse, sinon funeste à l'art, au moins affligeante pour l'artiste. Un amateur qui reçoit ces juges dédaigneux dans sa galerie les arrête inutilement devant les morceaux les plus précieux; à peine obtiennent-ils un regard distrait. Ils sont là comme le rat de ville à la table du rat des champs,

...Omnia tangentis dente superbo [1].

Cela est fort beau; mais cela est toujours fort au-dessous de ce qu'ils ont vu ailleurs. Si c'est là le motif qui ferme la porte de ton cabinet, Randon de Boisset [2], je te loue.

---

peintre ni imageur qui pût advenir à le bien tirer et contrefaire naïvement après le vif » (*Vies parallèles*, Cussac, 1786, t. VIII, p. 187).

1. Nous avons conservé la citation d'Horace remaniée par Diderot, au contraire de Naigeon qui en donnait une transcription exacte (*Satires*, livre II, 6, 87).

2. Diderot fut pendant trois mois, vers l'année 1736, précepteur des enfants de Randon de Massane, receveur général des finances en Poitou. Il s'agit ici de son frère, Pierre-Louis Randon de Boisset (1708-1776) dont Diderot disait, dans le *Salon de* 1767 (t. XI, p. 274) : « Je l'ai connu jeune et il n'a pas tenu à lui que je ne devinsse opulent. » « Cet honnête homme... fait peu de cas du genre humain et vit beaucoup pour lui...; il a un très beau cabinet de peinture, des statues, des vases, des porcelaines et des livres... Vous ne verrez pas ses tableaux. » Cet amateur misanthrope, qui avait visité deux fois l'Italie (1752 et 1763) et parcouru les Flandres en 1766 sous la conduite

★

Quel que soit votre succès, attendez-vous à la critique. Si vous êtes un peu délicat, vous serez moins blessé de l'attaque de vos ennemis que de la défense de vos amis.

DE LA COMPOSITION, ET DU CHOIX DES SUJETS.

Rien n'est beau sans unité; et il n'y a point d'unité sans subordination. Cela semble contradictoire; mais cela ne l'est pas.

★

L'unité du tout naît de la subordination des parties; et de cette subordination naît l'harmonie qui suppose la variété.

★

Il y a entre l'unité et l'uniformité la différence d'une belle mélodie à un son continu.

★

La symétrie est l'égalité des parties correspondantes dans un tout. La symétrie, essentielle dans l'architecture, est bannie de tout genre de peinture. La symétrie des parties de l'homme y est toujours détruite par la variété des actions et des positions; elle n'existe pas même dans une figure vue de face et qui présente ses deux bras étendus. La vie et l'action d'une figure sont deux choses différentes. La vie est dans une figure en repos. Les artistes ont attaché au mot de *mouvement* une acception particulière. Ils disent d'une figure en repos, qu'elle a du *mouvement*, c'est-à-dire qu'elle est prête à se mouvoir.

---

de Boucher, mourut le 28 septembre 1776 dans son hôtel construit par Gabriel rue Neuve-des-Capucines. Ses collections furent dispersées au début de 1777. La page de Diderot doit être antérieure à la mort du personnage.

★

L'harmonie du plus beau tableau n'est qu'une bien faible imitation de l'harmonie de la nature. Le plus grand effort de l'art consiste souvent à sauver la difficulté.

★

C'est cet effet qui caractérise en grande partie le technique ou le faire de chaque maître.

★

Celui qui demande un tableau, plus il détaille le sujet, plus il est sûr d'avoir un mauvais tableau. Il ignore combien dans le maître le plus habile l'art est borné.

★

Que m'importe que le *Laocoon* des statuaires soit antérieur ou non au Laocoon du poète ? Il est certain que l'un a servi de modèle à l'autre [1].

---

1. Le *Laocoon*, admirable groupe sculptural alexandrin, trouvé en 1502 sous l'Esquilin, est toujours au Vatican, salle du Belvédère. Pline en signalait l'existence dans la maison de Titus, sans préciser s'il s'agissait d'une réplique ou de l'original d'Agésandros et Athénodore de Rhodes. Très tôt, le rapprochement avait été fait entre la sculpture rhodienne et la description pathétique de la mort du prêtre troyen que donnait Virgile dans l'*Énéide* (livre II, vers 40-201). Le problème de la priorité éventuelle de la sculpture sur le poème, problème que Diderot juge oiseux, a été soulevé en 1755 par Winckelmann dans ses *Réflexions sur l'imitation des ouvrages grecs dans la peinture et la sculpture*, puis repris en 1766 dans le *Laokoon* de Lessing au cours d'une longue digression (chap. V et VI). Mais nous sommes en mesure de préciser que Diderot n'a connu aucun de ces deux ouvrages et l'*Histoire de l'art chez les anciens* de Winckelmann, qu'il a lue en 1766, n'aborde pas cette question. Une fois de plus, l'initiateur est Hagedorn (t. I, p. 34) : « Virgile s'est instruit par des tableaux exposés dans les temples de Rome. Son *Laocoon* est l'heureuse copie du groupe sublime des trois illustres Rhodiens... On dirait qu'il a écrit sous la dictée de l'artiste. »

*

Tout étant égal d'ailleurs, j'aime mieux l'histoire que les fictions.

*

La tête d'un homme sur le corps d'un cheval nous plaît ; la tête d'un cheval sur le corps d'un homme nous déplaira. C'est au goût à créer des monstres. Je me précipiterai peut-être entre les bras d'une sirène ; mais si la partie qui est femme était poisson, et celle qui est poisson était femme, je détournerais mes regards.

*

Je crois qu'un grand artiste peut me montrer avec succès les serpents repliés sur la tête des Euménides. Que Méduse soit belle, mais que son caractère m'inspire l'effroi : cela se peut ; c'est une femme que j'aime à voir, mais dont je crains de m'approcher.

*

Ovide, dans ses *Métamorphoses*, fournira à la peinture des sujets bizarres ; Homère les fournira grands.

*

Pourquoi l'*Hippogriffe*, qui me plaît tant dans le poème [1], me déplairait-il sur la toile ? J'en vais dire une raison bonne ou mauvaise. L'image, dans mon imagination, n'est qu'une ombre passagère. La toile fixe l'objet sous mes yeux et m'en inculque la difformité. Il y a, entre ces deux imitations, la différence d'*il peut être* à *il est*.

---

1. L'hippogriffe est le Pégase du moyen âge, inventé, semble-t-il, par le poète Boiardo. Mais Diderot pense à la monture d'Astolphe dans l'*Orlando furioso* de l'Arioste.

★

La fable des habitants de l'île de Délos métamorphosés en grenouilles est un sujet propre pour une grande pièce d'eau [1].

★

Jamais un peintre de goût n'occupera son pinceau des *Compagnons d'Ulysse changés en pourceaux*. Le Carrache l'a fait pourtant au palais Farnèse [2].

★

Ne me représentez jamais le Pô, ou ôtez-lui sa tête de taureau [3].

★

Lucien parle d'une contrée [4] où les habitants avaient le

---

1. Souvenir d'Ovide (*Métamorphoses*, livre VI, v. 340-381) qui est le seul à rapporter cette tradition lycienne de la légende de Latone. La déesse, pourchassée par Héra, empêchée de boire à une source par des paysans lyciens, les change en grenouilles. Mais Diderot, à la suite de Hagedorn (t. I, p. 45) a cru que l'épisode, comme l'ensemble de la légende de Latone, se plaçait à Délos. Si Hagedorn évoque à ce propos le mauvais goût de Rubens et de Elzheimer qui n'ont pas hésité à nous donner « le spectacle de ces êtres monstrueux et dégoûtants », Diderot de son côté pense spontanément au bassin de Latone à Versailles, dont les compositions en marbre sont des frères de Marsy.

2. Cf. Hagedorn (t. I, p. 115) : « Le connaisseur éclairé doit savoir gré à Annibal Carrache d'avoir évité cet inconvénient dans son morceau du Palais Farnèse où Circé métamorphose les compagnons d'Ulysse en pourceaux. »

3. Cf. Hagedorn (t. I, p. 116) : « Je ne ferais point difficulté d'exclure de la peinture le Pô avec une tête de taureau. »

4. Cette contrée n'est autre que la lune dont Lucien nous peint les habitants dans l'*Histoire véritable* (I, 25, traduction Chambry, Garnier, tome II, p. 43) : « Les Sélénites ont des yeux qu'ils peuvent ôter... Souvent, quand on a perdu les siens, on en emprunte aux voisins pour voir clair. »

malheureux avantage de détacher leurs yeux de leurs têtes, et d'emprunter ceux de leurs voisins quand ils avaient égaré les leurs. — Où est cette contrée ? — Et vous qui me faites cette question, de quel pays êtes-vous ?

★

Horace a dit :

Nec pueros coram populo Medea trucidet [1].

et Rubens m'a montré *Judith sciant la tête d'Holopherne*. Ou Horace a dit, ou Rubens a fait une sottise [2].

★

Soyez terrible, j'y consens ; mais que la terreur que vous m'inspirez soit tempérée par quelque grande idée morale.

★

Si tous les tableaux de martyrs, que nos grands maîtres ont si sublimement peints, passaient à une postérité reculée, pour qui nous prendrait-elle ? Pour des bêtes féroces ou des anthropophages.

★

Pourquoi est-ce que les ouvrages des Anciens ont un si grand caractère ? C'est qu'ils avaient tous fréquenté les écoles des philosophes.

---

1. *Art poétique*, v. 185.
2. L'idée vient encore de Hagedorn (t. I, p. 119) : « Je mets la mort du général assyrien au nombre des sujets que le bon goût ne fournit guère aux artistes. » Mais Diderot discute déjà ce point dans le *Salon de* 1761 (t. X, p. 115) : « Qu'y a-t-il de plus horrible que l'action et le sang-froid de la *Judith* de Rubens ? Elle tient le sabre et l'enfonce tranquillement dans la gorge d'Holopherne. » Mais cette pose n'est nullement celle de la *Judith* du musée ducal de Brunswick, peinte par Rubens vers 1632-1635 (*L'Œuvre de Rubens*, Hachette, 1912, p. 538). Jean Seznec (*op. cit.*, p. 111 et planche 79) signale une autre *Judith* gravée par C. Galle.

★

Tout morceau de sculpture ou de peinture doit être l'expression d'une grande maxime, une leçon pour le spectateur; sans quoi il est muet.

★

Deux qualités essentielles à l'artiste, la morale et la perspective.

★

La plus belle pensée ne peut plaire à l'esprit si l'oreille est blessée [1]. De là, la nécessité du dessin et de la couleur.

★

Dans toute imitation [2] de la nature, il y a le technique et le moral. Le jugement du moral appartient à tous les hommes de goût; celui du technique n'appartient qu'aux artistes.

★

Quel que soit le coin de la nature que vous regardiez, sauvage ou cultivé, pauvre ou riche, désert ou peuplé, vous y trouverez toujours deux qualités enchanteresses, la vérité et l'harmonie.

★

Transportez Salvator [Rosa] [3] dans les régions glacées voisines du pôle; et son génie les embellira.

---

1. Cf. Boileau : *Art poétique*, v. 111 et 112 :
« ... La plus noble pensée
Ne peut plaire à l'esprit quand l'oreille est blessée ».
2. V : toutes les imitations.
3. *Omis*. V, L.

N'inventez de nouveaux personnages allégoriques qu'avec sobriété, sous peine d'être énigmatique [1].

★

Préférez, autant qu'il vous sera possible, les personnages réels aux êtres symboliques.

★

L'allégorie, rarement sublime, est presque toujours froide et obscure.

★

La nature est plus intéressante pour l'artiste que pour moi; pour moi ce n'est qu'un spectacle, pour lui c'est encore un modèle.

★

Il y a des licences accordées au dessin, et peut-être au bas-relief, qu'on refuse à la peinture. La vigueur du coloris fait sortir la fausseté, ou le hideux, ou le dégoûtant de l'objet.

★

L'artiste moderne vous montrera le fils d'Achille adressant la parole à la malheureuse Polixène; et il sera froid. L'artiste antique vous le montrera saisissant la chevelure de

---

1. Cette critique de l'allégorie en peinture est directement inspirée par l'abbé Du Bos, qui n'accepte que les figures consacrées par la tradition (*Réflexions critiques sur la poésie et la peinture*, 1715, Paris, Pissot, t. I, section 24) : « Tous les personnages d'un tableau allégorique sont souvent muets pour les spectateurs... Ce sens mystérieux est placé si haut que personne n'y saurait atteindre... Les tableaux ne doivent pas être des énigmes. » Même idée et même source dans l'article *Composition* de l'*Encyclopédie* (*Œuvres*, t. XIV, p. 202).

sa victime et prêt à la frapper [1]; et il sera chaud. L'instant où il lui enfoncerait son glaive dans la poitrine inspirerait de l'horreur.

★

Je ne suis pas un capucin; j'avoue cependant que je sacrifierais volontiers le plaisir de voir de belles nudités, si je pouvais hâter le moment où la peinture et la sculpture, plus décentes et plus morales, songeront à concourir, avec les autres beaux-arts, à inspirer la vertu et à épurer les mœurs. Il me semble que j'ai assez vu de tétons et de fesses; ces objets séduisants contrarient l'émotion de l'âme, par le trouble qu'ils jettent dans les sens.

★

Je regarde *Suzanne;* et loin de ressentir de l'horreur pour les vieillards, peut-être ai-je désiré d'être à leur place [2].

★

Monsieur de La Harpe, vous avez beau dire, il faut agiter, tourmenter, émouvoir. On a écrit au-dessous de la muse tragique : φόβος καὶ ἔλεος ; et vous ne m'inspirerez ni la terreur, ni la pitié, si vous manquez de chaleur, pas plus que vous n'élèverez mon âme, si la vôtre est vide de noblesse [3].

---

1. Cf. Hagedorn, (t. I. p. 118) : « Pittoni devait-il, à l'exemple de Polignote, représenter Pyrrhus furieux saisissant de la main gauche la chevelure de Polyxène nouée derrière la tête? Oui peut-être, pour peindre les mœurs d'alors. »

2. Le thème de la chaste Suzanne est banal dans la peinture du temps. Dans le *Salon de* 1765 (t. X, p. 242-245), Diderot compare celle de Carle Van Loo à celle de De Troy et commente dans le *Salon de* 1767 (t. XI, p. 54) celle de La Grenée. Mais chaque semaine, chez le baron d'Holbach, rue Royale, ne voyait-il pas la *Suzanne* de Sébastien Bourdon?

3. Dans une lettre probablement destinée à Mme de Maux et insérée dans la *Correspondance littéraire* de novembre 1771 (*Œuvres*, t. XX, p. 36), Diderot s'était élevé contre la froideur et la dignité affectée de Laharpe dans son *Éloge de Fénelon :* « C'est

★

Longin conseille aux orateurs de se nourrir de pensées grandes et nobles. Je ne dédaigne pas ce conseil [1]; mais le lâche se bat inutilement les flancs pour être brave : il faut l'être d'abord, et se fortifier seulement avec le commerce de ceux qui le sont. Il faut reconnaître son cœur, quand on les lit ou qu'on les écoute; en être étonné c'est s'avouer incapable de parler, de penser et d'agir comme eux. Heureux celui qui, parcourant la vie des grands hommes, les approuve et ne les admire point, et dit : *son pittore anch'io !*

★

Il faut sacrifier aux grâces, même dans la peinture de la mauvaise humeur et du souci.

★

Rien de plus piquant qu'un accessoire mélancolique dans un sujet badin.

> Vivamus, mea Lesbia, atque amemus,
> Rumoresque senum severiorum
> Omnes unius æstimemus assis.
> Soles, occidere, et redire possunt.
> Nobis, quum semel occidit brevis lux,
> Nox est perpetua una dormienda.
> Da mihi basia [mille, deinde] centum [2].

---

une tête froide; il a des oreilles, mais point d'entrailles, point d'âme... Il ne réveille aucune passion, ni le mépris ni la haine, ni l'indignation ni la pitié. » Même remarque dans un fragment du fonds Vandeul (Dieckmann, *op. cit*, p. 218) : « Laharpe se déchaîne contre la chaleur qu'il n'a pas, contre le sentiment qui lui manque. Maître Renard, tournez-vous, vous n'avez point de queue. »

1. Cf. Hagedorn (t. I, p. 125) : « Longin, ce maître du sublime, donne le conseil aux orateurs de se nourrir sans cesse de pensées nobles et élevées. Ce conseil est applicable à tous les beaux-arts. »

2. Catulle, *Carmina*, V, *Ad Lesbiam* (cf. édition Garnier, 1931, p. 20).

★

Quelque talent qu'il y ait dans un ouvrage malhonnête, il est destiné à périr, ou par la main de l'homme sévère, ou par la main de l'homme superstitieux ou dévot.

« Quoi! vous seriez assez barbare pour briser la *Vénus aux belles fesses ?*

— Si je surprenais mon fils se polluant aux pieds de cette statue, je n'y manquerais pas. » J'ai vu une fois une clef de montre imprimée sur les cuisses d'un plâtre voluptueux.

★

Un tableau, une statue licencieuse est peut-être plus dangereuse qu'un mauvais livre ; la première de ces imitations est plus voisine de la chose. [Dites-moi], littérateurs, artistes, répondez-[moi][1]; si une jeune innocente avait été écartée du chemin de la vertu par quelques-unes de vos productions, n'en seriez-vous pas désolés; et son père vous pardonnerait-il, et sa mère n'en mourrait-elle pas de douleur? Que vous ont fait ces parents honnêtes, pour vous jouer de la vertu de leurs enfants et de leur bonheur [2]?

★

Je voudrais que le remords eût son symbole, et qu'il fût placé dans tous les ateliers.

★

La sérénité n'habite que dans l'âme de l'homme de bien; il fait nuit dans celle du méchant.

---

1. Barré *in* V.
2. Même thème moralisateur dans le *Salon de* 1767 (t. XI, p. 189).

★

[Je n'aime pas qu'Apollon, poursuivant Daphné, soit respectueux. Il est nu; et la nymphe qu'il poursuit est nue. S'il retire son bras en arrière, s'il craint de la toucher, c'est un sot; s'il la touche, l'artiste est un indécent. La touchât-il avec le revers de la main, comme on le voit dans le tableau de Lairesse, le spectateur dira : « Seigneur Apollon, vous ne l'arrêterez pas comme cela; si vous craignez qu'elle ne s'enfuie pas assez vite, vous vous y prenez fort bien... — Mais peut-être que le dieu avait la peau du dessus de la main douce, et celle du dedans rude. — Laissez-moi en repos; vous n'êtes qu'un mauvais plaisant. »] [1]

★

Vous entrez dans un appartement, et vous dites : « Il y a bien du monde »; [ou] [2] : « On étouffe ici »; ou : « Il n'y a personne. » Eh bien! si vous avez ce tact, qui n'est pas rare, votre toile ne sera ni vide ni surchargée.

Vous entrez dans un appartement, et vous dites : « Qu'est-ce qui les a tous entassés dans cet endroit? » ou : « Je les trouve bien isolés les uns des autres. » Eh bien, si vous avez ce tact, qui n'est pas rare, il y aura de l'air entre vos figures, et elles ne seront ni trop pressées ni trop éloignées.

---

1. Barré *in* V.

Cf. Hagedorn (t. I, p. 131) : « Lairesse exprime ce respect d'une autre manière; Apollon n'ose toucher la nymphe qu'avec le revers de la main. » Le critique allemand, repris ici par Diderot, suit fort souvent lui-même le *Grand livre des peintres* (1707) du peintre et décorateur hollandais Gérard de Lairesse. Il pouvait soit se reporter au texte allemand du livre de Lairesse (t. I, p. 115) où ce thème est traité, soit commenter directement le tableau de Lairesse, *Apollon poursuivant Daphné*, signalé actuellement par Bénézit au musée d'Utrecht et par Thieme-Becker (t. XXII, p. 236) à la galerie de Dulwich. Il est bon de signaler que le commentaire libertin de Diderot a été soigneusement gratté dans le manuscrit par son gendre.

2. *Omisit* L.

★

Si l'intérêt mesure la distance de chacune à l'objet principal, elles seront à leur véritable place.

Si l'intérêt varie leur position, elles auront leur véritable attitude.

Si l'intérêt varie leur expression, elles auront leur véritable caractère.

Si l'intérêt varie la distribution des ombres et des lumières, et que chaque figure prenne de la masse générale la portion relative à [son] [1] importance, votre scène sera naturellement éclairée.

Si vos lumières et vos ombres sont larges, et que le passage des unes aux autres soit imperceptible et doux, vous serez harmonieux.

★

Il y a des espaces arides dans la nature, et il peut y en avoir dans l'imitation.

★

Quelquefois la nature est sèche, et jamais l'art ne le doit être.

★

Ce sont les limites étroites de l'art, sa pauvreté, qui a distingué les couleurs en *couleurs amies* et en *couleurs ennemies*. Il y a des coloristes hardis qui ont négligé cette distinction. Il est dangereux de les imiter, et de braver le jugement du goût fondé sur la nature de l'œil.

★

Éclairez vos objets selon votre soleil, qui n'est pas celui de la nature; soyez le disciple de l'arc-en-ciel, mais n'en soyez pas l'esclave.

---

1. L : leur.

★

Si vous savez ôter aux passions leurs grimaces, vous ne pécherez pas en les portant à l'extrême, relativement au sujet de votre tableau; alors toute votre scène sera aussi animée qu'elle peut et doit l'être.

★

Je sais que l'art a ses règles qui tempèrent toutes les précédentes; mais il est rare que le moral doive être sacrifié au technique. Ce n'est ni à Van Huysum [1] ni à Chardin que je m'adresse; dans la peinture de genre il faut tout immoler à l'effet.

★

La peinture de genre n'est pas sans enthousiasme; c'est qu'il y a [2] deux sortes d'enthousiasme : l'enthousiasme d'âme et celui du métier. Sans l'un, le concept est froid; sans l'autre, l'exécution est faible; c'est leur union qui rend l'ouvrage sublime. Le grand paysagiste a son enthousiasme particulier; c'est une espèce d'horreur sacrée. Ses antres sont ténébreux et profonds; ses rochers escarpés menacent le ciel; les torrents en descendent avec fracas, ils rompent au loin le silence auguste de ses forêts. L'homme passe à travers de la demeure des démons et des dieux. C'est là que l'amant a détourné sa bien-aimée, c'est là que son soupir n'est entendu que d'elle. C'est là que le philosophe, assis ou marchant à pas lents, s'enfonce en lui-même. Si j'arrête mon regard sur cette mystérieuse imitation de la nature, je frissonne.

---

1. La perfection technique, l'extraordinaire minutie des détails, la richesse des nuances ont fait, au début du XVIIIe siècle, le succès de Jean Van Huysum (1682-1749), peintre de fleurs et de fruits.

2. V : car il y a.

★

Si le peintre de ruines ne me ramène pas aux vicissitudes de la vie et à la vanité des travaux de l'homme, il n'a fait qu'un amas informe de pierres. Entendez-vous, monsieur de Machy [1] ?

★

Il faut réunir à une imagination grande et forte un pinceau ferme, sûr et facile; la tête de Deshays à [2] la main de son beau-père [3].

★

Toute composition digne d'éloge est en tout et partout d'accord avec la nature; il faut que je puisse dire : « Je n'ai pas vu ce phénomène, mais il est. »

★

Comme la poésie dramatique, l'art a ses trois unités : de temps, c'est au lever ou au coucher du soleil; de lieu, c'est dans un temple, dans une chaumière, au coin d'une forêt ou sur une place publique; d'action, c'est ou le Christ s'acheminant sous le poids d'une croix au lieu de son supplice, ou sortant du tombeau vainqueur des enfers, ou se montrant aux pèlerins d'Emmaüs.

---

1. Cette critique du peintre Pierre-Antoine De Machy (1722-1807) est tirée du *Salon de* 1767 (t. XI, p. 159), où Diderot l'écrase sous une comparaison avec Hubert Robert : « Les morceaux de Machy sont gris ou d'un jaune de paille : ce sont des ruines toutes neuves. » De Machy présentait encore des ruines au *Salon de* 1771 (t. XI, p. 486).

2. V : et.

3. Jean-Baptiste Deshays né à Rouen en 1729, élève de Van Loo, épousa la fille aînée de Boucher vers 1757. Reçu à l'Académie de peinture en 1758, il mourut accidentellement à Paris le 10 février 1765.

★

L'unité de temps est encore plus rigoureuse pour le peintre que pour le poète; celui-là n'a qu'un instant presque indivisible.

★

Les instants se succèdent dans la description du poète, elle fournirait à une longue galerie de peinture. Que de sujets depuis l'instant où la fille de Jephté vient au-devant de son père, jusqu'à celui où ce père cruel lui enfonce un poignard dans le sein!

★

Ces principes sont rebattus; où est le peintre qui les ignore? Où est le peintre qui les observe? On a tout dit sur le costume, et il n'y a peut-être aucun artiste qui n'ait fait quelque faute plus ou moins lourde contre le costume.

★

Avez-vous vu la sublime composition où Raphaël lève avec la main de la Vierge le voile qui couvre l'Enfant Jésus, et l'expose à l'adoration du petit saint Jean qui est agenouillé à côté d'elle? Je disais à une femme du peuple [1] :

---

1. Il s'agit certainement de la *Vierge au diadème*, appelée parfois *Vierge au voile* ou *Vierge au linge*, peinte vers 1512 par Raphaël. Au XVIIIe siècle, elle passa de la collection du marquis de la Brière à celle du prince de Carignan. Rachetée en 1743 par Louis XV, elle est actuellement au Louvre (cf. F. Gruyer, *Les Vierges de Raphaël*, Renouard, 1869, t. III, p. 220 sq.). Toute cette scène se passe en fait entre Diderot et sa femme, comme nous le révèle un fragment du fonds Vandeul (Dieckmann, *op. cit.*, p. 223-224) : « Mais, ma bonne, vous n'y pensez pas, ce peintre c'est Raphaël. — Et que m'importe ce Raphaël ou un autre? — Mais en quoi a-t-il donc si grossièrement péché ? — Quel âge a cet enfant tout nu que sa mère découvre? — Mais

« Comment trouvez-vous cela ?

— Fort mal.

— Comment, fort mal ? mais c'est un Raphaël.

— Eh bien, votre Raphaël n'est qu'un âne.

— Et pourquoi, s'il vous plaît ?

— C'est la Vierge que cette femme-là ?

— Oui, voilà l'Enfant Jésus.

— Cela est clair. Et celui-là ?

— C'est saint Jean.

— Cela l'est encore. Quel âge donnez-vous à cet Enfant Jésus ?

— Mais, quinze à dix-huit mois.

— Et à ce saint Jean ?

— Au moins quatre à cinq ans.

— Eh bien, ajouta cette femme, les mères étaient grosses en même temps... »

Je n'invente point un conte ; je dis un fait. Un autre fait, c'est que la composition n'en fut pas moins belle pour moi.

La même femme trouvait l'*Enfant du Silence* [1], du Carrache, énorme, monstrueux ; et elle avait raison. Elle était choquée de la disproportion de cet enfant avec sa mère délicate ; et elle avait encore raison.

C'est qu'il ne faut pas mettre la nature exagérée à côté de la nature vraie, sous peine de contradiction. Si les hommes d'Homère lancent des quartiers de roche, ses dieux enjambent les [2] montagnes.

à peine quinze mois. — Et celui qui est debout à côté d'elle ? — Mais plutôt quatre ans que trois. — Entendez-vous votre épouse ? — Non. — Mais les mères de ces deux enfants étaient grosses en même temps. » Le même fragment nous révèle d'ailleurs que Diderot et sa femme n'avaient pas vu le tableau, mais dialoguaient d'après la gravure.

1. C'est encore un tableau des collections royales, aujourd'hui au Louvre, la *Vierge* d'Annibal Carrache, qui recommande le silence à saint Jean pour ne pas troubler le repos de Jésus.

2. V : des.

★

J'ai dit que l'artiste n'avait qu'un instant; mais cet instant peut subsister avec des traces de l'instant qui a précédé, et des annonces de celui qui suivra. On n'égorge pas encore Iphigénie; mais je vois approcher le victimaire avec le large bassin qui doit recevoir son sang, et cet accessoire me fait frémir.

★

A mesure que le lieu de la scène s'éloigne, l'angle visuel s'étend, et le champ du tableau peut s'accroître. Quelle est la plus grande quantité de cet angle au fond de l'œil? Quatre-vingt-dix degrés; au delà de cette mesure, on me montre plus d'espace que je n'en puis embrasser. De là la nécessité d'étendre les espaces situés au dehors de ces lignes.

★

Les compositions seraient monotones, si l'action [principale] [1] devait rigoureusement occuper le milieu de la scène. On peut, on doit peut-être s'écarter de ce centre, mais avec sobriété.

★

Qu'est-ce qu'on entend par la balance de la composition? J'en ai peut-être une idée fausse; c'est de regarder la largeur du tableau comme un levier, regarder pour nulle la pesanteur des figures placées sur le point d'appui, établir l'équilibre entre les figures placées sur les bras, et augmenter ou diminuer les efforts de part et d'autre, en raison inverse des éloignements. Peu de figures, si le sujet l'exige, et beaucoup d'accessoires; ou beaucoup de figures et peu d'accessoires.

---

1. *Omisit* L.

★

Pourquoi l'art s'accommode-t-il si aisément des sujets fabuleux, malgré leur invraisemblance? C'est par la même raison que les spectacles s'accommodent mieux des lumières artificielles que du jour. L'art et ces lumières sont un commencement de prestige et d'illusion. Je penserais volontiers que les scènes nocturnes auraient sur la toile plus d'effet que les scènes du jour, si l'imitation en était aussi facile. Voyez à Saint-Nicolas-des-Champs, Jouvenet ressuscitant le Lazare [1], à la lueur des flambeaux. Voyez sous le cloître des Chartreux saint Bruno expirant [2], à des lumières artificielles. J'avoue qu'il y a [une] [3] convenance secrète entre la mort et la nuit, qui nous touche sans que nous nous en doutions. La résurrection en est plus merveilleuse, la mort en est plus lugubre.

★

Je ne dispute guère contre les actions héroïques; j'aime à croire qu'elles se sont faites. J'adopte volontiers les systèmes qui embellissent les objets. Je préfère la chronologie de Newton à celle des autres historiographes, parce que, si Newton a bien calculé, Énée et Didon seront contemporains [4].

---

1. Le *Jésus ressuscitant le Lazare* de Jean Jouvenet (1644-1717), peint pour Saint-Nicolas des Champs, conservé maintenant au Louvre, utilise comme la *Descente de croix* de 1697 les lumières artificielles dans un sens très caravagien. Dans le *Salon de* 1763 (t. X, p. 190), Diderot disait déjà : « Quelle différence entre ces amis qui tendent les mains au ressuscité de Deshays et cet homme qui éclaire avec un flambeau la scène de Jouvenet. »

2. Allusion au dernier tableau de la série célèbre de la *Vie de saint Bruno*, commandée par les chartreux de la rue d'Enfer en 1645. La mort de saint Bruno (1648), maintenant au Louvre, doit son prix au pathétique des physionomies et à l'étonnant éclairage irradiant d'une chandelle.

3. *Omisit* V.

4. Cf. Hagedorn, t. I, p. 177-178 : « On est étonné de la rencontre d'Énée et de Didon, quoiqu'ils aient vécu à trois cents

★

Il ne faut quelquefois qu'un trait pour montrer toute une figure.

Et vera incessu patuit Dea... [1]

Il ne faut quelquefois qu'un mot pour faire un grand éloge. *Alexandre épousa Roxane.* Qui était cette Roxane qu'Alexandre épousa ? Apparemment la plus grande et la plus belle femme de son temps.

★

Les erreurs consacrées par de grands artistes deviennent avec le temps des vérités populaires. S'il existait plusieurs tableaux de l'*Enfant Jésus modelant et animant des oiseaux d'argile*, nous y croirions [2].

★

Beau sujet de tableau, c'est *Phryné traînée devant l'aréopage pour cause d'impiété, et absoute à la vue de son beau sein :* preuve, entre beaucoup d'autres, du cas que les Grecs faisaient de la beauté, ou des modèles qui servaient pour leurs dieux et leurs déesses [3].

---

ans l'un de l'autre. Aussi Virgile a-t-il essuyé les traits de la critique à ce sujet... Virgile a trouvé un illustre défenseur dans Newton. L'on soutient d'après la chronologie de ce grand mathématicien qu'Énée et Didon ont été contemporains. » Cette discussion oiseuse vient de l'ouvrage posthume de Newton, édité en 1728 par son disciple Pemberton, *The Chronology of ancient Kingdoms amended.*

1. Vers de Virgile (*Énéide*, l. I, 404) déjà cité dans les *Essais sur la peinture* (t. X, p. 488).

2. Cette légende vient du Koran (III, 43 et V, 109).

3. La *Phryné devant les aréopagites* de Baudouin fut exposée au Salon de 1763. Diderot, selon sa mode, l'avait recomposée, mais il lui reconnaissait du mérite : « C'est un très beau sujet, traité d'une manière faible et commune. Et malgré cela, je jure que l'ouvrage n'est pas tout de lui. Monsieur Boucher, vous n'en conviendrez pas, mais de temps en temps, vous avez arraché le pinceau de votre pauvre gendre » (t. X, p. 206-207).

Baudouin a traité ce sujet trop au-dessus de ses forces. Il n'a pas senti que les juges devaient occuper le côté gauche de la scène, et que la courtisane et son avocat devaient être à droite, l'avocat plus sur le fond, la courtisane plus voisine de moi. Il n'a pas su leur donner de l'expression; l'action de l'avocat au moment où il arrache la tunique de Phryné n'a ni l'enthousiasme, ni la noblesse qu'elle exigeait. Les juges, dont il était si naturel de varier les mouvements, sont immobiles et froids. Je ne me rappelle pas qu'il y eût aucun concours d'assistants; cependant on allait entendre les causes singulières dans Athènes comme dans Paris. Mais, c'est la courtisane surtout qu'il était difficile de rendre; aussi ne l'a-t-il pas rendue.

> Sumite materiam vestris, qui scribitis, æquam
> Viribus; et versate diu quid ferre recusent,
> Quid valeant humeri [1].

Un petit peintre d'historiettes tantôt ordinaires, tantôt galantes, ne pouvait que faire un pauvre rôle devant un aréopage : ce qui est arrivé à Baudouin. Il est mort épuisé de débauches [2]. Je n'en parlerais pas ainsi, je n'en parlerais point du tout, s'il vivait. Deshays, l'autre gendre de Boucher, avait les mêmes mœurs, et a eu le même sort que Baudouin.

★

Quelque habile que soit un artiste, il est facile de discerner s'il a appelé le modèle ou travaillé de pratique; l'absence de certaines vérités de nature décèle ou son avarice ou sa vanité. — Mais, quand on a beaucoup imité cette nature, ne peut-on pas s'en passer? — Non. — Et pourquoi? — C'est que le mouvement du corps le plus imperceptible change toute la position des muscles, et produit des rondeurs où il y avait des méplats, des méplats où il y avait des rondeurs; toute la figure est voisine du vrai, et tout y est faux.

---

1. *Art poétique* d'Horace, vers 38-40.
2. Baudouin mourut en 1769, un an avant son beau-père.

★

Ce contraste entre les figures, si sottement recommandé et plus sottement encore comparé à celui des personnages dramatiques, entendu comme il l'est par les écrivains et peut-être par les artistes, donnerait aux compositions un air d'apprêt insupportable. Allez aux Chartreux, voyez là quarante moines rangés sur deux files parallèles; tous font la même chose, aucun ne se ressemble; l'un a la tête renversée en arrière et les yeux fermés; l'autre l'a penchée et renfoncée dans son capuchon; et ainsi du reste de leurs membres. Je ne connais pas d'autre contraste que celui-là.

Quoi donc! faut-il que l'un parle, quand l'autre se tait; que l'un crie, quand un autre parle; que l'un se redresse, quand un autre se courbe; que l'un soit triste, quand un autre est gai; que l'un soit extravagant, quand un autre est sage? Cela serait trop ridicule.

Le contraste est une affaire de règle, dites-vous. Je n'en crois rien[1]. Si l'action demande que deux figures se penchent vers la terre, qu'elles soient penchées toutes deux; et si vous les imitez d'après nature, ne craignez pas qu'elles se ressemblent.

Le contraste n'est pas plus une affaire de hasard que de règle. C'est par une nécessité dont il est impossible de s'affranchir sans être faux que deux figures différentes, ou d'âge, ou de sexe, ou de caractère, font diversement une même chose.

★

Une composition doit être ordonnée de manière à me persuader qu'elle n'a pu s'ordonner autrement; une figure doit agir ou se reposer, de manière à me persuader qu'elle n'a pu agir autrement.

---

1. Cf. Hagedorn (t. I, p. 236) : « Le contraste est une affaire de règles, mais le naturel ne l'est pas moins... la règle des contrastes doit être plutôt un effet du hasard que de la recherche. »

★

Allez encore aux Chartreux; voyez *la Distribution des aumônes* de Bruno à cent pauvres qui se pressent [1] autour de lui. Tous sont debout, tous demandent, tous tendent les mains pour recevoir; et dites-moi où est le contraste entre ces figures.

Je ne sais si le contraste technique a embelli quelques compositions; mais je suis sûr qu'il en a beaucoup gâté.

Le contraste que vous recommandez se sent; celui qui me plaît ne se sent pas.

★

Ne croyez pas qu'on puisse conserver la même action, et tourner et retourner sa figure en cent diverses manières; il n'y en a qu'une qui soit bien, parfaitement bien; et ce n'est jamais que notre ignorance qui laisse à l'artiste le choix entre plusieurs.

★

« Mais quoi! me direz-vous, un homme qui ramasse une pièce d'argent à terre, un de ces mendiants de Le Sueur, par exemple, ne la peut ramasser que d'une façon, ne peut se courber plus ou moins?

— A la rigueur, non.

— Ne peut avoir ses deux jambes parallèles, ou l'une placée en avant et l'autre reculée en arrière?

— Non.

— Prendre d'une main et appuyer, ou ne pas appuyer de l'autre à terre?

— Non, non.

— Se précipiter avec rapidité ou ramasser avec nonchalance?

— Non, non, vous dis-je.

---

1. A.T., V : se présentent.

— Mais si l'artiste n'était pas le maître de varier à sa fantaisie la position de ses figures, il faudrait qu'il renonçât à son talent, ou qu'à l'occasion d'une tête, d'un pied, d'une main, d'un doigt, il bouleversât toute son ordonnance.

— Cela paraît ainsi; mais cela n'est pas. Heureusement pour l'artiste, nous n'en savons pas assez pour sentir et accuser ses négligences. Daignez m'écouter encore un moment. L'artiste veut rendre d'après nature une action; il appelle le modèle, il lui dit : Faites telle chose; le modèle obéit et fait la chose de la manière apparemment qui lui est la plus commode : c'est l'organisation qui lui est propre, qui dispose de tous ses membres. Cela est si vrai, que, si l'artiste se sert d'un autre modèle, plus svelte ou plus lourd, plus jeune ou plus âgé, à qui il ordonne la même action, ce second modèle l'exécutera diversement. Que fait donc l'artiste qui lui relève ou baisse la tête, qui lui avance ou retire une jambe, ou qui lui pousse une main en avant, ou qui lui repousse l'autre en arrière? N'est-il pas évident qu'il contrarie l'organisation de cet homme, et qu'il le gêne plus ou moins?

— Eh! que m'importe, pourvu que cette gêne m'échappe, et que l'ensemble en soit plus parfait?

— Vous avez raison; mais convenez qu'il y a à cet agencement artificiel d'une figure des limites assez étroites, et qu'un peu trop de licence lui donnerait un air académique ou gêné, tout à fait maussade. »

★

Voulez-vous que je vous raconte un fait qui m'est personnel? Vous connaissez ou vous ne connaissez pas la statue de Louis XV placée dans une des cours de l'École Militaire; elle est de Le Moyne. Cet artiste faisait, un jour, mon portrait. L'ouvrage était avancé. Il était debout, immobile, entre son ouvrage et moi, la jambe droite pliée et la main gauche appuyée sur la hanche, non du même côté, du côté gauche. « Mais, lui dis-je, monsieur Le Moyne, êtes-vous bien?

— Fort bien, me répondit-il.

— Et pourquoi votre main n'est-elle pas sur la hanche du côté de votre jambe pliée ?

— C'est que par sa pression je risquerais de me renverser; il faut que l'appui soit du côté qui porte toute ma personne.

— A votre avis, le contraire serait absurde ?

— Très absurde.

— Pourquoi donc l'avez-vous fait à votre Louis XV de l'École Militaire ?... »

A ce mot, Le Moyne resta stupéfait et muet. J'ajoutai : « Avez-vous eu le modèle pour cette figure ?

— Assurément.

— Avez-vous ordonné cette position à votre [1] modèle ?

— Sans doute.

— Et comment s'est-il placé ? est-ce comme vous l'êtes à présent, ou comme votre statue ?

— Comme je suis.

— C'est donc vous qui l'avez arrangé autrement ?

— Oui, c'est moi, j'en conviens.

— Et pourquoi ?

— C'est que j'y ai trouvé plus de grâce... [2] »

J'aurais pu ajouter : « Et vous croyez que la grâce est compatible avec l'absurdité ? » Mais je me tus [par pitié] [3]; je

1. V : au modèle.

2. Le modèle en plâtre du *Louis XV* de Le Moyne fut exposé en 1769 et Diderot le critiquait ainsi (t. XVII, p. 76) : « Où le sculpteur a-t-il donc pris qu'un homme dont le corps porte sur la jambe droite place la main sur la hanche gauche ? Cela est contre la sympathie des mouvements naturels. » Ce *Louis XV en cuirasse*, dressé en marbre dans la cour de l'École militaire de Paris, fut détruit le 19 août 1792. Quant au buste de Diderot par Le Moyne, attesté par une lettre de Caffieri à l'Académie du 25 août 1785 (cf. Louis Réau, *Les Le Moyne*, Paris, 1927, p. 151), il fut transporté sous la Révolution au Musée des Monuments français, puis il disparut. Cependant, Le Moyne étant tombé paralysé en mars 1777, nous pouvons assurer que les séances de pose de Diderot datent de 1775-1776, ce qui nous donne un *terminus a quo* pour la composition des *Pensées détachées*.

3. Barré *in* V.

m'accusai même de dureté; car pourquoi montrer à l'artiste les défauts de son ouvrage, quand il n'y a plus de remède? C'est le contrister bien en pure perte, surtout quand il n'est plus d'âge à se corriger... A présent je reviens à vous, et je vous demande si Le Moyne, au lieu d'agencer sa figure comme nous la voyons, n'aurait pas mieux fait de la rendre à peu près strictement d'après le modèle? Je dis à peu près; car, le modèle le plus parfait n'étant qu'un à peu près de la figure que l'artiste se proposait d'exécuter, son action ne pouvait être qu'un à peu près de l'action qu'il se proposait de lui donner.

— Mais les fautes sont rarement aussi grossières.

— D'accord. Cependant vous entendrez souvent dire des compositions d'un artiste : il y a je ne sais quoi de contraint dans ses figures; et savez-vous d'où naît cette contrainte? De la liberté qu'il a prise de réduire l'action naturelle de son modèle aux maudites règles du technique; car convenez qu'une imitation rigoureuse, si elle avait quelque vice, ce ne serait pas celui-là.

— Mais s'il arrive que le modèle soit gauche, que faire?

— Sans balancer, en prendre un autre qui ne le soit pas. Tenter de corriger sa gaucherie, c'est s'exposer à tout gâter. Nous sentons bien qu'un modèle se tient mal; mais dans les actions un peu extraordinaires, savons-nous ce qui lui manque pour se bien tenir, et le savons-nous avec cette précision que le scrupule de l'art exige? Les Flamands et les Hollandais, qui semblent avoir dédaigné le choix des natures, sont merveilleux sur ce point. Vous verrez, dans une *Kermesse* de Teniers, un nombre prodigieux de figures toutes occupées à différentes actions; les uns boivent, les autres, ou dansent, ou conversent, ou se querellent, ou se battent, ou s'en retournent en chancelant d'ivresse, ou poursuivent des femmes qui s'enfuient, soit en riant, soit en criant; parmi tant de scènes diverses, pas une position, pas un mouvement, pas une action qui ne vous semble être de la nature.

— Mais comment font les peintres de batailles?

— Il faut montrer le tableau au maréchal de Broglie et lui

demander ce qu'il en pense [1]; ou plutôt conserver pour ce genre de peinture toute notre indulgence accoutumée. Comment voulez-vous qu'un modèle puisse montrer, avec quelque vérité, ou le [2] soldat furieux qui s'élance, ou un soldat pusillanime qui se sauve avec effroi, et toute la variété des actions d'une journée sanglante? Le morceau produit-il une impression profonde? Ne pouvez-vous ni en détacher, ni lui continuer vos regards? Tout est bien. N'entrons dans aucun détail minutieux. Avec des pieds négligés et des mains estropiées ou informes, une belle bataille est toujours un prodige d'imagination et d'art. Et puis, comment accuser de contrainte des mouvements au milieu d'une mêlée, où chaque individu entouré de toutes parts de menaces et de péril a la mort à droite, à gauche, par devant, par derrière, et ne sait où trouver de la sécurité? On sent qu'alors la position doit être vacillante, incertaine et tourmentée, excepté dans celui que la fureur emporte, et qui va s'enfoncer lui-même dans la poitrine le glaive de son ennemi. Il a dit : Vaincre ou mourir; et, en conséquence de cette résolution, son mouvement est franc, son action décidée, et sa position ne souffre de gêne que par les obstacles qu'il rencontre.

★

J'ai dit quelque part que les mœurs anciennes étaient plus poétiques et plus pittoresques que les nôtres; j'en dis autant ici de leurs batailles. Quelle comparaison du plus beau Van der Meulen avec un tableau de Le Brun, tel que le *Passage du*

---

1. Victor-François, duc de Broglie, maréchal de France, né le 19 octobre 1718, fut un des rares généraux victorieux de la Guerre de Sept ans. Depuis 1761, disgracié sous l'influence de Mme de Pompadour, il vivait au château de Broglie en Normandie. Diderot l'avait fort bien connu, vers 1771-1772, lors de l'achat pour Catherine II de la collection Crozat de Thiers, dont il était l'un des héritiers.

2. V : un.

Granique [1] ! Les mœurs en s'adoucissant, l'art militaire en se perfectionnant, ont presque anéanti les beaux-arts.

★

La peinture est tellement ennemie de la symétrie, que, si l'artiste introduit une façade dans son tableau, il ne manquera pas d'en rompre la monotonie par quelque artifice, ne fût-ce que par l'ombre de quelque corps, ou par l'incidence oblique de la lumière. La partie éclairée semble s'avancer vers l'œil, et la partie ombrée s'en éloigner [2].

★

La proportion produit l'idée de force et de solidité.

★

L'artiste évitera les lignes parallèles, les triangles, les carrés, et tout ce qui approche des figures géométriques, parce qu'entre mille cas où le hasard dispose des objets, il n'y en a qu'un seul où il rencontre ces figures. Pour les angles aigus, c'est l'ingratitude et la pauvreté de leurs formes qui les proscrit [3].

---

1. François Van der Meulen (1632-1690) peignit les conquêtes de Louis XIV. Favori de Le Brun, rien ne l'opposait à son maître, à qui il prêtait souvent sa technique minutieuse et son exactitude inlassable. Diderot veut simplement distinguer le thème antique des batailles d'Alexandre des batailles modernes de Louis XIV. Le *Passage du Granique* fait partie de la fameuse série alexandrine du Louvre.

2. V : s'en éloigne.

3. Cf. Hagedorn (t. I, p. 241) : « L'artiste fuira les proportions géométriques... Il évitera généralement toutes les formes qui sont composées de contours égaux et de lignes parallèles et qui, n'offrant que des angles aigus, des carrés, des triangles, ne produisent qu'une certaine régularité de figures géométriques. »

★

Il y a une loi pour la peinture de genre et pour les groupes d'objets pêle-mêle entassés. Il faudrait leur supposer de la vie, et les distribuer comme s'ils s'étaient arrangés d'eux-mêmes, c'est-à-dire avec le moins de gêne et le plus d'avantage pour chacun d'eux.

★

Celui qui fait la statue dans le *Festin de Pierre* se tient raide, prend une attitude contrainte, imite le bloc de marbre de son mieux; mais c'est donc une mauvaise statue qu'il veut imiter? Et pourquoi n'en imiterait-il pas une bonne? En ce cas, il doit s'arranger d'après son rôle comme une statue de grand maître, avoir de l'expression, de la vie, de la noblesse, de la grâce. La seule qualité qui lui soit propre avec l'ouvrage de l'art, c'est l'immobilité, qui ne contredit pas le mouvement. Est-ce que Sisyphe, qui pousse la roche vers le haut du rocher, ne se meut pas [1]?

★

Il ne faut pas croire que les êtres inanimés soient sans caractères. Les métaux et les pierres ont les leurs. Entre les arbres, qui n'a pas observé la flexibilité du saule, l'originalité du peuplier, la raideur du sapin, la majesté du chêne [2]? Entre les fleurs, la coquetterie de la rose, la pudeur du

---

1. Cf. Hagedorn (t. I, p. 244) : « Un Sisyphe qui roule sa roche au haut de la montagne nous plaît bien plus qu'une figure immobile de l'art des Égyptiens. »

2. Cf. Hagedorn (t. I, p. 245) : « Tous les végétaux, par la disposition qui leur est propre, manifestent la vie que les poètes donnent aux fleurs... ; depuis l'arbrisseau le plus humble jusqu'au chêne le plus superbe, tout offre une variété infinie. »

bouton, l'orgueil du lis, l'humilité [1] de la violette, la nonchalance du pavot ? *Lentove papavera collo* [2].

★

La ligne ondoyante est le symbole du mouvement et de la vie; la ligne droite est le symbole de l'inertie ou de l'immobilité [3]. C'est le serpent qui vit, ou le serpent glacé.

★

Un sujet sur lequel je proposerais à un compositeur de s'exercer, c'est celui de *Joseph expliquant son songe à ses frères* rangés autour de lui, et l'écoutant en silence. C'est là qu'il apprendrait à ordonner, à contraster et à varier les positions et les expressions. J'en ai vu le dessin, d'après Raphaël.

★

Les quatre chevaux d'un quadrige ne se ressemblent pas.

★

Les groupes se lient [4] dans toute la composition, comme chaque figure dans le groupe.

★

Les chevaux de l'Aurore, ceux qui emportent le char du

---

1. V : l'humidité.

2. Souvenir de Virgile (*Énéide*, l. IX, vers 436) :
« Purpureus veluti cum flos succisus aratro
Languescit moriens, lassove papavera collo
Demisere caput, pluvia cum forte gravantur. »
Diderot a donné une longue analyse de ces vers dans la *Lettre sur les sourds et les muets* (*Œuvres*, t. I, p. 376-377).

3. Cf. Hagedorn (t. I, p. 246) : « La ligne ondoyante est le caractéristique de la mobilité, comme la ligne directe ou perpendiculaire est la marque de l'immobilité ou de la position ferme des corps. »

4. V : se tiennent.

Soleil, s'acheminent vers un terme donné. La fougue irrégulière ne leur convient donc pas [1].

★

Carle Van Loo modelait en argile des figures de ses groupes, afin de les éclairer de la manière la plus vraie et la plus piquante [2]. Lairesse peignait ses figures, les découpait et les assemblait de la manière la plus avantageuse pour le groupe [3]. J'approuve l'expédient de Van Loo; j'aime à le voir promener sa lumière autour de son groupe d'argile. Je craindrais que le moyen de Lairesse ne rendît l'ensemble, sinon maniéré, du moins froid.

★

C'est une action commune à plusieurs figures qui forme le groupe; les ombres et la lumière achèvent la liaison, mais ne la font pas.

★

Si l'on veut définir par l'effet le manque de repos dans un tableau, c'est une prétention égale de toutes les figures à mon

---

1. Cf. Hagedorn (t. I, p. 257) : « Quand l'artiste représente les quadriges des anciens en pleine course, il se conforme également à l'histoire et à la nature; mais rien ne l'empêche de donner un tour plus varié aux chevaux marins qui traînent le char de Vénus. »

2. Même remarque de Diderot dans le *Salon de* 1765 (t. X, p. 251). Mais Naigeon, qui fut l'élève de Van Loo et fréquenta son atelier, le corrige dans une note de l'édition de 1798 : « Jamais Van Loo n'a fait en terre un modèle de ses figures : il avait tout simplement un mannequin à ressorts qu'il posait d'abord, qu'il drapait ensuite avec des étoffes diverses et de couleurs différentes et d'après lesquelles il peignait. »

3. Cf. Hagedorn (t. I, p. 258, note) : « Cet artiste peignait quelquefois des figures, qu'il découpait ensuite, pour en composer des groupes; il en changeait les attitudes et apprenait par là l'harmonie des couleurs. »

attention. C'est une compagnie de beaux esprits qui parlent tous à la fois sans s'entendre, qui me fatiguent et qui me font fuir, quoiqu'ils disent d'excellentes choses.

★

Il y a le repos de l'esprit dont je viens de parler, et le repos des couleurs et des ombres, des couleurs ternes ou brillantes, le repos de l'œil.

★

Dans la description d'un tableau, j'indique d'abord le sujet; je passe au principal personnage, de là aux personnages subordonnés dans le même groupe [1]; aux groupes liés avec le premier, me laissant conduire par leur enchaînement; aux expressions, aux caractères, aux draperies, au coloris, à la distribution des ombres et des lumières, aux accessoires, enfin à l'impression de l'ensemble. Si je suis un autre ordre, c'est que ma description est mal faite, ou le tableau mal ordonné.

★

Il faut bien de l'art pour faire couper avec grâce une figure par la bordure. Cette figure ne sort jamais; elle rentre toujours dans le lieu de la scène [2].

★

Teniers a fait la satire la plus forte des repoussoirs. Il y en a sans doute dans ses tableaux; mais on ne sait où ils sont. Il exécute une composition à trente ou quarante personnages, comme le Guide, le Corrège ou le Titien font une Vénus

---

1. V : de là aux groupes liés.
2. Cf. Hagedorn (t. I, p. 264) : « Je ne ferai point de remarque particulière sur les figures mal coupées vers la bordure : elles ne plaisent nulle part. Du moins on ne les pardonne qu'au génie. »

toute nue. Les teintes, qui discernent et arrondissent les formes, se fondent les unes dans les autres si imperceptiblement, que l'œil croit n'en apercevoir qu'une seule du même blanc. De même, dans Teniers, le spectateur cherche ce qui donne de la profondeur à la scène, ce qui sépare cette profondeur en une infinité de plans, ce qui fait avancer et reculer ses figures, ce qui fait circuler l'air autour d'elles et il ne le trouve pas.

C'est qu'il en doit être d'un tableau comme d'un arbre ou de tout autre objet isolé dans la nature, où tout se sert réciproquement de repoussoir.

★

Deux discours à prononcer, l'un dans une académie, l'autre dans une place publique, sont comme les deux Minerves, l'une de Phidias, et l'autre d'Alcamène. Les traits de l'une seraient trop délicats et trop fins pour être vus de loin; les traits de l'autre trop informes, trop grossiers pour être vus de près. Heureux le littérateur ou l'artiste qui plaît à toutes les distances!

★

On peut donner à un paysage l'apparence concave ou l'apparence convexe. Celle-ci, s'il y a un sujet qui occupe le devant de la scène; alors le fond se terminera en un espace vaste et presque illimité. Celle-là, si le paysage est le sujet principal; l'espace nu est alors sur le devant, le paysage occupe et termine le fond. Je fais abstraction des percées que l'artiste [1] se sera ménagées.

Rubens et le Corrége ont employé ces deux formes. *La Nuit* du Corrége est concave; son *Saint Georges* est convexe.

L'apparence concave disperse et étend les objets sur le fond; l'apparence convexe les rassemble sur le devant. L'une

---

1. A.T. : auteur.

convient donc au paysage historique, et l'autre au paysage pur et simple [1].

★

Lairesse prétend qu'il est permis à l'artiste de faire entrer le spectateur dans la scène de son tableau. Je n'en crois rien [2]; et il y a si peu d'exceptions, que je ferais volontiers une règle générale du contraire. Cela me semblerait d'aussi mauvais goût que le jeu d'un acteur qui s'adresserait au parterre. La toile renferme tout l'espace, et il n'y a personne au delà. Lorsque Suzanne s'expose nue à mes regards, en opposant aux regards des vieillards tous les voiles qui l'enveloppaient, Suzanne est chaste et le peintre aussi; ni l'un ni l'autre ne me savaient là [3].

★

Il ne faut jamais interrompre de grandes masses par de petits détails; ces détails les rapetissent en m'en donnant la mesure. Les tours de Notre-Dame seraient bien plus hautes, si elles étaient tout unies.

★

Je ne crois pas qu'il puisse y avoir plus d'une percée dans

1. Cf. Hagedorn (t. I, p. 270) : « La manière concave me paraît la plus convenable pour un paysage qui n'est pas subordonné à une représentation historique. » Hagedorn place de même dans la manière concave « *la Nuit* du Corrège et *la Sainte famille avec la Madeleine*... Quant au tableau admirable du *Saint-Georges* du même maître, il donne la preuve d'une belle ordonnance convexe ».

2. Cf. Hagedorn (t. I, p. 278) : « Lairesse prétend que quand même une figure ferait signe au spectateur, cet artifice ne pourrait faire un mauvais effet, d'autant plus qu'il est très permis à l'art, qui a l'illusion pour objet, de transporter l'observateur, même en imagination, sur la scène représentée. »

3. Cf. *Salon de* 1767 (t. XI, p. 54) à propos de *La Chaste Suzanne* de La Grenée : « Une scène représentée sur la toile ou sur les planches ne suppose pas de témoins. »

un paysage; deux couperaient la composition et rendraient l'œil aussi perplexe qu'un voyageur à l'entrée de deux chemins.

★

La composition la plus étendue ne comporte qu'un très petit nombre de divisions capitales, une, deux, trois tout au plus. Autour de ces divisions quelques figures isolées, quelques groupes de deux ou trois figures font un très bel effet.

★

Le silence accompagne la majesté. Le silence est quelquefois dans la foule des spectateurs; et le fracas est sur la scène. C'est en silence que nous sommes arrêtés devant les *Batailles* de Le Brun. Quelquefois il est sur la scène; et le spectateur se met le doigt sur les lèvres, et craint de le rompre.

★

En général, la scène silencieuse nous plaît plus que la scène bruyante. Le Christ au jardin des Oliviers, l'âme triste jusqu'à la mort, délaissé de ses disciples endormis autour de lui, m'affecte bien autrement que le même personnage flagellé, couronné d'épines, et abandonné aux risées, aux outrages et à la criaillerie de la canaille juive.

★

Otez aux tableaux flamands et hollandais la magie de l'art, et ce seront des croûtes abominables. Le Poussin aura perdu toute son harmonie; et le *Testament d'Eudamidas* restera une chose sublime [1].

---

1. Tableau célèbre de Poussin, actuellement à Copenhague à la galerie Moltke. Commandé par Michel Passart, maître à la Chambre des Comptes, et exécuté de 1644 à 1648, il partit pour Copenhague entre 1757 et 1780. Diderot, qui connaissait la gravure de J. Pesne, est poussé tout naturellement par son goût aux œuvres les plus grandiloquentes de Poussin. La formule qui suit : *Peindre comme on parlait à Sparte*, semble appeler David.

★

Que voit-on dans ce tableau d'Eudamidas ? Le moribond sur la couche ; à côté, le médecin qui lui tâte le pouls ; le notaire qui reçoit ses dernières volontés ; sur les pieds du lit, la femme d'Eudamidas assise, et le dos tourné à son mari ; sa fille, couchée à terre entre les genoux de sa mère et la tête penchée sur [1] son giron. Il n'y a point là de cohue. La multiplicité ou la foule est bien voisine du désordre. Et quels sont ici les accessoires ? Pas d'autres que l'épée et le bouclier du principal personnage, attachés à la muraille du fond. Le grand nombre d'accessoires est bien voisin de la pauvreté. Cela s'appelle des *bouche-trous* en peinture et des *frères-chapeaux* en poésie.

★

Le silence, la majesté, la dignité de la scène sont des choses peu senties par le commun des spectateurs. Presque toutes les *Saintes Familles* de Raphaël, du moins les plus belles, sont placées dans des lieux agrestes, solitaires et sauvages ; et quand il a choisi de pareils sites, il savait bien ce qu'il faisait.

★

Toutes les scènes délicieuses d'amour, d'amitié, de bienfaisance, de générosité, d'effusion de cœur se passent au bout du monde.

★

Peindre comme on parlait à Sparte.

★

En poésie dramatique et en peinture, le moins de personnages qu'il est possible.

1. A.T. : dans.

★

La toile comme la salle à manger de Varron, jamais plus de neuf convives.

★

Les peintres sont encore plus sujets au plagiat que les littérateurs. Mais les premiers ont ceci de particulier, c'est de décrier et le maître et le tableau qu'ils ont copié. N'est-il pas vrai, monsieur Pierre[1] ?

★

Je regardais la cascade de Saint-Cloud, et je me disais : « Quelle énorme dépense pour faire une jolie chose, tandis qu'il en aurait coûté la moitié moins pour faire une belle chose ! Qu'est-ce que tous ces petits jets d'eau, toutes ces petites chutes de gradins en gradins, en comparaison d'une grande nappe s'échappant de l'ouverture d'un rocher ou d'une caverne sombre, descendant avec fracas, rompue dans sa chute par des énormes pierres brutes, les blanchissant de son écume, formant dans son cours de profondes et larges ondes ; les masses rustiques du haut, tapissées de mousse, et couvertes, ainsi que les côtés, d'arbres et de broussailles distribués avec toute l'horreur de la nature sauvage ? Qu'on place un artiste en face de cette cascade, qu'en fera-t-il ? Rien. Qu'on lui montre celle-ci, et aussitôt il tirera son crayon. »

Cet exemple n'est pas le seul où, pour s'assurer si l'ouvrage de l'art est de bon ou de mauvais goût ou de petit goût, il ne s'agit que d'en faire le sujet de l'imitation de la peinture. S'il est beau sur la toile, dites qu'il est beau en lui-même.

---

1. Diderot a été continûment féroce pour le chevalier Pierre (1713-1789), premier peintre du duc d'Orléans, et cela depuis le *Salon de* 1761 (t. X, p. 113).

★

Le poète dit :

> Il n'est point............ de monstre odieux,
> Qui, par l'art imité, ne puisse plaire aux yeux.

J'en excepte les têtes de nos jeunes femmes, coiffées comme elles le sont à présent.

★

Elzheimer, victime de la manière finie et précieuse, mais lente et peu lucrative, mourut consumé de chagrin et accablé de misère, presque au sortir de la prison où ses dettes l'avaient conduit. Le prix actuel de trois de ses tableaux l'aurait enrichi [1].

★

Dans toute composition en général, l'œil cherche le centre, et aime à s'arrêter sur le plan du milieu.

★

Les artistes appellent *réveillons*, des accidents de lumières qui rompent la monotonie d'un endroit de la toile. Tous ces réveillons sont faux. On dirait qu'il en est d'un tableau comme d'un ragoût, auquel on peut toujours ôter ou donner une pointe de sel.

★

Quand on a bien choisi la nature, il est difficile de s'y conformer trop rigoureusement; autant de coups de pinceau donnés pour l'embellir, autant d'efforts malheureux pour lui

---

1. Cf. Hagedorn (t. I, p. 354) : « Elzheimer, victime de sa manière finie et précieuse, mais lente et peu lucrative, mourut à Rome accablé de chagrin et de misère, ayant à peine quitté la prison où l'avait conduit ses dettes, tandis qu'aujourd'hui ses tableaux, devenus rares, enrichissent les cabinets des princes. »

ôter son originalité. Il y a une teinte de rusticité qui convient singulièrement aux ouvrages d'imitation, en quelque genre que ce soit, parce que la nature la conserve dans ses ouvrages, à moins qu'elle n'en ait été effacée par la main de l'homme. La nature ne fait point d'arbres en boule; c'est le ciseau du jardinier, commandé par le goût gothique de son maître; et les arbres en boule vous plaisent-ils beaucoup? L'arbre des forêts le plus régulier a toujours quelques branches extravagantes; gardez-vous de les supprimer, vous en feriez un arbre de jardin.

★

Mylius, jeune peintre, tenait l'école de Gérard Dow dans sa vieillesse. Il enseignait pour le vieillard et lui donnait le prix de ses leçons. Pendant la dernière guerre, il était allé porter des médicaments au père d'un de ses amis. Le père était malade aux environs de Leipzig. Le fils l'était à Leipzig. Mylius fut pris par les Prussiens comme espion, et jeté dans un cachot, au sortir duquel il mourut [1].

Quelle multitude de beaux sujets fourniraient à la peinture les atrocités des Prussiens en Saxe, en Pologne, partout où ils se sont rendus maîtres!

★

Il est difficile de concilier dans une figure de femme la

---

1. L'anecdote du jeune Mylius, élève de Paul-Chrétien Zink, qui tenait une école de dessin à Leipzig, est prise directement à Hagedorn (t. I, p. 436-437). Son maître était devenu aveugle en 1756; mais « il continuait à sa place ses leçons académiques » et l'obligeait à accepter tous ses gains. En 1758, en pleine guerre de Sept ans, les Prussiens tenaient Leipzig; Mylius voulut porter des médicaments au père d'un de ses amis, et fut arrêté comme espion. Le général Hausen le fit incarcérer. « L'âme flétrie par tant de mauvais traitements », il mourut peu de jours après son élargissement, le 6 décembre 1758. Diderot commet une curieuse erreur et un monstrueux anachronisme, en confondant le peintre Zink avec Gérard Dow, qui vécut en Hollande et mourut à Leyde en 1675. L'erreur cependant s'explique en lisant Hagedorn qui précisément se remémore l'anecdote de Mylius à propos d'un morceau de nuit de Gérard Dow.

grâce avec la grandeur de la taille, et avec la force dans l'homme.

★

N'excéder jamais sans nécessité la grandeur de huit têtes.

★

Les attachements solides des membres sont de l'âge viril; les attachements [las et] [1] lâches sont de la vieillesse. On ne les voit point dans les enfants.

★

Ni trop de fougue, ni trop de timidité. La fougue *strapasse* [2], la timidité tâtonne. La connaissance préliminaire de ce qu'on tente donne de la hardiesse et de la facilité.

★

Toutes les parties du corps ont leur expression. Je recommande aux artistes celle des mains. L'expression, comme le sang et les fibres nerveuses, serpente et se manifeste dans toute une figure.

★

Il faut copier d'après Michel-Ange, et corriger son dessin d'après Raphaël.

★

Que la tête soit tournée vers l'épaule la plus haute, me paraît un principe de mécanique [3]. Je n'en excepte que

1. *Om.* V.

2. Diderot emploie ce verbe dès 1758 (*De la poésie dramatique*). Venu de l'italien *strapazzare*, il a très tôt dans la langue technique des peintres (cf. Richelet, 1684) le sens de « *gâcher la besogne, peindre à la hâte* ».

3. Cf. Hagedorn (t. II, p. 88) : « Lairesse établit pour premier principe qu'il faut que la tête soit toujours tournée et inclinée sur la partie de l'épaule la plus haute. »

l'homme moribond. L'artiste peut, à sa fantaisie, jeter sa tête en avant, en arrière, du côté qui lui conviendra le mieux.

★

Je me trompe : je crois qu'il faut en excepter l'homme occupé à certaines fonctions. Je ne sais si *le Flûteur* des Tuileries n'a pas la tête penchée sur l'épaule la plus basse [1]. Je vérifierai ce fait.

★

Qu'une femme soit poursuivie par un ravisseur, et qu'elle ait son bras droit élevé et porté en avant, certainement l'épaule de ce côté sera plus haute que l'autre; et c'est précisément par [2] cette raison que, si la crainte lui fait tourner la tête pour voir si l'homme qui la poursuit est proche d'elle ou en est éloigné, elle regardera par dessus son épaule gauche [3].

★

Un artiste qui aura la théorie des muscles sera plus sûr, dans l'action d'un muscle, de bien rendre le mouvement de son antagoniste.

DU COLORIS, DE L'INTELLIGENCE DES LUMIÈRES, ET DU CLAIR-OBSCUR.

Est-il vrai qu'il y ait plus de dessinateurs que de coloristes ? Si cela est vrai, quelle en est la raison ?

---

1. Il s'agit d'un marbre de Coysevox (*Le berger et un petit satyre*, 1709) destiné avec d'autres groupes à la décoration de la rivière de Marly. Le groupe fut transporté au jardin des Tuileries et placé au Musée du Louvre le 28 septembre 1870 (Henry Jouin, *Coysevox*, Didier, 1883, p. 203, n° 109). Vérification faite, la remarque de Diderot est exacte.

2. V : pour.

3. Cf. Hagedorn (t. II, p. 89) : « Une nymphe fugitive poursuivie par un satyre et le bras gauche porté en avant, ne pourrait-elle pas jeter des regards détournés par-dessus le côté bas de son épaule sur son ravisseur ? ».

★

Il y a plus de logiciens que d'hommes éloquents, j'entends vraiment éloquents. L'éloquence n'est que l'art d'embellir la logique.

★

Il y a plus de gens de sens que d'hommes d'esprit; j'entends le vraiment bel esprit. L'esprit n'est que l'art d'embellir [1] la raison.

★

Le chancelier Bacon et Corneille ont démontré que le bel esprit n'était pas incompatible avec le génie. Ce sont des montagnes au pied desquelles croissent des marguerites.

★

Nous avons notre clair-obscur comme les peintres, si son principal effet est d'empêcher l'œil de s'égarer, en le fixant sur certains objets.

★

Faute d'une lumière large, nos ouvrages papillotent comme les leurs.

★

Voulez-vous savoir ce que c'est que papilloter? Opposez l'*Esther devant Assuérus* [2] au *Paralytique* de Greuze, Cicéron à Sénèque.

---

1. A.T. : d'habiller.

2. Tableau de Poussin, commandé en 1643 par le marchand lyonnais Cérisier et exécuté avant 1645. Il passa avant la Révolution dans la galerie du ministre Calonne. Vendu en 1795 en Angleterre, il fut acheté par Catherine II et se trouve actuellement au musée de l'Ermitage. Diderot possédait dans son bureau la gravure de J. Pesne et l'analysait savamment quand il composait le *Salon de* 1763 (t. X, p. 166).

★

Tacite est le Rembrandt de la littérature : des ombres fortes et des clairs éblouissants.

★

Faites comme le Tintoret, qui, pour soutenir sa couleur, plaçait à côté de son chevalet quelque morceau du Schiavone [1]. Un jeune élève suivit ce conseil, et ne peignit plus.

★

Ennius n'avait vu que l'ombre d'Homère.

★

Ah! si le Titien eût dessiné et composé comme Raphaël! Ah! si Raphaël eût colorié comme le Titien!... C'est ainsi qu'on rabaisse deux grands hommes.

★

Je l'ai vu ce *Ganymède* de Rembrandt : il est ignoble; la crainte a relâché le sphincter de sa vessie; il est polisson : l'aigle qui l'enlève par sa jaquette met son derrière à nu; mais ce petit tableau éteint tout ce qui l'environne. Avec quelle vigueur de pinceau et quelle furie de caractère cet aigle est peint [2].

---

1. André Médula, dit le *Schiavone* à cause de sa patrie dalmate (1522-1582), élève du Titien, coloriste habile, fort dédaigné par Vasari. Ses tableaux étant très rares, Diderot l'aurait-il apprécié à Dresde où il est bien représenté?

2. A.T. : se peint.

C'est à Dresde encore que Diderot a vu le *Ganymède enlevé par un aigle* de Rembrandt. Il visitait la célèbre galerie royale dans les premiers jours de septembre 1773 (cf. Dieckmann, *op. cit.*, p. 268) : une description aussi précise prouve certes la vigueur du souvenir, mais ce souvenir a pu être ravivé par la lecture de Hagedorn (t. I, p. 99).

★

Je vous entends : il fallait penser comme Léocharès, et peindre comme Rembrandt... Oui, il fallait être sublime de tout point [1].

★

Il faut que la lumière soit naturelle, soit artificielle, soit une; des compositions éclairées en même temps par des lumières différentes sont très communes.

★

On ramène toute la magie du clair-obscur à la grappe de raisin; et c'est une idée très belle, et qui peut être simplifiée. La scène la plus vaste n'est qu'un grain de la grappe; fixez le point de l'œil, et dégradez les ombres et les lumières comme vous le verrez sur ce grain. Tracez sur votre toile le cercle terminateur de la lumière et de l'ombre.

★

Au lieu de votre principal groupe, mettez en perspective un prisme de la grandeur de votre première figure; continuez les lignes de ce prisme à tous les points qui terminent votre toile; et soyez sûr de ne pécher ni contre l'entente des lumières, ni contre la véritable diminution des objets.

★

Je ne prétends point donner des règles au génie. Je dis

---

1. Cf. Hagedorn (t. I, p. 100) : « Que l'artiste imitateur pense comme Léocharès et qu'il peigne comme Rembrandt. » Léocharès, sculpteur grec rival de Scopas (IVe siècle av. J. C.), est l'auteur d'un *Ganymède*, dont une belle réplique en marbre orne au Vatican la galerie des Candélabres.

à l'artiste : « Faites ces choses »; comme je lui dirais : « Si vous voulez peindre, ayez d'abord une toile. »

★

Ainsi trois sortes de lignes préliminaires : la ligne terminatrice de la lumière, la ligne de la balance des figures et les lignes de la perspective.

★

La pratique des couleurs réelles et des couleurs locales ne peut s'obtenir que d'une longue expérience.

★

Combien de choses l'artiste doit avoir vues, combinées, agencées dans son imagination, avant que de passer le pouce dans sa palette, et cela sous peine de peindre et de repeindre sans cesse !

★

Le maître tâtonne moins que son élève; mais il tâtonne aussi.

★

Combien de beautés et de défauts inattendus naissent ou disparaissent sous le pinceau !

★

Je sais ce que cela deviendra, est un mot qui n'est que d'un musicien, d'un littérateur, ou d'un artiste consommé.

★

[Le vrai de la nature est la base du vraisemblable de l'art.] [1]

1. *Omisit* V, L.

★

C'est la couleur qui attire, c'est l'action qui attache; ce sont ces deux qualités qui font pardonner à l'artiste les légères incorrections du dessin; je dis à l'artiste peintre, et non à l'artiste sculpteur. Le dessin est de rigueur en sculpture; un membre, même faiblement estropié, ôte à une statue presque tout son prix.

★

Les mains de Daphné, dont les doigts poussent des feuilles de laurier sous le pinceau de Lemoyne, sont pleines de grâces; il y a dans la distribution de ces feuilles une élégance que je ne puis décrire. Je doute qu'il eût jamais rien fait de Lycaon métamorphosé en loup [1]. Les cornes naissantes sur la tête d'Actéon auraient été moins ingrates. La différence de ces sujets se sent mieux qu'elle ne s'explique.

★

Lairesse donne le nom de *seconde couleur* à la demi-teinte placée sur la partie claire du côté du contour, procédé qui fait fuir vers le fond les parties convexes des corps, et qui leur donne de la rondeur [2].

---

1. Cf. Hagedorn (t. I, p. 176-177) : « Il est aussi peu vraisemblable de voir les mains élevées de Daphné fugitive se terminer par des doigts en rameaux de laurier que de voir la tête de Lycaon se métamorphoser en celle d'un loup. » Diderot évoque le charme lumineux des cartons mythologiques de François Lemoyne (1688-1737) qui acheva en 1736 à Versailles le Salon d'Hercule.

2. Cf. Hagedorn (t. II, p. 171) : « Lairesse donne le nom de *seconde couleur* à la demi-teinte placée sur la partie claire du côté du contour, procédé qui fait fuir vers les fonds les parties convexes des corps et qui leur donne de la rondeur. »

★

Il y a les teintes de clair et les demi-teintes de clair; les teintes d'ombre et les demi-teintes d'ombre : système compris sous la dénomination générale de *dégradation de la lumière*, depuis le plus grand clair jusqu'à l'ombre la plus forte.

★

Il y a plusieurs moyens techniques pour affaiblir et fortifier, hâter ou retarder cette dégradation sur sa route.

Par les ombres accidentelles, par les reflets, par les ombres passagères, par les corps interposés; mais quel que soit celui des moyens qu'on emploie, la dégradation n'en subsiste pas moins, soit qu'on la fortifie, soit qu'on l'affaiblisse; soit qu'on la retarde, soit qu'on l'accélère. Dans l'art, ainsi que dans la nature, rien par saut; *nihil per saltum;* et cela sous peine de faire ou des trous d'ombre, ou des ronds de clair, et d'être découpé.

Ces trous d'ombre et ces ronds de clair ne se trouvent-ils pas dans la nature? Je le crois. Mais qui vous a prescrit d'être l'imitateur rigoureux de la nature?

★

Qu'est-ce qu'un fond? C'est, ou un espace sans bornes où toutes les couleurs des objets se confondent au loin, finissent par produire la sensation d'un blanc grisâtre; ou c'est un plan vertical qui reçoit la lumière ou directe ou glissante, et qui dans l'un et l'autre cas est assujetti aux règles de la dégradation.

★

Ainsi qu'on l'a dit de la lumière et des ombres, les termes de *teintes* et de *demi-teintes* se disent d'une même couleur.

★

La teinte, qui sert de passage de la lumière à l'ombre, ou le dernier terme de la dégradation de la lumière, est plus large que celle de la lumière couchée vers le contour dans la partie claire. Lairesse l'appelle *demi-teinte*.

★

Tous ces préceptes ne peuvent être bien entendus que par l'artiste, qui devrait en marquer la pratique, la baguette à la main, dans une galerie, sur différents ouvrages.

★

C'est un artifice fort adroit que d'emprunter d'un reflet cette demi-teinte, qui semble entraîner l'œil au delà de la partie visible du contour. C'est bien alors une magie; car le spectateur sent l'effet, sans en pouvoir deviner la cause.

★

Rien n'est plus sûr : l'habitude perpétuelle de regarder les objets éloignés et voisins, d'en mesurer l'intervalle par la vue, a établi dans notre [1] organe une échelle enharmonique de tons, de semi-tons, de quarts de tons, tout autrement étendue et tout aussi rigoureuse que celle de la musique par l'oreille, et [2] l'on peint faux pour l'œil, comme l'on chante faux pour l'oreille.

★

L'entente des reflets dans une grande composition, ou l'action et la réaction des corps éclairés les uns sur les autres, me semble d'une difficulté incompréhensible, tant pour la

1. V : votre.
2. V : et ainsi.

multitude que pour la mesure de ces causes. Je crois que, sur ce point, le plus grand peintre doit beaucoup à notre ignorance.

★

C'est aux reflets que l'ombre doit sa clarté et son plus ou moins de clarté.

★

Il me semble que Rembrandt aurait dû écrire au bas de toutes ses compositions : *Per foramen vidit et pinxit;* sans quoi on n'entend pas comment des ombres aussi fortes peuvent entourer une figure aussi vigoureusement éclairée.

★

Mais les objets sont-ils faits pour être vus par des trous ? Si la lumière forte descend brusquement et perce les ténèbres d'une caverne, c'est un accident dont je permets l'imitation à l'artiste; mais je ne souffrirai jamais qu'il s'en fasse une règle.

★

Par les reflets, la lumière primitive peut se replier sur elle-même et devenir plus forte par accident. Exemple : en même temps que la lumière primitive tombe sur un objet, cet objet peut encore recevoir le reflet d'un mur blanc. Je demande si l'objet ne doit pas avoir alors plus d'éclat que la lumière primitive ? Il peut donc, et il doit donc arriver par accident, que la lumière primitive ne soit pas la plus forte lumière de la composition.

★

On n'a peut-être jamais dit aux élèves, dans aucune école, que l'angle de réflexion de la lumière, ainsi que des autres corps, était égal à l'angle d'incidence.

★

Le point lumineux étant donné, et l'ordonnance du tableau, je vois dans ma tête une multitude de rayons réfléchis qui se croisent entre eux et qui croisent la lumière directe. Comment l'artiste réussit-il à débrouiller toute cette confusion ? S'il ne s'en soucie pas, comment sa composition me plaît-elle ?

★

Qu'a de commun la lumière, et même la couleur d'un corps isolé et exposé à la lumière directe du soleil, avec la lumière et la couleur du même corps assailli de tous côtés par les reflets plus ou moins forts d'une multitude d'autres corps diversement éclairés et colorés ? Franchement je m'y perds ; et j'imagine quelquefois qu'il n'y a de beaux tableaux que ceux de la nature.

★

Qu'est-ce qu'un corps rouge ? Newton vous répondra : « C'est un corps qui absorbe tous les autres rayons, et qui ne vous renvoie que les rouges. »

★

Que résulte-t-il du mélange de deux couleurs ? Une troisième qui n'est ni l'une ni l'autre. Le vert est le résultat du bleu et du jaune.

★

Comment concilier la pratique de ces faits physiques avec la théorie des reflets qui combinent une multitude de diverses couleurs à la fois ? Je m'y perds encore, et reviens à la même conclusion, que j'oublierai au premier coup d'œil que je jetterai sur mon Vernet [1]; mais ce ne sera pas sans me dire : « Ce Vernet si harmonieux n'a peut-être pas sur toute sa surface un seul point qui, rigoureusement parlant, ne soit faux. » Cela m'afflige; mais il faut oublier la richesse de la nature et l'indigence de l'art, ou s'affliger.

★

Je me lève avant l'astre du jour. Je promène mes regards sur un paysage varié par des montagnes tapissées de verdure; de grands arbres touffus s'élèvent sur leurs sommets; de vastes prairies sont étendues à leurs pieds; ces prairies sont coupées par les détours d'une rivière qui serpente. Là, c'est un château; ici, c'est une chaumière. Je vois arriver de loin le pâtre avec ses troupeaux; il sort à peine du hameau, et la poussière me dérobe encore la vue de ses animaux. Toute cette scène silencieuse et presque monotone a sa couleur terne et réelle. Cependant l'astre du jour a paru, et tout a changé par une multitude innombrable et subite de prêts et d'emprunts; c'est un autre tableau, où il ne reste pas une feuille, pas un brin d'herbe, pas un point du premier. Mets la main sur la conscience, Vernet, et réponds-moi : Es-tu le rival du soleil? Et ce prodige est-il aussi au bout de ton pinceau?

★

Les *rehauts* sont des effets nécessaires du reflet, ou ils sont faux.

★

Vénus est plus blanche au milieu des trois Grâces que seule; mais cet éclat qu'elle en reçoit, elle le leur rend.

---

1. La fameuse *Tempête* de Joseph Vernet, dont il disait dans les *Regrets sur ma vieille robe de chambre :* « O Dieu, je t'abandonne tout, reprends tout; oui, tout, excepté le Vernet. » Diderot l'avait payé six cents livres à son auteur le 10 décembre 1768 et le décrivit dans le *Salon de* 1769 (t. XI, p. 417).

★

Les reflets d'un corps obscur sont moins sensibles que les reflets d'un corps éclairé ; et le corps éclairé est moins sensible aux reflets que le corps obscur.

★

L'air et la lumière circulent et jouent entre les poils hérissés de la hure d'un sanglier, entre les flocons touffus de la toison de la brebis, entre les inégalités de l'étoffe velue, entre les grains d'une terrasse sablonneuse. C'est l'absence de ce jeu qui donne le mat aux clairs du satin, une sorte de crudité à ses ombres et à celles de toutes les étoffes glacées.

★

Les nuances diversement sensibles résultantes de la palette complète d'un artiste se comptent ; elles ne vont [1] pas au delà de huit cent dix-neuf [2].

★

On dit que le rouge et le bleu [3] sont antipathiques [4]. Mais est-ce Van Huysum qui le dit ? Si Chardin me l'assure, je le croirai.

★

Santerre, dont le coloris était tendre et vrai, n'employait

---

1 V : font.

2. Cf. Hagedorn (t. II, p. 199) : « Pour la sphère de la peinture, je prends sans difficulté cinq couleurs capitales, dont les changements divers que le professeur Mayer de Göttingue a essayé de calculer, se montent à 819. »

3. A.T. : blanc.

4. Cf. Hagedorn (t. II, p. 200) : « L'ordonnateur connaît, par les principes du coloris, l'antipathie du bleu et du rouge à côté l'un de l'autre. »

que cinq couleurs. Les Anciens n'en ont employé que quatre, le rouge, le jaune, le blanc et le noir. Peut-être faut-il y joindre le bleu, et le vert donné par le mélange du bleu et du jaune [1].

★

Le peintre est puni de la multiplicité de ses couleurs par le désaccord plus ou moins prompt de son tableau, suite nécessaire de l'action et de la réaction des matières les unes sur les autres. Le même châtiment est réservé au coloriste perplexe qui tourmente sa palette.

★

Le Giorgione, grand coloriste, selon le témoignage de De Piles, tirait toutes ses carnations, quelle que fût la différence d'âge et de sexe, de quatre couleurs principales [2].

★

[Si de sculpteur, et de grand sculpteur qu'il est, Falconet eût été peintre, il eût, je crois, été peu soucieux du choix de ses couleurs; il aurait dit, s'il eût été conséquent : « Eh! que m'importe que mon tableau reste harmonieux, s'il ne se désaccorde que quand je n'y serai plus ? »] [3]

---

1. Cf. Hagedorn (t. II, p. 201) : « Santerre, à ce que rapporte M. d'Argenville, ne se servait que de cinq couleurs pour faire ses teintes; mais, me dira-t-on, si ce peintre, qui avait un coloris tendre et vrai, ne se servait que de cinq couleurs,... il avait donc retrouvé le secret des anciens qui n'en employaient que quatre ». Santerre fut un des premiers Français à saisir la manière de Rembrandt (1658-1717). Sa *Suzanne* du Louvre est un beau morceau de nu ambré, très moderne.

2. Une des rares allusions de Diderot à Roger de Piles, *Abrégé de la vie des peintres* (Paris, Muguet, 1699, p. 257) : « Le Giorgione entendait très bien le clair-obscur et l'harmonie du tout ensemble; il ne se servait pour ses carnations que de quatre couleurs capitales, dont le judicieux mélange faisait toute la différence des âges et des sexes. »

3. Paragraphe gratté *in* V.

★

Ces yeux d'émail, ces cheveux dorés et tous ces riches ornements des statues anciennes me paraissent une invention de prêtres sans goût; invention qui est sortie des temples pour infecter la société.

★

Néron fit dorer et gâter la statue d'Alexandre. Cela ne me déplaît pas; j'aime qu'un monstre soit sans goût. La richesse est toujours gothique.

★

Les connaisseurs font grand cas des eaux-fortes des peintres; et ils ont raison.

★

Quoique toute ma réflexion soit tournée vers les principes spéculatifs de l'art, cependant, lorsque je rencontre quelques procédés qui tiennent à sa magie pratique, je ne puis m'empêcher d'en faire note. Voyez ce que dit Lairesse, ce maître plus jaloux, à ce qu'il m'a semblé, de la perpétuité de son art que de sa propre réputation : « Ce bleuâtre qu'on appelle le tendre, le délicat, ne doit point être mis sur la toile quand on empâte le tableau; mais noyé dans les teintes à la dernière main. On ne le fera point de bleu mélangé de gris et de blanc; mais on le répandra en trempant la pointe du pinceau dans le spalte tempéré et dans l'outremer... C'est le même faire pour les reflets ou réflexions de la lumière [1]. »

★

Voulez-vous faire des progrès sûrs dans la connaissance si

1. Diderot s'est borné à corriger la traduction française de Hagedorn (t. II, p. 266, note H). Hagedorn lui-même citait très exactement l'édition allemande de Lairesse (*Das Gross Mahlerbuch*, Nuremberg, Weigel, 1728, t. I, p. 41).

difficile du technique de l'art? Promenez-vous dans une galerie avec un artiste, et faites-vous expliquer et montrer sur la toile l'exemple des mots techniques; sans cela, vous n'aurez jamais que des notions confuses de *contours coulants*, de *belles couleurs locales*, de *teintes vierges*, de *touche franche*, de *pinceau libre*, *facile*, *hardi*, *moelleux; faits avec amour*, de ces *laissés* ou *négligences heureuses*. Il faut voir et revoir la qualité à côté du défaut; un coup d'œil supplée à cent pages de discours.

★

Les traités élémentaires de peinture, au rebours des traités élémentaires des autres sciences, ne sont intelligibles que pour les maîtres.

★

Un artiste, qui n'était pas sans talent, fit le portrait d'un général d'armée; le bâton de commandant qu'il tenait dans sa main était si vif de lumières, qu'on avait beau fixer ses yeux sur la figure, le bâton les rappelait toujours.

★

Sans l'harmonie, ou, ce qui est la même chose, sans la subordination, il n'est pas possible de voir l'ensemble; l'œil est forcé de sautiller sur la toile.

DE L'ANTIQUE.

Les exercices de la gymnastique produisaient deux effets : ils embellissaient les corps, et rendaient le sentiment de la beauté populaire.

★

Rubens faisait un cas infini des Anciens, qu'il n'imita jamais. Comment un si grand maître s'en tint-il toujours aux formes grossières de son pays? Cela ne s'entend pas.

★

Partout où il est honteux de servir de modèle à l'art, l'artiste fera rarement de belles choses. On n'aime pas assez la musique, tant qu'on est scrupuleux sur les paroles.

★

Les jeunes Lacédémoniennes dansaient toutes nues, et les Athéniennes les appelaient *montre-cul*[1]. Elles le montraient bien en pure perte pour les beaux-arts, qui n'étaient exercés à Sparte que par des étrangers ou des esclaves.

★

Question. Il est certain que, plus les parties fatiguent, plus les muscles se gonflent et se détachent. Le lutteur de profession n'a pas le bras droit aussi arrondi, aussi coulant que le bras gauche. Si vous peignez un lutteur, corrigerez-vous ce défaut ?

★

L'*Hercule* de Glycon [2] a le cou très fort, relativement à la tête et aux jambes.

★

Ces belles antiques, vous les voyez, mais vous n'avez jamais entendu le maître ; vous ne l'avez point vu le ciseau à la main ; mais l'esprit de l'école est perdu pour vous ; mais vous n'avez pas sous vos yeux l'histoire en bronze ou en marbre des progrès successifs de l'art, depuis son origine

---

1. Cf. Hagedorn (t. I, p. 76) : « Les danses de ces jeunes Lacédémoniennes nommées par dérision montre-hanches. »
2. Statuaire athénien, connu seulement par l'*Hercule Farnèse* apporté à Rome sous Caracalla et retrouvé précisément dans les thermes de Caracalla. L'*Hercule* est passé du palais Farnèse au musée de Naples.

grossière jusqu'au moment de sa perfection. Vous êtes, relativement à ces chefs-d'œuvre, ce que le physicien est relativement aux phénomènes de la nature.

★

L'étude profonde de l'anatomie a plus gâté d'artistes qu'elle n'en a perfectionné. En peinture comme en morale, il est bien dangereux de voir sous la peau.

★

Qu'apprendre de l'antique? A discerner la belle nature. Négliger l'étude des grands modèles, c'est se placer à l'origine de l'art, et aspirer à la gloire de [1] créateur.

★

Le choix de la nature est indifférent à Pigalle; il a cependant fait [une fois] [2] un *Mercure* et une *Vénus* dignes des Anciens. Estime-t-il, n'estime-t-il pas ces ouvrages?

Sa *Vierge* de Saint-Sulpice a les narines serrées et les autres défauts du visage de sa femme [3].

★

Si je demandais à un artiste : « Lorsque tu fais succéder dans ton atelier tant de modèles, que cherches-tu? », je ne serais ni choqué, ni surpris, s'il me répondait : « Je cherche une antique .»

---

1. V : du.
2. Barré *in* V.
3. V : de la femme qui lui a servi de modèle.

Les marbres de *Vénus* et *Mercure* furent commandés à Pigalle par Louis XV et terminés en 1748. *La Vierge et l'enfant Jésus* du même sculpteur furent dressés en 1754 dans la chapelle de la Vierge de Saint-Sulpice.

★

Antoine Coypel était certainement un homme d'esprit, lorsqu'il a dit aux artistes : « Faisons, s'il se peut, que les figures de nos tableaux soient plutôt les modèles vivants des statues antiques, que ces statues les originaux des figures que nous peignons [1]. » On peut donner le même conseil aux littérateurs.

★

On a reproché au Poussin de copier l'antique; cela peut être vrai du dessin et des draperies, mais non des passions. En ce cas, a-t-il mal fait?

★

Ceux qui désapprouvent la tête de la *Vénus aux belles fesses* ne savent pas ce qu'elle fait.

★

Sur soixante mille statues antiques qu'on trouve à Rome et aux environs, une centaine de belles, une vingtaine d'exquises.

★

Le *Laocoon* et l'*Apollon* ont tous deux la jambe gauche plus longue que la droite; le premier, de quatre minutes, ou un tiers de partie; le second, de près de neuf minutes. La *Vénus de Médicis* a la jambe qui ploie près d'une partie trois minutes de plus que la jambe qui porte. La jambe droite du plus grand des enfants du Laocoon a presque neuf minutes

---

1. Antoine Coypel, directeur de l'Académie de peinture, grand ami de Roger de Piles, donna en 1721 ses *Discours prononcés aux conférences de l'Académie*. Contre la pédagogie du siècle précédent, il n'hésite pas à critiquer la superstition de l'antique (*op. cit.*, p. 11-12).

de plus que la gauche [1]. On explique cela par l'endroit d'où ces figures devraient être vues. Ces parties paraissant de là en raccourci auraient semblé défectueuses. L'altération de la nature est bien hardie et cette explication d'Audran sujette à bien des difficultés [2]. Cependant il n'est pas à présumer que les auteurs de ces incomparables morceaux se soient trompés d'inadvertance. Quel est l'artiste de nos jours qui oserait en faire autant? Quel est celui qui l'aurait osé, sans en être blâmé? Que nous serions heureux, si nos contemporains voulaient nous juger comme si nous étions morts il y a trois mille ans!

★

Ceux qui ont attaqué la tête de la *Vénus de Médicis* n'ont pas, ce me semble, saisi l'esprit de la figure. Le caractère d'une femme qui se dérobe à des regards indiscrets peut-il être trop sévère? Comment appelez-vous cette Vénus? — *Vénus pudique*. — Eh bien! tout est dit.

★

Le peintre Timanthe, d'après le poète Euripide, a voilé la tête d'Agamemnon. C'est bien fait; mais cet artifice ingénieux fut usé dès la première fois; et il n'y faut pas revenir [3].

---

1. Reprise exacte de Hagedorn (t. II, p. 44) : « C'est ainsi que le *Laocoon* et l'*Apollon* ont tous deux la jambe gauche plus longue que la droite, le premier de quatre minutes et un tiers de partie, le second de près de neuf minutes. L'auteur de la *Vénus de Médicis* a donné à la jambe qui ploie près d'une partie trois minutes de plus qu'à celle qui porte. Et la jambe droite du plus grand des fils du *Laocoon* est presque de neuf minutes plus longue que la gauche. »

2. L'explication d'Audran vient de son *Recueil des proportions du corps humain*, paru in-folio en 1693, mais Diderot a utilisé Hagedorn qui le commente longuement (t. II, p. 45).

3. Timante, peintre grec né vers 400 avant J.C., célèbre par son *Sacrifice d'Iphigénie* et loué par Cicéron (*Orator*, chap. 22) pour avoir voilé le visage d'Agamemnon. Poussin en reprit l'idée en peignant l'Agrippine de son *Germanicus mourant* (Rome, palais Barberini). Diderot critique ici l'opinion de Hagedorn (t. I, p. 156-157).

★

Ils ne veulent pas que Vénus s'arrache les cheveux sur le corps d'Adonis, ni moi non plus. Cependant le poète a dit :

Inornatos laniavit Diva capillos;
Et repetita suis percussit pectora palmis [1].

D'où vient cela, si ce n'est que les coups qu'on imagine blessent moins que ceux qu'on voit?

★

Ce qui m'affecte spécialement dans ce fameux groupe du Laocoon et de ses enfants, c'est la dignité de l'homme, conservée au milieu de la profonde douleur [2]. Moins l'homme qui souffre se plaint, plus il me touche. Quel spectacle que celui de la femme forte dans les tourments!

★

Falconet s'est bien moqué du *Pâris* d'Euphranor, où l'on reconnaissait l'arbitre de trois déesses, l'amant d'Hélène et le meurtrier d'Achille [3]. Quoi donc! est-ce que cette figure ne

---

1. Ovide, *Métamorphoses*, livre V, vers 472.

2. Diderot fait-il allusion au fameux passage de Winckelmann (*Réflexions sur l'imitation des ouvrages grecs dans la peinture et la sculpture*, 1756) qui fut le point de départ de l'ouvrage de Lessing? Winckelmann opposait les cris du Laocoon de Virgile à la dignité de celui du statuaire; Lessing y voyait le caractère même de la sculpture ancienne : « Noble simplicité et tranquille grandeur. » Tout ce que nous savons, c'est que Diderot a lu en 1766 l'*Histoire de l'art chez les anciens* de Winckelmann (*Salon de* 1765, t. X, p. 417) où quelques mots évoquent le sérieux de Laocoon (livre IV, chap. 3). Mais Hagedorn lui rappelait (t. II, p. 113) le texte même de Winckelmann.

3. Diderot tire toute sa science de l'*Histoire naturelle* de Pline (livre XXXIV, 8, 19). L'expression du *Pâris* d'Euphranor était célèbre dans l'antiquité : « Euphranoris Alexander Paris est, in quo laudatur quod omnia simul intelligantur, judex dearum,

pouvait pas réunir la finesse dans le regard, la volupté dans l'attitude, et quelques traits caractéristiques de la perfidie? Quand je le regarde, lui, j'y vois bien plus de choses; [je vois, dans sa physionomie, l'esprit, l'ironie, le cynisme, la brusquerie, la fausse douceur, l'envie, l'hypocrisie, la fausseté] [1]; et s'il fallait entrer dans le détail, je désignerais chaque trait de sa personne analogue à chacune de ces passions. Ce qui me conduit à croire que, si l'on cherchait une figure qui n'eût qu'un seul et unique caractère, peut-être ne la trouverait-on pas.

★

Le point important de l'artiste, c'est de me montrer la passion dominante si fortement rendue, que je n'aie pas la tentation d'y en démêler d'autres qui y sont pourtant. Les yeux disent une chose, la bouche en dit une autre, et l'ensemble de la physionomie une troisième.

★

Et puis, l'artiste n'a-t-il aucun droit à compter sur mon imagination? Et lorsqu'on nous a prononcé le nom d'un homme connu par ses bonnes ou ses mauvaises mœurs, ne lisons-nous pas tout courant sur son visage l'histoire de sa vie?

★

Falconet, qui chicane Pline, aurait-il été plus indulgent pour Lomazzo, [2] qui dit d'une maquette du *Christ enfant* de

---

amator Helenae, et tamen Achillis interfector » (édit. Panckoucke, 1833, t. XIX, p. 218). Diderot en discutait savamment avec Falconet en septembre 1766 (*Œuvres*, t. XVIII, p. 164). Mais depuis le voyage de Russie, il s'est brouillé avec le sculpteur. M. de Vandeul a supprimé les traits les plus violents de ce jugement.

1. Barré dans V.
2. A.T. : Gomazzo.

Léonard de Vinci, que « Nella si vide la simplicità e purità del Fanciullo accompagnata da un certo che, che dimostra sapienza, intelletto e maesta; e l'aria che pure é di Fanciullo tenero e pare haver del vecchio savio, cosa veramente eccellente [1]. »

Croyez-vous qu'il fût indifférent pour le *Jupiter* de Phidias que le spectateur ignorât ou connût les beaux vers d'Homère : « Il consent du mouvement de ses noirs sourcils; sa divine chevelure s'agite sur sa tête immortelle, et tout l'Olympe est ébranlé [2] » ? On voyait tout cela dans le *Jupiter* de Phidias.

★

La colère du *Saint Michel* du Guide est aussi noble, aussi belle que la douleur du *Laocoon* [3].

★

Qu'est-ce que le Dieu du peintre ? C'est le vieillard le plus majestueux que nous puissions imaginer. Si le modèle nous en est inconnu dans la nature, c'est vraiment Dieu.

★

Qui est-ce qui a vu Dieu ? C'est Raphaël, c'est le Guide.

---

1. Cf. Hagedorn (t. II, p. 122) : « Lomazzo nous dit avoir trouvé ce sublime assemblage dans un enfant Jésus fait en terre cuite par Léonard de Vinci : « Una testicciola di terra di un Christo... nella quale si vede la semplicita e purita del fanciullo... » Diderot reprend exactement la citation italienne de Hagedorn, tirée du *Trattato della pittura* (1584, rééd. Rome, 1844, t. I, p. 213). Il ne s'est donc donné la peine ni de traduire ni de se reporter à l'original.

2. Cf. Homère, *Iliade* (ch. I, v. 528-530). Diderot avait déjà cité ce passage dans les *Essais sur la peinture* de 1766 (t. X, p. 490).

3. Cf. Hagedorn (t. II, p. 127) : « C'est ainsi que Raphaël et le Guide procédèrent dans l'exécution de leur *Saint Michel*... La colère ne dégrade aucun trait de sa face. » Le *Saint Michel* de Guido Reni (1575-1641) se trouve à Rome dans l'église Sainte-Marie de la Consolation.

Qui est-ce qui a vu Moïse? C'est Michel-Ange.

★

Si vous en exceptez quelques-unes, presque toutes les figures antiques ont la tête un peu surbaissée. C'est le caractère de la réflexion ou de la qualité propre à l'homme; l'homme est l'animal réfléchissant.

★

Je crois qu'il faut plus de temps pour apprendre à regarder un tableau qu'à sentir un morceau de poésie. Peut-être en faut-il davantage pour bien juger une gravure.

DE LA GRACE, DE LA NÉGLIGENCE, ET DE LA SIMPLICITÉ.

La grâce n'appartient guère qu'aux natures délicates et faibles. Omphale a de la grâce, Hercule n'en a pas. La rose, l'œillet, le calice de la tulipe ont de la grâce; le vieux chêne, dont la cime se perd dans la nue, n'en a point; sa branche ou sa feuille en a peut-être.

★

L'enfant a de la grâce; il la conserve dans l'âge adulte; elle s'affaiblit dans l'âge viril, elle se perd dans la vieillesse.

★

Il y a la grâce de la personne, et la grâce de l'action. Ce Dupré, qui dansait avec tant de grâce, n'en avait plus en marchant [1].

★

Tout ce qui est commun est simple; mais tout ce qui est

1. Célèbre danseur du début du siècle et maître de Vestris.

simple n'est pas commun. La simplicité est un des principaux caractères de la beauté; elle est essentielle au sublime.

★

Horace a dit : *Je veux être concis, et je deviens obscur* [1]. On pourrait ajouter : je veux être simple, et je deviens plat.

★

L'originalité n'exclut pas la simplicité.

★

Une composition est pauvre avec beaucoup de figures, et une autre est riche avec quelques-unes.

★

Le peiné est l'opposé du facile; le facile a cependant coûté quelquefois bien de la peine.

...Multum sudavit et alsit, frustraque laborat,
Ausus idem [2].

La nature n'est jamais peinée; son imitation l'est souvent.

★

Boileau compose, Horace écrit; Virgile compose, Homère écrit.

★

Les raccourcis sont savants; ils sont rarement agréables.

---

1. Horace, *Art poétique*, v. 25-26.
2. Les vers d'Horace sont légèrement différents (*Art poétique*, v. 241-242) : « ...Sudet multum frustraque laboret,
Ausus idem. »

★

Le négligé d'une composition ressemble au déshabillé du matin d'une jolie femme; dans un instant, la toilette aura tout gâté.

★

Il y a des grâces nonchalantes, et des nonchalances sans grâce.

★

La nonchalance embellit une petite chose, et en gâte toujours une grande.

★

Au temps chaud, les êtres animés sont dans la nonchalance. C'est alors que la condition du moissonneur paraît dure.

★

Les beaux paysages nous apprennent à connaître la nature, comme un portraitiste habile nous apprend à connaître le visage de notre ami.

★

Cicéron dit à l'orateur Marcus Brutus : *Sed quædam etiam negligentia est diligens* [1]. Ce passage, commenté par un homme de goût, serait un ouvrage plein de délicatesse. Ces négligences ont lieu dans tous les beaux-arts ou tous les genres d'imitation.

« Et la nature, leur modèle, n'en a-t-elle point ?

— Mais en quoi consistent-elles ? »

---

1. Cicéron dans l'*Orator* (chapitre 23), dédié à son ami Brutus, définit ainsi le caractère de l'éloquence attique : « Rien n'est plus étudié qu'une telle négligence ».

★

Qu'est-ce qu'un poète négligé? C'est celui qui sème de temps en temps de la prose lâche et molle à travers de beaux vers; il est *semi-poeta*. Cette prose lâche et molle ajoute de l'énergie à la poésie qui la touche. C'est un valet dont l'habit mesquin relève le riche vêtement de son maître. Le maître marche devant, son valet le suit.

> J'ai vu de près le Styx, j'ai vu les Euménides;
> Déjà venaient frapper mes oreilles timides
> Les affreux cris du chien de l'empire des morts [1].

★

Pourquoi la nature n'est-elle jamais négligée? C'est que, quel que soit l'objet qu'elle présente à nos yeux, à quelque distance qu'il soit placé, sous quelque aspect qu'il soit aperçu, il est comme il doit être, le résultat des causes dont il a éprouvé les actions.

DU NAIF ET DE LA FLATTERIE.

Pour dire ce que je sens, il faut que je fasse un mot, ou du moins que j'étende l'acception d'un mot déjà fait; c'est *naïf*. Outre la simplicité qu'il exprimait, il y faut joindre l'innocence, la vérité et l'originalité d'une enfance heureuse qui n'a point été contrainte; et alors le naïf sera essentiel à toute production des beaux-arts; le naïf se discernera dans tous les points d'une toile de Raphaël; le naïf sera tout voisin du sublime; le naïf se retrouvera dans tout ce qui sera très beau; dans une attitude, dans un mouvement, [dans une draperie,] [2] dans une expression. C'est la chose, mais la chose pure, sans la moindre altération. L'art n'y est plus.

1. Chaulieu, *Épître au marquis de la Fare sur la mort conformément aux principes du christianisme* (*Petits Poètes français*, Didot, 1880, t. I, p. 39, v. 1-3).
2. *Omisit* L.

★

Tout ce qui est vrai n'est pas naïf, mais tout ce qui est naïf est vrai, mais d'une vérité piquante, originale et rare. Presque toutes les figures du Poussin sont naïves, c'est-à-dire parfaitement et purement ce qu'elles doivent être. Presque tous les vieillards de Raphaël, ses femmes, ses enfants, ses anges, sont naïfs, c'est-à-dire qu'ils ont une certaine originalité de nature, une grâce avec laquelle ils sont nés, que l'institution ne leur a point donnée.

★

La manière est dans les beaux-arts ce que l'hypocrisie est dans les mœurs. Boucher est le plus grand hypocrite que je connaisse; il n'y a pas une de ses figures à laquelle on ne pût dire : « Tu veux être vraie, mais tu ne l'es pas. » La naïveté est de tous les états : on est naïvement héros, naïvement scélérat, naïvement dévot, naïvement beau, naïvement orateur, naïvement philosophe. Sans naïveté, point de vraie beauté. On est un arbre, une fleur, une plante, un animal naïvement. Je dirais presque que de l'eau est naïvement de l'eau, sans quoi elle visera à l'acier poli ou au cristal. La naïveté est une grande ressemblance de l'imitation avec la chose, accompagnée d'une grande facilité de faire : c'est de l'eau prise dans le ruisseau, et jetée sur la toile.

★

J'ai dit trop de mal de Boucher; je me rétracte. Il me semble avoir vu de lui des enfants bien naïvement enfants.

★

Le naïf, selon mon sens, est dans les passions violentes comme dans les passions tranquilles, dans l'action comme dans le repos. Il tient à presque rien; souvent l'artiste en est tout près; mais il n'y est pas.

★

Ce qui sauve du dédain les Teniers et presque toutes les compositions des écoles hollandaise et flamande, outre la magie de l'art, c'est que les figures ignobles en sont bien naïvement ignobles.

★

C'est à Dusseldorf ou à Dresde que j'ai vu un *Sanglier* de Snyders [1]. Il est en fureur; le sang et la lumière se mêlent dans ses yeux, son poil est hérissé, l'écume tombe de sa gueule; je n'ai jamais vu une plus effrayante et plus vraie imitation. Le peintre n'aurait jamais fait que cet animal, qu'il serait compté parmi les savants artistes.

★

En quelque genre que ce soit, il vaut [2] encore mieux être extravagant que froid.

★

J'ai vu à Dusseldorf le *Saltimbanque* de Gérard Dow [3]. C'est un tableau qu'il faut voir, et dont il est impossible de parler. Ce n'est point une imitation, c'est la chose, mais avec une vérité dont on n'a pas d'idée, avec un goût infini. Il y a dans ses figures des traits si fins, qu'on les chercherait

---

1. On connaît de Franz Snyders (1579-1657), élève de Peter Breughel, une dizaine de *Chasses au sanglier* (Louvre, Tarbes, Florence, Brunswick). Mais Diderot songe certainement au *Sanglier* de la Galerie de Dresde.

2. A.T. : faut.

3. C'est à Dusseldorf que Diderot a vu le fameux *Charlatan* de Gérard Dow, actuellement à la Galerie royale de Munich, mais là encore, Hagedorn (t. I, p. 402) rafraîchissait ses souvenirs : « Vous y apercevez des figures dont les traits sont si fins qu'on n'en trouve pas toujours de telles dans les tableaux d'un genre plus élevé. »

inutilement dans un genre plus élevé. Je n'ai jamais vu la vie plus fortement rendue.

★

Il n'est pas étonnant que presque tous les tableaux hollandais et flamands soient petits; ils ont été faits pour leurs demeures [1].

★

Est-ce que la distribution intérieure de nos appartements n'a pas fait tomber de nos jours la grande peinture? La sculpture se soutient, parce que son ciseau ne coupe guère le marbre que pour des temples et des palais.

★

Les corrections qu'un maître fait à ses premières idées, les Italiens les appellent *pentimenti*, expression qui me plaît [2].

★

Les *pentimenti* de Rembrandt ont enflé son œuvre de plusieurs volumes in-folio.

★

Je voudrais bien qu'on m'expliquât pourquoi les revers des plus belles médailles anciennes sont presque tous négligés. Serait-ce une flatterie? A-t-on voulu que rien ne luttât contre l'image du prince?

★

Il y a aussi la flatterie de la peinture; elle séduit au premier coup d'œil; mais on s'en dégoûte bientôt.

---

1. Cf. Hagedorn (t. I, p. 404) : « Ce sont là les tableaux et les sujets que choisit de préférence le Hollandais qui, dans l'espace resserré de ses demeures, ne peut pas former de vastes galeries. »

2. Cf. Hagedorn (t. I, p. 413) : « Ces sortes de corrections qu les Italiens appellent *pentimenti*. »

★

J'ai parlé de la flatterie relativement au faire. Il y en a une autre [1] au moral; l'allégorie est sa ressource. On fait une allégorie à la louange de celui dont on n'a rien à dire de précis. C'est une espèce de mensonge, que son obscurité sauve du mépris.

★

Il est bien singulier que tous nos petits littérateurs répètent tous les jours le seul hémistiche d'Horace qu'ils sachent :

Ut pictura, poesis erit... [2]

qu'ils admirent tous les jours le drame en peinture, et qu'ils le chassent de la scène.

O imitatores, servum pecus [3].

Celui qui passa du tragique au comique fit bien une autre enjambée.

★

Il est du galimatias en peinture ainsi qu'en poésie [4]. Voyez le *Tombeau du maréchal d'Harcourt* à Notre-Dame [5].

---

1. A.T. : relative au moral.
2. Horace, *Art Poétique*, v. 361.
3. Horace, *Épîtres* (livre I, XIX, v. 19).
4. Le mot est de l'abbé Du Bos, *Réflexions critiques sur la poésie et la peinture* (section 24, édition 1770, t. I, p. 204) cité d'ailleurs par Hagedorn (t. I, p. 441).
5. Le mausolée du maréchal d'Harcourt, érigé par Pigalle en 1771 dans la chapelle Saint-Guillaume à Notre-Dame, exprimait un rêve prophétique de la maréchale. Diderot s'est donc nettement dégagé de l'académisme allégorique que traduisait sa lettre à Pigalle du 2 octobre 1756, précisément à propos d'un autre mausolée, celui du maréchal de Saxe (*Corresp. de Diderot*, éd. Roth, t. I, p. 223).

★

Vénus avec la tortue, c'est Vénus sédentaire et chaste; avec le dauphin ou les colombes, c'est Vénus libertine.

★

Il y a plusieurs tableaux de Lairesse, précieux par leur beauté, mais si obscurs, que personne n'a pu encore en expliquer le sujet [1].

DE LA BEAUTÉ.

Au moment où l'artiste pense à l'argent, il perd le sentiment du beau.

★

Tout ce que l'on a dit des lignes elliptiques, circulaires, serpentines, ondoyantes, est absurde. Chaque partie a sa ligne de beauté, et celle de l'œil n'est point celle du genou.

Et quand la ligne ondoyante serait la ligne de beauté du corps humain, entre mille lignes qui ondoient, laquelle faut-il préférer [2]?

★

On dit : « Que votre contour soit franc »; on ajoute : « Soyez vaporeux dans vos contours. » Cela se contredit-il? Non; mais cela ne se concilie que sur le tableau.

★

Les Italiens désignent ce vaporeux par l'expression

---

1. Allusion à une exégèse de la *Stratonice* de Lairesse par Winckelmann, rapportée par Hagedorn (t. I, p. 448) : « Lairesse a poussé les notions de l'allégorie jusqu'à une sorte d'hiéroglyphique. »

2. V : prendre.

sfumato; et il m'a semblé que par le *sfumato* l'œil tournait autour de la partie dessinée, et que l'art indiquait ce qu'on est obligé de cacher, mais si fortement, que, sans voir, on croyait voir au delà du contour. Si je me trompe dans la définition d'une chose de pratique, j'espère que les artistes se rappelleront que je suis littérateur et non peintre. J'ai dit ce que j'ai vu : que, là, les contours me semblaient noyés dans une vapeur légère.

★

Deux phénomènes bien voisins : c'est que la peinture cherche à montrer les objets sous un aspect un peu poudreux, et que les eaux-fortes nous plaisent souvent plus que les morceaux exécutés d'un burin ferme. Cela est vrai surtout des paysages. Rien n'est plus piquant qu'un beau visage sous une gaze légère [1].

★

Supposez-vous devant une sphère. L'endroit où vous cessez de voir est vague, indécis; ce n'est point une ligne tranchée, nette, que celle de la vision. Cette limite varie selon la forme du corps; elle a plus d'étendue au bras rond d'une femme qu'au bras nerveux et musclé d'un portefaix. Le contour ici en est plus *ressenti;* là, plus *fuyant.* Je m'amuse à employer les termes de l'art, du moins comme je les entends.

★

La beauté n'a qu'une forme.

---

1. Cf. Hagedorn (t. II, p. 60) : « C'est le stratagème de Lairesse d'offrir les objets sous un aspect un peu poudreux... Certains paysages gravés à l'eau-forte plaisent souvent plus que ceux qui sont exécutés d'un burin ferme... Rien ne nous paraît plus piquant que les traits gracieux du visage voilés par une gaze légère. »

★

Le beau n'est que le vrai, relevé par des circonstances possibles, mais rares et merveilleuses. S'il y a des dieux, il y a des diables : et pourquoi ne s'opérerait-il pas des miracles par l'entremise des uns et des autres !

★

Le bon n'est que l'utile, relevé par des circonstances possibles et merveilleuses.

★

C'est le plus ou moins de possibilité qui fait la vraisemblance. Ce sont les circonstances communes qui font la possibilité.

★

L'art est de mêler des circonstances communes dans les choses les plus merveilleuses, et des circonstances merveilleuses dans les sujets [1] les plus communs.

★

Ici les termes *merveilleux* et *extraordinaire* sont synonymes. Ainsi, il y a le merveilleux qui fait rire ou pleurer; son caractère est de produire l'étonnement ou la surprise.

★

Causez quelquefois avec l'érudit; mais consultez l'homme délicat et sensible.

---

1. V : choses.

DES FORMES BIZARRES, DU COSTUME ET DES ACCESSOIRES.

Quand je sais que presque tous les peuples de la terre ont passé par l'esclavage, pourquoi serais-je rebuté des Cariatides? Mon semblable me choque moins, la tête courbée sous le poids d'un entablement, que baisant la poussière sous les pas d'un tyran.

★

Je ne suis blessé ni des colonnes accouplées qui fortifient en moi l'idée de sécurité, ni des colonnes cannelées qui renflent ou qui allègent à la volonté de l'artiste et selon le choix de la cannelure.

★

Pour les gaines, je vous les abandonnerais volontiers, s'il ne m'était arrivé cent fois de n'apercevoir que la moitié d'une figure. Ce sont des ornements d'assez bon goût, dans un bosquet touffu, qui n'en laisse apercevoir que la partie supérieure.

★

Le mot *accident* ne se dit guère que de la lumière. On l'emploie pour faire valoir un objet, une partie d'objet. L'*accident* a sa raison dans le tableau. Sinon il est faux.

★

L'*accord* d'un tableau se dit de la lumière et des couleurs. L'oreille n'est pas d'accord avec le reste du visage par cette multitude de petits plis. Aussi les Anciens les ont-ils cachées à leurs dieux. Ils n'en ont laissé paraître que le bout qui est large et qui annonce le reste.

★

Lorsque le vêtement d'un peuple est mesquin, l'art doit

laisser là le costume. Que voulez-vous que fasse un statuaire de vos vestes, de vos culottes et de vos rangées de boutons ?

★

N'est-ce pas encore une belle chose à imiter qu'une perruque de palais ou de faculté ?

★

Il est une Vénus dont M. Larcher, ni, je crois, l'abbé de Lachau n'ont parlé [1]; c'est Vénus *mammosa*, la Vénus aux grosses mamelles, la seule à laquelle les écoles flamande et hollandaise ont sacrifié.

★

Les Grâces compagnes de Vénus Uranie sont vêtues; les Grâces compagnes de Vénus déesse de la volupté sont nues.

★

Vêtement de trois sortes de femmes romaines : La *stola* blanche pour les femmes distinguées, la *stola* noire pour les affranchies, et la robe bigarrée pour les femmes du commun. Je ne ferai jamais un grand reproche à l'artiste d'ignorer ou de négliger ces distinctions gênantes.

★

C'est un grand art que de savoir négliger les *accessoires*. La nécessité de ces [accessoires] [2] montre [là] [3] l'indigence de l'art. La nature est quelquefois ingrate, jamais négligée.

---

1. Pierre-Henri Larcher (1726-1812) est l'auteur d'un *Mémoire sur Vénus*, qui fut couronné en 1775 par l'académie des Belles-Lettres. L'abbé Géraud de Lachau donna en 1776 (Paris, Prault) une *Dissertation sur les attributs de Vénus*. La date de ces deux ouvrages indique la mise au point tardive des *Pensées détachées sur la peinture*.

2. L : négligences.

3. *Omisit* L.

★

Les accessoires trop soignés rompent la subordination.

★

Il est plus permis de négliger les accessoires dans les grandes compositions que dans les petites.

★

Le Poussin rapportait des campagnes voisines du Tibre des cailloux, de la mousse, des fleurs, etc., et il disait : « Cela trouvera sa place [1]. »

DIFFÉRENTS CARACTÈRES DE PLUSIEURS PEINTRES.

Kniphergen, Van Goyen, paysagistes, et Percellis, peintre de marine, gagèrent à qui ferait le mieux un tableau dans la journée, au jugement de leurs amis présents à cette espèce de lutte.

Kniphergen place la toile sur le chevalet, et semble prendre sur sa palette des cieux, des lointains, des rochers, des ruisseaux, des arbres tout faits.

Van Goyen jette sur la sienne du clair, du brun, et forme un chaos d'où l'on voit sortir avec une célérité incroyable une rivière, un rivage [et des bateaux remplis][2] de différentes figures.

Cependant Percellis demeurait immobile et pensif, mais l'on vit bientôt que le temps de la méditation n'avait pas été

---

1. L'anecdote de Poussin vient de Vigneul-Marville, *Mélanges d'histoire et de littérature* (1699, t. II, p. 141). Ce dernier, de son vrai nom l'avocat Bonaventure d'Argonne, avait fort bien connu le peintre à Rome. Mais Hagedorn (t. II, p. 278) en donnait une citation plus exacte.

2. A.T. : remplis de bestiaux et.

perdu. Il exécuta une marine qui enleva les suffrages. Ses rivaux n'avaient pensé qu'en faisant; Percellis avait pensé avant que de faire. J'ai lu ce trait dans Hagedorn [1].

Et je suis sûr que nos artistes diront que ces trois peintres firent trois mauvais tableaux. Cependant Cicéron fit, *ex abrupto*, une très belle oraison, ce qui est bien aussi surprenant que l'exécution d'un [beau][2] tableau.

★

Voici le jugement de Vernet sur lui-même : « J'ai, dans mon genre, un artiste qui m'est supérieur dans chaque partie ; mais je suis le second dans toutes. »

★

Chaque peintre a son genre. Un amateur demandait un lion à un peintre de fleurs. « Volontiers, lui dit l'artiste, mais comptez sur un lion qui ressemblera à une rose comme deux gouttes d'eau. »

★

Chaque graveur a son peintre; ne le tirez pas de là, ou comptez sur un Rembrandt qui ressemblera à un Titien comme deux gouttes d'eau.

★

Cependant Wille est Rigaud avec Rigaud, Netscher avec

---

1. Pour la première fois, Diderot cite ses sources. Hagedorn en effet raconte longuement l'anecdote (t. II, p. 224-225) qu'il a probablement prise à Houbraken (*Vie des peintres flamands et hollandais*, Amsterdam, 1718). Le texte de Hagedorn et le manuscrit Vandeul nous permettent de corriger une transcription fautive d'Assézat-Tourneux : dans le tableau de Van Goyen il ne s'agissait pas de « bestiaux » (t. XII, p. 127) mais de « bateaux remplis de différentes figures ».

2. V, A.T. *omiserunt :* beau.

90

avec une célérité incroyable, une rivière, un rivage et des batteaux remplis de différentes figures

Cependant Parcellis demeurait immobile et pensif, mais l'on vit bientot que le temps de la méditation n'avait pas été perdu: il exécuta une marine qui enleva les suffrages. Ses rivaux n'avaient pensé qu'en fesant, Parcellis avait pensé avant que de faire. J'ai lu ce trait dans Hagedorn. Et je suis sûr que nos artistes diront que ces trois Peintres firent trois mauvais tableaux; cependant Cicéron fit ex abrupto une très belle oraison, ce qui est bien aussi surprenant que l'exécution d'un tableau

Voici le jugement de Vernet sur lui même

„ J'ai dans mon genre un artiste qui m'est
„ supérieur dans chaque partie, mais je
„ suis le second dans toutes

Chaque peintre a son genre. Un amateur demandait un Lion à un Peintre de fleurs. Volontiers, lui dit l'artiste; mais comptez sur un Lion qui ressemblera à une rose comme deux gouttes d'eau

Pensées détachées.
B.N. fonds Vandeul, n.a.fr. 13.744. Cl. B.

Van Goyen jette sur la sienne du clair
[d]u brun, et forme un chaos d'où l'on voit
[so]rtir avec une célérité incroyable une ri-
[v]iere, un rivage et des bateaux remplis
[d]e differentes figures.

Cependant Percellis demeurait immo-
[bi]le et pensif, mais l'on vit bientôt que
[le] temps de la méditation n'avait pas
[ét]é perdu : il exécuta une Marine qui
[en]leva les suffrages. Ses rivaux n'avaient
[p]ensé qu'en fesant, Percellis avait pensé
[a]vant que de faire. J'ai lu ce trait dans
[H]agedorn. Et je suis sûr que nos Artis-
[te]s diront que ces trois Peintres firent trois
[m]auvais tableaux ; cependant Cicéron
[f]it ex abrupto une très-belle oraison, ce
[q]ui est bien aussi surprenant que l'exé-
[cu]tion d'un beau tableau.

Voici le jugement de Vernet sur lui
[m]ême : „ J'ai dans mon genre un Artiste
qui m'est supérieur dans chaque partie,
[m]ais je suis le second dans toutes. "

Chaque Peintre a son genre. Un

Pensées détachées.
Manuscrit de Leningrad, fonds Diderot, t. XXI, p. 101.

Netscher [1]. Mais y a-t-il beaucoup d'artistes qui, tels que Cochin, aient saisi les règles générales de tous les genres de peinture, et qui ne se soient égarés dans aucune école?

★

Quoiqu'il n'y ait qu'une nature, et qu'il ne puisse y avoir qu'une bonne manière de l'imiter, celle qui la rend avec le plus de force et de vérité, cependant on laisse à chaque artiste son faire; on n'est intraitable que sur le dessin. — Il n'y a qu'une bonne manière de l'imiter. Est-ce que chaque écrivain n'a pas son style? — D'accord. — Est-ce que ce style n'est pas une imitation? — J'en conviens; mais cette imitation, où en est le modèle? Dans l'âme, dans l'esprit, dans l'imagination plus ou moins vive, dans le cœur plus ou moins chaud de l'auteur. Il ne faut donc pas confondre un modèle intérieur avec un modèle extérieur. — Mais n'arrive-t-il pas aussi quelquefois que le littérateur ait à peindre un site de nature, une bataille; alors son modèle n'est-il pas extérieur? — Il l'est; mais son expression n'est pas physiquement de la couleur; car [2] ce n'est ni du bleu, ni du vert, ni du gris, ni du jaune; sans quoi l'expression ne serait aucunement à son choix; sans quoi, si la richesse de la langue s'y prêtait, et qu'elle possédât huit cent dix-neuf mots correspondant aux huit cent dix-neuf teintes de la palette, il faudrait qu'il employât le seul qui rendrait précisément la teinte de l'objet, sous peine d'être faux. Le peintre est précis; le discours qui peint est toujours vague. Je ne puis rien ajouter à l'imitation de l'artiste; mon œil ne peut y voir

1. Cf. Hagedorn (t. II, p. 255) : « Wille est Rigaud avec Rigaud, Netscher avec Netscher ». Johann-Georg Wille, arrivé à Paris en 1737, connut très tôt Diderot; il débuta en interprétant en taille-douce les portraits de Rigaud, fut reçu en 1761 à l'Académie, et fonda une véritable école de gravure rue des Grands-Augustins. Ses *Mémoires*, écrits en français, sont un précieux document sur la vie des artistes au XVIIIe siècle (Paris, Renouard, 1857).

2. A.T. *omisit :* car.

que ce qui y est; mais dans le tableau du littérateur, quelque fini qu'il puisse être, tout est à faire pour l'artiste qui se proposerait de le transporter de son discours sur la toile. Quelque vrai que soit Homère dans une de ses descriptions, quelque circonstancié que soit Ovide dans une de ses métamorphoses, ni l'un ni l'autre ne fournit à l'artiste un seul coup de pinceau, une seule teinte, même lorsqu'il spécifie la couleur. Le peintre n'est-il pas bien avancé du côté du faire, lorsqu'il a lu dans Ovide que *les cheveux d'Atalante, noirs comme l'ébène, flottaient sur ses épaules blanches comme l'ivoire*[1] ? Le poète commande au peintre, mais l'ordre qu'il lui donne ne peut être exécuté que par l'expérience, l'étude de longues années et le génie. Le poète a dit :

Quos ego !... sed motos præstat componere fluctus;

et voilà son tableau fait. Reste à faire celui de Rubens [2].

★

Il est des tableaux dont la première ébauche est faite d'un pinceau si chaud, qu'ils ne supportent pas plus l'analyse que certains morceaux lyriques.

★

Le portrait est si difficile, que Pigalle m'a dit n'en avoir jamais fait aucun sans être tenté d'y renoncer. En effet, c'est sur le visage que réside spécialement la vie, le caractère et la physionomie.

---

1. Ovide, *Métamorphoses*, l. X, v. 592 :
« Tergaque jactantur crines per eburnea ».

2. Virgile (*Aen.*, l. I, v. 135) : Diderot a longuement discuté à propos de l'épisode de Virgile des ressources différentes de la peinture et de la poésie dans la *Lettre sur les sourds et muets* (*Œuvres*, t. I, p. 385-386). Le *Quos ego* de Rubens est à Dresde. Diderot l'a vu; mais Hagedorn, une fois de plus, lui a rafraîchi la mémoire (t. I, p. 113).

★

Faire le portrait à la lampe, on sent mieux les éminences et les méplats. L'ombre est plus forte aux méplats; la lumière plus vive aux éminences.

★

C'est l'exécution des détails qui apprend si les masses sont ou ne sont pas justes. Si les masses sont trop grandes, il y a trop d'espace pour les détails; si elles sont trop petites, l'espace manque aux détails.

★

Un peintre se connaît-il en sculpture? Un sculpteur se connaît-il en peinture? Sans doute; mais le peintre ignore ce qui reste à faire au sculpteur, et le sculpteur ce qui reste à faire au peintre. Ils sont mauvais juges du point qu'on atteint dans l'art et de l'espérance [1] qu'on peut concevoir de l'artiste.

★

1. V : expérience.

TABLE DES MATIÈRES

ŒUVRES ESTHÉTIQUES

I. THÉATRE ET LITTÉRATURE

GÉNIE

ÉLOGE DE RICHARDSON

ÉLOGE DE TÉRENCE

ENTRETIENS SUR LE FILS NATUREL

DE LA POÉSIE DRAMATIQUE

PARADOXE SUR LE COMÉDIEN

II. ART

RECHERCHES PHILOSOPHIQUES SUR L'ORIGINE ET LA NATURE DU BEAU

LES SALONS (*EXTRAITS*)

ESSAIS SUR LA PEINTURE

PENSÉES DÉTACHÉES SUR LA PEINTURE

ACHEVÉ D'IMPRIMER PAR
L'IMPRIMERIE HÉRISSEY
A EVREUX (EURE)
LE 15 JUIN 1959

Numéro d'éditeur : 525.
Numéro d'imprimeur : 937.
Dépôt légal 2e *trim.* 1959

Printed in France.